KB101572

한방병원전공의 및 관련의료인을 위한

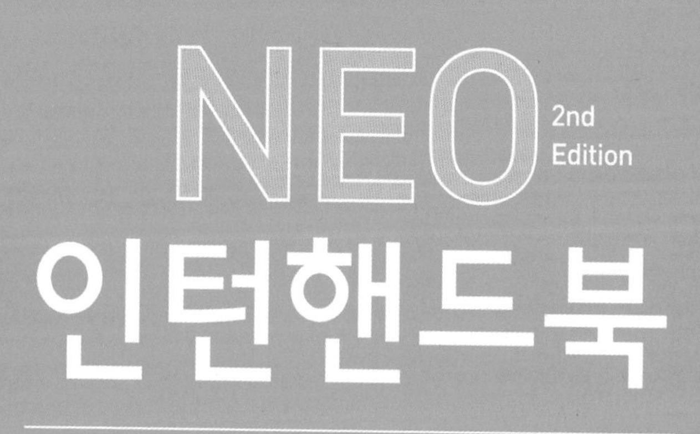

NEO INTERN HANDBOOK

I 총론 및 질환편

NEO 핸드북 편집위원회

한방병원 전공의 및 관련의료인을 위한

NEO 인턴핸드북(2판)

첫째판 1쇄 인쇄 | 2012년 1월 2일
첫째판 1쇄 발행 | 2012년 1월 9일
첫째판 2쇄 발행 | 2012년 8월 1일
둘째판 1쇄 발행 | 2016년 2월 29일
둘째판 2쇄 발행 | 2017년 1월 20일
둘째판 3쇄 발행 | 2018년 12월 24일
둘째판 4쇄 발행 | 2021년 1월 22일
둘째판 5쇄 발행 | 2024년 3월 13일

지 은 이 NEO 핸드북 편집위원회
발 행 인 장주연
편집디자인 군자편집부
표지디자인 김재욱
발 행 처 군자출판사
등록 제4-139호(1991. 6. 24)
본사 (10881) **파주출판단지** 경기도 파주시 회동길 338(서패동 474-1)
전화 (031) 943-1888 팩스 (031) 955-9545
홈페이지 | www.koonja.co.kr

ISBN 979-11-5955-013-3

정가 50,000원

- 본 핸드북에 실려 있는 치료관련 내용은 치료의 개괄적인 이해를 위하여 소개된 것으로 공식적인 치료지침서로 대신할 수 없으며 참조한 Reference를 밝히고 근거중심의 최신경향을 반영하려 노력하였으나 의료의 특성상 지침이 새롭게 바뀌거나 추가될 수 있습니다.

- 의료 전반에 걸친 포괄적인 이해를 위하여 한방병원 수련의의 일반적 업무뿐 아니라 의사, 간호사, 약사, 의료기사 등 병원내 각 의료직역별로 수행하는 다양한 의료행위들이 본문내용에 포함되었으며 해당 의료행위는 적절한 의뢰절차를 전제로 기재되었습니다.

- 책 전체적으로 한의학 관련 내용의 비중이 많지 않은 것은 병동실습 경험이 상대적으로 부족한 한방병원 수련의를 주 대상으로 하되 기본적인 한의학적 내용 및 치료법은 이미 숙지하였다고 전제하였기 때문임을 밝혀둡니다.

머리말

한의대만큼 의료현실과 역사성에 대한 철학적 고민과 논의가 많은 곳도 드문 것 같습니다. 예과시절, 어제는 이천년 전의 한의서 원문을, 오늘은 수개월 전 출판된 생물과학 분야의 최신원서를 보던 시절을 보내고 가장 바쁜 본과 3, 4학년 일정 및 국가고시 준비 등을 하면서 한의대 학부과정을 마쳐도 전공의 과정을 시작하면 이러한 고민은 다시 시작됩니다. 생리적 회복능력을 상실한 입원환자들에게 시행되는 서양의학적 치료의 효과를 절감하면서도 한편으로는 기존의 해결되지 않았거나 부작용 등으로 포기하였던 질환이나 증상이 한의학적 치료로 회복되는 것을 보면서 한의학치료의 가치와 우수성을 다시 느끼는 것도 이 시기인 것 같습니다.

'한의학은 이미 발전이 끝난 완성된 학문인가?' 외부에서 이렇게 오해하기도 하지만 한의학은 어느 한 시기에 발전이 끝난 학문이 아니라 역사적으로 끊임없이 새로운 이론과 치료법, 당대 주변학문과의 영향 등으로 발전되어 온 학문입니다. 의사학(醫史學)을 배우는 목적 중 하나도 한의학은 고정불변의 학문이 아니라 끊임없는 논의와 이론적, 실증적 발전이 거듭된 학문이라는 것을 인식하는 것이라고 생각합니다. 이제 21세기에 접어들고 새로운 천년을 맞은 한의학도 지금까지 그래왔듯 당대의 주변학문과 제반여건의 영향을 끊임없이 주고받을 수밖에 없습니다. 한편으로는 전통적인 방법론에 따른 한의학적 치료방식도 이어져야 하겠고 또 한편으로는 전통적인 한의학 이외의 분야에서 이루어진 현대의 학문적 성과를 수용하고 함께 발전시키는 노력도 병행되어야 할 것입니다.

본 NEO 인턴핸드북은 기존 한방병원 일반수련의 교육내용의 틀을 반영하면서도 새로운 의료환경에 발맞추어 필요한 내용들을 정리하였고 병동실습 경험이 상대적으로 부족한 학부과정을 고려하여 협진 및 병동환자 관리시 알아두면 좋을 의학적 내용들을 종합적으로 포함한 책자입니다. 한방병원 전공의 과정의 실제적인 주요 목표에는 (1) 기본 술기나 필요시 응급대응능력 등 원내 환자 관리에 필요한 전반적인 기본지식을 습득하고 주치의로서의 직접적인 입원환자 치료경험을 하며 (2) 입원환자 또는 외래환자를 통하여 전공과목과 관련된 다양한 환자들을 접하면서 전공분야에 대한 한의학적 치료방법을 익히고 (3) 서양의학적인 치료내용과 진단결과를 충분히 이해하고 의뢰가 필요한 부분과 그렇지 않은 부분을 감별하여 필요시 효과적이고도 적절한 상호협진 및 재의뢰를 할 수 있는 능력을 기르며 (4) Pubmed 또는 기타 논문과 관련된 검색, 자료분석능력과 함께 통계도 활용한 객관성 있고 체계적인 논문작성능력을 길러 한의학적 임상근거 확립에 기여할 수 있도록 하는 목적이 포함되어 있다고 생각합니다.

본 책자는 비록 위와 같은 목표나 한방병원 전공의 과정의 모든 것을 포괄할 수는 없지만 적어도 가장 많이 필요한 부분들을 포함하려고 하였고 특정 한방병원만이 아닌 일반 한방병원, 나아가 협진병원이나 일차의료기관에서도 충분히 참고할 수 있는 자료가 되도록 힘썼습니다. 다만 본 핸드북이 학부생이나 일차의료기관 의료진을 주대상으로 한 것이 아니라 한방병원의 인턴 또는 레지던트 1년차로서 처음 본격적으로 병동관리를 시작할 때 부족할 만한 부분들 위주로 구성하다보니 한의학 분야의 비중이 상대적으로 적어진 부분과, 또한 독자들이 영문의학용어의 사용에 좀 더 익숙해져 의사-한의사, 국내-국외의 학문적 소통이나 병원 내에서의 상호 협진이 보다 원활해지길 기대하는 측면에서 한의학용어나 한글용어 보다는 영문용어가 우선적으로 많이 사용된 부분은 미리 양해를 구합니다.

처음 발간이 기획된 이후, 체제구성과 내용집필, 검토, 수정과 재수정 등을 거치면서 상당한 시간과 노력이 소요되었음에도 불구하고 최종출판을 앞두고 보니 여러모로 부족한 점들이 다시 눈에 들어옵니다. 후에 더 좋은 모습으로 다듬어 다시 내놓을 수 있으면 좋겠다는 바램을 해보며, 모쪼록 본 책자가 어려운 의료환경 속에서 진료와 연구에 매진하시는 여러분의 책상 위에, 그리고 가운주머니 속에서 작지만 유용한 역할을 하길 기대해 봅니다.

2011년 9월

NEO 핸드북 편집위원회

[2판을 간행하며]

4년 만에 개정이 이루어진 본 2판에서는 주요한 진료지침 및 가이드라인 등의 업데이트에 기반하여 내용을 보완하였고 특히 주요 본초 및 처방 등에 관한 내용을 대폭 보강하여 한의학치료와 직접적으로 관련되는 부분을 늘렸습니다. 입원환자를 주로 관리하는 병원이라는 구조 속에서 자칫 서양의학과 한의학적인 정보의 균형이 어긋나기 쉬운 수련기간 동안 관련된 지식을 손쉽게 찾아보는데 도움이 되었으면 합니다.

2015년 12월

NEO 핸드북 편집위원회

이 책의 특징

1. 병원 전공의뿐 아니라 일반 임상의에게도 도움이 될 다양한 내용

일반수련의(인턴)를 일차적 대상으로 하여 구성했지만 레지던트까지 이어지는 수련과정과 그 이후에도 도움이 될 수 있도록 병동관리나 일반진료시 도움이 될 전반적인 내용들을 소개하였습니다. 전공의 시절, 시중의 각종 병동관련 매뉴얼을 휴대하고 다니면서도 한의학관련 내용은 별도의 서적에서 찾아야 했던 불편감과 단절성을 지양하여 종합적인 참고자료가 되도록 구성하였고 새로운 주제들을 대폭 포괄하면서도 심도있는 내용이 되도록 노력하였습니다.

2. 빠른 이해를 돕기 위한 강의식 설명과 상호참조가 가능한 체계적 구성

병원 수련의뿐 아니라 학부생 병원실습, 일차의료기관 진료현장 등에서 활용될 경우에도 무리가 없고 쉽고 빠르게 이해될 수 있도록 모든 내용을 강의식으로 서술하였고 각종 도표, 참고자료들도 다수 수록하였습니다. 또한 1장의 처음부터 마지막 부록파트까지 책자 내의 모든 내용에 일관성 있는 항목번호를 부여함으로써 내용전개의 흐름을 쉽게 알 수 있는 한편, 항목번호만으로도 편리하게 관련내용을 상호참조(cross-reference)할 수 있도록 하였습니다.

3. 근거중심의학과 실제 임상현장의 연결

참조한 서적과 임상논문 목록을 매 장 말미의 참고문헌 항목에 수록하여 나름의 근거중심 핸드북(evidence based handbook)이 되도록 노력하였고 특히 한방치료의 경우 관련된 국내외 논문들을 적극 반영하여 최근의 연구동향이나 임상적 근거들을 참조할 수 있도록 하였습니다. 한편으로는 해당 주제와 관련하여 기억해야 할 사항이나 놓치기 쉬운 주의점, 문헌적 근거는 부족하지만 병동관리를 하면서 유용하였던 경험적 치료내용들도 다수 포함하였습니다.

4. 임상연구와 한의학적 특수성을 반영한 주제도 포함

진료부분 이외에도 임상연구, 의학통계와 관련된 기본적인 내용이나 영어, 중국어, 일본어 등의 외국어로 된 한의학 논문 리뷰시 도움이 될 각종 자료도 정리하여 수록하였고 한의계 만의 특수성을 고려하여 한방의료기관 감염관리, 의료사고의 예방, 한약 또는 침구치료와 관련된 안전성 문제 등 진료시 직간접적으로 참고가 될 만한 주제들도 수록하였습니다.

5. 현대적 연구성과와 국내외 문헌자료를 반영한 본초 및 처방정리

본초별로 약재의 기원, 현대적 약리학 내용, 시중의 유통정보 내용 뿐 아니라 약성가 등 주요문헌의 내용을 종합하였고 처방정리 부분도 국내외 문헌자료들을 비교분석하고 용량단위를 통일하는 등 처방의 종합적인 이해에 도움이 되는 구성으로 꾸몄습니다.

일러두기

(1) 내용전반

1. **용어** : 2009년 새로 개정되어 한글용어와 한자용어가 병기된 [의학용어집(제5판)]을 주로 참조하여 사용하였습니다. 특히 한글용어와 한자용어가 같이 등재된 경우 한자용어를 우선적으로 선택하였는데 이는 대한의사협회 [의학용어집(제4판)]의 지나친 한글화가 오히려 혼란을 초래하여 개정된 5판부터 한자어 용어가 다시 등장한 배경을 고려하였고, 또 한의학 분야의 학문적 특성상 한자용어가 의미파악에 좀 더 도움을 주기 때문입니다.
   (예) [sternocleidomastoid muscle] 4판에서는 '목빗근'만 사용되나 5판에서는 '흉쇄유돌근' 용어가 병기되었고 이 책에서는 한자용어인 '흉쇄유돌근'을 사용
2. **목차 (진단검사)** : 혈액(체액)을 이용한 검사는 2장 진단검사(1)에, 혈액(체액)검사 이외에 검사분야는 3장 진단검사(2)에 배치하였습니다.
3. **목차 (진료기록 이해하기)** : 처음 병원업무를 시작하면서 의무기록을 이해하고 작성하는 데 어려움이 있거나, 협진관련 용어와 절차에 익숙하지 않은 임상의들에게 도움이 되도록 실제 진료의뢰서, 소견서, 입원기록 등을 참조하여 내용을 재구성하고 설명을 덧붙였습니다.
4. **목차 (병동콜)** : 병동콜과 관련된 부분은 부적절한 대처시 치명적인 결과를 초래할 수 있거나 또는 실제 응급상황이 아니더라도 응급인지 아닌지의 감별이 중요한 주요 증상의 경우 7장 응급병동콜에, 그렇지 않다고 판단되는 증상의 경우는 8장 일반병동콜로 분류하였습니다. 입원환자를 대상으로 한 내용이고 긴급한 상황이 발생될 수 있음을 가정하여 작성하였으므로 한방적인 치료제시가 제한적이고 외래 환자 기반의 일반적 상황과는 다르게 접근될 수 있음을 유의바랍니다. 실제 긴급한 상황 발생시에는 협진과 또는 상급 의료기관으로 전원하여 집중적인 관리가 필요한 경우가 대부분입니다.
5. **임상 TIP** : 문헌적 근거가 없는 경험적인 내용이 포함된 경우도 있으므로 참고하여 활용하도록 합니다.

(2) 치료내용 관련

1. **한약치료 부분** : 보험제제는 국민건강보험 급여대상인 56개 처방을, 비보험제제는 급여 대상이 아닌 제제로 일반제약회사 또는 주요 한방병원에서 사용하고 있는 제제를 위주로 수록하였습니다.

일러두기

2. 침구치료 부분

1) 정경침(正經鍼) : 14경맥 경혈에 대한 침술이라는 의미로 관례적으로 많이 사용되던 체침(體鍼, body acupuncture)이라는 용어는 본래 이침(耳鍼, ear acupuncture), 두침(頭鍼, scalp acupuncture) 등과 대비되어 전신을 대상으로 하는 침시술의 방법을 의미합니다. 사암침(舍岩鍼), 동씨침(董氏鍼)도 엄밀한 의미에서 體鍼(body acupuncture)의 한 종류로 볼 수 있다는 점에서 본 책에서는 14정경 경혈 위주의 침법은 정경침(正經鍼)이라는 용어로 표기하였습니다.
2) 사암침(舍岩鍼) : 정격(正格), 승격(勝格) 위주의 처방명보다는 구성하는 경혈에 대한 이해와 가감활용 등을 고려하여 혈위(穴位)를 풀어 서술하였습니다. 변증명에 이은 처방명은 교감사암도인침법의 내용을 그대로 인용한 것이고 처방명만 표기된 것은 정확히 연계되지 않은 항목들을 중심으로 관련내용을 정리한 것입니다. '정격#'으로 표시된 것은 정격처방의 내용을 일부변형한 처방임을 나타냅니다.
3) 동씨침(董氏鍼) : 각종 문헌에 공통적으로 제시된 처방을 위주로 소개하였고 각 구성처방 마다 '/' 기호를 사용하여 구분하였습니다.
4) 주요참고문헌 : 침구치료 부분은 아래의 문헌들을 주로 참고하여 작성되었습니다.

대한침구학회 교재편찬위원회. 침구학. 집문사. 2008

김경식. 鍼灸治療要鑑. 의성당. 2010.

대한공중보건한의사협의회. 공중보건한의사를 위한 임상지침서. 4판. 2009

Cheng Xinnong et al. Chinese Acupuncture and Moxibustion. Foreign Languages Press. 1999

趙京生 외. 中國鍼灸. 上海中醫藥大學出版社. 2007

김달호. 도해교감사암도인침법. 도서출판 소강. 2001

김성철, 원진희, 김관우. 한국전통 사암침법. 집문당. 2010

김관우. 사암침법병증론. 초락당. 2009

楊維杰. 董氏奇穴鍼灸學. 中醫古籍出版社. 2002.

Master Tung Acupuncture. Qpuncture, Inc.

최문범. (實用)董氏鍼法. 대성의학사. 2000

채우석. 董氏奇穴集成. 일중사. 1997

김용기. 耳針. 명문당. 1992

3. 임상연구

1) 주제별로 국내외 주요논문의 연구결과들을 참고적으로 소개하였습니다. 체계적 검색결과에 기반한 것이 아니므로 임상연구에 소개되지 않았다고 관련논문 자체가 부재한 것은 아님을 양지하시기 바랍니다.
2) 일본출판 임상논문 : 임상연구현황 중 일본내 출판논문의 일부는 일본동양의학회에서 발간한 Evidence Reports of Kampo Treatment 2010: 345 Randomized Controlled Trials (EKAT 2010)에서 인용하였습니다. 실제 논문은 영문이 아닌 일본어로 출판된 경우가 많고 Pubmed 등에서는 검색되지 않는 논문도 많으나 RCT 연구논문들만 추려 소개하였다는 측면에서 수록하였습니다.

4. 검사 부분 : 기본검사와 추가검사는 시행할 검사의 우선순위 및 병원 규모에 따른 검사가능여부를 고려하여 참고적으로 분류하였습니다.

이 책에 사용된 기본 약어

1. 약물요법 관련약어

[빈도] qd 1일1회 bid 1일2회 tid 1일3회 qid 1일4회 qod 격일마다 ac 식전투여 hs 취침전투여 prn 필요시투여 q6hr 6시간마다 6T#3 정제(tablet) 6알을 1일 3회 분복(= 2일씩 하루 3회 투약)

[방식] IM 근육주사 IV 정맥주사 Sc(또는 Sq) 피하주사 bolus 급속주입 CIV 지속정맥주입 PO 경구투여 PR 직장투여 SL 설하투여 KVO 혈관유지용 수액주입

[제형] amp 앰플 cap 캡슐 supp 좌제 syr 시럽 tab 정제 ext 엑기스제

[약물] NSAIDs 비스테로이드소염제 CCB 칼슘채널차단제 ACEi 안지오텐신전환효소억제제 ARB 안지오텐신II수용체차단제 TCA 삼환계항우울제 SSRI 선택세로토닌재흡수억제제 BDZ 벤조다이아제핀계

2. 기타 본서에 사용된 기본약어

[질환] DM 당뇨 HTN 고혈압 MI 심근경색 DVT 심부정맥혈전증 Cb-inf 뇌경색 CHF 울혈성심부전 GERD 위-식도역류질환 BPH 전립선비대증 Tb 결핵

[검사] CBC 일반혈액검사 LFT 간기능검사 EKG 심전도검사 CT 전산화단층촬영 MRI 자기공명영상촬영 U/S 초음파검사 ABGA 동맥혈가스검사 BP 혈압

[기호] c (=with) s (=without) w/ (=with) w/o (=without) m/c (=most common) f/u (=follow up)

협진 임상과별 약어

과명칭 약어	Full Name	한글명칭
ANE (or AN)	Anesthesiology	마취통증의학과
DER (or DR)	Dermatology	피부과
ED (or EM)	Emergency Department	응급의학과
ENT	Ear, Nose &Throat (Otorhinolaryngology)	이비인후과
FM	Family Medicine	가정의학과
GS	General Surgery	일반외과
IM (or MG)	Internal Medicine (MG: Medicus Gratus)	내과
IC (or Cardio)	IM- Cadiology	순환기내과
IE (or Endo)	IM- Endocrinology	내분비내과
IG (or GI)	IM- Gastroenterology	소화기내과
IH (or Onco)	IM- Hemato-oncology	혈액종양내과
II (or ID)	IM- Infectious Diseases	감염내과
IN (or Nephro)	IM- Nephrology	신장내과
IP (or Pulmo)	IM- Pulmonology	호흡기내과
IR (or Rheuma)	IM- Rheumatology	류마티스내과
NR (or NU)	Neurology	신경과
NP	Neuropsychiatry	신경정신과
NS	Neurosurgery	신경외과
OBGY	Obstetrics &Gynecology	산부인과
OPH (or EY)	Ophthalmology	안과
OS	Orthopedic Surgery	정형외과
PED	Pediatrics	소아청소년과
PMR (or RM)	Physical Medicine & Rehabilitation (RM: Rehabilitation Medicine)	재활의학과
PS	Plastic Surgery	성형외과
RAD (or RD)	Radiology	영상의학과
TS (or CS)	Thoracic Surgery (CS: Chest Surgery)	흉부외과
URO	Urology	비뇨기과

* 과명칭 약어는 본 책자에서 편의상 이용된 과별약자이며 실제 이용되는 약어는 병원별로 다를 수 있습니다.

인턴생활 Tip

- **Turn to Learn!** 환자관리 또는 치료 등과 관련되어 많은 것을 배워가는 기회가 되길 희망합니다. 잘 모르는 부분이 있으면 자율적으로 공부해 보되 그래도 부족한 부분이 있는 경우 레지던트에게 질문하는 것도 환영입니다. 지나치게 쉬운 질문이라고 무시하지 않도록 레지던트들도 조심하겠습니다.

- **Are You Clear?** 인턴업무 수행 중 미심쩍은 것이 있으면 타 인턴, 간호사 또는 담당 레지던트의 확인을 받고 시행하세요. 특히 환자상태에 관하여 중대한 영향을 미칠 것으로 판단될 때에는 반드시 담당 레지던트에게 확인을 받으십시오.

- **Bear Partnership!** 인턴에게 배정된 환자관련 의료적 처치에 있어서 인턴의 판단 하에 더 적절할 것으로 판단되는 다른 방법이 있다면 레지던트에게 건의해 주세요. 좋은 방법이라면 적극 반영하겠습니다. 단 사전 보고 없이 인턴 임의로 관련 처치를 생략하거나 변경해서는 안됩니다.

- **Honor Your Discipline!** 지시받은 업무는 지정된 시한까지 반드시 완료해 주시고 부득이한 경우에는 '사전에' 시한연장을 요구하십시오. 본인에게 특정되어 지시받은 사항이 아니라고 할지라도 인턴으로서 또는 병원 구성원의 한 명으로서 누군가는 해야할 일이 있다면 적극성과 주도성을 보여주세요.

- **Do Not Do Nothing!** 업무 중 시간을 적극적으로 활용해 주시고 틈틈이 공부도 하면서 생산적으로 보낼 수 있도록 합니다. 업무의 차질이 없는 한 의국 등에서 비치된 각종 서적류를 의국 내에서 읽는 것도 무방합니다. 단 개인 소유의 서적이라면 사전에 양해를 구하도록 합니다.

- **No Excuse, Please!** 잘못하거나 실수한 부분이 있다면 인정하고 필요할 때에는 사과하는 인턴의 모습이 더 바람직해 보입니다. 다만 단순한 게으름이나 부주의로 인한 잘못이 아닌 정말 억울하거나 오해를 풀만한 사유가 있다면 레지던트에게 서면 또는 기타의 적절한 방법으로 반드시 알려주세요.

- **Show Your Respect!** 적극적이고 자신감 있는 모습을 보였으면 좋겠습니다. 그러나 환자, 보호자, 레지던트, 또는 교수님 등에게 향한 지나친 친밀함과 자신감이 자칫 무례함이나 지시에 대한 불만처럼 비춰지지 않도록 존중의 마음을 잃지 않길 바랍니다. 레지던트의 입장에서도 같은 일을 지시해도 편하게 시킬 수 있는 인턴을 선호한답니다.

from 강동경희대병원 한방병원 인턴핸드북 (2009)

1권 목차

1장 총론

2장 의학연구와 통계

3장 진단검사(1)

18 동맥혈 가스검사 (ABGA) • 149

19 전해질 검사 • 158

20 간기능 검사 • 162

21 신기능 검사 • 170

22 갑상선기능 검사 • 175

23 지질검사 • 178

24 심질환검사 • 182

25 빈혈검사 • 187

26 기타 화학검사 • 193

27 감염/면역혈청검사 • 199

5장 주요 질환 개요

7장 입원환자 관리

8장 진료관련 주의사항

부록 약어 및 색인

▶ [2권] 목차

: 병동관리 및 처방편

9장 응급 병동콜

10장 일반 병동콜

부록A 경혈, 침구 참고자료

부록B 주요 본초 목록

부록C 처방목록 및 처방례

부록D~J 진료, 연구 참고자료

부록 약어 및 색인

1장

총론

01 의무기록

- 환자의 질병에 관계되는 모든 사항과 병원이 환자에게 제공한 검사, 치료 및 결과에 관한 사항을 기록한 문서 또는 정보를 포괄하여 의무기록(medical record)으로 지칭합니다.

1-1 의무기록의 중요성

1. 의무기록은 환자에게 일관성 있는 치료를 지속시킬 수 있는 자료이자 환자 치료에 참여한 의료팀 상호간의 가장 중요하고 일차적인 의사소통 수단입니다.
2. 진료비 산정 및 보험 급여의 근거가 되고 법적 문제가 발생했을 때에도 병원, 의사, 환자를 보호하는 증거자료가 됩니다.
3. 진료에 관련된 각종 통계적 결과물을 제공하여 병원 및 보건의료 행정에 기여하며 임상연구나 의료교육에 있어 중요한 자료적 역할을 합니다. 특히 한의학의 경우 전향적 연구가 쉽지 않은 상황에서 자세하고 적절히 기록된 의무기록은 훌륭한 임상연구 자료가 될 수 있습니다.

1-2 의료법상 의무기록 관련법

1. **의료법 시행규칙 제18조 (진료에 관한 기록의 보존)** 진료기록부, 수술기록: 10년 / 진단서: 3년 / 처방전: 2년 / 환자명부, 검사소견기록, 간호기록, 조산기록: 5년
2. **의료법 제19조 (비밀누설의 금지)** 법령 규정 외 타인의 비밀을 누설하지 못함.
3. **의료법 제20조 (기록열람 등)** 법령의 규정 외 기록열람이나 내용탐지에 응하여서는 안되며 다만 응급 환자가 진료상의 필요에 의하여 일부 사본요구에 응하여야 함. / 응급환자가 다른 기관에 이송 시 초진기록을 송부하여야 함.

1-3 POMR (Problem Oriented Medical Record)

(1) 문제지향식 의무기록(POMR)의 특징

1. 기존의 시간순서에 따라 무질서하게 기록하거나 검사결과, 경과기록 등을 따로따로 분류하였던 기록지향식(source-oriented)의 의무기록과는 달리 환자의 개별적인 문제점들을 #1, #2, #3 등으로 번호를 매긴 후 각 번호별 문제목록마다 해당되는 검사결과, 경과기록, 치료계획 등을 기재하는 방식입니다.
2. 치료자가 환자의 문제점들을 빠짐없이 다룰 수 있고 서로 상호관계를 파악하여 효과적으로 의료적 결정을 할 수 있게 하며 진단이나 치료과정을 잘 반영하여 치료에 참여하는 의료구성원 사이에 의사소통이 원활하게 합니다.
3. 각각의 문제목록지가 그 기록의 색인 역할을 하여 기록의 검토가 용이합니다.

(2) POMR의 과정

1. 정보수집 및 기초자료 (initial database) : 과거력, 신체검진을 포함하여 환자에 관한 정보를 종합적으로 수집하여 기재합니다.
2. 문제 목록 작성 (initial problem list) : 수술력 등 중요한 과거력을 포함하여 환자의 상태와 관련되는 문제목록을 작성하고 각 문제에 #1, #2, #3 식의 번호를 붙여 목록을 작성합니다.
3. 초기관리계획 (initial plan) : 진단계획, 치료계획, 교육계획 등을 포괄하여 기재합니다.
4. 경과기록 (progress notes) : 문제점에 대해 관리계획을 시행한 결과 및 환자상태의 변화를 기록하여 피드백하는 과정으로 흔히 다음과 같은 SOAP 형식이 이용됩니다.

(1) S : 주관적 정보 (subjective information)
환자 또는 보호자가 제공하는 주소(C/C, Chief Complaint), 호소하는 증상, 과거력 등.

(2) O : 객관적 정보 (objective information)
검사결과, 신체검진, 평가표 등에서 얻어지는 객관적 자료

(3) A : 분석평가 (assessment)
주관적, 객관적 정보를 토대로 한 의료진의 판단 및 진단

(4) P : 계획 (plan)
진단과 치료에 대한 계획, 환자나 보호자에 대한 교육계획 및 추적계획 (follow-up plan)

1-4 입원초진기록 및 경과기록지

- 입원시 주치의가 작성하는 주요 의무기록

① Admission note (입원초진기록 - 입원시 환자상태에 대한 총괄적 정보를 기록)
② Order note (오더지 - 투약, 검사 등 환자와 관련된 의사의 지시사항을 기록)
③ Progress note (경과기록지 - 입원기간 중 작성하는 환자관련기록)
④ Discharge note (퇴원요약지 - 퇴원시 기록되는 환자상태에 대한 최종요약지)

- 이 밖에 각종 검사결과지, 타과의뢰서, 타병원 소견서, 간호기록지 등과 함께 한 환자에 대한 차트가 구성됩니다.

(1) 입원초진기록 (Admission Note)

1. 입원초진기록은 최초입원시 기록하는 환자상태에 대한 총괄적인 정보라고 할 수 있으며 보통 아래과 같은 내용을 포함합니다.

① **주소 (C/C, Chief Complaints)** : 내원의 이유가 되는 환자의 상태나 호소증상 중 가장 주된 1-2가지를 기록합니다. 그 외의 증상, 징후들은 현병력이나 ROS(review of systems, 계통적 문진)에 기록합니다.

② **발생일 (O/S, Onset)** : 각 주소증에 대한 발생일

③ **과거력 (P/H, Past History)** : 당뇨(DM), 고혈압(HTN), 결핵(Tbc), 간염(Hepatitis), 수술력(Op History) 등 주요한 과거력이 있으면 o/s과 함께 기록

④ **사회력 (S/H, Social History)** : 흡연, 음주, 직업 등의 관련정보

⑤ **현병력 (P/I, Present Illness)** : 현재 환자상태에 대한 전체적인 정보를 서술형으로 기재하며 주요한 증상, 치료과정 등도 자세히 기술합니다. 특히 내원의 원인이 되는 증상에 대한 치료과정과 병원 방문 이력을 상세히 기술합니다.

⑥ **ROS 및 이학적검사(P/E, Physical examination)** : ROS는 신체의 전반적인 상태를 확인하고 두면부, 흉부, 복부, 배뇨관련, 월경관련, 근골격계, 신경계 등 각종 신체부위에 대하여 계통별로 문진하는 과정을 의미합니다. ROS 기록 후 기본적인 신체검진결과를 기록하도록 하며 한방병원에서 흔히 사용되는 망문문절(望聞問切) 기록지도 이 곳에 준하여 기재하게 됩니다. **[참조항목 : 2-1 , 2-2]**

⑦ **평가(Assessment) 또는 추정진단(Impression)** : 초진시 추정가능한 병명을 기재합니다. 이미 알려진 기왕력의 경우에는 병명 앞에 known을 붙이고 협진 또는 진단검사상의 확진이 필요한 경우에는 r/o 기호(rule out)를 붙이며 현재의 환자신체에 영향을 미치는 수술

또는 시술 등은 s/p 기호(status post)를 붙일 수 있습니다.*

⑧ **계획(Plan)** : 최초 입원시 시행을 고려할 검사 또는 치료계획 등을 기재

(2) 경과기록지 (Progress note)

1. POMR 내용에 준하며 보통 SOAP 형식을 이용하여 주관적 증상, 객관적 정보, 분석평가, 치료계획 등의 순서로 기재합니다.

1-5 입퇴원 요약지

(1) 퇴원형태

① **Improved discharge** : 경쾌, 지시후 퇴원. 상태가 호전되어 퇴원하는 가장 일반적인 형태입니다.

② **Transfer discharge** : 타병원, 혹은 타과로 전원시 기재하며 전원하는 대상병원 또는 해당과를 기재합니다. 예를 들어 산부인과로 전과가게 되면 'Transfer to OBGY' 와 같이 해당과를 표시합니다.

③ **Against discharge** : 자의퇴원(거역퇴원). 의사의 허락 혹은 동의 없이 보호자나 환자본인의 강제적 의사에 의한 퇴원이며 AMA (Against Medical Advice)라는 용어를 사용하여 AMA discharge로 표현하기도 합니다. 보통 자의퇴원 서약서를 받은 후에 퇴원시켜야 합니다.

④ **No changed discharge** : 증상이나 상태의 호전 없이 퇴원할 경우 기재합니다.

⑤ **Expired discharge** : 사망퇴원. 별도의 사망진단서 발부가 필요합니다.

(2) 퇴원요약지 작성시 주의사항

1. 진단명이나 주소(C/C), 병력 이외에도 입원기간중 시행한 주요 임상검사나 방사선검사, 한방진단검사결과 등도 기재합니다.
2. 퇴원요약지 말미에는 퇴원시 처방 및 추후관리계획에 대한 소견을 기록합니다. 예를 들어 "향후 집중적인 안정 및 가료를 요할 것으로 사료됨" 또는 "외래 통한 지속적 관찰 필요할 것으로 사료됨." 등의 문구가 사용됩니다.
3. 자의퇴원시 차팅도 Against discharge에 대한 내용을 자세히 기재해야 합니다.

* 예를 들어 r/o Cb-inf은 뇌경색이 의심되나 MRI 등의 확진이 필요한 경우를 의미하고 s/p Rt lung lobectomy 또는 s/p tracheostomy 등은 이미 환자신체에 좌폐엽 절제술 또는 기관절개술 등을 시행한 상태임을 의미합니다. 만일 tracheostomy를 시행하였으나 이후 봉합하여 정상화되었다면 "s/p tracheostomy" 로 기재하지 않는 것이 일반적입니다.

1-6 진단서 및 소견서

(1) 개요

1. 병의원에서 환자에게 발급하는 서류 중에는 진단서와 소견서가 대표적입니다. 이 중 진단서(Medical certificate)는 진료 및 검사결과를 종합하여 환자의 건강상태를 진단명, 향후 치료기간 등과 함께 기술하는 증명서류에 해당하고, 소견서(Doctor' s medical opinion)는 특별한 서식이나 기준이 없이 환자의 상태에 대하여 다른 의료인이 진료에 참고할 수 있도록 진료의사의 진료소견을 기술한 것입니다.
2. 소견서는 의료법상에 규정된 양식이 아니고 일반적으로 진단서를 대신할 수 없으나 "의사 자신이 진찰한 것에 대한 소견서는 의료법 제18조의 증명서에 해당됨 (의제 01254-18418, 86.8.4)"이라는 보건복지부 유권해석이 있고 법적으로도 진단서나 상해진단서와 같은 효력을 가질 수 있으므로 발급 및 내용작성에 있어서 유의해야 합니다.

(2) 진단서 작성 주의사항

1. 성명 및 주소가 주민등록번호와 일치하는지 확인합니다.
2. 병명란 오른쪽에는 진단명을 입력하고 한국표준질병사인분류(KCD)에 해당하는 질병분류기호를 병기합니다. 위의 악성 신생물, 만성바이러스성 C형 간염, 골절 등과 같이 진단검사, 조직검사 또는 영상의학검사 등을 통한 확진이 필요한 진단서나 장애등급산정 등 전문분야와 관련된 경우처럼 별도로 해당과 의사의 진단서 또는 관련검사결과가 요구되는 경우도 있습니다.
3. 진단명은 한글진단명의 사용이 일반적이나 영문으로 기재되는 경우도 있으며 U코드로 통칭되는 한방고유상병명은 타코드와 연계되지 않거나 연계가 곤란한 경우 위주로 사용됩니다.
4. 병명란 아래쪽에는 "최종진단" 인지 "임상적추정" 인지 구별하여 기재하며 발병일과 진단일을 기록한 후에는 향후치료의견 란에 진단소견을 기입합니다.

   (예) "상기환자는 상기병명으로 20XX. 5. 21.부터 본원에 입원가료중인 분으로 타 합병증의 병발이 없는 한 향후 약 4주간의 안정 및 가료를 요할 것으로 사료됩니다."
5. 발병일이 명확하지 않은 경우는 임상적인 증상이 나타난 시기를 기준으로 합니다. 예를 들어 3개월 전부터 소화불량 증상이 나타나기 시작하였는데 위내시경에서 위암이 발견되었다면 발병일은 3개월 전이 됩니다. (단 무증상인 경우는 검사일을 발병일로 설정)
6. 치료기간은 표재성손상, 타박상, 열상, 염좌 등의 경우 일반적으로 1~2주(고도손상인 경우 3주) 정도가 보통이고 골절의 경우 부위별로 차이가 크나 예를 들어 발목뼈의 경우 6~8주,

발가락뼈는 3~6주가 일반적입니다.[5)]

6. 사용용도 항목에는 타병원 진료용, 보험회사 제출용, 공공기관 제출용 등 적절한 항목을 기재합니다.

표 1. **진단서 예시**

병명 ■ 임상적추정 □ 최종진단	밀총의 손상 (Injury of cauda equina) 기혈양허증 (氣血兩虛證)		한국질병분류기호 S34.3 U62.4
발병일	20XX년 1월 3일	진단일	20XX년 3월 5일
향후 치료 의견	상기 환자는 20XX년 1월 3일 OO 대학교 병원에서 상기 병명으로 진단받은 후 보존적 치료 받던 중 본격적 한방치료 원하여 본원에서 20XX년 2월 13일부터 20XX년 2월 23일까지 입원 치료 및 금일까지 통원치료 받은 자로서, 향후 3개월간의 보존적 치료 후 재진을 요하며 3개월간의 보존적 치료에도 불구하고 하지부의 감각장애가 남을 수도 있을 것으로 사료됨. (단, 진료기간은 추후 재진에 의해 변경될 수 있음)		
비고		용도	보험회사 제출용

1-7 노인장기요양보험 소견서

(1) 개요

1. 2008년 7월부터 시작된 노인장기요양보험제도는 국민건강보험과는 별도로 고령이나 노인성질병 등으로 인하여 6개월 이상 동안 혼자서 일상생활을 수행하기 어려운 노인 등에게 신체활동 또는 가사지원 등의 장기요양급여를 제공하는 제도입니다.
2. 장기요양급여를 받기 위해서는 등급을 받아야 하는데 의사 또는 한의사의 소견서가 반드시 필요하며 소견서에는 장애의 직접적인 원인이 되는 상병에 대한 의견, 심신상태에 관한 의견, 의료적 처치 필요항목 등 3가지 항목에 대한 소견이 작성되어야 합니다.

등급	심신의 기능상태	장기요양인정점수
1등급	일상생활에서 전적으로 다른 사람의 도움이 필요한 상태	95점 이상
2등급	일상생활에서 상당 부분 다른 사람의 도움이 필요한 상태	75 - 94점
3등급	일상생활에서 부분적으로 다른 사람의 도움이 필요한 상태	55 - 74점

(2) 주요 항목별 작성 요령

1. **발병연월일** : 진단 및 치료를 직접 담당한 주치의라면 의무기록에 근거하여 적고, 그렇지 않으면 환자 또는 보호자의 진술에 근거하여 적은 뒤 비고란에 "환자(또는 보호자) 진술

에 근거함" 이라고 기록하며, 정확한 발병 연월일을 알 수 없는 경우에는 "미상" 이라고 기재합니다.

2. **향후 상태의 변동성** : 치료 또는 재활훈련 등으로 회복가능성이 있으면 '호전 가능', 치료나 재활노력에도 불구하고 나빠질 가능성이 높으면 '악화 가능', 예후를 예측하기 어려우면 '알 수 없음' 으로 판정합니다.
3. **장애노인 일상생활자립도** : 정상–생활자립–준와상상태–완전와상상태로 구분됩니다. 생활자립은 실내생활은 자립하고 있으나 도움없이 외출하지 못하는 경우이고, 준와상상태는 낮에도 주로 침상에서 생활하나 휠체어로 이동 가능한 경우를 말합니다.
4. **치매노인 일상생활자립도** : 자립–불완전자립–부분의존–완전의존으로 구분됩니다. 불완전자립은 자택생활이 가능하지만 지도방문이나 낮의 재가서비스가 필요한 경우이고, 부분의존은 불완전자립보다는 중증인 상태로 한시도 눈을 떼지 못하는 상태는 아니지만 혼자생활이 어렵기 때문에 방문지도와 야간의 이용도 포함한 재가서비스가 필요한 경우로 구별됩니다.
5. **의학적 치료의 필요성 여부** : 감염이나 급성 악화된 증상 및 의학적 치료로 호전이 가능한 경우는 '장기요양서비스 이전에 의학적 치료가 필요함' 에 해당하고 유지치료가 필요한 만성질환이 있다면 '장기요양서비스와 의학적 치료가 병행되어야 함' 에 해당하며 수발만으로 현 상태를 유지할 수 있으면 '의학적 치료가 반드시 필요하지는 않음' 에 해당합니다.

표 2. **노인장기요양보험 소견서 예시 (상병에 대한 의견 항목)**

가. 기능장애 원인 진단명 및 발병연월일

1. 뇌경색증	발병연월일 (20XX 년 5 월 10 일경)
2. 치매	발병연월일 (미상)
3. 고혈압 당뇨 퇴행성관절염	발병연월일 (10여년전부터 -보호자(아들)진술)

나. 상기 질환의 현재 치료내용

상기 환자는 20XX년 5월 10일경 발생한 뇌경색(우반신마비) 및 발병일 미상인 치매가 동반된 환자로 현재 한약, 침구치료 및 재활치료 등을 시행 중이며, 10여년 전부터 고혈압, 당뇨, 퇴행성관절염에 대한 약물치료도 병행중입니다.

다. 향후 상태의 변동성

☐ 호전 가능 ☐ 현 상태 유지 ☐ 악화 가능 ☐ 알 수 없음

- 판단 이유; 반신마비로 인한 완전와상상태로 타인의 도움이 절대적으로 필요한 상태이며 욕창과 흡인성폐렴, 요로감염의 문제가 반복적으로 발생되어 현재 후유장애 치료와 재발방지를 위한 예방치료 병행이 요구되며 전문적인 치료(입원, 검사)가 필요하리라 사료됩니다.

1-8 사망진단서

(1) 개요

1. 사망진단서는 사람의 죽음을 증명하기 위한 증명서로서 일반진단서와는 달리 의료법시행규칙에서 정한 서식에만 기재할 수 있습니다.
2. 진료 중이던 환자가 진료한 사실이 있은지 48시간 이내에 사망하였을 때는 다시 검안하지 않고 사망진단서를 발행할 수 있습니다. 퇴원한지 48시간이 경과한 후 사망하였거나 병원 도착전 사망(dead on arrival, DOA)일 경우에는 사체를 검안하여 사체검안서를 발급하거나 사망의 판단이 어려운 경우 기타 및 불상으로 처리하여 경찰에 신고절차를 거쳐야 합니다.

표 3. 사망진단서 양식(2011년 개정양식 - 총 13개 항목 중 8-13번 항목)

<table>
<tr><td colspan="2">⑧ 발 병 일 시</td><td colspan="5">년 월 일 시 분(24시각제에 따름)</td></tr>
<tr><td colspan="2">⑨ 사 망 일 시</td><td colspan="5">년 월 일 시 분(24시각제에 따름)</td></tr>
<tr><td colspan="2" rowspan="2">⑩ 사 망 장 소</td><td>주소</td><td colspan="4"></td></tr>
<tr><td>장소</td><td colspan="4">[ ] 주택 [ ]의료기관 [ ] 사회복지시설(양로원,고아원 등)
[ ] 공공시설(학교, 운동장 등) [ ] 도로
[ ] 상업서비스시설(상점, 호텔 등) [ ] 산업장
[ ] 농장(논밭, 축사, 양식장 등) [ ] 병원 이송중 사망 [ ] 기타( )</td></tr>
<tr><td colspan="2" rowspan="7">⑪ 사망의 원인

※ (나)(다)(라)에는 (가)와 직접 의학적 인과관계가 명확한 것만을 적습니다</td><td>(가)</td><td>직접 사인</td><td></td><td rowspan="4">발병부터 사망까지의 기간</td><td></td></tr>
<tr><td>(나)</td><td>(가)의 원인</td><td></td><td></td></tr>
<tr><td>(다)</td><td>(나)의 원인</td><td></td><td></td></tr>
<tr><td>(라)</td><td>(다)의 원인</td><td></td><td></td></tr>
<tr><td colspan="3">(가)부터 (라)까지와 관계없는 그밖의 신체상황</td><td colspan="2"></td></tr>
<tr><td colspan="2">수술의사의 주요소견</td><td></td><td>수술 연월일</td><td>년 월 일</td></tr>
<tr><td colspan="2">해부의사의 주요소견</td><td></td><td></td><td></td></tr>
<tr><td colspan="2">⑫ 사망의 종류</td><td colspan="5">[ ]병사 [ ]외인사 [ ]기타 및 불상</td></tr>
<tr><td rowspan="4">⑬ 외인사 사항</td><td>사고 종류</td><td colspan="5">[ ] 운수(교통) [ ] 중독 [ ] 추락   의도 [ ] 비의도적사고 [ ] 자살
[ ] 익사 [ ] 화재 [ ] 기타( )   여부 [ ] 타살 [ ] 미상</td></tr>
<tr><td>사고발생일시</td><td colspan="5">년 월 일 시 분(24시각제에 따름)</td></tr>
<tr><td rowspan="2">사고발생장소</td><td>주소</td><td colspan="4"></td></tr>
<tr><td>장소</td><td colspan="4">[ ] 주택 [ ]의료기관 [ ] 사회복지시설(양로원, 고아원 등)
[ ] 공공시설(학교, 운동장 등) [ ] 도로
[ ] 상업 · 서비스시설(상점, 호텔) [ ] 산업장
[ ] 농장(논밭, 축사, 양식장 등 [ ] 기타( )</td></tr>
</table>

(2) 작성요령

1. **성명, 주민등록번호, 주소** : 확인된 대로 기재하되 달리 확인할 방법이 없는 변사체는 "불상" 또는 "알 수 없음" 이라고 기재하거나, 같이 온 사람이 그냥 "영주댁" 이라고 부른다고 한다면, "영주댁 (속명)" 이라고 기재하면 됩니다.
2. **발병일시** : 가장 앞선 사망원인이 발병한 시기를 적되, 알 수 있는 대로만 기재하며 환자의 최초증상 발현시기가 사망원인인 질병이 시작한 때라고 판단되면 해당기간을 기재합니다. 발병일을 모르면 '불상' 으로 기재합니다.
3. **사망일시** : 잘못 기재한 경우 상속이나 보험 관계에서 법적 문제가 될 수 있으므로 목격자만이 알 수 있는 경우는 목격자의 이름도 함께 기재하도록 합니다.
4. **사망의 종류(manner of death)** : ① 병사, ② 외인사, ③ 기타 및 불상으로 분류됩니다. 선행사인에 따라 결정되므로 외상의 합병증으로 질병이 발생하여 사망하면 "사망의 종류"는 외인사이며, 질병의 원인으로 손상이 생긴 것이라면 "사망의 종류" 는 병사가 됩니다. 사망의 종류를 결정시 보통 손상이 있으면 질병보다 손상을 우선 합니다.
5. **사망의 원인(cause of death)**: 주사망원인은 첫 칸부터 직접사인, 중간선행사인, 선행사인 등으로 구별되어 있고 별도로 기타의 신체 상황을 함께 기록할 수 있습니다.

(3) 사망진단서 사망원인 기재요령

1. 사망진단서 사망원인의 기재는 사인통계를 작성하는 주요 근거가 됩니다. 사망원인 기재시에는 직접 사망에 이르게 한 일련의 질병, 치명적 손상을 일으킨 사고 등 인과관계가 있는 것을 KCD 기준으로 적되 '심폐정지' , '호흡마비' 와 같은 사망에 수반된 현상은 적지 않습니다.
2. 직접사인(direct cause of death)에는 죽음에 직접 이르게 한 질병 또는 손상에 대한 내용을 기재하고 중간선행사인(intervening antecedent cause of death)에는 직접사인과 관련이 있으며 시간적으로 앞서 야기된 질병, 합병증 등을 기록합니다. 선행사인(=원사인= underlying antecedent cause of death)에는 직접사인 또는 중간선행사인과 인과관계가 성립되는 원인질병을 기록하면 됩니다.

(예시 1) **1년전 유방암 진단으로 수술하였으나 재발하였고 도중에 골전이도 발견된 환자가 2개월 전에 간전이가 발견되었고 결국 간성혼수로 사망한 경우**

⑪ 사망의 원인	(가)	직접 사인	간성혼수	발병부터 사망까지의 기간	3일
※(나)(다)(라)에는 (가)와 직접 의학적 인과관계가 명확한 것만을 적습니다	(나)	(가)의 원인	유방암의 간전이		2개월
	(다)	(나)의 원인	유방암		1년
	(라)	(다)의 원인			
	(가)부터 (라)까지와 관계없는 그밖의 신체상황			골전이	

(예시 2) **30년된 당뇨환자가 2개월전 발병한 뇌경색으로 치료후 퇴원하였으나 1주전 고열로 입원하였고 이후 폐렴으로 사망한 경우**

⑪ 사망의 원인	(가)	직접 사인	폐렴	발병부터 사망까지의 기간	7일
※(나)(다)(라)에는 (가)와 직접 의학적 인과관계가 명확한 것만을 적습니다	(나)	(가)의 원인	뇌경색증		2개월
	(다)	(나)의 원인			
	(라)	(다)의 원인			
	(가)부터 (라)까지와 관계없는 그밖의 신체상황			당뇨병	

(예시 3) **B형 간염 기왕력이 있던 간경화 환자가 갑자기 식도정맥류 파열로 응급치료를 받았으나 출혈과다로 사망한 경우**

⑪ 사망의 원인	(가)	직접 사인	간식도정맥류출혈	발병부터 사망까지의 기간	3일
※(나)(다)(라)에는 (가)와 직접 의학적 인과관계가 명확한 것만을 적습니다	(나)	(가)의 원인	간경화		5년
	(다)	(나)의 원인	만성B형간염		30년
	(라)	(다)의 원인			
	(가)부터 (라)까지와 관계없는 그밖의 신체상황			-	

(예시 4) **9년전 위암 진단으로 위절제술을 받았고 3년전 골다공증 진단을 받은 바 있는 78세 여성이 1개월전 길에서 넘어져 발생한 대퇴부골절로 수술적 치료를 받은 후 자택에서 가료중 사망한 경우**

⑪ 사망의 원인	(가)	직접 사인	대퇴부골절	발병부터 사망까지의 기간	1개월
※(나)(다)(라)에는 (가)와 직접 의학적 인과관계가 명확한 것만을 적습니다	(나)	(가)의 원인	골다공증		3년
	(다)	(나)의 원인			
	(라)	(다)의 원인			
	(가)부터 (라)까지와 관계없는 그밖의 신체상황			위암: 위절제술받음	

(예시 5) **9개월전 발생한 교통사고로 두개골골절이 발생하였고 이후 의식불명인 상태에서 입원치료 받던 59세 남성이 1주일 전 폐렴이 발생하여 치료하였으나 사망한 경우**

⑪ 사망의 원인 ※(나)(다)(라)에는 (가)와 직접 의학적 인과관계가 명확한 것만을 적습니다	(가)	직접 사인	폐렴	발병부터 사망까지의 기간	1주일
	(나)	(가)의 원인	두개골골절		9개월
	(다)	(나)의 원인	교통사고		9개월
	(라)	(다)의 원인			
	(가)부터 (라)까지와 관계없는 그밖의 신체상황				
⑫ 사망의 종류	[ ]병사 [V]외인사 [ ]기타 및 불상				
사고 종류	[V] 운수(교통)[ ] 중독 [ ] 추락 [ ] 익사 [ ] 화재 [ ] 기타( )		의도 여부	[V] 비의도적사고 [ ] 자살 [ ] 타살 [ ] 미상	

(예시 6) **가정불화 등의 이유로 50대 남자가 4일 전 집안에 신나를 뿌리고 불을 붙여 전신 화상(90%)을 입고 병원으로 이송된 후 입원 2일째 패혈증으로 중환자실로 옮겨져 치료를 받던 중 내원 4일째 패혈증성 쇼크로 사망한 경우**

⑪ 사망의 원인 ※(나)(다)(라)에는 (가)와 직접 의학적 인과관계가 명확한 것만을 적습니다	(가)	직접 사인	패혈증성 쇼크	발병부터 사망까지의 기간	1일
	(나)	(가)의 원인	패혈증		3일
	(다)	(나)의 원인	전신화상		4일
	(라)	(다)의 원인			
	(가)부터 (라)까지와 관계없는 그밖의 신체상황				
⑫ 사망의 종류	[ ]병사 [V]외인사 [ ]기타 및 불상				
사고 종류	[ ] 운수(교통)[ ] 중독 [ ] 추락 [ ] 익사 [v] 화재 [ ] 기타( )		의도 여부	[ ] 비의도적사고 [V] 자살 [ ] 타살 [ ] 미상	

REFERENCES

1. 민영일, 홍창기. 문제지향식 의무기록의 실제. 대한의학서적. 2006. pp.5-17
2. 박경모. 한국표준질병사인분류(韓醫)의 분석과 개선안에 관한 연구. 대한한의학회지. 2000;21(3):9-19
3. 대한한의사협회. 대한한의사협회 회원교육자료. 2008. pp.42-45
4. 노인장기요양보험제도 한의사소견서 작성 안내서. 보건복지가족부, 대한한의사협회, 국민건강보험공단 2008.4월
5. 이윤성 외. 진단서 작성교부 지침. 대한의사협회 의료정책연구소. 2015
6. 통계청. 사망진단서 이렇게 달라졌습니다. 2011.

02 ROS, P/E, 망문문절

- 환자가 입원 또는 내원하면 가장 먼저 작성하게 되는 의무기록 중 하나가 병력청취에 해당하는 ROS(review of systems, 계통적 문진)와 신체검진 또는 이학적검사(physical examination, P/E) 기록입니다. ROS가 환자의 증상에 초점을 둔 주관적(subjective) 기록이라면 이학적검사는 의료진이 확인하는 보다 객관적인(objective) 기록이라 할 수 있습니다.
- 한방병원에서 많이 사용되는 망문문절(望聞問切) 기록지 내용도 주로 ROS의 내용과 중복되면서 이학적 검진내용도 포함하므로 편의상 하나의 장에 포함시켰습니다.

2-1 ROS (예시)

1	General	mental status, generalized weakness, fatigue/malaise, F/C(fever, chill), edema weight change, night sweats, hot/cold intolerance
2	HEENT	[Head] H/A(headache), head trauma [Eye] pain, discharge, injection, visual decrease [Ear] pain, discharge, tinnitus, dizziness, hearing difficulty [Nose] pain, discharge, PND, sneezing, anosmia, epistaxis [Throat] sore throat , swallowing difficulty, globus, hoarseness [Mouth] gingival bleeding, dental caries, halitosis
3	Respiratory	C/S/R, pleuritic pain, hemoptysis, dyspnea, wheezing
4	Cardiac/Chest	[Heart] chest pain, radiating pain, DOE, orthpnea, palpitation, arrythmia [Breast] pain (cyclic, noncyclic), mass, nipple discharge
5	Gastrointestinal	A/N/V/D/C, abdominal pain [Upper GI] dysphagia, acid reflux, heart burn, epigastric pain nausea, vomiting, hemoptysis, belching, bloating indigestion, fasting soreness, postprandial soreness [Lower GI] constipation, diarrhea, bowel habit change, melena, hematochezia, tenesmus
6	Urinary	incontinence, dysuria, urinary frequency, urgency, hesitancy, RU sense hematuria, nocturia, terminal dribbling, weak stream, flank pain
7	Genital (Male)	pain, mass, dyspareunia, erectile dysfunction, STD Hx
8	OBGY (Female)	[Mensturation] menarche(age), interval (regular, irregular), duration, amount, LMP dysmenorrhea, premenstrual syndrome, menopause
		[vaginal/etc] discharge, pain, itching, dyspareunia, postcoital spotting, contraception, STD Hx
		[Para] T-P-A-L 또는 GPA(gravida/para/abortus)

9	Skin	rash, pigmentation, urticaria, itching
10	Musculoskeletal / Nervous	pain, stiffness, joint swelling, weaking, / dizziness, syncope, seizure, sensory disturbance, motor problem

(1) 일반 (General)

1. Mental status(정신상태), generalized weakness(G/W, 전신쇠약), fatigue/malaise(피로감/무기력,불쾌감), fever(발열), chill(오한), edema(부종), weight change(체중변화), night sweats (도한, 수면시 식은땀), hot/cold intolerance(더위 또는 추위를 못참는 것) 등을 확인합니다.
2. 발열와 오한의 증상을 묶어 F/C(fever, chill)로 표기하기도 합니다.

(2) HEENT

1. HEENT는 머리(Head), 눈(Eye), 귀(Ear), 코(Nose), 인후(Throat)의 앞글자를 딴 약어로 문진 또는 이학적검사시 안면부에서 주로 확인하는 부위를 통칭한 말입니다.
2. 머리쪽은 headache(두통), head trauma(두부외상) 등을, 눈에는 pain(통증), discharge(분비물), visual decrease(시각감소) 등을, 귀에는 pain(통증), discharge(분비물), tinnitus(이명), dizziness(현훈), hearing difficulty(청각이상) 등을 확인합니다.
3. 코 쪽은 pain(통증), discharge(분비물), PND(post nasal drip, 후비루), sneezing(재채기), anosmia(후각소실), epistaxis(비출혈, 코피)을 확인하고 인후부는 sore throat(인후통), swallowing difficulty(연하곤란), globus(매핵기, 인두이물감), hoarseness(애성, 쉰목소리)를 구강부(mouth)에는 gingival bleeding(치은출혈), dental caries(충치), halitosis(구취) 등을 확입합니다.

(3) 호흡기계 (Respiratory)

1. C/S/R은 cough(기침), sputum(객담), rhinorrhea(콧물)을 의미하여 상기도감염과 관련된 주요 증상을 표기한 것입니다. 이 밖에 pleuritic pain(흉막통, 심호흡시 통증이 더 유발됨), hemoptysis(객혈), dyspnea(호흡곤란), wheezing(천명, 쌕쌕거림) 등을 확인합니다.

(4) 심장 및 흉부

1. 심장질환과 관련하여 chest pain(흉통), radiating pain(방사통), DOE(dyspnea on exertion, 동작성 호흡곤란), orthopnea(기좌호흡), palpitation(심계항진), arrythmia(부정맥) 등을 확인합니다. orthopnea은 누워 있으면 호흡곤란이 오기 때문에 앉은 자세에서는 호흡하려는 상태로 좌측심부전, 폐부종, 천식 등에서 많이 나타납니다.

2. 유방(Breast) 쪽은 통증이 월경주기 관련여부(cyclic or noncyclic)와 함께 mass(종괴), nipple discharge(유두 분비물) 등도 확인합니다.

(5) 위장관계 (GI)

1. 기본적으로 abdominal pain(복통)과 함께 A/N/V/D/C를 확인하는데 즉 anorexia(식욕부진), nausea(오심), vomiting(구토), diarrhea(설사), constipation(변비)를 지칭합니다.
2. 좀 더 구체적으로 살펴보면 상부위장관(Upper GI)에서는 dysphagia(연하곤란), acid reflux (위산역류), heart burn(흉부작열감, 가슴앓이), epigastric pain(심와부 통증), nausea(오심), vomiting(구토), hemoptysis(객혈), belching(트림), bloating(복부팽만), indigestion(소화불량), fasting soreness(공복통), postprandial soreness(식후통) 등을 확인합니다.
3. 하부위장관(Lower GI)에서는 constipation(변비), diarrhea(설사), bowel habit change(배변습관의 변화), melena(흑색변), hematochezia(혈변배설), tenesmus(이급후중, 뒤무직) 등을 확인합니다.

(6) 비뇨계

1. Incontinence(요실금), dysuria(배뇨장애, 배뇨통), urinary frequency(빈뇨), urgency(급박뇨), hesitancy(소변지연), RU sense(Residual urine sense, 잔뇨감), hematuria(혈뇨), nocturia(야간뇨), terminal dribbling(배뇨후적하, 방울떨어짐), weak stream(약한 배뇨), flank pain(협통, 측복부 통증) 등을 확인합니다.

(7) 생식기(남성)

1. Pain(통증), mass(종괴), dyspareunia(성교통), erectile dysfunction(발기부전), STD Hx (sexually transmitted disease history, 성병과거력) 등을 확인합니다.

(8) 산부인과계(여성)

1. 월경(Mensturation)과 관련해서는 menarche(초경), 월경간격(interval)의 주기적인지의 여부 (regular or irregular), duration(월경기간), amount(양), LMP(Last menstrual period, 마지막 월경의 첫 시작일), dysmenorrhea(월경통), premenstrual syndrome(월경전증후군), menopause(폐경) 등을 확인합니다.
2. 질(vagina)과 관련해서는 discharge(분비물), pain(통증), itching(소양증), dyspareunia(성교통), postcoital spotting(성교후 질출혈) 등을 확인합니다. 이 밖에 contraception(피임), STD Hx(sexually transmitted disease history, 성병과거력)도 확인합니다.

3. 산과력(Para)은 T-P-A-L 방식으로 많이 표기되는데 즉 T(term birth, 만기분만), P(preterm birth, 조산경력), A(abortion, 유산경력), L(living children, 생존아기 수)를 의미합니다. 조산은 보통 임신 기간 40주를 기준으로 37주 이전의 분만시로 기준하며 유산의 경우에는 자연유산(spontaneous)과 인공유산(artificial)을 구별하기도 합니다. 외국에서는 산과력을 GPA방식으로 표기하기도 하는데 즉 G(gravida, 임신), P(para, 출산), A(abortus, 유산 또는 낙태)을 의미합니다.
4. 예를 들어 3-1-2-3이라면 3번 만기분만, 1번 조산분만, 2번 유산, 생존아기 3명이란 의미이며 또는 3-1-2(2/0)-3 처럼 유산2회에 자연유산 2회, 인공유산 0회를 의미하기도 합니다. GPA 방식으로는 G6, P4, A2 (총 6회의 임신, 4회의 출산, 2회의 유산)로 표기됩니다. 쌍둥이(twin)의 임신 및 출산도 1회의 임신, 1회의 출산으로 간주됩니다.

(9) 피부

1. Rash(발진), pigmentation(색소침착), urticaria(두드러기), pruritus(소양감=itching) 등을 확인합니다.

(10) 근골격/ 신경계

1. 근골격계 분야에서는 증상 부위에 따라 Pain(통증), stiffness(경직), joint swelling(관절종창), weakness(위약) 등을 주로 살펴 보게 됩니다.
2. 신경계 분야에서는 전반적으로 dizziness(현훈, 현기증), syncope(실신), seizure(경련), sensory disturbance(감각장애), motor problem(운동기능장애) 등을 확인합니다.

2-2 망문문절 기록지 (예시)

神	Mental	有神, 無神, 假神, 精神錯亂
	Psychological	易驚, 易怒, 善恐, 不安, 憔慄, 憂鬱
睡眠	Sleep	良, 可, 不, 淺眠, 多眠, 短眠, 頻覺, 多夢, 難眠, 嗜眠
呼吸/氣	Respiratory/Qi	正常, 氣微, 氣粗, 喘, 哮, 太息, 少氣, 疲勞(起床.午前.午後.日晡.夜)
言語	Speech	聲音(正常, 高, 低), 呻吟, 失音, 聲嘶, 失語, 狂言, 語澁
咳痰	Cough/Sputum	咳(輕, 甚) 痰(多, 少, 粘, 薄, 膿, 血) 色(白, 黃, 黑) 臭
寒熱	Cold/Heat	身(寒, 平, 熱), 飮水(多飮, 正常, 少飮 / 喜冷, 喜溫, 飮平), 忌寒, 忌熱, 惡風, 潮熱, 燥熱, 寒熱往來, 煩熱, 手足心熱, 手足冷, 腹冷, 上熱下寒

汗	Sweats	普, 多, 少, 無汗, 自汗, 盜汗, 冷汗, 手足心汗, 頭汗
頭	Head	頭痛(有, 無, / 前, 後, 偏, 頂, 太陽穴 / 得熱則甚), 頭重, 眩暈, 頭不淸
面	Face	面赤, 面熱, 面痛, 面腫, 面垢, 痲痺, 痙攣
眼	Eye	充血, 流淚, 眼昏, 眼盲, 斜視, 瞼垂, 瞼痙
耳	Ear	耳鳴, 耳聾, 眩氣, 耳痒, 耳漏, 耳痛
鼻	Nose	鼻塞, 鼻涕(淸, 黃) 後鼻漏, 不聞香臭, 鼻痛, 衄血
口	Mouth	口苦, 口乾, 口瘡, 口臭, 口內炎, 舌炎
脣	Lip	脣乾, 脣裂, 脣腫, 脣潤, 脣無潤
舌	Tongue	舌質, 舌苔, 舌痲
咽喉	Throat	咽喉腫痛, 咽喉異物感, 色, 嚥下困難
頸項	Neck	頸項痛, 項强
胸脇	Chest	胸悶, 胸痛, 脇痛, 苦滿, 心悸, 怔忡
腹	Abdomen	腹痛(部位, 樣相), 腫塊, 腹水, 臍帶, 腹皮, 腹診(痞, 滿, 硬, 堅, 塊, 拘攣, 悸, 急, 壓痛, 不仁, 鼓脹, 振水音)
腰	Lumbar	腰痛, 腰脚痛, 下肢痛, 彎曲
四肢	Extremities	痛 (有, 無/ 部位) 痺(有, 無/ 部位) 痿(有, 無/ 部位) 沈重
爪甲	Nails	色, 形
皮膚	Skin	潤澤, 浮腫, 乾燥, 瘙痒, 疼痛, 紅斑, 疱(水, 膿), 滲出, 隱疹
食慾	Appetite	普, 旺盛, 別無, 全無, 飢而不食, 不知味
消化	Digestion	普, 良, 不良, 呑酸, 嘔逆, 吐逆, 惡心, 腹鳴, 食後痛, 空腹痛, 嘈雜, 噯氣
大便	Defecation	0日 0行, 普, 硬, 軟, 瀉, 粘, 血, 水, 後重, 痔疾, 放氣, 下腹痛, 飮酒後泄
小便	Urination	赤, 褐, 血, 膿, 尿前痛, 尿後痛, 晝間尿(回), 夜間尿(回), 頻數, 失禁, 難, 遺尿, 淋瀝, 濁度(透明, 濁, 白)
月經	OBGY	初經(歲), 閉經(歲), 週期(早, 遲, 不定, 定), 色, 量, 形, 痛, 塊, 帶下(色, 量)
脈	Pulse	左右(浮, 沈, 遲, 數, 滑, 澁, 虛, 實, 弦, 緊, 기타)

1. 일반적으로 많이 확인되는 망문문절(望聞問切) 내용의 예입니다. 앞의 ROS 항목들과 상당부분 중복되므로 경우에 따라 두가지를 하나의 설문지 형태로 통합하여 기록되기도 하지만 수면상태, 한열상태, 땀의 상태, 식욕-소화-배변의 과정, 설진, 복진, 맥진 등을 보다 세밀히 관찰하는 부분에서는 한의학적 진단의 특성이 드러납니다. 망문문절 각 항목에 대한 설명은 분량 및 본 책자의 성격상 생략하며 교과서 또는 기타 참고서적을 이용하시기 바랍니다.
2. ROS든 망문문절 기록지든 실제 임상에서는 증상과 병증에 따라 추가적인 내용들을 확인하거나 또는 일부 내용을 생략하기도 합니다.

2-3 신체 검진

- 신체검진(이학적검사) 중 신경학적 검진과 근골격계 관련 검진에 대한 부분은 이후의 장을 참조해 주시기 바랍니다.

1	G/A	acute ill-looking, chronic ill-looking, not so ill-looking, healthy looking Consciouness level(alert, drowsy, stupor, semicoma)
	V/S	BP(sBP/dBP)-HR-RR-BT, SpO_2
2	HEENT	[Eye] Pupil (isocoric, anisocoric(OD/OS), direct L/R, indirect L/R, EOM) Conjunctiva (normal, anemic, injection, edema) Sclera (normal, icteric, anicteric, hemorrhage) [Throat] throat injection, dehydrated tongue
3	Chest	Thorax shape (normal, barrel, funnel, pigeon) Chest expansion (normal, symmetric, intercostal retraction, suprasternal retraction) Respiration (normal, Cheyne-Stokes, Kussmaul, Biot, labored, paradoxical) Breath sound (CBS, crackle or rale, wheezing, stridor, friction rub) Heart sound (RHB, murmur, S3, S4)
4	Abdomen	Contour (scaphoid, flat, protruded) Organomegaly (liver, spleen), mass Bowel Sound (normoactive, decreased, increased, absent, metallic) T/RT, muscle guarding, Murphy's sign, shifting dullness
5	Back & Extremities	CVA tenderness(Rt, Lt, Md) P/C/C (pretibial pitting edema, cyanosis, clubbing), varicose vein DRE(rectum, prostate)

(1) G/A 및 V/S

1. G/A(General appearance)는 전반적으로 외견상 보이는 환자에 대한 인상 및 의식수준을 기재하며 보통 acute 또는 chronic으로 구별합니다. **[참조항목 : 3-1]**
2. V/S(Vital sign)은 정상인 경우 보통 안정적(stable)이라고만 표기하기도 하지만 각 항목을 기재할 때는 일반적으로 혈압(BP, blood pressure)-심박수(HR, heart rate)-호흡수(RR, respiratory rate)-체온(BT, body temperature)의 순서로 기재합니다. 혈압은 수축기(systolic BP)와 이완기(diastolic BP)를 함께 표기하며 120/80을 기준으로 10-20정도의 차이는 정상범주를 크게 벗어나지 않은 상태로 간주합니다. HR은 분당 60-100회, RR은 분당 12-20회, BT는 36.5-37.0° C 정도에서 정상범위로 판단합니다.
3. 고전적 의미에서 바이탈 사인에 포함되지는 않지만 Oxymetry를 이용하여 동맥혈내의 산소포화도(SpO_2)를 측정한 결과도 중요한 지표 중 하나가 되고 있습니다. 특히 손톱에 기구를

부착시키기만 하면 짧은 시간내에 결과를 얻을 수 있는 간편함 때문에 많이 사용됩니다. Oxymetry는 총 헤모글로빈 중 산소와 결합된 헤모글로빈의 양을 표시하며 보통 93-97%정도가 참고치입니다.

(2) HEENT

1. 머리(Head), 눈(Eye), 귀(Ear), 코(Nose), 인후(Throat) 등의 확인은 ROS에서 주로 하고 이학적검진에서는 눈과 인후부에 중점을 둡니다.
2. 동공(pupil)은 크기(size)와 대광반사(Light reflex)를 주로 확인합니다. 양쪽 동공의 크기가 동일한지(isocoric), 동일하지 않은지(anisocoric) 살펴본 후 각 동공의 크기를 기재합니다. 안구검사나 안경 처방전 등에서의 좌우 표시는 라틴어 약자인 OD(oculus dexter, 우안), OS(oculus sinister, 좌안)로 표기되지만 최근에는 그냥 Rt, Lt로도 많이 표시합니다. 동공의 크기는 2.5-4mm 정도를 정상으로 간주하며 빛의 양 또는 기타 생리적 변화도 고려해야 합니다.

구분	동공 크기	원인
Miosis(축동)	2mm 이하	생리적 축동(어린이, 노인 등), ICH(특히 pons 부위), 호너 증후군, Opioid 또는 항정신병제의 복용 등. (수기차팅시 •=•)
Mydriasis(산동)	5mm 이상	눈이나 두부의 외상, ICH, 심한 저산소증, 동안신경(CN III) 마비, 항콜린제 또는 환각제(hallucinogen)의 복용 등 (수기차팅시 ◎=◎)

3. 대광반사(L/R, Light reflex)시의 동공 반사의 양상은 아래의 표와 같습니다. 빛을 비춘 쪽에서 나타나는 동공수축을 direct LR이라 하고 반대쪽에서 나타나는 동공수축을 indirect LR이라 합니다. 환자에게 직접 상하좌우 및 사선으로 안구를 움직이게 하여 EOM (Extra-ocular movement)도 확인합니다.

Prompt (brisk)	빛을 비추면 동공 크기가 신속히 줄어듬 (수기차팅시 O=O)
Fixed	빛을 비추어도 동공 크기의 변화가 없음 (수기차팅시 ×=×)
Sluggish	빛을 비추면 동공 크기가 서서히 줄어듬 (수기차팅시 Ø=Ø)
Hippus	빛을 비추면 동공 크기가 커졌다 작아졌다 변화함.

4. 결막(conjunctiva)을 통해 정상(normal)인지 여부와 빈혈(anemic), 충혈(injection), 부종(edema) 등도 확인하며 공막(sclera)을 통해 황달(icteric)이나 출혈(hemorrhage) 여부 등을 확인합니다.

5. 인후부(Throat)는 인후부 발적(throat injection)과 혀에서 탈수된 징후(dehydrated tongue)는 없는지 확인합니다.

(3) 흉부

1. 흉곽의 비정상적인 형태로는 1)흉곽이 과팽창되어 전후길이와 좌우길이가 비슷해진 통모양가슴(barrel), 2)흉골이 안쪽으로 들어간 오목가슴(funnel), 3)흉골이 앞으로 튀어나온 새가슴(pigeon) 등으로 구분됩니다. 통모양가슴은 폐기종(emphysema)과 같이 폐의 탄성도가 감소하여 잔기량(residual volume)이 증가한 질환에서 많이 나타납니다.

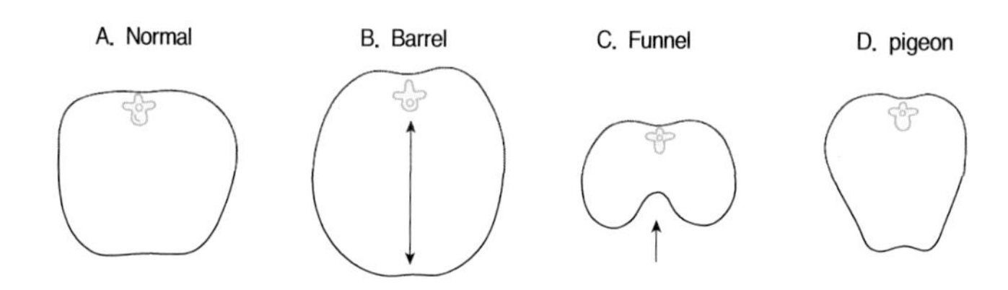

2. 호흡시 흉부의 확장(chest expansion)을 관찰하여 정상(normal)이면서 대칭(symmetric)인지 또는 늑간함몰(intercostal retraction), 흉골함몰(suprasternal retraction) 등은 없는지 확인합니다.
3. 비정상적인 호흡리듬을 보이는 예로는 1)뇌손상이나 심부전 등에서 나타나며 매우 깊은 호흡에서 매우 얕은 호흡 사이를 교대하면서 중간에 무호흡도 동반하는 Cheyne-Stokes 호흡, 2) 당뇨병성 케톤산증(DKA) 등에서 나타나며 비정상적으로 깊지만 빠르고 규칙적인 Kussmaul 호흡, 3) 뇌손상시 나타나며 빠르고 얕게 호흡하다가 무호흡으로의 불규칙적인 변화가 반복되는 Biot 호흡 등이 있습니다.
4. 노작성(labored) 호흡은 호흡곤란(dyspnea) 증상의 하나로 힘들게 호흡하는 모습을 표현한 것이고 다발성 늑골 골절 등에서 나타날 수 있는 역행성(paradoxical) 호흡은 정상과는 반대로 흡기에는 폐가 수축하고, 호기에는 팽창하는 현상을 보입니다.
5. 호흡음은 정상적인 경우는 CBS(clear breathing sound)로 표시하며 비정상시에는 수포음(crackle), 천명음(wheezing), 협착음(stridor), 마찰음(friction rub) 등이 나타날 수 있습니다. 수포음은 rale, crepitation 등의 용어와 혼용되기도 하지만 rale은 논문 등의 게재시 추천되지 않는 용어이고 crepitation(염발음)은 주로 관절에서 나타나는 소리를 지칭할 때 많이 사용됩니다.

수포음(crackle=rale)	분비물 등으로 습윤한 폐포 또는 기도 통과시. 호흡기 감염, 무기폐, 폐부종 등
천명음(wheezing)	쌕쌕거림. 좁은 기도를 공기가 통과하는 소리. 천식, COPD, 폐부종 등
협착음(stridor)	천명의 일종으로 흡기시에 크게 들리는 천명. 기도폐색 등 응급상황시
마찰음(friction rub)	늑막표면의 염증 등으로 발생. 폐렴, 늑막염 등

6. 청진기로 심장음을 들을 때 처음에 툭(lup)하는 소리를 S1, 나중에 탁(dup)하는 소리를 S2라 하며 정상에서는 이 두 가지 소리만 들립니다. S1, S2 이외에 S3(da) 또는 S4(bla)의 소리가 나타나면 비정상적인 심음이며 S3 또는 S4와 연결되어 들리는 소리가 말발굽 소리와 같다고 하여 gallop이라고도 합니다.

S1	심실수축 시작기. 승모판(Mitral valve), 삼첨판(Tricuspid valve)이 닫히는 소리
S2	심실이완 시작기. 대동맥판(Aortic valve), 폐동맥판(pulmonic valve)이 닫히는 소리
S3	S2 직후에 들리는 소리. 울혈성 심부전(CHF), 빈혈 등에서 보이며 소아나 운동선수에서 S3가 들리는 것은 정상 현상임.
S4	S1 직전에 들리는 소리. 심실 수축기 직전에 들리며 심실벽이 두꺼워져 있거나 관상동맥질환시 나타남.

7. 심잡음(murmur)은 S1과 S2 사이에 '쉭쉭' 하는 소리가 들리는 것으로 판막의 이상 등으로 비정상적인 혈류가 발생하여 생깁니다. S1-S2 사이에 들리는 심잡음을 Systolic murmur, S2-S1사이에 들리는 심잡음을 Diastolic murmur라 하며 심잡음이 모든 주기에 들리면 Continous murmur로 분류합니다. 심잡음은 그 정도에 따라 소리가 겨우 들리는 I, 잘 들리지만 약한 II, 중등도로 들리나 촉진상 thrill(떨림)은 없는 III, 크게 들리고 촉진상 thrill(떨림)도 느껴지는 IV, 청진기를 가슴에 살짝만 대도 들리는 V, 청진기 없이도 들리는 VI 단계로 구분합니다.
8. 심음을 청진하여 정상적인 규칙적 심박동이면 RHB(Regular Heart Beat)로 표현하며 RHB이면서 심잡음(murmur)이 없으면 "RHB s murmur" 로 표기합니다. (s는 without의 의미)

Tip 청진기 사용

1. 청진기(stethoscope)에서 평평한 모양의 diaphragm 부분으로는 고주파(High Hz)의 소리를 듣고, 컵 모양의 bell 부분으로는 저주파(Low Hz)의 소리를 주로 듣게 됩니다. Diaphragm 부위 사용시에는 청진부에 세게 누르고 청진하지만 Bell 부위 사용시에는 압력을 가하지 말고 청진부에 살짝 접촉해야 더 잘 들리며 얇은 옷이라면 옷 위에서 청진해도 들릴 수 있습니다.

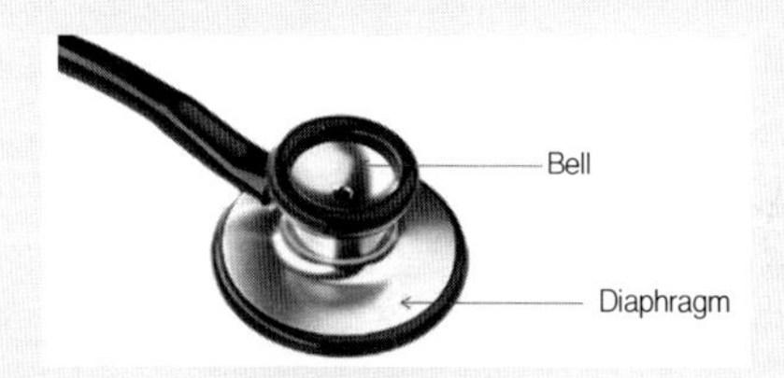

2. 폐음은 주로 고주파음에 속하므로 diaphragm을 사용하고 아주 마른 사람의 경우는 Bell도 사용합니다. 혈압측정시나 심잡음, S3, S4 등은 저주파음이므로 bell을 이용할 때 더욱 잘 청진되며 S1, S2는 diaphragm을 이용하여 청진합니다.
3. 심음의 청진시에는 A, P, T, M의 4부위에 청진하며 각각 ① A(aortic valve, 대동맥판:우측 흉골상단), ② P(pulmonary, 폐동맥판: 좌측 흉골상단), ③ T(tricuspid, 삼첨판: 좌측 흉골하단), ④ M(mitral, 승모판: 심첨부)에 해당합니다.

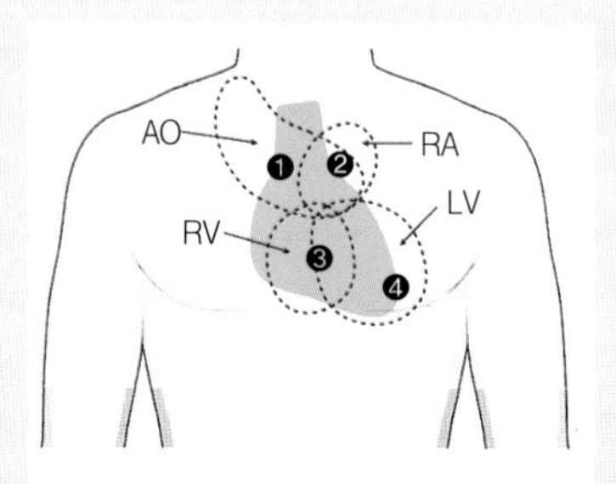

4. 폐음의 청진시에는 좌우를 대칭적으로 번갈아 가면서 청진하는데 전면부를 통해 폐첨부(apex)도 청진하지만 주로 후면부의 양쪽 견갑골 사이에서 견갑골 위쪽, 중간, 하단 및 측면부의 늑골(rib) 사이 등에서 청진합니다. 환자에게 깊이 숨 쉬도록 하고 각 부위마다 하나의 완전한 호흡을 청진해야 합니다.

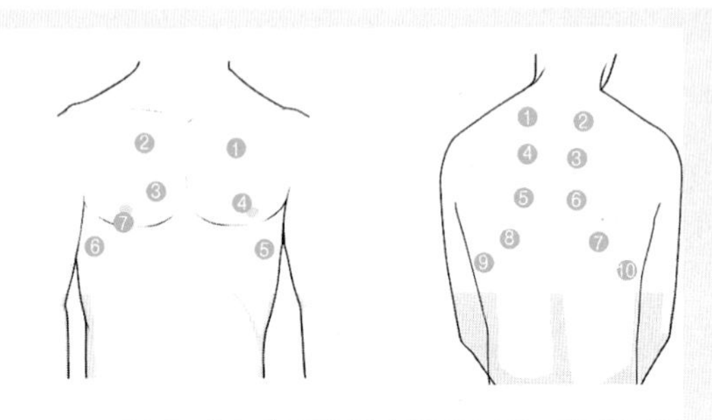

5. 청진기마다 사용법이 조금씩 다르니 사용전 설명서를 읽어 보는 것이 좋습니다. Diaphragm mode라도 약하게 접촉하면 bell mode로 작동하는 청진기(ex. 3M Classic II)의 사용도 흔하고 아예 bell 부분이 없이 소아용–성인용 겸용으로 출시된 청진기(ex. Cardiology III)도 있습니다.
6. 환자의 몸에 청진기를 접촉하기 전 접촉부위를 따뜻하게 하며, 감염이 우려되는 환자의 경우는 청진 전후로 알코올솜 등을 이용해 접촉부를 닦도록 합니다.
7. 청진에 대한 묘사와 설명은 문자로 표현하는데 제한적일 수 밖에 없습니다. 각종 인터넷 사이트 또는 실제 청음을 들을 수 있는 보조자료(CD 등)들을 참조하시기 바랍니다.

(4) 복부

1. 복부의 전체적인 윤곽(contour)을 살펴 복부가 함몰되었는지(scaphoid), 평평한지(flat), 돌출되었는지(protruded) 구분합니다. 간 또는 비장 등의 종대(organomegaly)나 종괴(mass)도 확인합니다.
2. 장음(bowel sound, BS) 청진을 통해 정상(normoactive) 또는 증가, 감소 여부를 확인하며 일반적으로 분당 5-34회의 장음을 정상범주로 봅니다. 장음이 항진된 것은 설사 또는 기계적 장폐색(mechanical ileus) 초기에 많고 장음이 감소하거나 소실되는 것은 마비성 장폐색(paralytic ileus)이나 복막염(peritonitis) 등에서 나타납니다. 기계음(metallic sound)도 기계적 장폐색에서 나타납니다.
3. T/RT는 Td/RTd로도 표시되며 압통(tenderness)이나 반발통(rebound tenderness)을 확인하는 것입니다. 반발통은 우하복부를 눌렀다가 갑자기 떼었을 때 통증이 유발되는 복막자극 현상으로 Acute appendicitis(급성충수돌기염), Peritonitis 등에서 관찰됩니다. 보통 McBurney's point에서 반발통 여부를 확인하며 배꼽과 ASIS(anterior superior iliac spine)를 잇는 선상의 외측 1/3에 위치합니다.
4. Muscle guarding은 통증 등으로 복부근육이 수축된 상태가 지속되어 단단하게 만져지는 상

태(rigidity)입니다.

5. Murphy's sign은 우상복부(RUQ)를 가볍게 누르고 환자에게 심호흡을 시키면 갑자기 동통이 유발되어 더 이상 숨을 들이마시기 힘들어 하는 증상으로 Cholecystitis(담낭염) 등에서 주로 관찰됩니다.
6. 이동탁음(shifting dullness)은 앙와위(supine)로 누워 복부 타진으로 북같은 소리(tympanic)가 둔탁한 소리(dullness)로 바뀌는 경계를 확인한 후, 측와위(lateral decubitus)에서 같은 방법으로 경계를 확인하면 위치가 변화하는 것을 의미합니다. 이동탁음이 있으면 Ascites(복수)의 존재를 시사합니다.

(5) 등 (Back), 사지 (Extremities)

1. 여기서의 CVA는 뇌혈관질환이 아닌 늑골척추각(costovertebral angle, CVA)을 의미합니다. 신장이 위치한 이 곳을 두드릴 때 압통(tenderness)이 나타나면 신장의 이상이나 신우신염(pyelonephritis) 등을 의심합니다. 단순요통을 호소하며 내원한 외래 환자들에게도 잊지 말고 시행하시기 바랍니다.
2. 함요부종(pitting edema)은 경골 앞(pretibial)에서 주로 확인하며 함요된 정도나 원상회복의 시간에 따라 4단계로 분류합니다. 보통 10초 이상일 때 함요부종으로 간주하며 10-15초이면 2단계(2+), 1분 이상이면 3단계(+3), 2-5분 정도 소요되면 4단계(+4)가 됩니다. 원인이 뚜렷하지 않은 특발성도 있지만 심부전이나 신장의 이상 등 선신실환의 동반 여부를 검사해야 합니다.
3. 청색증(cyanosis)는 조직의 산소공급이 불충분한 상태입니다. 곤봉지(clubbing)는 손가락 끝이 곤봉처럼 부풀은 상태로 심장이나 폐의 질환이 있을 때 주로 발생하며 뚜렷한 원인질환 없이 동반되기도 합니다. 하지 검진시 하지정맥류(varicose vein)도 함께 확인합니다.
4. DRE(digital rectal examination, 직장 수지검사)는 직장(rectum)부위의 출혈, 종괴 등을 확인하거나 전립선(prostate)을 촉지하여 크기나 윤곽, 결절 여부 등을 알아볼 수 있는 검사입니다. 전립선암의 경우는 특히 단단해져 있거나 비정상적인 결절 등이 촉지됩니다.

REFERENCES

1. Lynn S. Bickley, Peter G. Szilagyi. Bates' guide to physical examination and history taking[10th ed]. Lippincott Williams & Wilkins. 2009.
2. Vandemergel X, Renneboog B. Prevalence, aetiologies and significance of clubbing in a department of general internal medicine. Eur J Intern Med. 2008;19(5):325-9.

03 신경학적 검사

- 신경학적 검사는 다음의 5가지로 분류하여 설명하였습니다. 언어평가 등과 같이 명확한 이상을 호소하지 않으면 생략되거나 증상에 따라 선택적으로 사용하기도 합니다.

3-1. 정신상태의 평가 : 의식수준, GCS, MMSE-K, 언어평가
3-2. 뇌신경검사 : CN exam
3-3. 운동 및 감각검사 : MMT, ROM, Muscle tone, Sensory
3-4. 반사 검사 : DTR, Pathologic reflex
3-5. 소뇌기능검사 : Gait, Coordination

3-1 정신상태의 평가

(1) 의식수준 (Level of consciousness, LOC) 및 정신상태

Alert	[각성] 의사소통이 가능하고 의식이 깨어있는 정상적 상태.
Confusion	[혼돈] 의식은 깨어 있으나 지남력 장애가 있고 주의집중이나 기억력 저하
Drowsy	[기면] 의사소통은 가능하나 쉽게 잠들려고 하는 상태. 작은 자극에도 반응 가능.
Stupor	[혼미] 정상적인 의사소통은 불가능하나 자발적 움직임이 있고 강한 자극에 반응
Semicoma	[반혼수] 통증자극에 반사적 움직임은 있으나 자발적 움직임은 없음
Coma	[혼수] 외부 자극에 반응이 전혀 없는 완전한 의식상실 상태

1. **섬망(Delirium)** : 혼돈과 유사하나 특히 급성(수시간-수일 이내의 onset)으로 지남력이 소실되면서 환각(hallucination) 또는 감정상태의 이상도 종종 동반하는 상태를 말합니다.
2. **지남력(Orientation)** : 시간(time), 장소(place), 사람(person)에 대해 확인합니다. 보통 시간에 대한 지남력이 가장 먼저 손상되고 사람(person)에 대한 인지는 가장 나중까지 보존됩니다.
3. **기억력(I/R/R)** : 즉각적(immediate), 최근(recent), 오래된(remote) 기억으로 구분됩니다. 3가지의 상이한 단어를 말하고 따라하게 하거나(I), 아침식사 메뉴를 묻거나(R), 고향이나 생일을 묻는 방법(R) 등이 예입니다.
4. **MMSE-K (Mini Mental State Exam-Korea)** : 간이정신상태검사(MMSE)의 한국어판으로 지남력이나 기억력, 계산력, 이해력 등을 종합적으로 평가하여 치매나 기타 인지장애를 객관

적으로 감별하는데 많이 사용됩니다. 30점 만점에 24점 이상이면 정상이고 19점 이하면 치매를 의심할 수 있습니다. **[참조항목 : F-1]**

(2) Glasgow Coma Scale (GCS)

1. 신경학적 손상이 있는 환자뿐 아니라 외상환자가 많은 응급실 등 광범위하게 사용되고 있는 혼수상태관련 평가스케일입니다. 개안반응(E), 언어반응(V), 운동반응(M)의 3가지 항목으로 구성되며 차트에는 "GCS 9 = E2 V3 M4 at 09:30"과 같이 표기될 수 있습니다.
2. 일반적으로 13점 이상은 경도(mild)의 뇌손상으로, 9점-12점은 중등도(moderate)의 뇌손상으로, 8점 이하는 심한(severe) 뇌손상으로 간주합니다.
3. 기관삽관(intubation)을 한 경우의 Verbal 평가는 언어표현이 가능해 보이면 5점, 불확실하면 3점, 전반적으로 반응이 없을 경우는 1점을 부여하면 됩니다.

관찰항목		환 자 반 응 도	점수
(E)	Eye Opening	(Spontaneous) 자발적으로 눈을 뜬다 (To voice) 소리를 내면 눈을 뜬다 (To pain) 통증자극을 주어야 눈을 뜬다 (None) 전혀 눈을 뜨지 않는다	4 3 2 1
(V)	Verbal	(Appropriate) 질문에 정확한 답변을 구사한다 (Confused conversation) 적합하지 않은 혼돈된 대화 (Inappropriate words) 질문과 무관한 단어적 표현 (Incomprehensible) 이해불명의 언어사용 (None) 전혀 소리를 내지 않는다	5 4 3 2 1
(M)	Motor	(Obey commands) 지시에 정확한 행동을 한다 (Localizes pain) 통증부위를 인지 (Withdraw to pain) 통증자극을 뿌리치려는 단순행동 (Abnormal flexor response) 자극시 비정상적 굴곡반응 (Abnormal extensor response) 자극시 비정상적 신전반응 (None) 전혀 움직이지 않는다	6 5 4 3 2 1
GCS		개안정도 + 언어반응 + 운동반응	3-15점

(3) 언어평가

1. 실어증(aphasia)는 상대의 말을 이해하지 못하거나 자신의 의사를 말로 표현하지 못하는 것이고 구음장애(dysarthria)는 의사표현이나 언어의 이해에는 지장이 없으나 부정확한 발음이 문제인 상태입니다. 물론 이 두 가지가 복합된 경우도 많습니다.
2. 실어증은 스스로 말하기(fluency, 또는 유창성), 언어이해(comprehension), 따라말하기(repetition), 이름대기(naming)의 4가지 요소를 이용하여 분류합니다. 이중 이름대기(naming)는 모두 나쁨(Poor)라고 전제하므로 실제 실어증의 분류는 나머지 3가지 요소를

위주로 이루어집니다. 이름대기는 명칭실어증(Anomic aphasia)과 정상을 감별하는데 중요한 역할을 하는 항목입니다.

스스로 말하기	언어이해	따라말하기	실어증 분류
Fluent	Good	Good	Anomic (명칭실어증) - 이름대기만 Poor
		Poor	Conduction (전도실어증)
	Poor	Good	Transcortical sensory (초피질 감각실어증)
		Poor	Wernicke (베르니케 실어증)
Nonfluent	Good	Good	Transcortical motor (초피질 운동실어증)
		Poor	Broca (브로카 실어증)
	Poor	Good	mixed transcortical (혼합형 초피질 실어증)
		Poor	Global (전실어증)

3. 실어증의 구분은 일단 피질 후반부의 손상인 유창성(Fluent) 실어증과 피질 전반부의 손상인 비유창성(Non-fluent) 실어증으로 구분됩니다. 유창성 실어증의 대표적인 예는 베르니케 실어증으로 언어의 이해나 표현에 장애가 있으면서 말은 조리 없이 횡설수설 잘하는 양상을 보입니다. 비유창성 실어증의 대표적인 예는 브로카 실어증으로 읽기나 듣기 등의 언어이해에는 문제가 없으나 말의 표현에 장애를 보입니다.

3-2 뇌신경검사 Cranial Nerve(CN)

(1) 개요

I	Olfactory nerve (후각신경)	커피, 담배 등으로 한쪽씩 확인
II	Optic Nerve (시신경)	시력검사, 안저검사, 시야검사
III	Oculomotor nerve (동안신경)	안검하수, 안구운동검사
IV	Trochlear nerve (활차신경)	안구운동검사(상사근)
V	Trigeminal nerve (삼차신경)	안면의 감각, 각막반사, 저작근검사
VI	Abducens nerve (외전신경)	안구운동검사(외직근)
VII	Facial nerve (안면신경)	안면의 운동, 미각(혀의 전방 2/3)
VIII	Vestibulocochlear nerve (전정와우신경)	청력검사
IX	Glossopharyngeal nerve (설인신경)	Gag reflex, 혀의 후방 1/3
X	Vagus nerve (미주신경)	'아' 소리 내기, 쉰목소리, 연하
XI	Accessory nerve (부신경)	Trapezius(어깨올리기) SCM(목회전)
XII	Hypoglossal nerve (설하신경)	혀내밀기 검사

(2) 후각신경(CN I, Cranial Nerve I)과 시신경(CN II) 검사

1. 후각신경은 한쪽 콧구멍을 막고 커피, 담배, 민트 등으로 자극하여 검사합니다. 후각신경의 이상은 외상(blunt trauma)이 원인인 경우가 많지만 뇌종양(brain tumor) 등으로 발생하기도 합니다.
2. 시신경 검사는 뇌병변을 민감하게 반영하는 검사로 보통 안과에 의뢰되어 시행됩니다. 1) 시력표를 이용한 시력(visual acuity)검사 2) 검안경을 이용해 유두, 안저부, 혈관의 이상을 관찰하는 안저검사(fundus exam) 3) 한쪽 눈을 감고 환자의 시선을 고정시킨 후 각 사분면 별로 검사자의 손을 이동시켜 시야범위를 확인하는 시야(visual field) 검사 4) 펜라이트를 이용한 직접 또는 간접 동공반사(pupillary light reflex) 등이 포함됩니다.

> 시야장애의 수기차팅례 (환자가 보는 기준으로 원형 기호를 이용해 기재)
>
> 1. ○● : 오른쪽 눈의 완전한 실명 - 외상, 골절 등
> 2. ◐◑ : 양측성의 외측 반맹증 - 뇌하수체 종양 등 시신경 교차부위 병변
> 3. ◐◐ : 왼쪽이 안 보이는 동측 반맹증(homonymous hemianopsia) - 뇌졸중 등 (마비된 쪽으로 시야도 제한)
> 4. ◔◔ : 오른쪽의 위 사분맹(superior quadrantanopsia) - 왼쪽 측두엽의 손상 등

(3) 안구운동검사 EOM, Extraocular Movements

1. 안구의 움직임은 동안신경(CN III), 활차신경(CN IV), 외전신경(CN VI)이 관련되는 검사입니다. 신체검진에서의 눈 관련 검사와 함께 ptosis(안검하수)나 nystagmus(안구진탕)이 있는지 확인하고 머리를 고정시킨 상태에서 안구를 상하좌우 내외측으로 움직이게 하면서 움직임에 이상이나 복시(Diplopia) 여부를 있는지 확인합니다. 또는 눈으로 H자를 그리라고 지시해도 됩니다.
2. 안검하수는 호너증후군(Honer's syndrome)에서도 나타나지만 동안신경(CN III)의 이상인 경우가 많고 안구운동 중 상하직근(Sup/Inf rectus), 내직근(Medial rectus), 하사근(Inferior oblique)도 동안신경이 관여합니다. 안구운동 중 상사근(Superior oblique)은 활차신경이, 외직근(Lateral rectus)은 외전신경이 관여합니다.

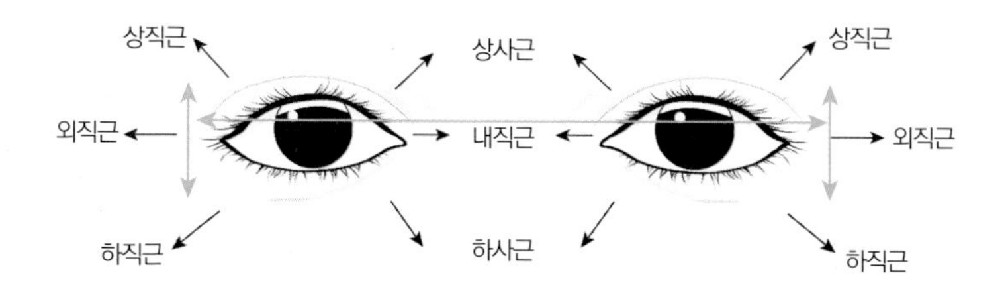

(4) 삼차신경(CN V)

1. 뇌신경 중 가장 굵은 삼차신경은 안면전체의 감각기능과 측두근, 교근을 지배하며 그 분지에 따라 1) 안신경(opthalmic nerve, CN V1) 2) 상악신경(maxillary nerve, CN V2) 3) 하악신경(mandibular nerve, CN V3)으로 구분합니다.
2. 검사는 1)솜이나 화장지를 안면부에 접촉해 감각을 알아보는 Light touch 검사 2)부드러운 솜으로 각막에 접촉시켜 눈을 깜박이는지를 확인하는 각막반사(corneal reflex) 검사 3) 환자가 이를 악물었을 때 temporalis, masseter 등의 저작(mastication) 근육의 위축이나 이상을 확인하는 검사 등을 시행합니다.

(5) 안면신경(CN VII)

1. 이마의 주름을 만들거나 눈 또는 입 주위 근육을 움직이게 하여 안면의 운동기능이나 비대칭성을 확인하고 또한 설탕, 소금 등으로 혀의 미각기능을 검사합니다.
2. 참고로 혀의 뒤쪽 1/3의 감각/미각은 설인신경(CN IX)이 담당하고 앞쪽 2/3의 감각은 삼차신경(V)이, 미각은 안면신경(VII)이 담당합니다.

(6) 전정와우신경(VIII)

1. 청신경(auditory nerve)으로도 불립니다. Weber test가 대표적 검사로 소리굽쇠(tuning fork)를 정수리 가운데에 위치시키고 가볍게 진동시켜 양쪽 귀에서 들리는 소리량을 비교합니다. 감각신경성(sensorineural) 난청은 병변 측 소리가 감소하고 전도성(conduction) 난청은 병변 측 소리가 오히려 증가하게 됩니다. 또는 소리굽쇠를 유양돌기(mastoid process)에 대고 진동시키고 소리가 사라지면 바로 귀 옆에 위치시키는 Rinne test도 시행합니다. 공기전도(air conduction, AC)가 골전도(bone conduction, BC)가 보다 잘 들리므로 정상인 경우 소리가 사라지자 마자 귀 옆에 위치해도 소리가 들리지만 그렇지 않다면 전도성(conductive) 난청을 의심합니다.
2. 보행이상, 안진(nystagmus) 등과 관련되는 전정신경(vestibular nerve) 기능은 특수검사 항목으로 분류하기도 합니다.

(7) 설인 신경(CN IX)과 미주 신경(CN X)

1. 주행경로는 다르지만 일반적으로 동시에 검사합니다. 환자에게 '아' 소리를 내게 한 뒤 soft palate elevation의 대칭성을 검사(비정상 쪽의 목젖(uvula)이 elevation 되지 않아 편위됨)하거나 설압자로 구개, 인두 부위를 자극하여 유발된 구역 반사(gag reflex)도 확인합니다. 감각의 이상은 설인신경이, 운동의 이상은 미주신경이 관여됩니다.

2. 미주(迷走)신경은 대표적인 부교감신경으로 연수(medulla)에서 출발하여 심장, 폐, 위장 등 내장기관에 미로(迷路)처럼 복잡하게 분포합니다. 미주신경 이상시 쉰 목소리가 나오거나 연하곤란(dysphagia)이 유발될 수 있으므로 뇌신경 검사시 소량의 물을 마시게 하는 방법도 활용됩니다.

(8) 부신경(CN XI)과 설하신경(CN XII)

1. 부신경은 승모근(trapezius)와 흉쇄유돌근(SCM)을 관장합니다. 저항을 준 상태에서 양쪽 어깨를 동시에 올리게 하거나(=trapezius) 저항을 준 상태에서 목을 돌리게 하여(=SCM) 정상적인 근육 수축이나 대칭성을 확인합니다.
2. 설하신경은 환자에게 혀를 내밀고 좌우로 움직이게 하며 혀의 위축이나 비대칭성 여부를 확인합니다. 혀의 방향이 한쪽으로 편향되었으면 편향된 쪽의 뇌병변을 암시합니다.

3-3 운동 및 감각 검사

(1) MMT

1. 도수근력검사(manual muscle test, MMT)는 보통 근육움직임이 아예 없는 상태(Grade 0)부터 검사자의 강한 저항(full resistance)에도 움직일 수 있는 상태(Grade 5)까지 6단계로 나누어 구분합니다. MRC(Medical Research Council)에서 제안한 0에서 5까지의 숫자방식이 많이 사용되나 Daniels 등이 제안한 알파벳 방식으로 표기되기도 합니다.

MRC (Daniels 방식)	%	의미
5 (N, Normal)	100%	중력과 강한(maximal) 저항에 대하여 완전한 ROM. [정상상태]
4 (G, Good)	75%	중력과 중등도(moderate)의 저항에 대하여 완전한 ROM
3+ (fair plus)		중력과 최소량(minimal)의 저항에 대하여 완전한 ROM
3 (F, Fair)	50%	중력에 대하여 완전한(full) ROM
3- (fair minus)		중력에 대하여 50% 이상의 ROM
2+ (poor plus)		중력에 대하여 50% 미만의 ROM
2 (P, Poor)	25%	중력이 작용하지 않을 때 완전한(full) ROM
2- (poor minus)		중력이 작용하지 않을 때 불완전한 ROM
1 (T, Trace)	10%	약한 근수축은 있으나 관절운동은 없는 상태
0 (Z, Zero)	0%	근수축이 없는 상태

2. 보다 세밀한 근력의 평가를 위해 6단계 숫자방식을 더욱 세분화한 방식이 사용되기도 합니다. 예를 들어 2단계(P) 기준으로 중력이 작용하지 않을 때 불완전한 ROM을 보이면 P-(또는 2-)로 표시하고 3단계(F) 기준으로 중력에 대하여 완전하지는 않으나 ROM의 50%이상 가능하면 F-(또는 3-)로, 중력 및 최소량의 저항(minimal resitance)에 완전한 ROM을 보이면 F+(또는 3+)로 표기됩니다.[2,3]

(2) ROM 검사

1. 관절의 운동범위(range of motion, ROM) 검사는 다른 도움 없이 환자 스스로의 힘으로 움직이는 범위를 측정하는 능동적(Active) 운동범위(AROM)와 검사자의 도움을 받으면서 움직일 수 있는 최대범위를 측정하는 수동적(Passive) 운동범위(PROM)로 구분됩니다. 일반적으로 말하는 ROM은 active ROM을 주로 의미하는 경우가 많습니다.
2. 정상 ROM 참고치는 아래의 표에 기재되었습니다. 문헌마다 정상범위의 차이가 상당하므로 절대적인 기준은 될 수 없으며 성별, 연령별 차이도 함께 고려하시기 바랍니다.[3,4]

U/E	Shoulder	Flexion	180°	Extension	60°
		Abduction	180°	Adduction	45°
		Internal Rotation	70°	External Rotation	90°
	Elbow	Flexion	150°	Pro/Supination	90°
	Wrist	Flexion	80°	Extension	70°
L/E	Hip	Flexion	120°	Extension	30°
		Abduction	45°	Adduction	20°
		Internal Rotation	45°	External Rotation	45°
	Knee	Flexion	130°	Extension	0-5°
	Ankle/Foot	Dorsiflexion	20°	Plantar flexion	50°
		Inversion	35°	Eversion	25°
Spine	Neck	Flexion	45°	Extension	45°
		Lateral flexion	45°	Rotation(Rt/Lt)	60°
	Lumbar	Flexion	90°	Extension	30°
		Lateral flexion	35°	Rotation(Rt/Lt)	45°

(3) Muscle tone

1. Muscle tone(근긴장상태)은 검사자의 힘을 이용하여 환자의 ROM을 따라 움직여 보면서 근육의 spasticity(강직) 여부를 확인하는 부분으로 보통 MAS (Modified Ashworth Scale) 방식을 사용합니다. 아래의 표에 사용된 [catch]라는 용어는 에너지 소비가 거의 없으면서도 일정시간 동안 평활근(smooth muscle)이 높은 긴장도를 유지하는 상태를 의미합니다.

MAS (Modified Ashworth Scale)	
G0	근육긴장(muscle tone)의 증가가 없다.
G1	근육긴장이 약간 증가된 상태로 긴장도를 유지하다가 풀어지거나(catch and release) 또는 ROM 마지막 단계에서 약한 저항(minimal resistance)이 존재한다.
G1+	근육긴장이 약간 증가된 상태로 긴장도를 유지하다가(catch) ROM 절반 이하의 영역에서 약한 저항으로 이어진다.
G2	ROM 전 영역에서 근육긴장의 증가가 두드러지나 쉽게 움직일 수 있다.
G3	ROM 전 영역에서 근육긴장이 상당히 증가되어 있어 수동운동이 어렵다.
G4	굴곡/신전 등의 운동시 경직되어(rigid) 있다. (수동운동이 불가능할 정도)

2. Spasticity vs Rigidity (강직 vs 경축) : 두가지 모두 비정상적으로 근육의 긴장도가 증가된 상태(hypertonia)이나 아래와 같은 차이가 있습니다. *

	Spasticity (강직, 경직)	Rigidity (경축, 과다굳음)
손상부위	척수손상(SCI), 뇌졸중 등으로 추체로(pyramidal tract)의 손상시 발생	파킨슨증처럼 기저핵(Basal ganglia) 등의 추체외로(extrapyramidal tract) 손상시 발생
특징	- 주머니칼 현상(Clasp knife spasticity) : 처음의 저항은 강하지만 이후의 저항은 약함.	- 납관현상(Lead pipe rigidity) :운동범위 전체적으로 동일한 저항 - 톱니바퀴현상(Cog wheel rigidity): 톱니바퀴를 돌리는 것처럼 일정한 간격마다 저항
저항양상	속도의존적(velocity dependant) 저항증가. 느린 움직임으로 저항을 감소시킬 수 있음.	속도와 무관한(velocity independent) 저항
발생부위	주동근, 길항근 둘 중 한쪽에만 발생하며 DTR은 증가	주동근, 길항근 모두 발생하며 DTR은 무변화

참고 **추체로 vs 추체외로** (Pyramidal vs Extrapyramidal tract)

1. 추체로는 피질척수로(spinal pathway)를 포함하는 개념으로 연수의 추체(pyramid)를 지나는 운동신경계입니다. 전반적인 몸의 움직임과 본인의 의지에 따라 움직이는 수의운동을 주관합니다.
2. 추체외로는 연수의 추체를 지나지 않는 신경계로 움직임의 coordination을 담당하고 반사적, 무의식적 운동을 주관합니다.

* 대한의사협회 의학용어집 개정시마다 Spasticity는 3집(강직) 4집(경직) 5집(경직, 강직)으로, Rigidity는 3집(경직) 4집(경축), 5집(경축, 과다굳음)으로 변화하여 왔으며 본 항목에서는 5집의 용어를 사용하였습니다.

3. 파킨슨씨병의 경우 보통 추체로는 정상이므로 전반적인 움직임과 수의 운동은 어느 정도 가능하나 추체외로가 손상되었으므로 세밀하고 균형 잡힌 동작은 힘든 임상양상을 보여줍니다.

(4) 감각검사

1. 감각검사는 전반적인 신체의 감각이상 여부를 확인하여 이상없음(intact) 정도로 기재하기도 하지만 신경학적 이상을 호소하는 경우 각 신경지배 영역의 해당부위에 각종 도구 등을 사용해 검사하기도 합니다.
2. 예를 들어 요통이나 척추관협착증 환자가 마미증후군(cauda equina syndrome)으로 의심되는 경우 대소변 장애 여부와 함께 항문주위(perianal)의 감각검사 확인도 놓치지 말아야 할 부분입니다. 또한 감각이 저하된 환자에게 온열치료, 뜸치료 등을 시행하여 화상과 같은 의료사고가 발생할 수도 있기 때문에 초진환자 평가시 주의해야 합니다.
3. 촉각(touch)의 검사는 면봉이나 솜을 사용하는 가벼운 접촉 검사(light touch test)가 활용되고 통각(pain)에는 안전핀(safety pin) 등으로 가볍게 찌르는 핀찌르기 검사(pin prick test)가 이용됩니다. 그 밖에 온도감각(temperature), 고유감각(proprioception) 등이 확인되는데 온도감각은 소리굽쇠나 냉장고의 물을 양측에 대고 비교할 수 있고 고유감각은 손가락 또는 발가락 관절측면을 양쪽으로 잡고 눈을 감게한 후 손(발)가락 관절을 위-아래로 이동시켜 이동방향을 말하게 하면 됩니다.

3-4 반사 검사

(1) DTR (심부건반사)

1. 슬개골 하연에 반사망치(reflex hammer) 등으로 자극을 가할 경우 본인의 의지와 무관하게 다리가 튀어 올라가는 증상처럼 뇌를 거치지 않고 말초신경과 척수 등이 작용하여 발생하는 단일시냅스반사(monosynaptic reflex)를 DTR(deep tendon reflex, 심부건반사)이라 합니다. 하위운동신경의 이상이나 말초신경병증 등이 있으면 DTR은 저하됩니다.
2. 뇌졸중(stroke), 다발성경화증(MS)과 같이 상위운동신경원(Upper motor neuron, UMN)에 이상이 오면 하위운동신경원이나 이와 관련된 DTR이 억제 또는 조절되지 못하기 때문에 DTR은 항진되게 됩니다. Ankle clonus(발목 간대성경련)와 같은 현상도 DTR이 매우 항진된 현상의 하나로 볼 수 있습니다.
3. Jendrassik Maneuver : 검사 반대편 주먹을 쥐게 한다거나 양손을 깍지 껴서 힘주도록 하는 것처럼 환자가 검사 부위를 의식하지 않도록 다른 부위에 힘주도록 하는 방법도 활용할 수

있습니다.

4. DTR 검사의 종류는 아래와 같습니다. 턱(Jaw)의 건반사나 상완요골근(brachioradialis)의 건반사도 각각 CN5과 C6와 관련된 DTR이지만 임상적으로 많이 사용되지는 않습니다.

BJ	Biceps jerk(이두근 반사) C5, C6
	환자의 팔꿈치를 지지하고 검사자의 엄지손가락을 Biceps의 건(tendon) 위에 올려놓은 후 반사망치로 두드린다.
TJ	Triceps jerk(삼두근 반사) C7, C8
	환자의 전완을 지지하고 반사망치로 주두와(Olecranon fossa)를 두드려 삼두근 건을 자극한다.
KJ	Knee jerk(무릎 반사) L3, L4
	무릎의 힘을 뺀 상태에서 굴곡시키고 반사망치로 무릎의 슬개건(patellar tendon)을 두드린다.
AK	Ankle jerk(발목 반사) S1, S2
	족관절을 약간 dorsiflexion 시켜 아킬레스건(achilles tendon)이 늘어난 상태에서 반사망치의 평평한 면으로 두드린다.

Tip 반사검사 반응의 차트 기재

1. -(무반응), +(저하), ++(정상), +++(항진), ++++(현저한 항진)로 표기합니다. 보통 우측/좌측의 순서로 기재하므로 ++/+++은 우측은 정상, 좌측은 항진되어 있음을 의미합니다.
2. 또는 0(무반응) 1(저하) 2(정상) 3(항진) 4(현저한 항진)로 표기하기도 합니다.

(2) 병리적 반사

1. 병리적 반사(pathologic reflex)는 상위운동신경원(UMN)의 병변을 의심할 때 주로 시행하는 검사들로 아래의 3가지 검사가 주로 많이 사용됩니다.

Hoffman sign (호프만 징후)	
▪ 환자의 가운데 손가락을 꼬집듯이 가볍게 튕긴다. ▪ 엄지 and/or 집게 손가락이 구부러지는 반응이 보이면 양성(positive)이 되며 피질척수로(corticospinal tract) 등 상위운동신경의 병변을 의심	
Babinski sign (바빈스키 반사)	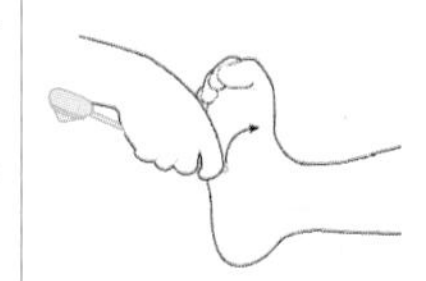
▪ 반사망치의 손잡이나 침관과 같은 뾰족한 끝을 이용하여 발바닥 외측하방에서 엄지발가락 쪽으로 살짝 긁는다. ▪ 엄지발가락이 발바닥 쪽으로 굴곡하면 음성(normal), 발등 쪽으로 신전하고 다른 발가락들이 부채살처럼 펴지면 양성(positive). 양성은 뇌, 척수 등의 상위운동신경병변을 의심 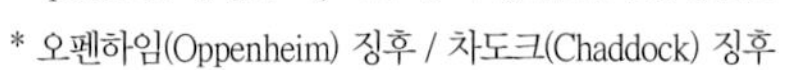 * 오펜하임(Oppenheim) 징후 / 차도크(Chaddock) 징후	
Ankle clonus (발목 간대성경련, A/C)	
▪ 무릎을 굽힌 상태에서 환자에게 발목의 힘을 빼게한 후 검사자의 힘으로 발목을 갑자기 빠르게 배측굴곡(dorsiflexion) 시킨다. ▪ 종아리 근육의 간대성 경련(근육의 리드미컬한 수축-이완 반복)이 보이면 양성. 배측굴곡 후 손을 놓지 말고 굴곡 자세를 유지해야 잘 관찰됨.	

2. 일반인에서의 호프만 징후 양성은 경추신경의 이상을 암시하는 경우가 많지만 단순한 반사의 항진이나 명확한 원인이 없는 경우도 있고, 바빈스키반사의 경우 16개월 이하의 영아에서는 양성반응이 정상반응이므로 해석에 주의해야 합니다.[6]
3. 바빈스키 반사 이외에도 경골의 안쪽 면을 자극하는 오펜하임(Oppenheim) 징후나 족관절 바깥쪽의 외과(lateral malleolus)를 자극하는 차도크(Chaddock) 징후 등도 있으며 모두 바빈스키 징후처럼 발가락의 반사현상이 나타나고 결과의 해석도 바빈스키와 동일하게 적용합니다.

(3) 상/하위 운동신경원 장애의 비교

	상위 운동신경원 (UMN)	하위 운동신경원 (LMN)
Muscle tone	항진, 강직성(spastic)마비	저하, 이완성(flaccid)마비
Muscle atrophy	근위축 없음 (장기간 지속시에는 발생)	근위축 있음
DTR	항진	저하
Superficial reflex	저하	정상
Signs	Babinski sign, A/C	Fasciculation

3-5 소뇌기능검사

(1) 동조검사 Coordination

1. **Finger to Nose (FTN)** : 환자의 코와 검사자의 집게 손가락을 번갈아 접촉하게 합니다(3회 이상). 소뇌의 병변시 목표지점 끝에 정확히 대지 못하거나 가까이 갈수록 손이 떨리게 됩니다.
2. **Finger to Finger (FTF)** : 한 손가락으로 검사자의 손가락에 접촉하도록 하고 뗀 후 반대 손도 같은 절차를 반복하게 합니다. 또는 같은 손가락으로 접촉했다가 떼고 다시 반복하여 접촉하도록 합니다.
3. **Rapid alternating movement (RAM)** : 두 손을 무릎 위에 놓고 빠르게 회내(pronation)와 회외(supination)운동을 반복하게 합니다. "무릎을 손바닥과 손등으로 교대로 두드리세요." 이것에 장애가 있으면 Dysdiadochokinesia(길항운동반복불능증)라고 합니다.
4. **Heel to Shin (HTS)** : 앉거나 누운 자세에서 한쪽 발의 발뒤꿈치를 반대 쪽 정강이 바깥쪽(경골조면) 위-아래로 미끄러지게 합니다. 발뒤꿈치와 정강이가 계속 접촉되어 있어야 합니다.

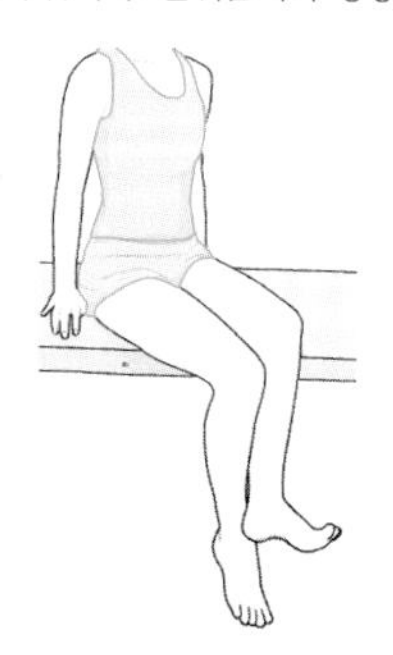

(2) 보행검사 Gait

1. **Natural gait** : 환자에게 평상시처럼 걷게 하여 이상이 있는지 확인합니다.
2. **Tandem gait** : 일직선 위에서 발 앞꿈치와 뒤꿈치를 붙이면서 걷게 합니다.
3. **Romberg's test** : 눈을 뜬 상태에서 두 발을 모으고 서도록 한 후 시각적 보상을 차단하기 위하여 약 20-30초 정도 눈을 감게 합니다. 눈을 감으면서 심하게 몸이 흔들리거나 쓰러지면 양성(positive)으로 판정하며 고유감각(proprioception)의 이상을 의미하지만 때로는 척추관협착증(lumbar spinal stenosis) 등에서도 양성결과기 발견됩니다.[7] 엄밀히 말해 소뇌검사에 속하지 않으나 편의상 함께 검사하는 것이 일반적입니다. 소뇌기능의 이상시에는 눈을 뜬 상태와 감은 상태 모두 균형감각이 저하된 경우가 많습니다.

3-6 뇌수막자극 징후

Brudzinski sign (브루진스키 징후)

- 환자를 눕힌 후 검자사는 환자의 목을 굴곡시킨다.
- 환자의 고관절과 슬관절이 굴곡되면 수막염(meningitis)을 의심

Kernig sign (커니그 징후)

- 환자를 눕히고 슬관절과 고관절을 90도 굴곡시킨 상태에서 슬관절만 편다.
- 저항이 심하거나 통증이 유발될 때에는 수막염이나 SAH 등의 CNS 질환을 의심하며 특히 반대편 슬관절과 고관절이 불수의적으로 굴곡되면 더 확실. 평소 하지의 방산통이 있던 환자라면 CNS 질환보다는 추간판탈출증으로 인한 가능성이 더 큼.

* Lasegue's sign(라세그 징후)와 동일한 검사이나 초점이 되는 질환에 따라 다른 명칭.

Naffziger test (나프지거 검사)

- 환자를 앉힌 후 경정맥(jugular vein)을 약 10초간 누르고 이후 압박을 유지하면서 환자에게 심호흡 후 기침을 하게 한다.
- 기침시 동통이 있는 것은 수막을 자극하는 병변 또는 경추의 공간점유병변을 의미.

1. 뇌수막염(meningitis) 등에서 나타나는 수막자극징후(meningeal irritation sign)는 경부경직(Neck stiffness), Brudzinski 징후, Kernig 징후 등이 대표적입니다.
2. 실제 질환이 있음에도 증상이 나타나지 않을 수 있으므로 진단시 주의해야 합니다. Naffziger 검사도 수막의 자극을 반영할 수 있지만 경추의 다른 공간점유병변 등으로 양성일 가능성을 고려해야 합니다.

REFERENCES

1. Lynn S. Bickley, Peter G. Szilagyi. Bates' guide to physical examination and history taking[10th ed]. Lippincott Williams & Wilkins. 2009.
2. Melinda Rybs. Kinesiology for occupational therapy. SLACK Incorporated, 2004. p.47
3. Paternostro-Sluga T, Grim-Stieger M et al. Reliability and validity of the Medical Research Council (MRC) scale and a modified scale for testing muscle strength in patients with radial palsy. J Rehabil Med. 2008 Aug;40(8):665-71.
4. Mark HB et al. The Merck Manual of Diagnosis and Therapy, 18th edition. 2006
5. Nikita AV. Physical Medicine Manual. Professional Health Systems. 2009.
6. Houten JK, Noce LA. Clinical correlations of cervical myelopathy and the Hoffmann sign. J Neurosurg Spine. 2008;9(3):237-42.
7. Katz JN, Harris MB. Clinical practice: Lumbar spinal stenosis. N. Engl. J. Med. 2008;358(8):818-25

04 근골격계 검사

- 각 부위별 ROM 정상범위는 문헌별로 차이가 많고 성별, 연령 등에 따른 변동도 고려해야 합니다.
- 급성기 손상으로 통증이 심한 경우라면 무리한 이학적 검사가 추가적인 손상을 유발할 수 있으므로 바로 X-ray, MRI 등을 시행할 수 있습니다. 만성증상인 경우라면 실제 MRI 등에서 발견된 변화와 임상증상이 직접적인 관련이 없는 경우도 상당수 있으므로 이학적 검사가 진단시 유용하며 또는 이학적검사에는 이상이 없는데 실제 이상이 있을 가능성도 항상 염두해야 합니다.
- MMT, ROM, 반사(Reflex) 검사 등 근골격계와 관련된 검사 일부는 3장에도 수록되어 있습니다.

4-1 총론

(1) 근골격계 이학적 검사

1. 본 장에서는 영상의학적 내용을 제외하고 주로 이학적 검사(physical examination)로 근골격계 관련증상을 검사하고 진단하는 방법을 다룹니다. 이학적 검사는 보통 병력청취가 끝나고 시행되는데 각 부위별로 시진(observation), 촉진(palpitation)과 관절운동범위(ROM)의 확인을 한 후 관련된 신경학적 검사(neurologic test)와 특수검사(special test)를 시행하는 순으로 진행합니다.
2. 관절운동범위의 경우 일반적으로 능동적 운동범위(AROM)를 먼저 확인한 후 수동적 운동범위(PROM)를 확인합니다. AROM, PROM 모두 제한이 있으면 관절의 문제나 연부조직의 구축을 의심할 수 있고, PROM은 정상인데 AROM만 제한되어 있다면 근육의 약화를 시사합니다.

(2) 피부분절 (Dermatome)

1. 주로 부위별 척수분절의 부위는 문헌마다 조금씩 다르게 분포하며 실제 임상에서는 경계영역이 뚜렷하지 않고 개별차도 있음을 고려하시기 바랍니다.
2. 주요 부위별로 대체적인 분포 부위는 다음과 같습니다.

   (예) T4 : 유두부위, T10 : 배꼽부위, T12 : 전상장골능, S2/S3: 생식기, S5 : 항문

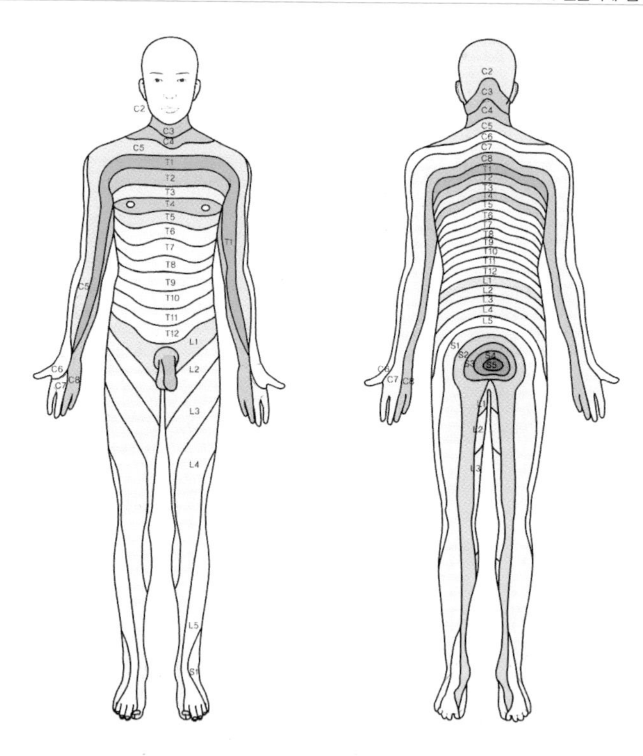

3. 문헌 마다 신체부위별 분포영역이 약간 다르게 기재되어 있습니다. 최근의 그림일수록 개인차가 있거나 신경지배 분포영역이 중복되는 점을 고려하여 작성되게 됩니다.

(3) 근골격계 Special Test - 기본적 MMT, ROM, 신경학적 검진 후 시행

부위	주요관련개념	검사 예시	No
경추부 Cervical	신경근	Compression test (압박 검사)	01
		Spurling's test (스펄링 검사)	02
		Distraction test (견인검사)	03
	공간점유병변	Valsalva test (발살바검사) * 흉추, 요추 등에도 사용가능	04
	식도	Swallowing test (연하검사)	05
	척수병증	Hoffman sign (호프만 징후)	06
		Finger escape sign (손가락 이탈 징후)	07
흉추부 Thoracic	신경근	Beevor's sign (비버 징후)	08
	늑골	Sternal compression test (흉골 압박 검사)	09
요추부 Lumbar	신경근/추간판 (SLR 관련)	SLR (Sraight Leg raise, 하지직거상검사)	10
		Bragard's sign (브라가드 징후)	11
		Lasegue's sign (라세그 징후)	12
		Well leg raise test (건측 SLR 검사) = Peyton sign	13
		Milgram test (밀그램 검사)	14
	요추가동성	Schober test (쉐버 검사)	15
	Malingering	Hoover test (후버 검사)	16
견관절 Shoulder	견관절 ROM	Apley Scratch Test (아플리 긁기 검사)	17
	회전근개	Drop arm test (팔 떨어뜨리기 검사)	18
		Empty can test (깡통 비우기 검사)	19
	상완이두근	Yergason test (요르가슨 검사)	20
		Speed test (스피드 검사)	21
	불안정성	Shoulder apprehension test (견관절 불안 검사) = Jode test	22
	흉곽출구증후군	Adson test (애드슨 검사)	23
	충돌증후군	Hawkins test (호킨스 검사)	24
		Neer test (니어 검사)	25
주관절 Elbow	외상과	Tennis Elbow test (테니스 엘보우 검사) = Cozen test	26
	내상과	Golf Elbow test (골프 엘보우 검사) = Reverse cozen test	27
	인대	Test for ligamentous stability (인대안정성 검사)	28

완관절 Wrist	건초염	Finkelstein test (핀켈스테인 검사)	29
	수근관	Phalen's test (팔렌 검사)	30
		Tinel's sign at wrist (손목 티넬 징후)	31
고관절/천장관절 Hip/Sacroiliac	고관절	Thomas test (토마스 검사)	32
		Log roll test (통나무 굴리기 검사)	33
	고관절/천장관절	Patrick test (패트릭 검사) = FABERE test = 4자 검사	34
	천장관절	Gaenslen's test (갠슬렌 검사)	35
	중둔근	Trendelenburg sign (트렌델렌버그 검사)	36
	장경인대	Ober test (오버 검사)	37
슬관절 Knee	인대	Anterior & posterior draw sign (전후 견인검사)	38
		Lachman test (라크만 검사)	39
		Varus/Valgus stress test (내반/외반 불안정성 검사)	40
	반월판	McMurray's test (맥머리 검사)	41
		Apley's compression test (아플리 압박검사)	42
		Apley's distraction test (아플리 견인검사)	43
	슬개골	Patello-femoral grinding test (슬개대퇴부 연마검사)	44
족관절 Ankle/foot	인대	Ankle anterior drawer test (족관절 전방견인검사)	45
		Ankle inversion stress test (족관절 외측 불안정성 검사)	46
	아킬레스건	Thomson test (톰슨 검사)	47
	DVT	Homan's test (호만 검사)	48

4-2 경추부

(1) 확인사항

1. **시진 :** 머리가 어느 한쪽으로 틀어져 있는지 살피고 목과 어깨의 자세를 관찰합니다.
2. **촉진 :** 경추의 배열을 살피고 SCM과 경추 주변의 근육을 촉진합니다. 목 전면부의 갑상선과 윤상연골 등도 확인합니다.
3. **ROM 정상범위 :** Flexion 45°, Extension 45°, Lateral flexion 45°, Rotation 60°
4. **신경학적 검사 :** 경추 주변과 함께 신경지배영역인 상지의 피부감각에 이상은 없는지 살피고 반사검사를 시행합니다. 각 신경근(Nerve root)의 감각, 운동, 반사와 관련된 내용은 아래와 같습니다.

Root	척추간	운동 근육	건반사	감각영역
C5	C4-C5	Deltoid, Biceps	Biceps	상완 외측
C6	C5-C6	Wrist extensors, Biceps	Brachioradialis (Biceps)	전완 외측, 제1지(Thumb)
C7	C6-C7	Wrist flexors, Finger extensors, Triceps	Triceps	제3지
C8	C7-T1	Finger flexors, Hand intrinsics	-	전완 내측, 제5지
T1	T1-T2	Hand intrinsics	-	상완 내측

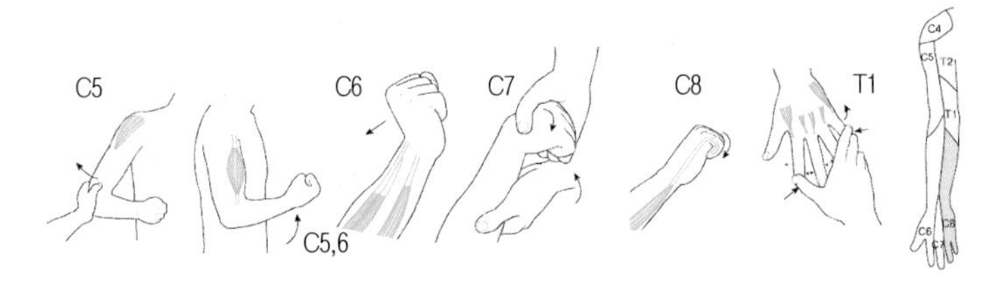

(2) 특수 검사

01	Compression test (압박 검사) ▪ 환자를 앉힌 후 머리 위에서 하방으로 압력을 가한다. ▪ 국소의 통증은 관절이나 후관절의 이상을, 상지의 방사통은 추간공의 협착이나 신경근의 압박을 암시. 방사통 범위를 확인해 신경레벨의 추정이 가능함.	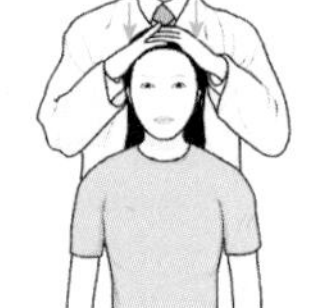
02	Spurling's test (스펄링 검사) (= Foraminal compression test) ▪ 환자를 앉힌 후 머리를 신전(extension)하고 측굴(lateral flexion)하게 한 후 위에서 하방으로 압력을 가한다. ▪ 국소의 통증은 관절이나 후관절의 이상을, 상지의 방사통은 추간공의 협착이나 신경근의 압박을 암시. 방사통 범위를 확인해 신경레벨의 추정이 가능함.	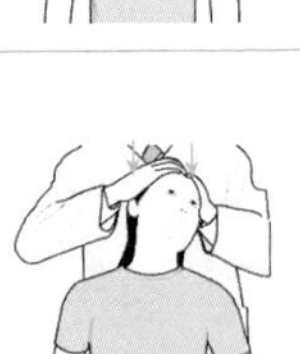
03	Distraction test (견인검사) ▪ 환자를 앉힌 후 검사자는 한손을 환자의 턱밑에, 다른 한손은 후두부를 받치고 머리를 위로 잡아 올린다. ▪ 통증이 감소하면 추간공 압박을 시사, 국소 통증 증가시 근육이나 인대의 손상 의심	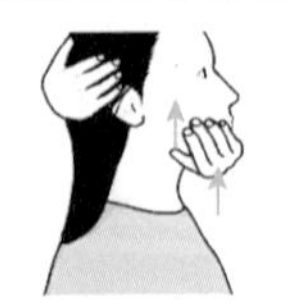

04	Valsalva test (발살바검사) ▪ 숨을 깊이 마신 후 배변시 힘을 주는 것처럼 하복부에 힘을 가한다. ▪ 척수내압을 증가시키는 검사. 양성시 추간판 탈출증, 종양 등 공간점유병변을 암시. * 흉추, 요추 등의 척추질환에도 적용 가능.	
05	Swallowing test (연하검사) ▪ 물 등의 액체를 마실 때 통증이나 연하곤란이 발생하는지 확인한다. ▪ 식도의 병변, 경추의 골절 또는 염좌, 종양/감염 등으로 인한 연부조직 종창 등.	
06	Hoffman sign (호프만 징후) ▪ 환자의 가운데 손가락을 꼬집듯이 가볍게 튕겼을 때 엄지 and/or 집게 손가락이 구부러지는 반응이 보이면 양성 ▪ 양성은 경추신경, 피질척수로(corticospinal tract) 등의 이상을 의심.	
07	Finger escape sign (손가락 이탈 징후) ▪ 환자 스스로 손목을 신전시킨 상태에서 팔을 앞으로 뻗으라고 지시한다. ▪ 제5지가 다른 손가락과 떨어지면 양성이며 cervical myelopathy를 시사	

4-3 흉추부

(1) 확인사항

1. **시진 :** 어깨나 전반적인 상체의 모양과 자세를 관찰합니다. 환자의 뒤와 옆에서 척추를 관찰하여 Scoliosis(측만증) 또는 Kyphosis(후만증)의 존재 여부도 확인합니다.
2. **촉진 :** 흉추의 배열을 살피고 흉추 주변의 근육을 촉진합니다.

(2) 특수검사

08	Beevor's sign (비버 징후) ▪ 환자를 눕힌 후 환자에게 배꼽이 보일 정도로 머리를 들어 올리게 하고 검사자는 배꼽이 편향되는지 살핀다. ▪ 정상은 움직임이 없음. 배꼽이 머리 쪽으로 움직이면 배꼽 아래의 근력이 약해진 것으로 T10-12의 신경근 이상, 다리 쪽으로 움직이면 배꼽 위의 근력이 약해진 것으로 T7-10의 신경근 이상을 의미	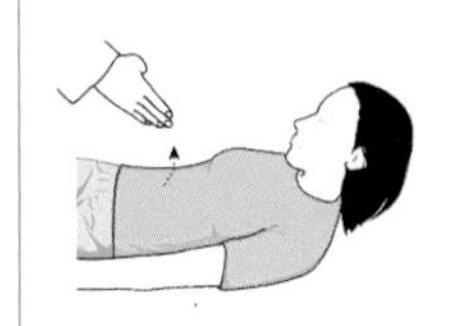
09	Sternal compression test (흉골 압박 검사) ▪ 환자를 눕히고 흉골 위에 손을 올려 하방으로 부드럽게 누른다. ▪ 늑골(rib) 부위의 통증이 유발되면 늑골골절을 의심.	

4-4 요추부

(1) 확인사항

1. **시진, 촉진 :** 양쪽의 비대칭성을 검사하고 척추전만증(Lordosis) 여부도 확인합니다. 요추의 관절부위와 주변 근육들도 촉진을 통하여 이상여부를 확인합니다.
2. **ROM 정상범위 :** Flexion 90°, Extension 30°, Lateral flexion 35°, Rotation 45°
3. **신경학적 검사 :** 요추 주변과 함께 신경지배영역인 하지의 피부감각에 이상은 없는지 살피고 반사검사를 시행합니다. 각 신경근(Nerve root)의 감각, 운동, 반사와 관련된 내용은 아래와 같습니다. L4 신경근은 발목의 배굴(dorsiflexion)이나 족내반(Foot inversion)에 관여하고 L5 신경근은 발가락신전(Toe extension)에, S1은 발목의 저굴(plantarflexion)이나 족외반(Foot eversion)과 관련됩니다.

Root	척추간	운동 근육	건반사	감각영역
L4	L3-L4	Tibialis anterior(전경골근)	Patellar	하퇴 내측과 발의 내측
L5	L4-L5	Extensor digitorum longus (장지 신전근)	-	하퇴 외측과 발등
S1	L5-S1	Peroneus Longus and Brevis (장/단 비골근)	Achilles	발의 외측

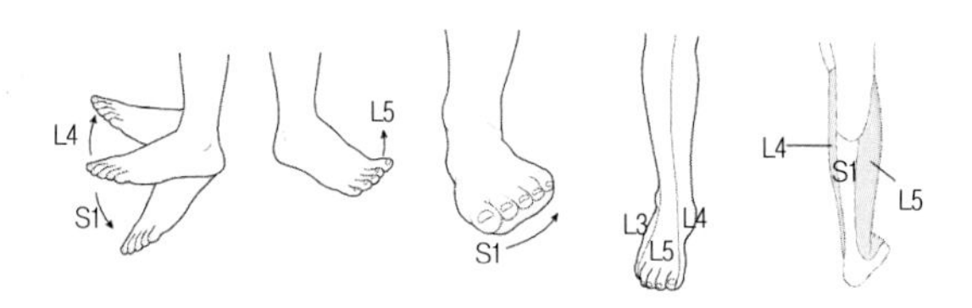

(2) 특수 검사

10	SLR (Sraight Leg raise, 하지직거상검사) ▪ 환자를 바로 눕힌 후 환자의 발목을 받쳐서 다리를 위로 들어 올린다. 다리를 굴곡시키지 않으며 반대 다리는 바닥에 고정시킨다. ▪ 동통없이 80도까지 올라가면 정상. 못 올라가면 대퇴후근(Hamstring)의 긴장이나 좌골신경의 병변 의심. 40도 이상 못 올라가면 신경근 압박이 심한 상태이거나 급성염좌의 가능성	
11	Bragard's sign (브라가드 징후) ▪ SLR에서 동통이 유발되는 각도에서 5-10° 정도 내려 Hamstring의 긴장을 해소한 상태에서, 족관절을 배굴시켜 동통의 증가 유무를 확인한다. ▪ 좌골신경을 따라 방산통이 유발되면 신경근의 압박, 긴장을 의미. 동통이 없으면 SLR의 동통은 대퇴후근의 긴장이었음을 의미.	
12	Lasegue's sign (라세그 징후) ▪ 환자를 눕히고 슬관절과 고관절을 90도 굴곡시킨 상태에서 슬관절만 편다. ▪ 통증 유발시 신경근 이상을 의심하고 저항이 증가하면 Hamstring의 단축 의심. * SLR은 슬관절 신전 후 고관절 굴곡, Lasegue는 고관절 굴곡 후 슬관전 신전	

13	Well leg raise test (건측 SLR 검사) = Peyton sign ▪ 증상이 없는 쪽의 하지를 위의 SLR과 같은 방법으로 들어 올린다. ▪ 반대쪽의 요통, 좌골신경통이 나타나면 추간판탈출증과 같은 공간점유병변 의심.	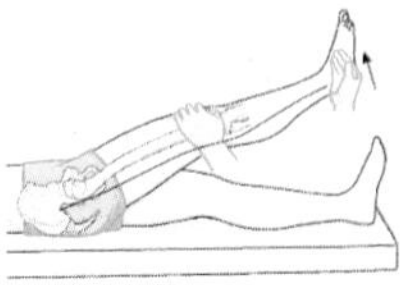
14	Milgram test (밀그램 검사) ▪ 환자를 눕히고 환자에게 두 발을 바닥에서 10cm 정도 들어올리도록 한다. ▪ 30초 이내 요통이 유발되면 추간판탈출증이나 공간점유질환을 의심하며 또는 경막의 병변도 의심. 자세를 유지하지 못하면 근력 약화를 의미.	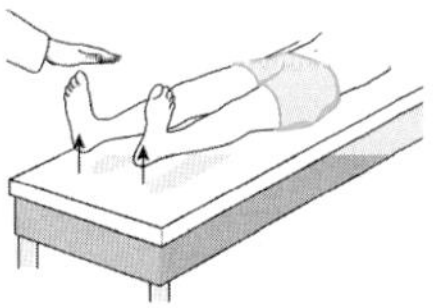
15	Schober test (쉐버 검사) ▪ 똑바로 선 상태에서 제5요추(L5)의 상방 5cm와 하방 5cm 부위를 표시하는 가상의 10cm선을 표시한 후 손이 발가락에 닿도록 허리를 굽히게 한다. ▪ 5cm 이상 증가하지 않으면 강직성척추염(ankylosing spondylitis)이나 요추의 구축, 융합 등을 의심	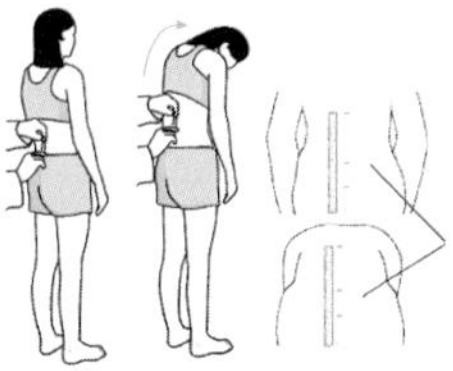
16	Hoover test (후버 검사) ▪ 한 쪽 다리를 들 수 없다고 호소하는 환자를 대상으로 시행하며 환자를 눕힌 후 검사자는 양 쪽의 종골을 감싸고 환자에게 환측의 다리를 올려보는 시도를 하도록 한다. ▪ 종골을 감싼 손바닥에서 하방으로 눌러지는 압력이 느껴지면 정상적인 질환 양상이고 하방으로 향하는 압력이 없을 경우는 환자 자신이 애쓰지 않는 증거가 되므로 꾀병(Malingering)으로 판단.	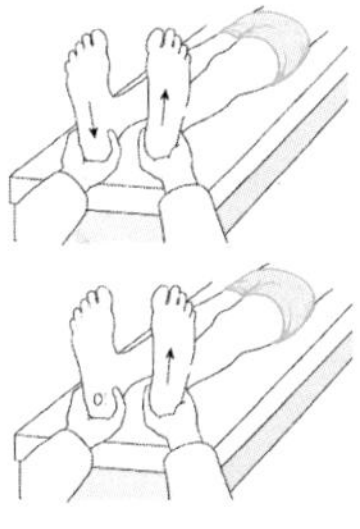

4-5 견관절

(1) 확인사항

1. **시진, 촉진 :** 비대칭성이나 견관절 운동시의 이상을 검사하고 견갑골 주변의 근육과 뼈도 촉진하여 이상이 없는지 확인합니다.

2. **ROM 정상범위 :** Flexion(전방 들어올림) 180°, Extension(후방 들어올림) 45°, Abduction(측방 들어올림) 180°, Adduction 45°, Internal Rotation 70°, External Rotation 90°
3. ROM 정상범위는 해부학적 자세를 기준으로 측정합니다. 굴곡/신전은 팔을 앞-뒤로 원을 그리며 움직이는 방향이고, 외전/내전은 좌우로 원을 그리며 움직이는 방향입니다. 내회전/외회전의 경우 팔꿈치를 허리에 붙이고 측정하면 해부학적 자세에서 측정할 때 보다 가동범위가 감소합니다.
4. 특히 외전(Abduction)의 ROM의 측정시에는 통증이나 불편함이 유발되는 특정한 각도범위도 확인하도록 합니다. (= Painful arc test)

(2) 특수 검사

17	Apley Scratch Test (아플리 긁기 검사) ▪ 1)손을 머리 뒤로 하여 반대측 견갑골의 상내측각에 닿게 한다. 2)손을 허리 뒤로 뻗어 반대편 견갑골 하각에 닿게 한다. 또는 손을 가슴 앞을 지나 반대편 견봉(acromion)을 닿게 한다. ▪ 신속하게 견관절의 능동적 ROM을 평가. 1)외전-내회전 평가 2)내전-내회전 평가
18	Drop arm test (팔 떨어뜨리기 검사) ▪ 팔을 90도로 외전한 상태에서 천천히 내리도록 한다. ▪ 천천히 부드럽게 내리지 못하고 툭 떨어지거나 통증이 유발되면 회전근개(rotator cuff)의 이상을 의심. * [참고] 회전근개(Rotator cuff) : 극상근(Supraspinatous) 극하근(Infraspinatous) 견갑하근(Subscapularis) 소원근(Teres minor)
19	Empty can test (깡통 비우기 검사) ▪ 환자에게 팔을 쭉 펴고 90도 외전한 후 엄지손가락이 바닥을 향하도록 내회전 하게 한다. 검사자는 전완 중심부에서 하방으로 압력을 가한다. ▪ 통증이 유발되거나 자세를 유지하지 못하면 supraspinatus(극상근)의 손상을 의심.

20	Yergason test (요르가손 검사) ▪ 주관절을 90도 굴곡하고 완관절을 회내(pronation)한 자세에서 환자는 Hitchhiker 동작(팔을 외전하며 완관절을 회외)을 취하고 의사는 이에 저항을 준다. ▪ 상완이두근구(bicipital groove)의 통증은 biceps long head의 병변을 암시.	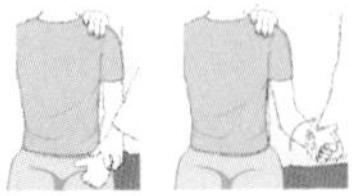
21	Speed test (스피드 검사) ▪ 환자에게 팔을 쭉 펴고 손바닥을 천장을 향하게 한 후 능동운동으로 팔을 상방으로 올리게 한다. 이 때 검사자는 환자의 손목을 잡고 하방으로 저항을 준다. ▪ 통증이 나타나면 상완이두근의 건염(tendinitis)이나 기타 염증을 의미.	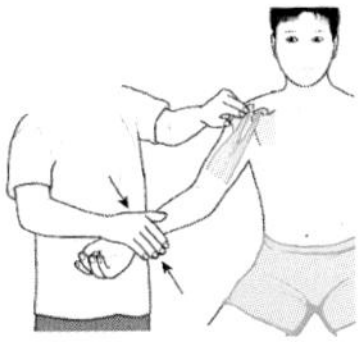
22	Shoulder apprehension test (견관절 불안 검사) = Jode test ▪ 팔꿈치는 90도 굴곡하고, 견관절은 90도(또는 120도) 외전시킨 상태에서 견관절의 외회전 능동운동을 하게 한다. ▪ 통증이 있거나 환자의 불안감 유발시 견관절(glenohumeral joint)의 불안전성 또는 탈구를 의심	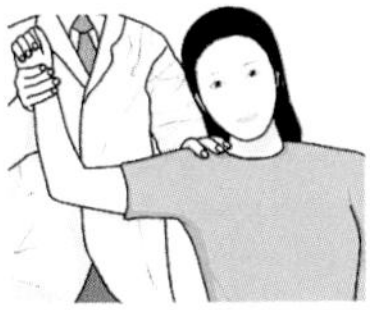
23	Adson test (애드손 검사) ▪ 환자를 앉힌 후 검사자는 환자 뒤에 서서 환자의 견관절을 외전, 신전, 외선 시킨 상태에서 요골(radial) 동맥을 촉진한다. 환자가 검사하는 팔 쪽으로 머리를 돌리게 하고 심호흡을 쉬게 하며 이 때 맥이 감소하거나 소실할 때 양성(+). ▪ 양성은 흉곽출구증후군(Thoracic outlet syndrome) 등으로 쇄골하동맥이 압박된 것을 시사.	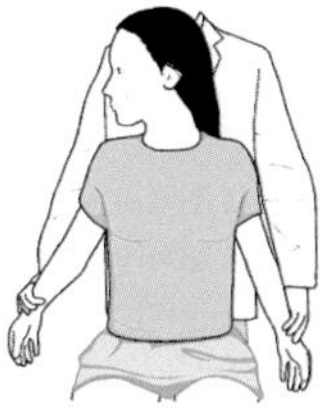
24	Hawkins test (호킨스 검사) ▪ 견관절을 90도 굴곡하고, 주관절은 90도 굴곡한 자세에서 검사자는 한 손은 주관절 밑을 감싸고 다른 한 손은 손목 위를 잡은 후 견관절을 내회전(internal rotation) 시킨다. ▪ 통증이 유발되면 supraspinatus(극상근)의 충돌증후군, 회전근개 파열 등을 의심.	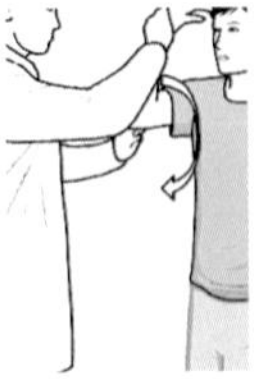

25	Neer test (니어 검사) ▪ 손바닥을 바깥쪽 또는 바닥을 향하게 하고 손을 들어올리고 내리는 동작을 반복한다. 검사자의 도움으로 PROM 전체범위를 움직인다. ▪ 통증이 유발되면 supraspinatus(극상근)의 충돌증후군을 의심.	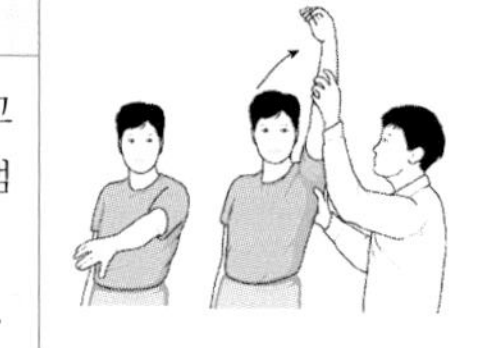

4-6 주관절

(1) ROM 정상범위 : Flexion 150°, Pronation/Supination 90°

(2) 특수 검사

26	Tennis Elbow test (테니스 엘보우 검사) = Cozen test ▪ 환자의 전완을 고정하고 환자의 손목을 배굴(dorsiflexion)하도록 지시하고 검사자는 이에 저항을 준다. ▪ 외측 상과부위에 통증은 Tennis elbow (Lateral epicondylitis)를 암시	
27	Golf Elbow test (골프 엘보우 검사) = Reverse cozen test ▪ 환자의 전완을 고정하고 환자의 손목을 굴곡(Flexion)하도록 지시하고 검사자는 이에 저항을 준다. ▪ 내측 상과부위에 통증은 Golf elbow(medial epicondylitis)를 암시	
28	Test for ligamentous stability (인대안정성 검사) = Elbow Stress Test ▪ 환자의 주관절을 약간 구부리고 손바닥이 하늘을 향하게 한 후 검사자의 한 손은 주관절 뒷면을 감싸고 다른 한 손은 손목을 잡는다. 1) 외측인대의 문제 - 팔꿈치는 외부로, 손목은 내부로 향하게 힘(varus force, 내반력)을 가한다. 2) 내측인대의 문제 - 팔꿈치는 내부로, 손목은 외부로 향하게 힘(valgus force, 외반력)을 가한다. ▪ 통증이나 과도한 주관절 움직임시 불안정성(instability)을 시사	

4-7 완관절

(1) ROM 정상범위 : Flexion 80°, Extension 70°

(2) 특수검사

29	Finkelstein test (핀켈스테인 검사) ▪ 엄지손가락을 주먹 안에 넣고 손목을 새끼손가락 쪽으로 굴곡시킨다. 수동 또는 능동검사 모두 가능. ▪ 예리한 통증이 나타나면 드퀴르벵 건초염(de Quervain's tenosynovitis) 등을 의심.	
30	Phalen's test (팔렌 검사) ▪ 완관절을 최대한 굴곡한 상태에서 양 손등을 맞대게 하여 1분간 유지한다. ▪ 손가락이 저리거나 완관절 통증이 심해지면 수근관증후군(Carpal tunnel synd.)을 의심	
31	Tinel's sign at wrist (손목 티넬 징후) ▪ 손바닥의 수근관(carpal tunnel) 부위를 손 끝이나 반사망치로 부드럽게 타진 ▪ 저린 느낌이 발생하면 수근관증후군(Carpal tunnel synd.)을 의심 * 타진으로 평가하는 티넬 징후는 Elbow, Foot, Neck 등에서도 검사됨.	

4-8 고관절(천장관절)

(1) ROM 정상범위 : Flexion 120°, Extension 30°, Abduction 45°, Adduction 20°, Internal Rotation 45°, External Rotation 45°

(2) 특수 검사

32	**Thomas test (토마스 검사)** ▪ 환자를 눕히고 한 쪽 다리를 곧게 펴고 다른 쪽 다리는 무릎을 굴곡시켜 가슴까지 닿게 한다. ▪ 이 때 곧게 뻗은 다리가 굽혀지면 고관절의 구축, 대퇴직근의 긴장을 의미.	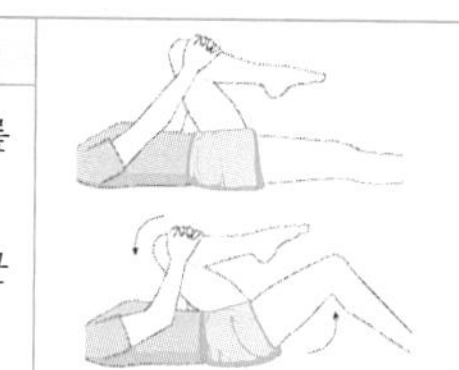
33	**Log roll test (통나무 굴리기 검사)** ▪ 환자를 눕히고 양 발을 벌린 후 발이나 무릎을 잡고 하지부 전체를 안쪽, 바깥쪽으로 굴려본다. ▪ 고관절의 통증시에는 고관절(hip joint)의 이상이나 퇴행성 변화를 암시.	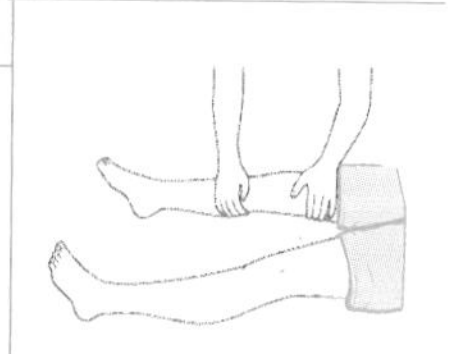
34	**Patrick test (패트릭 검사) = FABERE test = 4자 검사** ▪ 1)환자를 바로 눕히고 고관절을 굴곡, 외전, 외회전 시켜 4자 모양을 만든다. 2)골반부(ASIS)를 검사자의 손으로 고정하면서 무릎을 하방으로 누른다. ▪ 1)의 검사에서 통증시에는 고관절(hip joint)의 이상이나 퇴행성 변화를, 2)에서 통증시에는 천장관절의 병변을 의심. * FABERE= Flexion + Abduction + External Rotation + Extension	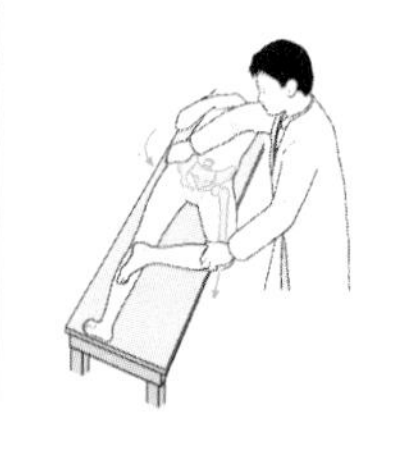
35	**Gaenslen's test (갠슬렌 검사)** ▪ 환자를 바로 눕히고 양쪽 다리를 잡아당겨 가슴까지 닿도록 한다. 몸의 절반 정도만 진찰대에 걸치고 반대 다리를 천천히 펴서 진찰대 아래로 내려뜨린다. ▪ 천장관절 부위에 통증이 있으면 그 부위의 병변을 의심.	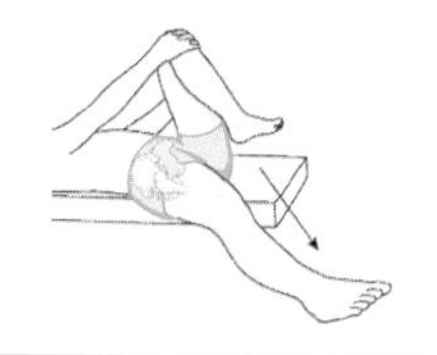
36	**Trendelenburg sign (트렌델렌버그 검사)** ▪ 똑바로 선 자세에서 한 다리를 들어올려 고관절(또는 腰眼穴)의 움직임을 관찰한다. ▪ 들어 올린 다리의 골반이 하강하면 지지하고 있는 다리의 중둔근이 약화된 것.	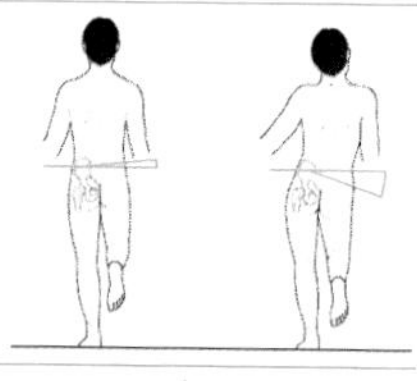

	Ober test (오버 검사)	
37	▪ 환측 하지가 위로 오도록 하여 옆으로 눕고 환측 슬관절을 90도 굴곡 한다. 검사자는 한 손으로는 골반을 고정하고 다른 손으로 환자의 발목을 잡은 후 고관절을 외전, 신전시키고 힘을 천천히 뺀다. ▪ 정상에서는 금방 내전된 상태로 돌아오지만 외전상태가 유지되면 장경인대(iliotibial band)의 구축을 의심	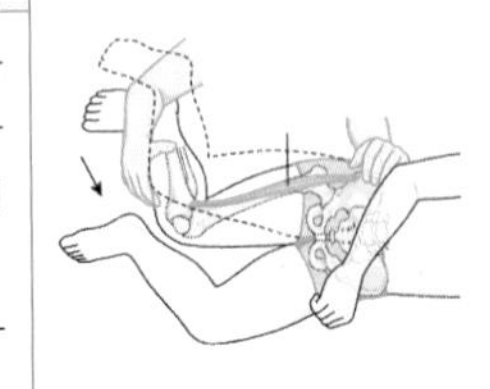

4-9 슬관절

(1) 확인사항

1. **시진, 촉진 :** 외관상 이상을 살피며 부종 등의 여부를 확인합니다. 주변 구조물을 촉진하며 슬와부 낭종(popliteal cyst, 또는 Baker's cyst)이 있는지도 촉진합니다.
2. **ROM 정상범위 :** Flexion 130° , Extension 0-5°

(2) 특수 검사

	Anterior & posterior draw sign (전후 견인검사)	
38	▪ 환자를 눕히고 슬관절을 90도 구부린 후 검사자는 환자의 발등을 깔고 앉는다. 슬관절을 감싸쥐고 앞으로 당기고 뒤로 밀어본다. ▪ 앞으로 당길 때 과도하게 미끌어지면 전십자인대(ACL)의 파열 (anterior draw sign) / 뒤로 밀 때 과도하게 미끌어지면 후십자인대(PCL)의 파열(posterior draw sign). 5mm 이하는 경증, 10mm 이상은 중증으로 간주	
	Lachman test (라크만 검사)	
39	▪ 환자를 눕히고 다리를 15-30도 굴곡시킨 상태에서 한손은 슬관절 위쪽의 대퇴골을 잡아 고정하고 다른 한 손은 슬관절 아래의 경골을 잡아 1)상방(앞쪽)으로 당기거나 2) 하방(뒤쪽)으로 민다. ▪ 1) 당길 때의 통증은 전십자인대(ACL), 2) 밀 때의 통증은 후십자인대(PCL)의 손상을 의미	

40	Varus/Valgus stress test (내반/외반 스트레스검사) ▪ 환자를 눕히고 검사자의 한 손은 환자의 발목을 잡고 다른 한 손은 무릎에 위치시킨다. 1) 외측인대의 문제 - 무릎은 외부로, 발목은 내부로 향하게 힘(varus force, 내반력)을 가한다. 2) 내측인대의 문제 - 무릎은 내부로, 발목은 외부로 향하게 힘(valgus force, 외반력)을 가한다. ▪ 통증이나 과도한 벌어짐은 측부인대의 불안정성(instability)을 시사	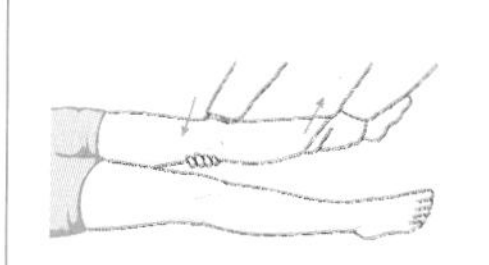
41	McMurray's test (맥머리 검사) ▪ 환자를 눕히고 무릎을 완전히 굴곡시킨 후 검사자의 한 손은 무릎위에, 다른 한 손은 환자의 발목을 잡는다. 경골에 내회전, 내반력(varus force)를 가하면서 무릎을 펴거나 또는 경골에 외회전, 외반력(valgus force)을 가하면서 무릎을 편다. ▪ 딸가닥(click) 하는 관절마찰음(crepitus)이나 통증이 있으면 반월판(meniscus)의 손상을 의심	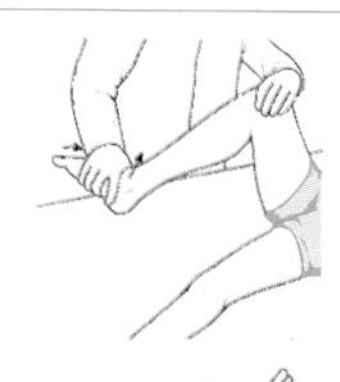 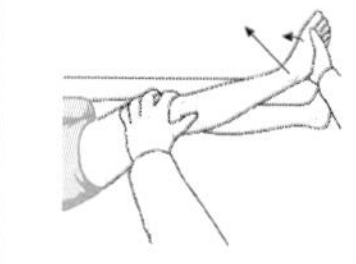
42	Apley's compression test (아플리 압박검사) ▪ 환자를 엎드리게 하고 슬관절을 90도로 굽힌다. 검사자는 발과 발목을 잡고 하방으로 힘을 가하면서 내, 외측으로 회전시킨다. 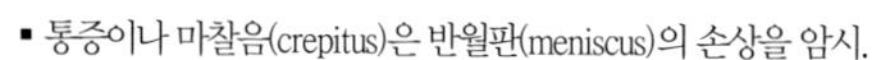 ▪ 통증이나 마찰음(crepitus)은 반월판(meniscus)의 손상을 암시.	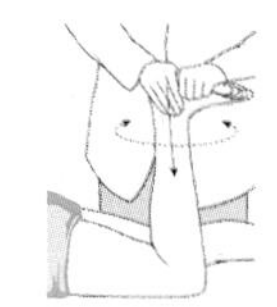
43	Apley's distraction test (아플리 견인검사) ▪ 아플리 압박검사와 유사하나 검사자는 무릎으로 환자의 대퇴를 누른 상태에서 발목을 상방으로 당기면서 내, 외측으로 회선시킨다. ▪ 아플리 압박검사 시의 통증이 감소하면 반월판의 손상을 암시하고 통증이 있다면 인대의 손상을 암시	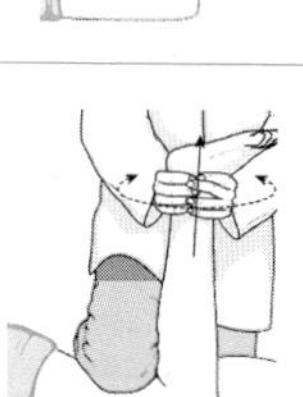
44	Patello-femoral grinding test (슬개대퇴부 연마검사) ▪ 환자를 눕히고 다리를 편안하게 곧게 펴도록 한다. 검사자는 손을 슬개골 위에 위치시키고 하방으로 압박을 가하며 상하좌우를 따라 그라인딩 하듯 압박한다. ▪ 통증이나 불편감은 슬개골의 이상이나 관절염 등을 암시.	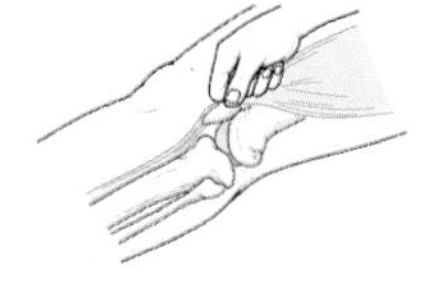

4-10 족관절

(1) ROM 정상범위 : Dorsiflexion 20°, Plantar flexion 50°, Inversion 35°, Eversion 25°

(2) 특수 검사

45	**Ankle anterior drawer test (족관절 전방견인검사)** ▪ 환자를 진찰대나 의자에 앉힌 후 검사자의 한 손은 발목 위의 경골(tibia)에 위치시키고 다른 한 손은 종골(calcaneus) 뒤쪽을 잡는다. 경골은 후방으로, 종골은 전방으로 힘을 준다. ▪ 종골이 전방으로 미끄러지면 전방거비인대(Ant. talofibular ligament)의 손상을 시사. (특히 건측보다 3mm 이상 또는 절대치 10mm 이상시)	
46	**Ankle inversion stress test (족관절 외측 불안정성검사)** ▪ 환자를 진찰대나 의자에 앉힌 후 검사자의 한 손은 발목 위의 경골(tibia)에 위치시키고 다른 한 손은 종골(calcaneus)과 거골(talus)를 잡는다. 경골을 외측으로 밀면서 종골과 거골을 잡고 있는 손으로 발뒤꿈치를 내반(inversion) 시킨다. ▪ 건측과 비교하여 쉽게 회전되면 종비인대(Calcaneofibular ligament)의 손상을 시사하며 전거비인대가 함께 관련되기도 함.	
47	**Thomson test (톰슨 검사)** ▪ 검사자가 환자의 종아리 중간의 근육을 잡고 쥐어 짠다(squeeze). ▪ 족관절이 족저굴곡(plantarflexion)이 나타나면 정상, 나타나지 않으면 아킬레스 건의 파열을 의심.	
48	**Homan's test (호만 검사)** ▪ 환자를 눕히고 다리를 곧게 편 상태에서 다리를 10도 정도 올린 후 족관절을 배측 굴곡(dorsiflexion)하거나 또는 이 자세에서 종아리를 쥐어 짠다. ▪ 종아리의 순간적인 deep pain은 혈전정맥염(thrombophlebitis)을 의심 (특히 DVT 등)	

REFERENCES

1. 정진우. 척추와 사지의 검진. 대학서림. 2000
2. 高岡邦夫. 근골격계 검진법. 대한의학서적. 2007
3. 한방전공의협의회 학술국. 한방병원 인턴진료지침서. 군자출판사. 2010.
4. 한방재활의학과학회. 한방재활의학. 군자출판사.2011

05 기본술기 - 입원환자 관련

※ 한방병원 인턴의 일반업무가 아닌 내용도 참고적으로 포함되어 있습니다. 드레싱의 경우 병원별 또는 환자별로 드레싱 방법이 다를 수 있으므로 시행전 전임담당자 또는 간호사에게 확인하는 것이 필요합니다.

5-1 기본드레싱 관련

(1) Tracheostomy tube (T-tube) 드레싱

1. 급성 또는 만성의 상기도 폐색이나 기도(airway)의 유지에 문제가 있는 경우, 장기간 인공 호흡기(ventilator) 치료가 필요한 경우 등에 시행됩니다. 보통 이비인후과(ENT) 의뢰로 시행됩니다.
2. 준비물 : Y거즈(여분 포함), 포셉, 소독솜(chlorhexidine) 적량, 픽싱롤(또는 스킨테잎), Poly glove
3. 드레싱 예시 : ① 베드를 수평으로 한 후 환자의 목이 잘 드러나도록 후굴시키고 시술자는 가래나 침 등에 튀지 않도록 옆쪽에 위치합니다. ② Poly glove 등을 착용하고 환자의 T-tube 주위에 있는 거즈를 제거합니다. ③ 소독솜으로 T-tube와 피부가 닿는 부분을 소독하며 소독액이 너무 많이 적셔진 솜을 사용할 경우 소독액이 절개부로 스며들어 자극될 수 있으므로 여분의 거즈에 짜냅니다. ④ 거즈를 환자의 목에 올려놓고 조심스럽게 끼워 넣은후 픽싱롤 등으로 고정시킵니다. 피부가 민감성일 경우 픽싱롤보다 스킨테이프도 좋습니다.

(2) Foley Catheter(F/C) 드레싱

1. 요정체, 하복부종양, 실금, 신경인성 방광 등으로 자연배뇨가 불가능하거나 전신마취 등의 각종 수술시 적용됩니다.
2. 준비물 : 소독솜(chlorhexidine) 적량, 포셉, Poly glove
3. 드레싱 예시 : ① 커튼이나 칸막이를 이용하여 환자의 드레싱부위가 드러나지 않도록 하며 환자는 바로 눕혀서 F/C가 잘 보이도록 합니다. ② 왼손 새끼손가락과 약지로 음경을 잡고 소독솜을 사용해 요도입구를 중심으로 바깥쪽으로 동일한 방향의 원을 그리며 요도주위와 카테터를 소독합니다.

(3) PEG / Cystostomy 드레싱

1. PEG(percutaneous endoscopic gastrostomy, 경피적 내시경 위조루술)는 경피적 기법으로 복강을 열지 않고 위루관을 삽입하는 방법으로 보통 비위관(L-tube)이 장기적으로 필요하거나 L-tube 사용이 곤란할 경우 적용됩니다. 보통 소화기 내과에 의뢰하여 시행됩니다.
2. 준비물 : Y거즈, 4X4거즈 2-3장, 포셉, 소독솜(Chlorhexidine) 적량, Potadine 솜 적량, 픽싱롤(또는 스킨테잎), Poly glove
3. 드레싱 예시 : ① 환자가 누워있는 상태에서 시술부위를 드러나게 합니다. ② Poly glove를 끼고 거즈와 피부에 붙은 접착재료를 제거합니다. ③ Oozing이나 infection 등이 있는 경우 먼저 Potadine 솜으로 시술부위 주위를 소독합니다. 이 때 환부에 직접 닿지않도록 주의합니다. Potadine은 약성이 강하므로 직접 open된 상처에 사용할 경우 오히려 상처의 재생을 막을 수 있어 주의가 필요하며 또한 소독력이 1분 정도 후에 가장 강하므로 바로 닦아내지 않고 마를 때까지 기다린 후 이어서 Chlorhexidine솜 등으로 환부를 소독합니다. ④ 소독액이 마르면 Y거즈를 튜브사이에 고정시키고 4X4 거즈 등으로 시술부위를 잘 덮어준 후 픽싱롤 등으로 고정합니다.

* Suprapubic cystostomy(치골상부 방광루)도 PEG와 유사한 방식으로 시행할 수 있습니다.

(4) PTBD 드레싱

1. PTBD(percutaneous transhepatic bile drainage, 경피적 간담관배액법)는 종양, 결석 등의 담도폐쇄 등이 발생시 총담관에 배액도관을 연결하여 담즙(bile)을 체외로 배출시키는 시술입니다. 폐쇄성 황달(특히 수술이 불가능한 경우), 담도 결석 등으로 혈중 Bilirubin이 상승되었을 경우, 수술 전 Bilirubin을 낮추기 위한 경우, 심한 담도염이나 패혈증 환자 등에게 적용하여 보통 영상의학과 의뢰를 통해 실시됩니다.
2. 보통 Bile은 하루 300-600cc 정도 배액되는데 PTBD관의 Drainage가 잘 되지 않을 때는 오염시키지 않도록 주의하면서 Irrigation을 실시합니다. 3-Way 등에 적절히 소독후 주사기를 삽입하여 Normal saline(N/S) 8-10cc을 주입후 3-5cc 정도 regurge하고 다시 재주입하는 방식도 이용됩니다.
3. 준비물 및 방법 : PEG와 동일한 원칙으로 시행합니다.

5-2 T-Tube 교체

1. Tracheostomy tube(기관튜브, T-tube)는 보통 주 1회 교환하며 보통 미리 Suction을 하라고 해서 가래를 최소화한 후 일반적인 소독과정을 시행한 후 교체합니다.

2. 교체 전에 목주위에 묶인 줄이나 Ballooning 여부를 확인하고 새로 삽입할 T-tube를 줄과 가이드를 함께 오른손으로 잡고 왼손으로는 환자 목의 T-tube를 뺄 준비를 한 후 환자가 숨을 내쉴때 왼손으로 신속하게 T-tube를 빼내고, 오른손에 있던 T-tube를 삽입합니다.
3. Tube 교체 전에 이전의 Tube와 직경이 같은지 반드시 확인해야 합니다. 만일 잘 들어가지 않는 경우, 자가호흡이 가능하다면 잠시 경직이 풀릴 때까지 기다린 후 삽입하고 환자가 자가호흡이 불가능할 경우에는 가능한 빨리 기도를 확보합니다. 이 경우 간호스테이션 등에 준비되어있는 T-tube retractor를 이용하여 벌린 후 삽입하거나, Suction tip을 미리 삽입한 후 그 tip을 가이드 삼아 T-tube를 재빨리 삽입하는 방법도 있습니다.

5-3 비위관(L-tube) 삽입

1. 비위관은 Levin tube(L-tube) 또는 Nasogastric tube(NG tube)로도 불리는데 다음의 적응증에 시행이 고려됩니다.
   1) Nutrition support : 연하장애 등의 이유로 경구영양공급이 원활치 않을 때의 보조수단
   2) Gastric irrigation : 위장관 출혈시, 출혈의 정도를 파악하며 내시경을 위한 위 세척의 기능
   3) Drainage : 장이 막혀 위 내용물의 배출이 필요한 경우
2. 준비물 : 비위관, 수용성 윤활제(젤), 50cc주사기, 스킨테잎, poly glove, 청진기, 배액용기(Gastric irrigation, drainage의 경우)
3. 삽입예시 :
   1) 체위준비 및 설명 - 양측 코를 번갈아 막아 호흡에 장애가 없는지를 판단한 후 L-tube를 삽입할 비강을 선택합니다. 환자가 의식이 있는 경우 비위관에 관한 설명을 미리 해주어 목에 넘어갈 때의 연하작용이 잘 협조되도록 합니다. 기도로 삽입되는 것을 방지하기 위해서는 앉은 자세로 목을 약간 앞으로 굽힌 상태가 좋으며 누워있는 경우는 침대를 45도 정도 올립니다.
   2) 비위관 길이 예측 - 삽입할 비위관의 길이를 예측하는데 보통 튜브를 코에 대고 귀 뒤로 넘겨 상복부까지 재어 길이를 예측합니다. 성인은 보통 50~66cm 정도가 됩니다.
   3) 비위관 삽입 - 비강에서 잘 넘어 갈 수 있도록 비위관에 윤활제(Gel)을 바른 후 비강하면을 따라 인두로 삽입하고 이후 식도아래쪽으로 통과시킵니다. 비강삽입시 이물감이 심하면 1-2cm 후진하여 안정을 유도한 후 다시 시도해 보며 빨리 삽입하려다가 구역 또는 기침반사를 유발할 수 있으므로 천천히 삽입하는 것이 좋습니다. 식도통과시 저항감이 심한 경우에는 침이나 약간의 물을 입에 머물게 하고 삼키게 하면서 밀어 넣습니다. 삽입도중 심한 기침이나 호흡곤란 증세가 보이면 즉시 비위관을 제거해야 합니다.

4) 확인 - 기존에 측정해 놓은 길이대로 위치시키면 주사기를 이용하여 10-20ml 정도의 공기를 튜브내로 넣으면서 청진기로 위장의 위치에서 청진을 하여 위에서 꼬르륵 하는 공기주입 소리(Air bubble)가 들리는지 확인합니다.

5) 흡인 - 공기소리가 잘 안들릴 경우에는 주사기로 흡입하여 위 내용물이 나오는지 확인합니다. 위 내용물의 확인은 환자에게 통증이 유발될 수 있으므로 주의합니다. 또는 물이 담긴 컵에 L-tube 끝을 연결하여 공기가 나오는 것이 관찰되면 식도가 아닌 기도로 삽입된 것으로 판단할 수 있습니다. 가장 확실한 방법은 X-ray로 확인하는 것입니다.

6) 기타 - 수 회의 시행에도 잘 삽입되지 않으면 1-2시간 정도 시간이 지난 후 다시 시도해 봅니다. 의식이 없는 환자의 경우는 후두경이나 long forcep 등을 통해 식도로 전진시키는 방법도 사용되며 내과 등의 협진이 필요할 수 있습니다. 잘 투입된 것이 확인되면 픽싱롤이나 반창고 등으로 비위관을 코주위에 적절히 고정시킵니다.

5-4 도뇨관(F/C 또는 Nelaton) 삽입

(1) 개요

1. 보통 도뇨관을 지속적으로 달고 있는 경우는 Foley catheter(F/C)를 이용하고 1회성으로 시행되는 도뇨관 삽입은 Nelaton catheter를 사용합니다. F/C를 시행하기 어려우나 배뇨가 곤란한 환자의 경우 4-6시간마다 넬라톤으로 배뇨하는데 이 방법을 CIC(clean intermittent catheterization)라 합니다.
2. 도뇨관을 시행하는 목적은 방사선 촬영시 방광이나 요도에 조영제 주입하는 등의 진단적 목적과 요폐의 해소(BPH 등), 중환자 등을 대상으로 한 시간당 요량의 정확한 측정, 배뇨장애 환자에서 간헐적 도뇨, 방광이나 요도수술 후 부목(stent) 등으로 이용되는 치료적 목적으로 구분됩니다.*

(2) Foley catheter

1. 장기간의 카테타유치가 필요할 경우 Foley 카테타를 이용하는데 카테타의 직경이 작을수록 분비물의 배출이 잘 되므로 도뇨의 목적에 맞으면서도 가능한 작은 직경의 카테타를 사용합니다. 성인의 경우 16이나 18 Fr(french)의 직경을 가진 카테터가 적당하고 소아는 3번이나 5번 feeding tube도 이용할 수 있습니다. 3 French는 1mm에 상당하며 비뇨기 관련 수술 후에는 혈종의 배출을 위하여 24Fr (=8mm)의 카테터를 사용하기도 합니다.

* 한방의료행위로는 총관도수법(葱管導水法)으로 명명 - 孫思邈의 備急千金要方에서 배뇨곤란 환자에게 파(葱)의 속에 있는 줄기를 요도에 삽입하여 배뇨를 시킨 기록에서 유래.

2. Foley를 했는데 반복해서 새면 공기주입(Ballooning)을 재실시(처음의 Ballooning 액보다 많은 양을 Ballooning함)하고 그래도 누출이 있으면 현재하고 있는 Foley보다 더 큰 치수를 사용합니다.
3. 심한 요도협착으로 도뇨관 삽입이 불가능하면 무리하게 시도하기 보다는 역행성요도촬영술(retrograde urethrography)로 요도의 상태를 평가하거나 비뇨기과(URO) 의뢰를 통한 치골상부방광루 설치술(suprapubic cystostomy)을 고려합니다.

(3) 도뇨관 삽입법 - 남성

① 환자준비 : 환자를 누운 자세에서 준비시키고 커튼을 친 후 의식이 있는 경우는 F/C의 필요성과 나타날 수 있는 불쾌감에 대해 설명합니다.

② 기구준비 : Urine bag을 침대 옆에 고정하고 잠급니다. F/C에 생리식염수가 들어 있는 주사기를 연결하여 풍선(balloon)이 새는지 여부를 점검하고 F/C에도 윤활제(젤)를 충분히 뿌려 놓습니다.

③ 멸균된 방포(소공)를 음경이 드러나도록 올려놓고 한손으로 음경을 왼손 약지와 새끼손가락 사이에 끼워잡고 다른 한 손으로 귀두 및 음경을 소독합니다.

④ 젤(또는 리도카인젤)을 충분히 묻힌 도관(catheter)을 Forcep을 이용하여 잡고 음경을 수직 또는 몸통과 60도 각도 정도를 이루게 하여 외요도구를 통해 천천히 밀어 넣습니다.

⑤ 일반적으로 약간의 저항이 있어도 잘 들어가나, 심한 저항이 느껴질 경우 살짝 잡아당기며 몸통과 예각을 이루도록 하여 재시도합니다. 경우에 따라 젤을 요도내에 10ml정도 먼저 주입한 뒤 삽입하면 잘 들어가기도 합니다. 전립선 비대가 심한 환자의 경우 직경이 작은 도관으로 바꿔 시도해 봅니다.

⑥ 소변을 장시간 못 본 환자의 경우 삽입과 동시에 방광의 압력에 의해 도뇨관이 빠져나오거나 소변이 분출될 수 있으므로 도뇨관의 끝이 소변통에 위치하도록 미리 준비하여 두는 것이 좋습니다.

⑦ Nelaton의 경우에는 위단계에서 완료되나 F/C의 경우에는 요도에서 ballooning이 되는 것을 방지하기 위해 가능한 거의 끝까지 밀어넣기도 합니다.

⑧ 10ml 주사기로 생리식염수를 주입하여 ballooning을 시행하되 주입시 강하게 걸리거나 통증이 유발되면 요도에서 걸린 것일 가능성이 있으므로 억지로 시행하지 말고 다시 흡인합니다.

⑨ 삽입후 ballooning까지 완료되었으면 카테터를 살짝 당겨 괄약근쪽에 걸리도록 한 후 소변이 잘 나오는 것이 확인되면 Urine bag에 연결하고 체외의 도관부위는 픽싱롤이나 적절한 고정수단으로 허벅지 내측 등에 부착시킵니다.

※ 심한 요도협착으로 도뇨가 불가능하면 무리하게 시도하기 보다는 비뇨기과(URO)를 통한 치골상부방광루 설치술(suprapubic cystostomy)을 고려합니다.

(4) 도뇨관 삽입법 - 여성

- 여성은 요도가 짧고 굴곡이 별로 없어서 남성에 비하여 간단합니다. 다리를 충분히 벌린 상태에서 외음부와 요도 주위를 잘 소독하고 외음순을 양쪽으로 젖히고 외요도구에서 삽입하여 약 4-5cm 정도만 전진시키면 방광내에 위치하게 되는데 여기서 약간 더 밀어 넣으면 됩니다. 요도의 길이가 3-4cm 이므로 길이를 가늠한 후 ballooning을 시도합니다.

(5) 방광세척(Bladder Irrigation)

1. 방광내의 blood clot이나 농 등을 씻어 내어 뇨정체를 해결하고 도뇨관이 막히지 않게 합니다. 감염예방이나 약물주입 등의 목적으로 쓰이기도 합니다.
2. 준비물 : 세척액(Normal saline 등), Enema syringe, Poly Glove, 소독솜
3. 시행예시 : ① 필요한 물품을 준비하고 소독솜으로 도뇨관 연결부위를 소독합니다. ② Urine Bag과 F/C의 연결부위를 분리한 후 Enema syringe를 이용하여 세척액 약 60-100cc 정도를 F/C를 통해 천천히 방광내로 주입합니다. ③ 배액되는 용액이 깨끗해질 때까지 주입-배액을 반복합니다. ④ 완료되면 Urine Bag과 F/C를 다시 연결하고 방광으로부터 흘러나온 용액의 양 등을 차트에 기록합니다.

5-5 관장 (Enema)

1. 일반적으로 관장은 불응성 변비의 소통(glycerin, N/S, tap water enema)이나 장마비 등에서 장내가스 제거가 필요할 때(Gas enema), 간성혼수(Duphalac enema), 고칼륨혈증(Kalimate enema) 등에서 시행됩니다.
2. 시행예시
   ① 환자에게 Enema 시행에 대해 설명하고 협조를 구합니다. 환자는 좌측 측와위(Lt. lateral position)를 취하며 상부에 위치한 쪽의 무릎을 가슴가까이 올려도 좋습니다. 체위변경이 힘들면 앙와위(supine position)에서 실시하기도 합니다.
   ② Rectal tube에 미리 글리세린 주사기를 연결하고, 윤활제를 항문주위와 rectal tube에 충분하게 도포합니다. 항문에 손가락을 넣어 분변매복(fecal impaction)이 있는지 확인하고 있을 경우에는 제거해야 합니다.

③ rectum tube를 조심스럽게 항문을 통해 직장으로 10-15cm 정도 삽입하고 천천히 주사기 내용물을 주입합니다. 이후 gauze나 화장지로 항문을 막은 후 10-20분 정도 참은 후 배변을 보도록 하도록 지시합니다. 스스로 변의를 참을 수 없는 환자의 경우는 간병인 또는 보호자에게 항문을 막고 있으라고 한 후 배변시키기도 합니다.

3. Gas Enema의 경우 글리세린 주사기 대신 IV set를 연결해서 바닥에 준비해둔 증류수가 담긴 수액병에 Tip을 넣고 가스가 배출되는 지 확인합니다. Kalimate enema의 경우 시행이후 kalimate가 직장관에서 굳어서 잘 배출되지 않을 수도 있으므로 필요시 Glycerin enema를 재시행합니다.

5-6 Chemoport 관리

(1) 개요

1. 케모포트(c/port 또는 chemoport)는 말초혈관 등을 확보하기 어려운 환자에게 피하조직에 카테터의 입구를 설치하여 관리하기가 용이하고 중심정맥에 손쉽게 접근할 수 있게 한 장치입니다. Portal과 catheter로 이루어져 있으며 portal은 피하에 삽입되고 catheter는 피하를 지나 동·정맥내로 삽입됩니다.
2. 케모포트는 수영이나 기타 운동 등 일상적 활동을 가능케 하고 피하에 위치하여 피부박테리아 등의 감염우려가 적으며 반복된 항암제 주사 등을 실시해야 할 때 환자에게 불편함을 최소화 할 수 있다는 장점 등이 있습니다.

(2) 케모포트 삽입

1. 보통 영상의학과에 의뢰하여 시행하며 MN(midnight) NPO가 필요합니다. PT, aPTT, platelet(>60,000/mm³) 등에 이상이 없는지 확인합니다.
2. 삽입 후에는 1-2일 간격으로 드레싱을 실시하며 D+10일째에 반쯤 stitch out하면서 붓는 소견이 없으면 whole stitch out 합니다.

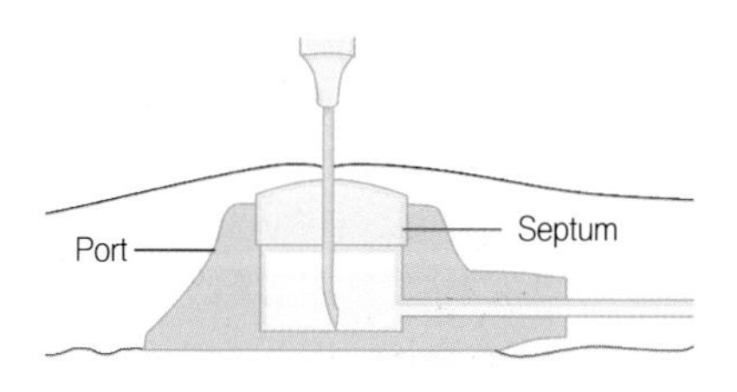

(3) 케모포트 바늘(Needle) 삽입

1. 케모포트에는 일반적인 needle대신 non-coring needle(Huber needle이라고도 함)이 사용되며 끝부분이 구부러져 삽입시 실리콘 부위의 손상을 최소화합니다.
2. 시행예시

   ① supine position(앙와위)으로 환자를 위치한 후 준비한 드레싱세트로 케모포트주위를 소독합니다. ② 왼손으로 포트 주위를 잡아 고정시킨 후 가운데에 needle을 90도 각도로 바닥까지 닿도록 찌릅니다. 중간에 실리콘층을 통과시 뻑뻑한 느낌이 듭니다. ③ needle이 삽입되면 안쪽에 locking된 헤파린을 제거하기 위하여 약 5ml 이상 흡인(aspiration)합니다. 흡인 후에는 N/S(Normal saline)를 천천히 주입해 소통(patency)을 확인합니다. ④ 확인 후 clamping(수액라인을 조이게 함)하고 수액을 연결한 후 clamping을 풀고 속도를 조절한 후 반투과성 드레싱(Tegaderm 등)으로 마무리 한다. 드레싱은 반투과성 드레싱일 경우에는 5-7일에 1회 실시하고 거즈 드레싱일 때는 1-2일에 1회 실시합니다.

Tip Air embolism

열려있는 바늘이나 카테터를 통해 공기가 유입되면 공기색전이 발생하여 호흡곤란, 기침, 흉통, 빈맥 등이 발생할 수 있습니다. → 더 공기가 유입되지 않도록 즉시 잠근 후 환자를 좌측위로 눕히고 머리를 낮추면서(trendelenburg position) 산소를 공급합니다.

(4) 케모포트 바늘(Needle)의 제거

① 케모포트 라인을 clamping 한 후 고무마개를 소독합니다. ② Normal saline으로 준비된 주사기를 고무마개에 삽입해 천천히 주입하고 clamping하고 다시 1:100 헤파린(1:100 헤파린 = heparin 500u(0.1ml)+ Normal Saline 4.9ml)을 3-4ml 주입한 후 clamping 합니다. ③ 드레싱세트를 열고 베타딘 등으로 드레싱 후 케모포트 Needle을 제거합니다. 이후 다시 드레싱 후 멸균거즈나 반창고 등으로 마무리합니다.

(5) 1:100 헤파린 Flushing

1. 케모포트를 사용하는 중에는 보통 1-2주마다 needle을 교환하나 사용하지 않을 시에는 외래 등을 통해 한 달마다 헤파린 locking을 교환해야 내부의 혈액응고 등을 방지할 수 있습니다.
2. 혈전으로 카테터가 막힌 경우에는 유로키나제(urokinase) 5000u/ml를 충분히 push-pull maneuver로 주입하고 30분간 유지하며 뚫리지 않으면 반복할 수 있습니다. 이후 혈액이 나오면 주입했던 양만큼 제거하면 됩니다.

06 기본술기 - 한방치료 관련

6-1 구법(灸法)

(1) 직접구

1. 보험코드구분 : 직접애주구(直接艾炷灸), 반흔구(瘢痕灸)
2. 직접구는 시술부위에 직접 애엽을 놓아 불을 붙이게 되며 이중 반흔구는 국소조직이 화상되어 구창(灸瘡)을 일으키며 무균성 화농현상 등의 효과도 치료에 이용하는 방법입니다.
3. 뜸 시술 전에 미리 화상 또는 흉터가 발생할 수 있는 가능성에 대해 설명하거나 필요시 동의서를 작성하며 특히 안면부에 시행하는 경우나 피부가 예민한 경우에 주의하도록 합니다. **[참조항목 : 75-3]**
4. 병동에서 주로 사용되는 직접구의 경우, 크기로는 彈子大(15mm) 綠豆大(5mm), 米粒大(1-2mm) 등로 구별됩니다. 보통 탄자대는 지름 약 1.5cm 정도의 타원형의 애주구를 약 2/3-3/4 정도 태운 후 핀셋으로 제거하는데 반해 미립대는 쌀알크기 또는 1/2 정도의 크기로 피부 위에서 다 타거나 그 직전까지 기다리게 됩니다.
5. 애주(艾炷)가 지나치게 단단하면 자극과 화상가능성이 증가하므로 주의합니다. 피부에 부착할 때에는 물, 바셀린이나 스틱형 자운고(紫雲膏) 등을 이용하면 편리합니다.

(2) 간접구

1. 보험코드구분 : 간접애주구(間接艾炷灸), 기기구술(器機灸術)
2. 간접애주구는 체표위에 다른 약물이나 물질을 놓고 쑥뜸을 뜨는 방법으로 隔蒜灸, 隔鹽灸, 隔薑灸 등이 있고 스티커식 부착형 뜸도 포함됩니다. 기기구술은 온구기 등을 이용하여 기구 위에 뜸을 올려 놓고 시행합니다.
3. 무연구는 환기시설이 부족하거나 폐질환 또는 기타 호흡곤란이 있는 환자들에게 적용할 수 있고 일반 병동의 경우에도 뜸냄새에 대해 민감한 환자가 있으면 고려할 수 있습니다.

6-2 전침(電鍼)

(1) 개요

1. 전침(electroacupuncture)은 자침된 침에 미량의 전기를 전달시킴으로써 자침자극을 지속적

으로 유지시키고 침의 효과를 증대하는 방법입니다. 진통이나 관련 근육의 경직완화, 각종 침치료 효과의 증강 등 다양한 목적으로도 활용합니다.

2. 중풍(뇌졸중) 환자들에게 있어서도 침이나 전침을 통해 마비나 경직 등의 증상에 도움을 주거나 뇌혈류 증가 및 뇌의 가소성(brain plasticity)*, 신경근육의 재교육(neuromuscular re-programming) 등을 촉진하는 효과가 있습니다.

(2) 사용법

1. 전침 시술시에는 주파수, 파형, 출력전압(강도), 통전시간 등이 결정되어야 합니다.
2. 예를 들어 뇌졸중으로 인한 마비환자에게 시술시 일반적으로 2Hz의 주파수로, 파형은 constant(지속파) 또는 Intermittant(단속파)로 설정한 후 출력전압은 0부터 시작하여 환자가 통증을 느끼지 않고 적절히 자극이 가거나 연축이 관찰되는 강도까지 올리는 방법을 사용할 수 있습니다. 통전시간은 유침시간에 준하여 시행하거나 환자 상태에 따라 시간을 조절하면 됩니다. **[참조항목 : 75-1]**
3. 각 전침기 별로 세부기능과 활용법은 조금씩 다를 수 있으므로 미리 해당 기기의 설명서를 참조하도록 하며 시술 부적응증 여부도 미리 확인하여야 합니다. **[참조 : 75-1 (4)]**

6-3 부항(附缸)

(1) 개요

1. 습식부항 보험코드 - 자락관법(刺絡罐法) : 소(小)혈관을 刺破하고 그 위에 부항을 흡착
2. 건식부항 보험코드
   1) 유관법(留罐法) : 일반적인 건부항. 부항을 붙인 후 일정시간 방치하는 방법
   2) 섬관법(閃罐法) : 부항을 붙였다가 금방 떼고 붙이기를 2-3회 이상 반복. 색소반응이 나타나면 중단
   3) 주관법(走罐法) : 피부에 윤활제를 바르고 유관법 보다 약하게 부착한 후 피부 위에서 왕복시키는 방법

---

* 뇌의 가소성(brain plasticity) : 중추 신경계 손상이 기능의 영구적인 변화나 상실을 초래할지라도 형태적이고 기능적인 뇌의 재조직화를 통하여 일정 정도의 회복을 가져다주는 적응능력(adaptive capacity)을 의미합니다. 예를들어 손상받지 않은 뇌조직이 뇌경색 발생 부위가 이전에 수행하던 역할을 대신 수행하여 일정정도의 기능적인 회복이 달성될 수 있습니다.

(2) 시행방법

1. 습부항에 해당하는 자락관법 시행시에는 1회용 부항컵을 사용하며 해당부위를 충분히 소독한 후 시행합니다. **[참조항목 : 9-3]** 병약자나 노인의 경우 과다출혈이 발생하지 않도록 유의하며 필요시 습부항 시행 흔적이 수 주간 남을 수 있음을 미리 환자에게 인지시킵니다.
2. 건부항시 보통 5-10분 이상 적용시 피부의 수포 등의 부작용이 발생할 수 있으므로 주의해야 합니다. 만일 피부건조 또는 굴곡 때문에 흡착이 힘들면 바셀린 등을 활용합니다.

6-4 기타 치료기기 관련

(1) 경피신경전기자극치료

1. 경피신경전기자극치료(transcutaneous electrical nerve stimulation, TENS)는 피부의 자극을 통하여 각종 통증을 치료하는 방법입니다. 진통효과를 얻는 기전은 촉각에 관여하는 A-beta 신경섬유에 자극을 가해 통각에 관여하는 C-fiber 등을 억제하는 관문 조절설, 뇌간 내 억제반사 부위로의 자극, endorpine이나 enkephaline 등 내인성 opioid의 분비 등이 제시됩니다.* **[참고 : 75-6]**
2. 본래 100Hz 이상의 고빈도 자극 위주로 사용되었으나 'Acupuncture-like TENS'라 하여 약 2Hz의 저빈도에서 근육수축을 일으키는 방식도 개발되어 만성통증 위주로 적용합니다. 단 마약성 진통제를 복용하고 있는 환자에게는 저빈도인 'Acupuncture-like TENS'의 효과가 감소하므로 주의해야 하며 이러한 현상은 TENS의 opioid 효과 기전을 보여주는 특징이기도 합니다.[3]
3. 통증을 동반하는 근골격계 질환, 신경계의 질환 등에 응용되며 실제 임상에서 진통의 효과가 있고 빠르게 나타나는 편이나 지속효과는 침보다 약한 편입니다. 최근의 연구에 의하면 만성요통 등에 대한 효과는 명확하지 않지만 당뇨병성 신경병증 등에는 사용이 추천되고 있습니다.[4]
4. 사용시 패드에 수분이 적정량 있어야 하므로 마른 패드가 사용되지 않도록 주의하고 부정맥, 급성심근경색증 등의 심장질환자, 심박조정기(cardiac pacemaker 등) 부착환자 등에는 금기입니다.

* 일반 병의원 등에서 전기치료로 흔히 사용되는 기기 중 간섭파치료(interference current therapy, ICT)는 피부저항을 줄이면서 심부근육을 자극하기 위해 서로 다른 파장을 가진 2개의 중주파(ex. 4000Hz와 4100Hz)를 교차시켜서 생기는 간섭전류를 이용합니다. 반면 TENS는 저주파(ex. 250Hz 이하)의 신호를 가하여 굵은 운동신경이나 근육보다는 작은 감각신경을 위주로 자극한다는 차이가 있습니다.

(2) 경피적외선조사요법

1. 경피적외선조사요법은 IR (infra-red ray apparatus) 또는 TDP 등이 흔히 사용됩니다. TDP는 특정전자파치료기라는 의미의 特定電磁波譜(Teding Diancibo Pu)의 약자로 중국에서 개발되어 열반응과 생물체에 유익한 파장을 발생하는 기기입니다.
2. 일반적으로 한방병의원에서는 침 시술이후에 적용하여 온열효과 및 침자극의 효과를 강화하는 데 이용되고 있으며 주로 寒證 위주로 사용됩니다. 환부와의 거리는 30-40cm거리에 있어야 하며, 온도를 높인 상태에서 일정시간 이상 사용하면 피부화상을 입을 수 있으므로 주의합니다. 안면부 치료시에는 빛이 약하다고 해도 눈을 가리고 사용하는 것이 좋습니다.

REFERENCES

1. 서보명외 3인, 임상증례 : 전침의 임상 연구에 대한 고찰, 동서의학 2005.
2. Han JS. Acupuncture: neuropeptide release produced by electrical stimulation of different frequencies. Trends Neurosci. 2003 Jan;26(1):17-22.
3. Leonard G, Cloutier C, Marchand S. Reduced analgesic effect of acupuncture-like TENS but not conventional TENS in opioid-treated patients. J Pain. 2011;12(2):213-21.
4. Dubinsky RM, Miyasaki J. Assessment: efficacy of transcutaneous electric nerve stimulation in the treatment of pain in neurologic disorders (an evidence-based review) Neurology. 2010;74(2):173-6.
5. 손소산. 특정전자파치료기. 태화무역공사 1989.

07 기본술기 - 응급상황 관련

※ 한방병원 인턴의 일반업무가 아닌 내용도 참고적으로 포함되어 있습니다.

- IM (intramuscular, 근육주사) : 직각으로 주사. 피하보다 흡수가 빠름
- SC (subcutaneous, 피하주사) : 피부면의 20-30도 각도로 주사. 흡수는 느리나 약효 오래 지속
- IV (intravenous, 정맥주사) : Cubital, radial, ulnar vein 등을 주로 이용. 전신으로 빠르게 퍼짐

7-1 정맥혈 채혈

① 준비 - 천자할 정맥을 선택했으면 천자할 부위 위로 지혈대(tourniquet)를 매고 해당부위를 소독합니다. 천자 부위는 보통 팔꿈치 안쪽이 선호되며 수액이 주입되는 IV site 근처는 피합니다.

② 채혈 - Needle 사면이 위로 오게 15° 각도로 피부를 통해 정맥천자 합니다. 진공 채혈관의 경우 튜브를 홀더 안으로 밀어 넣으며, 주사기를 사용할 경우 주사기 내관을 천천히 뒤로 당깁니다. 혈액이 흘러나오기 시작하면 지혈대를 풉니다.

③ 후처리 - 혈액이 다 채취되면 소독솜으로 누르면서 needle을 빼고 지혈합니다. 채혈된 검사용기는 부드럽게 굴리는 동작으로 섞습니다.

※ 혈액배양검사 (Blood Culture)

- 정맥혈 채혈과 유사한 방식이지만 해당부위의 소독을 더욱 철저히 하기 위해 알코올과 포타딘 등으로 이중으로 소독하게 되며 채혈 이후에도 2개 또는 3개의 혈액배양용 Bottle에 나누어 담을 때 Aseptic한 처리가 더욱 요구됩니다.

※ 게이지(Gauge)에 따른 바늘의 굵기

Gauge	18G	20G	22G	24G	26G	28G	30G	32G
굵기(mm)	1.27	0.91	0.72	0.56	0.46	0.36	0.31	0.235

7-2 동맥혈 채혈 (ABGA)

(1) 개요 및 시행 부위

1. ABGA(arterial blood gas analysis)는 폐의 가스교환과 산염기평형 상태를 파악하는 가장 주된 방법입니다. 환자는 가급적 앙와위로 Radial 또는 Brachial artery에서 주로 시행하되 측부혈행이 없는 Femoral a.는 가능한 피합니다. 화상, 유방절제술을 시행한 쪽의 팔, 심한 멍이 있거나 부은 경우에도 시행하지 않습니다. 수액이 연결된 부위도 피하지만 불가피할 경우 3분간 정지후 주입부 아래쪽에서 채혈하기도 합니다.
2. Allen test (ABGA 시행전 측부혈행을 확인하는 방법) : 대상자가 주먹을 쥔 상태에서 Radial a.와 Ulnar a.를 동시에 압박하고 이후 Ulnar a.의 압박만을 제거하여 창백하던 손바닥이 즉시 붉은 빛으로 돌아오는지 확인합니다. 붉은 빛을 띄지 않을 경우 반대쪽의 동맥을 사용하며 양쪽 모두 측부순환에 장애시 Brachial a.나 Femoral a.를 사용할 수도 있습니다.

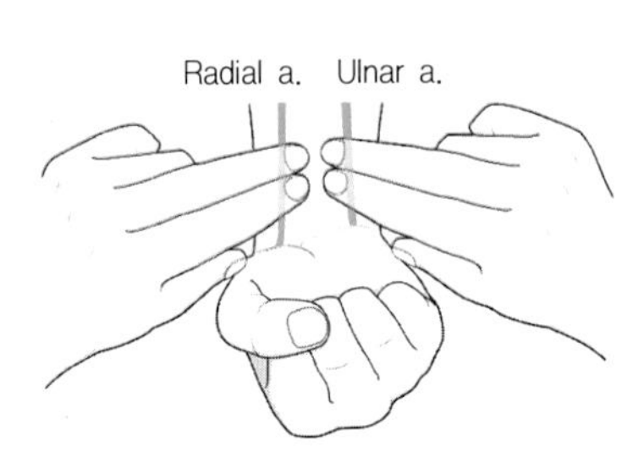

(2) 시행방법

① 환자에게 일반 정맥혈 채취보다는 약간 더 불편감이 있을 것이라고 미리 주지시키고 Allen test 등을 시행하여 채취할 부위를 정하고 소독합니다.

② 0.2ml heparin coating이 되어있는 20-23G needle(미리 준비되어 있지 않으면 직접 Heparinization)을 사용하여 동맥이 촉지되는 피부 위를 45-60° 각도로 천자합니다. 맥박의 촉지에 의한 blind technique이므로 정확한 위치선정이 되도록 유의합니다.

cf. Femoral a. : Arterial pressure가 가장 강하게 촉지되는 곳에 needle을 수직으로 세워서 puncture

③ 동맥혈은 pressure가 높기 때문에 정확히 puncture되었을 경우에는 negative pressure를 주지 않아도 대부분 저절로 혈액이 syringe로 유입됩니다. 단 저혈압의 경우에는 당겨야 할

경우도 있습니다.

④ 3~5ml 정도 혈액채취 후 바늘을 제거하고 알코올솜으로 천자부위를 강하게, 단 동맥혈행을 막지 않을 정도로 3-5분(와파린 등 항응고제 치료자는 15분 이상) 압박합니다. 주사기 내부에 공기가 있으면 혈중 산소 농도 측정에 영향을 미치기 때문에 공기를 완전히 제거하고 가볍게 흔들어 혈액이 heparin과 섞이게 합니다.

⑤ 미리 준비된 고무패킹에 needle을 찔러넣은 후 구부려 추가적 공기유입을 방지한 후 즉시 검사실로 보냅니다. 백혈구와 혈소판이 증가된 상태라면 산소소모가 빨라질 수 있으므로 되도록 5분 이내에 전달되어야 하며 15분 이상 지체시에는 아이스팩 등과 함께 전달합니다. ABGA 분석기가 상시 비치되어 있는 ER의 경우 syringe의 공기를 제거한 후 고무패킹 과정없이 바로 기계에 돌리면 5분 이내에 결과가 나옵니다.

(3) ABGA의 판독 : [참조항목 18-2]

Tip 임상 Tip

- ABGA 혈액이 선홍색이 아니고 검붉은색일 경우에는 Hypoxemia가 아주 심한 경우이거나 Venous blood가 puncture 되었을 가능성이 있으므로 재검을 고려합니다. 정맥혈일 경우는 보통 산소(PaO_2)는 35-40 정도로 낮게, 이산화탄소($PaCO_2$)는 41-51 정도로 높게 나옵니다.

7-3 심전도 측정법

(1) 시행 주의사항

1. 심전도(electrocardiogram, ECG 또는 EKG)는 심장의 전기파형을 기록하는 장치로 신체의 여러 곳에 전극을 부착하여 각 부착 부위별 전기적 전도상태를 분석하여 진단하게 됩니다.
2. 시행전 환자를 편안하게 눕히고 검사전 미리 검사방법을 안내하여 긴장을 풀도록 합니다. 이후 각 전극을 붙이는 위치를 정확히 붙이고 피부와 접촉이 잘 되는지 확인합니다. 털이 많은 경우에는 접촉부위를 면도하거나 피부에 알코올이나 젤, 물을 바르면 접촉도가 좋아집니다.
3. 일반적인 표준 12유도 심전도 및 전극 부착부위는 다음과 같습니다. 사지유도의 a는 증폭(augmented)되었음을 의미하며 이는 사지유도가 다른 유도보다 파형크기가 작아 50% 증폭시킨 후 관찰하기 때문입니다.

표준유도 Standard lead	Ⅰ: 왼손목(LA, Left Arm)-오른손목(RA)의 전위차 Ⅱ: 오른발목(RL, Right Leg)-왼발목(LL)의 전위차 Ⅲ: 왼발목(LL)-왼손목(LA)의 전위차
사지유도 Extremity lead	aVF : augmented voltage, left foot aVL : augmented voltage, left arm aVR : augmented voltage, right arm
흉부유도 Precordial lead	- V1: 제 4늑간의 Rt sternal border - V2: 제 4늑간의 Lt sternal border - V3: V2와 V4의 중간부위 - V4: 제 5늑간과 좌측 쇄골 중앙선(mid-clavicular line)이 만나는 부위 - V5: V4와 수평, 전액와선(anterior axillary line) 부위 - V6: V4와 수평, 중액와선(anterior axillary line) 부위

4. 급성 심근경색(acute MI) 등 시간 경과에 따른 변화를 보아야 하는 경우 흉부유도 부위를 유성펜으로 표시하면 매번 같은 부위에서 심전도를 기록할 수 있습니다. 심전도상 acute MI 소견 등의 경우는 심전도를 reverse로 찍어달라는 reverse EKG order가 날 수 있는데 사지 유도는 동일하게 접촉시키고, 흉부유도는 부유도는 원래의 위치에서 좌우를 바꾸어 부착시키면 됩니다
5. 팔다리의 높이는 동일하여야 하며, 심전도 분석 중에는 움직이지 않아야 합니다.

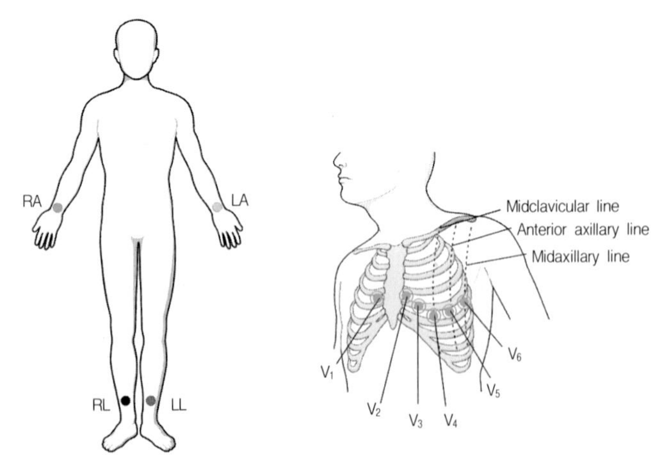

심전도 사지유도 부착　　　　심전도 흉부유도 부착

6. 심전도의 판독 : **[참조 : 41-2]**

(2) 단일유도 심전도

1. 환자상태가 좋지 않거나 중환자실 등에 입원한 경우에는 심전도 모니터를 부착하여 나오는 1개의 유도파형을 지속적으로 관찰하게 됩니다.
2. 몇가지 방법이 있지만 P파와 QRS파를 알 수 있는 파형이 나오도록 부착하는 것이 중요합니다.

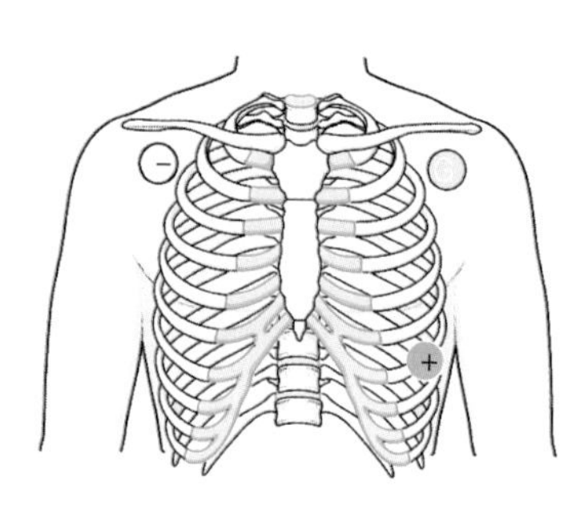

단일유도시의 전극 부착

08 CPR 가이드라인

8-1 심폐소생술(CPR) 개요

(1) 기본 용어

1. 생존사슬(chain of survival) : 심정지가 발생한 환자를 위해 응급치료시 수행되어야 하는 일련의 과정으로 원내심정지(IHCA)와 원외심정지(OHCA)* 로 구분됩니다.
2. 원내심정지(IHCA) 생존사슬의 5가지 요소로 1) 감시 및 예방 2) 심정지 상태인지 및 응급의료체계가동 3) 신속한 심폐소생술 4) 신속한 제세동(defibrillation) 5) 전문소생술 및 사후관리 등이 요구됩니다.
3. 반면 원외심정지(OHCA)에서는 1) 심정지 상태인지 및 응급의료체계가동 2) 신속한 심폐소생술 3) 신속한 제세동 4) 기본 및 전문응급의료서비스 5) 전문소생술 및 사후관리 등으로 구성됩니다.
4. BLS : 기본소생술(Basic Life Support). 구조자가 다른 장비와 약물 없이 구조하는 방법
5. ACLS : 전문심장소생술(Advanced Cardiac Life Support). 인력, 약물, 장비가 모두 있는 상황에서의 구조방법

(2) 2015 AHA 가이드라인의 주요 개정사안

1. 미국심장협회(AHA, American Heart Association)에서 5년 마다 개정되는 CPR 가이드라인은 국내 뿐 아니라 전세계적으로 주로 참조되는 가이드라인이 되어왔습니다. 2015년 개정의 경우 흉부압박의 중요성이 강조된 2010년 가이드라인의 핵심적인 부분에서 큰 변화는 없으나 세부적인 지침에서 변화가 있었습니다.
2 .1인 구조자의 경우 인공호흡보다 흉부압박을 우선 시행하도록 하여 기존의 기도확보, 인공호흡, 흉부압박 순서의 A-B-C (Airway, Breathing, Compression)에서 C-A-B의 순서로 변경되었고 2015년 가이드라인 부터는 흉부압박의 방법도 분당 약 100-120회(기존은 분당 100회 이상)의 속도에 적어도 5cm(2인치)의 깊이로 강하고 빠르게 압박하되, 단 6cm(2.4인치)는 넘지않도록 변경되었습니다.
3. 특히 CPR 교육을 받지 않은 일반인의 경우 인공호흡을 선뜻 시행하지 못하거나 호흡을 확인하는 과정에서 흉부압박이 지연되는 현실을 감안, 전문요원 도착 전까지 흉부압박만을

* (IHCAs) inhospital cardiac arrests / (OHCAs) out-of-hospital cardiac arrests

계속하도록 권고했습니다. 또한 2015년 부터는 마약성 약물투여가 의심되는 경우는 목격자에 의해 해독제인 날록손(naloxone)투여가 가능하도록 하였습니다.

흉부압박 : 인공호흡 비율 (성인 CPR)	2000년 AHA 가이드라인	15:2
	2005년 AHA 가이드라인	30:2
	2010년 AHA 가이드라인	30:2 (교육받은 경우) 30:0 (교육받지 않은 경우)

8-2 성인 기본소생술(BLS) : C-A-B

(1) 의식이 없는 무호흡 또는 비정상호흡(헐떡임Gasping 등) 상태를 확인

(2) 응급구조(119 등) 신고 또는 타인에게 신고요청 (+ 가능하다면 AED 또는 제세동기 확보)

(3A) 10초간 맥박 확인 - 맥박 있으면 매 5-6초마다 인공호흡 1회. 2분마다 맥박 재확인

(3B) 10초간 맥박 확인 - 맥박 없으면 흉부압박(C) 시작

1. CPR은 흉부압박부터 시작합니다. 손바닥을 환자의 가슴 중앙(양 유두 사이)에 위치시키고 최소 분당 100-120회의 속도에 최소 5cm(2인치) 정도의 깊이로 강하고 빠르게 압박하고 단 과도한 깊이(2.4인치=6cm 초과)로 압박하지 않도록 주의합니다.
2. 손가락은 펴거나 깍지를 끼거나 상관없으나 가슴에 닿지 않도록 합니다. 팔꿈치를 펴서 팔이 굽혀지지 않도록 하고 체중을 이용하여 압박하며 효과적인 압박을 위해 환자의 등에 딱딱한 보조판을 댈 수도 있습니다. 강한 흉부압박으로 늑골이나 흉골의 골절, 폐좌상, 간, 비장의 손상 등의 합병증이 있을 수 있지만 합병증에 대한 우려 때문에 불충분하게 압박하는 것 보다는 강하게 압박하도록 합니다.
3. Recoil : 매번의 흉부압박마다 흉벽이 원위치로 완전히 올라오도록(complete recoil) 약간의 시간간격을 두면서 압박해야 합니다. 심장으로 다시 혈액이 채워져야 그 다음의 압박도 효과적이기 때문입니다. 압박시간과 이완시간을 1:1 정도로 배분하기도 합니다.
4. 두 명 이상의 구조자가 있는 경우에는 2분마다 흉부압박 시행자를 교대해 주는 것이 좋습니다. 10초 이상 흉부압박이 중단되지 않도록 주의합니다.

CPR 교육을 받지 않은 구조자는 3A의 맥박확인 과정 없이 바로 흉부압박을 시작하며 이후 인공호흡도 하지 않고 자동제세동기 또는 전문요원이 도착할 때까지 흉부압박만 지속합니다.

(3) 기도확보(A) 및 인공호흡(B)

1. 심폐소생술 교육을 받은 경우 흉부압박 : 인공호흡을 30 : 2의 비율로 시행합니다.
2. 기도(Airway)는 환자의 머리를 뒤로 제치고 턱을 들어서(head tilt-chin lift) 확보합니다. 머리, 목에 외상이 있을 경우는 턱밀어올리기(jaw thrust) 방법이 사용될 수 있습니다.
3. 구명호흡(Breathing) : 환자의 코를 잡아 막은 후 구조자의 입으로 환자의 입을 막고 숨을 불어 넣습니다. 입에서 나오는 산소의 양으로도 환자의 소생에 충분하므로 심호흡 대신 정상호흡량으로 가슴이 충분히 부풀어 오를 정도로 숨을 불어 넣는 것을 2번 반복합니다. 보통 흡입공기에는 21% 정도의 산소가 들어있고 내뱉는 공기에는 16-18% 정도의 산소가 들어있습니다.
4. 입-코 인공호흡 : 입을 열 수 없거나 손상으로 입을 통하는 것이 불가능할 경우, 입과 입의 밀착이 어려운 경우, 물속에 있는 경우(수상안전교육을 받는 구조자에 한함) 등에 한합니다.

익사나 질식환자에서는 예전처럼 A-B-C의 순서로 적용하여 기도확보(A), 인공호흡(B) 2번, 흉부압박(C) 30회 등의 과정이 적용됩니다.

---

(4) 제세동

1. 제세동기가 도착하면 즉시 심전도를 분석하여 심실세동(ventricular fibrillation, VF)이나 맥박이 없는 심실성 빈맥(pulseless ventricular tachycardia, pVT)이면 1회의 제세동 실시하고 바로 2분간 CPR을 지속합니다. 제세동 전후로 흉부압박의 중단이 최소화 되도록 해야 합니다.
2. 제세동이 필요없는 심전도의 경우는 흉부압박과 인공호흡을 지속하며 2분마다 리듬을 확인합니다.

8-3 소아 기본소생술(BLS) : C-A-B

1. 성인과 거의 비슷하나 몇 가지 차이점이 있으며 특히 일단 CPR부터 먼저 2분간 시행한 후에 응급구조를 요청한다는 차이점이 있습니다. 또한 1인 구조시에는 30:2의 비율로 흉부압박과 인공호흡을 시행하지만 구조자가 2인 이상 있으면 15:2의 비율을 적용합니다.
2. 흉부압박은 흉부전후직경의 최소 1/3 깊이로 압박하며 영아(1세 이하)는 4cm, 소아(1세-사춘기 이전)는 5cm 정도가 됩니다. 압박속도는 성인과 동일합니다. 영아의 흉부 압박은 한 손은 아이의 이마를 가볍게 눌러서 고정시키면서 양 유두를 잇는 선 바로 아래를 손가락 두 개로 압박하며 영아의 인공호흡은 기도를 확보한 자세에서 코와 입에 모두 숨을 불어 넣습니다.

3. 맥박이 있는 경우는 흉부압박은 생략하고 매 3초 마다 인공호흡을 하되 60회 이하로 맥박수가 저하되면 흉부압박도 추가합니다.

8-4 이물에 의한 기도 폐쇄

(1) 환자 파악

1. 환자가 손으로 목을 붙잡은 상태로 기침 소리를 낼 수 없고 청색증을 보이거나 말이나 호흡을 할 수 없는 등의 기도폐쇄의 징후를 보이면, "목에 뭐가 걸렸나요?" 라고 빨리 물어보아서 환자가 말을 못하고 고개만 끄덕이면 즉각적인 복부밀어내기(하임리히법, Heimlich maneuver) 치료를 시작합니다.
2. 만일 의식이 없는 경우는 우선 구조 요청을 한 뒤 입을 열어 이물질을 확인하고 구조호흡을 1번 한 뒤 목은 뒤로 젖혀(tilt) 자세를 바로잡은 후 흉부 압박을 적용합니다.

(2) 복부밀어내기 (하임리히법)

1. 기도폐쇄의 징후가 해소되거나 환자가 의식을 잃기 전까지 시행합니다.
2. 환자 뒤로 돌아가서 주먹을 쥐고 배꼽 바로 위에 엄지 부위를 직각으로 댄 후 새끼 손가락 부위를 다른 손으로 움켜쥐고 이물질이 나오거나 의식을 잃을 때까지 반복해서 강하게 위로 끌어 올립니다(upward thrust). 복부밀어내기가 효과적이지 않거나 비만, 임신후기 등의 이유로 시행이 어려운 경우는 흉부밀어내기를 실시할 수 있습니다. (A)
3. 영아의 경우는 환아를 들어 머리가 아래로 가도록 뒤집은 후 손바닥의 밑부분(heel)으로 아래에서 위쪽 방향으로 세게 밀듯이 등을 내려칩니다. (B)
4. 본인 혼자 있는 상황에서 이물에 의한 기도폐쇄상태가 오면 본인의 주먹을 복부에 대고, 의자나 탁자를 이용하여 강하게 위로 끌어올리는 방법을 시행합니다. (C)

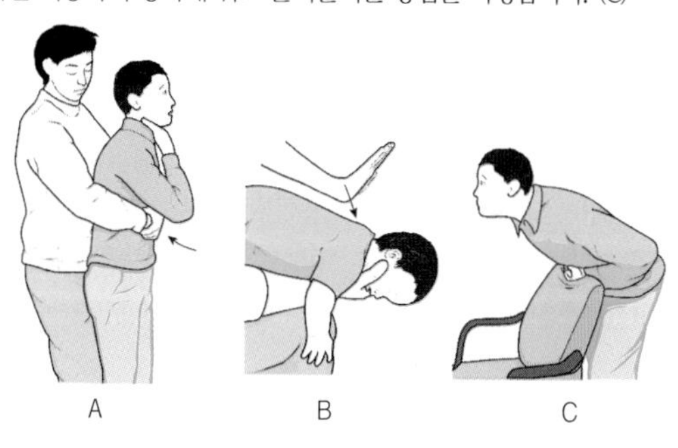

(3) 손가락 훑어내기 / 음압이용

1. 눈에 이물질이 보이면 제거를 시도할 수 있으나, 보이지 않는 상태에서 무작정 손가락으로 꺼내려는 시도는 금기입니다.
2. 응급시라면 가정용 진공청소기의 끝을 제거하거나 청소용 팁을 부착한 후 환자의 벌린 입에 대어 음압을 가함으로써 기도 안의 이물질을 제거하는 방법도 고려해볼 수 있습니다.[2]

8-5 전문심장소생술 (ACLS)

(1) 심정지

1. 응급상황 call을 한 후 바로 CPR을 시작합니다. 가능한 빨리 심장모니터와 제세동기를 세팅하고 준비되는 동안 CPR을 지속하며 IV라인 확보나 산소공급도 같이 이루어집니다.
2. 심전도를 확인하여 pVT/VF의 경우 제조업체의 권장 에너지량(ex. 120~200J)만큼 제세동을 시행하며 시행 직후에도 지체 없이 CPR을 2분간 이어서 시행합니다. 이후에 심장리듬을 확인하여 제세동 재시행 여부를 확인합니다. 제세동에 반응이 없으면 Epinephrine을 매 3-5분 마다 시도하고 그래도 반응이 없을 경우 Amiodarone도 사용됩니다.

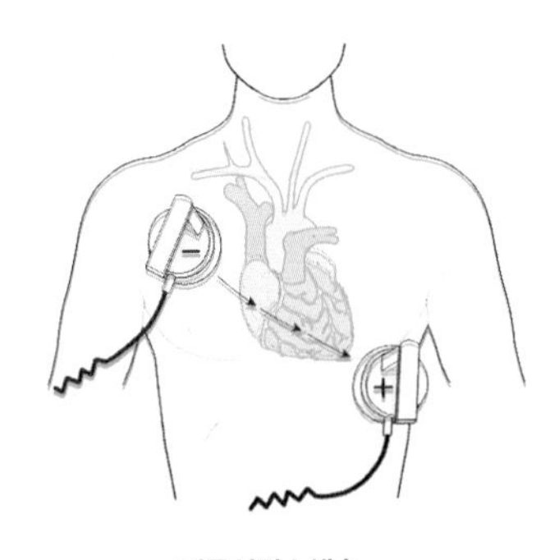

전문심장소생술

3. 무수축(asystole) 또는 맥박이 없는 전기신호(pulseless electrical activity, PEA)일 경우 CPR을 2분간 시행하면서 심장리듬과 제세동 적용여부를 재확인하고 Epinephrine도 매 3-5분 마다 투여하게 됩니다(Atropine의 사용은 2010년 가이드라인부터 제외됨). 이미 탈분극이 된 상태이므로 제세동은 불필요하나 중간에 VF나 VT라도 나타나면 신속히 제세동을 합니다.

4. 필요시 Intubation(기관삽관) 등 전문적인 Airway 관리의 시행도 고려합니다. 또한 이산화탄소 분압을 측정하는 Capnography를 사용하여 endotracheal tube의 위치와 CPR의 진행 상태를 확인하는 것이 권장되고 있습니다.

Tip ROSC

1. CPR이 성공하여 자발적 순환이 돌아온 상태를 ROSC (return of spontaneous circulation)라 하며 맥박과 혈압의 회복, $PETCO_2$가 갑자기 증가된 상태 (보통 40mmHg 이상) 등이 관찰되게 됩니다.
2. ROSC가 되었다고 해서 모든 과정이 종료된 것은 아니라 TH나 PCI 등 적절한 사후관리(Post-cardiac arrest care) 단계로 이어져야 하며 경련 등이 이어지는 경우도 있으므로 적절히 대비하여야 합니다. THI(Therapeutic hypothermia induction, 치료적 저체온 유도요법) 시에는 보통 12-24시간동안 체온을 32-34도로 낮춰 유지합니다.

(2) 성인 서맥 (Bradycardia) - 맥이 있는 경우

1. 단순한 분당 60회 이하의 서맥은 운동선수들에서 종종 발견되기도 하고 개인별 특성에 따라 문제 없는 경우도 있으나 쇼크(shock)에 이르는 경우 등은 긴급한 처치가 필요한 응급상황이 됩니다.
2. 서맥성 부정맥(Bradyarrhythmia)일 경우 50회/min 미만의 심박수가 전형적이며 기도확보, 산소공급(저산소증일 경우), 심장모니터의 설치, 12유도 심전도, IV라인 확보 등을 기본적으로 시행합니다. 만일 혈압, 의식장애, 쇽의 징후, 허혈성 흉부불편감, 급성심부전 등으로 발생했다면 Atropine을 투여하고 그래도 효과가 없다면 Dopamine, Epinephrine 또는 경피적 심박동기(Transcutaneous pacing)를 고려합니다.

(3) 성인 빈맥 (Adult Tachycardia) - 맥이 있는 경우

1. 빈맥성 부정맥일 경우 보통 심박수가 150회/min 이상 빠르게 나타납니다. 저혈압, 의식장애, 쇽의 징후, 허혈성 흉부증상, 급성심부전 등 발생했다면 동시성 심율동전환(synchronized cardioversion)을 고려하며 또는 규칙적인 narrow complex가 나타난다면 아데노신(Adenosine) 등이 투여될 수도 있습니다. QRS가 0.12초 이상 확장되어 있다면 아데노신이나 항부정맥제제의 주입도 고려하고 그렇지 않다면 미주신경 자극이나 아데노신, 베타차단제, CCB(calcium channel blocker) 등도 고려합니다. 아데노신은 불규칙적인 리듬에는 사용되지 않습니다.
2. 12유도 심전도와 IV 라인 확보도 병행되어야 합니다.

(4) Cardioversion vs Defibrillation

1. Cardioversion(심율동전환)은 불안정한 빈맥성 부정맥을 치료하기 위해 심장주기에 맞추어 심실은 탈분극시킴으로써 정상적인 리듬으로 회복시키는 방법입니다. Af(atrial fibrillation), AF(atrial flutter), PSVT(paroxysmal supraventricular tachycardia) 및 맥박이 있는 VT(ventricular tachycardia with pulse) 등에 사용합니다.
2. Defibrillation(제세동)은 심장의 주기와 관련없이 강력한 전기적 자극으로 심근을 동시에 완전히 탈분극시켜서 모든 비정상적인 전기흐름 등을 차단하고 정상적인 SA node의 기능을 회복시키는 방법입니다. VF 및 맥박이 없는 VT 등에 사용됩니다. 심정지(Cardiac arrest) 시 VT로 시작해 VF로 진행된 경우가 많고 VF의 경우 발생과 거의 동시에 의식이 소실되며 즉각적인 제세동이 필요합니다.

8-6 CPR시 사용되는 주요 약물

(1) Epinephrine

1. Alpha receptor의 자극에 의한 말초혈관의 수축으로 동맥혈압을 상승시키며 동시에 beta receptor의 자극에 의해 심박동수 및 심근수축력이 증가합니다.
2. 기관지 평활근을 이완시키는 효과도 있습니다.

(2) Atropine

1. 저혈압이나 심실조기수축(PVC)이 나타나는 sinus bradycardia 등에 효과적입니다. 부교감신경을 억제하여 심장에 대한 미주신경의 영향을 차단하고 동방결절(SA node)을 자극하며 방실전도계(AV conduction system)의 자극전도율을 높혀서 심박동수를 증가시키는 작용을 합니다.
2. IV(0.5mg, 5분간격 재투여 가능) 또는 직접 기도내(atropine 1.0- 2.0mg을 NS 10ml에 희석하여 투여)로 주입합니다. 2010년 AHA 가이드라인부터는 Asystole/PEA 상황에서의 Atropine 사용은 추천되지 않습니다.

(3) Sodium bicarbonate

1. 대사성 산증(metabolic acidosis), 고칼륨혈증(Hyperkalemia) 등의 교정에 사용되며 투여시 H이온이 bicarbonate 이온과 결합하여 중화(buffering) 되므로 혈액과 조직의 pH가 상승하게 됩니다.

2. Bicarbonate가 결국에는 CO_2로 전환되므로 PCO_2가 증가한 환자에게 bicarbonate를 투여하면 오히려 PCO_2가 더욱 증가되어 호흡성 산증(respiratory acidosis)이 악화될 수 있으므로 환기가 충분하게 이루어지는 조건하에서 투여하여야 합니다.
3. 산증이 교정되지 않으면 심장의 자율운동이 억제되고 심근의 수축력 및 catecholamine에 대한 심근 반응도도 감소되기 때문에 빠른 교정이 필요합니다. 투여 용량은 ABGA 결과로 결정하나 응급시 일단 1mmol/kg을 IV후 10분 뒤에 처음에 투여량의 1/2을 IV하는 방법이 사용되기도 합니다.

(4) 급격한 혈압 저하시의 승압제 (Dopamine, Dobutamine)

1. Dopamine의 경우 5DW 500cc에 dopamine 400mg 또는 800mg을 mix해 사용합니다. DM 환자인 경우는 DW대신 N/S 또는 H/S을 사용하기도 합니다. 도파민은 분당 1-2mcg/kg 에서는 혈류를 증가시키고, 2-10mcg/kg에서는 심박출량을 증가시킵니다.
2. 이밖에 합성 카테콜라민인 Dobutamine은 심인성 쇼크에 다용되고 Norepinephrine은 dopamine에 반응이 적은 경우 보조적으로 사용됩니다.
3. 승압제는 체내 volume이 충분한 조건하에 주로 사용되며 탈수(dehydration) 등 volume depletion이 된 경우에는 일단 N/S 등으로 Hydraion 하면서 승압제 사용을 고려합니다.

Tip **Dopamine 투여속도 (Ex. 60kg 환자, 분당 3mcg/kg으로 투여시)**

1) 시간당 투입량으로 환산하면 3 x 60(kg) x 60(분) = 10800 mcg = 10.8 mg/hr
2) 만일 5DW 500cc에 Dopamine 800mg을 mix했다면 수액 1cc당 도파민은 1.6mg
3) 시간당 투여량은 6.75cc/hr (≒ 7cc/hr) - 보통 Infusion Pump 등으로 주입

* 응급의 경우 Rule of thumb으로 5DW 500cc + Dopamine 400mg을 mix한 상태에서 20cc/hr (= 5.0 gtt)로 일단 시작하고 반응이 없으면 15-30분 마다 용량을 2배로 증량하기도 합니다. BP가 안정되었다고 바로 중단하지 않고 Tapering하며 감량해야 합니다.

8-7 ACLS 알고리즘 - 심정지

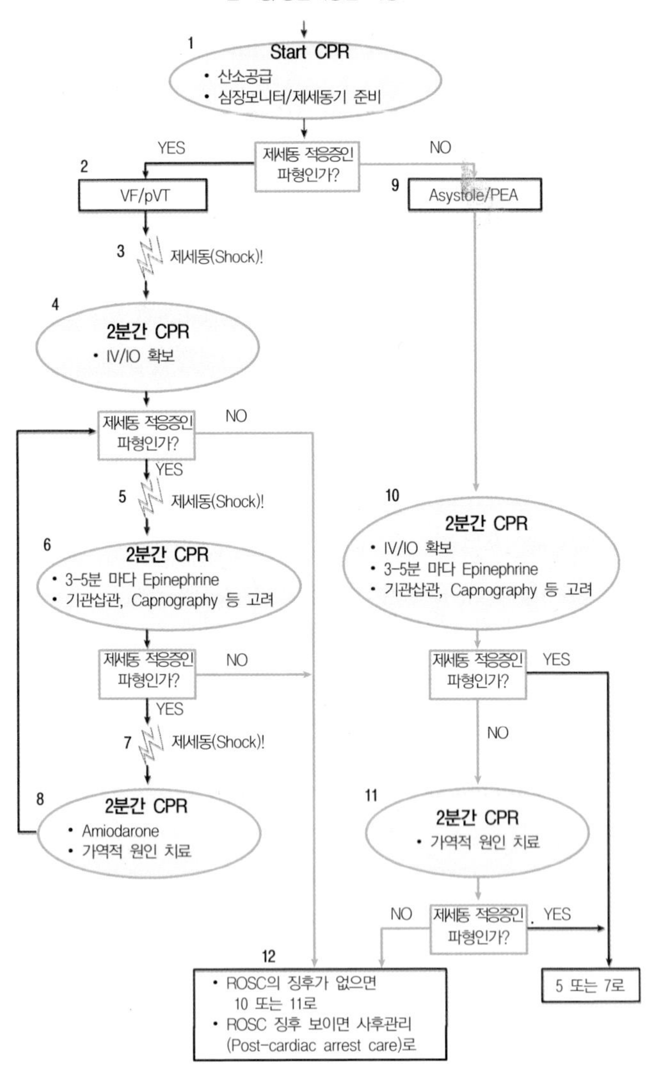

[CPR 질관리]

- 5cm 이상, 분당 100-120회 속도로 강하고 빠르게 흉부압박. Recoil(흉벽 원위치) 완전히
- 흉부압박시 방해 최소화
- 과도한 산소공급 금지
- 매 2분마다 또는 피로할 때 마다 흉부압박 실시자 교체
- 전문호흡장치가 불가능할 경우 30:2로 흉부압박:산소공급 시행
- 정량적 파형의 capnography 측정 (PETCO2 〈 10mmHg 이면 CPR 질을 더 높여야)
- 동맥내압 측정 (휴식기(이완기) 압력이 20mmHg 이하이면 CPR 질을 더 높여야)

[제세동 에너지량]

(1)Biphasic : 제조사 권장기준에 준함 (ex.120-200J). 기준 모를 때는 최대량으로 시행. 2회 부터는 초회량과 동일하거나 그 이상으로 시행 (2) Monophasic: 360J

[약물요법]

Epinephrine IV/IO 용량: 1mg q3-5min

Amiodarone IV/IO 용량: 초회량 300mg IV/IO bolus, 두번째는 150mg

[기도확보]

- 기관삽관 또는 성문위(supraglottic) 삽관
- 기관삽관의 위치확인을 위한 capnography 또는 capnometry
- 호흡은 매 6초마다 1회(분당 10회)로 하되 흉부압박은 지속

[ROSC (자발적 순환회복)]

- 맥박 및 혈압의 회복
- PETCO2가 갑자기 증가된 상태 (보통 40mmHg 이상)
- 자발적인 동맥압파형(arterial pressure wave)의 회복

[가역적 원인의 종류 (5H & 5T)]

Hypovolemia / Hypoxia / Hydrogen ion (acidosis) / Hypo-/hyperkalemia / Hypothermia

Tension pneumothorax / Tamponade (cardiac) / Toxins / Thrombosis, pulmonary / Thrombosis, coronary

Ref : Circulation. 2015;132(18 Suppl 2):S444-64

8-8 ACLS 알고리즘 - 서맥

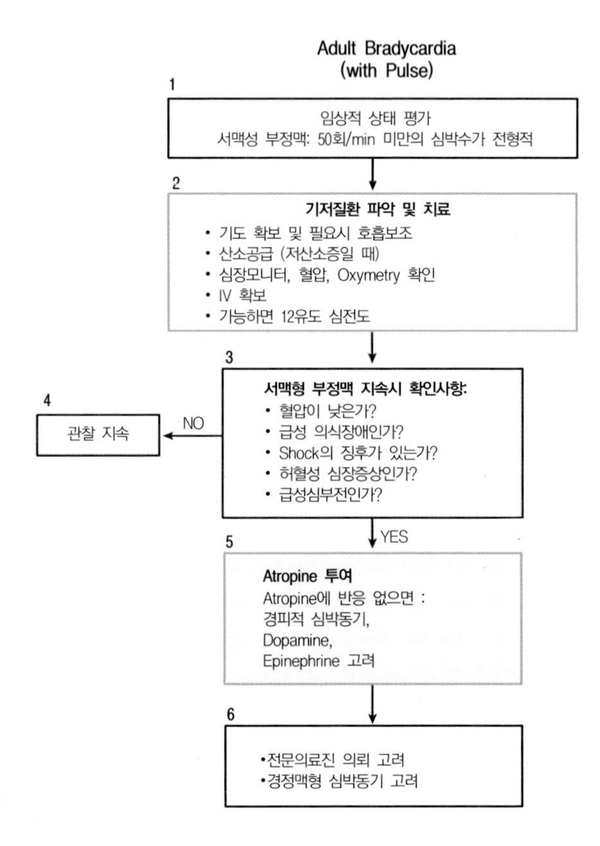

[약물용량]

Atropine : 초회량 0.5mg IV bolus, 이후 3-5분 마다 투여 (총용량 3mg까지)

Dopamine : 분당 2-20mcg/kg IV, 환자반응을 보며 용량 조정하되 천천히 감량.

Epinephrine : 분당 2-10mcg, IV, 환자반응을 보며 용량 조정

[심박동기]

1. 경피적 심박동기(Transcutaneous pacing)
   - 환자의 가슴 위에 부착하고 전기신호를 전달. 비침습적 방법.
2. 경정맥형 심박동기(Transvenous pacing)
   - 정맥(vein)을 통해 전극(electrode)을 우심방 또는 우심실까지 위치.

Ref : Circulation. 2015;132(18 Suppl 2):S444-64

8-9 ACLS 알고리즘 - 빈맥

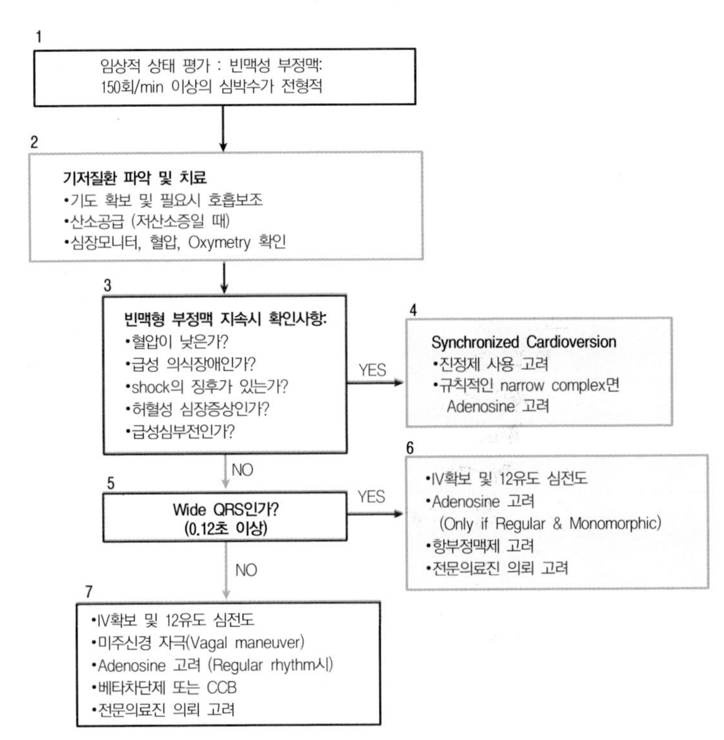

[Cardioversion 권장량]

1) Narrow regular : 50-100J

2) Wide regular : 100J

3) Narrow irregular : 120-200J (Biphasic인 경우), 200J (Monophasic인 경우)

4) Wide irregular : 제세동에 준함 (Synchronized는 시행하지 않음)

[Adenosine]

초회량 6mg 급속 IV 주입 후 N/S 주입. 필요시 두번째 주입은 12mg으로.

[항부정맥제] - 안정적인 Wide-QRS의 빈맥시

1) Procainamide, IV : 20-50mg/min 속도로 부정맥 호전, 저혈압 발생 또는 QRS가 50% 이상 증가시까지 투여.

최대용량은 17mg/kg까지, 유지용량은 1-4mg/min. QT가 연장되거나 CHF시 금기.

2) Amiodarone, IV : 초회량 10분간 150mg, VT 재발 등에 재투여 가능. 유지용량은 첫 6시간 동안 1mg/min.

3) Sotalol, IV : 5분간 100mg(1.5mg/Kg). QT 연장시 금기.

Ref : Circulation. 2015;132(18 Suppl 2):S444-64

REFERENCES

1. Neumar RW, Otto CW, Link MS et al. 2010 American Heart Association Guidelines for Cardiopulmonary Resuscitation and Emergency Cardiovascular Care. Circulation. 2010;122(18 Suppl 3):S640-767.
2. 가혁. 노인요양병원 진료지침서. 군자출판사. 2011. p.429
3. Link MS et al. Part 7: Adult Advanced Cardiovascular Life Support: 2015 American Heart Association Guidelines Update for Cardiopulmonary Resuscitation and Emergency Cardiovascular Care. Circulation. 2015 Nov 3;132(18 Suppl 2):S444-64.

09 감염관리

9-1 손 씻기

1. 감염 관리의 가장 기본은 손씻기입니다. 손 전체에 비누로 거품을 충분히 묻힌 후 30초 정도(적어도 10-15초간) 양손을 서로 비비면서 흐르는 물에 헹구도록 합니다. 잦은 손씻기가 곤란한 경우에는 손소독젤의 이용도 고려합니다.
2. 올바른 손씻기는 다음의 순서와 같습니다.
   ① 소독제(알코올젤) 또는 비누거품을 충분히 받아 손바닥 전체에 골고루 바르며 비빈다.
   ② 양손을 교대로 손등에 바르며 문지른다.
   ③ 양손을 교대로 손가락 사이에 바르며 문지른다.
   ④ 양손을 교대로 양손의 손가락 끝을 비비며 문지른다.
   ⑤ 양손의 엄지를 교대로 감싸안듯이 문지른다.
   ⑥ 손끝으로 양손바닥을 교대로 긁듯이 문지른다.
   ⑦ 깨끗이 씻어내고 멸균 수건이나 페이퍼 타올 등으로 닦는다.

9-2 상용 소독제 개요[1)]

(1) Alcohol

① 작용시간 : 가장빠름
② 지속효과 : 없음
③ 통상사용농도 : 70%
④ 안전성/독성 : 피부건조, 휘발성
⑤ 살균기전 : 세균단백질의 변성
⑥ 용도 - 주사부위, 채혈, 각종 침습적인 절차 시행 전에 환자의 피부소독
- 증발하므로 지속성이 떨어지며 점막자극이 있으므로 주의 필요
- 100% 농도는 단백질 응고력이 너무 강하므로 70%가 최적살균농도

(2) Chlorhexidine gluconate (CHX or CHG)

① 작용시간 : 보통
② 지속효과 : 매우우수
③ 통상사용농도 : 0.5, 2, 4%
④ 안전성/독성 : 이독성, 각막염

⑤ 살균기전 : 세포벽 파괴

⑥ 용도 - 피부의 자극이 적고 iodine보다 피부에 잔재효과가 있음
- 주로 알코올에 희석하여 사용 / 피부와 점막의 소독제로 사용
- 결핵균에는 불충분한 살균효과

(3) Iodine/Iodophor

① 작용시간 : 보통

② 지속효과 : 적음

③ 통상사용농도: 0.5, 2, 7.5, 10%

④ 안전성/독성 : 피부흡수 - 독성 및 자극

⑤ 살균기전 : 산화/free iodine 대치

⑥ 장단점 - 작용시간이 빠르고 결핵균, 곰팡이균까지 살균의 범위가 넓음
- 부식방지처리가 되어있지 않은 금속을 부식시킴
- 고무나 플라스틱 제품을 손상시키고, 착색이 됨.
- 유기물에 의하여 효과가 저해됨
- 피부에 자극으로 화상을 입힐 수도 있음
- Povidone-iodine은 착색이 안되고 독성과 자극이 적음.

(4) Boric acid(붕산)

- 소독력은 약하지만 점막이나 화상부위의 상처 치료 등에 사용
- 이비인후과 환자의 수술창상 치료나 얼굴화상의 드레싱, 회음부, 안부, 구강, 기관절개부위의 소독에 사용

9-3 부항시술시 감염관리

(1) 개요

1. 자락(사혈)용 부항은 일회용 부항컵을 사용하는 것이 권장되나 부득이한 경우에는 아래에 소개된 방법과 같은 소독과정을 거친 후 재사용할 수 있습니다.
2. 자락용구는 1회용 란셋(무통사혈침)을 사용하되 사용 후에는 안에 있는 1회용침뿐만 아니라 란셋의 뚜껑(캡)도 같이 교환하여 혈액이 묻어 발생하는 오염을 예방합니다. 삼릉침을 사용하는 경우도 2)의 소독방법을 거친 후 사용합니다.
3. 습부항의 제거 이후에 자락부위가 넓거나 감염이 우려되는 경우(Ex. 당뇨환자의 발 부위)에는 Iodine(포비돈) 등으로 소독한 후 멸균거즈나 일회용밴드로 환부를 덮어준 후 귀가시킬 수 있습니다.

(2) 부항컵 소독방법

1. 소독액별 상품현황 : benzalkonium chloride (염화벤잘코늄, 제파논), glutaraldehyde (그린와이나, 바이덱스, 유니덱스, 와이덱스, 크레니졸, 클리닉졸), chlorhexidine gluconate (글루콘산 클로르헥시딘, 히비탄)
2. 깨끗한 통에 소독용액을 붓고, 소독용액 안내문에 따라서 물을 부어 희석한 후(ex. 제파논의 경우 100-200배 희석) 부항이나 소독할 용품을 담습니다. 이후 일정 시간(30분 - 1시간)동안 담궜다가 증류수로 세척한 후 꺼내어 말려서 사용합니다. 또는 Cydex OPA 원액에 10분간 침적 후 멸균수로 헹구는 방식을 사용할 수도 있습니다.
3. 알코올에 담그면 부항의 고무 패킹 부분이 딱딱해지므로 권장하지 않으며 또한 소독하여 재사용하는 부항컵은 멸균과정에서 유리가 고온에 잘 견디기 때문에 플라스틱 재질 보다는 유리재질이 권장됩니다.
4. 건부항용 부항과 보관 Tray도 소독액을 이용한 주기적인 소독이 필요하며 이 경우 0.5% Tego에 20분간 침적 후 물에 씻어서 건조하는 방법도 있습니다.
5. 필요시 소독액 소독 후에 자외선 소독기나 오존 소독기를 이용해서 1차례 소독을 더 하면 더욱 효과적입니다. Autoclave를 사용한 고압멸균방식을 적용할 경우에는 115℃/30분, 121℃/20분, 126℃/15분 또는 134℃/3분 등을 적용합니다.[3)]

〈대한적십자사(혈액관리본부) 채혈 보류 판단기준〉

- 침시술(1회용 사용), 건부항, 습부항(1회용 사용)을 한 경우에는 3일후 헌혈
- 1회용 아닌 침을 사용했거나 1회용을 사용하지 않은 습부항 시술은 1년간 헌혈 금지
- 불법시술의 경우 : 1년간 헌혈할 수 없음

9-4 침시술시 감염관리

(1) 관리방법

1. 침 시술 전 :순간 살균력이 가장 빠른 알코올 소독을 합니다. 침시술 또는 주사부위에 소독을 하는 이유는 바늘 삽입부위의 피부 상재균이 많기 때문에 감염의 원인을 제공할 수 있기 때문입니다. 옷 위에 자침하거나 오염된 알코올 솜으로 소독하지 않도록 유의합니다.
2. 침 시술 후 : 자침후 발침시에 알코올솜 등으로 발침부위를 소독하며 추가적인 출혈이 없는지 확인합니다. 알코올솜 사용시 따가운 통증을 호소하거나 용기의 오염가능성이 있는 경우는 멸균된 사각 거즈(dry상태)를 사용하면 됩니다.

(2) 주의사항

1. 침뿐 아니라 침관의 경우도 1회용을 사용하는 것이 권장되고 특히 환자 사이에는 공유되지 않도록 합니다. 금속침관을 사용하는 경우 10-30개 이상의 침관을 준비하며 사용 후 소독용액에 담그고, 새로운 환자마다 재멸균 또는 교체를 하여야 합니다.
2. 멸균 밀봉된 침을 미리 개봉하여 침통이나 패드 및 스폰지에 꽂아서 사용하거나, 하나의 침봉투에 많은 침을 모아 사용하는 것도 권장되지 않습니다. 1회용이 아닌 멸균처리된 침은 멸균일자별로 정리하여 깨끗하고 정결하게 보관하고, 멸균처리하고 2주정도 경과하면 사용하지 않았더라도 다시 멸균처리 합니다.

9-5 참고 : CNT (Clean Needle Technique)[5)]

(1) 개요

1. 미국내에서 한방의료행위를 하기 위해 NCCAOM* 등에서 제공하는 자격을 취득시 필수적으로 합격해야 하는 과정으로 CCAOM**에서 주관하며 실제 침시술을 할 때 안전하고 위생적인 치료행위가 되도록 가이드라인과 표준을 제공합니다.

(2) CNT 가이드라인 1 - 침시술 준비

① 흐르는 물에 비누로 손을 씻거나 알코올스왑(swab)을 사용하여 손을 소독한다.

② 오염시키지 않도록 준비하면서 안전구역(clean field)을 마련하여 침이나 기타 용구를 배치하며 폐기물통은 안전구역 이외에 비치한다.

(3) CNT 가이드라인 2 - 자침부위 준비

① 자침부위가 의류에 가려져 있다면 의류를 걷고 다시 흐르는 물에 비누로 손을 씻거나 알코올스왑으로 손을 소독한다.

② 자침부위를 알코올스왑으로 소독하되 나선형으로 안에서 밖으로 소독하거나 한 방향으로 소독하며 사용한 알코올스왑을 폐기물통에 버린 후 알코올이 마를때까지 기다린다.

(4) CNT 가이드라인 3 - 적절한 자침 및 술기

① 손이 오염되었다면 다시 알코올스왑으로 잘 소독한다. (시술 전과정에 적용됨)

---

* NCCAOM : National Certification Commission for Acupuncture and Oriental Medicine (www.nccaom.org)

** CCAOM: Council of Colleges of Acupuncture and Oriental Medicine (www.ccaom.org)

② 침체(shaft)가 오염되지 않도록 하면서 침을 꺼낸다.

③ 침관(guide tube)과 침이 별도로 제공된다면 침을 침관에 넣는다.*

④ 침체를 잡아야 한다면 맨 손이 아닌 멸균된 솜이나 거즈를 이용한다.

⑤ 본인의 신체에 90도 각도록 적어도 ¼ 인치 깊이로 침을 자입하고 자입된 침을 시계방향으로 360도 돌리거나 180도 시계방향으로 돌리고 다시 180도 시계반대방향으로 돌린다.

⑥ 침체나 자침부위를 손 또는 다른 멸균되지 않은 도구로 접촉되지 않게 하면서 행침(行鍼)을 완료한다.

(5) CNT 가이드라인 4 – 적절한 발침과정

① 침체나 자입부위를 손으로 만지지 않도록 주의하면서 발침한다.

② 발침부위에는 깨끗한 솜(clean cotton)으로 압박한다.

③ 자침한 침은 즉시 플라스틱으로 된 손상성 폐기물 용기에 투입한다.

④ 솜은 즉시 일반폐기물 용기함에 폐기한다.

⑤ 흐르는 물 또는 알코올스왑으로 손을 소독하여 마무리한다.

(6) CNT 가이드라인 5 – 정리하기

① 사용하지 않은 깨끗한 도구들은 다시 정리하고 사용하지 않았지만 포장이 뜯어진 침과 기타 쓰레기는 폐기한다.

② 용기들을 모두 정리하고 정리가 완료되면 손을 흐르는 물에 비누로 씻거나 알코올스왑으로 소독한다.

9-6 입원환자 격리실 사용기준

※ 병원별로 기준이 다를 수 있으므로 참고적으로 이용하시기 바랍니다.

(1) 주요 격리 대상 환자군

- 제1군 법정 전염병 또는 기타 주요한 감염의증시 : AIDS, CJD, 장티푸스, 결핵 환자 등
- ANC(Absolute Neutrophil Count, 절대호중구수) 500/mm 이하, 조혈모세포이식 등 이식환자에서 중등 이상의 급성 이식편대숙주 질환시 **[참고 : 12-10]**

* 미국에서 사용되는 침은 대부분 침관1개에 침1개가 들어있는 단일포장 형태로 제공된다.

(2) 항생제 내성 환자의 격리

- VRE : 1주 간격으로 시행한 배양에서 연속 3회 (-)시까지 격리
- MRSA, IRPA, IRBL, K.pneumoniae, ESBL e.coli, clostridium difficile균의 경우 일반적으로 1주 간격 2회 음성일 때까지 격리

Tip 임상 TIP

- 소독의 목적으로 단순히 끓는 물에 소독하거나 알코올에 적시는 것은 저항성 박테리아 포자나 일부 바이러스 등을 제거하지 못하기 때문에 부적합합니다.
- 면역력이 약화되어 있는 환자 등에서 시술시 특히 유의합니다. 항암화학요법을 시행하고 있는 환자 중 격리대상인 ANC 500 이하일 경우는 일반적으로 회복시까지 침습적 치료를 일시중단할 수 있습니다.

REFERENCES

1. 경희대학교 동서신의학병원 중앙감염관리실. 감염관리지침서.2007
2. 대한한의사협회. 원내감염 예방 지침서. 2004
3. World Health Organization. Guidelines on Basic Training and Safety in Acupuncture. 1999. p.24-28
4. 장인수. 한의원 감염 관리를 위한 권고안. 대한한의사협회. 2006
5. National Acupuncture Foundation. Clean Needle Technique Manual for Acupuncturists, Fifth Edition CCAOM 2004

10 감염노출 사고시 조치

10-1 감염노출 사고직후

1. 오염되었거나 환자에게 시술했던 바늘, 침 등의 날카로운 기구에 찔리는 사고를 Needle stick injury(바늘찔림사고)라고 합니다. Needle stick injury가 발생했을 경우, 가장 먼저 취할 수 있는 조치 중 하나는 즉시 피를 짜내도록 하는 것입니다.
2. 흐르는 물과 비누로 씻어내며 환자의 혈액이나 체액 등을 피부에 엎지르거나 튄 경우에도 흐르는 물과 비누로 충분히 닦아내도록 합니다.
3. 눈이나 점막에 튄 경우에는 생리식염수로 1~2분간 세척합니다.
4. 필요시 병원내부에 규정된 감염노출보고서 작성 및 출력 후 감염관리실에 보고합니다.

10-2 감염 노출시 조치 내용

(1) B형 간염

의료진 상태[1]		감염원 (환자혈액)		
		HBsAg 양성	HBsAg 음성	B형간염 검사가 안되었거나 모르는 경우
예방접종[2]을 안한 경우		HBIG[3]×1회 그리고 HB vaccine series를 시작	HB vaccine series시작	HB vaccine series 시작
예방접종 시행	항체가 있음	예방조치 필요 없음	예방조치 필요없음	예방조치 필요 없음
	항체가 없음	1) HBIG×2회 투여[4] 또는 2) HBIG×1회 투여, 그리고 재 예방접종 시행	예방조치 필요없음	고위험 감염원인 경우 HBsAg 양성인 경우에 준하여 예방조치 시행
	항체 상태를 모름	노출된 의료진에 대한 항체 검사 1) 항체가가 적절한 경우*: 예방조치 필요 없음 2) 적절하지 않은 경우: HBIG×1회, 그리고 B형간염 Vaccine 추가접종	예방조치 필요없음	노출된 의료진에 대한 항체 검사 1) 항체가가 적절한 경우 :예방조치 필요 없음 2) 적절하지 않은 경우: 백신 추가접종과 1-2개월 후 항체 역가 검사

주1) 과거 B형 간염을 앓았던 사람은 면역이 되므로 예방접종이 불필요
주2) 예방접종은 B형 간염 백신을 3회 접종 완료한 것을 의미
주3) B형 간염 면역글로불린은 가능한 한 24시간 이내에 0.06ml/kg을 IM
주4) HBIG(Hepatitis B Immunoglobulin) 2회 투여는 예방접종을 2회 실시하였지만 항체가 형성되지 아니한 사람 또는 예방접종을 2회 실시하지 아니하였거나 2회차 접종이 완료되지 아니한 사람에게 투여하는 것을 의미
* Anti HBs가 10 mIU/mL 이상되어야 항체가 적절히 형성되었다고 간주

(2) C형 간염

1. anti-HCV검사 : 노출 후, 4주후 anti-HCV RNA, 3개월 후, 6개월 후
2. C형 간염 예방접종은 개발되어 있지 않으므로 예방이 최선입니다. 감염노출 후의 예방약은 없으며, 면역글로불린도 효과가 없으므로 권하지 않습니다.

(3) AIDS (HIV : positive)

1. anti HIV검사 : 노출직후, 6주후, 3개월 후, 6개월 후
2. 노출직후 검사를 시행하고 24시간 이내에 처치 되어져야 하는 처방이 노출원에 따라 다르므로 즉시 감염관리실에 연락하여 감염내과 진료를 보도록 합니다.
3. 야간이나 휴일에 응급실에서 약을 투약 받을 경우 (예) : 기본 2제요법 시작
   - 3TC(Lamivudine) 1T bid, AZT(Zidovudine) 3C bid (1일 기준)

(4) VDRL positive (매독)

1. 환자가 active인 경우만 직원검사 : 노출 직후, 6주 후
2. 6주후 검사결과가 양성이면 Benzathine penicillin 240만 unit IM

10-3 외래환자 또는 노출 혈액의 감염정보가 없을 경우

1. 노출직후 시행되는 검사 (본인의 항체 여부에 따라 해당항목 제외) : ① B형간염 - HBs Ag, anti HBs ② C형간염- HCV Ab ③ 매독 - RPR(VDRL) ④ 에이즈 - HIV Ab
2. 추후 검사 : 3개월 후 HBs Ag, HCV Ab, RPR(VDRL), HIV Ab의 검사 실시

NEO HANDBOOK OF INTEGRATIVE INTERNSHIP

2장

의학연구와 통계

11 임상연구 개요

11-1 임상연구와 EBM

1. 근거중심의학으로 번역되는 EBM(Evidence-Based Medicine)은 1990년대 초반에 본격적으로 등장한 개념으로 객관적인 증거를 근거로 진단이나 치료를 결정하는 의료라 할 수 있습니다. 여기서의 객관적인 증거는 주로 정량화된 자료 또는 통계적으로 유의한(statistically significant) 자료로서 peer-review(동료연구자 심사) 과정을 거쳐 논문으로 발표된 자료가 위주가 됩니다.
2. 임상연구의 결과가 개별 환자들에게 그대로 적용되지는 않고 또 EBM이 무조건적으로 따라야 하는 규칙도 아니지만 실제 진료시 개인의 경험과 지식에만 의존하지 않고 객관적(통계적)으로 입증된 자료를 참조하여 의학적 판단을 하는 것은 실제 임상에서 의료과오의 가능성을 줄이면서 일정한 치료율을 확보하는 효과적인 방법입니다.
3. 실제 임상에서는 EBM에 기반한 연구근거뿐 아니라 의료진의 임상경험과 환자의 특성을 함께 고려하여 진료하게 됩니다. (Evidence-based Medicine is the integration of best research evidence with clinical expertise and patient values.) [1)]
4. EBM으로 입증된 특정한 치료가 후속연구에서 효과가 부정되거나 또는 새로운 드러난 부작용 등으로 퇴출되는 경우도 있지만 적어도 이러한 과정 또한 EBM이라는 틀 안에서 이루어지게 되며 또한 그렇기 때문에 모든 논문은 무조건적인 수용 보다는 비판적인 검토(Critical Appraisal)가 동반되어야 합니다.

11-2 EBM 근거의 종류

(1) 관찰연구 – 연구자의 개입(intervention)이 없음

1. **단면조사연구 (Cross-sectional study)** : 횡단적 연구라고도 하며 임의적인 한 시간대의 상황을 조사하는 방법입니다. 인과관계의 추론은 불가능하고 연관성만 파악할 수 있습니다. 예를 들어 특정시점에서 전국을 대상으로 지역별 독감유병률을 조사해 비교할 수 있습니다.
2. **추적연구 (Longitudinal Study)** : 특정시점 또는 현재를 기준으로 그 이후의 시간의 흐름에 따라 대상 집단의 변화를 관찰하여 위험인자, 병인, 예후 등을 살펴보는 것으로 코호트 연구(Cohort study)가 여기에 해당합니다. 특정시점에서 연구를 시작하여 짧게는 수개월에서

길게는 수십년 간 관찰하기도 하는 전향적(prospective)인 방법입니다.

3. **환자-대조군 연구 (Case-control Study)** : 환자들과 비교집단 간의 위험요인의 차이를 연구하는 것으로 조사시점 이전의 과거자료들을 검토하는 후향적(retrospective)인 방법입니다. 예를 들어 폐암으로 진단받은 환자들과 건강인을 대상으로 흡연이라는 위험요인이 미치는 영향을 조사할 수 있습니다. 후향적 방식의 특성상 단기간에 연구가 완료될 수 있지만 정보수집이나 대조군 선정과정이 엄격하지 않으면 결과가 왜곡될 수 있는 단점이 있습니다.
4. **증례보고 (Case Report)** : 흔하지 않은 질병이나 치료과정을 기록하여 보고하는 방식으로 주로 한 건 또는 두 건 정도의 증례로 보고됩니다. 특정한 질환에 대해 유사한 치료를 받은 2명 이상의 환자들의 치료보고는 환자군연구(case series)로 별도로 분류하기도 합니다.

(2) 실험연구 - 연구자의 개입(intervention)이 있음

1. **임상시험(Clinical Trial)** : 비교집단이 있으면서 무작위(randomization), 맹검(blinding) 등의 방식이 사용됩니다. 무작위 임상시험 (randomized controlled trial, RCT)이 가장 대표적입니다.

(3) 문헌 연구

1. **메타분석(Meta Analysis)** : 같은 주제에 관한 논문들을 수집한 후 통계적 방법을 적용하여 정량적으로 통합하여 해석하는 연구입니다. 예를 들어 요통에 대한 침치료의 효과를 연구한 RCT 논문들을 전세계적으로 수집한 후 가중치 부여(보통 표본수가 클수록 더 큰 가중치) 또는 기타 통계적 방법으로 증례수를 합쳐서 통합적인 해석을 할 수 있습니다.
2. **리뷰 (Review Article)** : 특정 주제를 대상으로 논문들을 모아 정리하고 해설한 논문입니다. 저자의 주관이 영향을 줄 수 있으므로 사전에 구체화된 검색 및 평가기준에 따라 체계적으로(systematic) 정리하여 결과를 발표하는 방법이 일반적이며 이를 체계적 고찰(systematic review)이라 부릅니다. Systematic review 논문에 메타분석내용이 포함되어 있기도 합니다.
3. **지침 (Guideline)** : 학회나 정부기관 등의 전문가 집단에서 진단이나 치료에 관하여 발표하는 지침입니다. 예를 들어 CPR의 경우 5년마다 발표되는 미국심장학회(AHA)의 가이드라인이 전세계적인 지침으로 통용되고 있습니다.

Tip Jadad Scale

1. Jadad Scale은 임상시험의 방법론적인 질(methodological quality)을 평가하는 기준으로 1996년 발표되었으며 전세계적으로 가장 많이 사용되는 RCT 평가지표 중 하나입니다.

2. Jadad Scale은 3가지 항목에 5점 만점으로 점수화되는데, 각각 무작위배정(randomization) 0-2점, 맹검법(blinding) 0-2점, 탈락자에 대한 언급(withdrawals and dropouts) 0-1점으로 구성되어 있습니다.[19] 예를 들어 어떤 systematic review에서는 Jadad 점수가 3점 이하인 논문은 낮은 질(low quality)의 논문으로 간주하고 메타분석 대상에서 제외시키기도 합니다.

Tip **메타분석과 이질성 (heterogeneity)**

1. 여러 개의 RCT 결과를 통합하여 분석하는 메타분석의 성격상 이질성(heterogeneity)이 높으면 결과의 해석에 주의해야 할 수 있습니다. 이질성은 1) 서로 다른 연구디자인의 결과들을 사용하여 발생하는 임상적 이질성과 2) 연구디자인은 유사하나 실제 결과에 차이가 있는 통계적 이질성으로 구별됩니다.
2. 통계적 이질성에 관해서는 보통 I^2(I square)라는 수치를 이용합니다. I^2가 40% 이하면 heterogeneity가 큰 의미가 없는 것으로, 75-100%에 분포하면 상당한 정도의 heterogeneity가 있는 것으로 보기도 합니다.

11-3 EBM 근거 및 권고수준

(1) 근거 수준 (Evidence Grade)

1. 발표기관 및 임상지침에 따라 다양한 방식의 근거수준과 권고수준이 사용되는데 RCT 및 RCT에 기반한 메타분석 등이 가장 상위 단계의 근거수준이 되고 임상연구결과가 아닌 해당 분야 권위자들의 의견이나 임상경험은 가장 낮은 단계의 근거수준으로 간주됩니다.
2. 예시 : US Agency for Health Care Policy and Research 방식[2)]

수준	내역
Ia	RCT논문들을 대상으로 한 메타분석
Ib	적어도 1개 이상의 RCT
IIa	적어도 1개 이상의 대조군 임상연구
IIb	적어도 1개 이상의 유사실험연구(quasi-experimental study)
III	비교연구, 상관성연구, 증례연구 등
IV	전문가그룹의 의견 또는 권위자의 임상경험

(2) 권고(Recommendation) 수준

1. US Agency for Health Care Policy and Research 방식

Grade	근거수준	내역
A (강력추천)	Ia,Ib	적어도 1개 이상의 RCT에 기반한 권고
B (바람직, 추천)	IIa,IIb,III	양질의 임상연구이나 RCT는 아닌 경우
C (고려됨)	IV	전문가그룹의 의견 또는 권위자의 임상경험. 임상연구 없음.
GPP		Good practice points. 가이드라인 그룹에 의한 임상경험

2. U.S. Preventive Services Task Force 방식 [3)]

Grade	내역
A (강력추천)	근거강도 Good. 효과(Benefit)가 잠재적 위험(Risk)보다 훨씬 큼.
B (추천할만함)	근거강도 Fair 이상. 효과가 잠재적 위험보다 큼.
C (추천하지 않음)	근거강도 Fair 이상. 위험도가 잠재적 효과와 비슷.
D (추천할만하지 않음)	근거강도 Fair 이상. 위험도가 잠재적 효과보다 큼.
I (근거없음)	근거가 없거나 poor quality. 평가불가능

11-4 SCI / SCI-E

(1) SCI 및 SCI-E 등재저널

1. 세계적인 미디어그룹 톰슨로이터(Thomson Reuters) 사에서 제공하는 과학논문인용색인(science citation index, SCI) 데이터베이스에 등재된 학술지(Journal)를 SCI 등재저널이라고 하며 국제적으로 영향력있고 많이 인용되는 저널들이 주로 등재되게 됩니다. SCI-E (SCI-Expanded)는 SCI에서 약 4000여종의 저널을 추가로 수록한 것으로 SCI급만은 못하지만 역시 영향력 있는 저널로 인정받습니다.
2. 한편 사회과학분야는 SSCI(social science citation index), 예술/인문과학분야는 A&HCI (art and humanities citation index) 등의 인용색인이 있습니다. 모두 톰슨로이터사에서 제공하는 색인입니다.

(2) Impact Factor

1. 저널의 영향력을 판단하는 가장 중요한 지표는 Impact Factor(IF, 영향력지수 또는 피인용지수)이며 IF가 높은 학술지일수록 학술지로서 높은 위치를 차지합니다. IF의 계산은 최근 2년간의 논문들을 대상으로 다음의 계산식을 통해 산출됩니다.

   [영향력 지수(IF) = 학술지의 논문이 인용된 총 횟수 / 학술지에 수록된 논문의 수]

2. 예를 들어 지난 2년간 A라는 저널에 수록된 논문수가 500개인데 그 동안 총 2000번 인용되었다면 [A저널의 IF=2000/500=4.0]이 됩니다. 톰슨로이터사에서는 매년 JCR(Journal Citation Report) 데이터베이스를 발표하여 각 저널의 IF를 발표하며 새로운 저널이 등재되기도 하고 인용횟수가 적은 기존의 저널이 삭제되기도 합니다. http://isiknowledge.com 에 접속하면 각 저널의 IF를 확인해 볼 수 있으나 유료구독(subscription)이 요구되므로 대학도서관 등에서 접속하시면 됩니다.

참고 **주요 유명저널의 Impact Factor**

1. 임상의학 분야의 가장 유명한 3대 저널이라 할 수 있는 NEJM(또는 New Eng J Med로 약칭), JAMA, Lancet의 2013년 IF는 다음과 같습니다. 1위를 차지해온 NEJM의 IF는 기초의학 또는 생물학 분야에서 가장 저명한 저널인 Nature의 IF가 36.28인 것과 비교해도 매우 높습니다.

약어	Full name	IF (괄호는 2009년)
NEJM	New England Journal of Medicine	53.298 (47.05)
JAMA	Journal of American Medical Association	30.026 (28.90)
Lancet	Lancet	38.278 (30.76)

2. 해마다 조금씩 달라지기는 하지만 SCI 및 SCI-E 등재저널의 IF 중간값은 대략 1.3-1.5 사이에 분포합니다. 일반적으로 3.0 이상이면 상위 20% 이내의 저널이라 할 수 있으며 전체 등재저널의 대략 35-40%는 IF 1.0 이하에 분포합니다.
3. 해당 저널의 IF가 논문의 가치와 영향력을 직접 반영하는 것은 아닙니다. 일부 저널의 경우 리뷰논문(Review article) 위주로 구성되어 논문의 IF가 상승하는 경향이 있으나 한편으로는 그만큼 창의적인 연구나 새로운 치료성과들을 소개하는 원저논문(Original article)의 비율은 적다고 할 수 있습니다.

11-5 임상시험과 IRB

(1) 임상시험 단계

전임상 (Preclinical)	동물실험, 약물학적 방법 등으로 유효성과 안전성 테스트.
제1상 (phase I)	건강한 성인 지원자(ex.20-80명) 등을 대상으로 신약의 안전성 검토.
제2상 (phase II)	실제 환자(ex.100-300명)에 대한 효과 확인 및 최적용량 결정
제3상 (phase III)	다수의 환자(ex.1000명 이상)를 대상으로 최적용량을 투여하여 약효 검증. 3상이 통과되면 시판이 허가됨.
제4상 (PMS)	시판 이후의 부작용이나 유효성 등을 연구. PMS(Post marketing surveillance)라고도 함.

(2) IRB

1. 연구윤리심의위원회 또는 임상시험심사위원회 등으로 번역되는 IRB(institutional review board)는 비윤리적이거나 비과학적 방법으로 임상시험이 진행되는 것을 예방하고 피험자의 안전, 권리 보호를 목적으로 하는 기구로서 일반적으로 대학병원 내에서 의료인과 비의료인, 그리고 해당 기관과 관계가 없는 자 등 5인 이상으로 구성됩니다.
2. 병원 내 모든 임상시험 연구는 반드시 IRB의 심사를 거쳐 타당성과 윤리성이 인정될 경우에만 진행되며 최근에는 모든 인간 대상의 임상연구에 IRB의 심의를 필요로 하고 있는 추세입니다. 만일 일차의료기관이거나 소속 의료기관내에 IRB가 구성되어 있지 않다면 IRB가 구성된 타병원에 의뢰하거나 한국보건의료연구원 등의 공용IRB에 의뢰하는 방법도 있습니다.

11-6 한의학과 EBM

(1) 한의학 관련 임상연구의 난점

1. **진단과 결과변수 :** 전통적인 방식으로 한의학적 진단을 하고 이에 합당한 치료를 적용하였다고 하더라도 국제적으로 인정받는 저널에 투고하기 위해서는 별도의 혈액검사 또는 기타 진단검사에 의한 의학적 진단명이 갖추어져야 하며 치료결과 또한 이러한 진단검사 결과가 동반되어야 합니다. 하지만 이러한 진단명이 한의학적 진단명과 일치하지 않는 경우가 많고 각종 진단검사를 위한 절차 및 의뢰과정 등에서 제도적으로 한의사 주도의 임상연구가 쉽지 않습니다.
2. **실제적인 치료과정 미반영 :** 임상시험을 위한 치료 프로토콜 작성시, 특정 질환에 대하여 다른 모든 변수를 통제하고 동일한 한약 또는 동일한 경혈만 사용하여 연구가 진행되는 것이 일반적입니다. SCI 또는 SCI-E급의 국제저널들도 이렇게 진행된 연구를 잘 설계된 RCT로 인정하므로 수월하게 게재되는 경우가 많습니다. 하지만 이러한 방식은 실제 개별적인 진단 및 치료(individualized treatment)가 이루어지는 한의학적 특성이 배제되었으므로 결과적 측면에서 실제 임상에서 나타나는 치료효과도 반영하지 못하면서 쉽게 '유의한 효과 없음'의 결론에 이르게 될 수 있습니다.
3. **대조군 설정의 어려움 :** 한약, 특히 탕약의 경우 치료약과 동일한 맛과 향, 성상을 가진 위약(placebo)을 만들기는 어렵습니다. 침치료의 경우 완벽한 이중맹검은 현실적으로 불가능에 가까우며 거짓침(sham acupuncture)을 대조군으로 사용하는 것에 있어서도 약물 플라시보(placebo)를 대조군으로 사용한 연구와 동일하게 취급할 수 있는지에 대해서 논란의 여지가 있는 상태입니다.[4-7]
4. **거대자본화된 임상시험 :** 대규모의 임상시험을 위해서는 많은 시간과 인력이 필요하며 또

한 재료비, 검사비, 연구 참여에 따른 금전적 보상 등 상당한 액수의 연구비도 소요됩니다. 양약의 경우 일단 임상시험이 성공하면 천문학적인 수익이 예상되는 바, 다국적 제약회사를 비롯하여 의료산업의 적극적인 인적, 재정적 후원으로 임상시험이 이루어지지만, 한약이나 침 등의 경우 임상시험이 성공하여도 독점적 이익이 어렵기 때문에 제약회사의 후원 없이 개인연구자 주도의 학술적 목적으로 수행되는 경우가 많고 따라서 대규모의 RCT가 많지 않은 실정입니다.

위의 단점들은 주로 한의학적 치료로 이중맹검(double-blinded) 등을 활용한 RCT 연구가 쉽지 않은 이유 - 따라서 SCI 저널에 publish하기 쉽지 않은 이유 - 에 해당하며 한의학 치료 자체가 EBM이나 통계학이 적용될 수 없는 분야임을 의미하는 것은 아닙니다.

Tip 침관련 임상논문 읽기

1. 침관련 논문에 있어서 "Acupuncture"라는 하나의 명칭 하에 시행된 임상연구가 실제 임상에서 사용되는 다양한 침법과 시술법을 모두 대변하는 것은 아님에 주의해야 합니다. 표준화된 진료프로토콜 없이 다양한 치료방침에 따라 시행된 여러 연구들의 서로 상반되는 결과를 일괄적으로 통합하여 결론을 내는 방식에는 무리가 따를 수 있습니다.
2. 예를 들어 류마티스관절염 환자에게 태충(LR3)에 자침하고 4분간 유침 후 염전하는 치료를 5회 시행한 임상시험 만으로 침치료는 관절염에 효과가 없다는 결론을 내린 SCI 논문도 있습니다.[8]
3. 반면 긴장성 두통과 같이 과거에 효과를 인정받지 못했거나 증거가 불충분하여 결론을 내리지 못했던 질환이 새로운 연구결과들에 의해 효과적이라고 인정받는 경우도 있습니다.[9]

Tip Sham acupuncture와 Placebo

1. 거짓침(sham acupuncture)을 대조군으로 사용한 연구는 약물 플라시보(placebo)를 대조군으로 사용한 연구와는 달리 맹검(blinding)의 측면에서 불리한 측면이 많으며 환자의 침치료 경험이나 지식수준이 상당한 영향을 끼치기도 합니다
2. sham 자체가 진짜침(verum acupuncture)과 유사한 피부전도반응을 보이는 등 대조군으로서의 이상적인 생리적 불활성(inert)이 보이지 않고 약물 등 다른 종류의 플라시보(placebo)에 비하여 강한 효과를 보인다는 보고도 있습니다.[4-7]
3. 실제 동일주제에 대한 메타분석에 있어서 sham acupuncture 사용 연구만을 대상으로 한 분석논문과 다른 대조군을 사용한 연구도 포함한 분석논문은 다른 결론을 내리기도 합니다.[10-12]

(2) 기존의 RCT를 벗어난 임상연구

1. 기존의 RCT 위주의 임상연구가 지나치게 기계적인 변수 통제와 맹검(blinding) 등으로 실제의 한의학적 치료과정을 반영하지 못함에 따라 Pragmatic clinical trial(실용적 임상연구)

방법론이 제안되었습니다. 즉 동일한 증상 또는 질병명에 대하여 한의학적인 진단과정에 따른 개별적인 치료나 일괄치료(package)를 시행하고 이에 대한 효과를 측정하는 것입니다. 하지만 통계적 유의성을 얻기 위해 환자수나 추적기간 등이 더 커야 하는 등의 제한점이 있습니다.[13]

2. 침치료에 있어서도 기존의 정형화된 RCT에서 벗어나 Pragmatic한 임상연구가 점차 사용되고 있는 추세입니다. 2001년 도입된 STRICTA (standards for reporting interventions in clinical trials of acupuncture, 침임상연구에서 중재보고를 위한 표준) 기준안은 침관련 임상논문 작성시 구체적인 시술법이나 치료주기, 동반된 치료, 시술자 경력 등을 함께 기재하도록 하였고 보다 다양한 침치료 방식이 효과적인 형태로 임상시험에 적용될 수 있도록 하는 표준양식으로 자리 잡았습니다. 현재 2010년에 새로이 발표된 개정판이 적용중입니다.[14,15]

Tip CONSORT와 STRICTA 점검표

- CONSORT(consolidated standards of reporting trials)는 RCT연구에서 각종 연구관련 세부 내용이 체계적이고 온전하게 보고되기 위해 개발된 일종의 체크리스트로 총 25개 항목으로 구성되어 있습니다.(www.consort-statement.org) STRICTA는 CONSORT 중 5번(intervention) 항목을 확충한 것으로 특히 침치료와 관련된 RCT에서 추가적인 가이드라인의 역할을 합니다.

3. 최근에는 한의학처럼 국소적인 병변이 아닌 인체 전체를 바라보는 의료적 특성에 적합한 Whole Systems Research(WSR)라는 연구개념이 등장하여 치료와 관련된 제반 환경들을 모두 포괄하여 효과를 검증하는 방안도 제안되었습니다.[16] 예를 들어 치료에 대한 환자선호도와 기대도는 실제 임상에서 매우 중요하게 작용하는 요소임에도 불구하고 기존의 RCT에서는 이를 완전히 배제하려고 노력해 왔습니다. 하지만 WSR에서는 오히려 이를 포함되어 평가하는 방법도 필요하다고 보면서 기존의 [주변상황을 배제시킨 과학적 증거 context-free scientific evidence] 보다는 [주변상황도 고려한 과학적 증거 context-sensitive scientific evidence]를 보다 중시합니다.

4. WSR에서는 기존의 RCT에서 벗어나 1) 표준화시키지 않고 개별화된 치료법 자체를 평가하는 Pragmatic trials 2) 선호도와 기대도가 높은 환자군을 실험군에 할당하여 평가하는 Preference trials 3) 개별환자를 대상으로 위약-실험약을 순차 또는 반복 투여해 비교하는 N-of-1 trials 등의 연구방법을 추천하고 있습니다. Pragmatic 연구의 경우, 심지어 연구대상이 되는 질환 이외의 전신상태도 동시에 치료하면서 침, 뜸, 한약, 추나치료 등 임상에서 시행하는 다양한 치료법들을 그대로 사용하는 치료 프로토콜을 이용하여 무작위 배정 임상시험을 시행하기도 합니다.[17]

STRICTA 점검표 (2010년 개정판)
1. 침 치료에 대한 논거 (Acupuncture Rationale)
1a) 침(법)의 종류 (예: 전통 중의학, 일본, 한국, 서양의학, 오행침, 이침 등) 1b) 역사적 정황, 문헌적 근거나 또는 동의안 방법에 기초한 치료에 대한 논거. 적절하다면 참고문헌과 함께 제시 1c) 치료에 변화를 허용한 정도
2. 자침법에 대한 세부내용 (Details of Needling)
2a) 일회 치료 시 환자 당 자침 수 (해당되는 경우 평균과 범위명시) 2b) 사용한 경혈 이름 (단측/양측 여부, 만약 표준 이름이 없다면 위치) 2c) 자침깊이 - 명시된 측정 단위, 또는 특정 조직 수준에 근거 하여 제시 2d) 유발한 반응 (예: 득기 또는 근육 연축반응) 2e) 침 자극의 형태 (예: 수기자극, 전기자극) 2f) 유침시간 2g) 침의 형태 (지름, 길이, 생산회사 및 재질)
3. 치료 내용 (Treatment Regimen)
3a) 치료횟수 3b) 치료의 빈도와 시간
4. 치료의 다른 구성요소들 (Other Components of Treatment)
4a) 침시술군에 시행된 다른 중재의 세부 내용 (뜸, 부항, 한약, 운동, 생활습관조언 등) 4b) 시술자에 대한 지침과 환자에 대한 정보 및 설명을 포함하는 치료 환경(setting)과 상황(context)
5. 시술자의 배경 (Practitioner Background)
5) 참여하는 침 시술자에 대한 서술 (자격이나 소속단체, 침시술 횟수, 기타 관련 경험)
6. 대조군 및 비교군 중재 (Control and Comparator Intervention)
6a) 연구 질문(research question)에 따른 대조군(control)이나 비교군(comparator)에 대한 논거와 대조군 선택을 정당화 시킬 수 있는 자료 6b) 대조군이나 비교군에 대한 정확한 기술, 만약 거짓침(sham acupuncture)이라든지, 다른 어떤 종류라도 침과 유사한 대조군을 사용한다면 위에 나온 항목 1-3과 같이 세부 사항을 제시

Tip 한의학과 EBM

[1] 주요 한의학 문헌들과 EBM

1. 상한론(傷寒論)이나 동의수세보원(東醫壽世保元) 등에 실려 있는 환자증례기록들은 당대 최고

수준의 Case Series이자 치료성공례와 실패사례들도 함께 기록한 모범적인 증례보고들이라 할 수 있습니다.

2. 동의보감(東醫寶鑑)도 발간 당시까지의 국내외의 주요 의학서적들을 망라하여 분류, 정리하고 처방내역, 약물용량 및 질병분류 등을 표준화한 국가 주도의 진료지침(Guideline)이자 당시로서는 최고의 근거수준(Evidence Grade)을 가진 문헌으로 볼 수 있습니다.
3. 다만 독창적 내용이 제한적인 것은 술이부작(述而不作)의 저술형식이 유행했던 당시의 학문적 특성과 시대적 배경을 감안하여야 하며 한편으로는 당대의 수많은 국내외 문헌들에 대한 체계적인 정리가 위주가 되면서 인용내용마다 관련 출처(Reference)를 기재한 저술형태는 오히려 리뷰논문(Review Article)이나 Harrison(내과), Cecil(내과), Sabiston(외과) 등 오늘날 대표적으로 인정받는 표준적 텍스트북의 저술방식과 유사한 면이 많다고 하겠습니다.
4. 동의보감의 일부 비현실적인 내용이나 인용오류 등에 대한 지적이 있지만 동의보감 내용의 대부분은 수백 년이 지난 현재에도 우수한 치료적 가치와 임상적 의의를 가진 것으로 평가받고 있고 또한 일부 비현실적인 내용들이 동의보감을 계승한 후대의 의서들에서 상당부분 삭제되어 있거나 원문과 차이가 있는 인용부분에 대해 수정의견 또는 새로운 재해석 등이 발표되는 점들은 초보적이나마 발전적 계승이 이루어지고 있는 한 단면이라 할 수 있습니다.

[2] 오늘날의 한의학 문헌

1. 특정치료방법에 대한 RCT 결과가 부재하다고 해서 치료적 효과가 없다고 단정할 수는 없습니다. 특히 누적된 임상적 효과를 통해 이론이 정립되고 체계화된 부분이 많은 전통의학의 특성을 고려하여 일정기간 이상, 예를 들어 300년 단위 이상으로 문헌기록이 유지되거나 안전성, 유효성에 대한 시대적 평가가 이뤄졌으면서 기타 관련된 기준에 부합하는 치료방법은 역사적근거(historical evidence)로 구분하여 일정한 치료적 가치를 부여하는 역사적 근거중심의학(historical evidence-based medicine)이 주장된 바 있습니다.[18)]
2. 이러한 관점에도 불구하고 과거의 도제식 교육과 개별적 의료에서 벗어나 정규대학교육과 국가적 의료체계가 중심이 된 오늘날의 시점에서는 전문가의 의견(opinion of expert group), 통계적(정량적) 결과가 동반되지 않은 의학문헌 등의 위상은 감소한 반면 임상연구논문이나 정량화된 데이터 등은 더욱 중시되고 있습니다. 이러한 경향은 특히 현실적으로 도제식 교육을 받기 어려운 오늘날 신규 한의사들의 평균적인 진료수준을 향상시키고, 지나치게 다양화된 각종 치료기법에 대한 임상의들의 혼란을 줄이기 위한 측면에서도 더욱 강조되는 부분입니다.
3. 현대적 시점에서의 한의학 관련 문헌은 - RCT뿐 아니라 단순증례보고라 할지라도 - 통계적 기법, 정량적 데이터의 적극적인 활용과 함께 객관성도 일정 정도 확보된 진단 및 결과지표 등이 활발히 사용되고 또한 적절한 Peer-review(동료심사) 과정을 거쳐 논문으로 발표되어야 보다 높은 근거수준(Evidence Grade)을 확보할 수 있을 것입니다.

REFERENCES

1. Sackett DL, Straus SE, Richardson WS, Rosenberg W, Haynes RB. Evidence-based medicine: how to practice and teach EBM, 2nd ed. Edinburgh & New York: Churchill Livingstone, 2000
2. Agency for Health Care Policy and Research. Clinical practice guideline No 1: acute pain management: operative or medical procedures and trauma. Rockville, MD: US Department of Health and Human Services, 1993.
3. http://www.uspreventiveservicestaskforce.org
4. Linde K, Niemann K, Meissner K. Are sham acupuncture interventions more effective than (other) placebos? A re-analysis of data from the Cochrane review on placebo effects. Forsch Komplementmed. 2010;17(5):259-64
5. Hugh Macperson 외. 침연구: 근거기반구축을 위한 전략 Elsevier Korea. 2009. p.11.
6. Kang OS, Chang DS, Lee MH et al. Autonomic and subjective responses to real and sham acupuncture stimulation. Auton Neurosci. 2011;159(1-2):127-30.
7. Moffet HH. Sham acupuncture may be as efficacious as true acupuncture: a systematic review of clinical trials. J Altern Complement Med. 2009;15(3):213-6.
8. David J, Townsend S, Sathanathan R. The effect of acupuncture on patients with rheumatoid arthritis: a randomized, placebo-controlled cross-over study. Rheumatology (Oxford). 1999;38(9): 864-9.
9. Linde K, Allais G, Brinkhaus B et al. Acupuncture for tension-type headache. Cochrane Database Syst Rev. 2009;(1):CD007587.
10. Wu P, Mills E, Moher D, Seely D. Acupuncture in poststroke rehabilitation: a systematic review and meta-analysis of randomized trials. Stroke. 2010;41(4):e171-9.
11. Kong JC, Lee MS, Shin BC et al. Acupuncture for functional recovery after stroke: a systematic review of sham-controlled randomized clinical trials. CMAJ. 2010;182(16):1723-9.
12. Wu H. Acupuncture and stroke rehabilitation. CMAJ. 2010;182(16):1711-2.
13. 윤영주. 한의학 원리에 맞는 임상연구방법론을 어떻게 개발할 것인가. 한의신문 (2008.11.10)
14. MacPherson H, Altman DG, Hammerschlag R et al. Revised STandards for Reporting Interventions in Clinical Trials of Acupuncture (STRICTA): Extending the CONSORT statement. J Evid Based Med. 2010;3(3):140-55.
15. 이향숙, 차수진, 박히준 외. STRICTA(침 임상연구에서 중재 보고를 위한 표준) 개정판; CONSORT Statement의 확충안. 경락경혈학회지 2010;27(3):1-23.
16. Verhoef MJ, Lewith G, Ritenbaugh C et al. Complementary and alternative medicine whole systems research: beyond identification of inadequacies of the RCT. Complement Ther Med. 2005;13(3):206-12.
17. Ritenbaugh C, Hammerschlag R, Calabrese C et al. A pilot whole systems clinical trial of traditional Chinese medicine and naturopathic medicine for the treatment of temporomandibular disorders. J Altern Complement Med. 2008;14(5):475-87.
18. 엄석기, 김세현, 최원철. 전통한의학 연구방법론의 현대화에 대한 소고(小考) - 역사적 근거중심의학에 대한 제언. 대한한의학원전학회지. 2010;23(2):89-105.
19. Jadad AR, Moore RA, Carroll D et al. Assessing the quality of reports of randomized clinical trials: is blinding necessary? Control Clin Trials. 1996;17(1):1-12.

12 증례보고 작성

- 본 장에서는 1) 학부실습이나 인턴교육의 목적으로 주로 작성하게 되는 원내용 증례보고서와 2) 학술지의 논문 투고를 위한 논문작성용 증례보고서로 구분하여 설명하였습니다.

12-1 원내용 증례보고서 작성 (예시)

- 실습학생 또는 인턴으로서 교육적 목적으로 작성하는 원내용 증례보고서의 목적은 실제 임상에서 1) 진단을 내리고, 2) 환자의 경과를 평가하며, 3) 적절한 근거로 치료법을 선택하는 과정에 대한 훈련이라고 볼 수 있습니다. 학교별 또는 병원별, 과별로 다른 작성지침이 적용될 수 있으나 참고적인 작성례를 소개하였습니다.

(1) 제목

1. 환자의 상태를 대표하거나 증례보고의 목적을 잘 드러내는 제목으로 작성합니다.
2. 진단과정에 초점을 둔다면 확진된 진단명 보다는 증상을 위주로 기재하는 것도 방법입니다.
   Ex) [Tolusa-Hunt Syndrome 여환 1례] 보다는 [복시를 호소하는 여환 1례]로 작성

(2) C/C(주소), O/S(발병일)

1. 주호소증(C/C, Chief complaint)은 보통 1개 또는 2개 정도로 한정하고 환자가 호소하는 나머지 부수적인 증상은 P/I 에 기재합니다.
2. 발병일을 명확히 알기 어려운 때에는 대략적인 추정일자를 기재하고 가족, 지인들을 통해 얻은 정보인 경우는 해당되는 내용을 표시합니다. Ex) 2010년 6월 경(아들 진술)

(3) P/I(현병력) , P/H(과거력), F/H(가족력)

1. P/I를 통하여 대략적인 경과를 파악하고 필요한 감별진단과정을 예상할 수 있을 정도로 실제 증상의 시작이나 변화양상 등을 자세히 기록합니다.
2. 과거력, 가족력은 주소증과 현병력과 관련되는 내용 위주로 기록합니다.

(4) 추정진단 (Impression)

1. 현병력, 과거력, 가족력, 이학적 검진 등을 통하여 대략적인 추정진단(또는 임시진단)이 기재됩니다. 일반적으로 검사는 추정된 진단을 확인하는 과정으로 이해해야 하며, 기본적인 방향 없이 일단 검사부터 일괄적으로 시행해서 진단이 나오도록 방식이 되어서는 안됩니다.
2. C/C나 P/I 등을 통해 가장 의심되는 진단명을 몇 가지 제시하고 그에 대한 감별계획을 세웁니다.

(5) 검사 및 진단, 변증(辨證) 관련

1. 추정진단에서 제시한 것들의 감별진단을 위해 의뢰하거나 시행한 검사 결과가 있으면 이를 기재합니다. 영상검사, 혈액검사 이외에도 조직검사, 내시경 결과 등도 기재합니다. 예를 들어 뇌졸중 환자라면 MRI 등의 뇌영상을 삽입할 수 있으며 하나의 MRI 영상보다는 다른 단면에서의 영상이나 Angio도 보여주면 좋습니다. 특히 실제 임상양상과 영상이 부합하는지 확인합니다.
2. 검사결과를 통해 배제되는 것을 빼고 남은 진단명이 확진이 됩니다. 타병원 소견서의 진단명도 무조건 신뢰하기 보다는 확진된 진단명이 진단 기준에 어떻게 부합하고 다른 질환들이 어떻게 배제되었는지를 확인하는 것이 좋습니다.
3. 진단의 명확성과 관련하여 진단기준을 확인하는 것도 필요합니다. 예를 들어 류마티스성 관절염(RA)은 혈액학적 검사만으로 진단할 수는 없고 질환의 진단 Criteria 에 따른 감별진단(DDx) 및 배제(r/o) 과정이 필요하며 ALS는 각종 감별진단(DDx)을 통해서 모든 질환이 배제된 후 진단이 가능합니다. Stroke 후 불면증도 발병 6개월 이후에 진단이 가능합니다.
4. 한방적 변증과정에 필요한 망문문절(望聞問切) 관련내용을 기재하며 복진그림, 설진사진이나 맥진기, 양도락 검사결과 등을 첨부할 수도 있습니다. 일반 외래환자 위주의 한방치료 증례보고라면 검사결과 보다는 본 내용들이 위주가 됩니다.

(6) 치료내용 및 경과

1. 치료 내용 : 사용 한약 및 양약, 각종 비약물적 intervention (침, 전침, 약침, 뜸, 부항, 피내침, 물리치료, 재활치료 등)
2. 치료 경과 : 환자의 치료경과가 호전 또는 악화되었다고 말할 수 있는 근거를 기재합니다. 특히 각종 scale을 사용하여 그래프, 표 등으로 시각화하는 것이 좋은데 미리 주제 질환이나 증상에 대한 논문을 검색해서 질환에 맞는 평가도구(스케일)를 찾아 사용합니다. 예를 들어 두통(Headache impact test), 중풍후유증(NIHSS, MBI, ADL Scale), 안면마비(H-B grade, Yanagihara), 파킨슨병(UPDRS) 등과 같이 각 질환별로 일반적으로 사용되고 보편성

을 인정받는 스케일을 사용하도록 합니다.

3. 한방적 변증과정이나 징후를 스케일로 이용할 경우에는 논문이나 문헌에서 발표된 것들을 활용해도 됩니다.
4. 각종 증상이나 검사결과의 변화 등을 그래프로 표시하도록 합니다. 한약 등 약물치료나 침, 뜸과 같은 비약물적치료의 경우에도 결과를 표시하는 도표나 그래프의 날짜 밑에 처방의 변화를 같이 기재해서 처방 변화에 따른 증상의 변화 등을 기재하면 전반적인 치료경과를 쉽게 이해할 수 있습니나.

(7) 고찰 (Discussion)

1. 진단된 질병의 예후, 진단, 증상, 치료 등에 대해서 백과사전식으로 전반적인 내용을 다 언급하기 보다는 환자와 관련된 가장 주요한 부분이나 임상시 놓치지 말아야 할 항목, 증례기록지를 작성하면서 가장 궁금했던 부분 등에 중점을 두어 리뷰하도록 합니다. 국내외 최신 논문을 찾아 고찰하고 논문 출처를 밝히면 더욱 좋습니다.
2. 한방치료와 관련해서는 현재 상태에 대한 한방적 원인이나 치료과정을 전반적으로 고찰하고 사용할 수 있는 다른 처방이나 침법 등을 제시할 수 있습니다. 경우에 따라 약침, 뜸, 부항, 추나, 좌훈, 생활요법 등 다양한 치료법 등을 함께 고려합니다. 가능하면 교과서 또는 서적, 논문 등 관련된 국내외 문헌적 근거를 함께 제시하도록 합니다.

(8) 결론

1. 증례와 관련된 총괄적인 요약을 하면 됩니다. 만일 환자의 예후 및 치료경과를 바탕으로 현재의 치료법에서 미흡한 부분이나 새로운 치료제안이 있다면 이에 대한 내용을 적절한 근거와 함께 요약하여 기술하도록 합니다.

(9) 참고문헌

1. 인용을 할 때에는 반드시 참고문헌을 명시합니다. 참고문헌 기재방식은 학술지마다 다르지만 크게 다음의 두가지 방식으로 나뉩니다.
   1) 하버드 방식 (Harvard Style) : 본문에 저자의 이름과 발표년도를 표시(Ex. Berman BM et al, 2010)하고 참고문헌 항목에 저자명을 알파벳순으로 정렬하여 기재하는 방법입니다.
   2) 밴쿠버 방식 (Vancouver Style) : 번호방식(Numeric system)이라고도 하며 본문에 인용된 순서대로 번호를 매기고 참고문헌 항목에 해당 번호 순서대로 문헌명을 표기합니다.
2. 일반적으로는 밴쿠버 방식을 사용하여 [저자명, 논문명, 학술지명(출판사명), 서지정보]의 순으로 표기되는 경우가 많습니다. Ex) Berman BM, Langevin HM, Witt CM, Dubner R.

Acupuncture for chronic low back pain. N Engl J Med. 2010;363(5):454-61.

3. 저자명은 공동저자까지 모두 표시하지만 공동저자가 너무 많으면 저자 중 3명(학술지 규정에 따라 다름)까지만 표기하고 나머지는 "et al"로 표시한 후 생략하기도 합니다. 라틴어인 "et al"은 and others라는 의미입니다.
4. 인터넷 사이트 내용의 인용은 경우에 따라 참고문헌으로 인정받지 못할 수도 있지만 통상적으로 웹사이트 주소와 함께 "Accessed April 7, 2011" 와 같이 접속한 날짜를 기재합니다.

12-2 논문작성용 증례보고서 작성 (예시)

(1) 개요

1. 적절한 방식으로 작성되어 논문으로 발표된 증례보고는 비록 근거수준(Evidence Grade)은 높지 않으나 진료현장에서 임상적 의사결정을 내리는데 필요한 근거의 일정 수준을 제공하며 이후의 본격적인 임상연구를 시작되는 기초가 됩니다.
2. 특정한 질환에 대해 유사한 치료를 받은 복수의 환자들의 치료보고는 환자군연구(case series)로 별도로 분류하기도 합니다. 엄격한 환자군 연구는 모든 환자들을 포함시키는 것이 원칙이며 단지 치료에 반응한 사람들만 추려 발표하면 선택 Bios가 될 수 있습니다.
3. 일반적으로 논문의 질을 평가할 때는 무작위배정(randomization)이 있었는지, 맹검과정(blinding)이 있었는지, 탈락(drop-out)에 대한 정보를 기재했는지 여부 등을 기준으로 판단됩니다. 증례중심, 특히 환자군연구 논문이라면 무작위배정과 맹검과정은 없더라도 치료 중도에 탈락하는 비율과 탈락이유 등 Drop-out에 대한 정보는 빠뜨리지 않고 기록하는 것이 좋습니다.[3]

(2) 논문작성

1. 학술지 등에 논문투고를 위한 증례보고서는 고정된 작성형식이 없으며 논문별로 요구하는 양식에 따라 작성하면 됩니다. 따라서 검색을 통하여 미리 투고하고자 하는 학술지의 투고규정과 실제논문들을 살펴본 후 그에 따라 작성하는 것이 좋습니다. **[참조항목 : J]**
2. 국내외 학술지 등에 투고할 경우 논문마다 조금씩 차이가 있기는 하지만 보통 서론(Introduction) - 증례보고(Case Report 또는 Case Presentation) - 고찰(Discussion) - 참고문헌(Reference)의 순서로 작성됩니다. 증례보고 항목에 있어서는 해당되는 내용을 서술형 문장으로 표기하는 것이 일반적입니다.

3. 국내 한의학 관련 학술지에 투고할 경우에도 구성순서는 위와 큰 차이가 없지만 증례보고(case presentation)에 해당하는 부분을 서술식으로 작성하기 보다는 주소증, 발병일, 현병력, 검사소견, 변증과정, 치료방법 및 경과 등 각 항목별로 구분하여 작성하는 경우가 많고 치료경과 부분을 별도의 장(chapter)으로 구별하기도 합니다. 모든 항목을 도식적으로 기재할 필요는 없으나 한의학적 치료과정을 자세히 보여주는 의의가 있는 만큼 진단과정과 치료경과를 세밀하게 기록하는 것이 권장됩니다.
4. 한글로 작성된 논문이라 할지라도 표나 그림은 영어로 작성하는 것이 일반적입니다. 즉 한글을 모르는 국외의 독자라도 논문의 초록(Abstract), 표(Table), 그림(Figure)은 영어로 작성되어 있으므로 대략적인 의미파악이 가능합니다.
5. 키워드 : 영어로 키워드를 기재할 경우 의학용어는 MeSH* 등재용어를 기본으로 표기하며 한의학 용어는 WHO 전통의학 표준용어집(WHO International Standard Terminologies on Traditional Medicine**)에 등재된 용어로 표기하는 것이 권장됩니다.
6. 최근에는 증례보고에 대한 표준적 가이드라인으로서 CARE 가이드라인 (CAse REport guidelines)의 한국어판이 소개되었으며 홈페이지(www.care-statement.org)를 통해 13개 항목으로 구성된 체크리스트를 다운로드 받을 수 있습니다. [4)]

항목 Item	주제 Topic
1	제목 Title
2	핵심단어 Key Words
3	초록 Abstract
4	서론 Introduction
5	환자정보 Patient Information
6	임상적 발견 Clinical Findings
7	연대표 Timeline
8	진단적 평가 Diagnostic Assessment
9	치료적 중재 Therapeutic Intervention
10	추적관찰 및 결과 Follow-up and Outcomes
11	고찰 Discussion
12	환자의 관점 Patient Perspective
13	사전동의 Informed Consent

* MeSH (Medical Subject Headings): PubMed 등재 논문들의 효율적인 검색을 위해 미국립의학도서관(NLM)에서 선정한 용어. http://www.ncbi.nlm.nih.gov/mesh 에서 검색가능.

** 2007년 제정되었으며 WHO 웹사이트(http://www.wpro.who.int)에서 검색 후 PDF로 다운로드 가능.

Tip Pubmed로 문헌검색하기

1. 미국 NIH에서 운영하는 Pubmed는 의학관련 논문검색(영어논문)과 관련된 가장 대표적인 웹사이트(www.pubmed.com)입니다. 논문초록(abstract)은 바로 열람이 가능하며 원문(PDF)의 경우 무료로 제공되는 논문들도 있지만 상당수의 논문들은 유료구독 Database와 연계되어 원문이 제공됩니다.
2. Pubmed 사용시 단순검색보다는 제한조건(Limit) 항목을 이용하여 제목(title)이나 저자(author)로 검색영역을 한정짓거나 증례논문(case report), RCT, Meta analysis 등 연구종류별 검색조건을 이용하면 보다 편리합니다.

(3) 평소진료시 주의사항

1. 일관되고 객관적인 측정자료의 부족이 논문의 신뢰성을 저하시키는 가장 큰 원인 중 하나이므로 평소 진료시 관련된 자료나 기록을 확보하도록 노력합니다. 필요시 사진을 촬영하거나 외부검사 등을 의뢰하는 방법도 사용할 수 있으며 그것도 여의치 않다면 타병원 의무기록이라도 확보하는 것이 좋습니다.
2. 환자의 증상 또는 질환에 맞는 적절한 평가도구(설문지)를 활용합니다. 최신논문들을 검색함으로써 해당 질환에 대한 최근의 평가도구 사용경향에 대해 알 수 있습니다. 환자대상의 설문지라면 저자 임의로 번역한 설문지는 인정되지 않는 경우도 있으므로 한글화되어 검증(validation)과정을 거친 설문지를 이용하도록 합니다.
3. VAS 등으로 간편하게 통증정도를 확인하더라도 치료 후에 자신들이 호전된 정도를 평가하도록 하는 후향적 방법보다는 치료 전에 통증정도를 척도 상에 기록하게 하고 치료 후에 한 번 더 평가하는 전향적인 방법이 보다 객관적이고 평가의 신뢰도가 높아집니다.

Tip Placebo vs Nocebo

1. **플라시보(placebo)** : 긍정적 효과가 없는 치료를 환자에게 긍정적 효과가 있는 치료로 인식시켜 시행하였을 때 유익한 작용을 나타내는 효과. 무치료군과 비교한 플라시보의 효과는 비특이적 효과(Non-specific effect)로 지칭.

(예) 불면증 환자에게 가짜 수면제를 주어도 불면증이 완화되는 경우

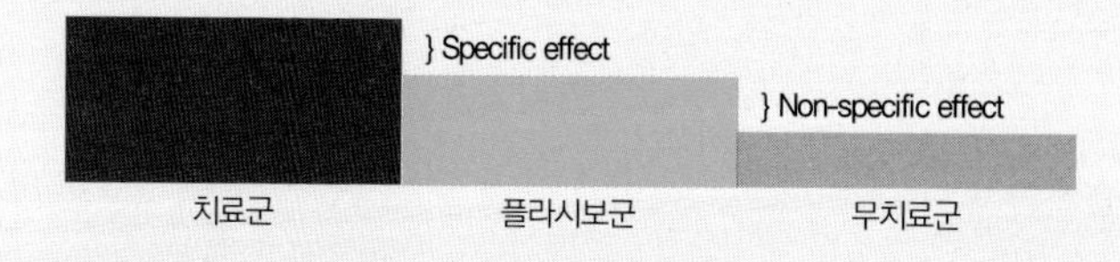

2. **노시보(nocebo)** : 부정적 효과가 없는 치료를 환자에게 부정적 영향을 끼치는 치료로 인식시켜 시행하였을 때 오히려 증상이 악화되는 효과
(예) 천식환자에게 생리식염수를 자극물질로 속이고 기관지에 분무시 천식발작이 유발

REFERENCES

1. Milos Jenicek. 임상증례 보고논문 작성법. 계축문화사. 2002.
2. 윤영주. 한의약 치료 효과에 관한 증례보고를 어떻게 개선할 것인가. 한의신문 (2008.11.3.)
3. Hugh Macperson 외. 침연구: 근거기반구축을 위한 전략 Elsevier Korea. 2009. p.196.
4. 이승민 외. CARE 지침 한국어판 제작. 대한침구의학회지. 2015;32(4):1-9.

13 의학통계 1 : 통계해석

- 의학통계학은 의학지식을 바탕으로 Data를 분석하는 응용통계학의 한 분야로서 전문적인 지식 및 통계프로그램 사용법이 요구되므로 임상연구 설계부터 최종 결과분석까지 의학통계학자가 함께 참여하게 됩니다.
- 본 장에서는 의학논문에 사용된 통계의 해석 및 활용법에 대한 초보적인 이해를 목적으로 통계의 해석에 필요한 기본적인 개념들을 소개하였고 다음 장 [통계기법] 편에서는 실제 통계를 활용할 때 필요한 통계기법 위주로 설명하였습니다.
- 대체적인 용어의 이해에 초점을 두었으므로 정확한 통계적 개념과 다를 수 있음을 밝힙니다.

13-1 통계기법의 분류

(1) 기술적 vs 추론적

1. 기술적 분석 (descriptive analysis) : 평균, 표준편차, 빈도 등 자료의 특성 자체를 그대로 기술
2. 추론적 분석 (inferential analysis) : 선거당선자 예측, 신약의 효과 검증 등 분석결과로부터 모집단의 특성을 추정하는 방법입니다. 일반적으로 자료의 속성을 파악하여 기술적 분석을 실시하고 이를 토대로 추론적 분석을 시행하게 됩니다.

(2) 추론통계학의 종류

1. 모수통계학 (parametic statistic) : 모집단의 확률분포를 가정(일반적으로 정규분포)하고 표본의 자료를 바탕으로 모수에 관한 통계적 추론을 다루는 통계기법입니다. 일반적으로 많이 사용되는 통계방식이라 할 수 있습니다.
2. 비모수통계학 (non-parametic statistic) : 모집단의 분포에 대한 가정을 필요로 하지 않으며 분포와 무관하게 질적자료나 수량적 자료 중에서 빈도수와 같은 비연속적 자료를 이용합니다. 표본의 수가 작거나 정규분포를 이루지 않을 때 사용하는 방법입니다.

(3) 모수 vs 비모수 통계기법의 선택

1. 표본의 크기가 30 이상인 경우 : 표본의 크기가 30이상이면 표본을 반복 추출시 표본의 평균은 정규분포와 근사하다는 중심극한정리에 근거하여 일반적으로 별도의 확인 없이 모수통계기법을 적용합니다.

2. 표본의 크기가 30 미만이 경우 : 우선 표본의 분포가 정규분포인지를 확인합니다.
   1) 표본의 분포가 정규분포일 경우 : 모수적 통계기법 사용
   2) 표본의 분포가 정규분포가 아닐 경우 : 비모수적 통계기법 사용

13-2 기술적 통계의 주요 용어

(1) 상자그림 (box plot)

1. 자료를 중앙값/최대값/최소값/사분위값(25%, 75%) 등으로 나타낸 그래프

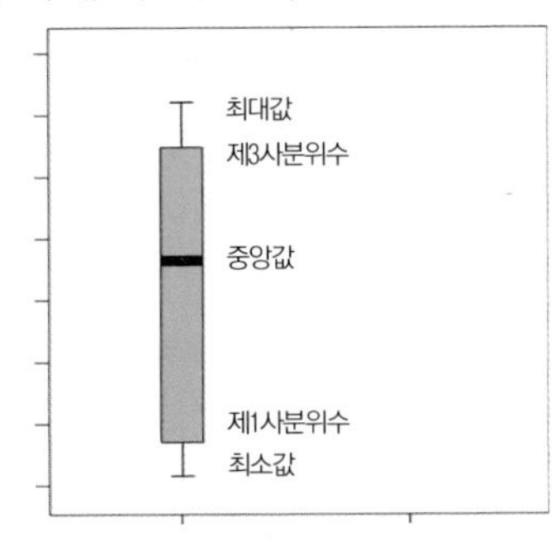

(2) 대표값

1. 일반적으로 자료의 합을 자료의 개수로 나눈 평균값(mean)이 가장 많이 사용되나 극단적인 값(이상점)이 있는 경우는 중앙값(median)이 더 적절한 대표값이 됩니다. 예를 들어 암환자의 평균생존기간을 표시할 때 극단적으로 장기간 생존한 일부환자들로 인해 전체의 평균값(mean)이 왜곡될 수 있으며 이 때에는 중앙값(median)이 더 대표성을 잘 나타낸다고 할 수 있습니다.
2. 많이 사용되지는 않지만 자료의 양극단을 절단하고 구한 절단평균(trimmed mean)도 이용되며 보통 5%값이 사용됩니다.

(3) 왜도(skewness)와 첨도(kurtosis)

1. 표준정규분포를 기준으로 왜도는 오른쪽 또는 왼쪽으로 치우쳐 있는 분포정도를 표현하고 첨도는 뾰족한 분포정도를 표현합니다. 오른쪽으로 꼬리가 길면 왜도값은 "+ (positive)"가 되고 왼쪽으로 꼬리가 길면 "- (negative)"가 됩니다. 위로 너무 뾰족하면 첨도값은 "+ (positive)"가 되고 너무 완만하면 "- (negative)"가 됩니다.

2. 왜도와 첨도 값은 -2~+2 사이가 되면 대칭성과 뾰족함의 정도를 크게 벗어나지 않는다고 봅니다.

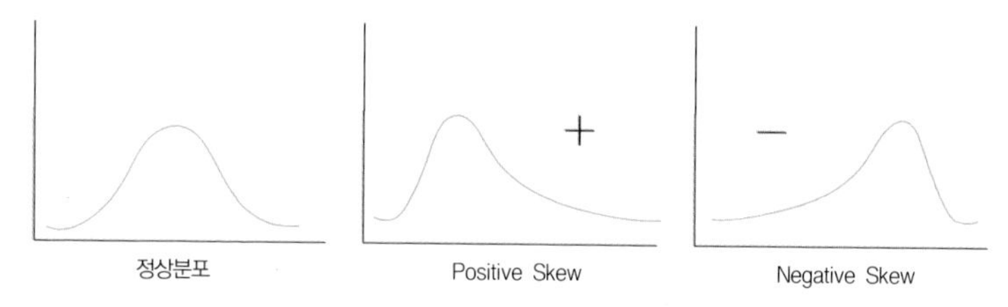

정상분포 Positive Skew Negative Skew

13-3 추론적 통계의 주요 용어

(1) 신뢰구간 (confidence interval, CI)

1. 관측값의 차이(또는 비율)에 대한 모집단에서의 추정값이 분포하는 폭을 의미합니다. 표본수(sample size)가 많고 자료의 변동이 적으면 신뢰구간(CI)이 좁아지고, 표본수가 적고 자료의 변동도 심한 연구에서는 신뢰구간이 넓어지게 됩니다.
2. 신뢰구간(CI)이 0에 걸치지 않는다면 통계학적으로 유의한 차이가 있는 것으로 평가할 수 있습니다. 예를 들어 신뢰구간이 [0.4에서 1.3]까지 분포한다면 유의성이 있는 결과이고 [-0.9에서 0.5]의 범위에 분포한다면 0에 걸쳐 있으므로 유의성 없는 결과로 간주합니다. (단 상대위험도, 교차비 등과 같은 비율일 경우는 1.0에 걸치는지 여부로 판단)
3. 일반적으로 95% 신뢰구간을 주로 사용하는데, 이는 조사연구를 100번 반복한 경우 모집단의 추정값이 95회 존재하는 분포 폭을 의미합니다. 만일 99% 신뢰구간을 사용한다면 95% 신뢰구간에 비해 상대적으로 더 넓게 분포하며 상대적으로 추정의 정밀도는 감소한다고 할 수 있습니다.

(2) 귀무가설(null hypothesis)과 오류

1. '차이가 있다(또는 우연이 아니다)' 라는 것을 완전히 실증하기는 어려우므로 일단 '차이가 없다(또는 우연이다)' 라는 것을 가정(=귀무가설)하게 됩니다. 그 결과 우연히 발생했을 확률(p-value)이 기준값 보다 작다면 '우연이다' 라는 귀무가설을 기각하고 '우연이 아니다, 즉 유의한 차이가 있다' 고 판정하게 됩니다.
2. 우연히 발생한 사건을 유의한 것으로 판정하는 것을 alpha 오류(또는 Type I 오류)라고 하고 유의한 차이가 있음에도 우연히 발생한 사건으로 판정하는 것을 beta 오류(또는 Type II 오류)라고 합니다.

3. 차이가 없는 것으로 일단 가정하고 시작하는 가설검정의 방식은 마치 범죄용의자를 체포했다고 하더라도 일단 무죄로 추정한 후 법정에서 무죄가 아니라는 것을 입증해야 유죄판결이 나는 과정과 비교되기도 합니다.

(3) p값 (p value 또는 probability value)

1. P값의 의미는 통계적으로 관찰된 데이터의 검정통계량이 귀무가설을 지지하는 정도를 확률로 표현한 것이라 할 수 있습니다. 즉 귀무가설이 사실인 경우에 현재와 같은 결과 또는 더 극단적인 결과들이 얻어지게 될 확률을 의미합니다.
2. 이를 풀어 설명하면 p값은 본래는 차이가 없으나 우연하게 차이가 나올 확률로서 [어떤 사건이 우연에 의해 일어날 확률]이라는 의미와 유사합니다. 보통 0.05 (5%) 보다 작으면 유의한(significant) 차이가 있는 것으로 평가하고 0.01보다 작으면 매우 유의한 (highly significant) 결과로 간주합니다.
3. 예를 들어 p값이 0.05 (5%) 보다 작으면 우연에 의해 발생했을 확률이 5% 이하로 충분히 작으므로 귀무가설("차이가 없다" 또는 "약효가 없다"는 가설)을 기각하고 유의한 차이가 있다고 말할 수 있습니다. 반대로 p값이 0.05 보다 크면 우연에 의해 발생했을 가능성이 상당히 있으므로 귀무가설을 채택하며 유의한 차이는 없다고 말할 수 있습니다. 엄격한 검정이 필요한 경우, p값의 기준을 0.01이나 0.001로 설정하기도 합니다.
4. 0.05라는 유의수준은 별도의 과학적 근거라기보다는 관습 및 합의를 기초로 한 것으로 최근에는 p값으로만 표기하지 않고 임상적으로 변동 폭을 표기하는 경향도 있습니다. 또한 p값이 작을수록 '차이가 있다는 사실' 이 확실해 지는 것일 뿐 '효과' 의 차이까지 반드시 큰 것은 아니므로 해석에 주의하여야 합니다.

(4) 자유도 (degree of freedom, d.f)

1. 통계학에서의 자유도는 표본의 수에서 통계적 제한조건의 수를 계산한 값을 의미합니다.
2. 예를 들어 4잔에 각각 다른 음료가 있을 경우 3개의 잔의 맛을 보아야 나머지 한잔이 어떤 음료인지 자동으로 알게 되며 이 경우 자유도는 3이 됩니다. 또는 10명의 학생의 평균이 50점이라면 9명의 성적을 알아야 나머지 1명의 성적을 자동으로 알게 되며 이 경우 자유도는 9가 됩니다.

(5) 상관계수 (correlation coefficient)

1. 상관계수 R은 두 인자의 관련성이 얼마나 있는지를 보여주는데 0에 가까울수록 상관관계가 없고 1(또는 -1, 마이너스의 값은 음의 상관관계)에 가까워질수록 관련성이 높음을 의미

합니다. 상관관계가 있다고 꼭 직접적인 인과관계가 있는 것은 아닙니다. 정규분포라면 Pearson의 상관계수를, 비정규분포에는 Spearman의 순위상관계수가 사용됩니다.[3)]

상관계수 R (절대값)	관련정도
1.00 - 0.70	매우 강한 관련성
0.69 - 0.40	상당한 관련성
0.39 - 0.20	약간의 관련성
0.19 - 0.00	관련성이 거의 없음

(7) ITT (Intention-to-treat) 분석

1. 도중에 치료를 중지한 환자나 치료를 변경한 환자들도 모두 최종 분석에 포함시키는 방법을 ITT 분석이라 하며 일반적인 임상연구 통계의 기준이 됩니다. 중도탈락자는 제외시키고 최종완료자만 대상으로 하는 통계를 per-protocol(PP)법이라 하는데 일반적으로 실제 효과보다 더 효과가 좋다고 나올 수 있어 ITT보다는 신뢰성이 떨어집니다.
2. 예를 들어 금연에 대한 임상연구에서는 중도탈락자를 치료실패군으로 간주하는 것이 일반적인데 만일 중도탈락자들을 아예 분석에서 제외시키고 최종완료자들만 대상으로 금연성공율을 구하는 per-protocol 분석을 시행한다면 치료의 실제 효과가 왜곡될 수 있습니다.
3. ITT 분석이든 per-protoco 분석이든 만일 20% 이상의 탈락자가 있으면 연구의 타당도가 감소한다고 볼 수 있습니다.

(8) 표본수(sample size) 계산

1. 표본수가 너무 적으면 실제 효과를 검증하는 Power(검정력)이 낮아지게 되고, 표본수가 너무 많으면 Power는 높아지나 시간과 자원의 낭비가 될 수 있습니다. Power(검정력)는 적어도 80% 이상의 값이 되어야 하는데 이에 부합하는 적절한 표본수를 임상연구가 시작되기 전에 설정해 놓아야 합니다.
2. 적절한 유효크기(effect size)를 계산하려면 일반적으로 대조군과 치료군의 예상평균(m)과 표준편차(SD)의 값을 알아야 합니다. 이를 위하여 기존의 다른 연구결과를 활용하기도 하고 때로는 일단 소규모로 연구를 진행하여 예비데이터를 얻는 Pilot study(예비연구)가 요구될 수 있습니다.
3. 임상시험에 참여했다고 하더라도 끝까지 완료하지 못하는 참가자들도 있으므로 미리 일정 정도의 탈락율(drop-out rate)을 함께 고려하여 표본수를 계산합니다. 실제 표본수 계산의 과정은 관련전문서적으로 참고하시기 바랍니다.

(9) Primary vs Secondary Endpoint

1. 임상연구, 특히 전향적 연구에서 중요한 것은 어떤 지표를 최종목표로 삼을 것이냐 하는 것입니다. 예를 들어 항암제의 개발에서는 생존기간이 가장 중요한 지표이므로 Survival time이 주목표(primary endpoint)가 되고 종양크기의 축소나 삶의 질(QOL) 등은 부가적으로 알아보는 2차목표(secondary endpoint)가 됩니다. 특정 항암제가 종양의 크기를 50% 이상 줄인다고 해도 실제 Primary endpoint인 생존기간을 늘리지 못한다면 임상적인 의미는 크게 감소되며 대신 QOL과 같은 Secondary endpoint의 호전 등으로 의의를 찾기도 합니다.
2. Secondary endpoint와 유사한 의미로 Secondary outcome(2차지표), Surrogate outcome(대체지표) 등의 용어가 사용되기도 합니다. 경우에 따라서 Secondary outcome에 해당하는 부작용이 너무 심해서 Primary endpoint에 대한 결론이 내려지기 전에 연구가 종료되기도 합니다.

(10) 생존률 (survival probability)

1. 예를 들어 [5년] 생존률이 20%라면 [5년 또는 그 이상] 생존할 확률이 20%라는 의미이며 다르게 표현하면 80%의 환자들은 5년 이내에 사망한다고 할 수 있습니다.

(11) 내적 타당도(internal validity)와 외적 타당도(external validity)

1. 내적타당도는 실험으로 나타난 연구결과가 원래 설정한 원인 때문인지 아니면 다른 제3의 원인 때문인지를 정확히 설명하는 정도, 즉 인과관계의 타당성 정도를 의미합니다. 일반적으로 잘 설계된 RCT 연구는 내적타당도가 높다고 할 수 있습니다.
2. 외적타당도는 연구결과를 보다 많은 실제상황과 사람들에게 적용할 수 있거나 일반화 할 수 있는 가능성을 뜻합니다. 또는 실험설계에서 동일한 실험이 반복되어도 실험이 효과가 있다는 것이 반복적으로 증명되는 정도를 의미합니다. 일반적으로 통제된 조건하에서 이루어지는 RCT 보다는 실제 건강보험 데이터베이스 자료를 이용한 연구나 Pragmatic clinical trial(실용적 임상연구)의 외적타당도가 더 높다고 할 수 있습니다.

13-4 상대위험도(RR), 교차비(OR), 위험비(HR)

		질환 (ex.유방암)		발생률	상대위험도 (RR)
		있음	없음		
요인 (ex.약물)	있음	a	b	a/(a+b) ①	① / ②
	없음	c	d	c/(c+d) ②	
오즈 (Odds)		a/c ③	b/d ④		
교차비 (OR)		③ / ④			

* 절대위험도 감소 (ARR: Absolute Risk Reduction) = ② - ①
* NNT (Number Needed to Treat) = 1/ ARR

1. 상대 위험도(relative risk, RR) : RR이 1이면 연관성이 없는 것이고 1보다 작으면 해당 요인에 노출시 질환의 발생가능성이 감소한다는 의미입니다. 반대로 RR이 1보다 크면 노출군에서 질환발생 위험이 더 높다는 가능성을 표현합니다. 예를 들어 RR이 1.8이면 약물(요인) 노출군에서 유방암 발생위험이 비복용군보다 1.8배, 즉 80% 더 높은 것이고 RR이 0.60이면 발생위험이 40%이 낮다는 것을 의미합니다.
2. 오즈(odds) : 공산(公算)으로도 번역되는 오즈는 그 사건이 발생하지 않은 확률에 대한 그 사건이 발생한 확률의 비율을 가리키며 이론적으로 0에서 무한대의 값을 가질수 있습니다. 예를 들어 출산시 남아가 태어날 확률이 50%라면 오즈는 1.0이 됩니다.
3. 교차비(odds ratio, OR : 오즈비라고도 함) : OR이 1에 가까우면 연관성이 없다는 것을 의미하고 1보다 크면 해당 요인에 노출되었을 가능성이 더 높음을 의미합니다. 예를 들어 OR이 2.1이면 유방암 발생군이 정상군에 비해서 해당 약물을 복용했을 가능성이 2.1배 높음을 의미합니다. 또 특정약의 유방암에 대한 OR이 0.75라면 유방암 발생 오즈(odds)를 25% 감소시킨 것입니다.
4. NNT (number needed to treat) : 한 사람의 불량한 결과를 막기 위해 치료하는데 필요한 환자 수를 의미하며 절대위험도 감소의 역수로 계산합니다. NNT는 수가 작을수록 요인에 미치는 영향은 크게 됩니다. 예를 들어 NNT가 500이라면 500명에게 약을 처방해야 비로소 한 사람의 사건발생에 영향을 주게 되고 NNT가 4라면 4명만 약을 처방해도 한 사람의 사건발생에 영향을 주게 됩니다.
5. 상대위험도의 감소는 약효 그 자체의 평가에는 뛰어나지만 RR의 감소만으로 치료효과를 과대평가하기 쉬우므로 조심하도록 합니다. 대신 절대위험도 감소나 NNT는 절대적인 효과지수이기 때문에 과대평가를 피하는데 도움이 됩니다.

6. 위험비(hazard ratio, HR) : 생존분석(survival analysis) 등에서는 상대위험도(RR) 대신 HR이 이용되는데 1보다 작을수록 질병으로 인한 위험율을 낮추고 1보다 크면 위험율이 증가하게 됩니다. 예를 들어 다른 조건들이 보정된 상태에서 특정 약물에 대한 HR이 2.3이라면 그 약물로 인해 사망하게 될 위험이 2.3배, 다시 말해 130%나 더 높음을 의미합니다.

Tip RR(상대위험도)과 OR(교차비)

1. 유사한 방식으로 해석되는 RR과 OR은 희귀질병이거나 연관성이 없을 때에는 두 값이 같게 되지만 그 외의 경우는 1보다 크면 OR이, 1보다 작으면 RR이 항상 큰 값을 가집니다.
2. 실제 논문에서는 해석은 더 어렵지만 통계적 장점이 많은 OR이 더 선호되며 환자-대조군 연구와 같이 사건의 발생률을 알 수 없는 경우에도 교차비(OR)로서 상대위험도(RR)를 근사하여 추정합니다.

Tip 통계방법과 통계적 착시

- 어떤 통계적 결과든지 통계방법을 확인하는 것이 필요하며 적절한 대조군이나 분석방법의 검토 없이 단순히 설문조사만으로 결론을 유추하는 것은 위험한 방법입니다.
- 예를 들어 단순설문조사를 바탕으로 "한약을 복용한 산모들에게서 저체중아 출산율이 높은 것으로 나타났다." 고 발표된 적이 있습니다. 하지만 보통 임신 중 한약을 복용하는 것은 산모의 몸상태가 좋지 않거나 비정상적인 증상이 발현될 때가 많으므로 1)특별한 이상이 없음에도 한약을 복용한 경우와 2)임신오조(惡阻), 부종, 유산가능성, 기력저하 등이 이유로 한약을 복용한 경우를 구별하여 통계적으로 분석해야 정확한 분석이라 할 수 있습니다. 물론 가장 신뢰할 만한 결과를 얻으려면 전향적(prospective) 연구를 시행해야 합니다.
- 통계적 착시의 다른 예

1) 최근 위염 환자가 급증하였다 (사실은 건강검진과 위내시경 검사의 활성화로 진단수가 많아진 것일 수 있습니다)
2) 따뜻한 지역의 모 휴양지에 호흡기환자가 많다 (사실은 제반환경 및 공기가 좋아서 호흡기 환자가 몰린 것일 수 있습니다)
3) 혈압약 복용환자는 정상인보다 뇌졸중 발생비율이 높다 (사실은 고혈압 자체가 뇌졸중의 원인이기 때문이지 혈압약의 복용 때문에 발생율이 더 높아진 것은 아닐 것입니다.)

REFERENCES

1. Aviva Petrie 외. 이준영 역. 한눈에 알 수 있는 의학통계학. 이퍼블릭. 2008. P.80
2. 강주희. SPSS 프로그램을 활용한 따라하는 통계분석. 크라운출판사. 2009 p.162.

14 의학통계 2 : 통계기법

14-1 통계패키지의 종류

1. SAS (Statistical Analysis System) : 다양한 통계분석 Tool을 제공하고 방대한 데이터도 원활히 처리할 수 있어 전세계적으로 많은 기업, 대학 등에서 활용되는 프로그램입니다. 직접 명령어를 입력하는 방식이므로 비전공자들이 접근하기에는 쉽지 않습니다.
2. SPSS (Statistical Package for the Social Sciences) : 본래 사회과학에 대한 자료분석을 목적으로 개발되었으나 윈도우즈를 기반으로 새로운 버전들이 등장하면서 쉬운 활용방식을 제공하여 현재 가장 대중적으로 애용되는 통계 프로그램 중 하나입니다.
3. 이 밖에 사회학(경제학) 등에서 많이 쓰이면서 데이터 관리가 뛰어난 STATA (Statistics and data), 생물학 분야의 전문 통계프로그램으로서 통계결과의 해석도 제공하는 dBSTAT, 품질관리 등 산업분야에서 많이 사용되는 Minitab, , 무료 공개 프로그램인 R 등이 있으며 고급기능에는 일부 제한이 있으나 Microsoft Excel을 이용해도 기본적인 통계기법을 적용할 수 있습니다.

14-2 통계자료의 분류

(1) 질적 vs 양적

구분	설명	유형	유형 설명
질적자료	성별, 혈액형과 같이 관측값을 수치로 나타낼 수 없고 단지 남성은 1, 여성은 2와 같이 편의상 약속을 정할 수 있는 자료		
양적자료	몸무게, 나이와 같이 수량적으로 표시가 가능한 자료	연속형	몸무게와 같이 10Kg과 20Kg사이에 무수히 많은 값들이 존재하는 자료
		이산형	환자 수와 같이 10명과 20명 사이에 단지 정수값 만이 존재하는 자료

(2) 척도별 분류

구분	척도	설명	예
질적자료	명목척도 (Nominal scale)	순위를 매길 수 없고 단순 구분만 가능	ex) 성별, 혈액형
	서열척도 (Ordinal scale)	순위를 표시할 수 있으나 각 수치간 간격은 알 수 없는 척도	ex) 달리기 등수, 인기가요차트

양적자료	간격척도 (Interval scale)	순위를 표시할 수 있으면서 각 수치간 간격(interval)은 일정한 척도. 절대적인 비교는 불가능함.	ex) 온도, 소리의 세기(Db)
	비율척도 (Ratio scale)	순위를 매길 수 있으면서 절대적인 비교나 비율(Ratio)의 계산도 가능한 척도.	ex) 몸무게, 나이, 연봉

1. 구간척도와 비율척도의 구분 : 비율척도는 무게 0 Kg처럼 '절대 0의 개념' 이 있고 무게 20Kg이 10Kg보다 두 배 무겁다고 표현할 수 있는 등 비율의 의미도 포함합니다. 반면 구간척도는 온도와 같은 척도로서 0℃는 얼음이 언다는 것이지 온도 자체가 없다고는 말할 수 없으며 덧셈과 빼셈은 가능하나 곱셈과 나눗셈은 불가능합니다.
2. 비율척도라 할지라도 구간척도나 순위척도로 전환이 가능합니다. 예를 들어 비율척도인 나이를 연령대별(10대, 20대 등)로 나누어 범주화하면 구간척도나 순위척도가 될 수 있습니다.

14-3 추론적 통계기법의 종류

- 여러 통계기법이 있지만 특히 T검정, ANOVA, 상관분석, 카이자승법 등이 많이 사용됩니다.

(1) t-test (T 검정)

1. 두 집단간 평균에 차이가 있는지 없는지를 비교하는 통계기법 (independent t-test)
2. 예를 들어 골밀도(BMD)에 있어 남성과 여성이 차이가 있는지, 두 학교 간의 성적에 차이가 있는지 등을 분석할 수 있는 기법입니다. T검정이라는 이름은 영국의 통계학자 W.S. Gosset이 본인의 연구결과를 student라는 가명으로 발표한데서 유래하며 student t 분포라고도 합니다. 분석결과에서 두 집단의 분산이 같다는 조건(Levene의 등분산 검정 p값이 0.05 초과)이 충족되어야 합니다.
3. Paired t-test는 동일한 대상에 대해 전후의 차이를 비교하는 방법입니다. 예를 들어 동일한 조건의 당뇨환자 100명을 대상으로 A라는 약을 3개월간 투여한 뒤 복용 전과 이후의 HbA1C의 수치를 비교하여 차이가 발생했는지 확인할 수 있습니다.

(2) ANOVA (analysis of variance : 분산분석)

1. 세 집단 이상의 집단간 평균에 차이가 있는지 없는지를 비교하는 통계기법. 요인의 수가 하나인 경우를 일원배치 분산분석 (one-way ANOVA), 둘인 경우를 이원배치 분산분석

(two-way ANOVA)이라고 합니다.

2. 예를 들어 세 학교별 평균성적을 ANOVA 기법으로 비교해서 학교별로 성적차이가 있는지 없는지를 분석할 수 있습니다. 다만 ANOVA만으로는 어느 학교 간에 차이가 나는지 알 수 없으므로 사후분석(post hoc analysis)을 통해 실제 어느 학교와 어느 학교가 차이를 보이는지 파악해야 하며 Duncan 분석 등이 널리 쓰입니다. 분석결과에서 두 집단의 분산이 같다는 조건(Levene의 등분산 검정 p값이 0.05 초과)이 충족되어야 합니다.
3. ANCOVA (공분산분석, Analysis of Covariance) : 집단간의 평균을 비교할 때 특정변수를 보정(adjust)한 상태에서 비교하는 방법입니다.

(3) 상관분석 (correlation analysis)

1. 두 변수간의 관계를 분석하는 통계기법
2. 예를 들어 육식섭취와 대장암의 관계 또는 키와 체중과의 관계 등을 분석할 수 있습니다. 인과관계를 따지지 않고 두 변수 사이의 상관관계가 있는지를 보게 되며 결과치인 상관계수가 1 또는 -1에 가까울수록 상관도가 높고, 0에 가까울수록 상호 관련성은 거의 없다고 할 수 있습니다.
3. 편상관분석 (Partial Correlation) : 특정변수를 통제하고 나머지 변수의 관련성을 분석하는 기법입니다. 예를 들어 체중을 통제변수(controlling variable)로 설정하고 키-복부둘레의 관련성을 분석한 결과에서 키-복부둘레가 높은 상관관계를 보인다 하더라도 실은 체중과 관련되었기 때문이지 키와 복부둘레가 순수한 상관관계는 아니라는 결과가 나올 수도 있습니다.

(4) 회귀분석 (regression analysis)

1. 상관분석과 수학적으로는 유사한 통계기법이나 인과관계까지 분석하는 기법
2. 상관분석이 인과관계를 따지지 않는 데 반하여 회귀분석은 원인이 되는 독립변수와 결과가 되는 종속변수와의 인과관계 및 이에 대한 관계식을 찾아낼 수 있습니다. 예를 들어 키와 몸무게 사이의 상관도뿐 아니라 "몸무게=(a x 키)+b" 와 같이 회귀식을 도출할 수 있습니다.

(5) 카이자승법 (chi-square method)

1. 연속변수가 아닌 명목척도들간의 상호관련성 여부를 검정하는 통계기법
2. 예를 들어 남녀별 좋아하는 운동에 대한 차이를 비교하는 설문조사나 비만군/정상군에 대한 대사증후군 발생여부(명목척도) 비교 등에도 사용될 수 있습니다.

(6) 요인분석 (factor analysis)

1. 변수들 간에 의미가 비슷한 변수들 끼리 묶어 서로 관계가 없는 새로운 변인을 형성함으로써 변수의 수를 함축성 있게 줄이는 기법 (data reduction).
2. 예를 들어 가정환경과 성적과의 관계를 묻는 설문지에서 문항의 개수가 너무 많으면 여러 변수들을 한꺼번에 분석하기 어려우므로 요인분석을 통해 몇 개의 요인으로 축소시켜 관계를 파악할 수 있습니다.

(7) 신뢰도 분석 (reliability analysis)

1. 설문지 등의 개발시 얼마나 일관성 있는 결과가 나오는지를 파악하는 방법
2. 설문지 문항의 안정성, 동등성, 내적 일관성 등의 측면을 평가합니다. 예를 들어 천식환자의 삶의 질을 측정하는 설문지를 개발한다고 할 경우, 같은 설문을 반복적으로 적용했을 때 얼마나 일관성있는 점수가 나오는지, 설문문항들이 모두 일관성 있게 같은 개념을 측정하고 있는지 등을 파악하는 방법입니다. 특히 크론바하 알파(Cronbach's Alpha)계수가 많이 사용되며 보통 이 계수가 0.5 이상이 되어야 신뢰할 수 있는 자료라 할 수 있습니다.

(8) 군집분석 (cluster analysis)

1. 관측값들 사이의 공통된 특징(similarity)을 찾아 그룹(cluster)으로 묶는 방법
2. 예를 들어 100명 중 키, 몸무게 등을 기반으로 하여 비슷한 신체특성을 갖는 사람들끼리 3-5개 내외의 군집을 구성하여, 각 군집별로 고유한 특질을 찾는데 적용됩니다.

(9) 생존분석 (survival analysis)

1. Kaplan-Meier 생존곡선이 생존률을 분석하는 대표적인 방법입니다. 생사를 알 수 없는 증례의 추적을 중단(censor)하고 각 관측구간 별로 실제 생사를 확인할 수 있는 대상자 수를 분모, 생존수를 분자로 한 비율을 바탕으로 생존곡선을 순차적으로 작성하게 됩니다. 따라서 추적시기마다 분모는 달라지는 추정치라 할 수 있습니다. Censor는 우리말로 중도절단 또는 중단으로 번역될 수 있는데 예를 들어 암환자 생존률 분석에서 추적하던 암환자가 교통사고 등으로 사망한 경우에도 이 환자증례는 중도절단(censor)되어 그 시점부터 분석에 제외됩니다.
2. 생존률의 비교는 Log-rank test가 많이 사용되며 또는 초기의 차이를 더 민감하게 반영하는 Wilcoxon test가 사용되기도 합니다.

(10) 비모수 통계분석 (nonparametric analysis)

1. 보통 30개 이상의 표본이거나 30개 이하라도 모집단이 정규분포를 이룰 때는 모수 통계분석을 사용하지만 관찰된 자료의 수가 적은 경우 혹은 자료가 정규분포를 이루지 못할 때는 비모수 통계분석이 사용됩니다. 비모수 통계기법의 종류 및 모수 통계비법과의 비교는 아래 표를 참조하시기 바랍니다.

비모수 통계분석	모수 통계분석
무작위성 검정 - Run 검정	
숫자 10개를 놓고 무작위로 추출되었는지 여부를 검정	
단일표본 Kolmogorov-Smirnov 검정	단일표본 T검정 (One sample T- test)
임상시험 대상자 20명의 체중분포가 정규분포를 이루는지 검정	표준용량이 25g인 연고 50개의 용량 Data에 대하여 표준용량과 차이나는지 여부를 검정
독립 두표본 Kolmogorov-Smirnov 검정	
A반 10명, B반 10명의 수학 시험결과가 동일한 분포를 이루는지 검정	
Mann-Whitney U검정	독립표본 T 검정 (independant T-test)
A군 9마리, B군 7마리의 쥐를 놓고 두 집단의 쥐의 수명에 차이가 있는지 없는지를 검정	A군 30마리, B군 30마리의 쥐를 놓고 두 집단의 쥐의 수명에 차이가 있는지 없는지를 검정
Kruskal Wallis H검정	ANOVA 검정
각 7명의 A,B,C 반의 학생을 놓고 세 반 학생의 수학성적에 차이가 있는지 없는지를 검정	각 30명의 A,B,C 반의 학생을 놓고 세 반 학생의 수학성적에 차이가 있는지 없는지를 검정
Wilcoxon 부호-서열검증	대응표본 T 검정 (paired T-test)
소비자 12명이 A,B 등 두가지 상품 선호도를 0-5점으로 평가했을 때 두 상품간 선호도에 차이가 있는지 여부를 검정	소비자 40명이 A,B 등 두가지 상품 선호도를 0-5점으로 평가했을 때 두 상품간 선호도에 차이가 있는지 여부를 검정
Friedman 검정 (대응 K표본)	무작위 블록디자인 ANOVA
소비자 12명이 A,B,C 등 세가지 상품 선호도를 0-5점으로 평가했을 때 세 상품간 선호도에 차이가 있는지 여부를 검정	소비자 40명이 A,B,C 등 세가지 상품 선호도를 0-5점으로 평가했을 때 세 상품간 선호도에 차이가 있는지 여부를 검정
Spearman 상관분석	Pearson 상관분석
학생 7명에 대한 키와 몸무게 사이에 상관관계가 있는지를 분석	학생 50명에 대한 키와 몸무게 사이에 상관관계가 있는지를 분석

3장

진단검사 (1)

15 진단검사 개요

15-1 참고치 (Reference Value)

1. 참고치는 일반적으로 건강하다고 정의된 대상군으로부터 측정된 값을 기준으로 하며 관찰값의 중앙 95%를 포함하도록 설정됩니다. 참고치는 측정기기 또는 병원마다 조금씩 다를 수 있으므로 정상치와 크게 차이가 나지 않는 경우, 책이나 타 병원의 참고치를 기준으로 비정상으로 단정지어서는 안됩니다.
2. 과거에 사용하던 정상치(normal value)라는 용어는 검사결과가 정상과 비정상(질병)을 나누는 절대적인 기준이 될 수 없고 오히려 불필요한 오해 등을 유발할 수 있었기에 최근에는 참고치라는 용어로 대체되는 추세입니다.
3. 참고치는 재래식 단위(conventional units)와 SI 단위(system of international unit)로 구분되는데 우리나라나 미국에서는 Conventional 단위가 많이 쓰이고 유럽 등에서는 SI 단위의 사용이 선호됩니다. Conventional 단위를 SI 단위로 바꿀 때는 전환인자(conversion factor)를 곱하면 됩니다. 예를 들어 Hemoglobin의 Conversion factor는 10.0이므로 conventional 단위에서 13.9 g/dL 결과가 나왔을 경우의 SI단위는 10을 곱한 139 g/L가 됩니다.

[예]	Conventional 단위	Conversion factor	SI단위
Hemoglobin	13.9 g/dL	10.0	139 g/L
Cholesterol	200 mg/dL	0.03	6.0 mmol/L

이 책에서 사용된 진단검사 참고치의 단위는 주로 Conventional unit 기준이며 SI 단위 값와 동일한 경우(Conversion factor=1)에는 SI단위로 표기된 부분도 있습니다.

15-2 분석전 오차 (preanalytical errors)

(1) 식사와 관련된 검사오차

1. Fe(혈중 철)은 일내리듬이 심해 오전 중 채혈이 좋으며 철분제 복용시에는 최종투약 12-24시간 후에 채혈하여야 약물에 의한 증가를 피할 수 있습니다.
2. Folate도 음식물 섭취 후 증가하고 음주에 의해 감소하므로 검사전 충분한 금식이 필요합니다.

3. 고단백음식을 섭취하면 Urea, Protein, Uric acid 등이 증가될 수 있으며 흡연, 음주, 커피, 약물 등도 검사결과에 영향을 줄 수 있습니다.

8시간 공복이 필요한 검사 : Glucose, Protein, K, ALP, rGT(GGT)
12시간 공복이 필요한 검사 : TG, LDL, HDL, Cholesterol, Phospholipid

(2) 기타 분석전 오차

1. 심한 운동 : ALT, AST, Creatinine 증가, Total bilirubin, Cholesterol 감소
2. Capillary Blood(모세혈관 혈액) : Venous Blood(정맥혈)보다 Glucose는 높게, Bilirubin이나 Ca은 낮게 나올 수 있습니다.
3. 일부 검사에서는 누운 상태와 앉은 상태에 따라 검사결과의 차이가 나올 수 있습니다. 각 항목 및 오차정도는 Hb(4%), Platelet(7%), K(3%), Ca(4%), Protein(9%), Albumin(9%), Cholesterol(9%), TG(10%), ALP(9%), ALT(7%)로 알려져 있습니다.

(3) 소아-성인간 참고치에 차이가 나는 대표적인 항목

1. RBC, iron : 신생아는 성인보다 높으며 생후 1-2개월이 최저치. 60세 이상에서는 저하경향.
2. ALP : 소아가 성인의 2-3배, LDH는 소아가 성인보다 약 50% 높습니다.
3. Cholesterol : 생후 연령과 함께 상승하여 50-60세에 정점을 이루다가 서서히 저하합니다.
4. Total Protein : 생후 서서히 증가하여 3세가 되면 성인과 거의 같아지며 고령자는 약간 저하됩니다.

(4) Serum과 Plasma의 차이

1. 혈액에는 혈구성분과 혈장(plasma)이 포함되어 있습니다. 혈청(serum)은 혈장 중에 혈액응고에 관련된 인자가 소실 또는 감소된 것으로 전신의 조직, 장기의 기능을 반영합니다. 즉 "혈장≒혈청+피브리노겐" 이라 간략화할 수 있습니다.
2. 혈장 (Plasma) : 혈액에서 혈구 등의 고체성분을 제외한 것. 항응고제가 들어있는 튜브에 수집한 혈액을 원심분리에 의해 분리시켜 얻습니다.
3. 혈청 (Serum) : 혈장에서 섬유소(Fibrinogen) 등이 제외된 것. 항응고제가 들어있지 않은 튜브에 수집한 혈액을 실온에 약 30분간 방치해 응고(clotting)가 일어나도록 한 후 원심분리에 의해 응고되고 남은 부분을 얻습니다.
4. 혈장 vs 혈청 : 응급(stat)* 으로 CBC나 화학검사 등의 오더가 내려졌으면 결과가 나오는 시

* Stat 으로 내려진 오더(stat order)는 보통 다른 검사에 비하여 최우선적으로 시행하도록 요청하는 검사오더입니다.

간이 좀더 빠른 plasma(혈장)에서 검사하고 일반 오더로 내려졌으면 serum(혈청)에서 검사하기도 합니다. 실제 임상에서 빠른 검사결과와 기존 결과와의 비교의 용이성 때문에 plasma를 이용하는 오더도 많이 이용됩니다.

15-3 검사결과 변동치의 판단

1. 검사결과는 개인의 일중 변동, 검사의 분석오차, 검사전 오차 등으로도 변동될 수 있으므로 검사상의 작은 변화만으로 환자상태가 변했다고 할 수는 없습니다. 예를 들어 Fraser 등은 공복혈당의 경우 15%이상의 변화가 있어야 Critical Difference에 해당한다고 하였습니다.
2. 과거 검사치와 현저하게 차이가 났을 때는 검체를 재검해서 확인해야 하며 검사실에서도 delta check라는 자체적인 변화치 검색을 통해 재검이 병동에 통보되기도 합니다. 보통 채혈시 잘못된 라벨부착(mislabeling)이나 수액주사 근처에서의 채혈, 용혈 등으로 발생하기도 합니다.

검사항목	단위	참고치	변동오차	분석판단기준
Albumin	g/dL	3.5-5.5	0.05	0.4
ALP	U/L	30-115	2.5	26
ALT	U/L	〈40	0.5	16
Amylase	U/L	60-180		16
Bilirubin	mg/dL	0.2-1.2		0.2
BUN	mg/dL	1-26	1.2	9.6
Calcium	mg/dL	8.8-10.5	0.2	0.5
Chloride	mmol	98-110		5
Cholesterol	mg/dL	〈240	3	42
CK	U/L	20-270	2	99
Creatinine	mg/dL	0.7-1.4	0.03	0.16
Glucose(fasting)	mg/dL	70-110	2.7	16
rGT	U/L	M(11-63) F(8-35)	1	10
LD	U/L	100-225	10	46
Protein	g/dL	6-8	0.6	0.5
Potassium	mmol(mEq/L)	3.5-5.5	0.1	0.5
Phosphorus	mg/dL	2.5-4.5		0.18
Sodium	mmol(mEq/L)	135-145	1.5	4
Triglyceride	mg/dL	〈200		53

15-4 각종 검사처방 Set

(1) 개요

1. 실제 진료시에는 특정질환 또는 증상에 한가지 항목의 진단검사를 시행하기보다는 여러 가지 관련된 검사들을 한번에 시행하는 경우가 대부분입니다.
2. 보통 병원마다 이러한 관련 검사들을 조합하여 하나의 약속처방(묶음처방)으로 정해놓는 경우가 많으며 Panel 또는 Battery 등의 용어를 붙이기도 합니다. 예를 들어 "Coagulation panel(또는 battery)"라고 하면 혈액응고와 관련된 PT, aPTT, Fibrinogen 등이 조합된 검사처방(병원별로 세부 처방항목은 다를 수 있음)을 의미합니다.

(2) BMP, CMP

1. 영문 의학 매뉴얼 등에서는 자주 사용되는 일반화학검사들의 약속처방을 BMP, CMP라는 용어로 표기하는데 각각의 의미는 다음과 같습니다.
2. BMP(Basic metabolic panel) : 대사상태와 관련된 가장 우선적인 7개의 검사로 구성되어 Chem-7 또는 SMA-7 이라고도 합니다.

Chem-7 : Glucose, Electrolytes (Na, K, Cl, CO_2), Kidney(BUN, Cr)

3. CMP(Comprehensive metabolic panel) : BMP에서 간기능 검사(LFT) 등이 추가되어 총 14개의 검사로 구성되므로 Chem-14, SMA-14이라고도 하며 일부 검사가 생략되거나 또는 추가되어 Chem-12, Chem-20 등 다양한 이름으로 불립니다. 국내에서 동일하게 사용되는 것은 아니므로 각각의 구성요소를 기억할 필요는 없지만 대략적인 검사의 우선순위를 가늠하시기 바랍니다.

Chem-14 : Chem-7 + Liver(AST, ALT, ALP, Bilirubin), Protein(Albumin, Total Protein), Calcium
Chem-20 : Chem-14 + Liver(GGT, Direct Bilirubin), Cholesterol, Urin acid, Phosphorus, LD

(3) 입원환자 기본검사 예시

1. 일반적인 입원환자에게 많이 적용되는 입원시 기본검사의 예는 아래 표와 같습니다. 기본적인 건강검진 목적이나 기저질환 등에 따라 지질검사(TG, HDL, LDL, phospholipid)나 갑상선검사(T3, free T4), CK 등의 검사들이 추가될 수 있습니다.
2. GGT(Gamma-GT)는 그리스어인 gamma를 영문자 r로 표기해서 rGT로 표기되기도 하며 단백지질검사는 간기능검사(LFT)에 포함시키기도 합니다.

1) 혈액검사 : CBC, ESR
2) 일반화학검사 : Electrolytes(Na, K, Cl, Total CO_2), 간기능(ALP, AST, ALT, Total Bilirubin, GGT), 단백지질검사(Albumin, Total Protein, Cholesterol), 신기능(BUN, Creatinine), Glucose, P, Mg, Ca, Uric acid, LD
3) 감염혈청검사 : HBsAg/HBsAb, anti-HCV, VDRL, Anti-HIV
4) 소변검사 : U/A with Microscopy
5) 기타 : EKG, X-ray(Chest PA, 필요시 Abdomen S/E 추가), HbA1c(당뇨시), CRP(감염의심시), PT/aPTT(응고장애 또는 항응고제 복용시)

15-5 진단검사 항목별 분류

1. 본 책의 진단검사 파트에 수록된 각 검사항목을 분류하고 자주 활용되어 숙지가 필요한 참고치(Reference value) 및 즉각적인 치료를 요하는 수치(Critical value 또는 Panic value)를 아래와 같이 수록하였습니다.
2. 참고치는 Reference 중 5), 6) 문헌을 주로 참고하면서 일부 7) 문헌을 참고하였고 각 병원, 연구소 별로 참고치가 다른 점을 감안하여 공통적인 범위를 위주로 하면서 비교적 간단히 기억할 수 있는 수치로 기재하였습니다. Critical value는 6), 8) 문헌을 참고하였습니다.

분류	항목	참고치	단위	즉각적 처치 필요 (Critical value)
일반혈액검사 (CBC)	WBC	4.0-10.0	K/μℓ	<1.5K 또는 >30K(3만)
	RBC	남(4.3-6.0) 여(3.5-5.0)	10^6/μℓ	
	Hematocrit (Hct)	남(40-50) 여(35-45)	%	
	Hemoglobin (Hb)	남(13.5-17.5) 여(12-15)	g/dL	<6.0 또는 >20.0
	Platelet (PLT)	150-450	K/mm^3	<50K(5만) 또는 >1000K
	Reticulocyte	0.2-2.0	%	
	ESR	남(0-10.0) 여(0-15.0)	mm/h	
	RBC index (MCV, MCH, MCHC 등)			
	RDW/PDW			
	WBC D/C (Neutrophil, Lymphocyte, Eosinophil, Monocyte)			
(혈액도말)	PB Smear			

혈액응고검사	PT	11.0-15.0	초	30초 이상
	aPTT	30-40	초	70초 이상
	Fibrinogen	200-400	mg/dL	75 이하
	D-dimer, Antithrombin III, Bleeding Time			
ABGA	pH	7.35-7.45		〈7.25 또는 〉7.55
	$PaCO_2$	35-45	mmHg	〈20 또는 〉60
	HCO_3	22-26	mmol/l	〈15 또는 〉40
	pO_2	75-105	mmHg	40 이하
전해질	Sodium (Na+)	135-145	mmol/L	〈120 또는 〉160
	Potassium (K+)	3.5-5.0	mmol/L	〈3.0 또는 〉6.0
	Chloride (Cl-)	95-110	mmol/L	〈80 또는 〉115
	Total CO_2	22-32	mmol/L	〈15 또는 〉40
간기능	Total Protein	6.5-8.0	g/dL	
	Albumin	3.5-5.5	g/dL	
	ALT	0-40.0	U/L	
	AST	0-40.0	U/L	
	Bilirubin(Total)	0.1-1.2	mg/dL	
	Bilirubin(Direct)	0-0.5	mg/dL	
	ALP	40-150 (또는 30-270)	u/l	
	rGT	5-40	U/L	
신기능	BUN	8.0-20.0	mg/dL	100.0 이상
	Creatinine	0.6-1.2	mg/dL	4.0 이상
	GFR (CrCl)	90-140	mL/min/ 1.73m2	
(통풍)	Uric acid	2.0-7.0	mg/dL	12.0 이상
갑상선	T3, T4, free T4, TSH			
	Thyroglobulin(Tg), TBG, TgAb, TPO-Ab, TRAb			
지질	Total Cholesterol	〈200 (또는 〈230)	mg/dL	
	HDL-cholesterol	40-60	mg/dL	
	LDL-cholesterol	〈130	mg/dL	
	TG	〈160	mg/dL	
	Phospholipid	150-250	mg/dL	
심질환	Myoglobin, Troponin (cTnI), CK-MB, LD, Homocysteine, hs-CRP, BNP (NT-proBNP)			

빈혈		Iron(Fe), TIBC, Ferritin, Vit B12, Folate, Direct Coomb's Test, Haptoglobin			
기타	골대사	Phosphorus (P)	2.5-5.0	mg/dL	1 이하
		Calcium	8.5-10.5	mg/dL	〈6.5 또는 〉13.5
		Magnesium	1.8-3.0 (또는 1.2-2.0 mEq/L)	mg/dL	〈0.5 또는 〉4.5 (〈0.5 또는 〉3 mEq/L)
	췌장	Amylase	30-120	U/dL	참고치의 3배 이상
		Lipase	0-160	U/L	
	당대사	Glucose	70-110	mg/dL	〈40 또는 〉500
		HbA1C	4.0-6.0	%	
		C-peptide			
감염/면역혈청		HAV 관련 (IgM anti-HAV), HBV 관련 (HBsAg, Anti-HBc, Anti-HBs), HCV 관련 (Anti-HCV, HCV RNA, HCV genotype), 기타 감염 관련 (Anti-HIV, VDRL, ASO titer, Widal test, CRP) 면역, 알러지 관련 (Total IgE, Allergen Specific IgE) 자가면역질환 관련 (RF, ANA, Cryoglobulin, Anti-CCP antibody)			
종양표지자		CEA, AFP, CA 19-9, CA 125, CA 15-3, PSA, 기타 등			
TDM/약물		Phenytoin, Valproic acid, Digoxin, Theophylline, Vancomycin, Acetaminophen, Alcohol 등			
소변검사		Glucose, Bilirubin, Urobilinogen, Ketone, Specific gravity, Occult Blood, pH, Protein, Nitrite, RBC, WBC, cast			
(임신검사)		hCG			
분변검사		Stool OB, Helminth, Protozoa, C. difficile toxin assay			
기타체액검사		Pleural fluid, Ascites, CSF, Synovial fluid			
세균배양검사		Sputum culture, Urine culture, Stool Culture, Blood culture			

REFERENCES

1. Fraser CG, Fogarty Y. Interpreting laboratory results. BMJ. 1989 Jun 24;298(6689):1659-60.
2. 강은숙, 김미나, 김진규, 민원기. 임상적으로 유용한 분석목표(analytical goal)의 설정. 대한임상병리학회지 1996; 16: 622-30.
3. Pincus MR. Interpreting laboratory results: reference values and decision making. In: Henry JB, ed. Clinical diagnosis and management by laboratory methods. 19th ed. Philadelphia: W.B. Saunders, 1996:74-8.
4. http://www.labtestsonline.org - 2011.1.16 접속
5. Shane Marshall. On Call Principles and Protocols. 4th. Saunders. 2004
6. McPhee, Maxine A. Papadakis, and Lawrence M. Tierne. Current Medical Diagnosis and Treatment 2008. McGraw-Hill. 2008
7. 대한진단검사의학회. 진단검사의학. 이퍼블릭. 2009.
8. Kathleen DP et al. Mosby's Manual of Diagnostic and Laboratory Tests. Mosby. 2002.

16 일반혈액검사

- 일반혈액검사는 흔히 CBC(Complete Blood Count)로 대표되며 각종 적혈구, 백혈구, 혈소판 등 각종 혈액구성요소의 수를 분석하는 검사로 최근에는 대부분의 CBC 항목을 자동혈구분석기를 이용하여 한번에 검사됩니다. 빈혈, 감염, 각종 혈액질환 등에 적용될 수 있습니다.
- CBC는 차팅시 "WBC > Hb/Hct < PLT" 의 형식으로 많이 기록됩니다. Ex. 4800>12.1/41<280K
- 본 장의 검사항목 중 ESR, PB smear는 CBC에 포함시키지 않기도 하나 CBC 검사의 연속선상에서 함께 시행되는 경우도 많으므로 포함하였습니다.

16-1 White Blood Cell (WBC)

- 참고치 : 4.0–10.0K/μl
- Possible Critical Values : <1.5K 또는 >30K (30K = 30,000)

(1) Leukocytosis (백혈구 증가증)

1. 각종 감염, 염증, 조직 괴사, 백혈병 등
2. 종양(tumor), 출혈(bleeding), 용혈(hemolysis), 골수증식질환(myeloproliferative disorders), 스테로이드 치료시, 대사장애, 알러지, 피부질환, 기생충질환 등

(2) Leukopenia (백혈구 감소증)

1. 심한 세균성 감염, 약물(항암제 등)
2. 재생불량성빈혈(aplastic anemia), 골수기능부전(bone marrow failure), 비장종대(splenomegaly), 자가면역질환 등

16-2 Red Blood Cell (RBC)

- 참고치 : 남(4.3–6.0 10^6/μl) 여(3.5–5.0 10^6/μl)

(1) 증가

1. 적혈구 증다증 : 적혈구수가 600만/μl이상, Hb 및 Hct치가 각각 18g/dl, 54%이상
2. 절대 적혈구 증다증(진성 다혈증) : 골수의 적혈구계, 과립구계, 혈소판계가 모두 과형성
3. 상대 적혈구 증다증 : 적혈구 총량은 정상인데 혈장량이 감소

(2) 감소

1. 조혈장애 : 재생불량성 빈혈, 백혈병, 골수종 등 골수의 조혈기능의 저하, 또는 철결핍성 빈혈, 악성빈혈에서처럼 조혈에 필요한 물질의 부족
2. 출혈 : 급성출혈(식도정맥류 파열, 외상), 만성출혈(치질출혈, 과다월경)
3. 혈구파괴 : 적혈구 자체의 결함(유전성 구상 적혈구증, 발작성 야간 혈색소뇨증, 이상혈색소증), 적혈구 주위환경의 이상(자가면역성 용혈성 빈혈, 모세혈관장애성 용혈성 빈혈)

16-3 Hematocrit (Hct)

- 참고치 : 남(40-50%) 여(35-45%)
- Hct(적혈구용적) : 전혈(Whole Blood)중 적혈구가 차지하는 비율

1. Hct 증가 : 다혈구증, 탈수, shock, 고산지역 등 산소분압이 감소된 경우
2. Hct 감소 : 빈혈, 출혈 후, 대량수액으로 인한 혈액희석

16-4 Hemoglobin (Hb)

- 참고치 : 남(13.5-17.5g/dL) 여(12-15g/dL), 소아/임산부는 11g/dL이 하한선
- Possible Critical Values : 〈6g/dL 또는 〉20g/dL

1. 혈색소(Hb) 증가 : 본태성 또는 각종 2차성 혈구증다증
2. 혈색소(Hb) 감소 : 빈혈을 일으킬 수 있는 모든 질환. 혈액 희석으로도 감소될 수 있으므로 순환혈액량과 혈장량을 고려한 판단이 필요합니다.

16-5 Platelet (PLT)

- 참고치 : 150-450K/mm^3
- Possible Critical Values : 〈50 또는 〉1000K/mm^3

(1) 혈소판 증가

1. 일차성 증가 : 골수증식질환(myeloproliferative disorders)
2. 이차적 증가 : 감염, 급성출혈, 비장절제술(splenectomy) 이후 등

(2) 혈소판 감소

1. 생산의 감소 : 악성종양(malignancy), 재생불량성빈혈(aplastic anemia), 백혈병(Leukemia), 골수섬유증(myelofibrosis), 골수이형성증후군, 선천성 혈소판이상 등
2. 파괴의 증가 : 약물, 심한 출혈, SLE, DIC(disseminated intravascular coagulation synd, 파종성 혈관내응고증후군), ITP(idiopathic thrombocytopenic purpura, 특발성 혈소판감소성 자반병) 등

16-6 Reticulocyte

- 참고치 : 0.2-2.0 %

(1) 개요

1. Reticulocyte(망상적혈구)는 미숙한 적혈구로서 신장에서 생성되는 erythropoietin이 혈액 stem cell에 작용하여 생성되며 말초혈액으로 나온지 1일 뒤에 성숙 적혈구로 변화하게 됩니다. 즉 망상적혈구는 적혈구 100개당 새로 만들어진 적혈구의 숫자를 %로 나타낸 것이라 할 수 있습니다.
2. 골수의 적혈구 조혈상태를 간접적으로 파악하여 빈혈의 진단, 치료에 활용하며 빈혈의 원인에 따라 증가하기도 하고 증가하지 않기도 하기 때문에 빈혈의 감별진단에 도움이 됩니다. 실제 임상시에는 Reticulocyte를 그대로 활용하기 보다는 망상적혈구 지수(reticulocyte production index, RPI 또는 RI)를 계산하여 판정합니다. **[참조항목 : 25-6]**

(2) 증가

- 용혈성 빈혈, 급성출혈, 신생아기, 골수외 조혈이 있는 경우, 비장 적출 후

(3) 빈혈에 상응하여 증가하지 않는 경우

- 신성 빈혈(erythropoietin 부족), 재생불량성 빈혈, 백혈병(골수의 혈액 stem cell 이상), Vitamin B12결핍, 엽산 결핍, 철 결핍(혈구의 성숙 장애)

16-7 ESR

- 참고치 : 남(0-10.0mm/h) 여(0-15.0mm/h)

(1) 개요

1. ESR(erythrocyte sedimentation rate, 적혈구 침강속도)은 CRP 등의 급성기 반응 물질과 마찬가지로 급만성염증, 종양 등에 의한 조직파괴 또는 혈장단백의 이상을 반영하는 지표입니다. 여성이 남성보다 높으며 특히 월경기, 임신 3개월 이후부터 분만후 1개월까지 상승됩니다.
2. 적혈구 응집을 촉진하는 인자가 중요하게 작용하여 응집이 빠르고 클수록 ESR은 증가합니다. 적혈구 자체의 상태도 관여하며 심한 빈혈에서는 증가하고 적혈구가 증가된 상태에서는 감소합니다. **[참조항목 : 27-1]**

(2) 증가

1. ESR의 증가는 일반적으로 조직의 파괴를 반영하며 급만성 감염증, 악성종양, 교원병, 류마티스성 질환에서 상승합니다. 각종 혈액 질환, 심근경색 등의 순환기 질환, 혈장 단백이상을 보이는 혈액, 간, 신장질환 등에서도 항진될 수 있습니다.

16-8 RBC index (적혈구지수)

- MCV 참고치 : 80-100 fL

1. MCV : Mean Cell Volume. 적혈구의 평균용적을 표시하며 빈혈의 감별진단에 필수적 검사입니다.
2. MCH : Mean Cell Hemoglobin. 적혈구 내 혈색소(Hb)의 평균량
3. MCHC : Mean cell Hemoglobin Concentration. 적혈구 내에 들어있는 혈색소(Hb)의 백분율

16-9 RDW / PDW

1. RDW (red cell distribution width, 적혈구 분포폭) : 부등 적혈구 상태(anisocytosis)의 정도를 반영합니다. RDW가 높을수록 다양한 크기의 적혈구들이 분포하는 것이고 RDW가 낮을수록 적혈구의 크기가 서로 비슷한 정상상태에 가깝다고 할 수 있습니다.
2. PDW (platelet distribution width, 혈소판 분포폭) : 혈소판 부피의 평균으로부터의 변이정도를 나타내며 백혈병 전단계(preleukemia)나 골수증식질환(myeloproliferative disorder) 등과 같이 혈소판 크기의 변이가 심할 때 증가합니다.

16-10 WBC Differential Count / ANC

(1) WBC D/C

1. 백혈구 감별계산(differential Count, d/c)은 혈액 내의 백혈구 종류별로 수를 세어 질병과 관련된 정보를 얻는 검사입니다. 과거 혈액을 도말한 표본에서 아형별 수를 세고 그 비율에 따라 결과값을 구하기도 했지만 최근에는 모두 자동혈구분석기를 이용합니다. 백혈구의 Type은 호중구(neutrophil), 림프구(lymphocyte), 단핵구(monocyte), 호산구(eosinophil), 호염기성백혈구(basophil) 등으로 구분됩니다.
2. 백혈구의 과립의 유무에 따라 과립구(Granulocyte) 또는 비과립구로, 핵의 모양에 따라 다핵구(PMN), 단핵구로 구분됩니다. 하지만 호중구가 과립구 및 다핵구의 대부분을 차지하기 때문에 일반적으로 과립구, 다핵구라면 하면 주로 호중구를 의미합니다.

(2) ANC

1. ANC (absolute neutrolphil count, 절대호중구수)는 [WBC 결과치] x [Neutrophil(%)+Band(%)]/100을 통해 구해지는데 1000 ㎕이하이면 감염의 위험도가 커지고 보통 500 미만으로 떨어지면 격리대상이 됩니다. 예를 들어 CBC상 WBC 결과가 3.70 ($\times 10^3$ /㎕) 인데 WBC D/C 상 Neutrophil segment가 10.0%, Band가 0.2%일 경우의 ANC는 3700 x 10.2/100 = 377이 됩니다. 이 경우 ANC가 500 미만이므로 격리처치를 해야 합니다.
2. ANC 계산에서 Band(또는 band form)는 미성숙 백혈구(immature neutrophil)를 의미하며 보통 매우 적은 비율을 차지하므로 계산의 편의상 생략하고 대략적인 추정만 하기도 합니다.

(3) 각 경우별 원인질환

1. Neutrophil 증가 = Neutrophilia (10,000 /㎕ 이상) : 세균감염, 조직괴사, 악성종양, 골수증식성 질환, 약물(스테로이드 등), 급성 출혈 등
2. Neutrophil 감소 = Neutropenia (500 /㎕ 이하) : 약물(항암제, 항생제, 항경련제, 항히스타민제 등), 심한 감염, 혈액질환, 방사선피폭 등
3. Lymphocyte 증가 (4,000 /㎕ 이상-성인) : 바이러스 감염, 백일해, 전염성 단핵구증 등
4. Lymphocyte 감소 (1,500 /㎕ 이하 : 면역결핍성 질환, 항암제, 방사선 치료 등
5. Eosinophil 증가 (700 /㎕ 이상) : Allergy 질환, 기생충 감염, 피부질환, 기관지 천식, 궤양성 대장염 등
6. Monocyte 증가 : 활동성결핵, 단핵구성 백혈병

16-11 PB Smear

(1) 개요

1. 말초혈액도말(PB smear, peripheral blood smear)은 말초혈액을 유리 슬라이드에 도말한 후 염색하여 현미경으로 관찰하는 검사입니다. 실제 혈구들을 현미경으로 살펴봄으로써 혈구의 수, 형태학적인 이상 및 적혈구 내에 존재하는 기생충 등을 찾아낼 수 있습니다.
2. CBC 결과에 이상이 있어 혈액질환이 의심되는 경우나 골수검사의 판독을 위한 기초자료로 활용되고 약물반응, 감염성질환, 간질환, 악성빈혈 등 PB smear의 변화가 비교적 특징적이라고 알려진 질병이 의심되는 경우에 시행됩니다.
3. 불명열(FUO) 발생시나 혈소판수와 실제 임상상이 전혀 맞지 않는 경우 등에도 시행될 수 있습니다. 자동혈구계산기로 계산되는 CBC 결과는 정상이면서 혈구세포의 형태는 비정상적인 혈액질환도 있기 때문입니다.

(2) 의뢰요령

의뢰시 환자의 임상소견 및 구체적인 의뢰목적(RBC, WBC, platelet 판독인지, 빈혈이나 혈액종양질환 감별목적인지) 등을 기재해야 경우도 있습니다.

REFERENCES

1. Kathleen DP et al. Mosby's Manual of Diagnostic and Laboratory Tests. Mosby. 2002.
2. 대한진단검사의학회. 진단검사의학. 이퍼블릭. 2009.
3. Denise D. Wilson. McGraw-Hill Manual of Laboratory and Diagnostic Tests. McGraw-Hill Companies. 2008.

17 혈액응고검사

- 혈액응고검사 (PT, aPTT, fibrinogen, d-dimer, antithrombin III)
- Coagulation panel : PT, aPTT, Fibrinogen
- DIC panel : PT, aPTT, Fibrinogen, antithrombin III

17-1 PT (prothrombin time)

- 참고치 : 11.0-15.0초 (PT INR 기준 0.8-1.2)
- Possible Critical Values : 30초 이상

(1) 개요

1. 응고인자 Ⅰ(fibrinogen), Ⅱ(prothrombin), Ⅴ, Ⅶ, Ⅹ와 관여하므로 외인성 및 공통성의 응고과정 이상을 검출하는 방법입니다. 비타민 K와도 관련되는 검사로 이는 응고인자 Ⅱ, Ⅶ, Ⅸ, Ⅹ인자는 Vit K에 의존하여 생산되기 때문입니다. 예를 들어 담도의 폐쇄로 지방흡수가 저하되면 지용성인 Vit K의 흡수도 원활치 않게 되어 PT가 연장되게 됩니다.
2. PT 검사 결과는 보통 INR(International Normalized Ratio)로 표기합니다. INR은 검사실 및 시약마다 PT값 차이가 다른 것을 보정하기 위하여 사람 뇌 유래 thromboplastin을 사용한 PT값을 기준으로 여러 가지 thromboplastin의 PT값을 표준화한 수치이며 일반적으로 1.0을 정상기준으로 하여 0.8-1.2 정도를 참고치로 합니다.
3. DVT, Af 등에 흔히 복용되는 항응고제 와파린(warfarin, 상품명 : 쿠마딘)은 보통 INR이 2.0 - 3.0에서 유지되는 것을 목표로 약의 용량을 조절해 나갑니다. 인공판막이나 DVT 등의 재발시에는 3.0 보다 높이 유지하기도 하는데 그만큼 출혈의 위험성도 커지게 됩니다.
   [참조항목 : 66-3]

(2) 증가 (PT 연장)

1. 항응고제(Ex. 와파린)의 복용
2. Vit K 관련: 섭취감소(식이중의 Vitamin K부족, 장내세균의 Vitamin K 합성 장애), 흡수불량(설사, 흡수부전증후군, 장내 담즙감소) 이용불량(Vit K길항제, 간질환)
3. DIC, 간질환, 백혈병, 알레르기성 자반증, 유전자 이상(응고인자 생성량 감소 등)

(3) 감소 : 임상적 의미 없음.

17-2 aPTT

- 참고치 : 30-40초
- Possible Critical Values : 70초 이상

(1) 개요

1. aPTT(activated Partial Thromboplastin Time) 검사는 내인성(XII, XI, IX, VIII) 및 공통성(X, V, II, I) 응고인자와 관여되는 검사입니다.
2. 혈우병(Hemophilia) 진단의 예비적 검사이자 헤파린(Heparin) 등의 항응고제 사용시 용량 결정에 대한 모니터링의 목적 등으로 이용됩니다.

(2) PT와 aPTT의 측정 결과에 따른 질환 감별

PT	aPTT	원인 감별
정상	정상	혈소판기능 이상증, XIII 인자 결손증
	연장	항응고제(헤파린)의 투여. 혈우병 A, 혈우병 B, von willebrand 병 등
연장	정상	항응고제(와파린)의 투여. VII인자 결손증
	`연장	fibrinogen 이상, prothrombin 이상, V인자 결손, X 인자 결손, DIC, 중증 간장애, Vitamin K 결핍, 항응고제 투여

17-3 Fibrinogen

- 참고치 : 200-400mg/dL
- Possible Critical Values : 75mg/dL 이하

1. 우리말로 '섬유소원' 으로도 번역되며 혈액응고기전의 필수성분으로 thrombin에 의해 Fibrin으로 전환됩니다.
2. 증가 : 급성염증, 외상, 급성감염, 헤파린 투여, 흡연, 임신 등
3. 감소 : 간질환, 영양실조, 대량수혈, 소모응고병증 등

17-4 TT (Thrombin Time)

1. 실제 많이 시행되는 검사는 아니지만 혈장에 Thrombin 시약을 가할 때의 응고시간을 정상인의 혈장일 때의 시간과 비교함으로써 Fibrinogen의 양적, 질적변화를 추정할 수 있는 검

사입니다 (공통성 응고과정이 관련).

2. 응고시간이 20초 이상 소요되거나 대조혈장에 비해 2초 이상 연장되면 Fibrinogen의 부족 또는 Fibrinogen 기능이상 등을 시사하며 또는 헤파린 투여시에도 연장될 수 있습니다.

17-5 D-dimer

1. 섬유소(fibrin)가 Plasmin의 작용으로 용해되어 형성되는 것으로 각종 혈전증이나 DIC에서 상승하므로 질병진단시 유용한 역할을 합니다. 민감도는 높지만 특이도가 낮은 특성이 있어 유의해야 합니다.
2. 증가 : 심부정맥혈전증(DVT), 폐색전증(pulmonary embolism), DIC, Primary Fibrynolysis
3. 감소 : 임상적 의의 없음

17-6 Antithrombin III

1. 응고를 억제하는 역할을 하므로 선천적, 후천적 원인 등으로 Antithrombin이 감소하면 응고가 더 잘되어 DVT, 폐색전증(Pulmonary Embolism), 반복유산 등의 발생 가능성이 더 높아집니다.
2. 증가 : 급성간염, 염증 등
3. 감소 : 간경변, DIC, 급성간염, 폐쇄성황달, 신증후군, 경구피임약 투여, Heparin에 의한 소모 등

▪ Bleeding Time : 진단검사의학과에 의뢰하는 방법이 아니라 직접 환자 신체에 5mm 정도의 작은 상처를 내어 출혈을 유발하고 지혈되는 시간(보통 2-8분 이내 지혈)을 측정하는 검사입니다. 검사의 표준화나 민감도가 낮아 다른 검사들로 대체되고 있습니다.

REFERENCES

1. Kathleen DP et al. Mosby's Manual of Diagnostic and Laboratory Tests. Mosby. 2002.
2. 대한진단검사의학회. 진단검사의학. 이퍼블릭. 2009.
3. Denise D. Wilson. McGraw-Hill Manual of Laboratory and Diagnostic Tests. McGraw-Hill Companies. 2008.

18 동맥혈 가스검사 (ABGA)

- 본 장의 ABGA의 판독법은 다른 추가적인 변수들을 제외하고 간략화하여 설명한 것이므로 참고적으로 활용하도록 하며 환자상태가 급격히 변화한다면 ABGA 실시와 함께 관련과 당직의 또는 CPR call을 통한 응급조치가 필요할 수 있음에 유념합니다.
- 본 장에서는 ABGA의 기본 판독 및 산-염기 평형과 관련된 내용을 주로 실었으며 ABGA를 이용한 저산소증(Hypoxia) 평가와 관련된 내용은 호흡곤란 파트를 참조하시기 바랍니다. **[참조항목 : 83-3]**

18-1 개요

(1) ABGA 검사

1. ABGA(arterial blood gas analysis, 동맥혈 가스검사) 검사는 인체의 호흡기능(폐의 가스교환 능력)과 산-염기 평형상태를 알아보는 가장 기본적인 검사입니다.
2. ABGA 참고치는 아래와 같으며 동맥혈 채혈 방법은 기본술기편을 참조하시기 바랍니다. **[참조항목 : 7-2]**

항목	참고치	Critical Values
pH	7.35-7.45	〈7.25 또는 〉7.55
$PaCO_2$	35-45mmHg	〈20 또는 〉60
HCO_3	22-26mmol/l	〈15 또는 〉40
PaO_2	75-105mmHg	40 이하
BE	±2mEq/L	
SaO_2	93-97%	

- PaO_2의 참고치는 연령에 따라 다르며 (105.6-0.55×나이)로 추정될 수 있습니다. 대체적으로 젊은 성인을 100mmHg으로 잡은 후 60세는 80mmHg, 70세는 70mmHg, 80세는 60mmHg 정도로 추정합니다. SaO_2 참고치도 연령이 올라감에 따라 감소합니다.

1) pH : 7.35 이하시 산증(acidosis), 7.45 이상시 알칼리증(alkalosis, 또는 염기증)이 됩니다.
2) $PaCO_2$: 환기(ventilation) 상태를 반영합니다. CO_2의 증가는 저환기 상태로서 충분히 CO_2가 체외로 배출되지 못하여 체내에 쌓인 것이고, CO_2 감소는 과환기로서 지나치게 CO_2가 체외로 배출된 상태를 의미합니다. $PaCO_2$가 60 mmHg이상 되면 응급상황으로 간주되며 Ambu bagging이나 기계환기 등이 필요할 수 있습니다.
3) HCO_3 : Bicarbonate(중탄산염)라는 용어로 더 많이 불리는 HCO_3는 혈액내 대사성 변화의 영향을 반영합니다. Bicarbonate의 증가는 알칼리증(metabolic alkalosis)을, 감소는 산증(metabolic acidosis)을 유발합니다. 약물로 Bicarbonate를 투여할 때에는 $NaHCO_3$(상품명 Bivon)으로 투여됩니다.

[참고] Total CO_2 = HCO_3(Bicarbonate) + 혈장내 CO_2

전해질검사의 Total CO_2는 Bicarbonate와 혈장내 CO_2의 합으로 구성되지만 혈장내 CO_2의 양이 매우 적으므로 Bicarbonate와 비슷하거나 약간 더 높은 결과치를 보여줍니다.

4) PaO_2 (pressure of arterial oxygen) : 동맥혈 산소분압으로 번역되며 혈장내에 녹아 있는 산소의 양을 의미합니다. 저산소증에서 PaO_2가 40 mmHg 이하까지 저하되면 응급상황이며 신속하고 적절한 산소공급을 통해 적어도 60 이상으로 올려야 합니다.
5) BE(base excess/deficit) : 염기(Base) 과잉 또는 부족을 나타내며 +2보다 크면 염기가 과잉된 상태를, -2보다 작으면 감소한 상태를 의미합니다. 임상적 활용도가 크지는 않습니다.
6) SaO_2 (saturation of arterial oxygen) : 전체 혈색소 중에서 산소와 실제로 결합한 혈색소(hemoglobin)가 차지하는 비율을 의미합니다. 이론적으로 산소포화도 97%는 100개의 헤모글로빈의 산소 결합부위에서 97개의 산소가 결합되어 있는 상태입니다.

Tip Oxymetry와 SpO_2

1. 병동에서 옥시메트리(pulse oxymetry)로 측정한 SpO_2(saturation of peripheral oxygen) 측정값은 일반적으로 70-100%의 범위내에서 SaO_2와 동일하게 간주됩니다. 채혈과정 없이 손톱에 부착하는 것만으로도 간단하게 산소포화도를 측정할 수 있어 편리하지만 환기상태($PaCO_2$)나 산-염기 장애(pH)를 알 수 없으므로 정확한 상태는 ABGA를 해야 알 수 있습니다.
2. Oxymetry 사용시, 호흡중추가 저하되었거나 또는 폐실질의 이상이 있는 경우에는 SpO_2가 정상으로 유지되고 있어도 $PaCO_2$는 환자의 생명을 위협할 정도로 상승해 있을 가능성을 고려해야 합니다.

(2) 산-염기 장애의 분류

1. 산-염기 장애는 원인에 따라 크게 호흡성(Respiratory)과 대사성(Metabolic)으로 나뉩니다.
2. 인체는 산-염기 평형이 깨지면 일단 호흡계와 신장으로 대표되는 보상기전을 통해 평형을 유지하려 합니다. 산-염기 장애가 대사성으로 오면 주로 호흡계를 통한 호흡성 보상기전으로 통해 CO_2(산에 해당)의 양을 조절하고 호흡성으로 오면 주로 신장을 통한 대사성 보상기전으로 통해 HCO_3(알칼리에 해당)의 재흡수 과정을 조절하여 회복시킵니다.
3. 일반적으로 신장을 통한 대사성 보상은 HCO_3 재흡수 과정을 조절하므로 호흡빈도 등의 조절로도 가능한 호흡성 보상기전보다 느리게 이루어집니다.

18-2 기본판독법 (산-염기 장애)

(1) 판독순서

1. 판독시 pH =7.40, $PaCO_2$=40mmHg, HCO_3=24mEq/L 정도로 기준치로 기억하면 간편합니다. 정확한 평가를 위해서는 ABGA뿐 아니라 Electrolyte 검사결과도 있어야 합니다.
2. ABGA를 이용한 산-염기장애의 판독은 1)일단 pH로 산-염기를 판단한 후 2) $PaCO_2$와 HCO_3를 정상치와 비교하여 그 원인(대사성 vs 호흡성)을 찾고 3)다른 보조인자(Anoin gap, 보상범위) 등을 통해 보상여부 또는 타 장애의 병존여부를 판단하게 됩니다.

[STEP 1] pH 결과를 통하여 7.40기준으로 acidosis인지 alkalosis인지 판단
[STEP 2] CO_2(산)과 HCO_3(염기) 수치로 원인이 대사성인지 호흡성인지 판단
[STEP 3] 보상(Compensation)범위를 계산하여 적절한 보상이 이루어졌는지 확인
[STEP 4] 대사성 장애의 경우 AG(Anion Gap, 음이온차)을 계산하여 정상(12mEq/L)과 비교
* AG 계산값 = Na − (Cl + HCO_3)

3. STEP 4에서 만일 AG이 정상보다 증가되었으면 보정 HCO_3(정상치: 24mEq/L)를 별도로 계산하여 타 장애의 병존여부를 확인해야 합니다. * 보정 HCO_3 계산값 = HCO_3 + (AG−12)

(2) 산염기 대사이상의 특징과 보상범위

	pH	1차성 변화	보상반응	보상(Compensation) 범위
Metabolic Acidosis	↓	↓$[HCO_3^-]$	↓PCO_2	$[HCO_3^-]$ 1감소시 PCO_2 1.2 감소 (최대 10-15까지 감소)
Metabolic Alkalosis	↑	↑$[HCO_3^-]$	↑PCO_2	$[HCO_3^-]$ 1 증가시 PCO_2 0.7 증가, (최대 55-60까지 증가)

Respiratory Acidosis	↓	↑ PCO_2	↑ $[HCO_3^-]$	급성	PCO_2 10증가시 $[HCO_3^-]$ 1 증가 (최대30까지)
				만성	PCO_2 10증가시 $[HCO_3^-]$ 3.5 증가 (최대42-45까지)
Respiratory Alkalosis	↑	↓ PCO_2	↓ $[HCO_3^-]$	급성	PCO_2 10감소시 $[HCO_3^-]$ 2 감소 (최대 18까지)
				만성	PCO_2 10감소시 $[HCO_3^-]$ 5 감소 (최대 12-15까지)

* $[HCO_3^-]$의 단위는 mEq/L, PCO_2의 단위는 mmHg (이하 부분에서도 생략)

18-3 ABGA 판독연습

- 어떤 경우든 $PaCO_2$ 60mmHg이상, PaO_2 60mmHg 이하의 결과가 나오면 우선적으로 저산소증에 대한 평가와 치료를 고려합니다. **[참조항목 : 83-3]**

[예1] **구토 후 탈력감으로 내원한 환자의 ABGA가 pH 7.52, $PaCO_2$ 49.0mmHg, HCO_3 39.0mEq/L, Na 140mEq/L, K 2.4mEq/L, Cl 93mEq/L 일 경우**

1. pH 7.52로 alkalosis에 속합니다.
2. HCO_3(염기)가 39로 정상치 24보다 높으므로 일단 염기가 높아서 발생한 알칼리증으로 보아서 metabolic alkalosis로 판단합니다.
3. AG는 Na-(Cl+HCO_3)이므로 140-(93+39)=8로 약간 감소되어 있습니다.
4. AG이 12이하로 정상이므로 HCO_3 보정은 불필요한 상태입니다.
5. 호흡보상범위는 Metabolic acidosis에서는 HCO_3 1 감소시 PCO_2는 1.2 감소하는데 본 환자의 경우 HCO_3가 13 감소하였으므로 PCO_2는 15.6(=13x1.2) 정도 감소할 것이고 따라서 보상된 PCO_2 값은 24-25 정도로 예상할 수 있습니다. 하지만 상기환자는 35이므로 Respiratory acidosis도 혼재되어 있는 상태입니다. 반대로 만일 PCO_2가 20 정도로 내려가 있다면 Respiratory alkalosis가 혼재되어 있다고 볼 수 있습니다.
6. 심한 구토이후 발생한 Metabolic Alkalosis이므로 N/S로 체내 volume을 보충하고 Hypokalemia도 있으므로 KCl 투여 등으로 적절히 보충하도록 합니다.

[결론] 호흡보상된 Metabolic Alkalosis

[예2] **의식불명으로 내원한 당뇨환자의 ABGA가 pH 6.69, $PaCO_2$ 19.8mmHg, HCO_3 6.0mEq/L, Na 122mEq/L, K 5.5mEq/L, Cl 83mEq/L, Urine Ketone (+) 일 경우**

1. pH 6.69로 acidosis에 속합니다.

2. HCO_3(염기)가 6.0으로 정상치 24보다 현저히 낮으므로 일단 염기가 낮아서 발생한 산증으로 보아서 metabolic acidosis로 판단합니다.
3. AG는 Na-(Cl+HCO_3)이므로 122-(83+6)=33으로 High AG Metabolic acidosis
4. 보정 HCO_3는 HCO_3+(AG-12)이므로 6+(33-12)=27로 기준치 24보다 높으므로 metabolic alkalosis도 합병되어 있습니다.
5. 호흡보상범위는 metabolic acidosis에서 HCO_3 1 감소시 PCO_2는 1.2 감소하는데 본 환자의 경우 HCO_3가 18 감소하였으므로 PCO_2는 21.6(=18x1.2) 정도 감소할 것이고 따라서 보상된 PCO_2 값은 18-19 정도로 예상할 수 있습니다. 현재 19.8이므로 정상범주로 판단하며 호흡 보상은 타당하다고 할 수 있습니다.
6. 의식을 잃은 당뇨환자의 심한 acidosis(High AG)는 DKA(당뇨병성케톤산증)의 가능성이 있으므로 응급에 준하여 치료하여야 하며 Volume depletion이 심하므로 N/S 등을 대량으로 급속공급하되 고혈당일 것이므로 Insulin도 적극 활용합니다. DKA라면 검사상 정상이라도 Hypokalemia가 동반될 수 있으므로 적절한 potassium 보충도 고려해야 합니다.

[결론] 호흡보상된 Metabolic acidosis (High AG)

[예3] 말싸움 이후 Dizziness 및 호흡곤란을 호소하는 환자의 ABGA가 pH 7.52, $PaCO_2$ 28.0mmHg, HCO_3 23.0mEq/L 일 경우

1. pH 7.52로 alkalosis에 속합니다.
2. HCO_3(염기)가 23.0으로 정상치 24와 비슷하나 $PaCO_2$(산)가 정상치인 40보다 낮으므로 일단 호흡으로 유래된 Respiratory Alkalosis로 판단합니다. 정신적 원인으로 과호흡을 하여 발생한 Acute alveolar hyperventilation으로 생긴 것으로 추정해 볼 수 있습니다.
3. 호흡성 장애이므로 AG의 계산은 필요 없습니다. 호흡보상은 PCO_2 12감소에 HCO_3가 1 감소하였으므로 급성보상(Acute compensation)이 적절히 되었다고 볼 수 있습니다.
4. 치료는 안정을 유도하는 방식으로 진행됩니다. 과거에는 종이백으로 얼굴을 감싸고 숨을 쉬는 방법도 사용되었지만 실제 임상에서는 안정제(ex. Ativan) 등을 투여합니다.

[결론] Respiratory Alkalosis (Acute alveolar hyperventilation)

[예4] 수술 후 실시한 환자의 ABGA가 pH 7.22, $PaCO_2$ 59mmHg, HCO_3 26.0mEq/L

1. pH 7.22으로 acidosis에 속합니다.
2. HCO_3(염기)는 25로 정상치 24와 비슷한 범주로 볼 수 있으나 $PaCO_2$(산)가 59로 정상인 40보다 높습니다. 일단 호흡으로 인해 발생한 산증(respiratory acidosis)으로 판단

합니다.

3. PCO_2가 19 증가할 때 HCO_3는 2 증가했으므로 Acute compensation된 것으로 볼 수 있습니다.
4. 수술시 전신마취 후에 Respiratory Drive가 감소하여 환기(ventilation)가 부족한 것으로 보면 되며 환자에게는 호흡을 크게 쉬도록 격려합니다. $PaCO_2$가 60 이상 저환기된 상태가 지속되면 응급적인 대처가 필요합니다.

[결론] Respiratory Acidosis (Acute Ventilatory Failure)

[예5] **양하지 부종 및 전신권태감을 주소로 내원한 CRF 환자의 ABGA가 pH 7.10, $PaCO_2$ 35mmHg, HCO_3 11.0mEq/L, Na 140mEq/L, K 5.7mEq/L, Cl 115mEq/L 일 경우**

1. pH 7.10으로 acidosis에 속합니다.
2. HCO_3(염기)가 11로 정상치 24보다 낮으므로 일단 염기가 낮아져서 발생한 산증으로 보아서 metabolic acidosis로 판단합니다.
3. AG는 Na-(Cl+HCO_3)이므로 140-(115+11)=14으로 정상치 12보다 약간 증가되어 있습니다.(High AG Metabolic acidosis)
4. 보정한 HCO_3 값은 HCO_3+(AG-12)이므로 11+(14-12)=13으로 기준치 24보다 낮으므로 normal AG acidosis도 함께 존재합니다. 만일 보정 HCO_3가 정상이라면 High AG Metabolic acidosis만 존재하는 것입니다.
5. 호흡보상범위는 Metabolic acidosis에서는 HCO_3 1 감소시 PCO_2는 1.2 감소하는데 본 환자의 경우 HCO_3가 13 감소하였으므로 PCO_2는 15.6(=13x1.2) 정도 감소할 것이고 따라서 보상된 PCO_2 값은 24-25 정도로 예상할 수 있습니다. 하지만 상기환자는 35이므로 Respiratory acidosis도 혼재되어 있는 상태입니다. 반대로 만일 PCO_2가 20 정도로 내려가 있다면 Respiratory alkalosis가 혼재되어 있다고 볼 수 있습니다.

[결론] Metabolic acidosis (High AG / Normal AG) + Respiratory acidosis

18-4 Metabolic Acidosis 대사성 산증

(1) 원인

1. AG 증가시 : 1) DKA, Lactic acidosis, Uremia 2) Salicylates(아스피린 중독)이나 Methanol 등 독성물질의 복용

2. AG 정상시 : 1) 위장관(설사 등)이나 신장(RTA, renal tubular acidosis 등)을 통한 Bicarbonate 의 손실로 발생 2) 혈액투석(HD, Hemodyalysis) 환자

(2) 치료

1. 기저질환의 치료가 우선입니다.
2. 산증이 심하면(pH 〈7.00-7.20) Bicarbonate (Bivon®)를 투여합니다. 이 경우 Hypernatremia 나 Fluid overload가 올 수 있으므로 주의합니다. ※ Bicarbonate 투여량 = (부족량) x (Bicarbonate space) = (HCO_3 목표치- HCO_3 측정치) x (체중 x 1/2)

18-5 Metabolic Alkalosis 대사성 알칼리증

(1) 원인

1. 구토로 위장내 염산(acid) 등이 소실되거나 또는 이뇨제의 사용으로 수분이 빠져나가면서 상대적으로 bicarbonate(염기) 농도가 올라간 경우가 많은 원인을 차지합니다. 소변(urine)의 Chloride level을 측정하여 Chlroride 반응형과 무반응형으로 구분합니다.
   - Chloride 반응형 (〈10 mEq/L) : 구토, 이뇨제 사용, Renal loss
   - Chloride 무반응형 (〉20 mEq/L) : Hypokalemia, bicarbonate 또는 제산제(antacid)의 과다복용, Exogenous mineralocorticoid (ex. 甘草의 Glycyrrhizin 과다복용시)

(2) 치료

1. 기저질환 치료가 우선입니다.
2. 체액(Volume) 부족시 등장성 수액인 N/S(Normal saline)로 교정하며 저칼륨혈증이나 저마그네슘혈증도 확인하여 교정하도록 합니다.
3. Chlroride 무반응형의 경우는 N/S의 투여가 도움이 되지 않으며 오히려 악영향을 줄 수도 있으니 주의해야 합니다.

18-6 Respiratory Acidosis 호흡성 산증

(1) 원인

1. 호흡성 산증(= Ventilatory failure)에서 $PaCO_2$가 상승한 것은 주로 Hypoventilation 때문입니다.

2. 구체적인 원인으로는 호흡중추의 저하(약물, 수면무호흡증, CNS 질환 등), 기도협착(이물질 Foreign Body, 인두경련, 심한 기관경련 등), 신경근육계 이상(Polio, Muscular dystrophy, myasthenia 등), 폐실질(parenchymal) 이상(COPD, 기흉, 폐렴, 폐부종 등) 등이 있습니다.

(2) 치료

1. 기저질환을 치료하며 원인약물이 있으면 중단하고 길항제를 투여합니다. (ex. naloxone)
2. 필요시 환기보조기를 적용(Mechanical ventilation 등)하며 응급의 경우 일단 Ambu bagging이 시작되기도 합니다. Bicarbonate(Bivon)의 투여는 일반적으로는 하지 않으나 기계환기 중에도 pH가 매우 낮으면 투여를 고려합니다.

18-7 Respiratory Alkalosis 호흡성 알칼리증

(1) 원인

1. 호흡성 알칼리증(= alveolar hyperventilation)은 불안, 흥분, Head trauma, CVA, tumor, 감염 등 정신적 또는 CNS와 관련된 원인이 많습니다.
2. 폐색전(Pulmonary Embolism), 기흉(PTX), 기도손상 등의 호흡기 이상이나 심장질환, 간손상(Hepatic insufficiency/failure) 등에서 나타날 수 있고 또는 임신, 갑상선기능항진증, 기계환기 과용시에도 나타날 수 있습니다.

(2) 치료

1. 기저질환 치료가 우선이 됩니다. 정신적 원인일 경우 과거에는 종이백으로 얼굴을 감싸고 숨을 쉬는 방법도 사용되었지만 실제 임상에서는 Ativan과 같은 안정제를 투여하는 경우도 많습니다.

Tip 임상 TIP

- 동맥혈이 아닌 정맥혈 채혈되었을 경우, 보통 산소(PaO_2)는 30–50 정도로 낮게, 이산화이탄소($PaCO_2$)는 40–50 정도로 높게 나옵니다. 임상증상과 다른 결과가 나오면 정맥혈 채혈이나 용혈 등을 의심하고 재검합니다.

	동맥혈	정맥혈
pH	7.35–7.45	7.30–7.40
PCO_2 (mmHg)	35–45	40–50
PO_2 (mmHg)	80–100	30–50

- ABGA는 일산화탄소 중독이나 methemoglobin 결합시 산소가 부족한 상태임에도 정상으로 결과가 나올 수 있는 단점이 있습니다. 이런 경우는 co-oximeter 검사방법을 이용해야 합니다.
- 빈발하는 질환들을 간략히 정리하면 대사성 산증은 설사나 DKA, 아스피린중독 등으로 유발되고 대사성 알칼리증은 구토나 이뇨제 과용 등으로 잘 유발됩니다. 반면 호흡성 산증은 수술 후나 호흡이 잘 되지 않았을 때(Hypoventilation) 잘 유발되고 호흡성 알칼리증은 싸우거나 흥분할 때, Pulmonary embolism 등에서 과호흡을 하였을 때 다발합니다.

REFERENCES

1. Kathleen DP et al. Mosby's Manual of Diagnostic and Laboratory Tests. Mosby. 2002.
2. 대한진단검사의학회. 진단검사의학. 이퍼블릭. 2009.
3. Denise D. Wilson. McGraw-Hill Manual of Laboratory and Diagnostic Tests. McGraw-Hill Companies. 2008
4. Thomas M. De Fer et al. The Washington Manual Internship Survival Guide. 3nd Ed. 2008. p.95-100
5. Lawrence Martin. 연필로 풀어보는 ABGA 판독법. 군자출판사. 2007
6. 한상엽 역. 수분과 전해질 및 산 염기 대사. 대한의학서적. 2007

19 전해질 검사

19-1 Sodium (Na^+)

- 참고치 : 135-145mmol/L
- Possible Critical Values : <120 또는 >160 mmol/L

(1) 개요

1. 인체의 세포외액의 주가 되는 양이온입니다. Sodium의 농도는 혈장삼투압, 혈장 및 세포간 액량, 산염기평형, 세포의 전기적 활동유지 등에 주요한 영향을 줍니다.
2. 보통 저나트륨혈증은 즉각적인 치료를 요하지 않으나 Na농도가 120-125mEq/L이하이고 CNS 증상을 보이는 저나트륨혈증시에는 치료지연시 영구적인 신경학적 손상, 심하면 사망까지 초래할 수 있으므로 즉각적인 치료를 요합니다. 증상이 없이 만성적이라 할지라도 110mEq/L 이하이면 적극적인 교정이 필요합니다. (ex. 5% NaCl 1mEq/kg/hr 정주) **[참조 항목 : 71-1 , 71-2]**

(2) 증가 : Hypernatremia

- 수분결핍(m/c), Na 과량섭취(Salt poisoning 등), 화상, Skin loss
- 발한, 설사 등으로 인한 water & Na loss
- 갈증기전의 장애, 요붕증, 원발성 알도스테론증 등

(3) 감소 : Hyponatremia

- Water Overload, 고지혈증, 고단백혈증, 고혈당, 심부전, 간병변

19-2 Potassium (K^+)

- 참고치 : 3.5-5.0mmol/L
- Possible Critical Values : <2.5 또는 >6.0 mmol/L

(1) 기능

1. Potassium(칼륨)은 세포내에 다량 존재하는 전해질로서 생명현상을 유지하는데 매우 중요

한 역할을 하며 신경, 근조직의 흥분성과 밀접하게 관련됩니다.

2. 증가 또는 감소시 심전도 이상이나 마비가 수반되고 초반 대처에 실패할 경우 사망에 이를 수 있으므로 전해질 검사 중 가장 세심한 주의가 필요하며 EKG검사가 병행되어야 합니다. 보통 2.5-2.0mmol/L이하에서 심전도 이상이나 마비를 수반하므로 급속한 보충이 필요하고 고칼륨혈증일 때는 6.5mmol/L 이상이면 긴급한 상황으로 응급처치가 필요합니다.
[참고 : 66-3 , 66-4]

(2) 증가 : Hyperkalemia

1. 섭취 과잉 : K^+ 공급과다, 고칼륨위주의 식사
2. 배설 감소 : 신부전, 체액결핍, 약물성(NSAIDs, ACE inhibitir, ARB, Heparin, spironolactone, TMP-SMX 등), 저알도스테론증
3. 세포내에서 세포밖으로의 유출 (Transcellular shifts) : 산증(Acidosis), 인슐린 부족, 약물(Beta blocker), 조직의 파괴(용혈, 종양의 괴사, 외상, 화상 등)

(3) 감소 : Hypokalemia

1. 구토, 설사 등으로 소화관에서의 상실(m/c), 영양실조
2. 신장에서의 배설증가 : Hyperaldosteronism (세뇨관성 acidosis, renin생산종양, 신혈관성 고혈압, 악성고혈압), 이뇨제 (furosemide 등)
3. ACTH, cortisol의 장기투여, 알칼리증(Alkalosis), 인슐린 과잉

Tip 당뇨와 저칼륨혈증(Hypokalemia)

1. 중증 당뇨(DM) 환자에게 insulin과 sodium bicarboate(상품명 Bivon) 등을 투여하면 저칼륨혈증이 나타날 수 있습니다. 또한 생리식염수(N/S)나 glucose(특히 insulin과 glucose의 병용) 수액을 투여해도 저칼륨혈증이 발생할 수 있습니다.
2. 이는 insulin이나 glucose는 serum K를 세포내로 이동시키고 NaCl과 sodium bicarbonate는 K의 요중 배설을 촉진시키기 때문입니다.

19-3 Chloride (Cl^-)

- 참고치 : 95-100 mmol/L
- Possible Critical Values : 〈80 또는 〉115 mmol/L

(1) 기능

1. HCO_3^-(Bicarbonate)과 함께 주요 음이온으로서 주로 세포외액에 있고 12%정도만 세포내액에 존재합니다. 보통 단독으로 평가하기 보다는 Na와 Bicarbonate 등과 종합하여 산-염기 평형상태와 수분결핍 상태 등을 평가하는 주요한 지표가 됩니다.

(2) 증가

1. Chloride 과잉 투여 : N/S 과다주입, $CaCl_2$
2. 수분 결핍성 탈수 : 체액농축 (Hypernatremia 동반)
3. 신기능장애, 쿠싱증후군, 부갑상선과다 등
4. Respiratory Alkalosis (CO_2과잉 배출로 혈청 HCO_3가 감소하면 같은 음이온인 Cl의 농도가 보상성으로 증가하게 됨), Metabolic Acidosis 등

(3) 감소

1. 설사, 구토 등의 체액손실, 화상, 신장에서 상실(Addison 병, Loop이뇨제, SIADH)
2. Cl 섭취 부족, 수분과잉(저 Na혈증 동반)
3. Respiratory Acidosis, Metabolic Alkalosis

19-4 Total CO_2

- 참고치 : 22-32 mmol/L
- Possible Critical Values : 〈15 또는 〉40 mmol/L

(1) 개요

1. 보통 단독으로 검사되기 보다는 Na, K, Cl 등과 함께 전해질검사의 하나로 시행되어 ABGA를 시행하지 않고도 산-염기 평형의 이상을 간략히 스크리닝할 수 있습니다. 또한 산-염기 평형의 이상 발생시 대사성과 호흡성을 판단하는 보조적 자료가 되고 체내 volume status를 평가할 때에 참고될 수 있습니다.
2. Total CO_2는 Bicarbonate(중탄산염, HCO_3^-)와 혈장내 CO_2의 합으로 구성되며 혈장내 CO_2의 양은 매우 적으므로 Bicarbonate와 비슷하거나 약간 더 높은 결과치를 보여줍니다.

(2) 증가

1. Respiratory acidosis (또는 Metabolic alkalosis)
2. 심한 구토, Hypokalemia, 폐렴, 폐부종, 폐기종, CHF, 쿠싱증후군, 제산제의 과다복용 등

(3) 감소

1. Respiratory alkalosis (또는 Metabolic acidosis)
2. 설사, 탈수, DM, 신장염, 신부전, 신세뇨관산증 등

REFERENCES

1. Kathleen DP et al. Mosby's Manual of Diagnostic and Laboratory Tests. Mosby. 2002.
2. 대한진단검사의학회. 진단검사의학. 이퍼블릭. 2009.
3. Denise D. Wilson. McGraw-Hill Manual of Laboratory and Diagnostic Tests. McGraw-Hill Companies. 2008
4. Thomas M. De Fer et al. The Washington Manual Internship Survival Guide. 3nd Ed. 2008. p.86-95

20 간기능 검사

※ LFT(간기능검사, Liver function test)의 분류

분류	표지인자	기능
Enzyme	AST, ALT	간세포 보존성(hepatocyte integrity) 반영
Cholestasis	ALP, γ-GT, Bilirubin	담즙정체 반영
Hepatic function	Albumin, PT	간내 합성능(synthetic function) 반영

* PT는 혈액응고검사 파트 참조 **[참조항목 : 17-1]**

20-1 Total protein

- 참고치 : 6.5-8.0 g/dL

(1) 개요

1. 총단백(total protein)은 혈청 내에 존재하는 각종 단백질의 합을 말하는데 삼투압유지 및 운반역할을 하는 알부민과 항체, 응고인자, 당단백, 지질단백 등의 역할을 하는 글로불린으로 구성됩니다. 알부민과 글로불린의 비율은 건강인에서 알부민이 약67%, 글로불린이 약 33%정도입니다.

(2) 증가

1. 탈수증 등에 의한 혈액의 농축, 운동, 스트레스
2. 글로불린 이상에 의한 질환 : 자가면역질환, 간경변, 만성간염, 악성 종양, Sarcoidosis, 다발성 골수종, 점액수종 등

(3) 감소

1. 영양실조, 흡수장애, 간장애(간경화, 급성간염 등) 신증후군, 염증성질환
2. 전신부종, 흉수, 복수, 악성종양, 울혈성 심부전증, 과다한 일광욕, 임신 등
3. 장기간 누워있는 환자에게 0.3g/dL 정도 감소할 수 있음.

20-2 Albumin

- 참고치 : 3.5-5.5 g/dL

(1) 개요

1. 알부민은 혈청 총 단백의 67%를 차지하는데 삼투압의 유지하고 각종 물질의 운반(bilirubin, uric acid, 유리 지방산) 등을 담당합니다. 주로 간에서 생산되므로 간기능을 판단하는데 사용될 수 있으나 반감기가 14-20일 정도로 길어 보통 반감기가 짧은 PT(prothrombin time)가 더 선호됩니다.
2. 보통 3.0g/dL 이상은 정상범주에서의 저하값으로 볼 수 있으나 2.4g/dL 이하까지 떨어지는 것은 중증결핍상태를 의미합니다.

(2) 증가

1. 보통 증가는 드문 편이며 탈수, 요붕증이나 알부민 정주시 보일 수 있습니다.

(3) 감소

1. 중증 간질환, 신증후군, 조직의 손상(3도화상) 또는 염증성 질환
2. 영양실조, 흡수장애, 아급성 또는 만성 소모성 질환

Tip A/G비율 (Albumin/Globulin ratio)

- 알부민과 글로부린의 비율을 나타내며 만성 간질환 등의 예후를 판단하는데 사용될 수 있습니다. 이 비율이 감소한 경우에는 단백분획검사를 하는 것도 도움이 됩니다.
- Globulin = Total protein - Albumin으로 구한 후 A/G ratio를 계산합니다. (참고치는 1.5:1 ~ 2.5:1)
- 1) 정상 : 두가지의 동시 증가는 탈수(Dehydration), 동시 감소는 수혈증
  2) 증가 : 알부민이 증가한 것이면 영양과다, 글로불린이 감소한 것이면 항체결핍
  3) 감소 : 알부민은 간 이외에는 합성되지 않으므로 간장애로 인한 알부민 감소시 A/G ratio는 감소하고 신증후군, 영양실조, 다발성골수종, 간실질 장애 등에도 감소

20-3 AST (=GOT)

- 참고치 : 0-40 U/L

(1) 개요

AST(aspartate aminotransferase)는 과거 GOT(glutamic oxaloacetic transaminase)로 불리웠던 효소로서 심근, 간세포, 골격근에 풍부하게 분포하고 신장, 췌장에도 분포합니다.

(2) 증가/감소

1. 증가 : 간질환(m/c), 심근경색증(MI), 골격근 질환, 용혈성빈혈, 급성췌장염, 알코올중독 등
2. 감소 : 신장질환, 신장투석, 임신, DKA 등

20-4 ALT(=GPT)

- 참고치 : 0-40 U/L

(1) 개요

1. ALT(alanine amino-travsferase)는 과거 GPT(gutamate pyruvate transaminase)로도 불렸으며 주로 간에 존재하는 효소로 신장, 심장, 골격근에도 소량 존재합니다. 특히 간세포의 변성이나 괴사에 민감하게 반응하므로 AST와 더불어 간담계의 질환을 진단하는 데 유용합니다.

(2) 증가/감소

1. 증가 : 급만성 간질환(m/c), 급성 담도폐쇄, 담낭염, 담관염, 간독성약물, 화상, 심근염, 급성심근경색, 횡문근외상, 쇼크 등
2. 감소 : 임상적 의의 없음

Tip AST/ALT비

1. AST와 ALT의 비율은 원인질환을 판단하는 데 참고가 될 수 있습니다.
2. 정상은 AST/ALT가 1 또는 1보다 약간 높은 편이지만 급성간염의 경우에는 ALT가 AST보다 높고 알코올성간질환의 경우에는 AST가 ALT의 3-4배 이상으로 높습니다.

20-5 Bilirubin

- 참고치 : Total Bilirubin (0.1-1.2mg/dL)
  Direct Bilirubin (0-0.5mg/dL)

(1) 기능

1. 빌리루빈은 혈색소(hemoglobin)가 수명이 다해 파괴되어 체외로 배출되는 형태로 노란색을 띠며 소변이나 대변의 노란빛의 원인물질이 됩니다.
2. 간질환 등의 각종 원인으로 빌리루빈의 배출이 원활하지 않으면 황달이 유발되는데 보통 2-2.5mg/dL이면 공막이나 피부가 노랗게 됩니다.
3. 헤모글로빈이 파괴되면 헴(Heme)과 글로빈(globin)으로 나눠집니다. 이중 헴은 간접빌리루빈(indirect bilirubin)이 되어 간으로 흡수되고 간에서 글루쿠론과 결합(포합=conjugation)하면 직접빌리루빈(direct bilirubin)이 되어 장으로 배출됩니다. 직접빌리루빈은 물에 잘 녹으므로 사구체막도 통과할 수 있어 소변으로의 배출도 가능합니다.
4. 황달의 원인을 파악하려면 단순히 총빌리루빈뿐 아니라 직접빌리루빈도 검사해야 합니다. 간략히 정리하면 간접빌리루빈이 증가된 것은 주로 용혈성 빈혈이나 출혈 등으로 헤모글로빈 파괴가 많아진 것이고 직접빌리루빈이 증가된 것은 주로 간염, 간경화 등으로 간자체에 문제가 있거나 폐색 등의 원인으로 배출이 원활하지 않기 때문입니다.

(2) 증가

1) Indirect Bilirubin 증가시
   - 생산증가 : 용혈성 빈혈, 대량출혈
   - 간흡수 손상 : 약물, Gilbert's syndrome*
   - 포합의 손상 : Gilbert's syndrome, Crigler-Najjar's Syndrome, 신생아황달**
2) Direct Bilirubin 증가시
   - 간세포질환 : 간염, 간경화, 혈색소침착증,
   - 담즙정체 : 담도 통과 장애(암, 담석, 담낭염, 췌장염, 낭종), 약물, 임신 등

(3) 감소

임상적 의의는 없으며 재생불량성 빈혈이나 철결핍성 빈혈시 다소 감소될 수 있습니다.

* Gilbert's syndrome : 상염색체 우성질환으로 빌리루빈 대사과정에 약간의 장애가 있는 경우이다. 다른 간기능은 문제가 없으나 특징적으로 indirect bilirubin만 증가되어 있다. 특별히 문제되지 않으며 치료도 필요없다.

** 신생아 황달 : 신생아의 경우 간의 기능이 미숙하여 황달이 잘 생기는데 결합효소가 부족하여 증가된 간접빌리루빈이 BBB를 통과해 뇌세포에 축적되면 핵황달(kernicterus)이 발생한다.

20-6 ALP

- 참고치 : 40-150 U/L

문헌마다 참고치의 범위가 30-270 사이에서 넓게 분포하며 소아의 참고치는 성인의 2-3배임에 유의

(1) 개요

1. ALP(alkaline phosphatase)는 알칼리성 pH에서 인산 에스테르의 가수분해를 촉매하는 효소로 80%가 간과 뼈에서 유래하며 이외에도 장, 신장, 소장, 태반 등에서 유래합니다.
2. 골성장이 활발한 소아기, 청소년기에는 성인대비 2-3배 이상 ALP가 상승하기도 합니다.

(2) 증가

1. 간담계 관련 : 간염, 간경변증, 간암, 담도폐쇄, 담즙울체, Gilbert's syndrome, 만성 알코올 섭취
2. 골질환 : 골성장시기(청소년기), 골절회복기, 골육종, 암의 뼈전이, Paget씨 병, 골아세포성 악성종양, 구루병(rickets)
3. 기타 : 백혈병, 용혈성빈혈, 급성췌장염, 갑상선기능항진증, 부갑상선과다증, 당뇨병, 요독증, 만성백혈병, 림프육종, 임신3기 등

(3) 감소

영양부족, 갑상선저하증, 악성빈혈, 아연결핍, 저인산효소증 등

20-7 GGT(γ-GT)

- 참고치 : 5-40 U/L

(1) 개요

1. 감마GT, 즉 GGT는 Gamma Glutamyl Transpeptidase의 약자로 흔히 γ(gamma)-GTP, γ-GT, GGT 등의 용어가 사용됩니다.
2. 세포밖의 아미노산에 glutamyl기를 결합시키는 효소로 아미노산과 펩티드를 세포막을 통해 이동시키는 역할을 합니다. 주로 간과 담도에 존재하며 신장, 췌장, 간, 소장 등에도 존재합니다.

3. 간세포성 질병보다는 담즙울체, 담도폐쇄성에서 크게 증가하며 AST, ALT가 많이 증가하지 않는 알코올성 간장애, 지방간, 만성 간질환 등의 경우에도 증가합니다.
4. 알코올에 대한 노출의 정도를 평가하는데 가장 민감한 지표로서 알코올성 간염에서는 흔히 500u/l을 넘는 수치를 보이기도 합니다. γ-GT는 알코올 섭취만으로도 증가하나 금주시 급속한 개선을 보여 약 2주만의 금주만으로도 음주를 지속할 때의 수치의 절반정도로 개선될 수 있습니다.

(2) 증가

1. 담도폐쇄, 담낭염, 담관염, 간질환, 지방간
2. 알코올성 간손상, 알코올중독, 흡연, 임신
3. 약물(phenytoin, phenobarbital, valproic acid, MTX, heparin, cimetidine 등)

(3) 감소 : 갑상선저하증 등

20-8 LFT의 해석

(1) Bilirubin 단독 상승

1. Direct Bilirubin 검사결과도 확인해 보아야 합니다.
2. 간접빌리루빈이 많을 때 : 담즙이 많이 생산되었거나 포합(conjugation)과정 등에서 이상이 있는 것입니다. 용혈(reticulocyte, haptoglobin, PB smear 등) 관련검사를 시행한 후 이상이 없으면 길버트증후군 등을 의심해 볼 수 있습니다. 길버트 증후군의 경우 남성에 많고 보통 간접빌리루빈 수치는 6mg/dL을 넘지 않습니다.
3. 직접빌리루빈이 많을 때 : 담즙의 배설에 이상이 있는 상태입니다. 보통 간/담도의 질환이지만 다른 간기능 수치에 이상이 없다면 Dubin-Johnson 또는 Rotor syndrome 등이 원인일 수 있습니다.

(2) AST/ALT의 단독 상승

1. 간세포 손상에 민감하며 300 U/L까지는 비특이적이나 1000 U/L 이상이면 급성간염, 자가면역성 간염, 약물 또는 독성간손상, 허혈성 간손상(ischemic liver injury) 등 간세포 손상을 의심해 볼 수 있습니다. 약물의 경우 Acetaminophen, NSAID, 항생제, 항경련제, statin계 약물, 결핵치료제가 흔한 원인이며 약제 특이반응에 의해 거의 모든 약리적 성분(일반약,

한약, 건강기능식품 등)이 LFT 이상을 초래할 수 있습니다.

2. AST는 간 이외의 질환에서도 상승하나 ALT는 간에 특이적으로 반영합니다. 예외적으로 알코올성 간손상의 경우는 보통 AST가 ALT보다 2배 이상 더 높습니다.
3. 간염, 음주력, 약물력을 확인하고 초음파검사(U/S)를 통해 지방간 등의 여부를 확인합니다. 초음파가 정상인 경우 여성이면서 자가면역질환력이 있으면 ANA 등 자가면역질환 관련검사를 시행하고 40세 이하이면 ceruloplasimin을 확인하여 Wilson Disease(담도내 구리 배출에 이상이 있는 유전질환) 여부를 감별합니다. 각종 검사에 특이소견 없으면 간조직검사를 고려할 수도 있습니다.

(3) ALP 상승 / AST,ALT 경미한 상승

1. ALP 상승에 비해 AST, ALT가 상대적으로 경미한 상승을 보이면 담즙정체성 질환을 의심해 볼 수 있습니다. 일반적으로 ALP는 폐쇄성황달에서의 간염일 때 더 높게 상승됩니다.
2. 초음파를 시행하여 담도의 확장이 보이면 CT나 ERCP를 시행하고 담도의 확장이 없다면 AMA*를 확인하고 ERCP 또는 간생검을 고려합니다.

(4) ALP 또는 γ-GT(GGT) 단독상승

1. 무증상이면서 ALP 상승시에는 GGT도 같이 검사하여 동반 상승하였으면 간의 문제로 추정하고 GGT는 정상이라면 뼈나 태반질환으로 추정해 볼 수 있습니다.
2. 시판되는 알부민 제제는 제조과정에서 태반을 일부 이용하므로 albumin을 자주 맞는 환자의 ALP 상승시에는 albumin 주입의 영향을 고려해야 합니다.
3. 간질환에서 ALP가 10배 이상의 고도의 증가를 보이는 경우는 담즙울체(cholestasis) 또는 공간점유성 병변(tumor, abscess) 때문이며 그 이하의 중등도 증가는 passive congestion of liver, hepatic injury(mild cholestasis) 등인 경우가 많습니다.
4. GGT의 단독상승이라면 약물(피임제, 헤파린, phenytoin, valpropic acid, MTX, Furosemide, Cimetidine 등), 알코올, 비만, 당뇨, 고지혈증, 흡연 등도 고려합니다. 보통 다른 이상소견이 없으면 지나친 검사는 불필요한 경우가 많습니다.

(5) Albumin 또는 PT

1. Albumin : 반감기가 15-20일로 길어 급성이나 경도의 이상에는 정상으로 나올 수 있습니다. 간염환자인데 알부민이 낮으면 일단 만성적인 상태임을 추정해 볼 수 있으며 영양실조

* AMA(antimicrosomal antibody) : primary biliary cirrhosis를 감별하는 주요 검사중 하나

나 만성설사, 단백뇨 등으로도 저하될 수 있습니다.

2. PT : 반감기가 짧아 급성기에 대한 간합성능을 평가하는데 매우 유용한 검사입니다. 보통 와파린과 같은 항응고제나 항생제 사용시 Vitamin K가 부족하여 PT가 연장될 수도 있는데 이 때 Vit K를 투여하면 정상화됩니다. 만일 정상화되지 않으면 급만성 간질환의 나쁜 예후를 암시합니다.

REFERENCES

1. Kathleen DP et al. Mosby's Manual of Diagnostic and Laboratory Tests. Mosby. 2002.
2. 대한진단검사의학회. 진단검사의학. 이퍼블릭. 2009.
3. Denise D. Wilson. McGraw-Hill Manual of Laboratory and Diagnostic Tests. McGraw-Hill Companies. 2008

21 신기능 검사

※ 신기능검사(RFT, Renal Function Test)는 BUN, Creatinine이 가장 다용되며 그밖에 CrCl 등도 활용되고 최근에는 급성신부전의 감별목적으로 NGAL이 사용되기 시작하였습니다. 요산(Uric acid)은 통풍(gout)에 더 관련이 많고 RFT에는 보통 포함되지 않으나 신장을 통해 주로 배설되어 신기능을 반영할 수 있으므로 이 장에 수록하였습니다.

21-1 BUN

- 참고치 : 8-20 mg/dL
- Possible Critical Values : 100 mg/dL 이상

(1) 개요

1. BUN(blood urea nitrogen)은 혈중 요소질소를 의미하며 요소(urea)는 단백질 대사의 산물로써 간에서 생산되어 신장으로 배출됩니다. 신기능이 나쁠 경우에는 신장으로부터 이들의 배설이 잘 안되어 혈액 중에 BUN 농도가 높아지므로 BUN은 신장 기능을 평가하기 위한 지표가 됩니다.
2. BUN 수치는 요소의 생성과 배설의 균형에 의해 결정되므로 단백섭취량, 단백대사기능, 신장기능의 3가지 인자의 영향을 주로 받습니다. 신기능 이상뿐 아니라 단백질 섭취가 많아지거나 또는 위장관 출혈(GI bleeding)로 혈중 단백이 위장관에서 소화, 흡수된 경우에도 BUN이 상승합니다.

(2) 증가

1. 신기능 저하 또는 탈수(m/c), 배설장애 (부종, 폐색성 요로질환)
2. 합성항진(단백섭취량 증가), 위장관 출혈, 감염증, 악성종양, 당뇨병, 갑상선기능항진증, 수술 등
3. Steroid, Tetracycline 등의 투여

(3) 감소

1. 배설과잉 : Mannitol에 의한 이뇨, 요붕증에 의한 다뇨 등
2. 합성저하 : 간부전(간경변, 전격성간염), 저단백식 섭취, 임신 등

21-2 Creatinine (Cr)

- 참고치 : 0.6-1.2mg/dL
- Possible Critical Values : 4mg/dL 이상 (신기능의 심각한 이상을 의미)

(1) 개요

1. 요소질소(BUN)와 마찬가지로 체내에서 에너지로서 사용된 단백의 노폐물에 해당합니다. 근육내에서 에너지로 사용된 후 크레아틴이나 크레아틴 인산으로 형성되어 혈중으로 유출되고 이후 신장을 통하여 배설되게 됩니다. 따라서 근육량과 크레아틴의 양은 비례하는 양상을 보입니다.
2. 신기능이 저하되었을 경우 배설에 장애를 보여 수치가 증가하게 되며 BUN과는 달리 신장 이외에는 영향을 잘 받지 않고 식사나 소변량에 영향을 받지 않으므로 신장기능 평가에 특이성이 높은 검사입니다.
3. 신질환 초기에는 BUN이 더 민감하게 반응하고 Cr는 덜 민감하여 서서히 증가하게 됩니다. 따라서 Cr이 정상보다 증가한 경우는 신기능 손상이 상당히 진행된 상태를 의미하며 참고치보다 0.4~0.8 정도 상승된 수치도 재검사 또는 신기능 이상감별의 필요가 있습니다.

(2) 증가

1. 신기능장애(m/c) : 급성신손상(AKI), 만성신부전(CRF) 등
2. 요폐색 : 전립선비대증, 신장결석, 신우신염, 요관결장문합
3. 혈액농축 : 화상, 탈수증 / 근육량증가 : 거인증, 말단비대증

(3) 감소

1. 요붕증(여과율 증가), 단백섭취 감소, 근육량 감소(Muscle dystrophy)
2. 심한영양실조, 신체 일부가 절단되었거나 유아나 노인 등 근육량이 적은 사람들의 경우

Tip BUN : Cr 비율 (BUN/Creatinine Ratio)

- BUN과 Creatinine은 신장으로 배설되는 물질로 정상적으로 혈청의 BUN:Cr 비는 10:1-20:1 사이를 유지합니다. Creatinine은 생성량이 비교적 일정하지만 BUN은 신장이외의 인자의 영향을 쉽게 받으므로 BUN : Creatinine 비율을 통해 수치이상의 원인을 추정할 수 있습니다.

1. B/C 비율 증가 (20 이상) : 단백과잉섭취, 위장관출혈, 열상, 고열, steroid 대량투여, 소모성 질환이나 요로의 불완전 폐쇄와 같은 신장 이외의 인자에 의해 BUN이 증가되면 B/C비율이 20 이상 상승합니다.

2. B/C 비율 정상 또는 감소 : 신부전, 투석시와 같이 신장기능의 이상으로 BUN과 Creatinine이 같이 증가하는 경우에는 정상비율 또는 10 이하로 하강합니다.

21-3 GFR / CrCl

- 참고치 : 90~140mL/min/1.73m²

(1) 개요

1. 사구체여과율(GFR, glomerular filtration rate)은 신장이 일정시간 동안 특정물질을 완전히 제거할 수 있는 혈장량을 의미하며 신기능 평가의 중요한 지표가 됩니다. 특히 극히 초기의 신기능 이상은 Cr 만으로 감지하기 어려우므로 GFR을 측정해야 알 수 있습니다.
2. GFR을 측정하기 위한 표지물질은 Inulin 또는 Creatinine 등이 있으나 실제 임상에서는 크레아티닌 청소율(CrCl, creatinine clearance)이 GFR 측정에 가장 많이 사용됩니다. CrCl는 24시간 동안 수집한 소변(24hr urine collection)과 혈청 Cr 값(24시간 요수집 시간의 중간의 채취가 이상적)을 이용하여 측정될 수도 있지만 실제 임상에서는 추정 GFR(estimated GFR, eGFR)이라고 하여 요수집 없이 다음의 Cockcroft-Gault 공식을 이용하여 혈청 Cr 값만으로도 CrCl을 추정하는 방법이 많이 이용됩니다. *

[Cockcroft-Gault 공식]　* 급성신손상에서는 적용불가
남성 CrCl = (140-연령) x 체중(kg) / 72 x serum Cr(mg/dL)
여성 CrCl = [남성 CrCl] x 0.85　(여성은 근육량이 적기 때문에 보정수치 0.85를 곱해줌)

(2) 해석

1. CrCl (GFR) 감소에 따른 신기능 분류 **[참조항목 56-1]**

Stage	GFR	비고	
1기	>90	정상 또는 GFR 증가	
2기	60-89	Mild한 GFR 감소	
3기	30-59	Moderate한 GFR 감소	CRF
4기	15-29	Severe한 GFR 감소	
5기	<15 또는 투석	Kidney failure	ESRD

* 해외에서는 미국에서 개발된 MDRD (modification of diet in renal disease) 공식도 많이 이용되는 추세이나 일반 계산기로 산출이 불가능하고 인종별 보정수치가 필요하여 국내 사용은 아직 제한적입니다.

2. CrCl은 여성이 남성보다 약간 낮고 연령에 따라서도 낮아져서 연령대별 10년마다 약 6.5mL씩 감소하게 됩니다.

21-4 NGAL

1. NGAL (Neutrophil gelatinase-associated lipocalin)은 중성구나 신장 세뇨관의 상피에서 발현되는 단백으로 혈장 및 소변에서 발견되며 급성신손상(acute kidney injury, AKI) 발생시 급격하게 증가합니다. (참고치 : 150 〈 ng/mL)
2. 비교적 최근에 본격 활용되기 시작한 검사로서 AKI에서 크레아티닌(Cr) 보다 빠르게 신장 손상 상태를 반영하고, 장기예후의 예측에도 도움이 되며 또한 각종 이식수술 후의 신손상의 예후지표로도 사용될 수 있는 등 유용성이 입증된 검사입니다.

21-5 Uric acid

- 참고치 : 2.0-7.0mg/dL
- Possible Critical Values : 12.0mg/dL 이상

(1) 개요

1. 요산은 Purine의 대사과정에서 생성되는 산물로서 요산의 75%는 신장, 나머지 25%는 위장관을 통해 체외로 배출됩니다. 통풍(gout)은 고요산혈증이 동반되어 단일관절의 급성관절염, 요산염 결정체 형성 등을 보이는 질환으로 쉽게 말하면 요산이 잘 배출되지 못하고 관절에 쌓여 염증이 발생한 것입니다.
2. 무증상의 고요산혈증은 대부분 치료할 필요는 없으나 신질환, 대사성질환의 위험성을 감별하고 혈중 요산을 낮추려는 식이요법 및 체중조절 등의 노력이 필요할 수 있습니다.

(2) 증가/감소

1. 증가 : 요산생산의 증가(과도한 purine의 섭취, 항암요법, 방사선치료), 요산 배출의 감소(급만성신장질환, 신장의 재흡수 증가나 분비의 감소, 납중독, 전자간증 등)
2. 감소 : 심한 간질환으로 purine 합성감소, 약물에 의한 신세뇨관 재흡수 기전의 손상

REFERENCES

1. Kathleen DP et al. Mosby's Manual of Diagnostic and Laboratory Tests. Mosby. 2002.
2. 대한진단검사의학회. 진단검사의학. 이퍼블릭. 2009.
3. Denise D. Wilson. McGraw-Hill Manual of Laboratory and Diagnostic Tests. McGraw-Hill Companies. 2008
4. Devarajan P. Neutrophil gelatinase-associated lipocalin: a promising biomarker for human acute kidney injury. Biomark Med. 2010 Apr;4(2):265-80.

22 갑상선기능 검사

- 갑상선기능을 스크리닝하는 검사의 가장 기본은 TSH, free T4가 되며 추가적으로 T3, T4 등이 검사될 수 있습니다.
- 이후 갑상선기능저하증의 하시모토 갑상선염(Hashimoto's thyroiditis), 기능항진증의 그레이브스병(Graves' disease) 등과 같은 자가면역질환의 감별목적으로 자가면역항체 검사를 시행하고 기타 추가적인 정보획득이나 각종 결절(nodule) 등의 감별을 위해 RAIU(방사성요오드섭취율, Radioactive iodine uptake), 갑상선스캔(Thyroid scan), 초음파검사, FNAC(세침흡인 세포검사, Fine needle aspiration cytoloty) 등이 시행될 수 있습니다.

22-1 일반 검사항목

1. **TSH** : 뇌하수체(Pituitary)에서 분비되는 갑상선자극호르몬(thyroid-stimulating hormone, TSH)은 갑상선을 자극하여 갑상선 호르몬인 T3와 T4를 분비하게 합니다. 갑상선의 이상을 반영하는 가장 민감한 검사로 보통 갑상선 기능이상의 징후가 없으면서 TSH가 정상이면 추가적인 검사는 권고되지 않습니다.
2. **T3, T4** : 갑상선에서 분비되며 T3는 대부분 T4(thyroxine)에서 전환되어 생산됩니다. TBG(thyroxine binding globulin, 갑상선결합단백)와 결합하므로 T3, T4의 농도 이상은 갑상선기능에 관련 없이 TBG의 양적 변화에 의한 경우가 많습니다.
3. **free T4** : TBG의 변화에 영향을 받지 않으며 갑상선 호르몬 분비상태를 가장 정확히 반영합니다.
4. **Thyroglobulin(Tg)** : 갑상선 호르몬 생성에 중요한 단백질입니다. 대부분의 갑상선 질환에서 증가하므로 진단적 가치는 떨어지나 갑상선암 환자의 수술 후 경과관찰 등에 유용한 검사입니다 (계속 낮게 유지되다가 수치가 상승한다면 갑상선암의 재발 또는 전이를 시사). 단 갑상선암 중 갑상선수질암(medullary thyroid carcinoma)일 경우는 칼시토닌(calcitonin)이 측정됩니다.
5. **TBG** : 갑상선결합단백(thyroxine binding globulin)은 자주 시행되는 검사는 아니지만 T3, T4의 농도가 임상증상 또는 다른 검사결과와 일치하지 않을 때 시행됩니다. T4의 단백결합이상이 없는 한 일반적으로 TBG가 증감과 T4의 증감은 일치합니다.

22-2 자가면역항체 검사

1. TgAb : 항갑상선글로불린 항체(Anti-Thyroglobulin(Tg) antibody)는 하시모토 갑상선염, 그레이브스병 등에서 증가합니다. 아래의 TPO-Ab 검사가 시행될 경우에는 본 TgAb 검사를 생략하기도 합니다.
2. TPO-Ab : 항갑상선과산화효소 항체(Anti-TPO(Thyroid peroxidase) antibody)는 자가면역성 갑상선 질환에 대한 가장 예민한 지표에 해당하는데 하시모토 갑상선염 환자의 95%에서 양성이고 그레이브스병 환자의 약 85%에서 양성을 보입니다. 예전에는 Microsomal antibody로 불리기도 했으나 성분이 밝혀진 현재에는 TPO-Ab로 명명합니다.
3. TRAb (또는 TSI) : 갑상선자극호르몬 수용체 항체(TSH recpetor antibody)는 측정방법에 따라 1) TBII (TSH binding inhibitor immunoglobulin) 및 2) TSAb(Thyroid stimulating antibody)* 로 구분되며 통상적으로 시간과 비용이 절약되는 TBII의 측정이 선호됩니다. 그레이브스병 환자의 95%에서 양성입니다. [5]

22-3 검사결과의 해석

1. TSH 및 free T4(fT4)의 검사결과로 대체적인 분류를 할 수 있습니다. 쉽게 말해 갑상선 기능저하증은 뇌하수체에서 TSH가 계속 분비되어 갑상선을 자극하지만 T3, T4 등의 호르몬이 잘 안 나오는 것이고, 기능항진증은 TSH의 분비가 저하되어도 갑상선에서 T3, T4 등의 호르몬이 과도하게 생산, 분비되는 상태입니다.
2. 불현성(subclinical)의 갑상선기능저하증 또는 기능항진증은 임상증상은 없으면서 TSH만 증가 또는 감소한 상태입니다.
3. RAIU는 I-131과 같은 방사성요오드를 투여하고 24시간이 지난 후의 갑상선의 방사성요오드 섭취율(uptake)을 측정하는 검사로 갑상선기능항진증에는 섭취율이 증가하고 기능저하증에서는 감소합니다 (참고치: 10-30%). 이와 더불어 감마카메라로 갑상선을 촬영하여 얻어진 영상도 함께 분석되며 예를 들어 그레이브스병의 경우 국소적(focal)이기 보다는 갑상선 전체적으로 넓게 흩어져(diffuse) 분포하고 좌우 대칭적으로 uptake(섭취)가 되어 있는 양상을 보입니다.
4. 갑상선스캔은 I-131를 이용한 RAIU와 유사한 검사이나 99mTcO4를 대신 투여하게 되고 투여 20분 후에 바로 촬영을 할 수 있습니다. 검사방법이 RAIU 보다 훨씬 간편하고 해상력

* TSI(Throid-stimulating immunoglobulin)로 표기하기도 합니다.

도 우수하여 최근에는 가장 우선적으로 사용되고 있는 추세입니다. *

5. 두경부 초음파검사의 시행빈도가 높아지면서 갑상선 결절의 발견이 증가하였고 이에 따른 세침흡인 세포검사(FNAC) 등이 시행도 증가하였습니다. 단 FNAC는 결절의 크기가 0.5cm 이상인 경우에 주로 시행됩니다.[6]

TSH 증가	fT4 증가	갑상선항진증(2차성)
	fT4 normal	Subclinical 갑상선저하증
	fT4 감소	갑상선기능저하증
TSH 감소	fT4 증가	갑상선기능항진증 ->
	fT4 normal	Subclinical 갑상선항진증
	fT4 감소	갑상선저하증(2차성)

갑상선 스캔	Diffuse uptake	(대칭) Graves' disease
		(비대칭) Multinodular goiter
	Focal uptake	Functioning adenoma
	No uptake	(Tg 상승) Thyroditis
		(Tg 저하) Thyrotoxicosis

REFERENCES

1. Kathleen DP et al. Mosby's Manual of Diagnostic and Laboratory Tests. Mosby. 2002.
2. 대한진단검사의학회. 진단검사의학. 이퍼블릭. 2009.
3. Denise D. Wilson. McGraw-Hill Manual of Laboratory and Diagnostic Tests. McGraw-Hill Companies. 2008
4. Marc S Sabatine. Pocket Medicine. 3rd Ed. Lippincott Williams & Wilkins. 2007.
5. 김원배. 갑상선 질환의 진단 in 2007 내과학의 최신지견. 군자출판사.
6. 대한갑상선학회. 갑상선결절 및 암 진료권고안 개정안. 2010.

* 갑상선스캔이라는 범주 안에 I-131 등을 사용한 RAIU의 영상촬영단계를 포함하기도 합니다.

23 지질검사

* Lipid Profile 구성항목 : TG, HDL Cholesterol, LDL Cholesterol, Apolipo A1, B 등

23-1 Total Cholesterol

▪ 참고치 : 200 mg/dL 이하 (Borderline: 200-239 mg/dL)

(1) 개요

1. 콜레스테롤은 세포막의 구성성분이자 중성지방(triglyceride, TG)과 함께 대표적인 인체내 지질로서 혈관의 강화유지, 호르몬 생산, 담즙 생산 등에 관여합니다. 동맥경화나 순환기 질환의 주요 원인이 되며 간에서 가장 많이 합성되므로 간장애의 이상도 반영하는 지표입니다.
2. 보통 지방산과 결합한 Ester Cholesterol이 70%, Free Cholesterol이 30%의 비율로 존재하며 이 둘을 합하여 총 콜레스테롤(Total Cholesterol)이라 합니다.
3. Cholesterol은 식사시간뿐 아니라 측정하는 자세에 따라서도 혈관내 수분량이 변하여 영향을 줄 수 있습니다. 정확한 측정이 필요한 심혈관질환 환자라면 앉은 자세에서 측정되는게 원칙이며 환자가 누워있어야 할 경우 동일자세에서 측정하는 것이 권장됩니다.

(2) 증가

1. 원발성 고지혈증, 동맥경화증, 비만
2. 신증후군, 폐쇄성 황달, 갑상선 기능저하증, 췌장질환(당뇨, 만성 췌장염)
3. 가족성 고콜레스테롤혈증(보통 300mg/dl 이상의 고농도)
4. 약물(부신피질 호르몬, 경구 피임약, alcohol 등)

(3) 감소

1. 영양실조, 만성빈혈, 유전(원발성 저콜레스테롤혈증)
2. 중증의 간손상(chemical, drug, hepatitis 등), 갑상선기능항진증

23-2 HDL / LDL

▪ 참고치 : HDL(40-60 mg/dL), LDL(130 mg/dL 이하)

(1) 개요

1. 혈액의 콜레스테롤이나 중성지방 등이 단백과 결합되어 있는 것을 리포단백(lipoprotein)이라고 합니다. 리포단백을 원심분리기에 돌리면 비중의 차이로 초저비중(very low density lipoprotein, VLDL), 저비중(low density lipoprotein, LDL), 고비중 리포단백(high density lipoprotein, HDL)등으로 분리됩니다.
2. 콜레스테롤 중에서 LDL은 동맥경화의 위험인자로서 수치가 낮을수록 좋은 나쁜(bad) 콜레스테롤이라고 할 수 있고, HDL은 동맥내벽에 달라붙은 LDL 콜레스테롤 등을 제거하여 동맥경화를 방지하므로 수치가 높을수록 좋은 콜레스테롤이라고 할 수 있습니다.
3. LDL은 별도의 검사 없이 총콜레스테롤과 HDL, TG의 값을 통하여 아래의 공식으로도 계산될 수 있습니다.

Tip calculated LDL 공식

총콜레스테롤(TC) = LDL + HDL + [TG/5]

1. 예를 들어 총콜레스테롤이 300mg/dL, TG 350mg/dL, HDL 50mg/dL일 때의 LDL 값은 공식에 적용하면 [300 = LDL + 50 + 70(=350/5)] 이므로 LDL=180mg/dL이 됩니다. LDL은 지질검사 중 동맥경화증, 허혈성심질환 등과 가장 관련이 높으므로 이 환자는 LDL을 낮추는 약물인 스타틴(statin) 적응증이 됩니다.
2. 단 TG 수치가 400mg/dL 이상이면 이 계산식이 적용될 수 없고 직접 LDL을 측정해야 합니다.

(2) 증가/감소

1. HDL 증가 : 가족성 HDL-콜레스테롤혈증 (장수증후군)
2. HDL 감소 : 40mg/dl이하로 감소시 심근경색(MI)이나 뇌혈전증, 고지혈증 등의 질환에 주의

23-3 TG

▪ 참고치 : 160 mg/dL 이하

1. 중성지방(triglyceride, TG)은 체내 지질의 하나로, 체내의 에너지 중 사용되지 않는 것은 피하지방으로 축적되는데 그 대부분이 중성지방이 됩니다. 중성지방은 식사로 섭취된 후, 소

장에서 흡수되고 리포단백과 결합하여 혈액으로 유입되며 혈액 중에서 에너지원의 운반이나 저장, 장기나 조직을 유지하는데 중요한 역할을 하는 물질입니다.

2. 혈액 중에 TG가 높아지면 콜레스테롤과 마찬가지로 동맥경화성 질환의 위험인자가 됩니다. 특히 한국인의 경우 심근경색(MI) 환자에게서 콜레스테롤 농도 상승보다는 TG가 상승하는 경우가 뚜렷하므로 TG 수치의 유지에 노력해야 합니다.
3. TG가 160mg/dL 이상이면 비만, 가족성 고리포단백혈증, 쿠싱병, 갑상선기능저하증, 당뇨 등을 생각할 수 있으며 식사 또는 음주로도 상승할 수 있으므로 결과 해석시 주의하도록 합니다. 일반적으로 12시간 금식이 필요한 검사입니다.
4. TG가 1000mg/dL 이상이면 급성췌장염의 고위험군이 되므로 관리에 주의해야 합니다. 급성췌장염의 원인의 1-7%가 고TG혈증이 차지합니다. **[참조항목 : 50-3]**

23-4 Phospholipid

- 참고치 : 150 - 250 mg/dL

1. 인지질(phospholipids)은 콜레스테롤과 함께 세포막의 구성성분이며 친수성 및 소수성의 양면을 가지고 있어 생체 내에서 계면활성제의 역할을 하고 다른 지질의 유화, 혈액응고, 산-염기 평윕 역에 기여합니다. 주로 간에서 대사되며 일부는 담즙으로 배설됩니다.
2. 증가 : 간에서의 합성항진, 분해능 저하, 폐쇄성황달, 동맥경화증, 갑상선 기능저하증, 임신, 피임약복용, 알코올섭취
2. 감소 : 합성능 저하, 분해항진, 전격성 간염, 간암, 갑상선 기능항진증, 다발성 경화증 등

23-5 Apolipoprotein

- 참고치 : Apo-A1 (120 - 165 mg/dL) Apo-B (70 - 95 mg/dL)

1. 아포지질단백(apolipoprotein)은 지질과 결합하여 지단백을 형성하는 단백질로서 지질을 림프계 및 순환계로 운송하는 역할을 합니다. Apolipoprotein에는 몇가지 아형이 있지만 임상적으로 심혈관질환, 대사증후군과 강한 상관관계를 보이는 A1(Apo-A1)과 B(Apo-B)가 중요한 의미를 가집니다.
2. HDL을 구성하는 성분 중 하나인 Apo-A1은 항동맥경화인자로 작용하므로 높을수록 건강한 심혈관 상태를 반영하고 LDL을 구성하는 성분 중 하나인 Apo-B는 동맥경화 촉진인자로 작용하므로 낮을수록 건강한 상태를 반영합니다.

3. 최근에는 두가지 지표의 비(ratio)인 [Apo B/Apo A1] ratio를 계산하여 사용하기도 합니다. 값이 높을수록 MI를 비롯한 심혈관질환의 위험성이 상승하며 Apo A 또는 B 단독으로 측정할 때보다 향상된 예측력을 보였습니다. [5]

REFERENCES

1. Kathleen DP et al. Mosby's Manual of Diagnostic and Laboratory Tests. Mosby. 2002.
2. 대한진단검사의학회. 진단검사의학. 이퍼블릭. 2009.
3. Denise D. Wilson. McGraw-Hill Manual of Laboratory and Diagnostic Tests. McGraw-Hill Companies. 2008
4. Marc S Sabatine. Pocket Medicine. 3rd Ed. Lippincott Williams & Wilkins. 2007.
5. McQueen MJ, Hawken S, Wang X et al. Lipids, lipoproteins, and apolipoproteins as risk markers of myocardial infarction in 52 countries (the INTERHEART study): a case-control study. Lancet. 2008; 372(9634):224-33.

24 심질환검사

분류	검사항목
허혈성 심질환	Myoglobin, Troponin(cTn), CK-MB, AST, LD
관상동맥질환	Homocysteine, CRP(hs-CRP)
심부전	BNP (NT-proBNP)

- 급성심근경색(Acute Myocardial Infarction, AMI 또는 MI) 등 허혈성 심질환과 관련된 검사들은 과거 심장효소(Heart enzyme)라는 용어로 통칭되었으나 효소(enzyme) 이외의 성분도 검사의 대상이 되므로 심장표지자(cardiac marker)라는 용어가 많이 사용됩니다. 실제 임상에서의 MI진단은 특히 Troponin이 가장 중요한 역할을 하고 CK-MB도 역시 많이 활용됩니다.

24-1 Myoglobin

1. MI 발생 이후 1-2시간 내에 출현하여 약 6시간에 최고치를 보이고 24시간 후에 기저치로 돌아오므로 초기의 MI와 재경색의 진단 및 추적검사(f/u) 등에 유용합니다.
2. 심근 외에 골격근에도 존재하므로 심장질환 특이성은 떨어집니다.

24-2 Troponin (cTnI)

1. Troponin은 T, I, C의 세가지 subunit이 있으며 이 중 T와 I가 심장표지자로 사용되므로 Cardiac troponin (cTn)이라 합니다. 특히 신부전이나 근이영양증에도 상승될 수 있는 T(cTnT)보다는 그렇지 않은 I(cTnI)가 실제 많이 사용됩니다. 정상인에서 상승하는 경우는 극히 드물고 높은 심근특이성 때문에 MI 진단에 가장 유용한 검사 중 하나이며 심근의 손상정도와 cTn의 증가 정도는 밀접한 관련이 있습니다.
2. cTnI 또는 cTnT는 심근 손상후 6시간 이내에 증가되기 시작하여 약 24시간에 최고치를 나타내며 5-10일까지 증가된 상태로 있습니다.

24-3 CK-MB

1. CK(Creatine Kinase)는 골격근, 심장, 뇌 등에 존재하는 효소로 M형(muscle)과 B형(brain)의

두가지 아형이 있으며 각각의 조합에 따라 CK-MM, CK-MB, CK-BB로 구분됩니다. 이 중 CK-MB는 급성심근경색(AMI)에 특이적인 표지자로서 일반적으로 발병 후 약 6시간에 정상보다 증가하고 12-24시간에 최고치를 보이며 이후 48-72시간에 정상범위로 돌아옵니다.

2. CK-MM은 주로 골격근에 분포하여 근육염이나 근육퇴행위축, Rhabdomyolysis(횡문근융해증) 등에서 증가하고 CK-BB는 주로 뇌에 분포하여 중추신경계 질환 등에서 증가합니다.
3. 증가 : 심근경색증, 심근염, 심실부정맥, 원발성 근육질환(과다한 운동), 고열

24-4 AST (간기능검사편 참조)

1. AST(aspartate aminotransferase)는 심근, 간세포, 골격근에 풍부하게 분포하고 신장, 췌장에도 분포하는데 간질환이나 용혈성빈혈, 급성췌장염, 알코올중독뿐 아니라 MI(심근경색)에도 증가하게 됩니다. MI 발생 12시간 내부터 증가하여 정상치의 4-10배까지 증가할 수 있습니다. **[참조항목 20-3]**
2. MI 및 여러 가지 골격근질환 등에서는 AST는 상승하나 ALT는 대부분 정상치를 보입니다. 단 광범위한 MI나 대량출혈 등에서는 간의 일부가 괴사되기 때문에 AST, ALT 모두 상승될 수 있습니다. 심장특이성이 부족하므로 실제 심질환과 관련된 사용은 많지 않습니다.

24-5 LD (LDH)

(1) 개요

1. LD(lactate dehydrogenase, 젖산탈수소효소)는 LDH로 표기하기도 하는데 매우 비특이적인 효소로서 어떤 특정 기관의 손상에도 특이적이지 않습니다. 다만 LD1부터 LD5 까지 총 5가지의 동종효소(isoenzyme)가 존재하므로 LD isoenzyme 검사를 추가적으로 하면 원인이 되는 장기를 추정할 수 있으나 전기영동법(electrophoresis)방식의 검사이므로 시간이 많이 소요되어 임상적 유용성은 떨어집니다.
2. LD 단독으로 상승한다면 적혈구나 백혈구, 신장, 폐 등의 손상을 의미하지만 CK, AST, ALT 모두 상승하면 심근이나 골격근의 손상을 의미합니다. 진행성 암, 백혈병, 림프종, 빈혈, 쇼크 등의 경우 참고치의 5-10배까지 증가되기도 합니다.
3. 급성심근경색에서의 LD는 흉통 시작후 8-12시간에 증가하기 시작하여 24-48시간내 최고치를 보이고 일주일 이상 상승상태가 지속됩니다.

(2) 증가

1. 심장관련 : 급성심근경색(AMI), 울혈성 심부전(CHF) 등
2. 근육질환(진행성 근이형증, 다발성근염, 강피증), 혈액질환(악성빈혈, 급만성 백혈병, 용혈성 빈혈), 악성종양(림프종 등), 간질환 등

24-6 관상동맥심질환 표지자

(1) Homocysteine (Hcy)

1. 관상동맥질환의 위험성(coronary risk)과 관련된 검사는 CRP, Homocysteine (호모시스테인, Hcy) 및 지질검사로 분류되는 LDL, Apolipoprotein 등이 있습니다.
2. 이중 호모시스테인(Hcy)은 혈중 아미노산의 대사산물로 상승시 죽상경화를 유발하고 관상동맥질환 및 뇌혈관 질환의 위험인자가 됩니다. 엽산(Folic acid)이나 Vit B12가 부족해도 상승할 수 있습니다.

(2) CRP (hs-CRP)

1. CRP는 본래 염증이나 조직 괴사가 있는 경우 증가하는 급성반응물질이지만 최근에는 동맥경화 및 심혈관질환 등과도 밀접한 상관관계가 있다고 보고되었습니다.
2. 하지만 이러한 CRP의 증가는 염증성 반응시의 상승에 비해 매우 낮기 때문에 hs-CRP라고 하여 CRP의 미세한 증가변화에 초점을 두고 검사되기도 합니다. 여기서의 hs는 high sensitivity의 의미로 기존 CRP보다 감도를 높여 미세하게 측정한다는 의미입니다.
3. 심혈관질환의 독립적 예후인자로서 특히 3.0 mg/L (= 0.3 mg/dL) 이상의 결과가 나오면 1.0 mg/L 이하의 정상군(또는 저위험군)에 비하여 위험도가 유의하게 증가합니다.[7]

24-7 BNP (NT-pro BNP)

1. 심근세포에 존재하는 아미노산 중 하나인 pro BNP는 혈중에서 BNP(B-type natriuretic peptide)와 NT-proBNP(N-terminal proBNP)로 분리되어 분포하는데 울혈성 심부전(congestive heart failure, CHF)시에 높은 농도로 분비되므로 심부전 환자를 감별하거나 경과를 확인할 때 사용됩니다. 특히 응급실 등에서 호흡곤란을 호소하는 환자를 대상으로 심부전과 COPD(chronic obstructive pulmonary disease, 만성폐쇄성폐질환)를 감별할 때 유용합니다.

2. BNP 검사는 하루 중 시간에 따른 변이가 비교적 크고 비만이나 신질환에도 증가할 수 있어 확진검사는 될 수 없으며 심부전 진단을 배제하기 위한 검사로 주로 활용됩니다.
3. BNP와 혼용되는 개념이기도 한 NT-proBNP는 BNP 보다 늦게 본격적으로 연구되었지만 BNP 보다는 정적이어서 CHF 예측율 등에서 BNP보다 우수한 것으로 보고된 바 있습니다.

24-8 AMI의 진단

1. AMI(acute myocardial infarction)의 확진을 위해서는 입원시 및 입원 후 6-9시간 뒤에 혈중 cardiac marker를 측정하고, 진단이 의심되면 입원 후 24-48시간에 다시 검사를 실시합니다. 물론 혈액검사 이외에 EKG나 심초음파(cadiac echo) 등도 함께 시행됩니다.
2. Acute MI의 발작시간에 따른 효소검사결과는 문헌마다 조금씩 다르지만 대체적으로 아래의 표와 같습니다. 쉽게 정리하면 Myoglobin, Troponin(cTn) 또는 CK-MB, AST, LD의 순서, 즉 M-(T/C)-A-L 순으로 상승하는데 Myoglobin은 금방 하강하고 CK-MB는 24시간이 지나면 하강하므로 추적검사(f/u)에 유용합니다. LD, cTn은 상승된 상태를 상대적으로 오래 유지하게 됩니다.

	출현	최고치	정상
Myoglobin	1-2시간	6시간	24시간
Troponin (cTnI)	6시간	24시간	5-10일
CK-MB	6시간	12-24시간	2-3일
AST	12시간	36-48시간	5일
LDH	24시간	3-4일	7-14일

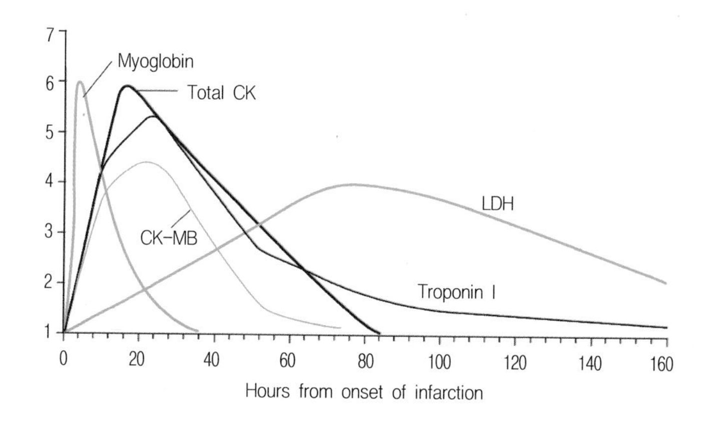

최근에는 Cardiac Triple Test, Cardiac status kit 등 급성심근경색의 진단을 위한 휴대용키트(point-of-care testing)가 출시되어 Myoglobin, Troponin I 및 CK-MB를 현장에서 즉시 검사(전혈검사)하여 15분 이내에 결과를 얻을 수 있습니다.

REFERENCES

1. Kathleen DP et al. Mosby's Manual of Diagnostic and Laboratory Tests. Mosby. 2002.
2. 대한진단검사의학회. 진단검사의학. 이퍼블릭. 2009.
3. Denise D. Wilson. McGraw-Hill Manual of Laboratory and Diagnostic Tests. McGraw-Hill Companies. 2008
4. Wang TJ et al. Impact of obesity on plasma natriuretic peptide levels. Circulation. 2004;109(5):594-600.
5. 이건우 외. 울혈성 심부전 예측에 대한 혈청 NT-proBNP와 BNP의 비교 분석. 대한응급의학회지. 2006;17(4):291-9.
6. Alan HW et al. National Academy of Clinical Biochemistry Standards of Laboratory Practice: Recommendations for the Use of Cardiac Markers in Coronary Artery Diseases. Clinical Chemistry. 1999;45:1104-1121.
7. Buckley DI, Fu R, Freeman M, Rogers K, Helfand M. C-reactive protein as a risk factor for coronary heart disease: a systematic review and meta-analyses for the U.S. Preventive Services Task Force. Ann Intern Med. 2009 Oct 6;151(7):483-95.

25 빈혈검사

※ 빈혈은 일반혈액검사(CBC) 검사의 혈색소(Hb) 및 망상적혈구(Reticulocyte), 평균적혈구용적(MCV) 검사를 통해 대략적인 진단과 원인질환이 분류되며 이후 본 장에 나오는 추가적 검사들을 통해 세부적인 원인을 감별하게 됩니다.

25-1 Iron (Fe)

(1) 개요

성인은 체내에 약 2-4g 정도의 철을 가지고 있는데 2/3는 혈색소(hemoglobin)에 존재하며 나머지는 Ferritin, Transferrin 등의 형태로 존재합니다. 철분의 농도는 아침에 가장 높고 오후에 가장 높으므로 철검사의 채혈은 아침 식전에 하는 것이 권장됩니다.

(2) 증가/감소

1. 증가 : 재생불량성빈혈(조혈기능장애로 철이용 감소), 혈색소침착증(hemochromatosis)*, 급성간염(간 실질세포 파괴로 저장철 방출), 만성간염 등
2. 감소 : 철결핍성빈혈(Iron Deficiency Anemia, IDA), 철분 섭취 불량, 흡수불량, 만성출혈성 빈혈, 임신말기, 간경변, 악성종양, 만성염증 등

25-2 TIBC

(1) 개요

1. 체내 철분은 transferrin이라는 단백과 결합해야 필요한 부위로 이동할 수 있으며 TIBC(total iron binding capacity, 총 철결합능력)는 transferrin과 철분이 결합할 수 있는 능력을 의미합니다.
2. 철결핍성빈혈(IDA)에서 체내의 철분이 부족해지면 이에 대한 보상으로 철결합능력(TIBC)은 상승합니다. 반면 만성질환으로 인한 빈혈(anemia of chronic disease, ACD), 만성감염에

* Hemochromatosis(혈색소침착증) : 체내에 지나치게 많은 철이 축적되어 간, 췌장, 심장, 뇌하수체 등의 장기의 손상을 야기합니다. 치료는 주 1-2회 각 500mL 정도씩 사혈요법(therapeutic phlebotomy)을 시행하며 체내 철분량이 감소하면 유지요법으로 2-3개월마다 사혈을 시행하게 됩니다.

서는 철농도가 감소해도 TIBC가 상승하지 않습니다.

(2) 증가/감소

1. 증가 : 철결핍성 빈혈(IDA), 임신, 급성 간염의 초기 등
2. 감소 : 감염증, 악성종양, 선천성 무 transferrin 혈증

25-3 Ferritin

(1) 개요

1. 페리틴(ferritin)은 철(iron)을 저장하고 배출하는 세포내 단백질입니다. 체내 저장철의 양을 가장 잘 반영하므로 철결핍성빈혈(IDA)시 감소합니다.
2. 급성기 반영물질이기도 하므로 염증질환, 악성종양, 간질환 등에서 상승하며 이러한 질환과 철결핍이 동반된 경우는 정상수치를 보이기도 합니다. 특히 1000mcg/L (참고치 20-200mcg/L)이상일 경우는 종양의 가능성을 반드시 확인해야 합니다.

(2) 증가/감소

1. 증가 : 혈색소침착증 또는 반복수혈 등 철분과다(iron overload) 상태, 간경화, 악성종양, 염증질환 등
2. 감소 : IDA, 갑상선기능저하증 등. 하지불안증후군(restless legs syndrome)과도 관련.

25-4 거대적아구성빈혈 관련검사

(1) Vit B12

1. 비타민 B12(cyanocobalamin)는 DNA 합성에 중요한 인자로 결핍시 신경학적 이상(팔다리의 저림 등) 및 거대적아구성빈혈(megaloblastic anemia)과 같은 빈혈이 나타납니다. 보통 100pg/mL 미만으로 감소할 때 증상이 나타나며 증가시의 임상적 의의는 없습니다.
2. 위절제술(gastrectomy)을 시행한 환자는 Vit B12나 엽산 등의 흡수가 저하되므로 megaloblastic anemia가 발생하기 쉽습니다.

(2) Folate

1. 엽산(folic acid)은 정상적인 적혈구 성숙에 필요한 영양소로 Vit B12와 함께 결핍시 Megaloblastic Anemia를 유발할 수 있습니다. 엽산은 임신 중 기형아예방 효과로 임산부용 영양보조제로로 많이 사용됩니다.
2. 증가 : 채식주의자, 악성빈혈, 대량수혈
3. 감소 : 영양결핍, 흡수장애, 임신, 거대적아구성빈혈, 용혈성 빈혈, 종양, 간질환, 신질환, 약물(phenytoin, 항말라리아제 등)

25-5 용혈성빈혈 관련검사

(1) Direct Coomb's Test (Direct Antiglobulin Test)

1. 직접 항글로불린검사(direct antiglobulin test, DAT)로도 불리는 Direct Coomb's Test는 빈혈 중에서도 특히 진행이 빠른 자가면역성 용혈성 빈혈(autoimmune hemolytic anemia)을 진단하는 데 필수적인 검사입니다. 이 질환은 적혈구 표면에 항체가 있어 혈액응집이 잘 되지 않는 것으로 이런 환자의 혈액에 Antiglobulin(항글로불린)을 직접 투여하면 응집이 관찰되어 양성이 됩니다.
2. 양성 : 자가면역성 용혈성 빈혈, 부적합 수혈, 태아적아구증, 약물유도성 용혈 등

Tip Indirect Coomb's Test (Indirect Antiglobulin Test)

1. 간접 항글로불린검사(indirect antiglobulin test, IAT)로도 불리는 Indirect Coomb's Test는 혈청 중의 불규칙항체를 확인하는 검사로 수혈 전에 교차적합시험(cross-matching)시 주로 사용됩니다. 또는 임산부에게서 혈액내 항체를 알아볼 때도 사용됩니다.
2. 전혈(whole blood)을 사용하여 적혈구에 항글로불린을 직접 투여하는 DAT와 달리 IAT에서는 혈청(serum)을 사용하며 검사시 시험관내(in vitro) 과정을 포함합니다.

(2) Haptoglobin

1. 혈중의 혈색소(hemoglobin)와 결합하여 철과 단백의 저장을 유지하는 단백으로 혈관내 용혈현상을 보이는 모든 질환에서 감소하므로 각종 용혈성 빈혈 진단시 사용됩니다. 급성반응물질이므로 급만성 염증 등에서는 상승합니다.
2. 상승 : 감염, 염증질환, 스트레스시(수술 후, 심근경색 등)
3. 감소 : 용혈성 질환, 화상, 간손상 등

25-6 검사결과의 해석

(1) RPI(또는 RI), MVC를 통한 분류[5]

RPI 〈 2.5% (생산부족)	MCV ↑	대구성(Macrocytic) 빈혈	거대적아구성(Vit B12, 엽산), 약물성, 간질환
	MCV 정상	정구성(Normocytic) 빈혈	재생불량성 빈혈, ACD
	MCV ↓	소구성(Micocytic) 빈혈	IDA, ACD, 지중해빈혈
RPI 〉 2.5% (손실과다)	MCV 정상 (일부는 ↓)	LD, Bilirubin↑ Haptoglobin↓	용혈성빈혈
		출혈 징후	급성 출혈

1. 빈혈의 분류는 CBC검사중 망상적혈구 지수(reticulocyte production index, RPI 또는 RI) 및 평균적혈구용적(MCV)이 가장 우선적으로 사용됩니다. RPI는 2.5%를 기준으로 하여 분류하는데 문헌에 따라 2.0%를 기준으로 하기도 합니다.5) MCV는 80-100 fL을 참고치로 합니다.
2. RPI의 계산은 [RPI = reticulocyte 값 x (환자 Hct/정상 Hct) x 1/2]로 구해지며 헤마토크릿(Hct)대신 헤모글로빈(Hb)을 사용하여도 됩니다. 1/2을 곱하는 것은 Maturation factor의 역수를 곱하는 의미로서 만일 Hct이 35% 보다 크다면 마지막에 1/2 곱하는 것을 생략할 수 있고 15% 이하라면 1/2대신 1/2.5를 곱하기도 하지만 대개 Hct 25% 내외에서 내원하므로 흔히 1/2을 사용합니다. 예를 들어 reticulocyte 9%, Hct 25%인 환자의 RPI는 [RPI= 9 x (25/45) x 1/2 = 2.5]로 계산됩니다.
3. RPI가 증가한 빈혈은 용혈성빈혈 아니면 급성출혈로 인한 빈혈로 보통 정상 MCV를 가집니다. RPI가 증가하지 않은 빈혈은 MCV에 따라 대구성, 정구성, 소구성으로 나뉘고 각 분류마다 다양한 원인들로 초래됩니다.

(2) IDA vs ACD

	IDA	ACD
serum Iron (Fe)	↓	↓
TIBC	증가	↓
serum Ferritin	↓	증가(또는 정상)

1. 가장 흔한 빈혈이라 할 수 있는 철결핍성빈혈(IDA)과 만성질환 빈혈(ACD)은 Fe, TIBC, Ferritin 등의 지표를 이용하여 구별할 수 있습니다. 보조적으로 CBC검사의 RDW 값도 활

용할 수 있습니다(IDA에서 RDW 증가).

2. IDA의 경우 철분(Iron)의 절대량이 부족한 상태로 저장철(ferritin)도 이미 감소한 상태이며 이에 대한 보상으로 적은 양의 철분이라도 효과적으로 사용하기 위해 결합능력(TIBC)이 상승합니다. 월경이나 소화관 등에서의 만성출혈로 IDA가 오는 경우도 많으며 특히 성인 남자의 IDA는 GI bleeding을 의심해야 합니다.
3. 만성질환 빈혈(ACD)은 철분의 절대량은 부족하지 않으나 감염성질환이나 류마티스성 질환과 같은 만성염증 등의 이유로 철분이 혈장 또는 골수로 잘 운송되지 못하는 상태입니다. Ferritin은 정상인 경우가 많고 결합능력(TIBC)이 저하되어 있습니다. 기저질환이 뚜렷하지 않은 상태에서 내원한 환자라면 갑상선기능저하, 신장애, 간장애 또는 종양 등의 가능성도 고려해야 합니다.
4. IDA와 ACD와 함께 소구성 빈혈에 속하는 지중해빈혈(thalassemias)은 유전적인 빈혈로 국내에서는 거의 발견되지 않습니다. 진단시 혈색소(Hb) 전기영동검사 등이 필요하며 Iron, RDW 등은 정상소견을 보입니다.

(3) IDA / ACD의 치료

1. IDA의 경우 철분의 절대량이 부족한 상태이므로 철분제를 공급하면 됩니다. (ex. Feroba 1T bid)보통 한달 정도 투여하면 교정해야 할 혈색소(Hb)의 반은 교정이 되고 2개월 정도면 거의 정상화되지만 이후에도 2-3개월 더 투여합니다. 호흡곤란, 피로감 등의 증상은 복용 시작 수일 이내부터 호전될 수 있습니다.
2. ACD는 기저질환 치료가 우선이 됩니다. 철결핍이 동반된 경우도 많으므로 철분제를 투여하면 Hb이 상승하기도 하지만 기저질환의 치료가 없으면 정상치까지 완전히 회복되기는 어렵습니다.
3. 어느 경우든 심한 빈혈이거나 임상증상(호흡곤란, 어지러움 등)이 뚜렷하면 수혈(transfusion)을 우선 시행하기도 하며 빈혈을 교정하는 가장 빠른 방법이 됩니다.
4. 신부전증의 경우 신장에서 생성되는 조혈인자인 EPO(erythropoietin)가 부족하여 빈혈이 발생하게 되므로 EPO 투여를 고려합니다. 항암치료 등으로 빈혈이 온 암환자들에게 EPO가 투여되기도 합니다.
5. 한방치료 : 인삼양영탕(人參養榮湯)을 철분제와 병행하여 효과를 높이거나 리바비린(Ribavirin) 등으로 유발된 빈혈에도 사용하여 개선효과가 보고되었습니다.[6,7]

(4) 검사 예시

[예시 1] **45세 류마티스성 관절염 환자의 CBC 및 anemia lab 검사 결과. (참고치는 괄호표기)**

Hb	9.4g/dL (12-15)	Fe	41 mcg/dL (50-150)
MCV	78fL (80-100)	TIBC	207 mcg/dL (300-360)
Reticulocyte	1.5% (0.2.-2.0)	Ferritin	95 mcg/dL (20-200)

1. 일반혈액검사(CBC)상 헤모글로빈(Hb)이 9.4이므로 빈혈 소견에 해당하며 RPI(망상적혈구지수=1.5 x 9.4/15 x 1/2=0.47)는 2.5 이하이므로 생산부족에 해당하는 빈혈로 추정됩니다.
2. MCV는 정상보다 약간 작은 소구성(microcytic)으로 IDA 또는 ACD가 우선 의심됩니다. 참고로 ACD인 경우는 MCV가 정구성(Normocytic)인 경우도 많습니다.
3. Fe, TIBC는 감소하였고 Ferritin은 정상인 상태이므로 ACD로 판단되었으며 다른 질환의 증거가 없는 한 류마티스성 관절염이 원인으로 보입니다.
4. 검사결과가 일관되지 않은 경우(Ex. TIBC가 상승하였는데 Ferritin은 정상)라면 IDA와 ACD 등이 동시에 같이 있을 가능성을 고려합니다.

[예시 2] **39세 여환의 CBC 및 anemia lab 검사 결과. (참고치는 괄호표기)**

Hb	9.0g/dL (12-15)	Reticulocyte	7.8% (0.2.-2.0)
Hct	30% (35-45)	MCV	93fL (80-100)

1. 일반혈액검사(CBC)상 헤모글로빈(Hb)이 9.0이므로 빈혈 소견에 해당하며 RPI(망상적혈구지수=7.8 x 30/45 x 1/2=2.57)는 2.5 이상이므로 손실과다에 해당하는 빈혈로 추정됩니다.
2. 급성출혈의 증거가 없으면 용혈을 의심하여 LD, Bilirubin, Haptoglobin 등의 검사를 시행합니다. 특히 자가면역성 용혈(Direct Coomb's Test로 검사)이라면 빠르게 악화될 수 있으므로 신속한 의뢰가 필요합니다.

REFERENCES

1. Kathleen DP et al. Mosby's Manual of Diagnostic and Laboratory Tests. Mosby. 2002.
2. 대한진단검사의학회. 진단검사의학. 이퍼블릭. 2009.
3. Denise D. Wilson. McGraw-Hill Manual of Laboratory and Diagnostic Tests. McGraw-Hill Companies. 2008
4. 김우건. 철결핍빈혈과 만성질환빈혈 in 2009 내과학의 최신지견 XII. 군자출판사. 2009. p.271-6.
5. Marc S Sabatine. Pocket Medicine. 3rd Ed. Lippincott Williams & Wilkins. 2007.
6. Yanagibori A, Miyagi M, Hori Masayuki, Otaka K, Matsushima H, Ito M. Effect of ninjineiyoto on iron deficiency anemia. Rinsho to Kenkyu (Jpn J Clin Exp Med) 1995;72:2605-.8 - 양한방 병용처방 매뉴얼(군자출판사, 2008) p.288에서 재인용
7. Motoo Y, Mouri H, Ohtsubo K et al. Herbal medicine Ninjinyoeito ameliorates ribavirin-induced anemia in chronic hepatitis C: a randomized controlled trial. World J Gastroenterol. 2005 Jul 14;11(26):4013-7.

26 기타 화학검사

[개요]

골대사	Phosphorus(P), Calcium(Ca), Magnesium(Mg)
췌장	Amylase, Lipase
당대사	Glucose(FBS, PP2), HbA1C, C-peptide

* Phosphorus(P), Calcium(Ca), Magnesium(Mg)은 전해질검사로 분류하기도 합니다.

26-1 Phosphorus (P)

- 참고치 : 2.5–5.0 mg/dL
- Possible Critical Values : 1 mg/dL 이하시

(1) 개요

1. 인(Phosphorus)은 인체내에서 주로 뼈에서 인산칼슘의 형태로 존재합니다. 부갑상선호르몬(PTH)의 지배하에 있어 calcium과 평형관계를 이루며 칼슘과 인의 농도는 역상관관계가 있습니다.
2. 정상범위에서 크게 벗어나도 증상이 즉각 나타나지는 않습니다.

(2) 증가

1. 신부전, 부갑상선호르몬의 결핍(혈중 Ca 감소), 비타민 D 과잉(혈중 Ca 증가). 성장호르몬 과잉(혈중 Ca 불변), 갑상선 기능항진
2. 종양의 뼈전이, 저칼슘혈증, 골흡수항진.

(3) 감소

1. 부갑상선호르몬 항진(혈중 Ca 증가), 비타민 D결핍(혈중 Ca 감소), 고칼슘혈증, 고인슐린혈증(DKA 치료후 증가되기도)
2. 세뇨관 재흡수 장애 : 세뇨관성 acidosis, Fanconi 증후군
3. 구루병(rickets), 골연화증

26-2 Calcium (Ca)

- 참고치 : 8.5-10.5 mg/dL
- Possible Critical Values : 〈6.5mg/dL 또는 〉13.5mg/dL

(1) 개요

1. 칼슘(Calcium)은 골이나 치아의 형성, 근육수축, 신경자극의 전달, 혈액응고 등에 관여하며 흔히 혈청 Ca 농도로 부갑상선이나 칼슘대사를 평가할 수 있습니다.
2. Albumin 감소시 혈중 총 Calcium도 감소하므로 알부민도 같이 검사하여 교정된 칼슘치로 판단하여 교정하기도 합니다. 이온화 칼슘(ionized calcium) 검사는 알부민의 양에 영향을 받지 않으므로 더 신뢰도가 높다고 할 수 있습니다.

* Corrected Ca (mg/dL) = Ca(mg/dL) + 0.8 x (4- Albumin(g/dL))

(2) 증가 : 식욕부진, 오심, 구토, 기면, 혼수 등 유발

1. 부갑상선 기능항진증, 부갑상선 호르몬 분비종양
2. 뼈의 급격한 파괴(골전이, 악성종양, 백혈병, 다발성 골수종), Vitamin D 중독증
3. Ca의 장내흡수 증가(sarcoidosis, milk-alkali 증후군), 장기간 운동억제, 림프종, 말단비대증, 갑상선과다증

(3) 감소 : 신경질, 흥분, 근육경련(tetany) 등

1. 부갑상선 기능저하증
2. Ca 흡수부전 : 영양부족, 저알부민혈증, Vitamin D 결핍증, 흡수장애
3. 신부전, 신부전에 의한 고인산혈증. 구루병, 골연화증, 급성췌장염 등

26-3 Magnesium (Mg)

- 참고치 : 1.8-3.0 mg/dL (또는 1.2-2.0 mEq/L)
- Possible Critical Values : 〈0.5 또는 〉4.5 mg/dL
  또는 (〈0.5 또는 〉3 mEq/L)

(1)개요

1. 칼슘, 인과 더불어 뼈의 주요 구성성분이며, 인체 내 주요한 무기 양이온입니다. 삼투성 완하제(osmotic laxatives)나 제산제로 사용되기도 합니다.

2. Mg 혈청농도 감소시 피로, 과민성, tetany, 심전도의 변화 등이 유발되며, 혈청농도가 증가시에는 심전도계의 지연 및 심한 경우 심부건반사(DTR) 소실이나 호흡마비도 올 수 있습니다.

(2) 증가

1. 섭취과다(마그네슘 완하제, 제산제 등 과다복용)
2. 신장애(급성신손상 핍뇨기, 만성 신부전 말기 등), 혈액투석시
3. 내분비 장애(Addison씨 병, 부신기능부전, Cushing 증후군, 당뇨병성 acidosis)
4. 탈수증, 악성종양, 종양용해 증후군, 수술 후 등

(3) 감소

1. 섭취부족(영양실조, TPN, 알코올중독 등)
2. 신장애(신부전 다뇨기, 신우신염, 수신증 등)
3. 내분비 장애(원발성 aldosterone증, 갑상선 기능항진증, 당뇨병, SIADH 등)
4. 소화기계(만성설사, 장절제, 췌장염, 구토, 심한 설사)
5. 이뇨제, 임신말기, 장기수유, 심한 화상, 악성종양 등

26-4 Amylase

- 참고치 : 30-120 U/dl
- Possible Critical Values : 참고치의 3배 이상

(1) 개요

1. 아밀라아제(amylase)는 녹말 등의 전분을 당으로 가수분해하는 효소로 췌장액, 타액 등에 분포합니다. 수치가 상승하는 경우의 5%는 소변으로 배설되기 어려운 Macroamylase 때문인데 이 경우 혈청 Amylase만 증가하고, 요 Amylase는 증가하지 않습니다.
2. 급성췌장염(acute pancreatitis)에 대한 진단목적으로 사용시에는 Lipase도 병행하여 검사합니다. Lipase는 타액선에서는 분비되지 않고 췌장에서만 분비되기 때문에 감별시 도움을 주게 됩니다. 급성췌장염의 진행정도와 Amylase, Lipase 수치는 무관하며 췌장염의 진단도 Amylase 단독으로는 내릴 수 없습니다.

(2) 증가 /감소

1. 증가 : 급성췌장염 (m/c), 타액선염, 볼거리(mumps), 신부전, 갑상선기능항진증, 장폐쇄 등
2. 감소 : 임상적 의의 없음

26-5 Lipase

- 참고치 : 0-160 U/L

(1) 개요

1. 췌장에서 분비되어 Triglyceride를 Glycerol과 Fatty acid로 가수분해하는 효소입니다. 급성 췌장염 발병 후 4-8시간에 Amylase와 함께 증가하고 7일-10일까지 Lipase의 농도가 유지되다가 이후 감소합니다.
2. Amylase와 비교시 민감도는 비슷하나 특이도는 더 우수하며 3배이상 증가시 급성췌장염의 특이도는 98%로 상승합니다.

(2) 증가/감소

1. 증가 : 췌장관련(급성 췌장염, 만성췌장염, 췌장낭종, 췌장암), 담도질환, 신장질환, 위장관 궤양, 장천공, 장관폐색, 요중으로의 배설장애
2. 감소 : 당뇨, 췌장적출

26-6 Glucose (FBS, PP2)

- 참고치 : 70-110 mg/dL (FBS)
- Possible Critical Values : <40 또는 >500 mg/dL

(1) 개요

1. 당(glucose)은 생체의 에너지원으로 가장 중요한 물질입니다. 보통 식사나 당분섭취 후 상당량 증가했다가 2시간 정도 지나면 정상범위로 회복됩니다.
2. FBS(fasting blood sugar)는 공복시에 측정한 혈당이고 PP2(2hr postprandial glucose)는 식후 2시간이 지났을 때 측정한 혈당입니다. 공복의 기준은 적어도 8시간 이상 칼로리섭취가 없는 상태이고 PP2 시간의 기준은 밥 첫수저를 섭취한 이후부터 2시간 후입니다.
3. 환자들이 집에서 자가혈당측정기로 검사하는 경우와 병원에서 채혈하여 나온 Glucose 측정치가 다른 경우가 많은데 이는 자가혈당측정기는 capillary blood를 사용하는 반면 병원에서는 venous blood를 사용하기 때문입니다. 보통 capillary blood가 venous blood보다 10-30%정도 높게 나옵니다.

(2) 증가

1. 당뇨병 : 공복혈당이 126mg/dl 이상, 또는 식후 혈당치가 140mg/dl 이상일 때 혈당의 이상 상태로 보고 당뇨병 가능성에 대해 추가검사를 실시해야 합니다.
2. 당뇨 이외에도 Hyperthyroidism, 췌장질환, 임신, 비만, 두부외상, 뇌출혈, 스트레스 상황 등의 원인으로도 상승이 유발될 수 있습니다.
3. 혈당상승 유발약물 : Steroid, Thiazide, Acetaminophen, Furosemide, Epinephrine 등

(3) 감소

1. 혈당치가 70mg/dl 이하로 떨어지면 저혈당(hypoglycemia) 상태입니다.
2. 저혈당을 보이는 질환 : 간질환, 인슐린종(Insulinoma), 당원병(glycogen storage disease), 뇌하수체기능저하증(Hypopituitarism) 등에서 저하될 수 있습니다.
3. 혈당저하 유발약물 : Insulin, Salicylate, Antitubercular agent, Sulfonamide 등

26-7 HbA1C

▪ 참고치 : 4.0-6.0 %

(1) 개요

1. 당화혈색소(HbA1C, Hemoglobin A1C)는 헤모글로빈이 혈액 속이 포도당과 결합한 비율을 나타내는 검사입니다. 포도당과의 결합반응은 적혈구의 평균 수명인 120일간 지속되므로 HbA1C는 과거 2-3개월 간의 평균혈당치를 반영합니다.
2. ADA Guideline에 따른 HbA1C 수치와 평균혈당치의 관계는 아래와 같습니다. 괄호안의 수치는 기억을 돕기 위해 간략화한 수치로 대략 7%이면 평균혈당치가 150mg/dL로, 8.5%이면 200 mg/dL 정도로 추정할 수 있습니다.[4)]

HbA1C(%)	6	7	8	9	10	11	12
Mean plasma glucose (mg/dL)	126 (120)	154 (150)	183 (180)	212 (210)	240 (240)	269 (270)	298 (300)

(2) 증가/감소

1. 증가 : 당뇨(m/c), 만성신부전, 알코올중독, 고빌리루빈혈증 등
2. 감소 : 용혈성 빈혈, HbS, HbC, HbD가 출현하는 이상 Hemoglobin혈증 등

26-8 C-peptide

▪ 참고치 : 0.4-4.0 ng/ml

1. C-펩티드 검사는 췌장 베타세포의 인슐린 분비기능을 평가하는 검사로 혈액 또는 소변에서 검출됩니다. 혈중 C-peptide는 식사에 따라 농도변화가 심한 편이어서 식전, 식후로 구분하여 검사하며 보통 2-3일 연속 측정 후 평균을 구하기도 합니다. 소변에서 검사할 때에는 24시간 동안 채뇨 후 검사하는 방식이 적용됩니다.
2. 당뇨병을 인슐린의존형 당뇨(Insulin Dependent DM, IDDM)인 1형당뇨(T1DM)와 인슐린비의존형 당뇨(non-IDDM)인 2형당뇨(T2DM)으로 구분할 때, IDDM에서는 췌장에서 인슐린 분비 자체가 잘 안되므로 C-peptide는 감소(보통 0.5이하)하고, NIDDM에서는 인슐린 분비 자체는 정상이므로 C-peptide가 정상이거나 증가한 결과가 나옵니다. 하지만 2형당뇨에서도 시간이 지남에 따라 분비량 저하로 낮아진 경우도 적지 않으므로 주의해야 합니다.
3. 증가 : 당뇨병(NIDDM), 비만, 인슐린종(Insulinoma), insulin 항체 양성, 갑상선기능항진증, 신부전증 등
4. 감소 : 당뇨병(IDDM), 부신기능 저하, 뇌하수체 기능저하증

REFERENCES

1. Kathleen DP et al. Mosby's Manual of Diagnostic and Laboratory Tests. Mosby. 2002.
2. 대한진단검사의학회. 진단검사의학. 이퍼블릭. 2009.
3. Denise D. Wilson. McGraw-Hill Manual of Laboratory and Diagnostic Tests. McGraw-Hill Companies. 2008
4. Executive summary: Standards of medical care in diabetes--2010. Diabetes Care. 2010;33 Suppl 1:S4-10.

27 감염/면역혈청검사

[개요]

염증반응지표	CRP, Procalcitonin(PCT)
HAV 관련	IgM anti-HAV, IgG anti-HAV
HBV 관련	HBsAg, HBeAg, Anti-HBc(IgM, IgG), Anti-HBs, HBeAb, HBV-DNA
HCV 관련	Anti-HCV, HCV RNA, HCV RIBA, HCV genotype
기타 감염증	Anti-HIV, VDRL, ASO titer, Widal test
알러지 관련	Total IgE, Allergen Specific IgE
자가면역질환	RF, ANA, Cryoglobulin, Anti-CCP

27-1 CRP

(1) 개요

1. CRP(C-Reactive protein, C-반응단백)는 여러 가지 염증반응이나 조직손상의 빠르고 예민한 지표로 사용됩니다. 감염이후 6-10시간 이내에 증가하고 병변이 회복시에도 24-48시간 이내에 감소합니다. 단 특이성이 없어 염증의 원인이나 발생부위는 알 수 없습니다.
2. 정상인에서는 검출되지 않거나(negative) 또는 0.5mg/dL 이하로 검출됩니다. 단 노인의 경우 특별한 원인질환이 없음에도 1.0 mg/dL 이상 나오는 경우도 있습니다.
3. 심혈관질환과 검사되는 경우에는 미세한 증가변화에 초점을 둔다는 의미에서 별도로 hs-CRP라고 부르며 시행하기도 합니다. **[참조항목 24-6]**
3. 증가 : 급성의 염증질환, 감염, 조직손상, 교원병, 심장질환(MI 등), 악성종양, 화상 등

(2) CRP vs ESR

1. ESR은 저렴하고 간편하며 급만성 염증질환이나 종양, 자가면역질환 등에서도 활용가능합니다. 단, 임신, 빈혈, 결핵 등에서도 항진될 수 있습니다.
2. CRP는 급성 염증질환에 예민하며 염증이나 병변으로 조직 파괴가 있을 때 상승합니다. ESR 보다 반응이 신속하여 ESR 보다 빨리 상승하고 빨리 하강하게 됩니다.
3. 급성염증시 ESR보다는 CRP가 선호되는데 이는 CRP가 1) 급성염증에 더 예민하고 2) 임신, 빈혈 등 위양성을 가져오는 요소가 적으며 3) 임상경과를 더 잘 반영하고 4) 참고치를

고려해야 하는 ESR에 비해 CRP는 보통 정상인에서 거의 검출되지 않으므로 결과해석이 보다 용이하기 때문입니다.

27-2 Procalcitonin (PCT)

1. 프로칼시토닌(Procalcitonin)은 갑상성 호르몬의 하나인 칼시토닌의 전구체로서 세균감염이나 패혈증(sepsis)의 진단 및 경과관찰에 유용한 검사입니다. CRP와 유사하나 CRP 보다 반응이 보다 빠르고 임상경과를 잘 반영하여 최근에 사용이 증가추세에 있는 검사입니다.
2. 일반인에게는 0.01 μg/L 이하로 존재하나 세균감염증이 있으면 증가하게 됩니다. 일반적으로 0.25 μg/L를 기준으로 그 이상이면 항생제 사용이 추천되고 그 이하이면 사용하지 않는 것이 추천됩니다. (0.5 이상이면 항생제 사용이 강력추천, 0.1 이하이면 사용하지 않는 것이 강력추천)

27-3 HAV 관련검사

(1) 개요

1. 경구감염되는 A형 간염은 2-6주간의 잠복기를 거쳐 발병하며 노인, 만성간질환 환자를 제외하면 대부분 자가회복되고 만성으로 진행되지 않습니다.
2. HAV(Hepatitis A virus, A형 간염 바이러스)와 관련된 검사는 IgM anti-HAV과 IgG anti-HAV의 두가지 항목이 있으며 특히 IgM 항목이 급성 A형간염의 진단에 가장 중요합니다.

(2) 검사항목

1. **IgM anti-HAV** : A형간염에 최근 감염된 상태. 병의 초기에 발생하여 4-12개월간 지속.
2. **IgG anti-HAV** : 과거에 A형 간염에 이환된 때가 있었고 현재 면역상태임을 의미

27-4 HBV 관련검사

(1) 개요

1. 혈액, 성접촉 등 비경구적 경로로 감염되는 B형간염은 1-6개월간의 잠복기를 거쳐 발병하며 약 30%는 황달로 진행하고 1% 이하에서 전격성간염으로 진행합니다. 만성으로는 성인

의 경우는 5% 이하, 모자감염의 경우는 90% 이상에서 진행됩니다. 간염바이러스 중 유일한 DNA virus입니다.

2. HBV(Hepatitis B virus, B형 간염 바이러스) 감염 여부를 알기 위하여는 3종류의 항원, 항체(HBs, HBe, HBc) 이외에 HBV 관련 DNA-polymerase, HBV-DNA 등을 측정하여야 합니다.

(2) 검사항목

항원(Antigen)	항체(Antibody)
HBs Ag - s (surface) 항원	s 항체 - HBs Ab
HBe Ag - e (envelope) 항원	e 항체 - HBe Ab
HBs Ag - c (core) 항원	c 항체 - HBc Ab (IgM, IgG)

1. **HBsAg** : 바이러스의 가장 표면(surface)에 위치한 표면항원 또는 s항원은 현재 HBV에 감염된 상태를 의미합니다. 임상증상이 발현되기 전부터 검출이 가능합니다.
2. **HBeAg** : e 항원이 있으면 HBV가 활발히 증식되고 있고 전염성도 강한 상태입니다.
3. **HBcAg** : 가장 안쪽(core)에 위치한 항원으로 혈액에서는 검출되지 않고 간세포에서만 검출됩니다.
4. **IgM anti-HBc** : 가장 먼저 나타나는 항체로 급성감염상태를 반영합니다.
5. **IgG anti-HBc** : 최근 또는 과거에 B형간염에 감염되었음을 의미합니다. 특히 HBsAg가 양성이면 현재의 감염상태를 의미합니다.
6. **HBeAb(anti-HBe)** : e 항체가 있으면 HBV 복제가 줄었고 전염성도 감소한 상태입니다.
7. **HBsAb(anti-HBs)** : 급성감염상태가 해소되고 면역을 획득한 상태입니다. B형간염 백신을 접종하는 목적도 이 s항체를 획득하는데 있으며 보통 HBsAb 역가(titer)가 10 IU/L 이상인 경우에 양성으로 간주합니다.
8. **HBV-DNA** : B형간염 바이러스의 DNA의 양을 검사하여 바이러스 증식상태를 직접적으로 반영합니다. 증식정도를 정량적으로 측정할 수 있어 치료효과나 예후의 판정에도 유용한 검사입니다.

(3) 검사결과의 해석

1. 만성 B형간염 중 Precore mutant는 HBeAg이 음성임에도 HBV-DNA는 고농도로 지속되는 상태로 실제는 증식기와 유사한 상황임에도 비증식기처럼 보이는 것입니다. 항바이러스 치료에 더 높은 저항성을 보입니다.

2. 만성 HBV감염에서 항바이러스 치료제를 사용해도 HBsAg(s항원)이 음성으로 전환되는 경우는 매우 드물며 일반적으로는 HBeAg(e항원)의 양성에서 음성으로의 전환(seroconversion)을 치료목표로 합니다.

HBsAg (감염여부)	anti-HBs (면역획득)	anti-HBc (급/만성)	HBeAg (증식성)	anti-HBe (증식감소)	HBV-DNA (증식량)	진단
양성	-	IgM	양성	-	양성	급성 HBV감염
-	-	IgM	+/-	+/-	양성	급성 HBV감염 (Window)
-	양성	IgG	-	+/-	-	HBV 감염에서 회복
-	양성	-	-	-	-	백신접종으로 면역획득
양성	-	IgG	양성	-	양성	만성 HBV감염 (증식기)
양성	-	IgG	-	양성	-	만성 HBV감염 (비증식기)
양성	-	IgG	-	양성	양성	만성 HBV (precore mutant)

27-5 HCV 관련검사

(1) 개요

1. 주로 혈액으로 감염되며 약 20%는 원인불명으로 감염이 확인되기도 합니다. 약 1-5개월(평균 2개월)의 잠복기를 거쳐 발병한 후 이 중 70-80%는 만성간염으로 진행합니다. 전격성간염으로의 진행은 극히 드뭅니다.
2. 급성기 중에도 비교적 약한 정도의 증상을 보이고 때로는 무증상으로 진행되기도 합니다.

(2) 검사항목

1. **anti-HCV** : HCV와 관련된 스크리닝시 가장 먼저 시행되는 검사입니다. 감염 8-12주 이후부터 양성이며 과거 또는 현재의 HCV 감염상태를 반영합니다. 감염에서 회복되면 미검출되기도 하며 B형간염에서의 anti-HBs와는 달리 면역력과는 무관한 지표입니다.
2. **HCV-RNA** : 현재의 감염된 상태를 의미하며 노출 2주 이후부터 양성이므로 anti-HCV가 음성일 수 있는 잠복기 중에도 검출됩니다. HCV 소실시 검출되지 않는 특징이 있으며 정성적으로 양성, 음성을 검사하기도 하지만 주로 정량적으로 많이 검사합니다.

3. **HCV RIBA** : ELISA 방식으로 검사되는 anti-HCV와는 달리 RIBA(recombinant immunoblot assay)라는 유전자 재조합 방식으로 보다 정확한 결과를 제공하며 anti-HCV 양성결과의 확진시 사용할 수 있습니다.
4. **HCV genotype** : HCV는 4가지 아형으로 나누어지는데 유전자형에 따라 치료에 대한 반응률이 다르므로 이에 대한 정보를 얻기 위해 시행합니다.

(3) 검사결과의 해석

anti-HCV	HCV RIBA	HCV RNA	진단
-	-	양성	급성 HCV감염 (감염초기단계)
양성	양성	양성	활동성 HCV감염 (급성 또는 만성감염)
양성	양성	-	HCV 사멸가능성, 급성감염의 회복기
양성	-	-	HCV검사 위양성

1. 급성감염시 : HCV-RNA 양성, anti-HCV 양성(잠복기 이후) 또는 음성(잠복기 전)
2. 만성감염(활동성 감염) 상태 : HCV-RNA 양성, anti-HCV 양성
3. 감염에서의 회복시 : HCV-RNA 음성, anti-HCV 양성 또는 음성
4. 정확한 염증 및 섬유화의 정도를 알기 위해서는 간생검을 시행하기도 합니다.

Tip 급성간염 의심시 시행하는 검사

IgM anti-HAV, HBsAg, IgM anti-HBc, Anti-HCV 등

27-6 Anti-HIV

(1) 개요

1. AIDS(acquired immune deficiency syndrome)의 원인 바이러스인 HIV(human immunodeficiency virus)는 선택적으로 T4 림프구(Helper T-cell)만을 공격하여 모든 질병에 대한 면역기능저하로 자체 방어기능을 무력화시키게 됩니다. AIDS는 HIV 감염으로 면역기능이 심각하게 손상되어 다양한 기회질환들이 발생하는 상태를 의미하며 HIV 감염자 중 실제 AIDS로 발병되는 비율은 50-65% 정도입니다.

2. EIA*를 이용한 Anti-HIV 검사가 스크리닝 목적으로 다용되지만 유병률이 낮은 지역에서는 EIA의 positive predictive value가 매우 낮기 때문에 양성이라 하더라도 HIV 감염으로 확진할 수 없습니다. 이 경우 EIA 재검을 실시하여 음성이 나오면 앞의 결과는 무시할 수 있습니다.

(2) Anti-HIV screening test가 양성일 경우

1. 양성일 경우 → 같은 검체로 2회의 EIA 시행하여 anti-HIV test를 재검 → 1회 이상 양성으로 판정되면 검체를 다시 채취하여 2회 EIA 재검 → 1회 이상 양성으로 판정되면 시도 보건환경연구원에 의뢰하여 western blot 확진검사를 실시
2. Western blot 검사결과도 양성/음성 확정이 불가능한 indeterminate으로 나오는 경우가 있으며 4-5주 이내에 재검이 필요할 수 있습니다. (시간경과 후 양성 전환 가능성)
3. 만일 western blot에서도 양성이면 감염으로 확진하며 감염자의 헌혈력을 확인하고 수혈받은 사람들도 검사대상이 됩니다.

27-7 VDRL

(1) 개요

1. VDRL (veneral disease research laboratory)은 매독에 대한 선별검사로 이용되나 10-30%의 비율로 위양성반응이 나오기 때문에 주의해야 합니다.
2. 위양성은 pneumonia, hepatitis, malaria 등의 각종감염상태, 일부의 정상인, 나병(Leprosy) 등에서도 발생할 수 있으며 보통 6개월 이내에 음성으로 conversion됩니다. 반면 SLE 등의 자가면역질환, 약물중독, 임신, 노령(>70세)에서 나타난 위양성은 6개월 이후에도 지속될 수 있습니다.
3. 보통 매독 감염 12주 이후에 혈청에 생성되며, 2차 매독기에 그 역가가 최고량에 달하고 매독을 치료함에 따라 역가가 감소합니다. 단 치료를 해도 VDRL이 음성으로 바뀌기 까지는 오랜 시일이 걸립니다.

(2) 양성시 실시하는 추가검사

TPHA (treponema pallidum hemagglutination test) 또는 FTA-ABS(fluorescent treponemal Ab

---

* EIA(Enzyme Immuno-Assay)는 효소면역측정법으로 번역되며 ELISA(Enzyme-linked immunosorbent assay)로도 불린다. 항원-항체 반응을 이용하여 호르몬, 약물 등 특정한 분자의 농도 등을 측정할 수 있다.

Absorption) 검사를 추가하여 감염여부를 판단합니다. 양성으로 판독되면 환자 혈청내에 매독균에 대한 항체가 있다고 판단할 수 있으나 primary syphilis에서 양성율은 약 70% 정도입니다.

27-8 Widal test

1. 열성질환의 진단을 위한 응집반응검사의 하나로 장티푸스 진단에 사용됩니다. O 항체가의 증가는 Salmonella 감염증과 관련이 있고, O 항체가가 낮고 H 항체가만 높은 경우는 과거의 감염 또는 과거의 면역과 관련이 있습니다. 국내에서는 장티푸스 환자의 55% 정도에서 O 항체가의 증가가 관찰되고, 70% 정도에서 H 항체가의 증가가 관찰됩니다.
2. 보통 질병 초기부터 1주 간격으로 2,3회 검사하여 항체의 존재 또는 항체가의 증가를 확인합니다.

27-9 ASO titer

1. Anti-streptolysin O titer 검사는 Group A 연쇄상구균이 생성하는 streptolysin O에 대한 항체를 확인하는 검사로 연쇄상구균의 현재 감염상태 또는 감염과거력을 알 수 있습니다. 역가(titer)는 그 생성량을 정량적으로 측정함을 의미합니다.
2. 특히 연쇄상구균 감염의 후유증인 류마티스열(rheumatic fever), 사구체신염(Glomerulonephritis), 성홍열(scarlet fever) 등의 진단 및 경과관찰과도 관련되어 활용됩니다. 참고치는 성인은 200 IU/mL 이하, 소아는 300 IU/mL 이하입니다.

27-10 Total IgE

(1) 개요

1. IgE(immunoglobulin E)는 알레르기(Allergy) 질환에 관련되는 면역글로불린의 하나로서 혈청 총 IgE(Total IgE) 검사는 검체내의 IgE를 정량적으로 측정해 알레르기 질환의 평가에 활용합니다. 다만 IgE 수치가 수백 IU까지 상승하여도 알레르기 임상증상이 없는 경우도 있으므로 IgE 수치는 절대적 진단기준이 될 수 없음에 주의하여야 하며 기생충감염 등으로 상승하였을 가능성 등도 고려하여야 합니다.

2. IgE는 성인의 경우 100 IU/mL 이하를 참고치로 하지만 면역계의 발달과도 관련되므로 연령대별로 다르게 판단할 수 있습니다. 신생아의 경우 1.5 IU/mL 이하가 대부분이지만 1-5세는 60 IU/mL, 6-9세 90 IU/mL, 10-15세는 200 IU/mL이하를 기준으로 합니다. 알레르기 질환이 있을 경우 IgE는 수백에서 10,000 IU/mL 이상까지 상승하기도 합니다.

(2) 증가

1. 아토피성질환(아토피성 피부염, 아토피성 비염 등), 천식 등
2. 기생충감염, EBV 감염, 결핵, 간질환, 신증후군, SLE 등

(3) 감소

1. 골수종, 만성림프구성 백혈병, 면역부전증, Sarcoidosis 등

27-11 Allergen Specific IgE

(1) 개요

1. Total IgE와는 별도로 시행되는 알러젠 특이적 IgE (allergen specific IgE)검사는 Total IgE가 높은 경우 원인물질을 파악하기 위해 활용될 수 있습니다. 알레르기 임상증상이 없으면서도 특이적 IgE 검사에 양성을 나타내는 경우도 12-25% 정도 있으므로 결과해석에 주의합니다.[5]
2. MAST, 피부단자검사는 수십 가지의 추정원인물질을 한 번에 검사할 수 있으므로 편리하고, RAST 방법은 한가지 항목 씩 검사되어야 하는 불편함이 있으나 민감도와 특이도가 우수한 검사입니다.

(2) 검사법 종류

1. **RAST(radioallergo sorbent test) 검사법** : 음식, 곤충, 집먼지, 식물화분(花粉, pollens) 등 해당 알러지 추정원인물질에 대한 IgE를 정량적으로 검사합니다. 예를 들어 집먼지진드기 항목으로 검사하여 8.4 IU/mL의 특이 IgE 농도 이상이면 집먼지진드기와 유의한 상관성이 있다고 판단할 수 있습니다.[6]
2. **MAST(multiple allergen simultaneous test) 검사법** : 가장 흔히 알레르기를 유발하는 여러 종류의 알러젠(allergen)을 일괄적으로 검사하는 방법이나 민감도가 낮은 단점이 있습니다. 보통 땅콩, 우유, 닭고기 등과 같은 식이성알러젠(food allergen) 35-40종 또는 아카시아, 민

들레, 집먼지 등과 같은 흡입성알러젠(inhalant allergen) 35-40종이 하나의 세트로 하여 검사됩니다.

3. **피부단자검사(skin prick test)** : MAST와 같은 혈청(serum) 검사는 아니지만 여러 종류의 유발물질을 직접 피부에 접촉시켜 반응을 살펴보는 검사입니다. 민감도는 높으나 피부상태에 영향을 받을 수 있고 경우에 따라 환자에게 직접적인 알러지반응을 유발할 수 있어 사용빈도는 감소하는 추세입니다.

27-12 자가면역질환 관련

(1) RF

1. 류마티스인자(rhematoid factor)는 류마티스 관절염(rheumatoid arthritis, RA) 환자의 약 80%에서 양성 반응이 나오며 RA factor로도 표기됩니다. 참고치는 20 IU/mL 이하입니다.
2. 음성이라고 해서 RA를 배제할 수는 없고 SLE, 간염, 간경화증 등에서도 양성을 보일 수 있습니다. 건강인에서도 약 5-10% 정도는 양성이 나올 수 있는데 연령이 높아질수록 양성률도 높아집니다.
3. 쇼그렌 증후군(Sjögren's syndrome)에서 약 70%는 RF 양성을 보이나 청소년기발병 류마티스 관절염(Juvenile onset RA)에서는 양성이 드문 편입니다.
4. 양성 : RA, 쇼그렌 증후군, 자가면역질환, 바이러스감염, 매독, 결핵, 간염, 노인 등

(2) ANA

1. 항핵항체(antinuclear antibody, ANA)는 세포핵이나 핵구성 성분에 결합하는 대표적인 항체로 SLE를 비롯한 여러 가지 자가면역질환의 혈중에 고빈도로 검출됩니다.
2. 치료받지 않은 active SLE 환자의 95%이상에서 양성반응을 나타내는 매우 예민한 검사이나 SLE 초기단계나 일시적인 개선단계, 스테로이드 제제로 치료중인 경우에는 결과가 음성일 수 있습니다.
3. 간경변, 경피증(Scleroderma), 쇼그렌(Sjögren) 증후군, RA 등에서도 검출되나 ANA 항체가는 보통 SLE, Scleroderma 등에서 특히 높은 경향을 보입니다.
4. 70세 이상의 노인(특히 여성)에서 약하게 양성이 나타날 수 있습니다.

(3) Cryoglobulin

1. 한냉 글로불린(cryoglobulin)은 혈청을 37도 이하로 냉각하면 백탁침전 또는 겔(Gel)화를 유발하고 37도 이상 가온하면 다시 용해되는 일련의 면역글로불린입니다.

2. 양성 : 자가면역질환(SLE, RA, 쇼그렌 증후군, 베체트병), 간질환(급성초기간염), 다발성골수종 등

(4) Anti-CCP antibody (항CCP항체)

1. Anti-CCP(anti cyclic citrullinated peptide)는 anti-citrullinated protein antibody (ACPA)의 하나로서 류마티스관절염(RA)과 관련된 검사로서 시행되는 검사입니다.
2. 실제 연구결과 민감도(75%)와 특이도(90-95%)의 측면에서 RF(류마티스인자) 보다 우수하여 최근 각광을 받고 있습니다. **[참조 : 107-1 (4)]**

REFERENCES

1. Kathleen DP et al. Mosby's Manual of Diagnostic and Laboratory Tests. Mosby. 2002.
2. 대한진단검사의학회. 진단검사의학. 이퍼블릭. 2009.
3. Denise D. Wilson. McGraw-Hill Manual of Laboratory and Diagnostic Tests. McGraw-Hill Companies. 2008
4. Marc S Sabatine. Pocket Medicine. 3rd Ed. Lippincott Williams & Wilkins. 2007.
5. 정혜리. 혈청 IgE의 임상적 의의. 대한소아과학회지. 2007;50(5):416-421.
6. Pastorello EA, Incorvaia C, Ortolani C et al. Studies on the relationship between the level of specific IgE antibodies and the clinical expression of allergy. J Allergy Clin Immunol 1995;96:580-7.

28

종양표지자

28-1 개요

(1) 검사활용법

1. Tumor Marker(종양표지자)는 악성종양의 존재시 혈액, 뇨, 조직 등에서 검출가능한 물질을 말합니다. 단 악성종양이 아닌 특정질환에서도 상승할 수 있고 모든 종양환자에게서 상승하는 것도 아니므로 종양표지자만으로는 종양을 진단할 수 없습니다. 일반적으로 종양의 확진은 조직검사를 통해 내려집니다.
2. 일반적으로 단일검사의 의미보다는 연속적인 모니터링을 통한 결과 해석이 더 유용합니다. 종양의 진행상태나 치료에 대한 반응, 재발 여부 판단시에도 이용될 수 있습니다.
3. Tumor Marker 중 종양의 선별검사(screening)로 사용될 수 있는 것은 전립선암에 대한 PSA, 간암에 대한 AFP 정도 입니다.

(2) 주요 암종별 Tumor Marker의 활용

암종	관련 종양표지자
폐암	CEA, Cyfra 21-1, SCC(편평상피암), NSE(소세포암) 등
위암	CEA, CA19-9 등. 보조적으로 CA 72-4 사용
식도암	SCC(편평상피암) 등. 보조적으로 CEA, TPA 사용.
대장암	CEA, CA19-9 등
간암	AFP, PIVKA-II 등. 보조적으로 CA19-9 사용.
담낭, 담도암	CEA
췌장암	CA19-9 등
갑상선암	Thyroglobulin, Calcitonin (갑상선 수질암)등
유방암	CA15-3 CEA CA27-29 (치료반응예측을 위해 ER/PR, Her/2 등 사용)
자궁암	SCC(편평상피암), CA125, 보조적으로 CA15-3, TPA 사용
난소암	CA125 HE-4 등. 보조적으로 CA72-4, AFP 사용.
전립선암	PAP, PSA 등
고환암	AFP, β-hCG 등

* CEA, TPA, Ferritin, LD 등은 장기특이성이 높지 않은 편.

28-2 CEA

(1) 개요

1. 주요종양 : 대장암, 직장암
2. 관련종양 : 유방암, 폐암, 췌장암, 간담도암
3. 양성상태 : 흡연, 위염, 췌장염, 장염, 간염, 간경화, 폐감염, COPD 등

(2) 설명

1. CEA(carcinoembryonic antigen)는 대장암 환자에게 주로 사용되며 임상적인 재발이 나타나기 수개월전부터 CEA가 상승합니다. 치료 후 추적감시용으로도 사용되며 수술 후 1-2개월 이내에 CEA가 정상으로 되므로 CEA가 상승해 있다면 종양의 잔존을 시사할 수 있습니다.
2. ASCO (American Society of Clinical Oncology) 임상권고안에서는 대장암, 직장암에서 수술 전에 검사를 실시하고 수술후에는 II/III기 환자에서 최소 3년간 매 3개월마다 검사를 권장하였습니다.[2)]
3. 스크리닝 목적으로는 사용되지 않으며 흡연, 위염 등으로도 상승될 수 있습니다. 보통 종양이 확진된 후 시행됩니다. (정상 참고치: 비흡연자 0~ 3 μg/L, 흡연자 0~ 5 μg/L)

28-3 AFP

(1) 개요

1. 주요종양 : 간암, 고환암(NSGCT), 난소암
2. 관련종양 : 위암, 담도암, 췌장암 (1,000 ng/mL 이상인 경우는 드물다)
3. 양성상태 : 간경화, 간염, 간손상, 염증성 장질환, 임신 (보통 <500 ng/mL)

(2) 설명

1. AFP(alpha fetoprotein)는 태생기의 간에서 생성되는 물질이나 출생 후에는 혈액 중에 나타나지 않다가 원발성 간암 환자(HCC)의 80~90%에서 상승합니다.
2. 간종괴나 간암 위험인자가 있는 환자에게 스크리닝 목적으로 사용될 수 있으며 500ng/mL 이상이면 간암(HCC)으로 확진될 수 있습니다. 간암환자의 40% 정도는 1,000 ng/mL이상의 수치를 보입니다. (정상참고치: < 20 ng/mL)
3. 임신시에도 증가하나 태아의 선천성 기형이 있어도 AFP의 이상증가 또는 이상감소를 보일

수 있어 관련검사시 활용됩니다.

28-4 CA 19-9

(1) 개요

1. 주요종양 : 췌장암, 대장직장암(colorectal cancer), 담도암
2. 관련종양 : 대장암, 식도암, 간암 등
3. 양성상태 : 췌장염, 담낭염, 간경화, 염증성 장질환 등 (보통 〈1,000 units/ml)

(2) 설명

1. CA(cancer Antigen) 19-9는 췌장암(pancreatic cancer)표지자로 다용됩니다.
2. 황달과 췌장의 종괴가 있으면서 1,000 units/ml 이상의 CA19-9 상승이 보이면 췌장암일 양성예측율(PPV)* 이 97%입니다. 단 스크리닝 목적으로는 PPV가 1%이하여서 유용성이 없습니다. (정상 참고치: 0~ 37 μg/mL)
3. ASCO 임상권고안에서는 췌장암 치료를 받는 경우에 CA19-9를 매 1-3개월마다 측정하도록 권장하고 있습니다.[2)]

28-5 CA 125

(1) 개요

1. 주요종양 : 난소암
2. 관련종양 : 자궁내막암, 자궁경부암, 유방암, 폐암, 소화기계암
3. 양성상태 : 생리, 임신, 난소낭종, 자궁내막증, 골반염, 간경화, 복수, 흉수, 췌장염 등

(2) 설명

1. 악성복수(malignant ascites)가 있거나 폐경후 여성에서 골반 종괴(pelvic mass)가 있을 경우 등에서 CA125가 상승하면 난소암의 가능성을 예측해 볼 수 있습니다.
   (정상 참고치: 0~ 35 μg/mL)
2. 폐경전 여성에서는 생리 등 양성상태의 영향이 많아 유용성이 떨어집니다.

---

* 양성예측율(PPV : Positive Predictive Value)은 양성으로 나온 검사결과가 실제 양성질환일 확률을 의미합니다.

28-6 CA 15-3 (CA 27.79)

(1) 개요

1. 주요종양 : 유방암(초기에는 상승하지 않기도 함)
2. 관련종양 : 폐암, 소화기계암, 전립선암, 췌장암, 난소암, 자궁경부암 등
3. 양성상태 : 양성유방질환, 양성폐질환, 간염, 간경변증, 임신 등

(2) 설명

1. 악성유방질환일 때 특이도가 높게 상승하며 양성유방질환에서는 대부분 50kU/L이하입니다. 유방암 치료가 효과적이면 수치가 감소하나 초기에는 종양세포의 사멸로 오히려 상승하기도 합니다.
2. 최근에는 CA 27.29도 유방암에 좀 더 특이적인 종양표지자로 점차 활용되고 있습니다.

28-7 PSA

(1) 개요

1. 주요종양 : 전립선암
2. 양성상태 : 전립선염, 전립선비대증(BPH), 전립선 외상, 사정 후 등

(2) 설명

1. PSA(prostrate specific antigen)는 전립선암과 관련되어 다용되나 전립선암 환자의 20-30%는 정상범위입니다. 보통 2~4ng/mL 이상인 경우 조직검사를 고려하는 경우가 많으나 조기검진으로 인한 이득이 크지 않다는 보고도 있어 논란이 되고 있는 부분이기도 합니다.
2. 보통 20ng/ml 이상은 고도증가로 보아 암의 가능성이 높은 것으로 간주하며 수술전 PSA가 높을수록 재발의 가능성도 높습니다.
3. 1)전립선 결절이 있고 2)Bone scan 상 양성이며 3)PSA가 100ng/mL이면 조직검사를 하지 않고도 전립선 암으로 진단될 수 있습니다. (참고치 : 0~ 4 ng/mL) 최근에는 연령이 증가할수록 PSA 수치는 증가하므로 암진단에 있어서 PSA 수치 자체보다는 상승 속도와 지속기간 등을 보다 중시하기도 합니다.
4. BPH(전립선 비대증) 치료를 위하여 Finasteride(프로스카®) 등을 6개월 이상 복용한 경우에는 PSA가 저하된 것을 감안하여 보통 2배로 곱하여 판단합니다. 사정(ejaculation) 후에도

상승되므로 48시간 후에 측정되어야 합니다.

5. 전립선암의 조기검진으로 활용시 단백질과 결합하지 않는 Free PSA를 별도로 측정하여 Free PSA/Total PSA의 비(ratio)를 계산하여 활용하기도 합니다. 이 비율이 낮을 때 전립선암의 위험도가 커진다고 보며 보통 15%를 기준으로 합니다.

28-9 기타 종양표지자

1. Calcitonin : 갑상선 수질암(thyroid medullary carcinoma) 등
2. NSE (neuron-specific enolase) : 신경모세포종(neuroblastoma), 소세포암(SCLC) 등에서 증가하고 기타 식도암, 위암에서도 증가합니다. 투석상태일 때도 양성으로 나올 수 있습니다.
3. Cypra 21-1 : 폐암에서 증가합니다.
4. SCC-Ag (squamous cell carcinoma antigen) : 편평상피암에 특이성이 높으며 특히 자궁경부암 환자의 60%에서 상승소견이 보이면서 병기(staging)와 관련된 것으로 알려져 있습니다. 폐암, 식도암, 두경부암 등에서도 상승될 수 있습니다.
5. CA 72-4 : 위장관암이나 난소암에서 상승합니다.
6. Beta2-Microglobulin(B2M) : 다발성골수종, 만성림프성백혈병, 림프종 등에서 상승합니다. 건강인에서도 일정량 생산되며 신장질환이나 투석환자, 간염, 간담도계질환, 감염 및 염증질환에서도 상승될 수 있습니다.
7. PIVKA II (proteins induced by Vitamin K absence or antagonist-II) : 양성인 경우 간세포암, 암의 간전이 또는 간염, 간경변 등을 의심해 볼 수 있습니다. 간암 진단시 AFP와 병행되어 검사될 수 있습니다.
8. PAP (prostatic acid phosphatase) : 전립선암에서 증가합니다.
9. β-hCG (human chorionic gonadotropin) : 본래 임신유무에 사용되는 검사이지만 생식세포종(germ cell tumor)과 관련되어 시행될 수 있으며 특히 고환암(NSGCT)에 양성이고 드물지만 위장관계 종양과도 관련됩니다. 십이지장궤양, 간경화, 염증성 장질환, 양성유방질환, 임신에도 양성일 수 있으나 증가폭은 좁은 편입니다.
10. NMP22 (nuclear matrix protein 22) : 방광암 등 비뇨기의 이행세포암(transitional cell car-conima)에서 상승됩니다. 양성비뇨기질환, 도관삽입, 심한 운동 등에 의해서도 상승될 수 있습니다.
11. Ferritin : 빈혈관련검사이기도 한 페리틴검사는 각종 백혈병이나 림프계 종양에서 증가하고 간암, 유방암, 폐암 등에서도 증가할 수 있습니다.

12. TPA (tissue polypeptide antigen) : 암세포의 증식활성도를 반영하는 비특이적인 종양표지자로 다양한 종류의 종양에서 상승하나 특히 난소암, 유방암, 폐암, 전립선암, 소화기암 등에서 상승합니다. 각종 염증성 질환에서 양성이 보이기도 합니다.
13. HE-4 (human epididymis protein 4) : WFDC2라는 유전자에서 생산되는 단백질로 난소암 환자의 혈액과 소변에서 고농도로 발견될 수 있으며 폐, 유방암 등에서도 증가할 수 있습니다.

REFERENCES

1. Kathleen DP et al. Mosby's Manual of Diagnostic and Laboratory Tests. Mosby. 2002.
2. 대한진단검사의학회. 진단검사의학. 이퍼블릭. 2009.
3. Denise D. Wilson. McGraw-Hill Manual of Laboratory and Diagnostic Tests. McGraw-Hill Companies. 2008
4. Annika Lindblom, Annelie Liljegren. Tumour markers in malignancies. BMJ. 2000 Feb 12;320(7232): 424-7
5. Locker GY, Hamilton S, Harris J et al. ASCO.ASCO 2006 Update of Recommendations for the Use of Tumor Markers in Gastrointestinal Cancer. J Clin Oncol. 2006 Nov 20;24(33):5313-27.
6. Cancer screening in the United States, 2007: a review of current guidelines, practices, and prospects. CA Cancer J Clin. 2007 Mar-Apr;57(2):90-104

29 TDM/약물검사

29-1 TDM

(1) 개요

1. 치료적 약물농도 검사(therapeutic drug monitoring, TDM)는 치료목적으로 사용되는 약물의 혈중 농도를 측정하는 것으로 혈중농도의 유지가 중요한 약물들의 최적용량을 결정하는데 도움을 주는 검사입니다. 보통 진단검사의학과 또는 약제과를 통해 결과가 보고되며 의뢰시 신장, 체중 등도 기재하여야 정확한 자문결과가 나올 수 있습니다.
2. TDM은 보통 Peak과 Trough의 두가지 항목을 보는데 Peak은 농도가 가장 높은 지점으로 중독여부를 알고자 할 때 사용되며 보통 약물 투여 후 약 2-3시간 이내에 채혈합니다. Trough는 농도가 가장 낮은 지점으로 치료농도의 유지여부를 알고자 할 때 사용되며 보통 다음 투약직전에 채혈합니다.
3. 예를 들어 Vancomycin의 경우 peak을 측정하려면 투여 종료 1-2시간 후에 측정하고 Trough를 측정하려면 다음 투여직전 30분 이내에 측정하면 됩니다. 일반적으로 Vanco는 약력학(phamacodynamics)적 측면에서 최저농도의 유지가 더 중요하며 흔히 5-6번째 Dose가 투여된 후 TDM을 시행합니다.

(2) TDM 실시약물

1. 항 간질성 약물(antiepileptics) : Phenobarbital, Phenytoin, Valproic acid, Carbamazepine 등
2. 강심제(digoxin 등), 기관지 확장제(theophylline 등), 항생제(vanco 등), 면역억제제(cyclosporin 등)

29-2 약물검사

1. 혈중 약물농도를 측정한다는 점에서 TDM과 방법은 유사하나 치료목적이 아닌 단순 혈중농도 측정에 초점을 둔 검사입니다.
2. TDM 실시약물뿐 아니라 Acetaminophen(타이레놀), Salycylate(Aspirin) 등의 약물이나 각종 순환계, 중추신경계 약물, 마약류 약물(Caocaine, Amphetamine, Heroin 등)들에 대하여 검사하게 되며 알코올(Alcohol)의 측정도 가능하므로 음주여부도 확인할 수 있습니다.

30 소변검사

- 소변검사(Urine Analysis, U/A)는 기본적인 U/A검사만 시행되기도 하고 또는 현미경으로 소변을 살펴서 백혈구, 적혈구, Cast, Crystal 등을 관찰하는 microscopy 검사가 병행되기도 합니다.
- 낮에는 수분섭취에 따라 요성분의 농도가 변하므로 아침 첫 소변의 중간뇨가 가장 농축되어 검사에 적합합니다.
- 24시간 채뇨시에는 첫날 오전 특정 시각에 나온 소변을 버려 방광을 비우고 그 이후부터 익일 같은 시각까지의 요를 전부 모은 후 잘 혼합하여 그 중 적정량(5-10mL)을 검사하게 됩니다. (총소변량 기재 필요)

30-1 urine pH

(1) 개요

1. 소변의 산도(pH)는 인체의 산-염기 상태를 반영합니다. 신선한 정상인의 아침소변은 약산성이거나 중성이며 소변을 장시간 방치하면 요중의 요소가 분해되어 알칼리성이 되므로 이 검사로 소변의 신선도를 추정할 수 있습니다. (참고치 : pH 5.0-8.0 / 통상 pH 6.0 정도)
2. 임상적으로 항생제의 치료효과의 항진 목적이나, 신결석의 형성 방지를 위해서 pH를 지속적으로 관찰하기도 합니다.

(2) 산성뇨 vs 알칼리성뇨

1. 산성 : 대사성 및 호흡성 산혈증, 심한 설사, 고열, 탈수, 육류 등의 산성식 섭취, 알코올 중독
2. 알칼리성 : 급만성 신질환, 대사성 및 호흡성 알칼리혈증, 이뇨제 투여, 구토, 요로감염(UTI), 야채 등의 알칼리성 음식 섭취

30-2 Specific gravity (S.G)

1. 요비중(specific gravity) 검사는 신장의 소변 농축 및 희석 능력을 보는 검사로 소변 양을 대비해서 평가해야 합니다. 수분섭취가 많으면 비중이 낮아지고 수분섭취가 적으면 비중은 상승하게 되며 대부분의 정상인에 있어서 아침 첫 소변의 비중은 1.020 이상입니다. (참고치 : 1.005-1.030)

2. 상승: 당뇨병, 심한 단백뇨, 발열성질환, 탈수증, 신증후군 등
3. 저하: 다뇨(당뇨병성 다뇨 제외), 신우신염, 다발성 골수종, 고Ca혈증 등

30-3 urine Protein

1. 요단백(urine protein)은 임신이나 신생아 등에서 기능적으로 나타날 수 있습니다. 정상인에서도 생리적 또는 기립성 단백뇨가 ±(trace)까지는 나타날 수 있지만 단백뇨는 신장질환의 가장 중요한 소견 중의 하나이므로 일단 단백뇨가 나타나면 수일 후 U/A를 재시행하고, 다시 단백뇨가 나오면 24시간 Urine검사를 시행하여 일일 배출 단백뇨를 확인하여야 합니다. 당뇨(DM)환자의 경우는 신기능검사결과가 정상이고 일반적인 U/A검사에서 단백뇨가 보이지 않더라도 미세알부민뇨 검사를 별도로 시행하여 초기의 신손상 여부를 조기에 확인하도록 합니다.
2. 24시간 요단백 검사시 급성사구체신염에서는 2g/day 이하의 단백뇨가 많고 신증후군에서는 3.5g/day 이상의 단백뇨가 많이 나타납니다.
3. 고열이나 외상, 심한 빈혈 등에서 일시적으로 단백뇨가 나올 수 있습니다. 일반적으로 비중이 1.015이하이면서 1+이상이거나 비중이 1.015이상이면서 2+이상이면 의미있는 단백뇨가 됩니다.

±	1+	2+	3+	4+
10 mg/dL	30 mg/dL	100 mg/dL	300 mg/dL	1000 mg/dL

Tip Microalbumin

1. 뚜렷한 신장애 없이 소변에 알부민이 나타나는 것을 측정하여 당뇨 또는 고혈압 등에 의한 신장의 손상을 조기에 진단하거나 예측할 수 있는 지표입니다.
2. 정상인은 알부민이 하루 10-20mg/day로 배설되며 이 수치가 30-300mg/day이면 미세알부민뇨라 합니다. 300mg/day 이상이면 일반 U/A 검사에서도 단백뇨로 검출됩니다. 24시간 채뇨검사(24hr urine collection)를 통해 측정하는 것이 가장 정확하지만 spot urine(1회 배설뇨)의 Albumin/Creatinine 비나 알부민에 민감한 소변스틱검사(albumin-specific dipstick)를 이용하기도 합니다.
3. 당뇨환자의 경우 참고치 이상의 미세알부민뇨가 발견되면 신기능보호를 위하여 ACE저해제(ACEi) 또는 ARB 투여가 고려될 수 있습니다.

30-4 urine Glucose

1. 정상적으로 포도당은 근위세뇨관에서 거의 대부분 재흡수되어 혈류로 다시 들어가므로 정상인에서의 UA glucose는 음성(negative)이지만 혈당이 170 mg/dL 이상이 되면 재흡수 양이 초과되어 소변에서도 검출되므로 양성이 됩니다. Vitamin C나 L-dopa로 위음성이 나타날 수 있으므로 주의합니다.
2. 양성 : 당뇨병 또는 Cushing 증후군 등의 기타 내분비질환, 만성 간질환 등

30-5 urine Bilirubin

1. 담도폐쇄, 간질환 및 hemoglobin의 대사이상이 있을 때 양성으로 나타납니다. 간세포성 황달, 폐색성 황달 등의 초기 단계에서 나타나기 때문에 조기진단이나 추적 관찰에 좋은 지표가 됩니다. 양성시 Urobilinogen 결과를 함께 고려하여 판정합니다.
2. 양성으로 나타나면 LFT(간기능검사)를 시행하여 간장애 여부를 판단합니다.

30-6 Urobilinogen

1. 빌리루빈(bilirubin)은 장내 세균에 의해 분해되어 Urobilinogen이 되고 대부분이 변과 함께 배설됩니다. 이러한 과정에서 Urobilinogen 일부가 장벽으로 흡수되고 그 중의 일부가 신장을 통해 소변으로 배설되게 됩니다. 간장애나 용혈이 일어나면 요중의 Urobilinogen이 증가합니다.
2. 정상인에게도 약간 검출되므로 1+ 는 정상으로 간주하며 2+ 이상의 양성은 간염, 간경변 및 용혈성 황달 등을 의심합니다. 음성(-)은 담도의 완전폐색, 항생제의 장기간 사용 등으로 유발될 수 있습니다.

	Urobilinogen	Bilirubin
폐색성 황달 (담석증, 담도암)	-	++
간세포성 황달 (간염, 간경변)	++	++
용혈성 황달 (용혈성 빈혈)	++	-
정상	+	~-

30-7 Ketone

1. 당뇨(DM) 환자나 장기간의 기아(starvation) 상태 등의 당대사 이상의 경우, 대체 에너지원으로서 지방의 분해가 진행되어 그 결과로 케톤체의 생산이 증가되고, 혈중과 요중에 ketone이 검출되게 됩니다. 이러한 상태를 케톤증(ketosis)라 하고 이러한 ketone으로 산혈증에 빠지면 케톤산증(ketoacidosis)이라고 합니다.
2. 주로 당뇨에 의해 고혈당이 지속될 때 관찰되며, 탄수화물의 섭취부족(설사, 구토, 금식, 다이어트 등), 지방의 과잉섭취, 기타 스트레스나 발열, 심한 운동으로 인해서도 양성일 수 있습니다.

30-8 Nitrite

1. 요로감염(urinary tract infection, UTI)을 나타나는 대표적인 지표로 요중의 질산염이 세균에서 방출한 효소에 의해 아질산염(Nitrite)으로 환원되어 검출됩니다. 방광내에 소변이 4시간 이상 저류되어 있지 않으면 위음성(false negative)이 나올 수도 있으므로 방광 내에 장시간 저류되어 있는 아침 첫 소변이 적당합니다.
2. 양성이면 요중에 10^5/ml 이상의 세균을 의미하며 UTI가 있다고 할 수 있고 확진을 위하여 소변배양검사(urine culture) 등을 추가적으로 실시합니다.
3. UTI의 가장 흔한 원인균인 E.coli를 비롯하여 그람음성균에는 민감하나 그람양성균에는 반응하지 못하므로 Nitrate 음성이라도 UTI가 없다고 단정지을 수는 없습니다.

30-9 urine WBC

1. 요백혈구(WBC)는 요 중에 백혈구가 10개/mcL 이상 존재함을 의미하여 Nitrate와 함께 UTI의 존재를 시사하는 지표가 됩니다.
2. 종양이나 결석 등에서도 양성일 수 있으며 요비중, 요당이 높으면 위음성이 나올 수 있습니다.

30-10 urine Occult Blood

1. 소변 잠혈검사(occult blood)는 정상인에서는 음성(-)입니다. 양성(+)인 경우는 보통 신장

요로계의 출혈로서 염증, 사구체질환, 외상, 결석 및 종양 등과 관련될 수 있습니다.

2. 일반적으로 혈뇨는 random urine에서 RBC가 3/HPF이상 보일 때(2주 간격으로 3회 중 2회 이상) 진단되며 혈뇨와 동반되어 단백뇨나 RBC cast가 있다면 사구체질환을, 혈뇨에 세균뇨나 농뇨가 함께 검출되면 요로감염(UTI)를 의심할 수 있습니다.
3. 요비중이 높거나 요단백, Vit C 등이 많으면 위음성이 나나날 수 있습니다. 생리중인 여성은 생리가 끝난 후 검사하여야 정확히 판정할 수 있습니다.
4. 뚜렷한 이유 없이 재검시에도 양성(+)이거나 출혈이 지속될 경우에는 원인 파악을 위하여 KUB, 초음파(U/S), CT 등의 시행을 고려합니다. 방광내시경이나 다른 영상진단이 필요할 경우에는 비뇨기과(URO)를 통해 의뢰합니다.

30-11 현미경검사 (microscopic analysis)

(1) RBC (0-1/HPF)

고강도(HPF, High power field) 현미경 검사상 참고치를 초과하는 적혈구(RBC)가 관찰되면 염증, 결석, 종양 등 신장-요로계의 질환을 의심할 수 있습니다.

(2) WBC (남자 0-1/HPF, 여자 0-3/HPF)

고강도(HPF) 현미경 검사상 참고치를 초과하는 백혈구(WBC)가 관찰되면 UTI, 신결핵, 바이러스질환 등을 의심할 수 있습니다.

(3) 상피세포 (남자 0-1/HPF, 여자 〈10개/HPF)

여성에서 흔히 발견되는 편평세포는 주로 질, 요도에서 유래합니다. 이행상피세포는 하부요로, 방광 등에서 유래하며 종양을 의심할 수 있습니다.

(3) Cast

1. 길쭉한 막대 모양으로 관찰되는 원주(cast)는 정상인에서도 전시야당 2-3개까지는 관찰될 수 있습니다. Hyaline cast(초자 원주), Granular cast(과립성 원주), Waxy cast(납양 원주), Cellular cast(세포성 원주), Fatty cast(지방 원주) 등이 있습니다.
2. Hyaline cast는 정상에서도 보이고 내인성 신질환시 흔히 관찰됩니다. Granular cast도 정상뇨에서 보일 수 있고 사구체 신질환이나 심한 운동 후에 관찰될 수 있습니다.
3. Waxy cast는 신부전이나 신기능이 급속히 악화되는 경우에 흔히 볼 수 있습니다. Cellular

cast는 급성 신세뇨관괴사 등에서 보이고 Fatty cast는 신증후군에서, RBC cast는 급성사구체신염에서, WBC cast는 UTI나 비세균성 염증에서 보일 수 있습니다.

(4) Crystal

1. 결정(Crystal)은 정상뇨에서도 발견되지만 비정상뇨에서 주로 발견되는 결정입니다.
2. Cystine crystal(선천성 대사장애를 의심), Tyrosine 또는 Leucine crystal(중증 급성 간질환 등에서 검출), Cholesterol crystal(신증후군, UTI 등), Uric acid crystal(신선뇨에서 다량 검출되면 고뇨산혈증을 의심), Calcium oxalate crystal(지속적으로 보이면 요로결석이 생기기 쉬운 oxaluria를 의심) 등이 있습니다.

30-12 hCG

1. 주로 소변검사로 많이 측정되는 hCG(human chorionic gonadotrophin) 검사는 임신여부를 확인하는 가장 기본적인 검사이며 임신시 hCG가 혈청과 소변에서 모두 증가하는 원리를 이용합니다. hCG는 배란 후 6-12일째부터 증가하기 시작하여 임신 첫 3개월간 급격히 상승하며 임신 약 10주에 최고점에 도달합니다.
2. 가임기 여성이 복통으로 응급실에 내원했을 때 자궁외임신(ectopic pregnancy) 등의 가능성을 배제하기 위해 흔히 실시하는 검사 중 하나입니다.

Tip 임상 Tip

- 요검체가 실온에 2시간 이상 방치되면 각종 검사결과에 감소 또는 증가를 초래하므로 해석에 주의하도록 합니다. pH상 알칼리이면 신선뇨가 아닐 가능성이 높습니다.

REFERENCES

1. Kathleen DP et al. Mosby's Manual of Diagnostic and Laboratory Tests. Mosby. 2002.
2. 대한진단검사의학회. 진단검사의학. 이퍼블릭. 2009.
3. Denise D. Wilson. McGraw-Hill Manual of Laboratory and Diagnostic Tests. McGraw-Hill. 2008

31 대변검사

31-1 대변 잠혈반응 검사 (Stool OB)

(1) 개요

1. 흔히 stool OB로 약칭하는 대변(stool) 잠혈검사(occult blood)는 변에 섞여 있는 혈액을 탐지하는 검사입니다. 보통 육안으로 확인되지 않으나 검사상 미량의 혈액이 섞인 것을 잠혈이라 하며 정상에서는 음성(-)입니다.
2. 육안으로 확인되는 혈변의 경우, 콜타르 같이 검은 변은 Upper GI(상부위장관)의 출혈이 많고, 검붉은색이나 붉은 색을 띄면 Lower GI(하부위장관)에서 생긴 출혈이 위주가 됩니다.

(2) 양성

1. Upper GI : 식도나 위장 등 소화관 궤양, 위암 등
2. Lower GI : 치질(m/c), 결장암, 직장암, 궤양성 대장염 또는 polyp의 출혈
3. 기타 : 혈액 질환, 감염성(장티프스, 이질 등) 소화관 출혈, 코나 잇몸에서의 혈액 등

31-2 기생충 검사 (Helminth, Protozoa)

(1) 개요

1. 기생충(parasite)의 대다수는 음식물을 통해서 충란이나 유충의 상태로 인체 내로 들어옵니다. 이것을 조사하는 것이 기생충 검사입니다.
2. 기생충 검사 중 Helminth는 연충을, Protozoa는 원충을 탐지합니다. 정상치는 음성(-)입니다.

(2) 기타 기생충 검사

1. 형태학적 진단 : 배설물 또는 혈액, 뇌척수액, 생검 등으로 기생충을 증명
2. 영상 및 내시경 진단 : CT, MRI, X-ray 검사로 기생충 확인. 내시경으로 회충증 검사
3. 기생충 항체 검사 : 폐디스토마증, 유구낭미충증 등 만성 기생충 감염에 IgG 상승
4. 피내 반응 검사 : 간디스토마나 폐디스토마 감염 초기에 이용하며 양성(+)인 경우는 대변 또는 객담 검사나 항체 검사를 실시합니다.

31-3 C. difficile toxin assay

1. 위막성대장염 (pseudomembranous colitis, PMC)의 가장 흔한 원인균인 Clostridium difficile 등을 검출하는 검사입니다. 항생제 사용 후 설사가 지속될 때 PMC의 가능성을 염두하고 검사할 수 있습니다.
2. PMC는 항생제 사용 등으로 장내의 정상세균총(normal flora)이 파괴되어 발생하는 장염입니다. Toxin Assay 검사, 대변배양검사(stool culture) 등을 통해 PMC가 확인되면 또 다른 항생제인 Metronidazole로 주로 치료하고 또는 Vancomycin을 사용하기도 합니다.

REFERENCES

1. Kathleen DP et al. Mosby's Manual of Diagnostic and Laboratory Tests. Mosby. 2002.
2. 대한진단검사의학회. 진단검사의학. 이퍼블릭. 2009.
3. Denise D. Wilson. McGraw-Hill Manual of Laboratory and Diagnostic Tests. McGraw-Hill Companies. 2008

32 체액검사 (흉수, 복수, CSF)

대표적인 체액검사인 흉수(Pleural fluid), 복수(Ascites), 뇌척수액(CSF)에 대하여 설명하였습니다.

32-1 흉수(pleural fluid)

(1) 개요

1. 흉막삼출(pleural effusion)이 있으면 흉강천자(thoracentesis)를 통하여 흉수에 대한 진단적 검사를 시행합니다. 흉수는 300mL까지도 단순흉부촬영상 안 나타날 수 있으나 옆으로 누워서 촬영하는 Lateral Decubitus view에서는 150mL 부터도 관찰될 수 있습니다.
2. 흉수의 진단에서는 여출액(transudate)과 삼출액(exudate)을 구별하는 것이 가장 중요합니다. 다른 성분이 적어 여과(濾過)된 물처럼 비교적 맑은 여출액(transudate, 濾出液)은 심장(CHF), 간(Liver cirrhosis, LC), 신장 등의 장애로 발생하고 단백질, 세포성분 등으로 혼탁한 경우가 많은 Exudate는 종양, 감염 등의 원인이 많습니다.
3. Thoracentesis로 흉수를 제거하면 호흡곤란, 마른기침과 같은 증상은 일시적으로 호전되나 1L 이상을 한번에 제거하면 재팽창성 폐부종이 발생할 수 있으므로 주의합니다.
4. 종양으로 인한 악성흉수(malignant effusion)의 경우 Thoracentesis를 시행해도 수일내에 다시 흉수가 차고 약 97%에서 1개월 이내에 다시 찹니다. 항암요법에 반응이 없으면 흉관(chest tube)를 삽입하거나 흉막유착술(pleurodesis)이 시행되기도 합니다.

(2) 흉수의 진단

1. 일단 아래 3가지 기준 중 하나라도 만족하면 Exudate로 진단합니다. (Light criteria)
   1) pleural protein / serun protein 〉 0.5
   2) pleural LDH / seum LDH 〉 0.6
   3) pleural LDH 값이 seum LDH 정상상한선의 2/3 이상 (대개 200iU/mL)
2. Transudate라면 보통 흉수에 대한 추가검사는 불필요하나 Exudate라면 WBC(d/c), RBC, glucose, amylase, culture, AFB, ADA(Adenosine deaminase), cytology 등의 추가적 검사를 시행합니다.

3. RBC가 상승하면 종양, 외상 등을 의심합니다. WBC에서 neutrophil이 많으면 폐렴, 폐농양이 원인일 가능성이 높고 lymphocyte가 많으면 종양이나 결핵(Tb)과 관련됩니다. Glucose가 60mg/dL 이하라면 종양, 감염, RA 등을 의심하고 amylase는 식도파열이나 췌장질환과 관련되며 AFB, ADA는 결핵(Tb)과 관련된 검사입니다.
4. 악성흉수의 확진은 흉수내 악성 세포의 존재로 확진될 수 있는데 보통 세포검사(cytology)시 1회에 54-63%가 양성이나 3회 반복 시행시 77%까지 양성입니다.

32-2 복수(Ascites)

(1) 개요

1. 정상인의 복강내에도 50mL 정도 존재하는 복수(Ascites)는 500mL 이상이면 Shifting dullness(이동탁음) 등의 신체적 검진으로 관찰됩니다. 100mL 이상이면 초음파(U/S)로도 확인이 가능합니다.
2. 여러 가설이 있는 복수의 발생기전은 주로 문맥고혈압(Portal Hypertension), 말초혈관 확장 등으로 유래된 Sodium(Na+)의 저류, 저알부민혈증으로 인한 혈장삼투압의 저하 등이 제시되며 종양의 경우는 단백질이 풍부한 액체가 복강내로 유출되고, 삼투압에 의해 세포외액(ECF)이 복강내로 이동하는 것으로 보기도 합니다.
3. Ascites의 원인감별은 복수천자(paracentesis, 또는 Ascite tapping) 시행하여 SAAG (serum-ascites albumin gradient)를 구하여 우선적으로 분류합니다.
4. Ascites의 치료는 염분제한을 하면서 이뇨제(spinorolactone ± furosemide)를 주로 사용하며 이에 효과가 없으면 치료적 목적으로 Paracentesis를 시행합니다. 악성 복수일 경우 염분제한은 잘 시행하지 않습니다.
5. Paracentesis(복수천자)는 타진을 통해 복수가 가장 많이 모여있는 곳에서 시행하며 방광천자를 피하기 위해 배뇨 후 시행합니다. 일반적으로는 좌측하복부의 counter McBurney point에서 많이 시행하며 천자가 원활하지 않을 경우는 우하복부 또는 초음파 유도하에 시행하기도 합니다.

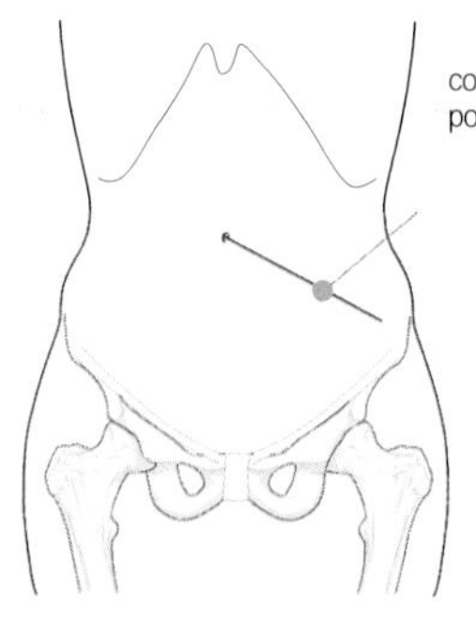

한의서에서의 Paracentesis

침구대성, 의학입문(醫學入門: 雜病穴法歌) 등에도 복수천자에 상당하는 치료법이 기재되어 있습니다. 즉 수종(水腫)이 있는 경우, 우선 복부의 수분혈(水分穴)에 작은 침과 굵은 침을 잇달아 사용하고 이후 최종적으로 닭의 깃을 자입하여 체액을 외부로 빼내는 기록이 있으며 체액이 탁하면 예후가 좋지 않은 것으로 보았습니다. (俱瀉水分 先用小針 次用大針 以鷄翎官透之 水出濁者死 淸者生)

(2) 복수의 진단

1. SAAG는 혈청 알부민과 복수 알부민의 차이를 의미합니다. SAAG가 1.1보다 높으면(즉 농도차이가 크면) 문맥고혈압과 관련된 복수이며 대부분은 간경화(LC)가 원인이고 또는 복수의 단백농도가 2.5g/dL 이상일 경우 심장성(CHF)을 시사합니다. 뚜렷한 원인균 없이 간경화가 진행되어 발생한 자발성 세균성복막염(SBP)의 가능성도 있는데 이 경우 ascites WBC가 500/mm^3 이상 상승하면서 세균배양검사(culture)도 양성입니다.
2. SAAG가 1.1.보다 작으면(즉 농도차이가 작으면) 종양, 결핵성(Tb) 복막염, 신증후군(nephrotic syndrome, NS), 췌장질환 등을 의심합니다. 종양으로 인한 악성복수는 혈성(bloody)이 많고 세포검사(cytology)에서 양성이 나오지만 음성결과라고 해서 악성을 배제할 수는 없습니다.
3. 예를 들어 serum albumin이 3.3g/dL, ascites albumin이 1.2g/dL이면 두 지표의 차이인 SAAG는 2.1이 되고 복수의 총단백이 2.5 이하이면서 WBC 상승이나 세균배양결과가 음성이라면 우선 간경화(LC)로 인한 복수로 판단합니다.

SAAG	〉1.1	〈 1.1
원인	(문맥고혈압 관련) LC, CHF, SBP 등	(문맥고혈압과 무관) Tb, Tumor, NS, Pancreatitis
비고	ascites Protein 〉2.5은 심질환	ascites Amylase 상승은 췌장질환

* SBP: spontaneous bacterial peritonitis

32-3 뇌척수액(CSF)

1. 뇌척수액(cerebrospinal fluid, CSF) 검사는 뇌수막염(meningitis)이나 지주막하출혈(SAH) 등의 진단시 시행됩니다. 하지만 지주막하출혈은 CT로 주로 감별하므로 실제로는 뇌수막염의 진단과 원인균의 감별이 가장 중요한 적응증이라 할 수 있습니다.

2. CSF는 요추천자(CSF tapping 또는 Lumbar puncture, LP)를 통해 얻어지며 L3-L4 사이에서 많이 시행되고 L4-L5에서 시행되기도 합니다. 단 최근 두부손상의 병력이나 뇌종양, 유두부종, 의식저하 등 뇌압(Intracranial pressure, ICP)의 상승이 의심되는 경우는 LP 시행이 금기이며 Brain-CT 또는 MR을 시행하여 ICP 상승이 없음을 확인한 후 LP를 시행합니다.
3. 세균성 수막염이 의심되면 즉각적으로 경험적 항생제(ex. Ceftriaxone + vanco)가 투여되어야 하며 바로 LP를 시행하기 어려운 상황이라면 혈액배양검사(Blood culture) 시행 후 바로 항생제를 투여하기도 합니다. 바이러스성 수막염일 경우는 의식저하, 경련, 국소적 신경학적 증상이 거의 나타나지 않으며 환자 상태에 따라 외래에서도 치료가 가능합니다.
4. CSF 검사결과에 따른 뇌수막염의 원인은 다음과 같습니다. 세균성 수막염에서 WBC의 증가가 뚜렷하며 이중 중성구(neutrophil)가 80% 정도로 많습니다.

상태	성상	WBC	Glucose	Protein
정상 CSF	맑음	0-5	50-75	15-40
세균성	혼탁	100-10,000	〈45	100-1000
결핵성(Tb)	혼탁	〈500	〈45	100-200
진균성(Fungal)	혼탁	〈300	〈45	40-300
무균성(Aseptic)	맑음	〈300	50-100	50-100

32-4 관절액(Synovial fluid)

1. 관절액 검사는 관절염의 감염성과 비감염성을 구별하는데 도움을 주는 검사로 급성단일관절이나 결정체 또는 감염에 의한 관절염이 의심될 때 시행될 수 있습니다.
2. 각 질환별로 검사결과는 다음과 같으며 감염이 의심될 경우는 Gram 염색과 배양검사를 시행합니다.

분류	원인질환	색	특징
비염증성	OA, 외상 등	투명한(transparnet) 황색빛	WBC 〈 3000/mL
염증성	RA, 통풍 등	혼탁한 황색빛이 많음	WBC 3000-75,000/mL
감염성	감염질환	불투명한(opaque) 흰색이 많음	WBC 〉 50,000/mL, Neutrolphil 〉90%
출혈성	외상. 혈관절증(hemarthrosis)	불투명한 붉은빛	RBC 검출

REFERENCES

1. Kathleen DP et al. Mosby's Manual of Diagnostic and Laboratory Tests. Mosby. 2002.
2. 대한진단검사의학회. 진단검사의학. 이퍼블릭. 2009.
3. Denise D. Wilson. McGraw-Hill Manual of Laboratory and Diagnostic Tests. McGraw-Hill Companies. 2008
4. 김노경 외. 암진료가이드. P.187 일조각. 2005.

33 세균배양검사

33-1 개요

1. 세균배양(culture) 검사는 검체를 일정한 배지 위에서 배양하여 세균이 검출되는지 확인하고 세균의 종류 및 적합한 항생제를 찾아낼 수 있는 검사입니다.
2. 검체는 항생제 투여 전에 채취해야 하며 모든 검체는 채취 후 즉시 검사실로 보내는 것을 원칙으로 합니다. 결과 해석시에는 항상 정상 상재균이나 오염(contamination) 가능성을 염두합니다.

33-2 객담배양검사 (Sputum Culture)

1. 객담검체배양(sputum culture)은 객담(sputum)이 아닌 타액(saliva)이 검사되지 않도록 검체를 얻는 과정에 주의해야 합니다. 세균성폐렴 의심시에는 객담배양 외에 혈액배양도 함께 실시합니다.
2. 아침에 일어나서 양치하고 큰기침을 하여 무균컵에 객담을 받게 하며 이 때 침만 뱉지 않도록 주의하게 합니다. 검사실로 보내는 것이 지연될 경우에는 냉장보관합니다.
3. 필요시 연속해서 2회 검사하여 결과를 비교하여 보거나 그람염색결과를 참조하는 것은 원인균판단에 도움이 됩니다.

Tip 객담검체(Sputum culture) 의뢰시의 거부(reject) 기준

- 백혈구(WBC)는 별로 없으면서 상피세포가 많다면 객담이 아닌 타액(saliva)을 채취한 것이므로 다시 시행해야 합니다. 보통 Washington Grade 기준으로 3 이하이면 재시행합니다.
- Grade of sputum quality (Washington) [4]

Group	No. of cells/ Low-power field	
	Epithelial cell	WBC
1	>25	<10
2	>25	10-25
3	>25	>25
4	10-25	>25
5	10-<25	>25
6	<10	<10

- Acceptable Sputum (Group 4, 5, 6) / Unacceptab1e Sputum (Group 1, 2, 3)

33-3 소변배양검사 (Urine Culture)

1. 뇨배양(urine culture) 검사는 보통 소변검사(U/A) 상에서 WBC many (또는 nitrate +), CBC 상에서 WBC 증가소견 등으로 요로감염(UTI)이 의심될 때 시행하게 됩니다.
2. 정량검사(colony count)를 실시하므로 요도입구를 잘 소독한 후 중간뇨(clean catched mid-stream)를 받는 것이 원칙입니다. 결핵균이나 진균검사를 위한 소변 검체는 아침 첫 뇨가 좋으며 3일간 연속 시행할 수 있습니다.
3. 군집락수가 10^5ml이상은 감염, 10^3ml이하는 오염, 10^4ml은 불확실로 판정하는 것이 일반적입니다. 단 요로감염을 흔히 일으키는 균종이 10^4ml이상으로 증식되었을 때는 동정과 감수성시험을 합니다. 여러 가지 조건에 따라 감염뇨인데도 세균수가 적을 때가 있습니다.
4. 요검체의 그람염색결과(백혈구수, 세균수)는 원인균판단에 크게 도움이 됩니다. 즉 유침렌즈시야당 1개이상의 세균이나 1개이상의 백혈구가 있으면 대개 10^5ml의 세균뇨나 농뇨를 뜻합니다.

33-4 혈액배양검사 (Blood Culture)

1. 혈액배양(blood culture) 검사는 다음의 적응증일 때 주로 시행합니다.
   a) 입원해야할 정도로 중증인 환자가 고열(〉38℃) 혹은 저체온시(〈36℃)
   b) WBC 증가(10000 이상) 혹은 neutrophil이 감소(1000 미만)되었을 때
   c) 수막염, 폐렴, 골수염 등의 환자가 균혈증(Sepsis)의 동반이 의심될 때
   d) 장티푸스, 심내막염, 브루셀라, 렙토스피라 등의 질병이 의심될 때
2. 일반적으로 70% isopropyl alcohol로 먼저 소독하고 10% povidone-iodine을 사용하여 소독한 후 1분간 기다려 요오드액이 완전히 마른후 채혈하게 됩니다. 이후 무균조작으로 10ml를 채혈하고 Brain heart infusion과 thioglycollate broth에 5ml씩 주입합니다. 최소 30분 간격으로 각기 다른 부위에서 3회 채혈하도록 합니다. (소독액으로 Povidone-iodine 대신 Chlorhexidine을 사용하는 방법은 오염된 상태에서 반복사용되어 pseudoepidemic을 유발한 과거사례들이 있어 선호되지 않는 편)
3. 한번에 채혈을 완료하지 않고 2세트 또는 3세트로 채혈하는 이유는 혈액배양의 감도를 올리고 피부상재균 등의 혼입을 구별하기 위해서입니다.

33-5 검사보고시기

1. 혈액배양검사 : 3-9일 후 보고 (음성결과시 중간보고:2일, 최종보고:9일)
2. 혈액 외 검체의 배양 : 2-3일 후 보고
3. urine의 경우 정량검사(colony count)상 10^5CFU/ml 이상인 경우에 동정에 들어가고 10^4CFU/ml>인 경우에는 몇가지 경우를 제외하고는(candida 나 S. aureus)의 경우에는 그람 염색성상으로만 보고되는 경우가 많습니다.

REFERENCES

1. Kathleen DP et al. Mosby's Manual of Diagnostic and Laboratory Tests. Mosby. 2002.
2. 대한진단검사의학회. 진단검사의학. 이퍼블릭. 2009.
3. Denise D. Wilson. McGraw-Hill Manual of Laboratory and Diagnostic Tests. McGraw-Hill Companies. 2008
4. Murray PR, and JA Washington II; Microscopic and bacterologic analysis of expectorated sputum. Mayo clin. proc. 1975;50:339-344

NEO HANDBOOK OF INTEGRATIVE INTERNSHIP

4장

진단검사 (2)

각종 영상의학검사, 내시경, 심전도, 폐기능검사, 근전도검사 등 혈액(체액)검사 이외에 검사 분야를 실었습니다.

34

X선 검사

34-1 흉부 (CXR)

1. 흉통, 흉부불편감, 호흡곤란, 발열, 이물질 흡인, 상복부 복통 등의 증상시 주로 시행됩니다.
2. Chest PA : 흉부 X선(CXR, Chest X-ray)는 보통 PA(Posterior-Anteior) 방식으로 찍지만 환자가 서 있는 것이 불가능하거나 의식이 없을 경우, 앉거나 누운 자세에서 AP(anteior-posterior)방식으로 촬영됩니다. PA방식이 clavicle과 폐가 겹치지 않고 심장의 크기와 실제와 비슷하게 나오는 등의 장점이 있습니다.
3. Lateral view : 심장 뒤쪽의 병변이나 기타 폐실질의 병변 등의 파악시 보조적으로 이용됩니다. 오른쪽의 병변을 관찰하고 싶으면 Rt Lateral view 오더가 내려집니다.
4. Decubitus view : 옆으로 누워서 촬영하기에 흉막삼출(effusion) 등의 관찰에 용이하며 기흉(PTX) 관찰의 목적으로도 사용됩니다. 참고로 소량의 Effusion의 진단은 초음파(U/S, ultrasonography)가 더 정확합니다.

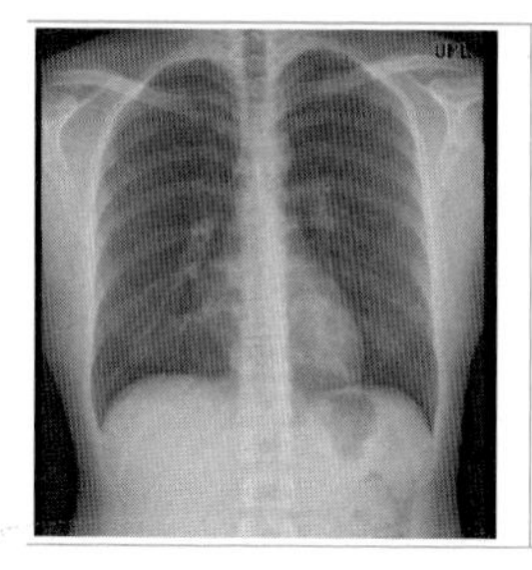

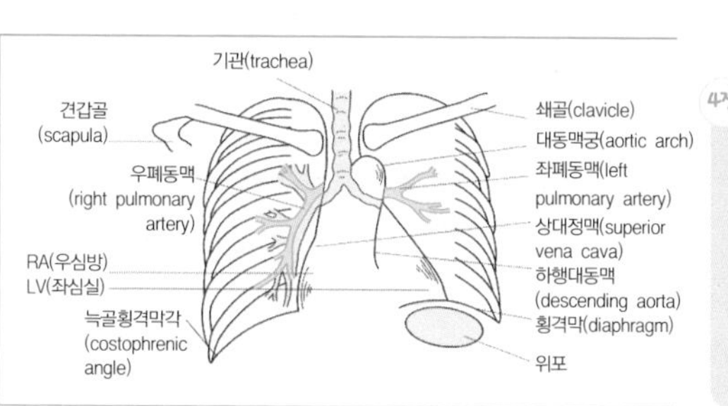

34-2 복부 (Abdomen S/E)

1. 복부CT나 초음파검사의 사용이 빈번해 지면서 복부 X-ray검사의 실제적인 유용성은 떨어졌지만 복통, 배변 또는 배뇨의 이상, 장내가스나 기타 복부병변의 확인시 시행될 수 있으며 특히 공기음영의 양상을 관찰하기에 유리합니다. 복부의 촬영은 보통 똑바로 누워서 찍고(Supine), 서서 찍고(Erect)해서 총 2장으로 촬영됩니다.

2. Supine position : 누운 자세에서 촬영합니다. 상복부에서 pubic symphysis까지의 전반적인 상태를 파악하며 calcification(석회화 병변)이나 soft tissue(연부조직)의 mass를 관찰할 수 있습니다.
3. Erect position : 서 있는 자세에서 촬영합니다. Air-fluid level 및 free air를 보거나 supine 필름과 비교하여 Gas pattern 등을 보기 위한 필름으로 특히 ileus(장폐색)가 의심될 때 촬영됩니다. 자세가 불가능할 경우 Lt. lat. decubitus로 찍기도 합니다.
4. KUB : KUB(kidney-ureter-bladder)는 복부 X-ray의 일종으로 요로결석 등 신장, 비뇨기계 질환의 확인에 초점을 두고 supine position에서 약간 더 아래쪽으로 촬영하게 됩니다. 결석의 90% 정도는 방사선 비투과성이므로 KUB에서 잘 관찰됩니다.

34-3 두면부

1. Skull : skull series
2. Facial bones : Water`s view가 기본이며 필요시 zygomatic view, nasal bone view 등을 추가
3. Neck soft Tissue view : 발열, 인후통, 쉰목소리 등의 증상이 있거나 침을 삼키기 어렵다고 해 epiglotitis 등이 의심될 때 시행합니다.

34-4 척추천골부

1. C-Spine : AP, Lat(Lateral), Open-mouth view(OM) 등. C-spine Lateral(Lat)은 보통 서있는 자세로 촬영합니다. 아래쪽 경추를 보다 자세히 관찰하기 위해서는 Swimmer's view를 시행합니다.
2. T-Spine : AP, Lat 등이 기본. 필요시 both oblique
3. L-Spine : AP, Lat 등이 기본. 필요시 both oblique
4. Pelvis : AP, Lat 등이 기본. AP도 pelvic ring이 잘보이는 inlet 영상과 sacrum, pubic bone이 잘 보이는 outlet 영상으로 구별됩니다. acetabulum 등의 관찰시에는 both oblique도 시행됩니다.

34-5 상지부

1. Shoulder : AP(both), Axial(환측) 등. 필요시 Scapular Y view(전-후방 탈구 감별)
2. Scapular : AP, Lat 등. 필요시 A-C joint stress view

3. Clavicle : AP, Axial 등
4. Ribs : PA, Oblique (both) 등
5. Elbow : AP, Lat 등을 기본 시행. 필요시 both oblique, olecranon view
6. Forarm : AP, Lat 등
7. Wrist : AP, Lat, Oblique 등을 기본 시행. 필요시 distal Radius, scaphoid view
8. Hand : AP, Lat, Oblique 등

34-6 하지부

1. Hip : both hip AP, 환측 Translateral 등을 시행합니다.
2. Knee : AP, Lat을 시행합니다. OA가 의심될 때에는 standing AP, Lat로 시행합니다. 슬개골 등의 관찰을 위해 무릎을 구부리고 무릎위 쪽에서 촬영하는 Merchant view(또는 Axial patellar view라고도 함)가 시행되기도 합니다.
3. Tibia, Fibula : AP, Lat 등
4. Ankle : AP, Lat, Mortise 등을 시행하며 특히 외측 인대의 손상을 확인하기 위한 Mortise view는 발목을 내회전 하여 촬영합니다.
5. Calcaneous : Lat 등. 필요시 Axial
6. Foot : AP, Oblique 등. 필요시 Lat

34-7 Trauma 환자 응급촬영

1. Lateral C-Spine, Chest AP, Pelvis AP (+ 이후 기타 손상부위 촬영)
2. 교통사고, 낙상 등 각종 Trauma 환자들은 골절이나 기타 손상 등의 확인도 중요하지만 일단 생명에 위협이 될 수 있는 치명적인 손상 여부를 감별하는 것이 필요합니다. 경추(C-spine)를 촬영하는 것은 심한 cervical spine injury 여부를 확인하기 위한 것이며 X-ray 상 정상이어도 손상의 가능성을 배재할 수는 없습니다. Chest는 의식소실 등의 상황을 감안하여 우선 AP라도 찍어서 치명적 병변의 존재를 확인하고 Pelvis AP도 Pelvic bone Fx 등의 여부를 확인하고 필요시 즉각적인 조치를 할 수 있도록 합니다.

34-8 Mammography

1. Mammography(유방촬영)은 X선검사의 일종이지만 일반 X선 촬영기가 아닌 유방압박패들(compression paddle)이 부착된 별도의 유방촬영장비를 이용하므로 따로 분류시키기도 합니다. 유방을 압박패들 사이에 위치시키고 상하 또는 40-60도 기울기로 압박한 상태에서 촬영하는 이유는 동일한 두께로 다른 유방조직과의 겹치지 않게 관찰하면서 유방에 조사되는 선량을 줄일 수 있기 때문입니다.
2. 임신상태이거나 임신가능성이 있는 경우에는 Mammography 대신 유방조음파 섬사로 내체합니다.

Tip PACS

PACS(picture archiving and communication system, 의료영상저장전송시스템)는 X-ray, CT, MRI, 초음파 등 모든 방사선검사 및 영상장비의 결과를 디지털 이미지로 변환하여 대용량 서버에 저장하는 시스템입니다. 기존에 필름형태로 영상기록을 저장하고 판독하던 병원내 업무가 디지털화되어 관리되므로 업무효율성이 향상될 수 있습니다.

Tip 이동형 X선 장비

1. Portable X-ray : 병동이나 중환자실, 응급실 등에서도 X-ray를 촬영할 수 있는 이동형 장비로 환자의 상태가 갑자가 악화되거나 환자이동이 힘들 경우 시행됩니다. 주로 Chest, Abdomen, Trauma 시리즈 등이 촬영됩니다.
2. C-Arm : 수술실에서 병변의 위치나 수술결과를 확인하기 위해 사용하는 이동형 장비로 알파벳 C처럼 생긴 모양을 따서 C-Arm이라 부릅니다.

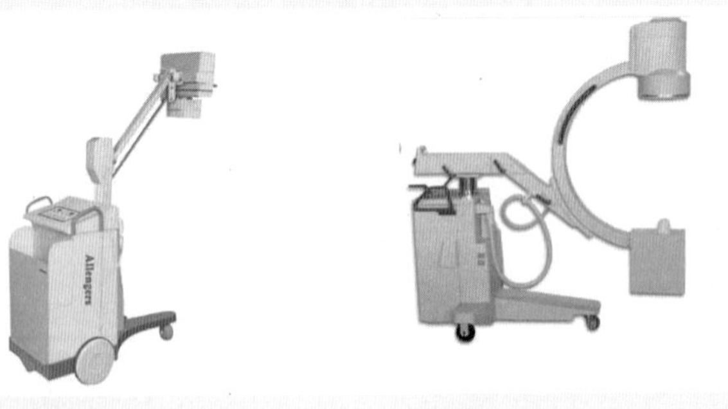

Portable X-ray　　　　C-Arm

35 CT, MRI (개요/Brain)

35-1 개요

(1) CT

1. 전산단층촬영(CT, computed tomography)은 환자의 몸을 360도 회전하면서 촬영한 여러 개의 X선 영상들을 컴퓨터 처리로 단면영상화하여 보여주는 방법입니다.
2. 컴퓨터 영상은 CT값(HU)을 설정하여 처리하게 되는데 물을 0으로 기준하고 공기는 -1000으로 검게, 뼈는 1000으로 하얗게 보이게 영상처리됩니다. 체내 대부분의 장기는 -100에서 100사이에 분포합니다.

Tip MD-CT

360도 회전시 마다 연결선이 꼬이지 않도록 반대방향으로 다시 회전하여야 했던 기존CT에 비해 연속회전이 가능한 Spiral CT가 주로 사용되며 최근에는 한번에 여러개의 단면을 동시에 촬영하는 MD(Multi-ditector) CT도 보편화되었습니다. 64채널 MD-CT의 경우 한번에 64단면을 동시에 찍을 수 있어 검사시간이 단축되며 일반적으로 채널이 높을수록 더 얇은 두께의 영상을 얻을 수 있습니다.

(2) MRI

1. 자기공명영상(MRI, magnetic resonance imaging)은 인체에 무수히 많이 존재하는 수소원자핵(proton)이 강력한 자장 속에서 특정방향으로 정렬되는 속도차를 이용하여 영상화한 방법입니다. 자기장을 이용하기 때문에 방사선 피폭이 없는 것이 장점입니다.
2. MRI는 1)몸속에 금속성 물질이 있는 경우 (인공 심박동기(pacemaker), 두개강내 aneurysm clip, 인슐린 펌프 등) 2) 임신 3) 폐쇄공포증이 있는 환자에서 금기입니다. 사지부의 골절 등으로 금속고정물을 설치한 경우 보통은 스테인레스 스틸, 티타늄 등 자기장에 영향을 받지 않는 재질이 사용되므로 촬영이 가능하지만 일부 영상의 왜곡이 있을 수 있습니다.
3. 일반적으로 MRI 영상은 T1 강조영상(T1 weighted image, T1WI)과 T2 강조영상(T2 weighted image, T2WI)으로 나눠집니다. T1영상에서는 CSF를 비롯한 수분은 검게(=저신호), 백질은 희게(=고신호) 나타나며 T2영상에서는 CSF를 비롯한 수분은 희게, 백질은 검게 나타납니다. 혼동되기 쉬운 부분이며 (T2)에서 수분(물)이 희게(백색)으로 나타나므로 "T2물

백" 으로 간략하게 기억해도 됩니다.

Tip MRI의 Tesler

MRI의 자기장의 강도는 T(tesler)로 표기하는데 테슬러가 높을수록 고해상도의 영상을 얻을 수 있고 f-MRI 등 다양한 모드로의 촬영이 용이합니다. 일반병원에서는 보통 1.5T가 흔하고 대학병원급에서는 3.0T MRI도 많이 사용됩니다.

(3) CT vs MRI

1. MRI의 장점 : CT에서 보여주는 수평단면뿐 아니라 관상면 및 시상면 등 비교적 자유롭게 다양한 영상을 얻을 수 있습니다. 방사선 피폭이 없고, 조영제 사용시에도 CT조영제 보다 상대적으로 안전합니다.
2. CT의 장점 : 검사시간이 짧고 석회화 및 급성뇌출혈, 골절 등의 감별시 MRI에 비하여 우수한 영상을 제공합니다. 뇌손상이 의심되어 ER로 내원한 경우에도 5분 이내로 빠르게 검사할 수 있고 출혈과의 감별이 용이한 CT가 우선적으로 시행됩니다. 특히 MRI에서는 공기(air)를 볼 수 없기 때문에 폐나 소화기 등에 공기가 포함되어 있는 흉복부, 골반부의 단면 영상은 CT가 주로 활용됩니다.
3. 일반적으로 연부조직의 병변에는 MRI가, 뼈나 골절에 관련된 경우에는 CT가 우월한 영상을 제공하는 것으로 인식되었으나 새로운 영상 기술들(특히 MRI관련)이 계속 개발됨에 따라 기존의 한계들이 극복되고 있습니다.

Tip CT 조영제(contrast media)

1. CT 조영제의 부작용은 오심, 구토 등의 가벼운 것에서 신부전, 쇼크, 호흡곤란에 이르기까지 다양하며 25만-50만명에 1명 꼴로 사망하는 사례도 있습니다. 조영제 투여 전, 조영제 부작용 과거력, 달걀이나 항생제에 대한 알러지반응 유무 등을 확인하도록 합니다.
2. 조영제를 사용하여 CT 또는 혈관조영검사(Angio)를 할 때는 BUN/Cr 검사를 통해 신기능을 확인한 후 검사하는 것이 안전합니다. 특히 기존 신질환이 있거나 탈수상태, 70세 이상, 신독성 약물(NSAIDs 등)의 병용투여, 울혈성 심부전의 상태 등에서 조영제에 의한 신독성 가능성이 상승합니다.
3. 또한 검사 48시간 전부터 당뇨약 Metformin(Diabex®)를 중단시키는데 이는 조영제와 상호작용시 기능적 신부전에 의해 lactic acidosis가 촉진되기 때문입니다.

35-2 Brain 영상

(1) 개요

1. 뇌출혈의 경우, 과거에는 CT가 절대적으로 진단에 기여하였으나 최근에는 MR에서도 출혈을 감별할 수 있는 GRE 기술이 개발되어 CT 의존도가 감소하였습니다. 단 지주막하출혈(SAH)에서는 MR의 진단능력이 낮으므로 CT를 시행하는 것이 우선이며 임상적으로 강력히 의심되나 CT에도 병변이 나타나지 않으면 Lumbar Puncture(요추천자)를 시행하기도 합니다.
2. 뇌종양이나 기타 혈관관련 이상이 의심되면 조영제(contrast media)를 투여하여 혈류가 풍부한 부위를 강조하는 등의 방법으로 진단의 정밀도를 높일 수 있습니다.
3. 뇌경색의 경우, 초기치료의 관건 중 하나는 ischemic penumbra(허혈성 반음영)라는 영역의 회복인데 이는 비가역적으로 허혈된 중심부(core)의 주변을 의미합니다. 조기에 혈류가 재개통(recanalization)되면 다시 정상부위로 작용할 수 있는 부위이며 최신의 영상기법을 활용해 이 영역을 찾아낼 수 있습니다.

(2) T1, T2 이외의 주요 Brain-MR 영상

1. **FLAIR (fluid-attenuated inversion recovery)** : T2 영상을 기반으로 하되 액체(fluid)의 신호를 약화시켜(attenuatc) 반전(inversion)시킨 영상입니다. 본래 희게 나타나야할 CSF 부분이 검게 보이므로 병변이 있을 경우 더욱 잘 대조되며 아급성 및 만성병변을 잘 보여주는 영상이라 할 수 있습니다.
2. **DWI (diffusion weighted image, 확산강조영상)** : 확산계수가 감소하는 부위(물분자의 확산이 어렵게 된 부위)를 나타내며 혈류가 차단된 뇌조직을 수 분 이내에 잡아낼 수 있어 조기진단시 흔히 활용됩니다. 첫 6시간 이내의 뇌경색도 높은 민감도로 찾아낼 수 있어 급성기시 우선적으로 확인하는 영상모드라 할 수 있습니다.
3. **ADC (apparent diffusion coefficient)** : 급성경색의 감별을 위해서 Diffusion 영상을 활용하는 경우에 ADC 영상도 같이 활용하면 정확한 발병시기 구분에 도움이 됩니다. 급성기와 아급성기(5-10일)의 경색이 DWI에서는 모두 고신호(흰색)로 보이나 ADC map에서는 급성기는 저신호로, 아급성기에는 등신호로 나타납니다.
4. **PWI (perfusion weighted imaging, 관류강조영상)** : 관류(Perfusion), 즉 모세혈관 등의 미세한 순환이 감소한 부위를 표시합니다. 급성 뇌경색에서 Diffusion, Perfusion 영상이 모두 이상이 있는 부위는 비가역적으로 허혈된 부분이고, Perfusion에만 이상이 있고 Diffusion

에서 정상인 부위(소위 DWI-PWI mismatch된 부위)는 일정시간 내에 관류가 재개되면 정상화될 가능성이 있는 ischemic penumbra(허혈성반음영) 영역이 됩니다.

5. **GRE (gradient echo, 경사에코영상)** : 5mm 이하의 미세출혈도 감별할 수 있어 CT에 비하여 출혈을 잘 감지하지 못했던 기존 MRI의 단점을 보완한 기술입니다. 출혈부는 영상에서 저신호강도(검은색)로 나타납니다.
6. **Functional MRI (f-MRI)** : 뇌신경 자극에 의해 활성화된 뇌 혈류변화를 관찰할 수 있습니다. 감정변화, 침(acupuncture) 자극 등에 의해서도 활성화된 영상이 획득됩니다.

(3) 뇌혈관 관련 영상

1. **MR angiography (TOF-MRA)** : TOF(time of flight) 기법을 사용하여 혈류를 밝게 만들고 일정 역치 이상의 신호를 취합하여 3차원 화면으로 재구성한 혈관영상입니다. 조영제 투여 없이 혈관영상을 얻는 장점이 있지만, 심하지 않은 협착에도 과장되어 큰 협착처럼 보이거나 복잡한 혈류를 가진 경우는 정확한 정보를 제공하지 못할 수 있으므로 주의해야 합니다. MR Angiography(MR혈관조영술)는 보통 MRA로 약칭하여 부르고 이 중 TOF기법을 활용한 방식을 TOF-MRA로 부릅니다.
2. **MR angiography (contrast enhanced MRA)** : 조영제(contrast)를 혈관에 직접 주입한 후 위의 TOF기법을 이용한 혈관영상으로 TOF 기법보다 혈관상태를 보다 정확히 파악할 수 있습니다.
3. **CT Angiography (CTA)** : CT를 기반으로 한 혈관조영술로 조영제를 혈관에 직접 주입하여 뇌동맥의 구조와 위치, 협착 등을 파악할 수 있는 검사입니다. Pacemaker 등의 부착으로 MR 시행이 어려운 환자들에게도 시행할 수 있습니다.
4. **Catheter angiography** (고식적 혈관조영술 - CT, MR에 속하지 않으나 함께 설명함) : 삽입된 카테터로 조영제를 투입하고 뇌혈관을 관찰하는 방법입니다. 최근에는 3D rotation 혈관조영술 기법으로도 많이 사용되고 있으며 혈관상태를 가장 정확히 평가할 수 있는 방법이나 카테터 삽입으로 인한 부작용에 유의해야 합니다.

(4) 뇌졸중의 영상촬영

1. 일반적으로 급성기로 내원시에는 CT를 먼저 촬영하여 뇌출혈, 종양 등의 여부를 확인하고 필요시 수술을 위해 신경외과(NS)에 의뢰합니다. 또는 MRI의 GRE 기법을 이용하여 출혈을 감별할 수도 있으므로 긴급한 상황이 아니라면 처음부터 MRI 시행을 고려하기도 합니다. 단 지주막하출혈(SAH)이 의심된다면 CT를 시행하여야 합니다.
2. MRI 검사는 급성기 병변을 잘 보여주는 Diffusion(DWI), 아급성기와 만성기 병변을 잘 보

여주는 FLAIR, 출혈병변을 보여주는 GRE 영상이 주로 많이 활용됩니다. 특히 발병 6시간 이내의 초급성기(hyperacute)에는 Diffusion 영상을 이용하여 경색을 확인하고, ADC나 Perfision 영상을 동시에 분석하면 발병시기나 Ischemic penumbra와 같은 추가적인 정보를 얻을 수 있습니다. 시간순에 따른 각 영상별 신호강도의 변화는 아래와 같습니다.

Stage	T2WI	DWI	ADC
Hyperacute (0-6h)	normal	increased	decreased
Acute (6-96h)	normal to increase	increased	decreased
Subacute (4-10days)	increased	normal to increased	decreased to normal
Chronic	increased	decreased to increased	increased

3. 급성기 뇌경색, 뇌출혈을 감별한 이후에는 T1, T2, FLAIR 영상 등을 통하여 추가적인 병변을 확인하거나 MRA를 함께 시행하여 혈관의 협착이나 폐색을 관찰할 수 있습니다.

(5) 뇌출혈에서의 출혈량

1. 출혈량을 추정하는 공식 = (병변이 최대크기로 보이는 slice의) 가로 x 세로 x [높이] x 1/2로 계산됩니다. [높이]는 [slice 수 x slice 간격(thickness)]로 계산하며 모든 단위는 cm 기준입니다.
   - (예) 0.5cm 간격으로 촬영된 CT영상에서 출혈이 가장 크게 보이는 화면의 출혈부위 크기가 가로 4cm, 세로 4.5cm이며 총 10장의 CT화면에서 관찰되었을 때의 출혈량 추정치 = 4 x 4.5 x [10 x 0.5] x 1/2 =45cc
2. 일반적으로 뇌출혈에서의 수술 적응증은 다음과 같습니다.
   1) 혈종의 크기가 커서 생명의 위험이 있는 경우 (40cc이상)
   2) 소뇌 출혈로서 뇌간 압박 시
   3) 원인이 뇌동정맥 기형이나 원발성 뇌종양인 경우
   4) 급성 수두증 병발로 extraventricular drainage나 shunt를 고려하는 경우

35-3 정상 및 비정상 Brain 영상

(1) 영상별 해부학적 구조

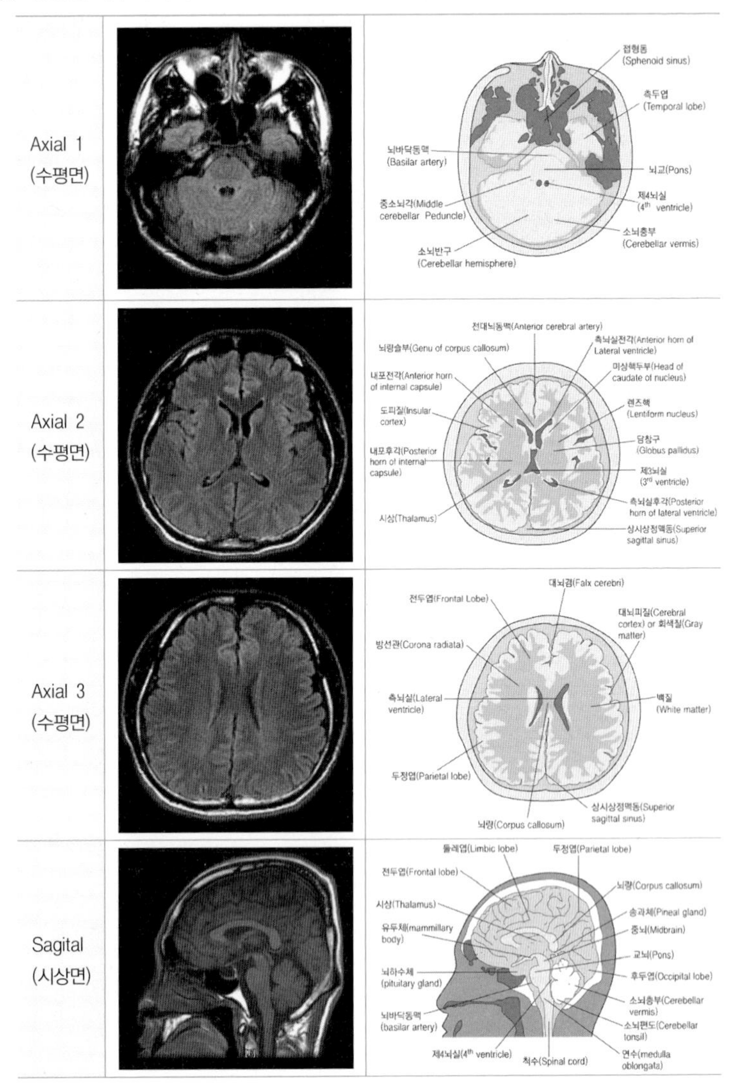

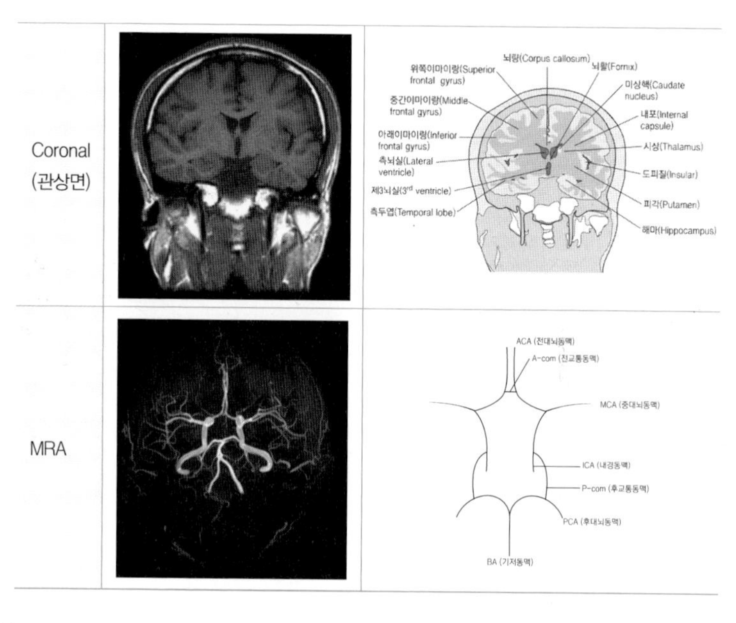

Coronal (관상면)		
MRA		

(2) 질환별 영상

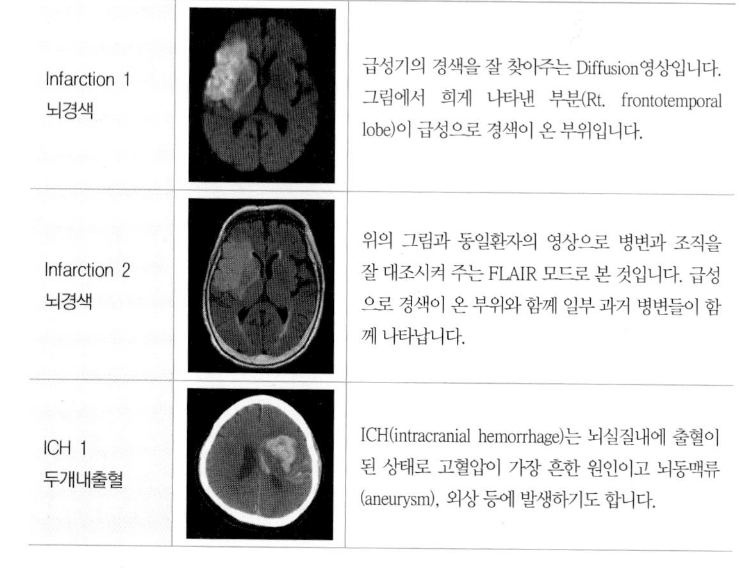

Infarction 1 뇌경색		급성기의 경색을 잘 찾아주는 Diffusion영상입니다. 그림에서 희게 나타낸 부분(Rt. frontotemporal lobe)이 급성으로 경색이 온 부위입니다.
Infarction 2 뇌경색		위의 그림과 동일환자의 영상으로 병변과 조직을 잘 대조시켜 주는 FLAIR 모드로 본 것입니다. 급성으로 경색이 온 부위와 함께 일부 과거 병변들이 함께 나타납니다.
ICH 1 두개내출혈		ICH(intracranial hemorrhage)는 뇌실질내에 출혈이 된 상태로 고혈압이 가장 흔한 원인이고 뇌동맥류(aneurysm), 외상 등에 발생하기도 합니다.

ICH 2 두개내출혈	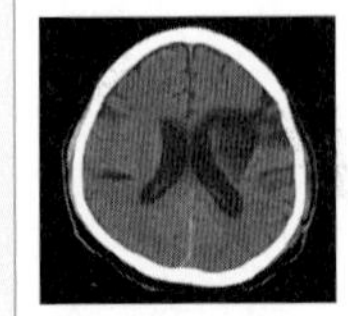	위와 동일환자의 영상으로 3개월이 지난 후 시행한 CT영상입니다. 시간이 경과함에 따라 초기에 밝게 보였던 출혈부위가 뇌보다 어둡게 보이며 크기도 감소하였습니다.
SAH 거미막하출혈	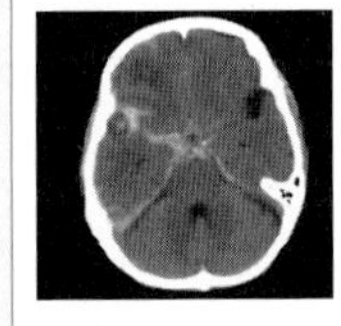	SAH(subarachnoid haemorrhage)는 뇌동맥류(aneurysm)의 파열이 가장 흔한 원인이며 외상, AVM(뇌동정맥기형)으로도 발생합니다. David' star라고도 하는 별모양의 출혈부위가 특징적입니다.
SDH 경막하혈종	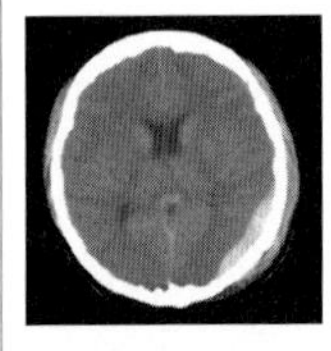	SDH(Subdural hematoma)는 초승달모양의 출혈부위가 나타내는 것이 특징적입니다. 경미한 외상에 의해 조금씩 출혈이 지속되어 Chronic SDH로 진행되는 경우도 있으며 이 경우에는 CT에서 low density(어두운 색)를 보입니다.
EDH 경막외혈종	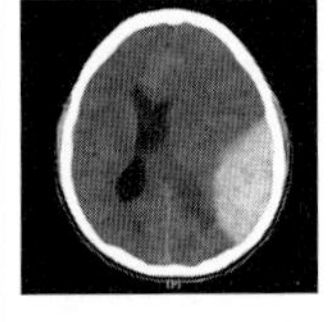	EDH(Epidural Hematoma)는 두개골 안 쪽에 렌즈 모양의 출혈부위가 나타나며 주로 두개골 골절 등 외상이 원인인 경우가 많습니다.
Hydrocephalus 수두증	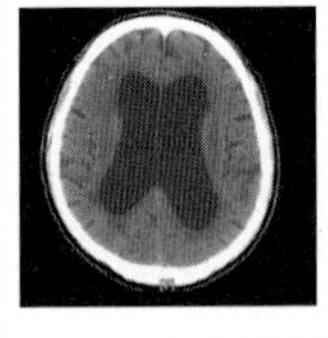	CSF가 뇌실(ventricle)내에 가득 차서 뇌실이 확장된 상태로 폐색부위에 따라 3뇌실만 또는 3, 4뇌실이 모두 확장되어 있습니다. 노화나 뇌경색 등으로 인한 뇌위축으로 뇌실이 확장되기로 하므로 주의합니다.
Brain Tumor 뇌종양	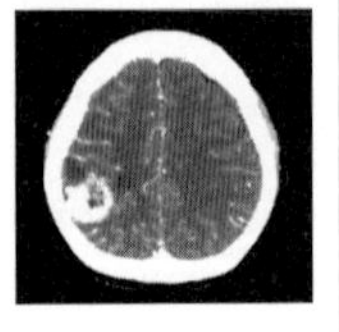	종양의 위치, 모양 및 조직학적 특성에 따라 다양하게 관찰되며 보통 악성도가 높을수록 경계가 일정하지 않거나 불규칙한 편입니다. 옆의 사진은 조영증강 CT영상으로 종양부위가 조영증강시 더욱 뚜렷합니다.

36 CT, MRI (흉복부/척추부)

36-1 흉부영상

(1) 개요

1. 흉부의 단면촬영은 짧은 촬영시간에 세밀한 영상을 제공하고 공기가 있는 부분의 관찰도 용이한 CT가 주요한 진단방법이 됩니다. 심장을 위주로 MRI를 시행하기도 합니다.
2. HRCT(high resolution CT)는 1-3mm의 얇은 두께로 영상을 제공하며 폐의 미세구조까지 세밀하게 관찰할 수 있을 정도로 해상도를 높여 미만성 폐질환, 기관지확장증 등에서 유용한 진단수단이 됩니다.
3. 저선량 CT(low dose CT)는 방사선 조사량을 약하게 하여 해상도는 좋지 않지만 방사선 피폭량은 줄인 CT검사로서 일반적 검진목적으로 주로 시행합니다.

(2) 영상별 해부학적 구조

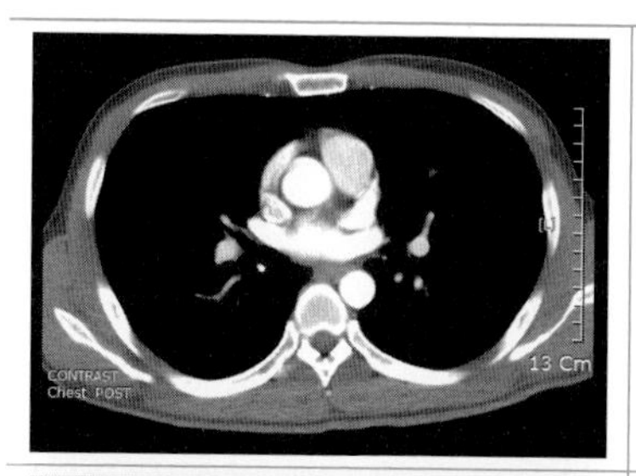

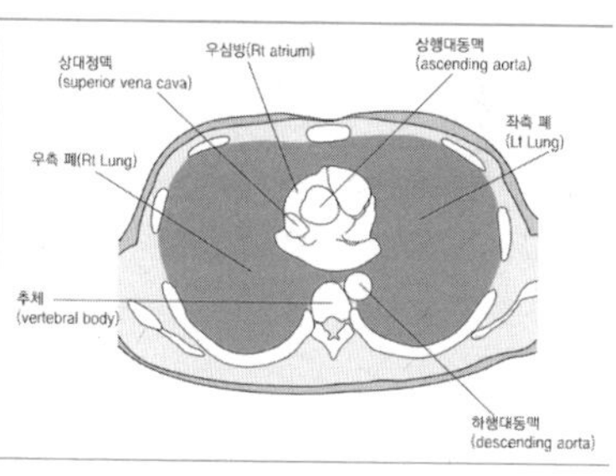

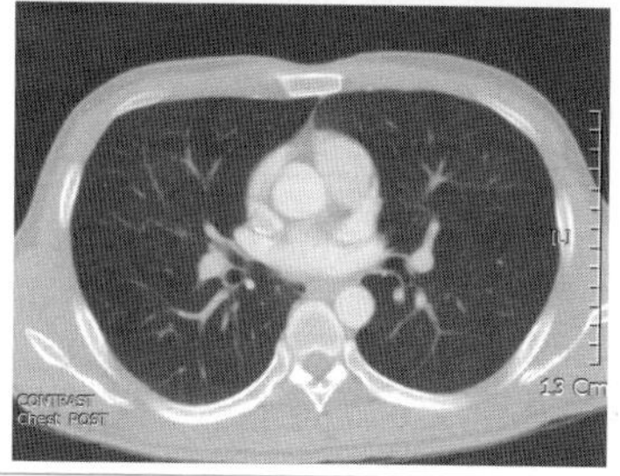

위의 영상과 동일한 환자의 동일한 컷이지만 보기세팅을 lung setting 조건하에서 본 것입니다. 폐실질부의 상태를 보다 정확히 관찰할 수 있습니다.

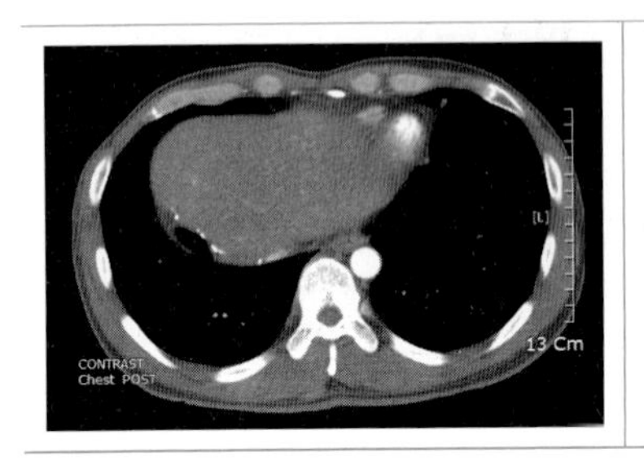

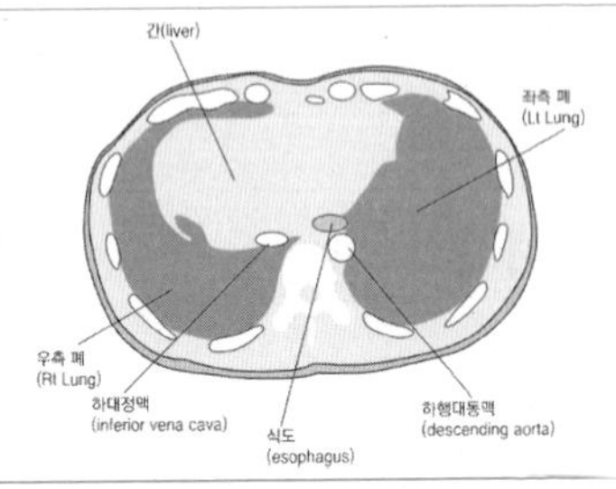

36-2 복부영상

(1) 개요

1. 흉부와 마찬가지로 MRI 보다는 CT가 주요한 진단방법이 되며 자궁, 난소 등을 검사할 때에는 MRI가 시행되기도 합니다. 비뇨기계 검진을 위해 하복부 MRI 촬영시에는 장의 연동운동을 억제하기 위하여 진경제 주사를 투여한 후 시행될 수 있습니다.
2. 종양부위 등의 확인을 위해 조영제를 사용하는 Contrast CT가 사용되며 또는 조영제 투입 전후를 비교하는 Dynamic CT도 있습니다. 특히 종양성 병변의 평가에 유용하며 조영제 주입후 20-30초 후에 촬영하는 조기상(early phase)와 주입 후 120초 후에 측정하는 후기상(late phase)를 비교함으로써 명확해집니다.
3. Abdomen & Pelvis CT가 대표적인 검사이며 또는 진단부위마다 Stomach CT, Biliary & GB CT, Pancrease CT, Kidney CT 등으로 분류하여 세부적인 조정을 하기도 합니다.

(2) 영상별 해부학적 구조

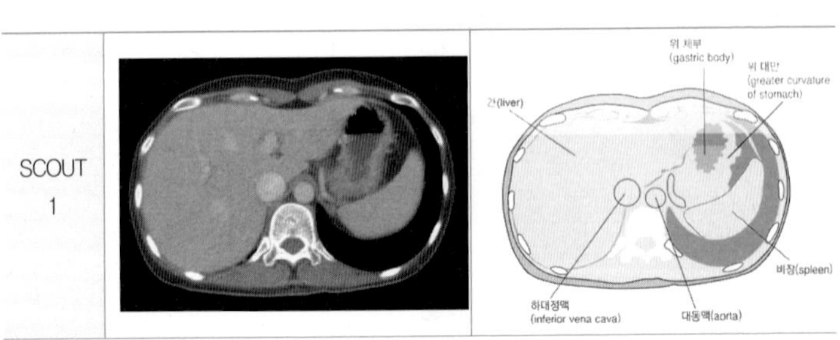

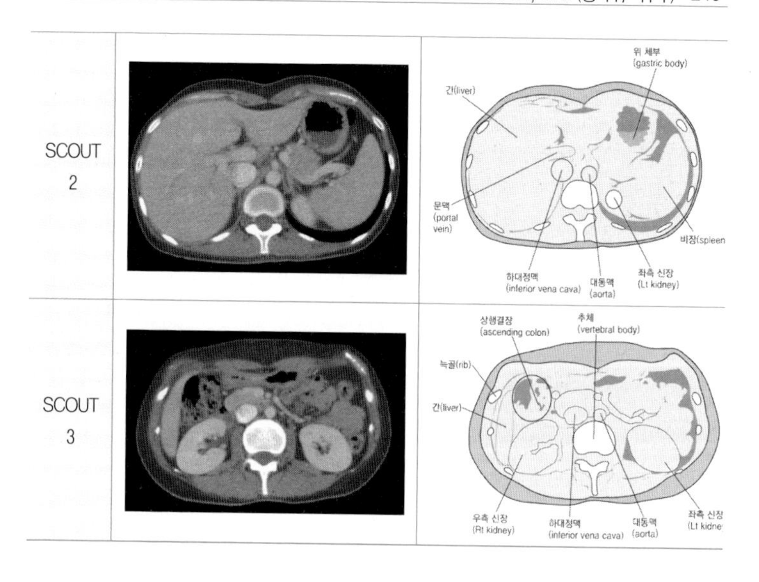

36-3 척추영상

(1) 개요

1. CT보다는 MRI를 주로 시행합니다. FLAIR, Diffusion, GRE 등 복잡한 영상기법들이 흔히 동원되는 Brain MRI에 비해 T1, T2의 기본영상 정도로 비교적 충분한 진단적 정보를 제공합니다.

(2) 영상별 해부학적 구조 - 생략

Tip CT와 방사선 노출

1. 자기장을 이용하므로 방사선 노출의 위험이 없는 MRI와는 달리 CT 검사는 수백 장의 X-ray 촬영을 하는 것과 유사하기 때문에 방사선과 관련되어 남용되지 않도록 주의가 필요합니다.
2. 방사선의 피폭선량은 mSv(milli-Sievert)라는 단위를 사용합니다. 지역별 차이는 있으나 일반인들도 1년에 2.4mSv 정도의 자연방사선에 노출되게 되며 방사능 관련시설 종사자는 50 mSv/년

및 100 mSv/5년 이하로 노출되도록 규정되어 있습니다. 환자들의 경우 피폭량이 많다고 하더라도 방사선 촬영을 통한 이득(Benefit)과 잠재적 위험성(risk)을 고려하여 시행됩니다.

3. 임산부의 경우, CT촬영이 꼭 필요할 경우는 납치마로 산모의 배를 가린 채 시행할 수 있습니다. 특히 8주-25주 사이가 방사선에 가장 민감한 시기이므로 주의해야 합니다.

검사법	유효 피폭량 (mSv)		
X-ray, Chest	0.02-0.1	CT Head	2
X-ray, Lumbar	0.7	CT Chest	8-10
Mammogram (4장)	0.13	CT Abdomen	10-12
Coronary Angiogram	2.1-7	PET-CT	5-25

[References] Wall BF, Hart D. Revised radiation doses for typical x-ray examinations. The British Journal of Radiology 70: 437-439; 1997. / Ariel Roguin, Prashant Nair. Radiation During Cardiovascular Imaging. Br J Cardiol. 2007;14(5):289-292

37 투시검사/혈관조영/인터벤션

※ 인터벤션(intervention)은 엄격히 말해서 검사라기 보다는 시술에 해당하지만 투시조영검사나 혈관조영 검사법을 기반으로 하는 특성을 고려하여 본 장에 포함시켰습니다.

37-1 투시검사(투시조영검사)

(1) 개요

1. 투시검사(fluoroscopy) 또는 투시조영검사는 연속적으로 방사되는 X-선을 신체에 투과하여 실시간으로 얻어진 투과영상으로 검사부위를 관찰하는 검사로 특히 조영제(contrast)를 이용하여 병변을 잘 드러나게 할 수 있습니다.
2. 소화관 조영제로는 바륨(barium)이 많이 사용되며, 소화관의 천공의 의심되는 경우에는 수용성 조영제인 Gastrografin을 사용합니다. 단 Gastrografin은 기도흡인시 폐부종을 유발할 수 있습니다. 영아의 장중첩증(intussusceptions)이 의심되는 경우는 바륨 조영제 대신 공기를 넣어주어 꼬인 장을 풀어내기도 하기도 하며 이 방법을 Air reduction(공기정복술)이라 합니다.

(2) 검사종류

1. **소화기계 :** 식도조영검사(esophagography), 위장조영검사(upper GI study), 대장조영검사(barium enema), 소장조영검사(small bowel series) 등이 있습니다. 경구로 조영제를 복용하는 다른 조영검사와는 달리 대장조영검사는 항문을 통해 조영제를 주입합니다.

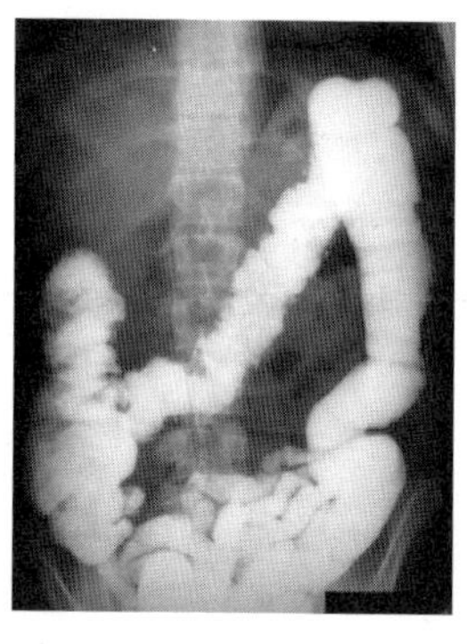

Barium을 이용한 대장조영검사

2. **간담도계** : 담도와 췌관을 관찰하는 ERCP(endoscopic retrograde cholangiopancreatography, 내시경역행담췌관조영)가 대표적입니다. 내시경으로 십이지장 유두를 통해 조영제를 주입한 후 관찰하게 되며 결석제거, 담즙배액(ENBD, ERBD) 등의 시술을 동시에 시행하기도 합니다.

Tip ERCP 금기증과 부작용

1. ERCP는 담도나 췌관의 관찰 및 생검이 가능한 검사이며 치료적으로도 사용이 가능합니다. 단 급성췌장염의 급성기나 환자와 협조가 안되었을 때, 조영제 과민증, 심한 심혈관계질환, 임신 등에는 금기입니다.
2. ERCP의 가장 대표적인 부작용은 post-ERCP pancreatitis, 즉 ERCP로 유발된 췌장염입니다. 최근에는 침습적인 ERCP 대신 MRI를 이용하여 진단하는 MRCP(magnetic resonance cholangiopancreatography)로 대체하거나 또는 MRCP로 이상유무를 스크리닝한 후 ERCP가 시행되기도 합니다.

3. **비뇨기계** : 1) IVP(intravenous pyelography, 정맥신우조영술)은 신장, 요관, 방광을 관찰하는 검사로 신장을 조영시키는 조영제를 IV로 주사하고 일정한 시간간격마다 촬영을 합니다. 2) VCUG(voiding cystourethrography, 배뇨중 방광요도조영검사)는 Foley catheter를 통해 방광에 조영제를 주입한 후, 배뇨를 시키면서 방광과 요도를 촬영하는 검사입니다.
4. **기타** : 척추강 내에 조영제를 주입하여 관찰하는 Myelography(척추강 조영검사), 삽입한 튜브의 위치나 기능을 평가하는 Tubogram, 연하장애 환자에게 조영제가 섞인 음식을 섭취시켜 연하기능을 평가하는 VFSS(연하조영검사, video-fluoroscopic swallowing study) 검사 등이 있습니다.

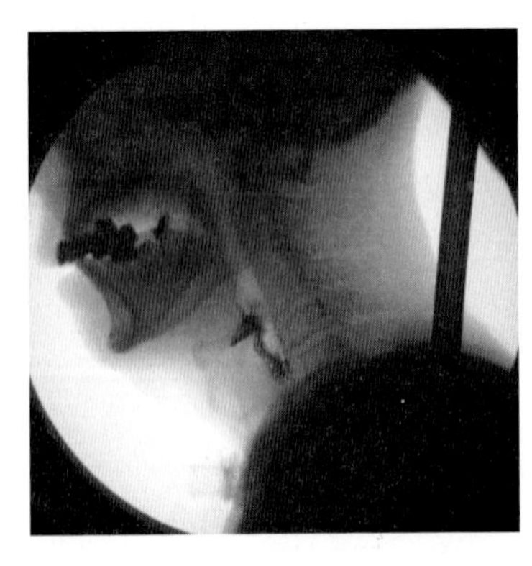

VFSS를 이용한 연하장애의 평가

37-2 혈관조영

1. 혈관조영술(angiography)은 체외에서 카테터를 환자의 혈관내에 주입하고 이 카테터를 통해 조영제를 투여하여 혈관을 관찰하는 검사입니다. 진단적 목적으로도 시행되고 또는 인터벤션을 위한 전단계로 시행되기도 합니다.
2. 뇌혈관계, 복부혈관계, 상하지 혈관계, 심혈관계 혈관조영 등으로 구분됩니다.

37-3 인터벤션(Intervention)

(1) 개요

1. 우리말로 중재적시술로 번역되는 인터벤션(intervention)은 혈관조영장비나 초음파 등의 영상유도장치를 실시간으로 보면서 체내의 목표부위에 직접 도달하여 진단하거나 치료하는 방법입니다.
2. 인터벤션 시술은 시술종류에 따라 영상의학과에서 담당하기도 합니다. 과거 환자를 직접 진료하지 않고 영상판독이 위주였던 영상의학과의 성격을 바꾼 계기라 하겠습니다.

(2) 종류

1. **뇌혈관질환 인터벤션** : 동맥류(aneurysm)에 coil embolization을 시행하거나 좁아진 경동맥(carotid stenosis)에 스텐트로 혈관을 넓히는 시술을 시행할 수 있습니다.
2. **복부질환 인터벤션** : DVT 환자 등에서 Pulmonary embolism(폐색전)의 예방을 위해 하대정맥(IVC)에 필터를 설치하는 IVC filter insertion을 시행하거나 간암환자에서 종양이 분포된 혈관의 혈류공급을 차단하는 TACE(transarterial chemoembolization, 간동맥색전술)를 시행할 수 있습니다.
3. **심질환 인터벤션** : 급성심근경색(acute MI)에서 좁아진 관상동맥에 스텐트를 삽입하여 혈관을 넓히는 PCI(percutaneous coronary intervention) 시술을 할 수 있습니다.
4. **비혈관계 인터벤션** : 담도폐색으로 황달이 온 환자들에게 담즙을 체외로 배액시키는 관(tube)을 삽입하는 PTBD(percutaneous transhepatic biliary drainage)나 요관이 막힌 환자들에게 관을 통하여 소변을 체외로 배출시키는 PCN(percutaneous nephrostomy) 등도 시행됩니다. 총담관의 협착으로 담도가 아닌 담낭(GB)에 배액관을 삽입한 경우에는 PTBD가 아닌 PTGBD라 합니다.

38 핵의학영상검사 (Scintigraphy/SPECT/PET)

※ 핵의학(Nuclear medicine)은 방사성 동위원소를 이용하여 인체의 상태를 평가하고 치료하는 분야로 크게 영상진단(SPECT, PET, 신티그래피), 검체검사(갑상선호르몬, 간염검사 등), 동위원소치료(갑상선암치료) 등으로 구분됩니다. 본 장에서는 영상검사와 관련된 항목을 설명하였습니다.

38-1 Scintigraphy

(1) 개요

1. 신티그램 또는 신티그래피(Scintigraphy, 섬광조영술)는 특정 조직에 주로 침착하는 방사성 동위원소(radioisotope)를 정맥내로 투여하고 일정한 시간이 흐른 후의 체내 분포현황을 감마카메라(gamma camera)로 촬영하는 영상진단기법입니다.
2. 진단대상이 되는 장기에 따라 뼈, 폐, 갑상선, 타액선, 간담도계 신티그래프 등이 있으며 뼈스캔(bone Scan), 폐관류스캔(lung perfusion scan) 등과 같이 다른 이름으로 불리기도 합니다.

(2) 골스캔(Bone scan)

1. Bone scan은 뼈에 잘 침착하는 방사성 동위원소를 투여한 후 일정시간이 지난 후 핵의학적 영상을 얻는 검사로 미세골절, 피로골절 등 골절부위를 확인하거나 악성종양에 대한 뼈의 전이(bone metastsis)를 확인하는 데에도 많이 사용됩니다.
2. 골절부위와 종양전이 부위 모두 검게 표시되므로 임상판독시 주의해야 합니다.

(3) 폐관류스캔(Lung perfusion Scan)

1. V/Q scan(Ventilation/perfusion lung scan)이라고도 불리며 폐색전(pulmonary embolism), 폐혈류의 장애 등의 평가에 사용됩니다. 폐절제술 등을 고려하는 경우에도 이 검사를 이용하여 수술 후 폐기능을 예측할 수 있습니다.
2. 환기(V)단계와 관류(Q)단계에서 각각 촬영한 두 사진을 비교하여 정확한 정보를 얻을 수 있습니다.

(4) 기타 신티그래피

1. **Cholescintigraphy** : 담관섬광조영술 또는 담낭스캔으로 불리며 담석이나 종양으로 인한 담도의 폐색여부 등을 확인할 수 있습니다.
2. **Thyroid scan** : 갑상선스캔은 방사성동위원소를 섭취한 후 갑상선에 집적되는 상태를 확인하여 갑상선결절이나 기능이상 등을 확인하는 검사입니다. 기능항진시에는 진하게(hot) 나타나고, 기증저하나 갑상선결절로 호르몬생산이 잘 되지 않는 부위(cold nodule)는 옅게 나타납니다. 최근에는 동위원소에서 나오는 방사선으로 갑상선의 암세포를 사멸시키는 치료적 목적에 활용되기도 합니다.
3. **Renal scan** : 신장스캔은 작용하는 부위마다 서로 다른 방사성동위원소를 사용하므로 해당 동위원소의 이름을 따서 사구체 위주로 검사시에는 DPTA scan, 신피질 위주로 검사시에는 DMSA scan으로 부르기도 합니다. DMSA scan은 APN(acute pyelonephritis, 급성신우신염)의 진단시에 사용될 수도 있습니다.
4. **Salivary scan** : 타액선스캔은 타액선(salivary gland)에 능동적으로 섭취되는 방사선 동위원소를 이용하여 타액선의 기능을 평가하는 검사입니다. 두경부의 방사선치료, 쇼그렌증후군 등으로 인한 타액선 기능저하의 평가에 활용될 수 있습니다.

38-2 SPECT

(1) 개요

1. 신티그래피가 1개의 감마카메라로 2차원적 평면영상을 주로 보여주는 반면에, SPECT(단일광자방출단층촬영기, single photon emission computed tomography)는 1-3개의 감마카메라가 환자 주위를 회전하여 얻어진 정보를 컴퓨터 영상화하여 3차원적 단면영상을 보여줍니다. 감마카메라를 사용한다는 공통점 때문에 SPECT를 따로 분류하지 않고 신티그래피의 일종으로 보기도 합니다.
2. SPECT와 유사한 방식으로 PET scanner가 촬영하여 컴퓨터 영상화한 PET 검사도 3차원 단면영상을 제공하지만 FDG(fluorodeoxyglucose)라는 다른 종류의 방사성 원소를 사용하여 주로 종양의 진단에 사용된다는 차이점이 있습니다.
3. 대표적인 SPECT 검사로는 심근 SPECT와 뇌혈류 SPECT가 있습니다.

(2) 심근 SPECT (Myocardial perfusion imaging)

1. 심근경색 등 허혈성심질환의 진단과 병소부위의 감별을 할 수 있고 심장관련시술의 효과를

분석하여 관상동맥질환의 예후를 추정할 수 있습니다.

2. 안정시(rest)에 1번 촬영하고 운동 또는 약물로 부하(stress)를 가한 후 재측정하여 두 개의 영상을 비교하여 평가하게 되며 두 개의 영상에 차이가 없으면 정상으로, 차이가 있는 부분이 있으면 해당부위의 관류장애가 있는 것으로 판단합니다.

(3) 뇌혈류 SPECT (Functional brain imaging)

1. 국소적인 뇌혈류 상태의 이상을 육안적 또는 반정량적으로 측정할 수 있어 뇌졸중, 간질, 뇌종양, 모야모야병 등의 평가에 활용합니다. 뇌수술 전후의 혈류 변화를 관찰하는 데에도 이용할 수 있습니다.
2. 혈관조영검사를 통해 뇌혈관의 협착이 확인되는 경우라도, 뇌혈류 SPECT 검사를 시행해 보면 정상에 가까운 혈류상태를 보여주기도 합니다.
3. 본 검사는 1)기저(basal) 상태의 SPECT, 2)혈관저항을 줄여 뇌혈류를 20-30% 이상 증가시키는 Acetazolamide 부하 후의 SPECT 등 두가지 영상을 비교하여 평가합니다. Acetazolamide 투여 후의 뇌혈류 증가정도가 정상부위 보다 적은 부위는 뇌혈관예비력(vascular reserve)이 감소하였다고 볼 수 있으며 또한 뇌졸중의 재발위험이 높음을 의미합니다.
4. PET 검사도 뇌혈류 SPECT와 유사하거나 보다 다양한 영상정보를 제공할 수 있지만 별도의 동위원소를 사용해야 하고 고가의 검사기기가 필요하기 때문에 상대적으로 검사방법이 간편한 SPECT가 일차적으로 선택되는 경우가 많습니다.[3]

38-3 PET(PET-CT)

(1) PET과 PET-CT

1. PET(양전자 단층촬영, Positron Emission Tomography) 영상은 양전자를 방출하는 F-18 FDG(fluorodeoxyglucose)라는 방사성의약품을 체내에 주입해 그 반응을 영상화한 것입니다. FDG는 체내에서 포도당대사가 높은 부위에서 섭취(uptake)가 증가되는데 암세포는 해당과정(glycolysis)이 항진되어 있으므로 FDG 주입시 암세포에서의 uptake가 정상세포에 비하여 증가되어 있습니다. 악성도가 높을수록 해당과정이 더욱 항진되어 FDG uptake가 높게 나타납니다.
2. PET-CT는 PET(양전자방출 단층촬영술) 검사와 CT 검사가 융합되어 종양 등의 영상의학적 진단을 보다 정확히 할 수 있는 검사입니다. 즉 PET의 핵의학적 기능영상과 함께 CT를 통한 정확한 해부학적 영상정보도 통합되어 하나의 이미지로 제공됩니다.

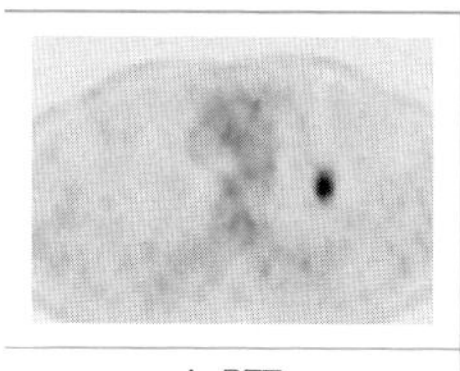
A. PET

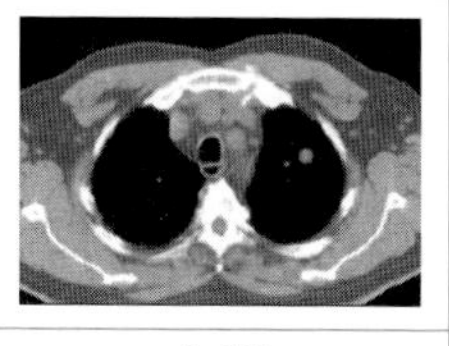
B. CT

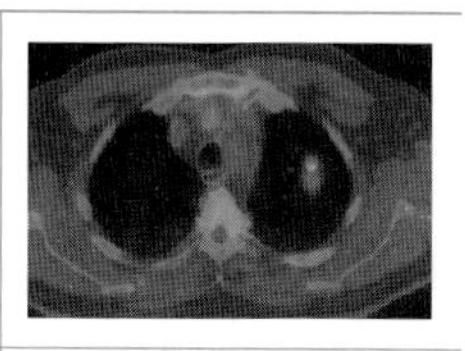
C. PET-CT

3. 아직 본격적인 상용화는 되지 못했지만 PET과 MRI 검사를 결합한 PET-MRI를 이용한 연구도 발표되고 있으며 가까운 시일 내에 일반화 될 것으로 전망되고 있습니다.

(2) 적응증

1. 종양 : 양성과 악성의 감별, 전이 및 재발의 평가, 치료 효과 판정
2. 심장 : 심근 생존능 평가, 관상동맥경화병소 검출
3. 뇌 : 간질 병소의 검출, 치매성 질환의 평가

*** 보험기준 (2011년 현재)**

종양	병기설정(진단 포함), 재발평가, 치료효과 판정(병기재설정)에 유용한 경우	폐암, 대장암, 식도암, 위암, 두경부암, 자궁경부암, 난소암, 유방암, 악성흑색종, 악성림프종, 갑상선암, 간암, 담도계암, 전이성 뇌종양, 뇌신경교종, 육종, 신경아세포종, 윌름스 종양, 원발부위 미상암
	재발평가, 치료효과 판정(병기재설정)에 유용한 경우	위의 암을 제외한 고형암
뇌		부분성 간질 (partial-onset seizure)
심근		허혈성 심질환에서 심근의 생존능 평가

종양질환의 보험산정횟수: 진단 및 병기설정시 1회 / 추적검사시 수술 후 1회, 항암치료 중 2회, 이후 첫 2년간 연 2회, 이후부터 2년에 1회

(3) PET-CT 판독시 유의사항

1. 생리적 분포 부위 : 1) 뇌부위는 본래 포도당 대사가 많아 FDG uptake가 높고 2) 신장 및 요로 등은 남은 FDG가 배설되는 과정에서 영상에서 관찰되므로 종양으로 혼동되지 않도록 유의합니다.
2. 염증이나 양성종양, 활동성 결핵 등이 위양성으로 나타날 수 있는 반면 체적내 당대사가 높지 않은 악성 종양(ex. low grade tumor)은 위음성으로 나타날 수 있습니다.
3. PET 단독으로는 악성종양을 확진할 수 없는 경우가 많으며 Uptake 정도(SUV)*나 형태,

경과시간에 따른 패턴(보통 악성은 시간경과에 따라 uptake 증가), 전이를 의심하는 다른 소견 등을 종합하여 판정하게 됩니다.

4. 건강검진에서 암진단의 목적으로 PET을 이용하는 것은 전문가 사이에서도 아직 일치된 의견이 없는 상태입니다. 예를 들어 폐암(NSCLC)의 경우 FDG-PET은 메타분석 결과에서 97%의 예민도와 78%의 특이도를 보였으나 조직검사를 완전히 대체하는 수단이 되는 것은 아닙니다.[2]

※ PET에서 발견하기 쉬운 암과 어려운 암 [1]

1. PET에서 발견하기 쉬운 암 : 구체적인 실질장기(갑상선, 폐, 대장, 유방암, 대장암, 악성림프종, 췌장암, 식도암. 난소암, 자궁체암)
2. PET에서 발견하기 어려운 암 : 너무 작은 암, 세포성분이 적은 암(낭포성암, 점액성암), 진행이 느린암(전립선, 갑상선암 일부, 고분화된 폐암일부), G-6 phase를 가지는 암(간세포암, 신장암- 고분화), 생리적 축적이 있는 장기(방광, 요관, 전립선 / 병소가 작은 신장, 위, 자궁경부)

(4) PET 촬영시 주의사항

1. FDG를 이용한 포도당 대사능이 측정되므로 포도당과 관련된 전처치가 필요합니다. 약 6시간 이상 금식하여야 하며 포도당 수액(ex. 5DW)도 중단하고 필요시에는 N/S 등으로 대체합니다. 당뇨환자의 경우 FDG 주사전에 고혈당이 나왔다고 해도 위급한 상황이 아닌 한 인슐린을 투여하지 않습니다.
2. 금식이지만 경구 수분섭취는 허용되며 오히려 많이 섭취하는 것이 권장됩니다.
3. 검사 전에 심한 운동을 하지 않도록 주의해야 합니다. 껌을 씹는 행위로 저작근에 FDG가 축적되는 경우도 있으며 보통 촬영 전 60분간 차폐공간에서 누워서 대기한 이후에 검사를 시행합니다.

REFERENCES

1. Tsunehiko Nishimura. PET의 달인되기. 2007. 군자출판사. P.127
2. Gould MK, Maclean CC, Kuschner WG, Rydzak CE, Owens DK. Accuracy of positron emission tomography for diagnosis of pulmonary nodules and mass lesions: a meta-analysis.JAMA. 2001 Feb 21;285(7):914-24.
3. 김재승, 핵의학영상 in 대한뇌졸중학회. 뇌졸중 Textbook of stroke. E-public. 2009.

* SUV (Standardized uptake value) = 종양 1g당 집적된 방사능량 / (주입한 총방사능량 / 환자체중(g))

39 초음파검사

39-1 초음파

(1) 개요

1. 초음파검사는 탐촉자(Probe)에서 발생한 음파가 검사대상에 반사되어 나온 파형을 영상화한 검사입니다. 의료용 초음파에는 주로 2-5MHz의 주파수가 사용되고, 산업용 초음파는 검사재질에 따라 다양한 주파수가 사용됩니다.
2. 방사선 피폭이 없으면서 근육이나 연부조직의 임의단면을 잘 관찰할 수 있고 실시간 영상화가 가능하여 각종 침습적 시술시에도 사용될 수 있는 장점이 있으나, 뼈나 공기를 함유한 부위는 검사가 어렵고 검사자의 촬영기술이나 경험에 따라 진단 정확도에 차이가 있을 수 있으므로 주의해야 합니다.
3. 초음파영상의 판독은 Echogenicity(에코음영)라는 용어를 사용하는데 흰 부분은 Echogenicity가 증가한 것이고 검은 부분은 Echogenicity가 감소한 것이라고 표현합니다. 참고로 CT에서는 Density(밀도), MRI에서는 Intensity(강도 또는 신호)라는 용어를 사용합니다.

종류	흰 부분 표현법 (고음영)	검은 부분 표현법 (저음영)
CT	High Density	Low Density
MRI	High Intensity	Low Intensity
U/S	Increased Echogenicity	Decreased Echogenicity
SPECT (RI)	Uptake (-)	Hot / Cold Uptake

(2) 초음파 영상표시방법

1. **A 모드 (amplitude mode)** : 반사파의 강도를 진폭에 따라 스파이크(spike)로 나타낸 것
2. **B 모드 (brightness mode)** : 반사파의 강도를 회색조(gray scale)로 나타낸 것. 복부 등 대부분의 영상에서 사용되는 방법
3. **M 모드 (motion mode)** : B모드 영상을 속도를 고려해서 움직이는 상태를 파형화한 것으로 심장초음파검사시 주로 사용.
4. **D 모드 (doppler mode)** : 도플러 효과를 이용해 혈류의 속도나 변화 등을 컬러영상으로 표시하는 방법.

(3) 초음파 검사의 종류

1. **심초음파(Echocardiography)** : 심장의 운동기능이나 심벽, 판막 등의 형태적 이상을 진단할 수 있습니다. 심초음파 방식은 TTE(ttransthoracic echocardiography)와 TEE(transesophageal -)로 구분되는데 TTE는 가슴위에 프로브를 대고 검사하는 일반적인 심초음파 방법이고 TEE는 내시경과 같이 식도안쪽으로 접근하여 검사하는 경식도 심초음파를 말합니다. TEE의 경우는 검사전 처치로 금식(NPO)이 필요합니다.
2. **복부초음파(Abdomen sono)** : 간, 담, 췌장이나 신장, 비장 및 주위조직을 주로 관찰하는 검사입니다.
3. **신방광초음파(Kidney & bladder sono)** : 신낭종, 신결석, 수신증, 신경색이나 방광의 병변을 확인하는 검사입니다. 골반강내 구조와 방광을 잘 관찰하기 위해서는 방광벽이 팽창된 상태가 더 유리하기 때문에 검사 2-3시간 전부터 물을 섭취하고 소변을 참은 상태에서 검사하게 됩니다.
4. **관절초음파(Extremity & joint sono)** : 뼈나 관절, 인대, 근육 등의 이상을 확인할 때 사용합니다.
5. **기타** : 질초음파(transvaginal), 직장-전립선 초음파(transrectal), 유방초음파(Breast), 갑상선(Thyroid) 초음파 등 부위에 따라 다양한 방식이 사용됩니다.

39-2 경동맥 초음파 (IMT)

1. 경동맥초음파(Carotid U/S)의 측정요소 중 하나로서 경동맥 내막-중막비후 검사로 번역되는 IMT(intima media thickness)는 CIMT(carotid artery Intima Media Thickness Testing)라고도 합니다. 해상도가 뛰어난 초음파를 이용하여 경동맥의 내막과 중막의 두께를 측정하는 방법입니다.
2. 보통 1mm를 평균으로 보고 2mm 이상이면 두꺼워진 것으로 판단하는데 이 두께가 증가할수록 심장혈관질환의 위험도가 증가하며 죽상경화증을 판단할 수 있는 근거가 됩니다.
3. 미국심장협회(American Heart Association)에서는 45세 이상이거나 가족력, 고지혈증, 고혈압, 대사증후군 등 2개 이상의 위험요인이 있는 45세 이하의 모든 환자들에게 IMT 검사의 시행을 권장하고 있습니다.

39-3 경두개 도플러(TCD)

(1) 개요

1. TCD(transcranial doppler, 경두개 도플러 초음파 또는 뇌혈류검사) 검사는 뇌혈관 속에 흐르는 혈류의 속도나 혈류방향, 파형에 관한 정보를 얻을 수 있는 검사로 이를 통하여 비침습적으로도 뇌혈관의 협착이나 폐색, 재관류 등을 확인할 수 있습니다.
2. TCD 검사는 두개골 중 얇은 부분에 탐색자(Probe)를 대어 혈류를 파악하게 되며 이 부위를 음향창(Acoustic window)이라고 부릅니다. 일반적으로 안와창(orbital window), 측두창(temporal window), 후두하창(suboccipital window) 등 3 곳의 음향창이 주측정부위가 됩니다.

측정부위	관찰하는 혈관
(A) Orbital window	안동맥(ophthalmic a.), 내경동맥(Internal carotid a., ICA)
(B) Temporal window	내경동맥의 끝부분(terminal portion), MCA, ACA, PCA
(C) Suboccipital window	척추동맥(vertebral a.), 뇌기저동맥(basilar a.)

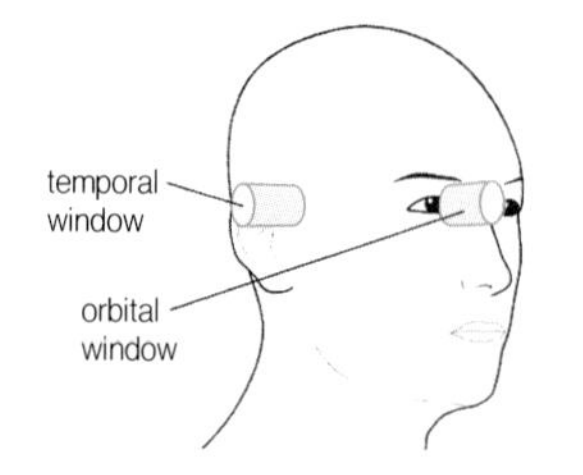

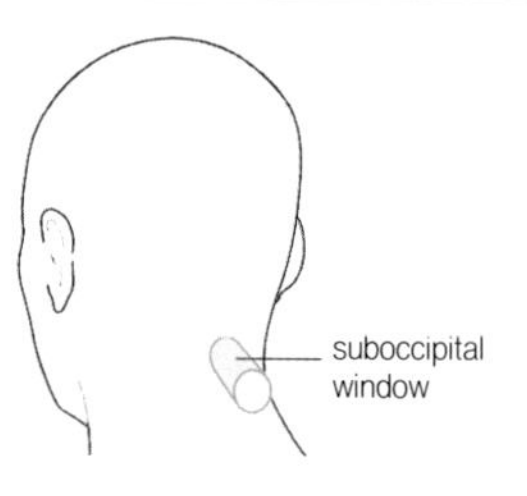

3. 검사자의 능력과 경험에 의해 많은 영향을 받는 검사라는 제한점이 있고 또한 연령이나 성별에 따라 음향창(acoustic window)의 골밀도가 높은 경우에는 제대로 관찰하지 못할 수 있습니다.

(2) 검사결과의 해석

1. 일반적으로 혈류가 평균속도 〉80cm/s 또는 최고수축기속도 〉140 cm/s 이면 협착이 있는 것으로 판단하며 또는 반대측 동일한 뇌동맥과 비교하여 30%이상 증가하거나 동일동맥의 두 지점에서 측정한 혈류속도가 2배 이상 차이나는 경우에도 협착을 의심할 수 있습니다.
2. 잡음(murmur)이 잡히거나 와류(渦流, turbulent flow)가 있어도 간접적인 협착의 증거가 됩니다. 혈류도 보이지 않거나 수축기에만 혈류가 보이는 경우, 혈류방향이 역전되어 있는 경우 등은 심한 협착 또는 폐색의 가능성을 의심해야 합니다.
3. 빈혈로 인하여 적혈구용적률(Hematocrit)이 낮아지면 혈관협착과는 무관하게 혈류속도가 증가할 수 있습니다.

40 내시경 (위/대장/기관지)

- 신축성 있는 관을 체내에 삽입하여 병변을 직접 육안으로 관찰하는 내시경(endoscopy)검사는 부착된 기구를 이용하여 조직을 생검(Biopsy, Bx) 또는 절제하거나 카메라 영상으로 저장할 수 있습니다.
- 일반적으로 위내시경(EGD), 대장내시경(colonoscopy)이 가장 많이 시행되지만 기관지내시경(bronchoscopy), 비내시경(rhinoscopy), 방광경(cystoscopy), 복강경(laparoscopy), 관절내시경(arthroscopy) 등 다양한 인체부위에 적용되고 있습니다. 건축배관, 장비탐지 등 산업용으로도 사용하는 내시경기구는 Borescope로 구별하여 부릅니다.

40-1 EGD

(1) 특징

1. 상부위장관 내시경검사를 대표하는 식도위십이지장 내시경검사(Esophago-gastro-duodeno-scopy, EGD)는 상복부 통증, 만성소화불량, 오심, 구토, 연하곤란, 상부위장관 출혈, 빈혈 등에 대한 원인 및 기타 식도, 위, 십이지장의 문제를 확인하는데 사용됩니다.
2. 기구가 닿는 범위 내에서 궤양이나 종양 같은 작은 병변 부위나 염증을 발견하는데 X-ray보다 정확하고 현미경적 검사를 위해 생검 혹은 세포학적 검사를 할 수 있으며, 그 병변이 양성인지 악성인지도 일정정도 구분이 가능합니다. 또한 협착된 부위를 펴거나, 양성 종양의 제거, 소화관 내 이물질 제거, 궤양 및 출혈 부위 치료에 다양하게 이용될 수 있습니다.
3. EGD는 일반적으로 약 10분 정도 소요되나 폴립절제(polypectomy) 또는 기타 내시경적 치료를 시행할 경우는 30분 정도 소요되기도 합니다.
4. 가능한 부작용 : 1) 조직검사 부위에서의 감염, 출혈, 천공 2) 전처치 약물로 인한 눈부심, 현훈, 호흡곤란 등
5. 금기증 : 환자의 거부 또는 협조가 부족할 때, 인후나 식부상부의 협착이나 장애가 의심되는 경우, 의식장애 또는 거동불편환자, 중증의 상태(고령, AMI직후, 부정맥, 심부전, 대동맥류, 위장관 천공, 수술 직후) 등

(2) 검사 과정

1. 검사 전날 자정(midnight)부터 금식입니다. (MN NPO)

2. 왼쪽 옆으로 눕고 수면 내시경의 경우 IV로 Midazolam 5mg (또는 propofol)을 주입합니다.
3. 검사 중 기침/구역을 방지하기 위해 신경마비제를 인후에 투여합니다.
4. 내시경을 삽관하여 esophagus(식도)를 지난 후 cardia(분문), fundus(위저부), body(위체부), antrum(위전정부), pylorus(유문) 등 위장의 각 부위별 관찰을 시행합니다.

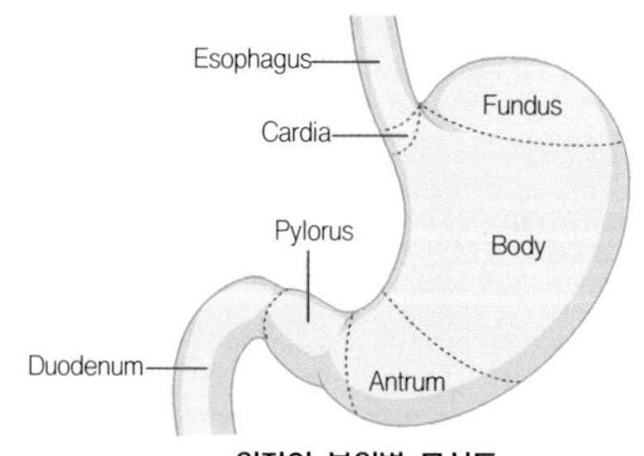

위장의 부위별 모식도

5. 염증이나 궤양 등이 발견시 조직채취를 시행합니다. 육안상 염증이나 궤양처럼 보여도 조직검사에서 종양일 가능성을 배제할 수 없기 때문입니다)
5. 필요시 Helicobacter pylori 감염여부를 알아보기 위해 CLO (Camplyobacter like organism) test도 시행할 수 있습니다.
6. 완료되면 EGD를 제거하며 환자는 이후 30분 정도 NPO를 유지합니다. 이는 인후마취를 시행하였으므로 연하장애가 발생될 수 있기 때문입니다.

(3) EMR / EMD

1. 최근에는 조기위암에 대한 내시경적 치료로 내시경적 점막 절제술(Endoscopic Mucosal Resection, EMR)이 활용되고 있습니다. 이 방법은 초기위암에서 외과적 수술의 장단기적 부작용이 없고 전신마취와 복부절개가 필요없으며 시술 후 통증이나 입원기간에서도 우월한 장점이 있습니다.
2. EMR의 적응증은 1)고분화 또는 중등도 분화암으로 2)궤양이 없고 3)수거된 절제조직에서 혈관이나 림프관의 암세포 침범이 없으며 4)융기암의 경우 2cm이하, 함요암의 경우 1cm 이하일 경우가 됩니다.
3. EMR은 2cm 이상의 병변에 대해서는 사용이 제한적이었으나 최근에는 이보다 발전되어 2cm이상의 암부위에도 내시경적으로 절제가 가능한 내시경적 점막하절제술(Endoscopic Submucosal Dissection, ESD)이 시행되기도 합니다.

(4) 경비내시경

1. 일본에서 최초로 개발된 경비내시경(經鼻內視鏡, transnasal EGD)은 기존 내시경보다 40-50% 가느다란 두께의 관을 구강이 아닌 비강으로 삽입하는 방식입니다. 아직 국내에서 많이 시행되지는 않지만 통증이나 인두반사(pharyngeal reflex)가 거의 없어 수면마취 등이 불필요하고 고령자나 심폐기능이 저하된 환자들에게도 비교적 안전하게 시행할 수 있는 장점이 있으며 기존 내시경에 비해 뒤지지 않는 진단적 유용성을 보이고 있습니다.
2. 비강의 크기가 작거나 병변이 있는 경우, 고피가 잘 나는 경우에는 시행할 수 없고 조직검사시 생검된 조직의 크기가 작은 단점이 있습니다.
3. 최근에는 ESD의 보조도구로 사용되거나 L-tube, 경비적 담즙배액관(nasobiliary tube) 삽입 시 정확한 삽입위치의 확인을 위해 보조적으로 이용되기도 합니다.[1,2]

40-2 Colonoscopy / Sigmoidoscopy

(1) 개요

1. 대장내시경(Colonoscopy)검사는 CFS 또는 Colonofibroscopy로 불리기도 합니다. 특정 증상에 대하여 대장암 또는 다른 원인들을 확인하고, 대장용종(polyp)을 발견하여 제거술(polypectomy)을 시행할 수 있습니다. 대장암 수술 후의 경과 관찰, 궤양성 대장염(UC), 크론씨 질환(CD) 등을 진단하기 위해서도 필수적인 검사입니다.
2. 응급으로라도 익일 오전에 시행시에는 NPO 및 전처치가 필요하며 보통 Colyte powder 4L를 이용하며 검사 4시간 전에 물 4L에 희석한 후 10분마다 240ml씩 복용하는 방식이 사용됩니다. 대량의 수분섭취 및 장내 청소과정 때문에 상대적으로 EGD에 비해 환자의 고생이 심한 편입니다.
3. S상결장까지만 검사할 경우에는 Sigmoidoscopy(S상결장경검사 또는 구불창자내시경검사)로 지칭합니다. Sigmoidoscopy로 시행할 경우에는 일반적으로 금식이 필요없고 검사 1시간 전에 관장(enema)을 시행한 후 검사됩니다.

(2) 대장조영술 vs 대장내시경

	대장조영술 (Colon Study)	대장내시경 검사 (CFS)
장점	- 대장 전체의 형태를 볼 수 있고 종양 등으로 좁아진 부위 위쪽의 검사도 가능 - 대장 게실 및 장루 등 특수 질환의 진단에 유리 - CFS보다 환자의 고통이 덜함.	- 조기진단이 용이하고 정확성도 높음. 조직검사도 가능 - 진단과 동시에 용종을 제거하거나 좁아진 부위를 확장하는 등 치료적 내시경이 가능
단점	- 병소를 발견하여도 확진을 위해 내시경 검사를 다시 해야 함. - 점막의 병변 등 초기 질환의 진단이 곤란	- 병소의 정확한 위치를 확인하기 곤란 - 몇몇 드문 질환의 진단에 어려움

40-3 Bronchoscopy

1. 기관지내시경검사(bronchoscopy)는 원인불명의 만성기침, 객혈이 있거나 폐결핵, 종양 또는 원인 미상의 폐렴이 의심될 때 시행하며 후두, 기관, 기관지 등의 내부를 관찰하고 조직생검(Bx) 등을 시행할 수 있습니다.
2. 또는 치료적 목적으로 기관지 내의 출혈부위를 찾아 지혈할 수 있고 잘못 흡입된 음식물, 의치를 제거하거나 제거가 어려운 객담을 흡인하는데 이용되기도 합니다.
3. 일반적으로 호흡기내과에 의뢰하여 시행합니다. 검사과정에서 출혈, 호흡곤란 등이 발생할 수 있으며 환자 상태에 따라 미리 CBC, ABGA, PFT(pulmonary function test) 등을 시행하여 빈혈, 응고장애, 호흡장애 등이 없음을 확인한 후 Bronchoscopy가 시행되기도 합니다.

REFERENCES

1. Mori A, Ohashi N, Yoshida A et al. Unsedated transnasal ultrathin esophagogastroduodenoscopy may provide betterdiagnostic performance in gastroesophageal reflux disease. Dis Esophagus. 2011 Feb;24(2):92–8.
2. Ahn JY, Choi KD, Choi JY et al. Transnasal endoscope–assisted endoscopic submucosal dissection for gastric adenoma and early gastric cancer in the pyloric area: a case series. Endoscopy. 2011 Mar;43(3):233–5.

41 심전도검사 (EKG)

▪ 심전도검사의 판독은 많은 경험과 원리의 이해가 동반되어야 하며 간략히 요약하기 어려운 분야입니다. 본 장에서는 기본적인 원리 및 긴급히 의뢰할 경우에 중점을 두었고 기본원리, 축(Axis)의 이상이나 기타 특이파형에 관한 내용은 생략하거나 간략히 소개하였습니다.

41-1 EKG 개요

(1) 12유도 심전도와 단일유도 심전도

1. 심장의 전기적 활동을 기록하는 EKG*는 심장의 전반적인 상태 및 기능에 대한 정보를 제공하는 유용한 진단기기입니다. **[참조항목 : 7-3]**
2. 일반적인 외래나 입원초진의 경우 심전도기를 이용하여 특정 순간에 대한 12개의 파형(표준유도 3개, 사지유도 3개, 흉부유도 6개)이 나오는 12유도 심전도 결과지를 통해 분석하지만, 환자상태가 좋지 않거나 중환자실 입원인 경우에는 심전도 모니터를 부착하여 나오는 1개의 유도파형을 지속적으로 관찰하게 됩니다.
3. 1개의 단일파형만 보여지는 모니터 심전도는 ST 분절이나 QRS 파형변화에 대한 정보가 불충분하므로 의미있는 변화가 관찰되거나 흉통 등이 동반되는 경우에는 정확한 평가를 위해 12유도 심전도를 시행합니다.
4. 병의원에서의 심전도 검사는 특정 순간의 파형만 검사되기 때문에 24시간 동안 심전도 파형을 기록하는 24시간 홀터(24Hr Holter monitoring) 검사를 통해 평상시의 심전도 이상을 찾을 수 있습니다. 실신, 어지러움, 두근거림(palpitation) 등이 있을 때 심장원인을 의심하여 시행하기도 합니다.

Tip EKG 이외의 추가적 검사들

임상증상이 있음에도 심전도상 정상이거나 경도의 심전도 이상시 일반적으로 시행되는 추가적 검사로는 심초음파(echocardiography), Heart SPECT, 24시간 홀터검사, 트레드밀 검사(treadmill test) 등이 있습니다. 트레드밀 검사는 흔히 체육관(Gym), 헬스장 등에서 유산소운동

* ECG(Electrocardiogram)로 표기되기도 하지만 발명자인 독일의 Einthoven이 명명한 EKG(Electro-kardio-gram)로도 많이 사용됩니다.

의 목적으로 사용되는 트레드밀 운동기구 위에서 환자가 직접 뛰면서 심기능의 변화를 확인하는 검사입니다.

(2) 심장전기자극과 NSR

1. 기본적으로 Sinus node(동결절)에서 시작한 전기자극은 ①심방을 탈분극(depolarization)시킴으로써 흥분하여 수축하게 하고 ②이후 AV node(방실결절), 좌우 branch 및 퍼킨지섬유(Perkinje fibers)를 통과한 후 ③심실을 탈분극시킴으로써 수축시킵니다. ④이후 약간의 간격을 둔 후 ⑤심실이 원래의 상태로 재분극(repolarization)하여 안정되게 됩니다.
2. 이러한 경로를 심전도 파형으로 기록된 결과는 다음과 같습니다. Sinus node에서 시작한 자극으로 정상적으로 심방, 심실이 수축되어 기록된 파형을 NSR(normal sinus rhythm)이라 하며 환자에 대해 가장 안심할 수 있는 심전도결과라 하겠습니다.

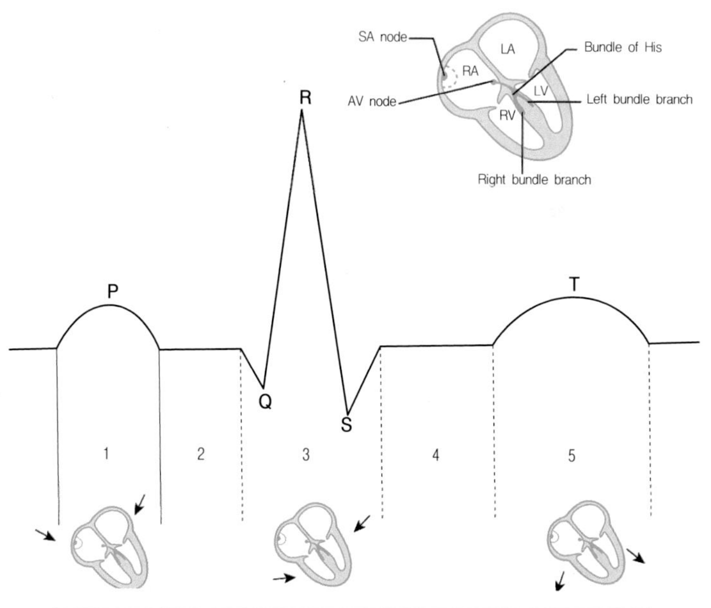

P파	평탄부 (PQ 분절)	QRS파	평탄부 (ST 분절)	T파
① 심방의 흥분 (심방수축)	②전기 신호전달	③ 심실의 흥분 (심실수축)	④ 안정준비단계	⑤ 심실재분극 (심실안정)

3. 정상심전도에서는 Q파는 잘 관찰되지 않습니다. V1에서 V6까지의 파형은 점진적으로 높아지다가 감소하는 패턴을 보입니다.

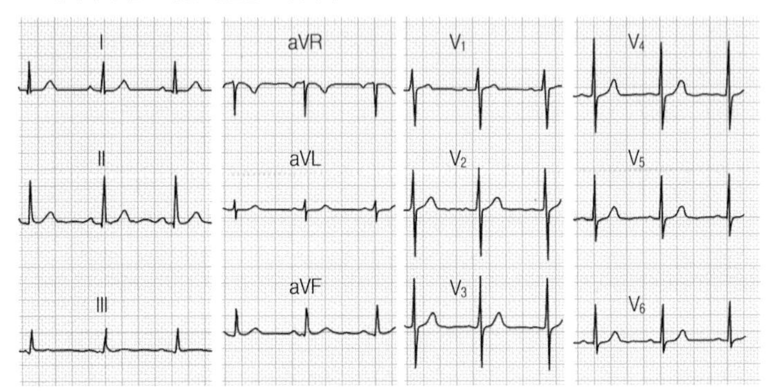

정상심전도 파형

41-2 EKG 간략판독

(1) 심박수 확인

1. 심전도기록지는 1mm 간격으로 가는 선이 그어져 있고 5mm마다 굵은 선으로 표시되어 있으며 굵은 선 한칸(=5mm)은 0.2초, 가는선 한칸(=1mm)은 0.04초에 해당합니다.
2. [심박수 = 300 ÷ (RR 간격의 5mm선의 개수)]

   쉽게 분당 심박수를 계산하자면 심전도의 QRS 파형간격(R-R 간격)에 해당하는 굵은선(5mm 선) 개수를 300에 나누면 됩니다. 예를 들어 굵은 선 1칸마다 기록되면 300회(=300/1), 2칸마다 기록되면 150회(=300/2), 5칸마다 기록되면 분당 60회(=300/5)의 심박수가 됩니다. 그림 1에서 대략 3칸마다 QRS 파형이 보이므로 심박수는 약 100회(=300/3)가 되고, 4칸마다 파형이 보이는 그림 2에서의 심박수는 75회(=300/4)가 됩니다.

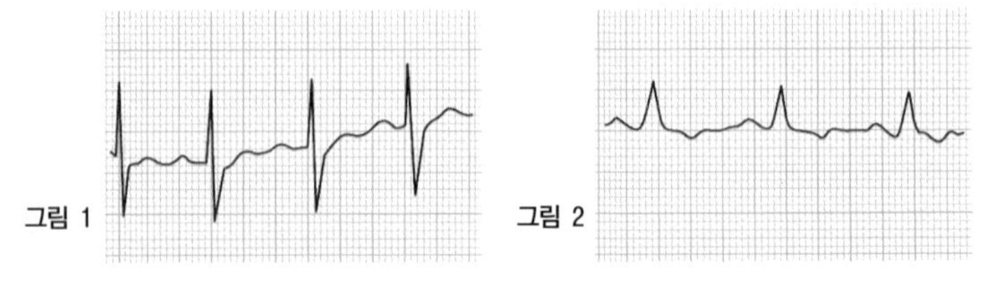

3. 정상 심박수의 범위는 60-100회이며 이보다 빠르면 빈맥(Tachycardia), 느리면 서맥(Bradycardia)으로 분류합니다.

(2) 규칙성(Rhythm) 및 차단(Block) 확인

1. 보통 심전도 기록지에도 심장의 파형을 대표적으로 잘 반영하는 II 유도나 V1유도 등이 다른 파형보다 오래 기록되어 있으므로 이를 이용해 리듬의 이상을 확인할 수 있습니다. 우선 파형의 규칙성을 확인하며 P파와 QRS파의 규칙성, 형태를 살핍니다. 하나의 P파(심방수축)가 나온 후 하나의 QRS파(심실수축)이 이어지는 관계가 1:1로 대응해야 정상입니다.
2. P-R 간격(정상은 0.1-0.2초 사이)이 연장되어 있으면 방실차단(AV Block)을 의심하고 QRS 간격(정상은 0.1초 이내)이 연장되어 있으면 각차단(Bundle branch block, BBB)을 의심합니다.

(3) 경색여부 확인

1. 경색(Infarction)과 관련된 파형이 있는지 확인합니다. 특히 급성심근경색(Acute MI)과 밀접한 ST 분절의 상승(또는 하강)을 확인하고 Q파 및 역위된 T파 등의 존재여부도 확인합니다.
2. 일반적으로 Q파는 경색(infarction) 또는 괴사(necrosis)를, 역위된 T파는 허혈(ischemia)을, ST분절의 상승 또는 하강은 급성손상(acute injury)을 의미합니다. Q파는 QRS 전체높이의 1/3이상을 차지하거나 0.04초(=1mm)이상의 너비를 보일 때 유의한 것으로 간주하며 Q파가 출현하지 않는 MI일 가능성도 고려해야 합니다.

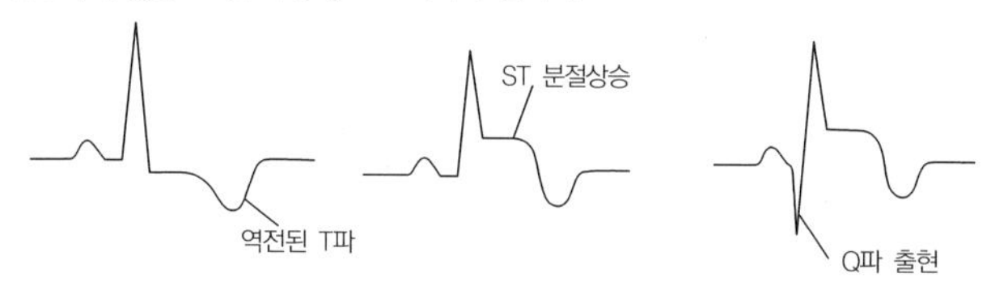

3. 수시간 또는 수일간의 시간의 흐름에 따라 초반에 상승하였던 T파가 역위되거나 상승되었던 ST분절이 정상화 되는 양상을 보이며, 경우에 따라 전형적인 소견이 나타나지 않으므로 전적으로 한번의 EKG 결과에만 의존해서는 안됩니다.

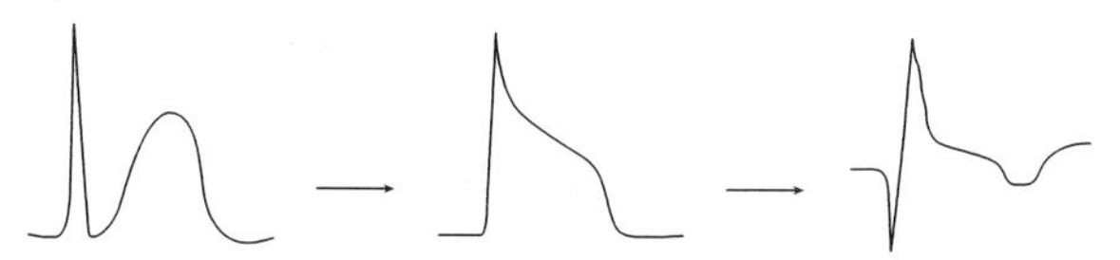

MI의 발생부위에 따른 12유도 심전도의 양상	
하벽(inferior)의 경색	II, III, aVF에서 ST분절의 상승 (Q파의 출현)
전벽(anterior)의 경색	V1-V4에서 ST분절의 상승 (Q파의 출현)
측벽(lateral)의 경색	I, aVL, V5-V6에서 ST분절의 상승 (Q파의 출현)
후벽(posterior)의 경색	V1-V3에서 ST분절의 하강, R파의 상승

(4) 기타 특이파형 확인

1. 심비대(Hypertrophy)나 고칼륨혈증, 인공심박동기 등과 관련된 기타 특이파형도 익혀두고 확인합니다. 실제 심비대가 있어도 EKG상 나타나지 않는 경우도 많으므로 주의합니다.
2. 정상파형은 아니지만 심질환이 없는 일반인에게도 종종 관찰되는 파형들을 확인합니다.

Tip EKG 기계의 자동판독

EKG 기계의 자동판독은 이상소견(ex. acute MI) 진단시 민감도(sensitivity)는 높지만 특이도(specificity)는 낮아 위양성의 가능성이 많으므로 주의합니다. 즉 acute MI라는 판독결과가 나와도 실제 MI는 아닌 경우도 많습니다. 실제 Q wave가 보이거나 ST 분절상승, T파 역전 등이 있는지 살펴보면서 자동판독에만 의지하지 않도록 합니다.

41-3 응급조치가 필요한 파형

[1] VT (Ventricular Tachycardia, 심실성 빈맥) - CPR 적응증

마치 수학시간의 싸인(Sine) 그래프와 같이 P파가 없는 QRS파만이 분당 100-250회 정도의 빠른 속도로 규칙적으로 나타남. → 곧 VF로 진행될 수 있는 가능성이 있으며 특히 맥박이 촉지되지 않으면 심정지에 준하여 CPR 시작

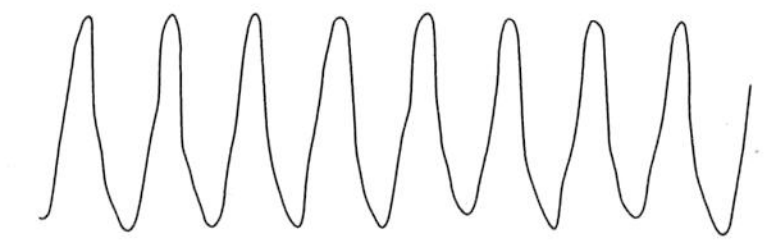

[2] VF (Ventricular Fibrillation, 심실세동) - CPR 적응증

정확한 파형의 구별이 어려울 정도로 무질서한 파형. 실제 심박출은 없는 상태이며 즉각적인 제세동이 필요.

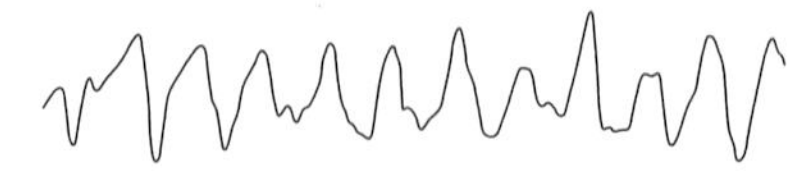

[3] PEA (Pulseless Electrical Activity, 무맥성 전기활동) - CPR 적응증

심전도상에 미약한 리듬은 있지만 실제 맥박(경동맥)은 없는 상태.

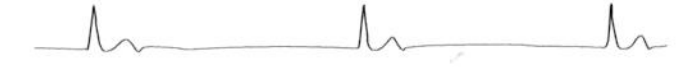

[4] Asystole (무수축) - CPR 적응증

심전도상에 파형이 전혀 없이 flat한 상태.

[5] Myocardial Infarction (심근경색)

ST 분절의 상승 및 Q파, 역위된 T파 등의 나타남.
시간에 따라 전형적인 패턴이 나타나지 않을 수 있으므로 주의.

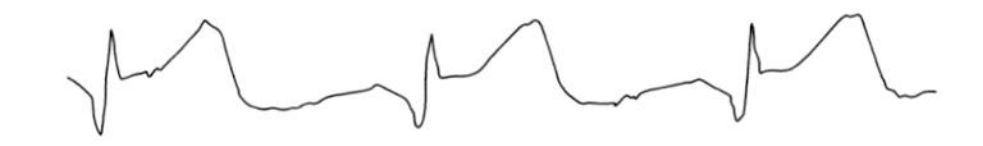

[6] Complete AV block (완전방실차단 = 3도방실차단)

P파 간격은 일정하나 P파와 QRS파가 서로 무관하게 나타나는 상태. 심방과 심실이 완전히 독자적으로 수축하는 상태로 응급의뢰 필요.

[7] High degree AV block (고도방실차단)

P파가 2번 이상 나와도 QRS파가 연속되지 않을 때. 응급의뢰 필요.
4번(3번)에 1번 QRS가 전도되면 4:1(3:1) AV Block이라 함.

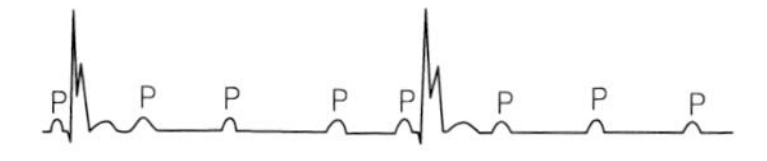

[8] Hyperkalemia (고칼륨혈증)

T파가 위로 상승함. 텐트모양 처럼 솟는다고 하여 "tented T wave"로 표현되기도 함. K+농도가 상승할수록 T파의 높이도 상승. (A→ B→ C의 순서로 K+농도가 상승하는 양상)

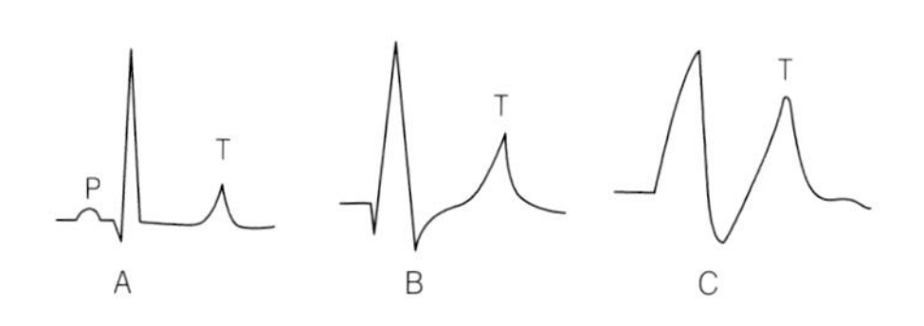

41-4 주의해야 할 파형 (부정맥)

[9] Sinus Arrythmia (동성부정맥) - 동성빈맥과 동성서맥도 포함

P파와 QRS파가 1:1로 대응하며 정상적 파형을 유지하는 부정맥. 무증상이고 다른 심질환이 없으면 경과관찰이 위주가 될 수 있으나 증상이 있거나 V/S에 이상이 있을 때는 추가검사 시행.

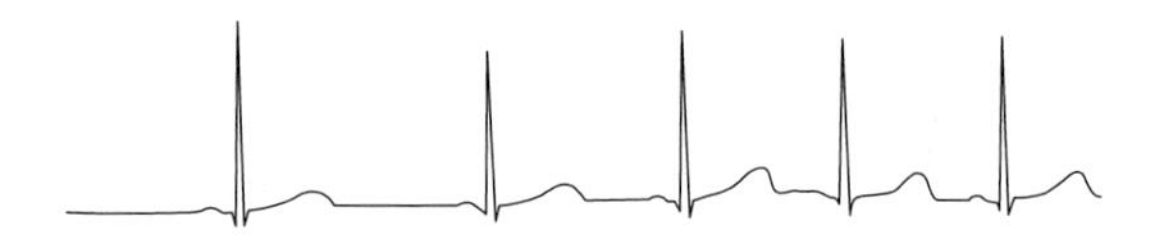

[10] Sinus Arrest (동정지)

정상 파형을 보이다가 3초 이상 박동이 중단되는 상태. Pacemaker가 필요할 수 있음.

* Sick sinus syndromne (동기능부전증후군) : 동정지나 동성서맥, 서맥-빈맥증후군 등으로 어지러움, 피로감, 실신 등이 나타나는 상태.

[11] AF 또는 AFL (Atrial Flutter, 심방조동)

톱니 모양의 빠른 심방 활동(P파)이 보이며 QRS 간격은 보통 일정함.

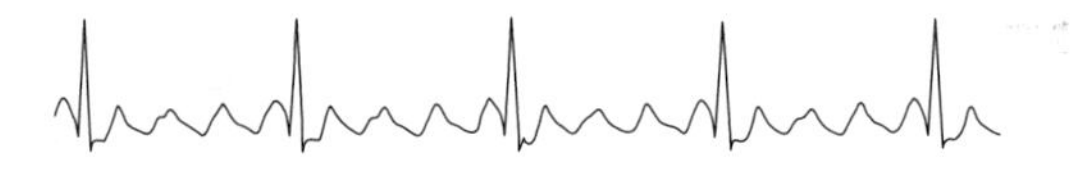

[12] Af (Atrial Fibrillation, 심방세동)

심부전이나 혈전증을 유발하는 주요 요인으로 뇌경색 발병률도 3-4배 증가함. 불규칙한 QRS 파형 사이에 작은 세동들이 관찰되며 심방 박동수 350-600 회/min & 심실 박동수 120-200 회/min

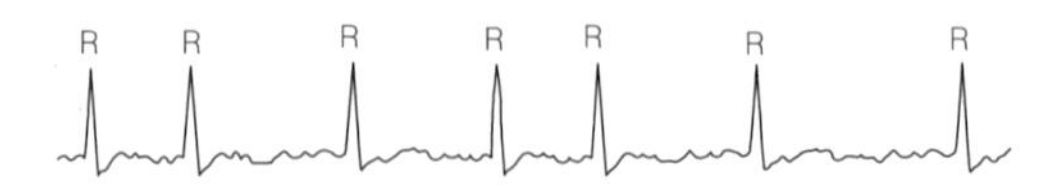

[13] PSVT (Paroxysmal supra-ventricular tachycardia, 발작성 상심실성 빈맥)

빠른 속도(150-250/min)로 P파 없이 QRS파만 보이는 파형. 적절한 항정맥제의 투여가 필요하며 또는 발살바(valsalva)법이나 carotid massage 시행.

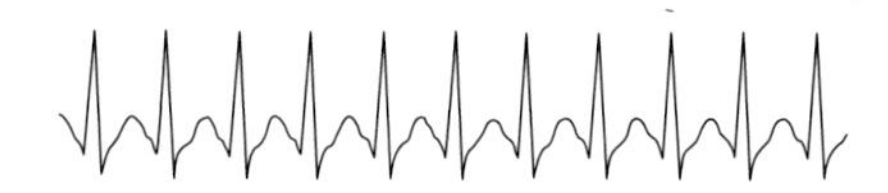

[14] 2도 AV Block (2도 방실차단) - Mobitz I형 (Wenckebach 형)

규칙적인 P파-QRS파가 이어지다가 때때로 QRS파가 한번씩 사라짐. PR 간격이 점차 연장됨. 일과성으로 큰 문제가 없이 지나가는 경우도 많음.

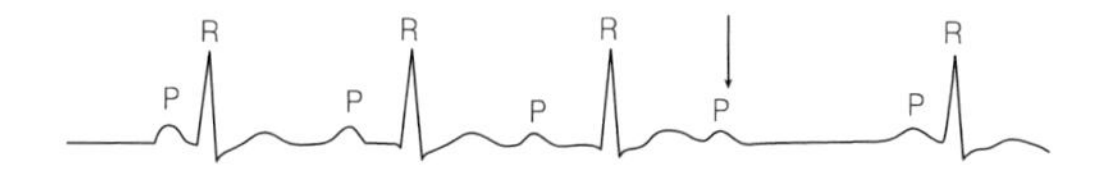

[15] 2도 AV Block (2도 방실차단) - Mobitz II형

규칙적인 P파-QRS파가 이어지다가 때때로 QRS파가 한번씩 사라짐. PR 간격은 일정. 기질적 차단이 많으므로 Pacemaker가 필요할 수 있음.

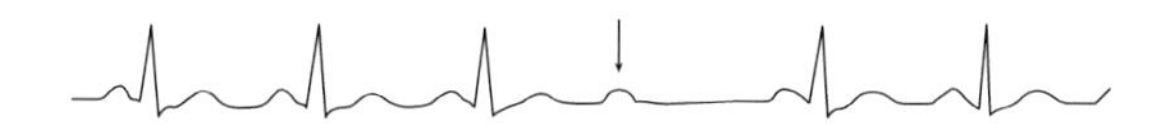

[16] 2:1 AV Block (2:1 방실차단)

2번의 P파마다 1번의 QRS파가 이어지는 형태. 2도 방실차단의 일종으로 Mobitz I형일 수도 또는 II형일 수도 있음.

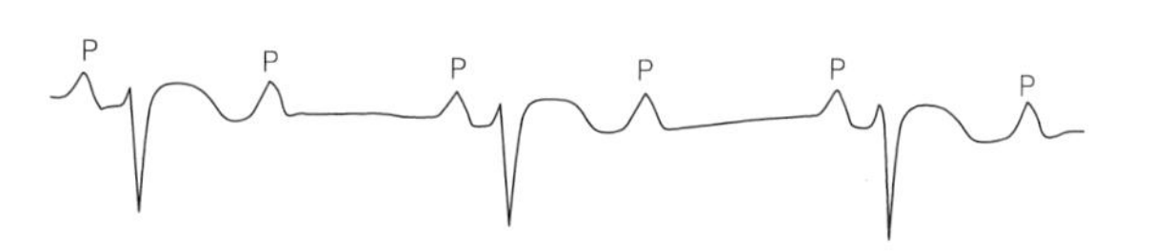

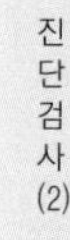

[17] WPW (Wolff-Parkinson-White) syndrome

심실이 조기흥분된 상태로 QRS 간격이 넓어지고 PR간격이 작아지면서 직각삼각형 모양의 delta 파형이 보임. 특히 AF나 Af 동반시 VF로 발전할 가능성도 있으므로 주의.1)

[18] TdP (Torsades de pointes)

QT가 길어지다가 마치 음파의 기록처럼 높낮이와 주기의 변화가 심함. 주로 약물 등에 의해 유발되며 Magnesium 투여가 효과적. 보통 짧게 지나가지만 이 상태가 지속되면 응급치료를 요함.

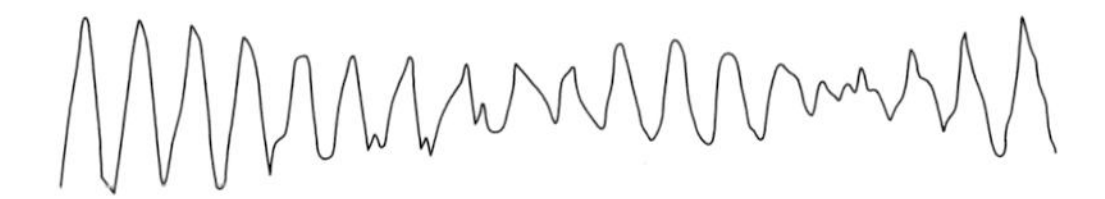

41-5 주의해야 할 파형 (부정맥 이외)

[19] LVH (Left ventricle hypertrophy, 좌심실비대)

V1에서 깊이 하강하고 V5-6에서 높이 상승한 패턴. V1의 S파와 V5의 R파의 합이 35mm일 때 진단되며 고혈압, 비후성 심근병증(H-CMP) 등에서 관찰됨.

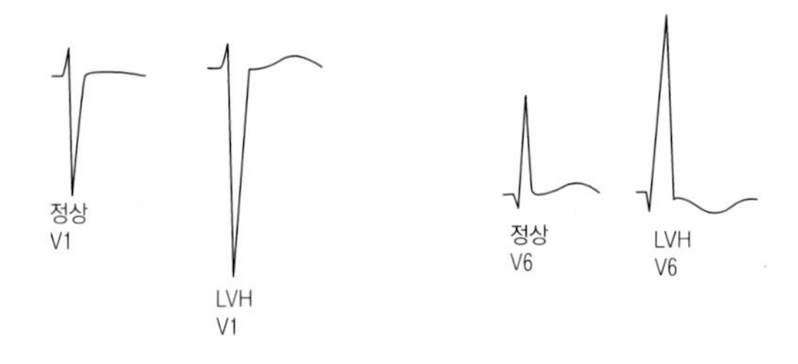

[20] RVH (Right ventricle hypertrophy, 우심실비대)

V1에서 하강파형(즉 R<S)이 우세한 것이 정상이나 RVH에서는 상승파형(즉 R>S)이 우세한 양상을 보임.

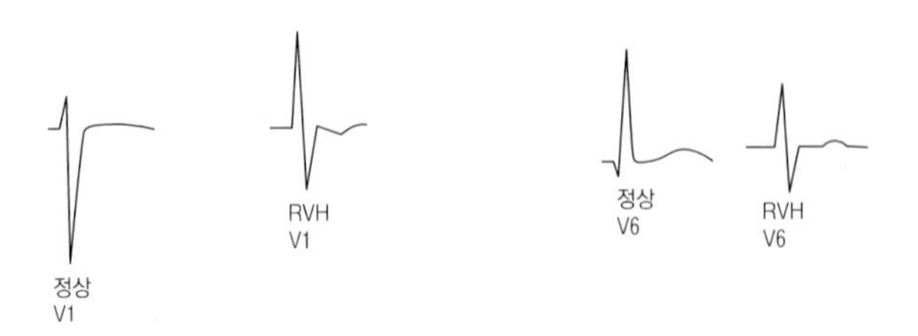

[21] LBBB (Left Bundle branch block, 좌각차단)

QRS폭이 0.12초(=3mm) 이상 넓어지면서 좌측의 흉부유도인 V5 또는 V6에서 R파가 2번 나타나는 M파 모양. (V1에서 W, V6에서 M)
대개 구조적 이상을 파악하기 위해 심초음파 검사를 시행. LBBB가 있으면 MI가 있더라도 EKG상에 나타나지 않을 수 있으므로 특히 주의해야 함.

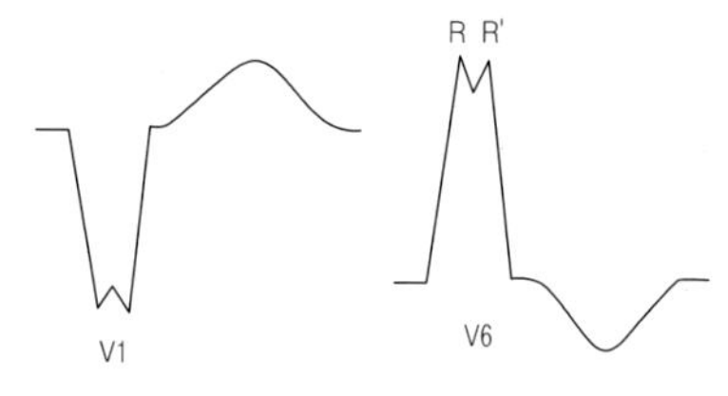

[22] Hypokalemia (저칼륨혈증)

T파는 낮아지면서 U파가 나타남. 칼륨저하가 심할수록 U파 높이도 상승.

[23] Pericarditis (심낭염)

ST분절의 상승이 있고 T파가 기저선보다 상승되어 있음. 진행되면서 T파의 역전이 보이기도 함.

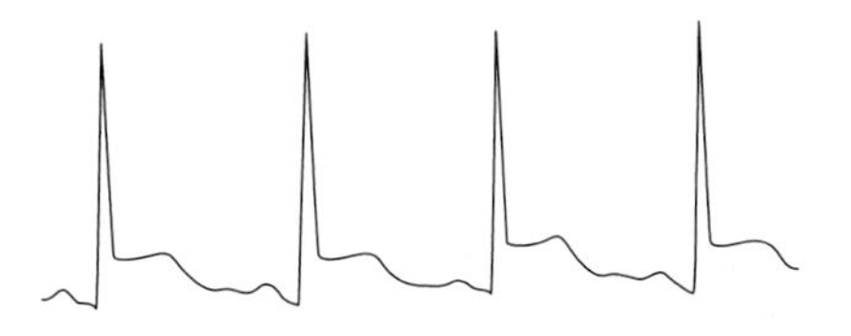

[24] Digitalis (디지탈리스)

강심제인 디지털리스 사용시 ST분절이 하강하면서 국자(Scoop) 모양으로 생긴 파형이 보임.

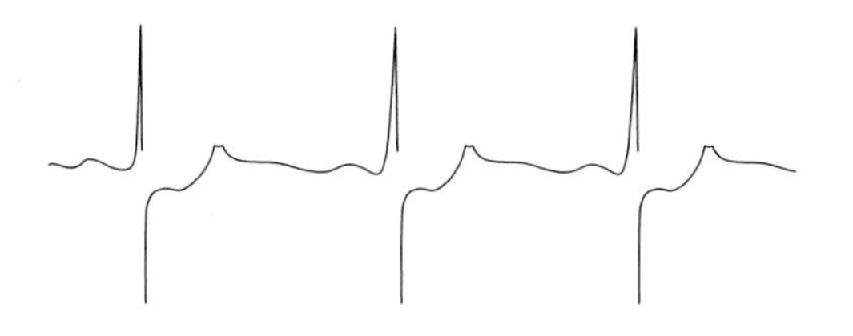

[25] Pacemaker (심박동기가 삽입된 환자)

Pacemaker가 작동할 때마다 심전도상에 길쭉한 세로줄의 Spike가 기록됨.

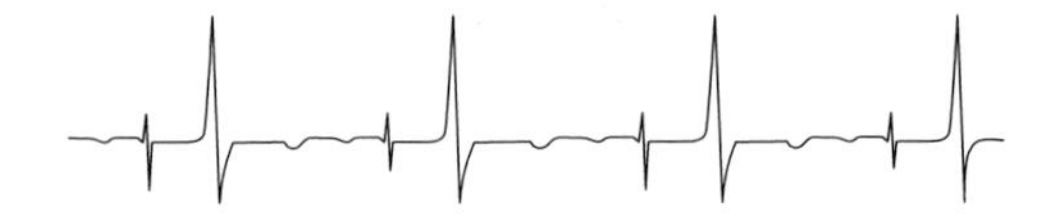

41-6 경과를 관찰할 수 있는 파형

임상증상이나 V/S의 이상이 없고 다른 기저심질환이 없다면 경과를 관찰할 수 있는 파형입니다.

[26] 1도 AV Block (1도 방실차단)

P파는 규칙적이지만 PR간격이 연장(0.2초, 즉 5mm 이상)되어 있거나 QRS파가 이어지지 않는 경우

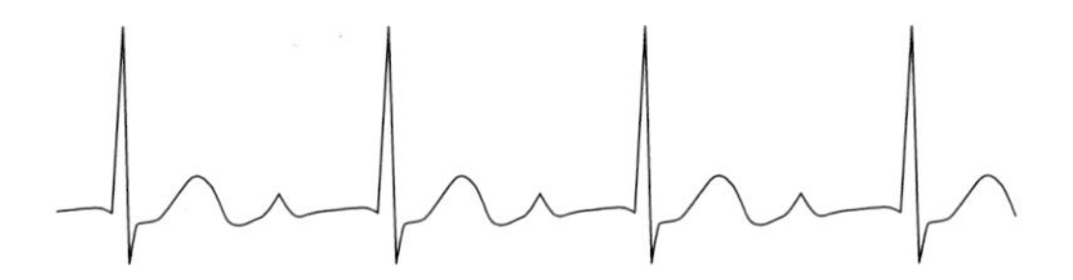

[27] PAC 또는 APC (Premature atrial contraction, 조기심방수축)

규칙적인 P파-QRS파가 이어지다가 때때로 비정상적인 P파가 출현한 후 QRS파가 이어짐. 연속적으로 PAC가 나타나면 추가검사 필요

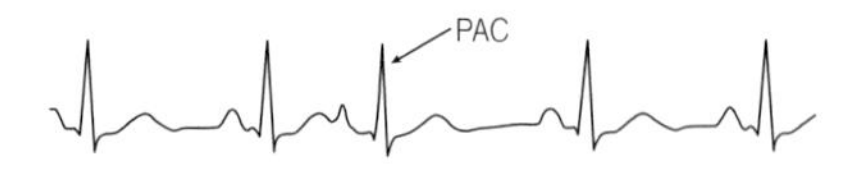

[28] PVC 또는 VPC (Premature ventricular contraction, 조기심실수축)

규칙적인 P파-QRS파가 이어지다가 때때로 P파 없이 비정상적인 QRS파가 출현한 후 다시 정상리듬이 이어짐. 24시간 홀터검사시 정상 성인의 60%에서 나타나지만 PVC가 연속적으로 나타나거나 1분에 6개 이상 나타나면 추가검사 필요.

[29] RBBB (Right Bundle branch block, 우각차단)

QRS폭이 0.12초(=3mm) 이상 넓어지면서 우측의 흉부유도인 V1 또는 V2에서 R파가 2번 나타남. (V1에서 M, V6에서 W)

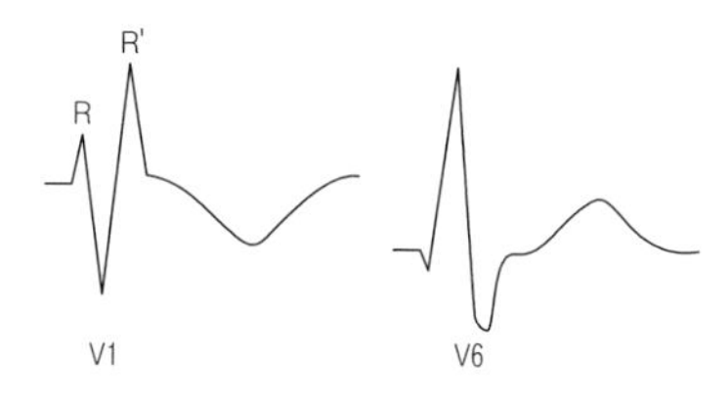

Tip AMI 판정시 주의점

1. AMI가 있어도 정상심전도결과가 나올 수 있고 AMI가 아님에도 ST elevation이 있을 수 있습니다. 예를 들어 LBBB, Pacemaker, WPW가 있으면 AMI가 EKG상에 반영되지 않기도 하므로 임상에서 의심되면 추가적으로 심근표지자 검사, 심초음파 등이 시행될 수 있습니다.
2. 반대로 급성심낭염, LVH, LBBB, Brugada 증후군 등이 있으면 AMI가 없어도 ST분절이 상승될 수 있습니다.

REFERENCES

1. Thomas M. De Fer et al. The Washington Manual Survival Guide Series Internship Survival Guide. 3rd edition. Lippincott. 2008.
2. Dubin D. 심전도 속성 판독법. 군자출판사. 2008.
3. Malcolm Thaler. The only EKG book you'll ever need. Lippincott Williams & Wilkins. 2003.

42 폐기능검사 (PFT)

42-1 PFT 개요

(1) 개요

1. 폐기능검사(pulmonary function test, PFT)는 호흡기의 실제적인 가스교환능력을 측정하는 검사로 X-ray나 CT 등 영상의학적으로 알 수 없는 기능적 이상 소견을 감별하고, 폐질환 등에 대한 기능장애와 치료의 효과 등을 객관적으로 측정할 수 있는 검사입니다.
2. PFT 검사방법은 비교적 간단해서 최대로 숨을 들이 마신 뒤 spirometry(폐활량계)라는 측정기구에 가능한 최대의 노력으로 숨을 빠르고 강하게 내뱉으면 됩니다.
3. PFT 결과지는 이렇게 하여 측정된 결과를 바탕으로 1) 시간에 따른 호기량(expiratory volume)을 분석하는 simple spirometry 및 2) 이 관계의 기울기를 별도의 그래프로 표시한 Flow-volume curve로 구성됩니다. 이와 함께 3) DLCO(diffusing lung capacity for carbon monoxide) 결과를 함께 이용하고 추가적으로 천식의 진단을 위해서 4) 기도폐쇄 가역성검사 또는 5) 기관지유발검사가 병행되기도 합니다.

(2) 폐의 용적(volume) 등에 대한 기본 개념

<table>
<tr><td>②</td><td>Inspiratory reserve volume</td><td rowspan="3">⑥ Vital capacity</td><td rowspan="4">⑦ Total Lung Capacity</td></tr>
<tr><td>①</td><td>Tidal volume</td></tr>
<tr><td>③</td><td>Expiratory reserve volume</td></tr>
<tr><td>④</td><td>Residual volume</td><td>Residual volume</td></tr>
</table>

① TV (Tidal volume) : 평상시 들이마시고 내뱉는 공기의 양

② IRV (Inspiratory reserve volume) : 평상시 보다 더 들이마실 수 있는 공기량

③ ERV (Expiratory reserve volume) : 평상시 보다 더 내뱉을 수 있는 공기량

④ RV (Residual volume) : 최대한 숨을 내뱉은 후에도 폐에 남아있는 잔기량

⑤ FRC (Functional residual capacity = ③+④) : 평상시 숨을 내뱉은 후 폐에 남아있는 공기량.

⑥ VC (Vital capacity = ①+②+③) : 최대한 들이마시거나 내뱉을 수 있는 공기량.

⑦ TLC (Total Lung Capacity = ①+②+③+④) : 최대한 숨을 들이마셨을 때의 폐에 들어 있는 총공기량. (6L 내외)

(3) 폐질환의 두가지 분류

1. **제한성 폐질환(Restrictive lung disease)** : 흡기시 폐의 팽창이 제한되어 TLC가 감소된 폐질환입니다. 1) IPF(Idiopathic pulmonary fibrosis, 특발성폐섬유화증), 진폐증 등과 같이 폐실질(parenchymal)에 문제가 있는 경우와 2) 신경근육적(neuromuscular)인 문제인 중증근무력증 또는 흉벽팽창이 안되는 강직성척추염(ankylating spondylitis)처럼 폐실질 이외(extra-parenchymal)의 문제가 있는 경우로 구분됩니다.
2. **폐쇄성 폐질환(Obstructive lung disease)** : 천식, COPD(폐기종, 만성기관지염)와 같이 호기시 공기가 효과적으로 다 빠져나가지 못해 잔기량(RV)이 증가한 폐질환입니다. RV 증가에 따라 TLC도 함께 증가합니다.

42-2 PFT 결과지표

(1) Simple Spirometry

1. **FVC** : 노력성 폐활량(forced vital capacity)은 최대한 숨을 들이마시고 세고 빠르게 내쉴때의 공기량을 의미합니다. 제한성 폐질환에서 특히 FVC의 감소가 두드러집니다.
2. **FEV1.0** : 1초간 노력성 호기량(forced expiratory volume 1 second)은 최대한 세게 첫 1초간 내쉰 공기량입니다. 폐쇄성 폐질환에서 특히 FEV1.0의 감소가 두드러지며 기도폐쇄를 반영하는 가장 유용한 지표가 됩니다. 폐수술시 수술가능여부를 결정하는 지표이기도 합니다.
3. **FEV1.0/FVC** : 폐쇄성 폐질환에서도 FVC가 감소할 수 있으므로 두가지 지표의 비율을 비교한 지표입니다. 70을 기준으로 폐쇄성에서는 감소하고 제한성에서는 정상 또는 증가합니다. 쉽게 말해 전체 노력성 폐활량에서 첫 1초간 내쉬는 공기량이 전체 공기량의 70% 정도는 차지해야 정상인데 폐쇄성일 때는 공기가 잘 빠져나가지 못해 70% 보다 적게 됩니다.
4. **FEF 25-75%** : 노력성 호기 중간유량(forced mid-expiratory flow)은 초기 25%와 후기 25%를 제외한 중간 50%의 호기량을 소요된 시간값으로 나눈 값입니다. 말초소기도(small airway)를 반영하는 지표이지만 변이가 많고 재현성이 부족하여 자주 사용되지는 않습니다.
5. **지표의 표기** : FEV1.0/FVC는 비율값이므로 숫자 또는 %로 표시할 수 있지만 FVC, FEV1 등 나머지 측정값은 참고치에 대한 측정값의 %값으로 표기합니다.
6. **결과해석**

FEV1.0/FVC	FVC	의미
70 이상 (제한성)	80% 이상	정상(FEV1.0 80% 이상) 또는 폐쇄성(FEV1.0 80% 미만)
	80% 미만	제한성 (FVC %기준 80〉경증〉60〉중등도〉50〉중증)

70 미만 (폐쇄성)	80% 이상	폐쇄성 (FEV1.0 %기준 80〉경증〉60〉중등도〉40〉중증)
	80% 미만	폐쇄성 + 제한성 혼합형 또는 호흡근육의 약화

(2) Flow-volume curve

1. 폐의 volume(공기량)에 따른 flow(유속 또는 속도)의 변화를 표시한 그래프로 폐질환에 대한 형태변화를 시각적으로 볼 수 있습니다.
2. 그래프의 아래쪽 곡선은 흡기를, 위쪽 곡선은 호기를 표시한 것으로 보통 호기곡선을 통해 질환을 분류합니다. 호기곡선 그래프의 가로축은 폐의 volume으로 좌측끝단이 TLC를 우측끝단이 RV를 표시하며 원점에 가까울수록 volume이 커진 상태입니다. 그래프의 세로축은 flow로서 원점에서 멀수록 유속이 큰 것입니다.
3. 정상에서 호기곡선은 75% 지점(그래프의 좌측 1/4 지점)에서 정점에 달하고 이후 거의 일정하게 선형(linear)으로 감소합니다. 그래프 아랫부분의 흡기곡선은 50% 지점에서 정점에 이르고 좌우 대칭을 이루는 양상입니다.

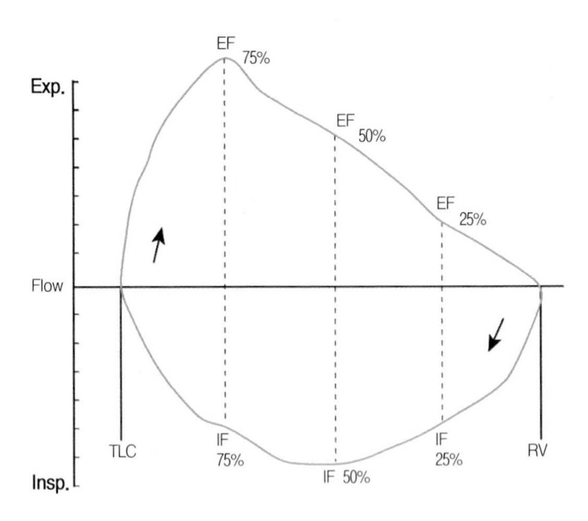

4. 폐쇄성폐질환에서는 TLC가 증가하므로 그래프가 더 원점 쪽으로 이동하고 폐쇄가 있기 때문에 유속이 감소하여 높이가 낮아집니다.
5. 제한성폐질환에서 폐실질(parenchymal)이 원인이면 volume 감소가 두드러져 그래프가 원점에서 멀어지고 유속은 정상이므로 높이는 비슷해서 위로 솟은 모양이 됩니다. 반면 폐실질 이외(extra-parenchymal)의 원인이면 TLC 및 유속(flow)은 감소하며 RV는 증가한 모양(신경근육적 원인일 때는 정상)을 보입니다.

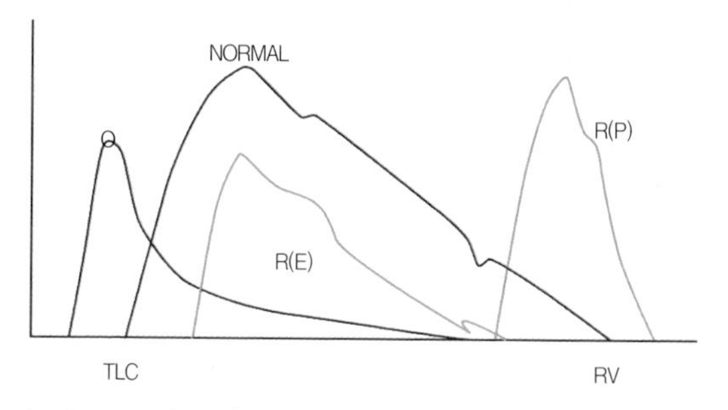

O : Obstructive (폐쇄성)
R(P) : Restrictive (제한성) - Parenchymal(폐실질) 원인,
R(E) : Restrictive (제한성) - Extraparenchymal(폐실질 이외) 원인]

6. 기도폐쇄(airway obstruction)도 감별할 수 있으며 중간 50% 지점을 기준으로 아래쪽 높이가 감소했으면(즉 흡기장애) 흉곽외(extrathoracic) 폐색, 위쪽 높이가 감소했으면(즉 호기장애) 흉곽내(intrathoracic) 폐색, 비슷하면 고정형(fixed) 폐색으로 구분합니다. 고정형 폐색은 종양이나 기관협착 등과 주로 관련됩니다. Flow-volume curve의 정보로는 한계가 있고 폐색의 정도에 따라 다른 결과가 나올 수 있기 때문에 정확한 진단을 위해서는 CT나 기관지내시경을 시행해야 합니다.

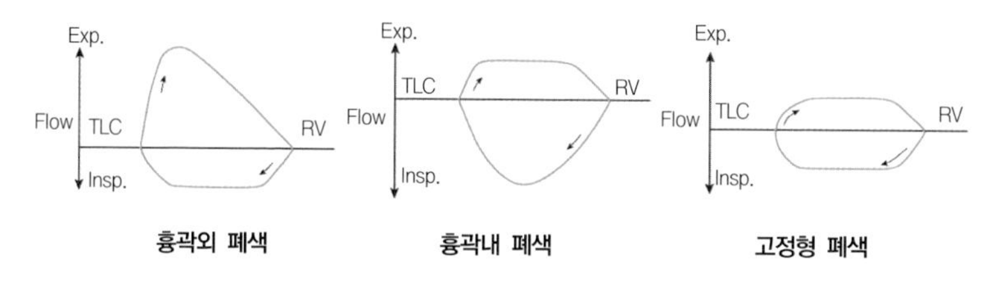

흉곽외 폐색 **흉곽내 폐색** **고정형 폐색**

(3) DLCO

1. 최근에는 기존의 PFT 결과와 함께 폐확산능, 특히 일산화탄소(CO)에 대한 폐확산능을 보는 DLCO(diffusing lung capacity for carbon monoxide)를 통해 폐기능에 대한 정보를 얻는 것이 일반적입니다.
2. 검사 방법은 0.3% CO를 흡입해서 10초간 유지한 후 내쉰 가스의 CO를 측정하면 됩니다. DLCO는 분당 mmHg당 폐포에서 모세혈관으로 이동한 CO의 양을 의미합니다. 보통 예측치의 80-120%를 정상범위로 합니다.
3. 예를 들어 천식에서는 폐확산능이 정상이거나 증가하지만 COPD에서는 감소하는 경향을 보이므로 두 질환의 감별진단에 도움이 됩니다.

1) **DLCO 증가** : 천식(또는 DLCO 정상), 운동, 울혈성심부전(CHF), 폐포출혈(Alveolar hemorrhage), 혈구증가증(polycythaemia) 등

2) **DLCO 감소** : 폐혈관질환, 폐절제수술 후, 간질성 폐질환(Interstitial lung disease), 폐기종(Emphysema), 진폐증 등의 제한성 폐질환

42-3 PFT를 이용한 천식감별

(1) 기도폐쇄 가역성 검사

1. 폐쇄성 질환일 때의 가역성을 평가하는 검사입니다. 검사전 기관지확장제(bronchodilator) 투여를 12-24시간 동안 중단한 상태에서 첫 번째 PFT 검사(pre-Rx)를 시행한 후에 bronchodilator에 속하는 베타2 자극제(ventolin 등)를 흡입하게 합니다. 이후 15-20분이 경과하면 다시 두 번째 PFT 검사(post-Rx)를 시행합니다.
2. 두 번째 PFT에서 FVC, FEV1.0, FEF25-75% 등 3개의 지표 중 2개 이상이 첫 번째 보다 15% 이상 증가하면 가역성이 있는 것으로 해석하며 천식이 있음을 반영합니다. 기관지 확장제를 투여해도 큰 변화가 없는 것은 천식이 아닐 가능성이 높습니다.

(2) 기관지유발검사

1. 임상적으로 천식이 의심되나 PFT상 정상인 경우에 시행되는 검사입니다. 히스타민이나 메타콜린(methacholine)처럼 기관지 과민반응을 유발하는 약물을 투여한 후에 PFT를 시행하여 측정한 PC20이 8ng/ml 이하이면 천식으로 판단할 수 있는 근거가 됩니다.
2. PC20(provocative concentration of 20% fall)은 폐기능이 기저값보다 20% 저하되는 약물농도를 말합니다. PC20이 낮은 것은 낮은 약물농도에서도 쉽게 폐기능이 저하되는 이상상태를 의미하는 반면 PC20이 높은 경우는 일정 농도 이상 투여하여 과민반응을 유발해도 폐기능이 잘 저하되지 않는 상태(즉 천식이 아닌 상태)를 의미합니다.

42-4 PFT 검사실례

항목	추정참고치	Pre-Rx		Post-Rx		% 변화
		측정치1	백분율1	측정치2	백분율2	
FVC	4.70	3.47	74%	3.62	77%	3%
FEV1	3.75	1.40	37%	1.58	42%	5%

FEV1/FVC	79%	40%		44%		
FEF25-75%	4.30	1.05	24%	1.55	36%	12%

1. 일단 가장 먼저 살펴보는 지표인 FEV1/FVC가 40%로 낮아져 있으므로 폐쇄성을 의심할 수 있습니다. FVC가 74%로 기준값인 80%보다 약간 낮지만 FEV1의 감소가 두드러지므로 일단 폐쇄성 폐질환으로 추정합니다.
2. 폐쇄의 심각도(severity)는 FEV1/FVC가 아닌 FEV1을 기준으로 하며 그 값이 37%이므로 중증(severe)에 해당합니다.
3. Post-Rx 부분은 추가적으로 베타2 자극제를 흡입한 후 PFT를 시행하는 기도폐쇄 가역성 검사를 했을 때 얻을 수 있는 결과입니다. 지표마다 3%에서 12% 정도의 측정치 호전이 있기는 하지만 15%이상 증가한 지표는 없으므로 천식의 가능성은 낮다고 할 수 있습니다.

REFERENCES

1. Kent RN et al. The Osler medical handbook. p.858-864. Saunders. 2006
2. 이현. 쏙속들어오는 호흡기생리. 군자출판사. 2010.
3. 정희재. 정승기. 이형구. 임상폐계내과학. 나도. 2008.

43 근전도검사 (EMG)

43-1 NCS / needle EMG

(1) 개요

1. 근전도검사(electromyography, EMG)는 신경에 의해 지배받는 근육의 탈신경, 신경재지배, 회복의 시간 경과를 파악하는 검사로 크게 신경전도검사(nerve conduction study, NCS)와 침근전도(needle EMG)로 구분됩니다.
2. 신경병증의 발병 초기에는 이상소견이 없는 경우도 있고 질병의 특징이나 시간적 추이에 따라 EMG 결과가 일정하지 않을 수 있습니다. 시간적 간격을 두고 재검사하거나 확진을 위해서 영상검사, 생검(biopsy)이 시행되기도 합니다.
3. needle EMG 검사는 보통 직경 0.3~1.0 mm의 needle electrode를 검사부위에 삽입하게 되며 환자에 따라 상당한 통증이 유발될 수 있는 검사이므로 미리 환자에게 알리도록 합니다.

(2) 신경전도검사 (NCS)

1. 말초신경에 전기자극을 준 후 신경주행경로를 따라 전극을 붙여놓은 곳까지 도달하는 시간이나 세기를 보고 신경기능을 평가하는 검사방법입니다.
2. 운동신경전도(motor nerve conduction), 감각신경전도(sensory nerve conduction) 및 비복근 쪽의 특징적인 반사양상을 보는 H-reflex 등으로 구별하여 평가하며 신경전달속도(nerve conduction velocity, NCV)와 복합근육활동전위(compound muscle action potential, CMAP), 잠복기(latency) 등이 주된 평가지표입니다. 피부온도에 따라 결과가 달라지므로 유의해야 합니다.

[판독결과지 예시]

예1) Normal motor and sensory NCV in the left posterior tibial nerve

좌측 후경골신경의 운동 및 감각신경전달속도(NCV)는 정상 -> 정상을 의미합니다.

예2) slowing of NCV, markedly decreased amplitude of CMAP in the left peroneal nerve

좌측 비골신경의 신경전달속도(NCV)는 저하되고 근활동전위(CMAP)의 진폭이 확연히 감소 -> 비골신경의 손상을 의미합니다.

(3) 침근전도검사 (needle EMG)

1. 근육내로 needle을 넣어 반응되는 근육의 전기생리학적 특성을 평가하는 검사이며 보통 아래의 3가지 단계로 진행됩니다.
    1) 근육에 힘을 주지 않는 안정단계 (resting state)
    2) 근육에 약한 힘을 주는 단계 (minimal contraction state)
    3) 근육에 최대의 힘을 가하는 단계 (maximal contraction state)
2. 안정기에서 활동전위가 보이지 않는 것이 정상이지만 신경병증(neuropathy)이 있으면 비정상 자발전위(Spontaneous Activities)가 보이거나 양성예파(positive sharp wave, PSW), 세동(fibrillation)이 동반되기도 합니다. EMG검사용 바늘(needle)을 근육에 삽입할 때 근섬유의 삽입활동전위(insertion activity)가 정상보다 증가하거나 감소해도 이상소견입니다.
3. 일반적으로 신경병증(neuropathy)이 있으면 운동단위전위(motor unit potential, MUP)의 진폭(amplitude)이나 유지시간(duration)이 증가하고 근병증(myopathy)이라면 진폭이나 유지시간이 감소합니다.
4. 또한 정상일때는 근육의 최대수축시 활동전위가 일정범위 안에 고루 분포하는 완전점증 및 간섭양상(complete recruitment and interference pattern)을 보이지만, 신경병증에서는 감소한 간섭양상(reduced interference), 근병증에서는 증가한 간섭양상(increased interference)이 주로 나타납니다.
5. 하지만 근전도 검사결과가 임상적 양상을 반영하지 못하는 경우가 있고 검사자의 숙련도에도 영향을 받을 수 있음에 주의해야 합니다. 특히 근병증에서는 근전도 소견이 특이적이지 않고 매우 다양한 검사결과가 나올 수 있어 CK, 요검사, 근생검(muscle biopsy) 등의 검사결과를 종합하여 판단합니다.[5]

[판독결과지 예시]

예1) Moderate to severe denervation potentials and high-amplitude long-duration MUP, reduced interference pattern in gastrocnemius

중등도에서 심한 정도의 탈신경 전위가 보임. MUP의 진폭, 유지시간이 증가하고 간섭양상이 감소 -> Gastrocnemius(비복근)을 지배하는 신경병증소견입니다. (Ex. S1의 신경이상)

예2) 좌측 lumbosacral paraspinal muscle(L3,4,5,S1)에서 시행한 근전도 검사에서 L5의 insertional activity가 증가되어 있고 positive sharp wave 및 fibrillation이 관찰됨.

L5에서 삽입전위가 증가되었고 양성예파와 세동이 관찰 -> L5의 Radiculopathy(신경근병

증)가 의심되는 소견입니다.

예3) Rt. occipitofrontalis 및 orbicularis oculi muscle 에서 reduced recruitment pattern 있으며, MUP analysis상 increased polyphasicity 있음.

우측의 후두전두근 및 안륜근에서 점증양상이 감소하고 MUP가 증가 -> Rt. facial neuropathy가 의심됩니다.

예4) 최근 sensory change가 없으면서 Lt hand에 힘이 빠지고 muscle atrophy가 있는 환자의 Lt upper extremity EMG : increased insertion activity, fibrillation, PSW가 많이 나타나고 amplitude, duration 증가되어 있음.

최근 감각변화는 없지만 왼쪽 손에 근력저하 및 근위축이 있는 환자의 좌상지 EMG에서 삽입전위 증가, 세동, 양성예파 및 MUP 증가 등의 소견 -> 본 환자는 신경전도검사(NCS)에서는 CMAP가 감소하였지만 NCV는 정상결과를 보였으며 후에 motor neuron disease로서 ALS가 진단된 환자입니다.

43-2 안면마비 관련검사 (ENoG / EMG)

1. 안면마비가 오면 신경전도검사(Electroneurography, ENoG)와 근전도검사(electromyography, EMG)가 주로 시행됩니다. 두가지 검사를 비교하자면 EMG는 근육기능을 평가하면서 간접적으로 신경활동을 평가하는 것이고 ENoG는 신경자체를 평가하며 신경손상의 정도를 정량적으로 보여줄 수 있는 검사입니다. 일반적으로 안면마비에 있어서 EMG가 보다 더 정확한 예후인자로 간주됩니다.[2,3]
2. ENoG는 병변이 있는 쪽의 안면에 자극을 주어 반응되는 전위(potential)의 진폭을 정상쪽과 비교한 비율로 신경기능을 평가하는 검사입니다. 정상쪽 진폭의 10%도 안되는 경우(90% 이상 degeneration이 되었다고 표현함)는 예후가 불량하며 일부는 수술적 감압(Surgical decompression)을 시행하기도 합니다.[4]
3. ENoG의 측정은 발병 3일 이후부터 14일 이내에 주로 시행됩니다. 이는 신경이 손상된지 3일 이내에는 왈러변성(Wallerian degeneration)이 아직 발생하지 않아서 결과가 실제보다 더 좋게 나오기 때문이고 14일 이후에는 손상된 신경 주위에서 신경의 재생과정이 시작되므로 정확한 손상정도를 파악하기 힘들기 때문입니다. 왈러변성이란 신경이 절단되거나 손상되었을 때 원위부의 축삭(axon)이 변성되는 현상을 말합니다.
4. 반면 EMG의 경우 신경변성이 비교적 완성된 2주째 또는 그 이후에 주로 시행됩니다.

[참조항목 : 60-1]

REFERENCES

1. Mills KR. The basics of electromyography. J Neurol Neurosurg Psychiatry. 2005;76 Suppl 2:ii32-5.
2. Grosheva M, Wittekindt C, Guntinas-Lichius O. Prognostic value of electroneurography and electromyography in facial palsy. Laryngoscope. 2008 Mar;118(3):394-7.
3. Chung DH, Park DC, Byun JY et al. Prognosis of patients with recurrent facial palsy. Eur Arch Otorhinolaryngol. 2011 Mar 30.
4. Gantz BJ, Rubinstein JT, Gidley P, Woodworth GG. Surgical management of Bell's palsy. Laryngoscope. 1999;109(8):1177-88.
5. 유종균, 김대식. 근전도검사. 고려의학. 2009.

44 생기능검사

- 한의학에서 생기능의학(Biofunctional medicine)과 관련되어 인체의 기능적 상태를 중심으로 심신의 이상을 파악하는 검사를 본 장에 분류하였습니다. 향후 특정질환으로 발전하기 쉬운 미병(未病, mi-byou or presymptomatic disease) 또는 아건강(亞健康, sub-health condition) 상태를 평가하고 또는 현재질환과 관련된 부가적 징보를 얻고 치료경과를 살피는 데에도 이용될 수 있습니다.

44-1 양도락

(1) 개요

1. 양도락(良導絡, Ryodoraku)은 좌우 12경락의 원혈(原穴)을 대표측정점으로 이용하여 체표 피부저항을 측정하는 검사입니다. 본래 양도락은 피부통전저항이 작은 양도점(良導點)들의 연결선을 의미하지만, 경락의 유주경로와 대부분 일치하고 인체의 기능적 이상과 관련되므로 인체의 12개 경락기능과 연계되어 많이 응용되고 있습니다.
2. 양도점은 피부통전저항 또는 전기적 저항(electrical resistance)이 작은 곳, 전기가 잘 흐르는 점을 의미하고 주로 자율신경 중 교감신경과 밀접한 관계가 있습니다. 교감신경 흥분시(자극, 약물)에는 양도점의 수가 증가하고 부교감신경의 흥분시에는 양도점 수가 감소합니다.
3. 체표 통전성은 각질층의 수분함량과도 밀접한 관계가 있는데 교감신경의 흥분하거나 여름에는 각질층의 수분함량이 증가되어 체표통전성도 증가합니다. 심리적 긴장, 흡연, 음주, 침치료, 물리치료 등은 측정결과에 영향을 미칠 수 있으므로 측정시에 유의해야 하며 검사 전 안정을 취하게 한 후 측정하는 것이 좋습니다.

(2) 양도락 측정점과 장부배속

1. 좌우 12경락의 원혈을 대표측정점으로 간주하며 단 소장경의 경우는 陽谷(代 腕骨), 대장경의 경우는 陽谿(代 合谷), 방광경의 경우는 束骨(代 京骨)혈을 이용하여 측정합니다.
2. 원래는 해당 경락의 모든 반응양도점 값을 합산한 후의 평균값을 구하는 것이 가장 이상적이나 측정시간이 지나치게 길어지는 단점이 있고, 원혈의 양도락값이 전체 평균값과 거의 일치한다는 연구결과에 따라 원혈의 전류량만을 측정하게 되었습니다.
3. 양도락의 장부배속은 다음과 같으며 표에서 H는 手經, F는 足經을 의미합니다. 각 측정값은 40-80점(또는 50-80점) 사이를 생리적 범위로 보아 40 이하는 기능저하, 80 이상은 기능

항진으로 봅니다.

	H1	H2	H3	H4	H5	H6	F1	F2	F3	F4	F5	F6
관련장부	肺	心包	心	小腸	三焦	大腸	脾	肝	腎	膀胱	膽	胃
측정경혈	太淵	大陵	神門	陽谷	陽池	陽谿	太白	太衝	太谿	束骨	丘墟	衝陽

(3) 검사결과의 해석

1. **정상양도락 :** ① 좌우선이 생병리경계선(40-80점)에 포함되고 교차점은 5-8개일 때 정상입니다. 전반적인 경향성이 정상범위보다 올라가 있으면 주로 열증, 실증, 교감신경 우위의 상태를 반영하고 아래쪽에 있으면 주로 한증, 허증, 부교감신경 우위의 상태를 반영합니다. ② 좌우선 값차이가 2 이내는 '폐색', 40 이상은 '격차' 라고 하며 폐색은 만성적 상태를, 격차는 급성적 상태를 의미합니다.
2. **각 경락별 의미 :** ① 手經(H)은 기능적, 정신적 측면, 足經(F)은 기질적, 육체적 측면의 질환을 잘 반영합니다. ② H1-H3은 上焦의 기능을 반영하고 H4-H6은 下焦를 반영합니다. F1-F3은 臟을 반영하고 F4-F6은 腑를 반영하는 것으로 판단합니다. ③ 특히 H5(三焦經)와 F5(膽經)이 심하게 저하되어 있다면 만성적인 기능저하나 피로를 의미한다고 볼 수 있습니다.
3. **교차점 :** 정상생리상태의 경우 교차점의 개수는 5-8개입니다. 4개 이하의 교차점은 급성적 이상, 자통(sharp pain)과 관련되고 9개 이상의 교차점은 만성적인 이상, 둔통(dull pain) 등과 관련됩니다.
4. **임상연구 :** 각종 연구 등에 따르면 H4는 두통, 下腹脹 H5는 피로와 미열, H6은 어깨결림, 두통, 치통, 피부이상 증상과 유관한 것으로 나타났습니다. 최근에는 위운동성 장애(Gastric dysmotility)에 H4, H5, H6의 양측성 저하 패턴이 보고되었고 이에 한 추가적 연구를 바탕으로 양도락을 경락학설에 연계시키기 보다는 자율신경 등과 관련된 영역과 관련지어 활용할 것이 권장되기도 하였습니다.[4,5,6]

44-2 전산화팔강검사(ABR)

(1) 개요

1. 전산화팔강검사 또는 피부전기자율반응검사(autonomic bioelectric response, ABR)는 인체에 미세한 저주파 임펄스 자극을 가하여 전기생리적인 반응을 측정함으로써 자율신경기능이나 피로, 통증 등과 관련된 이상변화를 감지해내는 검사입니다.
2. 인체를 7개의 부위(머리, 가슴, 배, 양측 상하지)로 구분하여 전기자극을 가한 뒤, 각 부위

의 전기적 활성도를 이용하여 인체 상하좌우 자율반응의 균형도 및 조화를 평가합니다. 각 항목의 절대값뿐 아니라 인체 피부저항의 분포가 얼마나 균등한지를 보여주는 피부저항 변이도 (skin resistance variability, SRV)도 활용할 수 있습니다.

(2) 검사결과의 해석

1. 머리부분(1-3 측정부위)은 주로 정신적 활력도를 반영하고 사지부분(4-7 측정부위)는 주로 신체적 활력도를 반영합니다. 곡선의 기울기가 증가하면 육체적 또는 정신적 긴장도가 증가한 것이고 감소하면 긴장도가 감소한 것으로 판단합니다.
2. 활성도(activity) : 증가는 지나친 긴장이나 교감신경 활성을, 감소는 지나친 이완이나 교감신경의 저하를 의미합니다.
3. 반응도(reactivity) : 정상보다 증가되어 있으면 기능의 항진이나 급성반응을 의미하고, 감소되어 있으면 기능저하나 만성반응, 만성피로 등을 의미합니다.
4. 팔강변증(八綱辨證) : 활성도(activity)와 반응도(reactivity)를 비교분석하여 表裏, 寒熱, 虛實 등의 辨證에 보조적으로 활용할 수 있는데 활성도는 주로 寒熱에, 반응도는 주로 虛實에 관련됩니다. 반응도가 감소했는데 활성도가 정상인 경우는 裏寒뿐 아니라 瘀血로 보기도 합니다.

반응도	감소			정상			증가		
활성도	감소	정상	증가	감소	정상	증가	감소	정상	증가
辨證	虛寒	裏寒	虛熱	表寒	正常	表熱	實寒	裏熱	實熱

44-3 수양명 경락기능검사 (HRV)

(1) 개요

1. 인체의 항상성 유지는 자율신경계의 활동에 의해 조절되는데 자율신경계는 교감신경과 부교감신경으로 나뉘어 있기 때문에 이 두 신경의 활동성 및 균형정도를 살펴 스트레스 정도나 인체의 항상성을 확인해 볼 수 있습니다.
2. 수양명경락기능검사 또는 심박변이도(heart rate variability, HRV)검사는 시간에 따른 심장박동의 변화를 측정하는 검사로 일반적으로 재현성이 뛰어나고 정량화가 쉬운 방법으로 인정받고 있습니다. 건강한 사람일수록 내외부 환경의 변화에 민첩하게 반응하여 생리적인 균형상태에 도달할 수 있으므로 HRV신호가 불규칙적이고 복잡한 반면 만성질병이 있을수록 자극이나 환경의 변화에 대한 대처가 둔감하여 심박변이도가 저하되게 됩니다.

3. HRV 측정전 약 5-10분간 안정을 취하며 심리적 긴장, 음주, 흡연, 침치료, 물리치료 등은 측정결과에 영향을 줄 수 있으므로 주의합니다. 일반적으로 하루 중 동일한 시간대에 측정하여 치료 전후 상태를 비교하는 것이 좋습니다. 심전도(EKG)에 부정맥(arrythmia) 등의 이상소견이 있는 경우는 검사결과를 신뢰할 수 없습니다.
4. HRV의 분석은 크게 시간 영역 분석과 주파수 영역 분석으로 구분되며 본 장에서는 편의상 데이터 부분과 그래프 부분으로 구별하여 설명하였습니다. 여러 가지 지표가 사용되지만 일반적으로 TP, LF, LF/HF 등이 가장 대표적인 평가지표로 이용됩니다.

(2) 시간 영역 분석 (Time domain analysis)

1) 평균 심박수(Mean HRT): 일반적으로 60-90회 정도를 정상으로 간주합니다.
2) SDNN (Standard deviation of the NN interval): General Health indicator의 역할을 하며 만성질환, 순환계 질환, 신경정신과 계통의 질환에서 감소하는 경우가 많습니다. 쉽게 말해 SDNN이 큰 것은 심박이 그만큼 불규칙한 것이고 SDNN이 작은 것은 심박변동신호가 그만큼 단조로운 것이라 할 수 있습니다. - 50이상(건강) 30이상(정상) 20-30(관리필요) 20이하(전문상담 필요)
3) RMS-SD: 정상 심박동 사이의 연속되는 차이값들이 RMS값입니다. 이 값들이 높다는 것은 HRV변화가 크고 HF활동이 많다는 것을 의미합니다. - 20이상(정상) 20이하(관리필요)
4) ApEn (Approximate Entrophy) : 최근에 개발된 지표로 얼마나 복잡한지를 통계적으로 정량화 한 수치입니다. 높을수록 건강한 상태라 할 수 있습니다.
5) SRD (Successive RRI difference) : 5분의 측정시간 중 앞부분의 일정부분을 기반으로 변화의 정도를 측정하는 지표로 데이터가 일정한 상태를 유지하는지 알 수 있으며 결과에 대한 신뢰도를 반영합니다. 값이 1이면 일정한 상태가 유지된 것이며 그래프는 절반에 위치합니다.

(3) 주파수 영역 분석 (Frequency domain analysis)

1) TP(Total power): 만성스트레스, 만성피로 등의 만성질환에 역상관관계에 있으며 TP의 저하는 자율신경의 활동도 및 스트레스에 대한 대처능력 저하를 의미합니다. TP의 로그값은 7.2에서 9.1 사이에 분포하는 것이 정상입니다.
2) VLF(Very low frequency): 호르몬 및 신진대사를 평가합니다.
3) LF(Low frequency): 주로 교감신경의 영향을 받으며 허증과 역상관관계에 있습니다. LF의 저하는 급성스트레스, 피로, 불면증 등과 밀접합니다.
4) HF(High frequency): 부교감신경의 조절을 선택적으로 받으며 HF의 저하는 만성스트레스, 노화의 지표, 과민성대장증후군 등과 관련됩니다.

5) LF Norm, HF Norm : Normalized 된 LF와 HF를 의미하며 전체를 100으로 보았을 때 LF와 HF가 차지하는 비율을 표시합니다.
6) LF/HF : 인체의 정상적인 자율신경 균형상태 범위를 표시하며 참고치는 0.5-2.0 또는 1.0-1.5 정도로 분포합니다. 수치가 클수록 교감신경이 활발한 것이고, 낮아지면 무기력한 상태를 반영합니다.

(4) 그래프 분석

1) HRV Tachogram : 변이도가 크고 복잡할수록 건강한 상태입니다.
2) Histogram : 넓게 분포해야 건강함을 의미하고 질병이 있는 경우 좁고 예리하게 분포합니다.
3) Power Spectral Analysis : FFT를 이용한 스펙트럼 분석을 표시합니다.
3) (SNS : PNS) : 정상비율은 보통 비슷하거나 6:4 정도이며 한쪽이 지나치면 균형을 잃은 것입니다.
4) Stress Index : Pressure Index는 Nomal쪽이 정상, High 쪽이 스트레스가 높은 상태를 의미하므로 오른쪽으로 갈수록 안 좋은 것입니다. Emotional State는 중간에 위치해야 정상이고 양 끝단으로 갈수록 정도가 심한 것입니다.
5) TP, VLF, LF, HF : 그래프상 정상참조치는 I의 형태로 표시됩니다.
6) ABD (automatic balance diagram) : 결과점이 그래프의 중간에 위치해야 정상이고 만성스트레스가 있을수록 좌하부 쪽으로 이동합니다.
7) RRV: 건강할수록 넓게 분포합니다.

44-4 맥진기

(1) 개요

1. 컴퓨터 장비를 이용하여 맥의 세기, 굵기, 가라앉는 정도, 빠르기를 평가하는 맥진기는 여러 가지 종류들이 개발되어 있으나 본 단락에서는 3D 맥진기를 기준으로 설명합니다.
2. 맥진기는 특별한 경우를 제외하고는 일반적으로 좌우의 關脈을 측정하여 맥상을 기록하고 분석합니다. 맥상이 기록되는 원리는 정밀하게 제어되는 센서를 이용하여 한의사의 손가락으로 누르듯이 깊이 누르고 가볍게 누르는 동작을 재현하여 가압단계별로 저장을 하고 각각의 가압에 반응하는 맥의 변화를 통해 맥상을 구분하게 됩니다.
3. 맥상뿐만 아니라 맥파를 분석하여 심혈관 질환등의 관련된 이상을 감지하는 연구도 진행되고 있으며 혈관경화, 심수축이상, 고혈압 등의 상태에서 정상파형을 벗어난 맥파가 기록되게 됩니다.

(2) 맥진결과지 분석

1. 맥상분석 : 맥상분석결과 浮沈 遲數 滑澁 弦緩 短長 洪細 중 어느쪽에 가까운지를 표시합니다.
2. 에너지 비교 : 맥진기검사의 대표적인 평가지표로 맥상부위에서 감지되는 전반적인 힘(에너지)을 평균과 비교한 것입니다. 기기마다 정상범위가 다를 수 있지만 보통 600-800 사이에 분포하며, 여자의 경우 이보다 낮아질 수 있고 고혈압 환자의 경우는 맥에너지값이 100-150 이상 더 상승할 수 있음을 감안해야 합니다.
3. 가압력 비교 : 맥파를 얻기 위해 측정부위를 누르는 압력을 의미합니다.
4. P-H 곡선 : 측정가압력의 변화를 나타내는 그래프입니다.
5. 맥파분석 : 맥률, 맥동주기, 중박파 등의 분석뿐 아니라 맥파값을 미분하여 표시한 미분파를 이용해서 맥파의 주파, 중박전파 등도 분석할 수 있습니다.

44-5 경피온열검사

(1) 개요

1. 경피온열검사 또는 DITI(digital infrared thermal imaging, 적외선체열검사)는 인체에서 방출되는 미량의 적외선 파장을 이용하여 피부의 온도를 측정함으로써 신체의 이상이나 체내 온도분포의 균형도를 평가합니다. 수족냉증이나 열증, 안면부나 흉부의 열감뿐 아니라 통증질환, 마비질환, 피부질환, 부인과질환 등의 평가에도 보조적으로 활용할 수 있습니다.
2. 검사실의 온도가 너무 높거나 낮아도 정확한 검사결과를 얻기 어려우므로 일반적으로 25±1도, 습도 60%에서 15분 이상의 안정상태를 유지한 뒤 측정하는 것이 가장 이상적입니다. 필요시 찬 물에 일정시간 손을 담근 후 피부온도의 회복정도를 측정하는 냉부하(cold stress) 검사를 병행할 수 있습니다.

(2) 검사결과의 해석

1. 측정대상 부위에 통증, 염증, 종양 등이 있을 경우에는 피부온도가 상승하고 퇴행성변화나 순환장애 등이 있을 때는 온도가 하강하는 패턴을 보입니다. 척추에서 신경근(nerve root)과 관련된 병변이 있으면 해당 분절별로 온도이상이 나타날 수 있으며 요추병변의 경우는 하지의 좌우온도차가 관찰되기도 합니다.
2. 일반적으로 국소적 통증이 심할수록 온도차는 크게 나타나고 경우에 따라 환자의 통증호소부위에 대하여 검사를 시행함으로써 실제 통증의 유무와 심각도를 간접적으로 추정할 수도 있으나 실제 임상경과와 반드시 일치하지는 않습니다.

3. 좌우의 온도차(ΔT)를 비교하여 0.5-1.0도 이상 차이가 있으면 비정상적인 것으로 판단합니다. 체간에서는 상열하한(上熱下寒)의 상태도 확인하는데 예를 들어 화병이나 부인과질환 등의 진료시 膻中, 中脘, 關元穴 등을 기준으로 하여 상하온도차를 비교하게 됩니다.

REFERENCES

1. 전국한의과대학 진단생기능의학교실. 생기능의학. 군자출판사. 2008
2. 전국한의과대학 한방순환신경내과학. 군자출판사. 2010
3. 後藤公哉. 양도락의 동서의학. 군자출판사. 2009
4. 윤상협. 위장질환 환자의 양도락에 대한 경락학설과 자율신경이론의 연관성에 대한 연구. 대한한방내과학회지 2010:31(4)837-845.
5. 成樂箕, 金廷彦. 양도락 진단법과 임상치료. p.61. 서원당. 1984.
6. 김소연, 윤상협, 김윤범, 정승기. 기능성 소화불량증에서 위운동성 장애 진단을 위한 양도락 지표 연구 대한한방내과학회지 2008:29(2)401-412

5장

주요 질환 개요

일반적으로 한방병원 입원환자군에서 빈도가 높은 주요 만성질환과 기타 노인성 질환 위주로 정리하였습니다.

45

뇌졸중(중풍)

- 본 장에서 다루는 중풍(中風) 또는 뇌중풍(腦中風)은 뇌혈관의 순환장애로 인해 국소적인 신경학적 결손을 나타내는 뇌혈관질환을 포함하는 개념으로 뇌졸중(stroke) 또는 뇌혈관질환(CVA, cerebrovascular accident)과 동일한 범주에서 사용하였습니다. 뇌졸중의 재활에 대한 부분은 67장을 참조하시기 바랍니다. **[참조항목 : 72-1]**
- 본 장의 내용은 다음과 같이 구성되었습니다.

45-1 개요

(1) 정의 및 분류

1. 국내에서 악성신생물에 이어 사망률 2위에 해당하는 뇌졸중(뇌중풍)은 뇌혈관질환에 의해 발생하는 갑작스러운 국소적인 신경학적 결손으로 정의됩니다. 발병원인에 따라 혈관이 막혀 허혈성으로 발생하는 뇌경색(infarction)과 혈관이 파열되어 출혈성으로 발생하는 뇌출혈(hemorrhage)로 구분되며 또는 뇌출혈을 다시 외상성과 비외상성으로 세분하여 비외상성 뇌출혈만 뇌졸중의 범주에 포함시키기도 합니다.

허혈성	[원인별 분류] Large artery atherosclerosis(LAA), Cardioembolism (CE), Small artery occlusion(SAO), Other cause, Undetermined
	[폐색 부위별 분류] ICA, ACA, MCA, Ant. choroidal, PCA, Vertebral, Basilar, Cerebellar, Lacunar
출혈성 (비외상성)	ICH(뇌내출혈), IVH(뇌실내출혈), SAH(거미막밑출혈)
출혈성 (외상성)	EDH(경막외출혈), SDH(경막하출혈)

2. 뇌경색과 뇌출혈은 임상증상이 서로 다르므로 이에 따라 대략적으로 원인을 추정하기도 합니다. 일과성뇌허혈발작(TIA, transient ischemic attack)은 보통 급작스런 신경학적 이상이 있다가 24시간 이내에 소실되는 경우를 말합니다.

	뇌경색	뇌출혈
TIA 여부	TIA가 선행하는 경우가 있음	TIA와 무관
주 발병시간	휴식, 수면 중 발생한 경우도 많음	활동중, 특히 스트레스 많은 상황
증상	신경학적 증상이 비교적 가볍거나 의식은 유지하는 경우가 많다. 두통이 있는 경우는 드물다.	신경학적 증상의 악화가 빠르며 의식이 뚜렷하지 않은 경우가 많다. 두통, 구토 등이 동반되기도 한다.
기왕력	당뇨, 심질환 등	잘 조절되지 않은 고혈압, 과음 등

(2) 위험인자 (risk factor)

1. 뇌졸중을 초래할 수 있는 위험인자는 조절불가능한 인자와 조절가능한 인자로 구분됩니다.
2. 조절 불가능한 위험인자 : 나이, 성별(남>여), 유전적 요인(뇌졸중가족력 등), 출산시 저체중
3. 조절가능한 위험인자 : 1) 근거확실 - 고혈압, 당뇨, 이상지질혈증, 심질환(심방세동, 심혈관질환), 흡연, 비만, 야채와 과일 섭취, 신체활동, 비파열성동맥류, 무증상경동맥협착, 폐경후 호르몬치료 2) 근거불충분 - 음주, 고호모시스테인혈증, 만성염증, 급성감염, 편두통, 대사증후군, 응고항진상태, 경구피임약 복용

45-2 TIA

(1) 개요

1. TIA(일과성뇌허혈발작)는 혈류장애로 인해 발생하는 일시적, 가역적인 국소 신경학적 또는 시력의 이상증상이 24시간 이내에 사라지는 경우로 정의됩니다.
2. TIA는 뇌경색으로 쉽게 발전할 수 있는 상태이며 TIA환자에서 3개월 이내에 뇌졸중이 발생할 확률은 10~20%로 이 중 절반은 TIA후 첫 이틀 안에 발생합니다. 따라서 증상이 모두 좋아졌다고 해서 안심하면 안되며 추가적인 검사와 뇌경색 예방을 위한 적극적인 대처가 중요합니다. MRI에서의 확산강조영상(DWI)을 시행하면 증상이 완전히 없어진 환자의 40%에서 DWI 이상소견이 있다고 알려졌습니다.

(2) ABCD2 score

1. TIA 환자의 위험도를 측정하는 스케일로 기존의 ABCD score에 당뇨항목을 추가한 ABCD2 score가 많이 사용됩니다. 특히 ABCD2 점수가 4점 이상이면서 DWI에서 이상소견이 관찰되면 뇌경색으로 발전할 가능성이 훨씬 상승하며 6-7점 이면 2일 내 뇌경색 발병 확률이

8.1%나 됩니다.[1)]

A	Age	연령 60세 이상	1점
B	Blood Pressure	sBP>140 and/or dBP>90	1점
C	Clinical feature	편측의 위약(weakness)	2점
		언어이상(dysarthria)-위약은 없음	1점
D	Duration	60분 이상 지속	2점
		10-59분 지속	1점
D	DM	당뇨병	1점

2. 일반적으로 72시간 이내에 발생한 TIA는 입원하여 경과를 관찰합니다. ABCD2가 3점 또는 4점 이상이면 특히 입원을 고려해야 하며 집으로 돌려보내는 경우에도 증상 재발시 즉각적인 내원을 강조해야 합니다.

45-3 급성기 뇌졸중의 진단

(1) 응급실 기본검사 및 추가검사

1. 기본검사 : Brain CT(또는 MRI), EKG, CXR, 기본혈액검사(Glucose, CBC, Electrolytes, BUN/Cr, LFT), 혈액응고검사(PT INR, aPTT), 심장표지자 검사(cTn, CK-MB) 등
2. 추가검사 : SAH가 의심되는데 CT상 병변이 없으면 뇌척수액(CSF) 검사, 간질발생시 뇌파검사, 발열시에는 혈액, 소변 또는 객담배양검사, 병력확인이 어려운 경우 혈중알코올농도, 동맥혈가스분석, 약물중독 관련검사 등을 추가로 시행할 수 있습니다.
3. NIHSS/신경학적 검사 : 기본적인 신경학적 검사 외에 뇌졸중에 가장 대표적인 척도이자 임상논문 발표시 전세계적으로 사용되는 NIHSS(National institute of health stroke scale)를 시행합니다.* 병력청취 및 각종 검사 등을 통해 경련, 저혈당, 편두통, 실신 등과의 감별에도 주의해야 합니다.

(2) 심장관련 검사

1. 심장관련검사는 특히 뇌경색의 경우 심장원인으로 온 경우도 많으므로 이에 대한 적절한 평가의 목적으로 시행합니다.
2. 일반적으로 과거력상 심방세동(Af) 또는 판막질환 등 색전원인(embolic source)이 있거나

* 인터넷 홈페이지(www.nihstrokescale.org)의 강좌 등을 활용하면 NIHSS 검사의 올바로 시행법을 익힐 수 있습니다.

내원시 시행한 심전도상 심질환이 발견되는 경우, 기타 추가적인 원인을 찾을 필요가 있을 경우에는 24시간 홀터검사, 심초음파(TTE, TEE) 등을 시행합니다. 심초음파는 TTE 및 TEE를 모두 시행하는 것이 권장됩니다.

45-4 뇌경색 분류

(1) TOAST 분류법

1. 뇌경색의 분류는 발생기전에 따라 아래의 5가지로 분류한 TOAST(Trials of Org 10172 in acute stroke treatment) 분류법이 주로 사용됩니다. 최근에는 이러한 TOAST 분류를 좀 더 세밀히 설명한 SSS (Stop stroke study) -TOAST 분류법이 사용되기도 합니다.
   1) **Large artery Atherosclerosis (대혈관 죽상경화증)** : 1.5cm 이상의 병변이 있으면서 두개 내 동맥에 50% 이상 유의한 협착이 관찰되는 경우로 대뇌피질증상(aphasia, hemineglect, hemiplegia)이나 소뇌, 뇌간 증상 등이 관찰됩니다.
   2) **Cardioembolism (심장성색전증, CE)** : 보통 심방세동(Af) 등 기저 심질환이 있으며 신경학적 증상이 갑자기 발생하고 재관류 발생시 신경학적 증상이 빠르게 회복됩니다.
   3) **Small artery occlusion (소동맥 폐색)** : 열공성 경색(Lacunes infacrtion)이라고도 하며 1.5cm 이하의 병변이 뇌간이나 피질에서 보입니다. 정신장애나 의식장애 또는 대뇌 고위 기능 장애 등이 동반되지 않습니다.
   4) **Other causes (기타원인)** : 동맥박리나 모야모야병같은 비동맥경화성의 혈전질환, 뇌정맥 혈전증, 응고항진 및 응고장애, 편두통, 수막염, 전신감염, 혈관염, 자가면역질환, 약물, 관류저하, 혈관수축, 빈혈, 의원성 등의 원인
   5) **Undetermined cause (원인불명)** : 각종검사에도 색전 요인이 없거나 두 가지 기전이 같이 공존하는 경우, 검사가 불충분하거나 미시행한 경우 등
2. 국내 뇌경색 환자를 대상으로 한 연구에서는 Large artery Atherosclerosis가 가장 많은 비율(37.3%)을 차지하고 다음으로 Small artery occlusion(30.8%)이 차지했으며 심장성(CE)은 11.6% 정도의 비율을 보였습니다.[13]

(2) 폐색혈관별 분류 및 증상

1. 폐색혈관별 분류는 아래과 같으며 병변이 복합적이거나 개인별로 혈관의 변이가 많아 증상은 다양하게 나타날 수 있음에 주의해야 합니다. 일반적으로 혈전(thrombolic)에 의한 것이면 증상이 수시간에서 수일에 걸쳐 진행성으로 나타날 수 있고 심장 등에서 유래한 색전

(Embolic)에 의한 것이면 갑자기 발병하고 발병당시의 증상이 가장 심한 편입니다.

2. MCA는 폐색 부위에 따라 좀 더 세분하기도 하는데 근위부(M1)의 폐색시 증상이 더 심하고 사망률이 높은 편이고, 실어증의 경우에도 상부분지(M2 sup. div.)가 폐색되면 운동실어증 위주로, 하부분지(M2 inf. div.)가 폐색되면 감각실어증, 전도실어증 위주로 나타나게 됩니다.
3. 소뇌의 혈액공급은 상소뇌동맥(SCA), 전하소뇌동맥(AICA) 및 후하소뇌동맥(PICA) 등 세 쌍에 의해 이루어지며 임상증상이 조금씩 다릅니다. PICA에 병변이 있는 경우가 가장 많은 편입니다.
4. 호너(Horner) 징후는 척추동맥(Vertebral a.) 폐쇄시 나타나는 Wallenberg syndrome 증상의 하나로 안검하수(ptosis), 무발한(anhidrosis), 축동(miosis) 등이 특징적으로 나타납니다.

구분	동맥	주요 임상증상
전순환	ICA	시력장애 - 한쪽이 보이지 않거나 뿌연 일과성 흑내장(amaurosis fugax)형태
	ACA	반신마비(하지>상지), 일시적 의식장애나 기억장애, 실어증, 요실금,
	MCA	반신마비(상지>하지), 감각이상, 안면마비, 실어증(왼쪽병변시), 편측무시(오른쪽병변시), 의식장애(뇌부종시)
	Ant. choroidal	반신마비, 반신감각이상, 반맹(hemianopnia) 등
후순환	PCA	후두엽, 시상(thalamus)과 관련된 증상. 반신감각이상, 반맹(hemianopnia) 등
	Vertebral	Wallenberg syndrome = 동측의 안면감각(+ 호너징후), 반대측의 신체감각 소실
	Basilar	사지마비, 감각소실, 뇌신경 이상, 소뇌기능장애 등. 교뇌(pons)가 경색되면 혼수, 사망에 이르는 경우도 많음.
	Cerebellar	현기증, 오심/구토, 안진(nystagmus), 동측 운동실조(ataxia)
소동맥	Lacunar	의식장애 없이 순수(pure) 반신마비 또는 감각장애 위주. 조음장애+손운동장애

45-5 뇌경색의 치료

(1) 개요

1. 뇌경색 치료의 주요 목표는 원인이 된 동맥 폐쇄의 영향을 최소화하거나 원상회복 시켜서 환자의 장기 예후의 호전 및 이차 뇌졸중 발생을 예방하는 것입니다.
2. Ischemic penumbra(허혈성 반음영) : 허혈이 발생한 중심부위가 아닌 그 경계영역(borderline zone)을 의미하며 뇌경색의 주요한 치료 목표가 됩니다. 위험에 처한 조직(tissue at risk)로도 표현되며 기능적으로는 이상이 있지만 일정 시간내에 허혈이 해소되어 관류가 재개되면 다시 정상으로 환원될 수 있는 부위입니다.
3. 일반적으로 뇌경색의 치료는 막힌 혈관을 재개통시키는 혈전용해치료(Thrombolysis)를 시행하는 경우와 그렇지 않은 경우로 대별됩니다.

(2) 혈전용해치료

1. 증상 발현 후 3시간 이내의 허혈성 뇌졸중 환자에게서 rtPA(재조합 조직 플라스미노겐 활성제, recombinant tissue plasminogen activator)를 정맥내 주사(IV)하는 혈전용해치료는 현재 뇌졸중의 급성기 치료로 유일하게 FDA 등에서 인정받은 치료입니다. 성공적인 경우 증상의 완전한 회복도 기대할 수 있으나 뇌출혈 등의 부작용으로 상태가 더욱 악화되는 경우도 있고 약 1/3에서는 재폐색이 일어날 수 있습니다. 최근 연구에는 4.5시간 이내의 환자에서도 좋은 결과를 보인 바 있으나 늦게 시행할수록 효과가 불분명하고 오히려 뇌출혈 등 부작용의 가능성이 커지므로 어떤 경우든 tPA를 빨리 투여할수록 결과는 더 좋다는 것을 유념해야 합니다.
2. 부작용을 최소화하기 위해 적응증과 배제조건을 확실히 평가한 이후에 시행될 수 있는데 예를 들어 뇌출혈이 있거나 21일 이내의 위장관 및 비뇨기계 출혈, 14일 이내의 수술력, 저혈당(50mg/dL 이하), 고혈압(sBP 185mmHg 이상), PT INR 1.7 이상 등이 있는 상태라면 tPA 투여대상에서 제외합니다.
3. 정맥이 아닌 동맥으로 접근하여 막힌 부위에 직접 혈전용해제를 투여하는 동맥내혈전용해술(intra-arterial thrombolysis)도 사용될 수 있으며 재개통 성공률은 높지만 뇌혈관 조영장비와 숙련된 인력이 필요합니다. 정맥내 혈전용해술이 금기인 환자이거나 후방순환계 뇌경색 위주로 선별적으로 사용되고 있습니다.

(3) 항혈소판제제 (Antiplatelet)

1. 항혈소판제제는 혈소판기능을 억제하여 혈전의 생성을 억제하는 약물로 허혈성 뇌졸중의 급성기치료와 재발예방에 있어서 가장 필수적인 치료 중 하나입니다. 아스피린과 Clopidogrel이 가장 대표적입니다.
2. 아스피린 : 급성기 뇌경색에도 사용이 가능한 유일한 항혈소판제제로 안정성이 높고 다양한 혈관질환에 사용될 수 있습니다. 뇌출혈의 증거가 없는 급성기 뇌경색 환자에게 발병 24-48시간 이내에 가급적 빠른 시간내에 160-325mg을 투여합니다. (투여 1시간 이내에 효과) 투여용량이 높으면 위장관출혈, 뇌출혈의 위험성이 증가할 수 있으며, 혈전용해술을 시행한 경우에는 24시간이 지난 이후에 투여합니다.
3. Clopidogrel(플라빅스®) : 고위험도 환자군에서 우수한 효과와 적은 부작용이 보고되지만 높은 약제비가 단점입니다. 심혈관질환에서는 일반적으로 클로피도그렐과 함께 아스피린을 병용투여하지만 뇌경색에서는 병용요법의 효과 및 안전성이 확립되지 않았습니다.
4. Triflusal(디스그렌®) : 트리플루살은 출혈 부작용이 적기 때문에 심각한 출혈의 위험이 있거나 GRE상 미세출혈 등이 있는 경우에 사용됩니다. 특히 심방세동(Af) 환자가 와파린과 병용시에 우선 사용되기도 합니다. (Disgren 300mg qd)
5. Cilostazol(프레탈®) : 실로스타졸은 항혈전 작용와 함께 혈관확장 효과가 있으며 출혈부작용도 적습니다. 복용시 두통, 빈맥 등이 나타날 수 있습니다. (Cilostazol 100mg bid)
6. Dipyridamole : 디피리다민은 보통 아스피린과 병용처방되며 허혈성 뇌졸중에 있어 클로피도그렐 단독요법과 동등한 정도의 예방효과를 보였습니다.

(4) 항응고제 (Anticoagulant)

1. 항응고제는 혈액응고과정을 차단하여 혈전의 생성을 억제하는 제제로 뇌경색의 재발을 위해 널리 사용되지만 효과가 불분명하거나 출혈부작용을 증가시키므로 급성기치료에 사용하는 것에는 논란이 있는 상태입니다.
2. 헤파린(Heparin), 저분자량 헤파린(LMWH), 헤파리노이드(heparinoid)의 사용은 모두 아스피린에 비해 우월한 효과를 보여주지 못하였고 출혈부작용을 증가시킬 수 있습니다. 이에 따라 국내외 임상지침에서는 사용이 추천되지 않지만 실제 임상에서는 주로 심장 기원의 색전(embolic source)으로 인한 경색이 의심될 때 위주로 사용되기도 합니다.
3. 와파린(Warfarin) : 급성기에는 사용되지 않으나 급성기 이후에 뇌졸중의 이차예방을 위해 가장 많이 사용되어온 약물 중 하나입니다. 급성기에 헤파린을 투여한 후 이어서 와파린이 투여되기도 하며 Vit K를 억제하는 기전으로 작용하므로 Vit K가 많이 든 음식(시금치, 상추, 양상추, 양배추, 브로컬리, 소간, 돼지간 등)의 섭취가 제한될 수 있습니다. **[참조항목 :**

78-2] 출혈 부작용이 우려되므로 투약시 용량의 적절성을 확인하기 위하여 정기적인 INR 검사가 필요합니다. **[참조항목 : 66-3]**

4. 신규 경구용 항응고제 (NOAC, new oral anticoagulants) : 와파린 이후에 새로이 등장하여 각종 불편함이 적어진 혈전방지제로서 다비가트란(Dabigatran 프라닥사®) 리바로사반(Rivaroxaban 자렐토®) 아픽사반(Apixaban 엘리퀴스®) 등이 대표적입니다. 비타민 K의 작용을 억제하는 와파린과 달리 이들은 혈액응고와 관련된 단백질 활동을 막는 기전을 가지며 출혈위험성이 낮고 음식제한이나 INR 모니터링이 필요없어 비싼 약제비에도 불구하고 사용이 증가하고 있습니다.

(5) 신경보호치료/ 항경련제 / 수액요법

1. 신경보호치료 : Acetyl-L-carnitine, Ginkgo biloba(은행엽) 추출물, 저체온요법, 마그네슘 투여 등 다양한 치료법이 제시되었으나 임상시험에서 명확히 효과가 입증되지는 못한 상태입니다.
2. 항경련제 : 간헐적 경련이 뇌졸중의 예후에 영향을 주지는 않지만 간질중첩증은 생명을 위협할 수 있으므로 주의해야 합니다. 급성 뇌졸중 후 경련이 없었던 환자에게 일률적으로 항경련제를 예방적으로 투여하는 방법은 불필요합니다.
3. 수액요법 : 금식으로 전환하는 경우도 많고 탈수는 좋지 않은 예후와 관련되므로 적절한 수액공급이 필요합니다. 포도당이 포함된 수액은 고혈당이 뇌손상에 악영향을 줄 수 있으므로 피하고 생리식염수(N/S)를 투여하는 것이 일반적입니다. 뇌압상승징후가 보이면 osmotic diuretics인 만니톨(Mannitol)을 사용합니다.

45-6 뇌출혈의 분류

(1) 뇌출혈 분류

1. 발생원인에 따른 분류 : 속발성 뇌출혈(뇌동맥류나 동정맥기형등의 해부학적 병변, 혈액응고이상, 약물, 종양, 편두통, 혈관염 등이 원인)과 원발성 뇌출혈(주로 고혈압이 잘 조절되지 않아서 발생, 전체의 50~70%) 로 구분합니다.
2. 출혈부위에 따른 분류 : 출혈부위에 따라 뇌실질출혈(intracranial hemorrhage, ICH), 지주막하출혈(subarachnoid hemorrhage, SAH), 경막하출혈(subdural hematoma, SDH), 경막외출혈(epidural hematoma, EDH) 등으로 나눌수 있으며 SDH와 EDH는 주로 외상에 의해 발생하므로 일반적으로 뇌졸중 분류에서는 제외됩니다.

(2) ICH

1. 돌발적으로 발생하는 경우가 많고 활동시에 발작이 많아 목욕, 식사중에 발생한 경우라면 뇌출혈을 우선 고려하기도 합니다.
2. 발병 이전부터 고혈압이 있는 경우가 많으며 발병시에는 더욱 혈압이 항진하여 두통, 구토 등을 수반하는 경우가 많습니다. 급속하게 의식장애에 빠지고 대부분 편마비 수반되며 때로는 경련발작이 동반되기도 합니다.
3. 원발성 ICH 또는 45세 이하에 고혈압이 없는 경우에는 뇌동맥류(cerebral aneurysm), 동정맥기형(AVM) 등으로 인한 뇌출혈을 고려하여 혈관조영술을 시행해야 합니다. 발병시의 영상에서 음성이면 2-4주가 지난 후 재시행하기도 합니다.

(3) SAH

1. 뇌동맥류로 인한 경우가 많으며 기타 동정맥기형(AVM), Moyamoya disease, 외상 등으로 발생하기도 합니다. 뇌동맥류는 주로 Willis circle 앞쪽에 많으며 동맥의 접합부나 분지부위에 많이 위치합니다.
2. 일반적으로 갑작스럽고 극심한 두통이 발생하며 생애 가장 심한 두통이나 갑자기 망치로 머리를 맞은 느낌이라고 호소하기도 합니다. 경부강직, Kernig's sign 등 수막자극증상이 나타나고 의식장애, 구토, 반신마비 등 동반하기도 합니다.

45-7 뇌출혈의 치료

(1) 수술적 치료

1. 뇌출혈에서는 수술이 필요한 경우가 많아 적응증에 해당하면 바로 신경외과로 Transfer 하여야 합니다. 일반적으로 다음의 경우에 수술을 우선 고려합니다.
   [예] 뇌압상승시(의식저하시) / 출혈량 30cc 이상시 / Cortex와 가까운 경우/ 소뇌출혈시 (Brainstem을 압박할 가능성) / 수두증(hydrocephalus) 유발시 / Tumor로 인한 출혈 의심시
2. 뇌내출혈 양이 10cc 이하로 너무 적거나 신경학적 증상이 경미한 경우에는 다른 합병증이 없는 한 수술의 이득이 크지 않을 수 있습니다.
3. 수술방법으로는 개두술(craniectomy)을 통한 방법, Burr hole을 이용한 흡인법(extraventricular drainage, EVD), 정위적 혈종흡인술 등이 있습니다.
4. 뇌동맥류로 인한 경우는 클립으로 동맥류 부위를 결찰하는 Clipping이나 동맥류 안으로 코

일을 채우는 Coil Embolization을 시행합니다. Clipping이 보다 침습적이지만 치료의 완전성이 좋으며 Coil Embolization은 상대적으로 시술 합병증이 적지만 10%에서 재시술이 필요합니다.

(2) 수술외 치료

1. 절대적 침상안정(absolute bed rest, ABR)과 함께 혈압은 sBP 기준으로 120~140mmHg로 유지하며 보통 혈압약은 IV로 투여합니다.
2. 두개내압(ICP, intracranial pressure)의 항진은 뇌출혈 환자의 사망률에 영향을 미치는 주요 인자이므로 엄격한 관리가 필요합니다. 일반적으로 두개내 압력이 20mmHg 이상으로 5분 이상 지속될 때 두개내압이 증가되었다고 하며 1)환자의 머리를 30도 상승 2)통증, 불안정시 진통제 및 진정제 사용 3)과호흡 4)mannitol 등을 이용한 삼투치료 등의 방법이 주로 이용됩니다. 수두증(hydrocephalus)도 급격히 두개내압을 높일 수 있으므로 진행시간과 정도에 따라 응급수술(EVD)를 고려합니다.
3. 경련의 예방도 중요하며 뇌출혈 환자의 10~25%에서 발생하여 뇌경색에 비해 두 배 정도 빈발합니다. 특히 피질을 포함한 부위에 출혈시 잘 발생하며 나쁜 예후와 관련이 있으므로 적절한 항경련제의 투여와 Tapering(점진적 중단)이 필요합니다.

45-8 뇌졸중 입원환자 관리

(1) 개요

1. 전반적으로 합병증을 예방하면서 신체징후를 안정하여 회복을 빠르게 하는 것이 주 목적이며 당뇨, 고혈압, 심질환 등 원인질환에 대한 치료도 병행해야 합니다.
2. 일반적으로는 급성기에는 침상안정(BR 또는 ABR), 금식, 생리식염수(N/S) 투여를 시행하면서 비교적 짧은 간격(15분~4시간)으로 생체징후와 신경학적 평가를 시행합니다.

(2) 호흡관리

1. 산소포화도(SpO_2)가 낮다면 산소도 공급해야 하며 특히 Brainstem에 병변이 있으면 기도유지에 어려움이 있는 경우도 있으므로 주의하여야 합니다. 고개를 뒤로 젖히거나 낮은 베게나 방석을 어깨 밑에 넣어두는 방법도 보조적으로 도움이 됩니다.
2. 저산소증이 심하거나 혼수상태에서의 호흡곤란 시에는 기관삽관이나 기계호흡을 고려해야 합니다. 의식장애가 장기화되거나 수시로 suction할 정도로 가래 등의 분비물이 많고 호흡곤란 등이 동반되면 Tracheostomy(기관절제술) 시행을 고려합니다 (ENT 의뢰).

(3) 혈압 관리

1. 발병 24시간 이내에는 매시간 또는 2시간마다 check하여 혈압을 조절합니다.
2. 뇌출혈일 경우에는 혈압을 정상적으로 내려주도록 하며 재출혈(rebleeding)의 위험이 예상되면 더 낮게 조절하기도 합니다. 수축기혈압(sBP)이 200mmHg 이상이거나 평균동맥압이 150mmHg 이상이면 즉각적인 IV 혈압강하제 투여 등 적극적 조절 및 5분마다의 혈압감시가 필요하고 sBP 180 이상이거나 평균동맥압이 130 이상이면 목표 BP 160/90, 평균동맥압 110으로 하여 15분마다 혈압을 측정합니다. (단 ICP 상승시 별도 조치)
3. 뇌경색의 경우에는 혈압을 낮추면 뇌혈류가 저하되어 경색이 악화될 수 있으므로 sBP 200 이상, dBP 120 이상인 경우에만 항고혈압제를 사용하는 것이 보통입니다. 단 혈전용해제를 사용한 경우에는 sBP 185 이상, dBP 110 이상인 경우 치료하며 고혈압뇌병증, 대동맥박리, 급성신손상, 급성심근경색 등이 있는 경우에도 신속히 혈압을 떨어뜨려야 합니다.
4. 항고혈압제제는 IV로는 Labetalol을 사용할 수 있고(ex. Labetalol 20mg IV), 경구용으로는 ACE inhibitor나 칼슘채널억제제(ex. Nicardipine) 등을 사용할 수 있습니다. 혈압을 급격히 낮추기 보다는 첫 24시간 동안 15%정도 낮추는 것이 일반적으로 적절합니다.
5. 저혈압 시에는 원인에 따라 적절한 조치를 취하도록 합니다. 특히 뇌경색에서는 일정한 혈압을 유지하는 것이 예후에 좋으므로 sBP가 100이하, dBP가 70 이하라면 N/S을 투여하거나 또는 도파민 등의 승압제 사용을 고려합니다.

(4) 체온

1. 발열은 나쁜 예후와 관련되므로 적절한 관리가 필요합니다. 예방적 항생제 사용은 권장되지 않으며 보조적으로 acetaminophen 투여, 미온수 맛사지 등을 시행하기도 합니다. 중추성고열증은 Pontine 또는 Cerebellar hemorrhage 초기에 발생할 수 있으며 보통 해열제를 사용해도 효과는 미미하므로 alcohol massage나 ice bag 등을 사용합니다.
2. 저체온증이 발생하면 담요 등으로 몸을 따뜻이 하고 실내온도도 18~21도 정도로 높입니다.

(5) 혈당관리/ 심질환

1. 당뇨와 무관하게 고혈당이 나타날 수 있으므로 당뇨 유무와 관계없이 첫 24시간 동안 혈당을 검사하도록 합니다. 포도당이 포함된 수액은 피하도록 하며 필요시 인슐린 등을 이용한 적극적인 혈당관리도 시행합니다.
2. 심질환은 뇌졸중의 위험인자이기도 하지만 뇌졸중으로 심기능의 이상이 발생할 수 있으므로 특히 발병 48시간 동안은 심장모니터를 부착하기도 합니다. 심방세동(Af)이 가장 많으며 심각한 부정맥이 나타나면 치료가 필요합니다.

(6) 체위변경/배뇨장애/연하장애

1. 체위변경 : 욕창 및 흡인성폐렴의 예방 등의 목적이 있으며 보통 매 2시간마다 체위를 변경해 주어야 합니다.
2. 배뇨장애 : 약 절반정도의 환자에서 방광기능장애가 발생하며 약 15% 정도는 1년 경과후에도 증상이 남을 수 있습니다. 도뇨관 사용시에는 지속적으로 유치하는 Foley catheter 보다는 매 6시간 마다 시행하는 Nelaton catheter가 더 감염예방에 효과적이나 배뇨장애가 지속되면 Foley를 유지하기도 합니다. 음부를 청결히 유지하도록 합니다.
3. 연하장애 : 기침없이 흡인이 일어나는 무증상 흡인이 발생할 수 있으므로 의식수준이 떨어져 있으면 함부로 입안으로 음식물 투여를 시도하지 않도록 합니다. 연하장애의 재활치료는 별도의 파트을 참조하시기 바랍니다. **[참조항목 : 72-3]**

45-9 뇌졸중의 이차예방

(1) 개요

발병 후 1년간 약 10%의 환자에서 뇌졸중이 재발하는데 재발한 뇌졸중은 더욱 심하게 발생하는 경우가 많고 후유증 정도나 사망률도 높기 때문에 재발을 방지하는 것은 매우 중요합니다.

(2) 위험인자 조절

1. **고혈압** : 일반적으로 JNC-8 기준을 따라 관리하며 일차적인 목표혈압은 140/90mmHg이나 당뇨병 등의 위험인자가 있는 경우는 130/80mmHg 로 좀 더 엄격히 관리합니다. 일반적으로 ACE inhibitor와 이뇨제 병용투여가 권장되며 당뇨의 경우는 ACE inhibitor 또는 ARB의 사용이 선호됩니다.
2. **당뇨** : HbA1c〈7.0%를 목표로 혈당을 조절합니다.
3. **이상지질혈증** : 스타틴(Statin)계 약물이 가장 많이 사용되며 죽상경화증이 있는 경우 LDL 콜레스테롤 수치를 100mg/dℓ 이하로, 위험인자가 여러개인 경우는 70mg/dℓ 이하로 조절합니다. 다만 출혈성 뇌졸중의 경우, 고용량의 스타틴복용이나 낮은 콜레스테롤이 출혈성 뇌졸중의 위험도를 높이는 결과들이 보고되었으므로 적응증에서 배제되는 추세입니다.
4. **생활습관** : 금연(5년 금연 후에는 흡연의 부정적 효과 소실), 과도한 음주 조절, 체중감량, 운동, 과일과 야채의 섭취, 염분 섭취의 감소, 칼륨 섭취의 증가 등이 권장됩니다.
5. **기타** : 고호모시스테인혈증, 대사증후군, 폐쇄성수면무호흡증후군 등의 치료가 권장됩니다.

(3) 항혈전치료

1. **항혈소판제제** : 심장성을 제외한 뇌경색 환자에게는 Aspirin 등의 항혈소판제제 치료가 항응고제보다 출혈부작용이 적으면서 동등한 예방효과를 보이므로 우선적으로 사용됩니다. 항혈소판제 사용이 급성기에는 11%, 장기적으로는 22%의 재발방지 효과를 보인 바 있습니다.
2. **항응고제 치료** : 와파린(warfarin) 등의 항응고제 치료는 특히 심인성 색전증으로 인한 뇌경색에서 가장 우선적으로 선택되는 약물입니다. 심방세동(Af), 급성심근경색(AMI), 심장판막질환 등에서 와파린이 INR 2-3정도로 유지하도록 투여되며 기계식 인공판막치환술을 받은 환자는 INR 2.5-3.5를 유지하기도 합니다. 일반적으로 INR이 2보다 작으면 항응고효과가 현저히 감소하고 3보다 커지면 출혈부작용이 증가합니다. 관상동맥질환이 동반되는 경우 아스피린이 병용투여되기도 합니다.
3. 80세 이상이 와파린 복용군은 60-70대 복용군보다 출혈위험도와 색전증 발생비율이 상승했다는 보고도 있는 만큼 고령의 경우는 위험과 이득을 잘 비교하여 복용지속여부를 결정하여야 합니다. [14] 최근에는 와파린 대신 신규 경구용 항응고제 (NOAC)의 사용이 증가하는 추세입니다.

(4) 수술 또는 중재적 치료

1. 경동맥의 죽상경화, 협착 등이 뇌경색의 원인 중 하나가 되므로 협착 정도에 따라 수술적 또는 중재적 치료를 시행하기도 합니다.
2. 경동맥 내막 절제술(carotid endarterectomy, CEA)이 대표적으로 특히 최근 6개월 이내 TIA나 뇌경색이 있었던 환자의 경우, 경동맥 초음파 협착정도가 심하면(70-99%) CEA시행을 우선 권장하고, 중등도 환자는 (50-69%) 위험인자와 연령, 성별, 신경학적 결손정도를 고려하여 결정하며, 경도의 환자(50%미만)는 약물치료를 우선으로 합니다.
3. 또는 경동맥 스텐트 설치술(carotid stenting, CAS)이 시행되기도 하며 수술이 불가능하거나 CEA 후 재협착이 발생한 경우 추천됩니다.

45-10 한의학적 접근

(1) 변증분류

1. 한의학에서는 中風은 협의의 범주에서 뇌졸중(stroke)에 속하지만 본래 다른 신경계질환이나 감염질환 등의 범주도 일부 포함하는 넓은 개념의 용어입니다.
2. 병태에 따라서 두가지로 구분하기도 하는데, 갑자기 쓰러져 의식장애와 함께 반신마비, 언

어장애 등이 나타나는 中臟腑證과 큰 의식장애 없이 반신마비, 口眼喎斜, 言語蹇澁, 偏身麻木, 眩暈, 頭痛 등이 나타나는 中經絡證으로 나뉩니다.

3. 한국한의학연구원과 대한중풍학회 중심의 연구로 2014년 발표된 [한국형 중풍변증 표준안]은 임상지표에 따라 화열증(火熱證), 기허증(氣虛證), 음허증(陰虛證), 습담증(濕痰證)의 4가지로 구분하고 있습니다.* 다만 각 변증안은 서로 상충되는 것이 아니고 2개 이상의 요소가 작용하기도 하며 특히 음허증(陰虛證)이나 습담증(濕痰證)은 화열(火熱) 또는 기허(氣虛)의 지표가 혼재되어 나타나는 경우도 많으므로 주의합니다.[6,16]

화열증 (火熱證)	기허증 (氣虛證)
1. 얼굴빛이 붉은 편이다 2. 머리가 열나는 것 같이 아프다 3. 몸에 열감이 나면서 더운 것을 싫어한다 4. 가슴이 답답하거나 열이 나는 느낌이 있다 5. 답답하고 열이 나서 잠자기가 힘들다 6. 갈증이 나서 물을 많이 마신다 7. 환자의 목구멍에 가래 끓는 소리가 들린다 8. 눈이 붉다(충혈) 9. 구설생창(口舌生瘡) 10. 수족열(手足熱), 수족심열(手足心熱) 11. 소변색이 진한 편이다. 12. 구취 13. (설진) 黃苔 14. (설진) 厚苔 15. (설진) 舌質紅 16. (맥진) 有力脈 17. (맥진) 洪脈 18. (맥진) 數脈	1. 얼굴빛이 창백하다 2. 환자가 기운이 없어 보인다 3. 쉽게 피로하고 기운이 없다 4. 목소리가 힘이 없고 말하기 싫어한다 5. 잠을 잘 잤지만 자주 누워 있고 싶다 6. 수족궐랭(手足厥冷) 7. (설진) 舌質淡白 8. (설진) 齒痕 9. (맥진) 無力脈 10. (맥진) 細脈 11. (맥진) 遲脈
음허증 (陰虛證)	**습담증 (濕痰證)**
1. 얼굴빛이 희지만 광대뼈 부위가 붉다 2. 오후조열(午後潮熱) 3. 체형이 소수(消瘦)하다 4. 수면 중에 땀을 흘린다 5. 입이 마른다 6. (설진) 鏡面舌 7. (설진) 燥苔	1. 얼굴이 누렇게 뜨거나 때가 낀 것 같다 2. 체형이 비습(肥濕)하다 3. 환자의 안검 주위가 검다 4. 속이 메스꺼우면서 머리가 어지럽다 5. (설진) 胖大舌 6. (설진) 白苔 7. (맥진) 滑脈

* 한국형 중풍변증 표준안(II)까지 포함되었던 어혈증(瘀血證)은 빈도가 적고 표준지표의 적용이 어려워 표준안(III) 및 최종표준안에서는 제외되었습니다.

(2) 한약치료(예) - 변증에 따라 시행

1. 보험제제 : 半夏白朮天麻湯 黃連解毒湯 補中益氣湯
2. 비보험제제 : 星香正氣散 凉膈散火湯 熱多寒少湯 淸肺瀉肝湯 牛黃淸心元 疏風順氣元 麝香蘇合元[5]
3. 중풍변증진단에 따른 처방예[7]
   1) 화열증 : 防風通聖散 淸熱導痰湯 淸肺瀉肝湯 凉膈散火湯 등
   2) 음허증 : 地黃飮子 大補陰丸 淸心地黃湯 등
   3) 기허증 : 補中益氣湯 補陽還五湯 益氣活血湯 順氣君子湯 益氣導痰湯 등
   4) 습담증 : 導痰湯 祛風除濕湯 半夏白朮天麻湯 加味解語湯 등
4. 변증별 시기별 처방예[16]

급성기	화열	우황청심환(牛黃淸心丸) 강활유풍탕(羌活愈風湯) 방풍통성산(防風通聖散) 청혈단(淸血丹) 진간식풍탕(鎭肝熄風湯)
	습담	도담순기탕(導痰順氣湯) 성향정기산(星香正氣散) 소풍도담탕(疏風導痰湯) / [兼瘀血] 도담활혈탕(導痰活血湯)
	기허	성향정기산(星香正氣散)
아급성 및 만성기	화열	[상초] 청심연자음(淸心蓮子飮) 청심연자탕(淸心蓮子湯) 가미청심탕(加味淸心湯) 서각승마탕(犀角升麻湯) 청열도담탕(淸熱導痰湯) [중초] 양격산화탕(凉膈散火湯) [하초] 방풍통성산(防風通聖散) 열다한소탕(熱多寒少湯) 청폐사간탕(淸肺瀉肝湯) 지황백호탕(地黃白虎湯)
	습담	[상초] 청신해어탕(淸神解語湯) 도담탕(導痰湯) 영신도담탕(寧神導痰湯) 청훈화담탕(淸暈化痰湯) 자음건비탕(滋陰健脾湯) 가미온담탕(加味溫膽湯) 청심연자탕(淸心蓮子湯) 가미해어탕(加味解語湯) [중초] 반하백출천마탕(半夏白朮天麻湯) 거풍제습탕(祛風除濕湯)
	기허	[상초] 익기도담탕(益氣導痰湯) [중초] 보중익기탕(補中益氣湯) 향사육군자탕(香砂六君子湯) 가미대보탕(加味大補湯) 십전대보탕(十全大補湯) 만금탕(萬金湯) [통치 또는 兼瘀血] 보양환오탕(補陽還五湯) 익기활혈탕(益氣活血湯)
	음허	[상초] 자음강화탕(滋陰降火湯) 청심지황탕(淸心地黃湯) 대보음환(大補陰丸) 형방지황탕(荊防地黃湯) 지황음자(地黃飮子) [중초] 독활지황탕(獨活地黃湯) [하초] 자윤탕(滋潤湯) 육미지황탕(六味地黃湯) 고진음자(固眞飮子) 자음건비탕(滋陰健脾湯) 사육탕(四六湯)
예방, 조리	화열, 습담	강활유풍탕(羌活愈風湯) 청혈단(淸血丹)

(3) 침구치료(예) - 변증에 따라 시행

1. 정경침 : 百會 合谷 太衝 人中 中風七處穴, [上肢麻痺] 肩髃 曲池 手三里 外關, [下肢麻痺] 環跳 足三里 陽陵泉 豊隆 懸鍾 崑崙, [口眼喎斜] 地倉 頰車 陽白 攢竹, [舌强] 廉泉 通里, [嚥下困難] 廉泉 風池
2. 사암침 : [言語蹇澁 半身不遂-心虛] 大敦(+) 太衝(正) 完骨 太白(-), [卒風 不語 肉痺-胃實] 三里(迎正) 風池 陽谷(-) 三間(+), [偏風口喎-肝實] 勞宮(+) 照海 完骨(-) 前谷(迎), [口眼喎斜-肝實] 三里(迎) 陽輔(正) 完骨(斜) 然谷(-) 少海(+), [遍身痒如蟲行不可忍-心實] 太衝(迎正) 光明(正) 陰谷(+) 大敦(-), [口噤痰塞-脾虛] 風池(迎正) 勞宮(橫) 少府 經渠(+) [眼戴上反不能言語] 三里(-) 二椎 五椎 (施灸-補), [中臟] 關元 氣海 (-), [中腑] 太衝(+) 中脘 風市(-)
3. 동씨침 : [卒中期] 十井(瀉血) 正會 前會 後會 靈骨, [半身不遂] 靈骨-大白 九里穴 重子-重仙 腎關, [舌强不語] 商丘 正會 風府-啞門(放血)
4. 耳鍼 : 神門 腎 沈 心
5. 기타치법 : 十井穴 사혈, 頭鍼(운동구 감각구 족운동감각구 언어구 : 전침도 가능)
6. 임상연구
   1) 뇌졸중 재활과 관련된 침의 효과 : Cochrane 리뷰(2006)에서는 침치료군의 신경학적 회복속도가 우월하였으나 논문간의 비동질성 때문에 결론을 내리지 않음.[8] Stroke지에 발표된 메타분석(2010)에서는 침치료의 유의한 이득이 있는 것으로 결론.[9] 메타분석 방법에 따라 다른 결론이 내려지기도 함.[10] **[참조항목 : 11-6 (TIP)]**
   2) 뇌졸중 반신마비 환자에 대한 침치료에서 건측과 환측 취혈의 비교 : 메타분석결과 뇌경색 환자의 경우 건측취혈(contralateral acupuncture)이 환측(ipsilateral) 보다 우월한 회복률을 나타냄. 잘 설계된 RCT 수가 많지 않아 결론은 제한적. [11]
   3) 뇌졸중 재활에서의 뜸치료의 효과 : 기존의 치료에 뜸치료(Moxibustion)를 병행하는 것이 우월하다는 RCT들이 보고되었으나 확실한 결론을 내리기에는 불충분. [12]
   4) 전침치료 : 급성 뇌경색환자를 대상으로 한 다기관 RCT 임상시험에서 전침치료군이 비시행군에 비하여 각종 지표(Barthel index, 재입원율, NIHSS 등)에서 유의한 개선효과 [15]
   5) 인지장애 후유증 : 침치료군이 비치료군에 비하여 뇌졸중 후 인지장애의 치료에 효과적임을 보여준 메타분석 결과가 발표 [17]

REFERENCES

1. Marc S Sabatine. Pocket Medicine. 3rd Ed. Lippincott Williams & Wilkins. 2007.
2. 뇌졸중임상연구센터. 뇌졸중진료지침. 2009
3. 대한뇌졸중학회. 뇌졸중 Textbook of stroke. E-public. 2009. pp 421-426
4. Johnston SC, Rothwell PM, Nguyen-Huynh MN et al. Validation and refinement of scores to predict very early stroke risk after transient ischaemic attack. Lancet. 2007;369(9558):283-92.
5. 장인수, 유경숙, 이진구 외. 급성기 뇌졸중 환자에 대한 임상적 고찰. 대한한방내과학회지 2000;21(2):203-212.
6. 한국한의학연구원, 대한중풍학회. 중풍표준용어집. 2011
7. 전국한의과대학 심계내과학교실. 한방순환신경내과학. 군자출판사. 2010. p.409
8. Wu HM, Tang JL, Lin XP. Acupuncture for stroke rehabilitation. Cochrane Database Syst Rev. 2006 Jul 19;3:CD004131
9. Wu P, Mills E, Moher D, Seely D. Acupuncture in poststroke rehabilitation: a systematic review and meta-analysis of randomized trials. Stroke. 2010;41(4):e171-9
10. Kong JC, Lee MS, Shin BC et al. Acupuncture for functional recovery after stroke: a systematic review of sham-controlled randomized clinical trials. CMAJ. 2010;182(16):1723-9.
11. Kim MK, Choi TY, Lee MS et al. Contralateral acupuncture versus ipsilateral acupuncture in the rehabilitation of post-stroke hemiplegic patients: a systematic review. BMC Complement Altern Med. 2010;10:41.
12. Lee MS, Shin BC, Kim JI et al. Moxibustion for stroke rehabilitation: systematic review. Stroke. 2010;41(4):817-20.
13. 유경호, 배희준, 권순억 등. 한국 뇌졸중 자료은행에 등록된 10,811건의 급성기 허혈성 뇌졸중 환자 분석: 병원기반 다의료기관 전향적 자료등록 연구. 대한신경과학회지. 2006;24:542
14. Torn M et al. Risks of oral anticoagulant therapy with increasing age. Arch Intern Med. 2005 Jul 11;165(13):1527-32.
15. Chengwei W et al. Clinical curative effect of electric acupuncture on acute cerebral infarction: a randomized controlled multicenter trial. J Tradit Chin Med 2014;34(6):635-640
16. 강병갑 외. 중풍 변증 표준 용어 및 처방집. 군자출판사. 2014.
17. Liu F et al. A meta-analysis of acupuncture use in the treatment of cognitive impairment after stroke. Journal of alternative and complementary medicine. 2014;20(7):535-544.

46 치매

46-1 개요

1. 치매(Dementia)는 노화 또는 기타의 후천적 원인으로 이전에 정상이었던 인지기능에 뚜렷한 상실이 온 상태입니다. 기억력저하, 지남력 장애, 언어상실, 인식불능, 망상 등이 동반될 수 있고 화를 잘 내거나 의심이 많아지고 이기적으로 변하는 성격변화로 나타나기도 합니다.
2. 사건의 세세한 부분을 잊지만 힌트를 주면 기억해 낼 수 있는 건망증(amnesia)과는 달리 치매로 인한 기억력 저하는 힌트를 주어도 사건 자체를 기억하지 못하고 기억력장애가 있다는 것을 자각하지도 못하는 특성이 있습니다.
3. 갑작스럽게 발병하면서 하루 중에도 호전-악화가 반복되고 집중력저하(inattention), 혼란된 사고(disorganized thinking), 의식수준의 변화 등이 있는 섬망(delirium)과는 달리 치매는 천천히 발병하여 매우 긴 임상경과를 보이며 의식수준이나 주의집중력은 초기에는 비교적 정상상태를 유지합니다. 실제 임상에서는 두 가지가 확실히 구분되지 않거나 동시에 존재하는 경우도 흔합니다.

46-2 치매의 분류

(1) 알츠하이머형 치매

1. 전체 치매의 40~80% 정도로 가장 많은 비율을 차지하고 있는 알츠하이머형 치매는 발병원인은 밝혀지지 않았으나 기억이나 인지능력에 관한 신경전달물질인 아세틸콜린의 감소가 확인되었습니다. 치료도 Donepizil(아리셉트®)와 같은 아세틸콜린 분해효소 억제제로 진행을 늦추는 방법이 사용됩니다.
2. 잠행성으로 서서히 발병하여 진행성으로 발전합니다. 초기에 기억장애 및 감정장애(우울, 다행감) 등이 나타나고 진행되면 의욕저하 및 환각, 망상 등이 발생할 수 있습니다. 지남력도 악화되는데 병식은 없습니다.

(2) 뇌혈관성 치매

1. 뇌졸중이 가장 큰 원인으로 기억장애 외에 국소적인 신경증상(편마비, 실어증 등)이 발생되어 있으며 병식은 비교적 유지되면서 우울상태가 동반되기도 합니다. 치료는 새로운 뇌경색 방지와 치매증상의 완화가 중심이 됩니다.
2. 보통 뇌경색 등으로 손상된 신경세포의 관련 부위만 기능을 잃게 되며 재차 발생하지 않는 한 현재 보존하고 있는 기능은 유지됩니다. 단 새로 경색이 발생하면 다시 계단식의 갑작스러운 악화를 보이게 되며 이를 step ladder appearance로 표현하기도 합니다.

(3) 기타 질환에 의한 치매

1. 파킨슨병, 헌팅톤병, 뇌종양, 뇌농양, 정상압수두증과 같은 퇴행성질환이나 특정뇌질환 등에서 치매증상이 유발될 수 있습니다. 원인질환의 치료를 통해 증상의 호전이나 완치를 기대할 수 있는 경우도 있습니다.
2. 간성뇌증(HEP), 갑상선기능저하증, 저혈당, 저산소증, Vitamin B12 결핍, 엽산결핍, Thiamine 결핍, 약물중독, 매독 등과 같은 전신성 질환도 치매의 원인질환이 될 수 있습니다.

46-3 치매의 평가

(1) 관련검사

1. 기본검사 : 치매관련 평가도구(MMSE-K, CDR, GDS), 일생생활능력평가(ADL)
2. 추가검사 : Brain MRI, EEG, CBC, Electrolytes, TFT, Vit B12 등
3. 치매의 평가는 다른 기질적 원인이 없다는 전제하에 MMSE-K가 가장 기본으로 하면서 CDR 또는 GDS로 평가하게 됩니다. 예를 들어 대표적인 치매치료제인 Donepezil(아리셉트)의 보험급여 기준은 MMSE가 26점 이하(필수기준)이면서 CDR이 1-3등급이거나 또는 GDS이 3-7등급일 때로 한정합니다.
4. Brain MRI나 뇌파검사(EEG)는 치매를 확진하기 보다는 다른 뇌질환 등의 가능성을 염두하고 감별진단을 하기 위한 보조적 수단으로 주로 사용됩니다.

(2) MMSE

1. 진단이 아닌 선별검사(screening)에 속하며 인지장애를 광범위하게 평가할 수 있고 쉽게 실시할 수 있어 많이 사용됩니다.
2. 최근에는 인구학적 정보를 기반으로 성별, 연령별로 비정상군 점수데이터가 발표된 MMSE-KC도 많이 사용되고 있습니다.

(3) CDR (clinical dementia rating, 임상치매등급)

1. CDR은 알츠하이머병 환자의 전반적인 인지, 사회적 기능의 정도를 평가하는 스케일로 치매환자의 중증도를 표시하며 경과관찰에도 유용합니다. 기억력(memory), 지남력(orientation), 판단력 및 문제해결(judgement & problem solving), 외부활동참여(community affairs), 가사와 취미(home & hobbies), 개인간병(personal care) 등의 6가지 항목에 각 0-3점의 척도로 구성됩니다.
2. CDR은 6가지 항목을 합산한 Sum of Boxes(CDR-SB)을 사용하거나 또는 기억력 점수를 기준으로 하여 계산한 Global CDR이 사용됩니다. CDR 3은 심한 치매, 2는 중등도의 치매, 1은 경도의 치매를 의미하며 0.5는 치매가 의심스러운 상태(questionable)를 의미합니다.
3. Global CDR 계산법
   1) 기억력점수가 0인 경우 : 다른 항목도 전부 0점이거나 한가지가 0.5점이면 CDR 0점이고 그 외의 경우는 모두 CDR 0.5점입니다.
   2) 기억력점수가 0.5인 경우 : 위생 및 몸치장을 제외한 나머지 항목 중 적어도 3가지가 1점 이상이면 CDR 1점이고 그 외의 경우는 모두 CDR 0.5점입니다.
   3) 기억력점수가 1점 이상인 경우 : 6가지 항목 중 3가지 이상 공통되는 항목의 점수가 CDR 점수가 됩니다. 공통된 점수가 없으면 기억력점수를 CDR 점수로 합니다.

(4) GDS (global deterioration scale)

증상에 따라 1단계에서 7단계까지 구분해 놓은 평가도구입니다. 인지장애가 없는 1단계(No cognitive decline)에서 2단계(very mild)- 3단계(mild)- 4단계(moderate)- 5단계(moderately severe)- 6단계(severe) 순으로 심해지고 가장 마지막으로 아주 심한 인지장애를 보이는 7단계(very severe)까지 이르게 됩니다.

46-4 치료

(1) 기본적 관리 (P-A-S-C-A-L) [2]

1. 신체적 활동(Physical activity)도 중요하므로 주 3회 이상 일정강도 이상의 운동을 시행하도록 하고 금연(Anti-smoking)을 적극 권장합니다.
2. TV 등의 수동적인 정신자극 보다는 많은 사람과 접하도록 사회활동(Social activity)을 늘이게 하고 독서나 글쓰기, 게임, 음악, 미술활동, 대화 등 인지기능을 자극할 수 있는 활동(Cognitive activity)을 합니다. 식이에 있어서는 절주(Alcohol drinking in moderation)가 권

장되고 또한 생선이나 야채, 과일 등의 적절한 영양섭취를 통해 뇌건강에 도움이 되는 식사(Lean body mass and healthy diet)를 하도록 합니다.

3. 치매환자와 대화시에는 부정, 정정, 설득, 질책 등은 금하고 상대의 세계에 맞추도록 노력하며 또한 상대가 잘 이해할 수 있도록 간단한 문장으로 한 가지씩 말하는 것도 좋습니다.

(2) 약물치료

계열	특징	약물례(상품명)
Antidementia, Anticholinesterases	[항치매제. 항콜린에스테라제] 기억과 관련된 뇌신경전달물질인 아세틸콜린의 분해를 억제	Donepezil(아리셉트), Rivastigmine(엑셀론), Galantamine(레미닐)
Antidementia, Other drugs	[기타항치매제] 1)흥분성 신경전달물질인 Glutamate의 비정상적 활성화를 억제 2) 은행잎추출물. 항산화, 혈행개선.	1) Memantine(에빅사) 2) Ginkgo biloba(기넥신, 타나민)

1. 치매환자의 뇌에서 신경전달물질인 아세틸콜린이 감소되어 있음을 고려하여 일차적으로 Donepezil을 비롯한 아세틸콜린분해억제제를 사용할 수 있습니다. (Ex. Donepezil 5mg 1T qd) 임의적인 투약 중단은 급격한 인지기능의 악화가 초래될 수 있고 중단기간이 길어지면 재투여해도 이전과 같은 인지기능 개선효과를 기대할 수 없으므로 주의해야 합니다.[9] 최근에는 이와는 다른 기전(NMDA receptor antagonist)이 관여하여 글루타메이트에 작용하는 Memantine이 단독 또는 병용되어 처방되기도 합니다.
2. 약물치료의 반응은 약 3개월간 투여 후 재평가함으로써 확인합니다. 보통 치매상태가 치매이전의 상태로 회복되는 경우는 보기 힘들며, 대신 투여전보다 더 악화되지 않으면 일단 약물의 효과가 있는 것으로 간주할 수 있습니다.
3. 흔히 우울증이 동반되어 치매증상이 더욱 심할 수 있으므로 항우울제 사용도 고려하며 망상이나 공격행위 등 행동심리증상(Behavioral and Psychological Symptoms of Dementia, BPSD)이 보이면 Risperidone(리스페달®) Quetiapine(쎄로켈®) 등의 비정형(Atypical) 항정신병 약물도 고려합니다. (벤조다이아제핀계 약물은 더욱 흥분을 조장할 수 있어 주의)
4. 과거 노망(老妄)으로 인한 행동으로 취급받았던 BPSD는 치매의 초기나 말기보다는 중기에 자주 발생하는데 치매환자 가족의 삶의 질을 저하시키고 환자를 요양병원 등의 요양보호시설로 옮기게 되는 결정적인 요인이 되는 경우가 많습니다.

46-5 한의학적 접근

1. 한의학에서는 癡呆, 呆病 등의 범주로 접근할 수 있습니다.
2. 정경침 : 百會 四神聰 神門 三陰交, [心脾兩虛] 心兪 脾兪, [腎精不足] 腎兪 太谿 關元, [心腎不交] 心兪 腎兪 志室 內關
3. 이침 : 心 腎 沈 神門 腦點
4. 임상연구
   1) 抑肝散 : Donepezil과 병용투여시 Donepezil 단독투여군보다 우월한 BPSD 개선효과. 단독투여시에도 BPSD 개선 및 일상생활수행능력 향상[3,4]
   2) 釣藤散 : 혈관성치매 환자의 인지능력과 일상생활수행능력이 향상[5]
   3) 八味地黃丸 : 치매환자의 인지기능과 생활활력도, 내경동맥 혈류를 유의성 있게 개선[6]
   4) 拱辰丹 : 치매환자의 인지기능을 향상 (비대조군 임상시험)[7]
   5) 치매환자의 BPSD : 風池 百會 神門 內關 三陰交에 하루 2회 15분씩 총 4주간의 경혈지압을 시행한 결과 유의한 개선효과[8]
   6) 침치료 메타분석 : 알츠하이머병에 있어서 Donepezil과 침치료 병행군이 Donepezil 단독군보다 우수한 인지기능 개선 효과[10]

REFERENCES

1. Hogan DB, Bailey P, Black S et al. Diagnosis and treatment of dementia: Approach to management of mild to moderate dementia. CMAJ. 2008;179(8):787-93.
2. 이윤환, 나덕렬, 정해관 외. 치매예방을 위한 생활습관. 노인병학회지. 2009;13(2):61-68.
3. Iwasaki K, Satoh-Nakagawa T, Maruyama M, et al. A randomized, observer-blind, controlled trial of the traditional Chinese medicine Yi-gan san for improvement of behavioral and psychological symptoms and activities of daily living in dementia patients. J Clin Psychiatry. 2005;66(2):248-52.
4. Mizukami K, Asada T, Kinoshita T, et al. A randomized cross-over study of a traditional Japanese medicine (kampo), yokukansan, in the treatment of the behavioural and psychological symptoms of dementia. Int J Neuropsychopharmacol. 2009;12(2):191-9.
5. Suzuki T, Futami S, Igari Y et al. A Chinese herbal medicine, choto-san, improves cognitive function and activities of daily living of patients with dementia: a double-blind, randomized, placebo-controlled study. J Am Geriatr Soc. 2005;53(12):2238-40
6. Iwasaki K et al. A randomized, double-blind, placebo-controlled clinical trial of the Chinese herbal medicine "ba wei di huang wan" in the treatment of dementia. J Am Geriatr Soc. 2004;52(9):1518-21.
7. 정효창, 장하정, 성우용 외. 拱辰丹이 알츠하이머형 치매 환자에게 미치는 영향. 동의신경정신과학회지 2004;15(2):141-148.
8. Yang MH, Wu SC, Lin JG, Lin LC. The efficacy of acupressure for decreasing agitated behaviour in dementia: a pilot study. J Clin Nurs. 2007;16(2):308-15.
9. 이동우, 허윤석, 김기웅. Evidence-Based Treatment of Alzheimer' s Disease. J Korean Med Assoc 2009;52(4):417-42.
10. Zhou J et al. The effectiveness and safety of acupuncture for patients with Alzheimer disease: a systematic review and meta-analysis of randomized controlled trials. Medicine (Baltimore). 2015 Jun;94(22):e933.

47 파킨슨병

47-1 개요

(1) 개념 및 원인

1. 파킨슨증(parkinsonism)은 도파민 결핍과 관련되는 특발성(idiopathic) 파킨슨병(Parkinson disease, PD)뿐만 아니라 도파민과는 관련이 없으면서도 파킨슨병의 증상을 나타낼 수 있는 이차성 원인질환(뇌졸중, 외상, 약물 등)과 기타 신경변성질환(MSA* 등)도 포함하는 개념입니다.
2. 전형적인 파킨슨병 증상을 호소하여 병원을 찾는 환자 중 실제 파킨슨병(PD) 환자는 70~80% 정도이며 특히 항정신병제 등 각종 약물에 의해 증상이 유발된 경우를 잘 감별해야 합니다.
3. 파킨슨병(PD)은 운동과 언어능력 등을 손상시키는 중추신경계의 퇴행성질환으로 도파민을 생산하는 흑질(substantia nigra) 세포의 소실에 의해 발생합니다. 최근에는 유전적, 환경적 소인이 복합적으로 작용하여 발생하는 것으로 추측합니다.
4. 파킨슨병의 진행을 늦추는 치료법은 현재까지 보편적으로 인정된 것이 없으며 약물요법을 포함하여 파킨슨병의 각종 치료는 증상완화를 주목적으로 합니다.

(2) 증상 및 진단기준

1. 파킨슨병은 주로 임상증상으로 판정하는데 서동증(bradykinesia)이 있으면서 안정시 진전(rest tremor), 근육강직(muscular rigidity), 직립자세 불안정(postural instability) 중 한가지 증상이 있을 때 진단될 수 있습니다. 숟가락을 들 때, 글씨 쓸 때 등 운동시에 발생하는 진전은 파킨슨병이 아닌 본태성 떨림(essential tremor)인 경우가 많습니다.
2. 특히 도파민 제제를 사용하여 좋은 호전반응을 보일 때 더욱 파킨슨병의 진단이 확실해지며 Brain CT나 MRI는 보통 파킨슨병에서는 정상소견을 보이지만 혹시 모를 다른 질환과의 감별을 위하여 시행됩니다.
3. 보건복지부 [희귀난치성질환자 산정특례기준]에 의한 파킨슨병(G20)의 진단방법(3단계)을 요약하면 같습니다.

   [1단계] 파킨슨증(parkinsonism)의 진단 : 경증(mild) 이상의 서동이 반드시 있으면서(UPDRS

---

* MSA : 다계통 위축증(Multiple System Atrophy)

서동 항목 당 2점 이상) 근경축, 안정시 진전, 직립자세 불안정 중 적어도 한가지 증상이 있을 때

[2단계] 배제 진단 : 이러한 파킨슨증이 뇌경색, 약물 부작용, 두부 외상, 뇌염, 저산소증에 의한 뇌손상 등으로 기인한 것이 아닐 때

[3단계] 확정 진단 : 이러한 파킨슨증이 다음 8가지 중 3가지 이상일 때 - 한쪽에서 시작된 파킨슨 증상 / 안정시 진전 /증상의 좌우 비대칭이 지속적 / 점차 진행되는 병세 / 10년 이상의 병이 과정 /레보도파에 우수한 반응(70~100% 호전) / 심한 레보도파-유도성 이상운동증 / 5년 이상 지속되는 레보도파에 대한 반응

Tip **UPDRS (Unified Parkinson Disease Rating Scale)**

파킨슨병의 평가척도로는 UPDRS가 가장 대표적이지만 평가시간이 길고 숙련도에 따라 결과치의 차이가 크다는 단점이 있습니다. 1987년 최초 개발이후 조금씩 다른 버전이 개발되어 왔으며 최근에는 MDS-UPDRS (Movement disorder society ~) 가 많이 사용됩니다.

47-2 치료

(1) 약물요법

계열	특징	약물례(상품명)
dopa and dopa derivatives	[도파민+도파민유도체] L-dopa/ L-dopa의 말초대사를 막는 carbidopa 또는 benserazide / 작용시간을 늘린 entacapone 추가	L-dopa+carbidopa(시네메트), L-dopa+benserazide(마도파), L-dopa+carbidopa+entacapone (스타레보)
Dopamine agonists	[도파민작용제] 도파민 수용체를 자극	Bromocriptine, Apomorphine, pramipexole
Other Dopaminergics	[기타 도파민효능제] 1) 항바이러스제로도 사용 2) MAO 차단제	1) Amantadine 2) Selegiline
Anticholinergics	[항콜린제] 도파민 부족으로 상대적으로 많아진 아세틸콜린의 증가를 억제하는 작용	Trihexyphenidyl Benztropine

1. **Levodopa** : 도파민의 전구물질인 레보도파는 BBB를 통과하지 못하는 도파민과는 달리 BBB를 통과할 수 있습니다. 단독투여시 약 2% 정도만이 뇌에 전달되므로 이 과정을 돕는

성분이 복합된 제제가 많이 투여되고 있습니다. 특히 서동증 증상이 있을 때 효과적입니다.

2. **Carbidopa** : 레보도파는 BBB를 통과하기 이전에 위장관이나 말초 조직에서도 도파민으로 전환될 수 있습니다. Carbidopa는 레포도파가 말초조직 등 뇌 이외의 영역에서 도파민으로 전환되는 과정을 억제함으로써 실제 치료대상 영역인 뇌에서 더 많이 작용할 수 있게 합니다.
3. **Entacapone** : COMT 차단제*로 분류되는 약물로 레보도파의 혈중농도 지속시간을 늘려주어 레보도파 하루 투여량을 줄일 수 있습니다.
4. **Dopamine agonists** : 도파민 수용체를 직접 자극하는 도파민 작용제는 단독 또는 레보도파와의 병용요법으로 사용될 수 있으며 특히 65세 이하의 경우 일차적 치료제로 더 선호됩니다.
5. **Amantadine** : 본래 항바이러스제로 사용되는 Amantadine은 신경말단부에서 도파민을 더 많이 만들어 내게 하고 이상운동증 조절에도 도움을 줍니다. 단 도파민 생성에 관여하는 뉴런이 20% 정도는 남아 있어야 효과를 볼 수 있습니다.
6. **Selegiline** : MAO-B(monoamine oxidase B) 차단제로서 항우울제로도 분류되는 약물입니다. 도파민의 대사(breakdown)를 막는 기능이 있으며 파킨슨병 초기단계에서 증상조절을 위해 사용됩니다.
7. **항콜린제** : 정상인의 기저핵(basal ganglia)에서는 도파민과 함께 골격근의 흥분을 담당하는 아세틸콜린(acetylcholine)이 존재하여 상호균형상태를 유지하고 있지만 파킨슨병 환자에서는 도파민이 부족하고 콜린성이 우월한 상태입니다. 항콜린제를 투여함으로서 이러한 불균형으로 초래된 임상증상을 완화시킬 수 있으며 특히 진전(tremor)이 있을 때 사용됩니다.

Tip 레보도파의 효능과 부작용 [1,2]

1. 파킨슨병 치료의 가장 대표적인 약물인 레보도파의 경우 복용 초기에는 소위 'honeymoon period' 라고 하여 약물반응이 일정하게 잘 유지되고 증상의 개선정도도 뚜렷한 편입니다.
2. 하지만 5년(또는 3~5년) 이상 장기간 투여하면 약효지속시간이 1~6시간 정도로 점차 짧아지거나(wearing-off), 운동조절기능 변동(motor fluctuation), 이상운동증(dyskinesia) 등이 나타날 수 있습니다. 이러한 반응은 레보도파의 5년 사용자 기준으로 약 50%, 9-15년 사용자 기준으로 약 90%에 달하며 특히 복용시작연령이 낮을수록 뚜렷한 경향이 있습니다.
3. 따라서 레보도파의 복용은 임상증상이 뚜렷하여 일상생활에 지장을 줄 때에만 저용량으로 시작하고 그나마 65세 이하의 경우에는 Dopamine agonist부터 먼저 시도한 후 반응이 없을 때 주로 고려할 수 있습니다.
4. 단 고령자로서 증상이 심하거나 인지장애도 동반된다면 우선적으로 레보도파부터 적용합니다. 또는 증상정도와는 무관하게 고령자라면 레보도파가 보이는 최고의 치료효과를 미루지말고 초

* Catechol-O-methyl transferase (COMT) inhibitors

기부터 적극적으로 적용하되 이후 동반되는 약효감소 및 부작용은 레보도파 복용횟수를 늘리거나 타 약재의 병용 등으로 조절하자는 의견도 있습니다.[15)]

5. 레보도파의 효과가 저하되면 서방형 레보도파 제제를 사용하거나 하루 4-6회 정도로 조금씩 자주 복용하는 방법으로 변경하기도 합니다. 또는 COMT 차단제, Amantadine 등과 병용합니다.

(2) 비약물적 요법

1. **생활요법** : 성기적인 운동과 신체활동은 서동증이나 보행장애와 같은 운동관련증상의 진행을 막지는 못하지만 근골격계의 통증을 줄이고 일부 운동기능을 향상시킬 수 있습니다. 언어치료도 성량을 늘리는 데 도움이 되고 적절한 영양공급, 심리적 지지요법 등도 고려할 수 있습니다.
2. **수술적 치료** : DBS(심부뇌자극술, deep brain stimulation)가 대표적으로 얇은 납판(lead)을 뇌의 특정부위에 접촉하도록 이식하여 반영구적으로 전기적 자극을 가하는 시술입니다. 각종 약물치료에도 효과가 없을 때 고려합니다.

47-3 한의학적 접근

(1) 한약치료 관련

1. 한의학적으로는 震顫痲痺, 痓, 瘛瘲, 痙, 顫 등의 범주에서 치료하며 氣血兩虛, 肝腎陰虛, 氣滯血瘀, 肝陽化風, 血虛生風 등으로 변증하여 접근할 수 있습니다.
2. 실제 처방으로는 六味地黃元, 地黃飮子, 延齡固本丹, 陰陽雙補湯 등의 補氣血, 補腎陰하는 처방을 사용하거나 鈞騰散과 같이 活血祛瘀, 平肝息風하는 처방을 사용하여 치료한 증례가 보고되기도 하였습니다.[3)]
3. 加味逍遙散 : 항정신병치료제로 인한 파킨슨증에서 나타나는 tremor에 유의한 효과[4)]
4. 抑肝散 : 정신증, 수면장애가 있는 DLBD(Diffuse Lewy body disease) 환자에게 억간산을 투여하여 증상호전[5)]
5. 當歸湯, 熱多寒少湯 : 파킨슨병 백서모델에서의 흑색질 도파민신경세포 보호작용에 기여[6,7)]
6. 增效安神止顫 2號方* : 기존에 복용하던 항파킨슨제제를 유지하면서 추가적으로 본 처방을 13주간 투여한 군의 UPDRS 지표가 위약군에 비하여 유의하게 호전[8,9)]

---

* 增效安神止颤 2号方 (Zeng-xiao An-shen Zhi-chan 2) : 龍骨 20 肉蓯蓉 龜甲 15 薑黃 12 熟地黃 山茱萸 天門冬 白芍藥 葛根 膽南星 石菖蒲 10 全蝎 地龍 8 의 비율로 조성된 과립제를 매회 5g씩 하루 2회 복용

(2) 침치료 관련

1. 파킨슨병 동물 모델에 있어 침 자극은 흑질 손상을 억제하는 효과가 있었으며 [10] 또한 침 자극을 받은 파킨슨병 동물 모델의 흑질에서 줄기세포의 증식과 분화가 촉진되었습니다.[11]
2. Madopa를 투여받는 파킨슨병 환자에게 복부에 침 시술을 병행하여 약효 증강과 부작용 감소를 유도한 보고가 있고[12] 단독으로 침치료를 시술하여 증상의 호전을 보였으며, 취혈에 따른 호전도를 비교한 보고도 있습니다.[13] 약물치료와 함께 장기간(60개월) 침치료를 병행한 군이 약물단독군에 비하여 증상의 진행이 완만하였다는 보고도 있습니다. (변증에 따라 足臨泣 內關 足三里 曲池 陽輔 外關 中脘 大椎 太溪 照海 神門 등 자침) [16]
3. Systematic review 결과로는 침치료가 특발성 파킨슨병에 잠재적 유용성을 보였으나 보다 높은 수준의 RCT가 요구된 바 있습니다.[14]

REFRENCES

1. Olanow CW, Watts RL, Koller WC. An algorithm (decision tree) for the management of Parkinson's disease (2001): treatment guidelines. Neurology 2001; 56:S1.
2. Suchowersky O, Gronseth G, Perlmutter J et al. Practice Parameter: neuroprotective strategies and alternative therapies for Parkinson disease. Neurology. 2006;66(7):976-82.
3. 박병준. 특발성 파킨슨병 · 파킨슨증후군 환자 7례의 치료경과사례 고찰. 동의신경정신과학회지. 2009;20(3): 283-295.
4. Ishikawa T, Funahashi T, Kudo J. Effectiveness of the Kampo kami-shoyo-san (TJ-24) for tremor of antipsychotic-induced parkinsonism. Psychiatry Clin Neurosci. 2000;54(5):579-82.
5. Shinno H et al. Successful treatment with Yi-Gan San for psychosis and sleep disturbance in a patient with dementia with Lewy bodies. Prog Neuropsychopharmacol Biol Psychiatry, 31(7):1543-5, 2007
6. Sakai R et al. Toki-to protects dopaminergic neurons in the substantia nigra from neurotoxicity of MPTP in mice. Phytother. Res. 21, 868-873, 2007
7. Bae N et al. The neuroprotective effect of modified Yeoldahanso-tang via autophagy enhancement in models of Parkinson's disease. J Ethnopharmacol. 2011;134(2) 313-322.
8. Pan W, Kwak S, Liu Y et al. Traditional chinese medicine improves activities of daily living in Parkinson's disease. Parkinsons Dis. 2011;2011:789506. Epub 2011 May 17.
9. Pan W et al. Effects of Zengxiao Anshen Zhichan 2 Decoction on Motor and Non-Motor Symptoms in Parkinson's Disease. Acta Universitatis Traditionis Medicalis Sinensis Pharmacologiaeque Shanghai(上海中医药大学学报). 2009;23(4):29-34.
10. Park HJ et al. Acupuncture prevents 6-hydroxydopamine-induced neuronal death in the nigrostriatal dopaminergic system in therat Parkinson's disease model. Exp Neurol, 180 : 93-8, 2003
11. Wang YC et al. Effects of Shuanggu Yitong needling method on proliferation and differentiation of nerve stem cells in the Parkinson's disease model rat. Zhongguo Zhen Jiu. 26(4) : 277-82, 2006
12. Chen XH et al. Clinical observation on abdominal acupuncture plus Madopa for treatment of Parkinson's disease. Zhongguo Zhen Jiu. 27(8) : 562-4, 2007
13. Park YH et al. The study on the effect of acupuncture treatment in patients with idiopathic Parkinson' s disease. The Journal of Korean Acupuncture Moxibustion Society. 24(4) : 42-54, 2007
14. Lam YC, Kum WF, Durairajan SS et al. Efficacy and safety of acupuncture for idiopathic Parkinson's disease: a systematic review. J Altern Complement Med. 2008;14(6):663-71.
15. Ahlskog JE. Cheaper, simpler, and better: tips for treating seniors with Parkinson disease. Mayo Clin Proc. 2011;86(12):1211-6.
16. Takeo M. Treatment Results between Matched Pair of L-dopa Medication Treatment and Acupuncture Treatment Combination on Parkinson Disease. Kampo Med 2011;62(6):691-694

48 고혈압

48-1 개요

(1) 정의와 분류

1. 고혈압(Hypertension, HTN)은 일반적으로 혈압 140/90mmHg 이상일 때로 정의하며 160/100 이상이면 2단계 고혈압으로 구분합니다. (JNC-7 (2003), 대한고혈압학회 2013 기준)

구분		systolic (수축기)		diastolic (확장기)	일반적 치료
정상		〈120	and	〈80	-
고혈압전단계 (pre HTN)	1기	120-129	or	80-84	생활습관개선
	2기	130-139	or	85-89	
1단계 고혈압 (Stage I)		140-159	or	90-99	단일약물요법
2단계 고혈압 (Stage II)		≥160	or	≥100	병용약물요법

2. 만일 수축기혈압(systolic BP 또는 sBP)이 2단계에 해당하는 160 이고 확장기혈압(Diastolic BP 또는 dBP)이 1단계에 해당하는 95이라면 가장 높은 단계의 혈압을 기준으로 하므로 2단계 고혈압으로 판정합니다.
3. 2014년 발표된 JNC-8에서는 고혈압 및 고혈압 전단계의 기준 없이 약물치료 개시의 기준만 제시되었으며 특히 60세 이상의 치료기준이 150/90으로 상향된 것이 특징적입니다.

치료개시 기준	systolic (수축기)		diastolic (확장기)	비고(치료약)
60세 이상	≥150	or	≥90	Thiazide계 이뇨제, CCB, ACEI or ARB
60세 미만	≥140	or	≥90	
당뇨 (연령무관)	≥140	or	≥90	
만성신질환 (연령무관)	≥140	or	≥90	ACEI or ARB

(2) 고혈압의 진단

1. 한 번의 혈압측정으로 고혈압이 진단되기 보다는 일반적으로 2회 이상 방문하여 2회 이상 측정한 평균값을 기준으로 합니다.
2. 혈압측정시에는 음주, 흡연, 카페인섭취 등의 요인의 영향이 없어야 하며 최소 5분 정도 안

정한 후 측정합니다. 2분 간격으로 2번 이상 잰 혈압의 평균값을 기준으로 하지만 처음과 두 번째의 혈압이 5mmHg 이상 차이나면 다시 측정해서 평균값을 내는 것이 좋습니다. 팔 둘레가 큰 사람에게 너무 작은 커프(cuff)를 사용하거나 체위에 따라 오차가 있을 수 있으므로 주의합니다.

3. 백의고혈압(White coat HTN) : 평소에는 정상혈압이나, 진료실에서 또는 가운(white coat)를 입은 의료진에게 측정하면 고혈압이 나오는 상태를 의미합니다. 이런 경우 진료실에서의 혈압측정은 한계가 있으므로 24시간 혈압측정검사를 시행합니다. 단 백의고혈압 군이 정상군에 비해 진성고혈압으로 발생하는 빈도가 높다는 보고도 있는 만큼 무조건 안심하기 보다는 경과관찰이 필요합니다.[3]
4. 일반적으로 주간보다 야간에 혈압이 더 낮은 경향이 있습니다. 야간혈압강하가 10% 이상이면 dipper로 분류하고 10% 미만인 경우는 non-dipper로 분류합니다.(24시간 혈압측정검사 필요) 고혈압이 있으면서 non-dipper인 환자들은 뇌졸중 등 심혈관계 질환의 위험이 상승합니다.

(3) 관련검사 예

1. **기본검사** : CBC, Glucose, Electrolytes, Lipid profile, BUN/Cr, EKG, CXR, U/A 등
2. **추가검사** : Ca, uric acid, 24hr urine collection (또는 eGFR), 심초음파, 24시간 활동혈압, 안저검사 등

48-2 고혈압의 원인

(1) 본태성 고혈압

특별한 원인을 찾을 수 없는 고혈압을 본태성고혈압(essential hypertension)이라 하며 염분섭취, 비만, 가족력, 음주 등이 주요 관련요인이 됩니다.

(2) 이차성 고혈압

1. 신질환 또는 신혈관질환이 원인인 경우가 가장 많으며 또는 알도스테론증, 쿠싱증후군, 갈색세포종(pheochromocytoma) 등에서도 발생할 수 있습니다.
2. 이차성 고혈압은 다음의 경우에 특히 의심할 수 있습니다. 1) 20세 미만 또는 50세 이후의 발병 2) 혈압이 180/110mmHg 이상 3) 표적장기의 이상(안저검사 2도 이상의 병변, Cr 1.5 이상, 좌심실비대(LVH) 4) 다른 이차성 고혈압의 단서(원인미상의 저칼륨혈증, 복부동맥

잡음, 빈맥, 발한, 진전 등) 5) 약물병용치료에 미반응

48-3 고혈압의 치료

(1) 개요

1. 고혈압 치료의 목표는 표적장기손상(target organ damage)의 예방이며 특히 심혈관질환(뇌졸중, 심부전 등)과 신질환의 발생을 예방하는 것이 중요합니다. 일반적으로 혈압(dBP)이 5mmHg 낮아지면 뇌졸중의 위험도는 34%, 허혈성 심질환의 위험도는 21% 정도 감소합니다.[4]
2. 목표혈압은 120/80mmHg 이하가 이상적이지만 우선적으로 당뇨가 있는 경우는 140/85 mmHg, 만성신질환(CKD)이 있는 경우는 130/80mmHg, 그 이외의 경우는 140/90 mmHg 미만으로 떨어뜨리는 것을 목표로 합니다.
3. 일반적으로 고혈압 전단계(pre-HTN)에서는 생활습관개선을, 1단계 고혈압에서는 약물요법을, 2단계 고혈압에서는 2개 이상의 약물병용요법을 시행하게 됩니다. 단 심부전, 심근경색후(post MI), 관상동맥질환 고위험군, 당뇨, 만성신질환, 뇌졸중 재발방지 등 필수적응증(compelling indications)에 해당하는 환자라면 고혈압 전단계라 하더라도 약물요법을 시작합니다.

(2) 비약물치료 = 생활습관개선 (Life style modification)

1. 아래의 표와 같이 생활습관을 개선하며 또한 금연도 시행해야 합니다.
2. DASH 식사는 고혈압치료를 위한 식이접근(Dietary Approachs to Stop HTN)을 의미합니다. 절주 항목에서의 술 1잔은 알코올 12g로서 주종별로는 맥주 360mL, 와인 150mL, 소주 2잔(60mL) 정도를 의미합니다.

종류	방법	sBP 감소치
체중감소	정상체중유지 (BMI 18.5-24.9)	10Kg 감량 당 5-20 mmHg
DASH 식사	과일, 채소, 저지방유제품 섭취 / 지방절제	8-14 mmHg
염분섭취 감소	1일 나트륨(sodium) 섭취량 2.4g 이하	2-8 mmHg
신체활동	주 5-6일 이상, 30분 이상의 유산소 운동	4-9 mmHg
절주	[남성] 2잔/일 이하 [여성, 저체중] 1잔/일 이하	2-4 mmHg

(3) 약물별 특징

계열	특징	약물례(상품명)
Alpha blocker	[알파차단제] 아드레날린 alpha1 수용체에 작용하여 혈관수축을 억제. 전립선 alpha1 수용체에도 작용	Prazosin Doxazosin
Diuretics	[Thiazide 이뇨제] 고혈압 치료시 이뇨제 중 우선선택	Hydrochlorthiazide(다이크로짇)
	[칼륨보존이뇨제, Potassium sparing Diuretics] Potassium의 소변배출을 억제하는 이뇨제. 알도스테론 길항제로 분류되기도 함.	Spironolactone(알닥톤)
Beta blocker	[베타차단제, BB] 아드레날린 Beta 수용체에 작용하여 교감신경활동을 억제하고 심박수를 느리게 함. 천식, 방실차단환자는 사용금기 2)alpha1/beta 수용체를 모두 차단	1)Atenolol Propranolol 2)Carvedilol Labetalol
CCB	[칼슘채널차단제, Calcium channel blocker] 근육의 흥분수축에 관여하는 Ca에 작용. 1)Dihydropyridine(DHP)계 : 혈관에 주로 작용하여 혈압강하의 효과 2) Non-DHP계 : 직접적인 심장효과 위주. 부정맥 등	1)Amlodipine(노바스크), Nifedipine(아달라트) Felodipine 2)Verapamil Diltiazem
ACE inhibitor (ACEi)	[Angiotensin converting enzyme inhibitor] Angiotensin II는 혈압을 상승시킴. ACE를 저해하여 Angiotensin II의 생성을 억제. 마른기침 부작용이 흔함. 최초의 ACEi인 Captopril은 뱀독(蛇毒)에서 유래	Ramipril, Captopril
ARB	[Angiotensin II receptor antagonists] Angiotensin II 수용체에 길항하여 작용을 억제. ACEi와 유사한 효과를 보이면서도 마른기침과 같은 부작용이 없음.	Losartan(코자) Valsartan(디오반) Olmesartan(올메텍) Candesartan(아타칸)

(3) 약물치료 (국외)

[A: ACEi 또는 ARB /B: 베타차단제 /C: CCB /D: diuretics (주로 thiazide)]

1. 약물요법으로 미국 JNC-7에서는 이뇨제인 Thiazide를 일차선택약으로 추천하였으나 JNC-8 부터는 [B]베타차단제를 제외한 [A], [C], [D]를 동등하게 권유하고 있습니다.
2. 영국의 BHS 가이드라인에서는 55세를 기준으로 구분하면서 특히 55세 이상에서는 베타차단제를 가급적 사용하지 않는 치료권고안을 제시하였습니다. 단 젊은 환자로 ACEi, ARB에 부적합하거나 임신 중이거나 교감항진성인 경우는 베타차단제 를 고려할 수 있습니다.

3. BHS에서는 이뇨제의 사용은 Thiazide계 약물이 우선 추천되며 4단계에서는 Spironolactone 등의 다른 이뇨제를 추가할 수 있습니다. 이뇨제 사용시에는 전해질이나 신기능(BUN/Cr)의 확인이 필요합니다.

	55세 미만	55세 이상
1단계	[A]	[C] or [D: 부종 또는 심부전]
2단계	[A+C] or [A+D:부종 또는 심부전]	
3단계	[A+C+D]	
4단계	[A+C+D] + 저용량 Spironolactone (25mg/d)	
A: ACE 저해제 또는 ARB / B : 베타차단제 / C: 칼슘채널차단제(CCB) / D: 이뇨제(Diuretics)		

(3) 약물치료 (국내)

1. 국내의 대한고혈압학회 가이드라인에서는 특별히 선호하는 1차 약재 없이 [A] [B] [C] [D] 중 적응증에 맞게 선택가능합니다. 단 [B]베타차단제는 주로 심박수 높은 젊은 환자에 선택적으로 사용하고 노인 또는 당뇨동반시에는 사용이 추천되지 않습니다.
2. 심부전 : A,B,D(부종시) / 좌심실비대: A,C / 관상동맥질환: A,B,C
3. 당뇨병, 당뇨병성신증, 단백뇨: A - 만성신질환에는 진행을 억제하는 ACE저해제, ARB가 우선적으로 사용됩니다.
4. 뇌졸중: A C D
5. 노인 수축기 단독고혈압: A C D
6. 천식, COPD : 베타차단제는 금기이므로 이를 제외한 다른 항고혈압제제를 사용합니다.
7. 임신시 : 혈관확장제(Hydralazine), methyldopa 등이 안전하며 임신후기에는 베타차단제가 사용되기도 합니다. (ACEi, ARB는 임신중 절대금기)
8. CCB의 혈관확장 작용에 의해서 부종을 유발하기도 하므로(주로 DHP계의 CCB) 이 경우 다른 약제로 변경합니다.
9. 혈압이 160/100 mmHg로 이상이거나 목표혈압보다 20/10mmHg 이상 높으면 2가지 이상 약물의 병용투여도 고려될 수 있습니다. 단 [B]-[D]의 병용은 당뇨유발 가능성 때문에 추천되지 않고 ARB-ACEi 의 병용도 효과가 미약하고 부작용만 증가될 수 있어 사용되지 않습니다.

48-4 저항성 고혈압 (Refractory HTN)

1. 이뇨제를 포함한 3종류 이상의 항고혈압 약물의 병용처방에도 불구하고 진료실 이외에서 측정한 혈압이 140/90 mmHg 이상, 당뇨병이나 신질환자는 130/80 mmHg 이상일 때 정의됩니다.
2. 복약스케줄을 지키지 않거나 처방용량이 적은 경우를 일단 배제해야 합니다. 또한 진료실에서만 혈압이 높은 백의고혈압(White-coat HTN), 노인 등에서 상완동맥의 경화가 심해 BP가 높게 측정되는 가성고혈압(pseudohypertension), 비만자에게 너무 작은 커프의 사용 등은 실제 고혈압이 아님에도 혈압이 높게 나올 수 있으므로 확인합니다.
3. 과도한 염분섭취나 신질환으로 인한 체액저류(fluid retention), NSAIDs나 피임약 등으로 인한 약물상호작용, 흡연, 음주, 비만 등도 원인이 될 수 있습니다.
4. 다른 노력에도 불구하고 혈압조절이 되지 않으면 2차성 고혈압(신질환, 신혈관질환 등)을 의심할 수 있습니다.

48-5 한의학적 접근

1. **개요 :** 고혈압은 한의학에서 眩暈, 頭痛의 범주나 肝火, 陰虛 등의 병리기전을 통해 치료적 접근을 시행합니다. 주로 침을 이용한 임상연구결과가 많이 발표되었습니다.
2. **정경침 :** 風池 曲池 合谷 血海 豊隆 太衝, [肝陽上亢] 行間 百會, [痰火上擾] 豊隆 陰陵泉, [陰虛陽亢] 肝兪 腎兪 三陰交 太谿, [陰陽兩虛] 腎兪 關元 足三里 三陰交
3. **사암침 :** [肝勝格], [肝正格], [衄血] 通谷(+) 行間(-) 太衝(正) 등
4. **이침 :** 降壓點 神門 內分泌 交感 腦點 / 耳尖, 耳背 방혈
5. **임상연구 (침구 관련)**
   1) 침치료의 혈압강하효과 : 기존 복용약물을 유지하며 6주간의 침치료 결과 Sham 군에 비하여 유의한 평균혈압강하 효과. 하지만 치료종료 후 평균 12주 이내로 혈압강하효과는 소실.[5] 약물복용을 중단시키고 침치료 단독으로 진행한 RCT 연구에서는 Sham군에 비하여 유의한 차이를 보이지 않음.[6]
   2) 혈압강하에 필요한 기간 : 항고혈압제제 복용환자 대상의 RCT연구에서 침치료 4주차까지 유의한 차이가 없었으나 8주차에 유의한 혈압강하효과.[7]
   3) 침치료에 대한 systemic review : 메타분석 결과 침치료는 sBP의 변화 없이 dBP를 낮추는 효과만을 보였으나 통계적 이질성(heterogeneity)이 컸음. 항고혈압제제 복용환자 대

상의 연구들로 분석한 경우에는 heterogeneity 없이 sBP, dBP 모두 유의한 혈압강하 효과 / 가장 많이 선택된 경혈들은 太衝, 曲池, 風池, 足三里, 豊隆 등.[8)]

4) 足三里 艾灸 : sBP 160mmHg 이상인 61례를 대상으로 足三里에 미립대 직구 5장을 시행한 후 BP 측정한 결과, 30분 후 측정한 혈압 하강은 대조군이 더 컸으나, 60분 이후부터는 실험군에서 하강폭이 컸으며 두통, 현훈 등의 증상개선효과가 더 컸음[9)]

5) 이침 : 고혈압환자 119명을 대상으로 耳鍼시술(降壓點, 神門, 交感, 心, 耳尖) 후 3일간 유침한 결과 유의한 sBP 강하[10)]

6) 전침 : 총 6-8주간 間使-內關, 足三里-上巨虛, 合谷-曲池의 주 1-2회 전침자극으로 유의한 혈압강하효과. 그 효과는 치료 종료후에도 약 4주간 지속[11)]

7) 전침 : 총 8주간 內關-間使, 足三里-上巨虛 전침군이 光明-懸鍾, 偏歷-溫溜 전침군보다 우수한 혈압강하 지속효과 (2-5Hz로 30분 전침). 혈장내 norepinephrine 및 renin도 침치료 후 감소함.[17)]

6. 임상연구 (한약관련)

1) 黃連解毒湯 : 고혈압과 동반된 부수적 증상의 완화에 효과[12)]

2) 桂枝茯苓丸 : 폐경전후 여성들을 대상으로 6개월간 복용시킨 결과 대조군(생활습관교정)에 비해 혈압(sBP/dBP), 맥박수 등이 유의하게 감소하였고 건강관련 삶의질도 향상[13)]

3) 丹參 함유 처방 : 기손 약물치료와 함께 丹參, 甘菊, 葛根, 紅景天(Rhodiola rosea) 등으로 구성된 처방을 12주간 투여한 결과 수축기혈압과 맥박수가 대조군에 비하여 유의하게 감소[14)]

REFERENCES

1. Chobanian AV et al. The Seventh Report of the Joint National Committee on Prevention, Detection, Evaluation, and Treatment of High Blood Pressure: the JNC 7 report. JAMA. 2003;289(19):2560-72.
2. Williams B, Poulter NR, Brown MJ et al. British Hypertension Society guidelines for hypertension management 2004 (BHS-IV): summary. BMJ. 2004;328(7440):634-40.
3. Mancia G, Bombelli M, Facchetti R, et al. Long-term risk of sustained hypertension in white-coat or masked hypertension. Hypertension. 2009;54(2):226-32.
4. Law M, Wald N, Morris J. Lowering blood pressure to prevent myocardial infarction and stroke: a new preventive strategy. Health Technol Assess. 2003;7(31):1-94.
5. Flachskampf FA, Gallasch J, Gefeller O, Gan J, Mao J, Pfahlberg AB, Wortmann A, Klinghammer L, Pflederer W, Daniel WG. Randomized trial of acupuncture to lower blood pressure. Circulation. 2007;115(24):3121-9.
6. Macklin EA, Wayne PM, Kalish et al. Stop Hypertension with the Acupuncture Research Program (SHARP): results of a randomized, controlled clinical trial.. Hypertension 2006; 48:838-845.
7. Yin C, Seo B, Park HJ, et al. Acupuncture, a promising adjunctive therapy for essential hypertension: A double-blind, randomized, controlled trial. Neurol Res. 2007;29 Suppl 1:S98?S103.
8. Lee H, Kim SY, Park J et al. Acupuncture for lowering blood pressure: systematic review and meta-analysis. Am J Hypertens. 2009;22(1):122-8.

9. 김보성, 장인수, 여진주, 이태호, 손동혁, 서의석, 강신화, 곽민정, 임영진, 足三里 艾灸가 고혈압 환자의 혈압 강하에 미치는 영향 :무작위배정 임상연구, 대한한의학회지, 2005;26(3):66-73
10. 이진구, 이영구, 윤희식, 이침시술이 혈압에 미치는 영향, 대한한의학회지, 2003;24(2):12-18
11. J. C. Longhurst et al. Long-lasting inhibitory effect of EA on blood pressure in patients with mild to moderate hypertension. 2007 Neuroscience Meeting Planner. Society for Neuroscience. 2007.
12. Arakawa K, Saruta T, Abe K et al. Improvement of accessory symptoms of hypertension by TSUMURA Orengedokuto Extract, a four herbal drugs containing Kampo-Medicine Granules for ethical use: a double-blind, placebo-controlled study. Phytomedicine. 2006;13(1-2):1-10.
13. Terauchi M, Akiyoshi M, Owa Y et al. Effects of the Kampo medication keishibukuryogan on blood pressure in perimenopausal and postmenopausal women. Int J Gynaecol Obstet. 2011;114(2):149-52.
14. Yang TY, Wei JC, Lee MY et al. A Randomized, Double-blind, Placebo-controlled Study to Evaluate the Efficacy and Tolerability of Fufang Danshen (Salvia miltiorrhiza) as Add-on Antihypertensive Therapy in Taiwanese Patients with Uncontrolled Hypertension. Phytother Res. 2011 Sep 2.
15. National Clinical Guideline Centre (UK). Hypertension: The Clinical Management of Primary Hypertension in Adults: Update of Clinical Guidelines 18 and 34 [Internet]. London: Royal College of Physicians (UK); 2011 Aug.
16. 대한고혈압학회. 대한고혈압학회 고혈압 진료지침. 2013.
17. Li P et al. Long-Lasting Reduction of Blood Pressure by Electroacupuncture in Patients with Hypertension: Randomized Controlled Trial. Med Acupunct. 2015 Aug 1;27(4):253-266.

49 당뇨병

본 장에서는 당뇨의 개요 및 일반적 치료(약물적, 비약물적 치료)에 대해서 다루었습니다. 고혈당 또는 저혈당으로 인한 급성상태 관리는 별도의 장을 참조해 주시기 바랍니다. **[참조항목 : 93-3]**

49-1 개요

(1) 정의와 분류

1. 당뇨병(DM, Diabetes Mellitus)은 고혈당을 특징으로 하는 대사질환으로 크게 1형 당뇨병과 2형 당뇨병으로 구분되고 그 밖에 임신성당뇨(GDM, Gestational DM), 내분비질환, 췌장질환, 약물로 유발된 당뇨 등이 있습니다.
2. 주로 소아당뇨에 많은 1형 당뇨는 췌장 베타세포의 파괴로 인슐린 분비가 잘 되지 않아 발생하는 인슐린의 절대적 결핍상태입니다. 반면 국내 성인당뇨병 환자의 대부분이 해당하는 2형 당뇨는 인슐린을 분비하는 베타세포의 기능장애는 심할 수도 심하지 않을 수도 있으나, 인슐린 저항성(insulin resistance)이 가장 중요한 기전으로 발병하는 인슐린의 상대적 결핍상태라 할 수 있습니다.

(2) 당뇨의 임상증상과 진단

1. 당뇨의 임상증상은 다뇨(polyuria), 다음(polydipsia), 다식(polyphagia) 및 이유없는 체중감소, 피로 등이 나타날 수 있으며 특별한 증상이 없는 상태에서 발견되는 경우도 많습니다.
2. 일반적으로 공복혈당(fasting plasma glucose, FPG)이나 75g 경구당부하검사(oral glucose tolerance test, OGTT)를 기준으로 당뇨를 진단하였으나 2010년 ADA(미국당뇨병학회) 기준부터는 최근 3개월간의 평균 혈당 정도를 나타내는 당화혈색소(HbA1C)도 진단기준에 포함하였습니다. OGGT 검사가 가장 민감도가 높으나 실제 일차의료기관 등에서 시행하기에는 쉽지 않은 검사인 반면 HbA1C는 금식이 필요 없어 편리한 검사입니다.

4가지 중 하나면 진단	1. 당화혈색소(HbA1C) ≥ 6.5%
	2. 공복혈당(FPG) ≥126 mg/dL (8시간 공복기준)
	3. 75g OGGT 검사 2시간 후 혈당 ≥200 mg/dL
	4. [당뇨 임상증상] + [임의로 잰 random plasma glucose ≥200 mg/dL]

3. 당뇨로 진단되지는 않았으나 당뇨로 발전할 수 있는 당뇨전단계(Pre-DM)의 감별도 중요합니다. 다음 3가지 중 하나면 이에 해당하며 특히 2)인 상태를 공복혈당장애(IFG, impaired fasting glucose), 3)인 상태를 내당능장애(IGT, impaired glucose tolerance)로 지칭하기도 합니다.
   1) 당화혈색소(HbA1C) 5.7-6.4%일 때,
   2) 공복혈당(FPG) 100-125 mg/dL일 때,
   3) 경구당부하검사(OGGT)에서의 2시간 후 plasma glucose 140-199mg/dL일 때

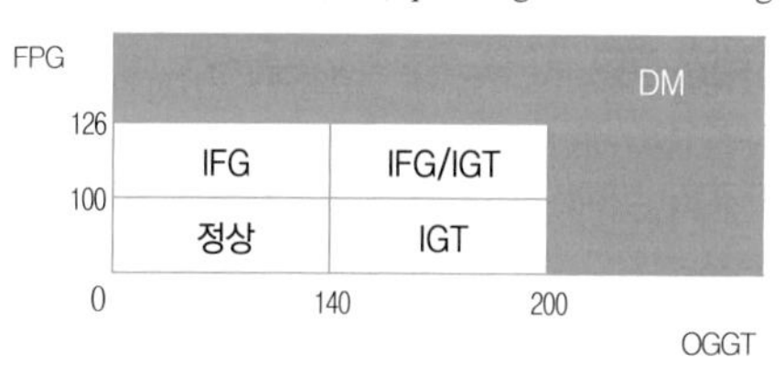

(3) 관련검사 예

1. **기본검사 (당뇨관련)** : Glucose(공복혈당, 식후혈당), HbA1C, C-peptide
2. **추가검사 (합병증관련)** : CBC, Electrolytes, LFT, BUN/Cr, eGFR, Lipid profile (LDL, HDL, Cholesterol, TGL), TFT, U/A, urine Microalbumin, 안과검사(망막검사), EMG 등
3. 기본검사에서 식후혈당은 보통 식사를 막 시작하면서부터(=첫 숟가락 들 때부터) 2시간 후에 측정하는 것을 기준으로 합니다. HbA1C는 지난 2-3개월간의 평균혈당치를 반영한다는 의미에서 임상적으로 중요하고, C-peptide는 환자의 인슐린 분비능을 판단할 수 있는 검사로서의 의미가 있습니다. 다만 C-peptide 검사결과가 나올 때까지 2-3일 정도의 시간이 소요되므로 대신 U/A에서 ketone이 나오면 일단 인슐린 요법이 필요한 상태로 판단하기도 합니다. **[참조항목 : 30-7]**
4. 당뇨의 만성합병증 검사는 신병증(BUN/Cr, U/A, Microalbumin), 망막병증(안과검사), 신경병증(EMG) 등 당뇨합병증과 관련된 검사를 위주로 시행을 고려할 수 있습니다. 특히 신기능이나 망막과 관련된 검사는 최초 당뇨진단시 필수적으로 시행합니다.

49-2 당뇨의 치료목표

1. 당뇨병이 있는 성인환자에서 치료 목표는 아래와 같습니다. 특히 HbA1C가 중요한 목표치가 되며 국내에서는 미국, 유럽보다 조금 더 엄격한 기준인 6.5%를 목표로 합니다.

치료항목		목표치
혈당	공복시	80~130 mg/dL
	식후 2시간	< 180 mg/dL
	HbA1C	< 6.5% (미국 ADA, 유럽 EASD 기준은 7.0%)
혈압	-	< 140/80 mmHg
지질	LDL	< 100 mg/dL (심질환 동반시 < 70 mg/dL)
	TG	< 150 mg/dL
	HDL	> 40 mg/dL(남), >50 mg/dL (여)

2. 최근 연구에서는 지나치게 엄격한 혈당의 조절(HbA1c 6% 목표군)이 일반치료군(HbA1c 7-7.9%) 목표군에 비하여 당뇨합병증의 예방에는 차이가 없으면서 오히려 사망률은 높였다는 연구나 노령층에 있어서 가장 사망률이 낮은 HbA1c는 7.5% 였다는 코호트 결과들도 보고되었으므로 이미 만성화 된 경우에서의 무리한 약물 사용에는 주의합니다. [20,21]

49-3 당뇨의 치료 (비약물적 요법)

(1) 식이요법

1. 적절한 체중을 유지하도록 하는 것이 중요하며 포화지방, 콜레스테롤 섭취는 제한히면서 야채, 과일과 같이 식이섬유를 포함한 음식을 늘이는 등 일반적인 적절한 식사원칙에 따르도록 합니다. 영양소는 탄수화물 60%, 단백질 20%, 지방 20%의 비율로 섭취하는 것이 권장됩니다.
2. 음주는 경구혈당강하제(OHA)를 복용하는 환자에게 저혈당을 유발할 수 있으므로 주의합니다.

(2) 운동요법

1. 유산소 운동을 중심으로 최대운동능력의 40-80% 정도로 하는 것이 권장됩니다. 혈당이 가장 높이 상승하는 식후 1-2시간부터 30-60분간 운동하는 것도 좋습니다.
2. 허혈성 심질환이 있거나 고령이라면 운동요법 시작 전에, 심기능을 모니터링 하면서 달리기 운동을 하는 Treadmil test를 시행할 수 있습니다. 특히 증상 없이 심근경색이 발생하기도 하므로 주의해야 합니다.
3. 운동요법과 관련하여 주의해야 할 것은 저혈당이 오는 것을 예방하는 것인데, 특히 1형당뇨 환자나 인슐린치료 중인 환자에게서 주의해야 합니다. 일반적으로는 공복시의 운동을 피하고 장시간 운동을 할 때에는 사탕, 초콜릿 등을 준비하여 중간에 탄수화물을 보충하는 것

이 좋습니다. 운동전에는 인슐린 투여량도 평소보다 30-50%까지 줄이는 것을 고려합니다.

4. 운동 시작전에 자가혈당측정기를 이용해서 혈당이 100-250 사이라면 운동해도 안전하다고 할 수 있으나 100 이하라면 탄수화물을 섭취하고 운동하고, 250 이상이라면 urine ketone을 측정해서 만일 양성(+)이 나왔다면 운동을 피하고 인슐린을 투여하는 것이 안전합니다.

Tip Self monitoring of blood glucose (SMBG)

1. 환자스스로 자가혈당측정기를 이용하여 자택이나 근무지에서도 쉽게 혈당을 측정할 수 있는 방법을 말하며 치료에 대한 반응을 평가하면서 저혈당이나 기타 혈당의 이상을 간편하게 확인할 수 있어 유용합니다.
2. 일반적으로 매 식사전, 식후 2시간 후, 취침전 혈당을 측정할 수 있습니다. 약제가 추가되거나 변경되면 보다 자주 측정됩니다.

49-4 당뇨의 치료 (경구용 약물)

(1) 2형 당뇨병 약물치료 지침 (ADA, 대한당뇨병학회 가이드라인 참조) [22,23]

1. 당화혈색소(HbA1C)를 기준으로 아래와 같이 치료가 구분됩니다. 비약물적 치료로도 HbA1C를 약 1-2% 정도 감소시킬 수 있으나 최근에는 초기부터 보다 엄격히 혈당을 조절하기 위해 경구약물이나 인슐린 치료를 일찍 시작하는 경향도 있습니다.

검사 결과	단계
(1) HbA1c 〈 7.5%	【단독요법 Monotherapy】 메트포민(Metformin) 우선사용. 또는 DPP4i, SU/GLN, TZD, a-GI, SGLT2i, Insulin, GLP-1A 단독사용
(2) HbA1c ≥ 7.5%	【2제 병합요법 Dual Therapy】 메트포민 + [DPP4i, SU/GLN, TZD, a-GI, SGLT2i, Insulin 중 1가지] 또는 SU/GLN + [DPP4i, TZD, a-GI, SGLT2i, Insulin 중 1가지] 또는 DPP4i + [TZD, SGLT2i, Insulin 중 1가지] 또는 TZD + [SGLT2i, Insulin 중 1가지] 【3제 병합요법 Triple Therapy】 메트포민 + SU + [나머지 1가지]
(3) HbA1c 〉 9.0% + 증상	인슐린 요법 (± OHA) (cf. 증상이 없으면 2제 병합요법부터 시작)

5장 주요 질환 개요

2. 약물의 증량은 보통 2-4주 간격으로 시행할 수 있으며 해당 치료방식을 적용해도 3개월 이내(또는 2~4개월 이내) HbA1C가 6.5% 이하로 내려가지 않으면 단독요법 → 2제요법 → 3제요법 → 인슐린요법 → 강화인슐린요법 순으로 점차 단계를 올려갈 수 있습니다.
3. 항상 약물요법과 함께 생활요법(Lifestyle Modification)을 격려하도록 합니다.

(2) 경구용 혈당강하제의 종류 및 특성

계열	특징 *(단독투여시 HbA1C 감소효과)	약물례(상품명)
Biguanides (Metformin)	[바이구아나이드계] 메크포민으로 대표되는 가장 다용되는 혈당강하제 중 하나로 간에서 당이 생산되는 것을 억제하고 말초의 인슐린 감수성을 증가시킴. 체중감소 효과가 있어 비만자에도 다용. 오심, 복부팽만 등 부작용. 신기능 저하시 lactic acidosis 유발할 수 있어 금기. *(1~2%)	Metformin (다이아벡스, 글루코파지)
Sulfonylurea (SU)	[설폰요소제, SU] 췌장의 베타세포를 자극해 인슐린 분비촉진. 저혈당 부작용에 주의.*(1~2%)	Glimepiride (아마릴)
Meglitinide (GLN)	[메글리티나이드계 또는 Glinide계, GLN] SU와 유사한 기전이나 작용시간이 빠르고 저혈당 부작용이 감소. *(0.5~1.5%)	Repaglinide(노보넘) Nateglinide(파스틱)
Thiazolidinediones (TZD)	[티아졸리딘니온, TZD] 근육의 인슐린 이용률을 증가시킴. 간독성 주의. (일부 약물은 심부전 위험성으로 사용중단) *(0.5~1.4%)	Pioglitazone (액토스) Robeglitazone(듀비에)
Alpha glucosidase inhibitors (a-GI)	[알파 글루코시다제 억제제,a-GI] 탄수화물 소화에 관여하는 Alpha glucosidase를 억제. 식후고혈당을 예방하는 효과. *(0.5~0.8%)	Voglibose(베이슨) Acarbose(글루코바이)
DPP-4 inhibitor	[Dipeptidyl peptidase-4 저해제] 인크레틴(Incretin, 식후에 췌장의 인슐린분비를 촉진하는 호르몬들의 통칭)을 분해하는 DPP-4를 억제하여 인슐린이 잘 분비되도록 함. 저혈당 부작용 없음. 신부전시 감량 필요. *(0.5~0.8%)	Sitagliptin(자누비아) Vildagliptin(가브스)
GLP-1 receptor agonist	[Glucagon-like peptide-1 수용체 효능제] 인슐린 분비를 유발하는 GLP-1 호르몬 촉진 *(0.5~1%)	Exenatide(바이에타) Liraglutide(빅토자)
SGLT-2 inhibitor	[Sodium-glucose linked transporter, subtype 2 차단제] 신장에서 포도당 재흡수에 관여하는 SGLT2를 차단하여 신장에서의 포도당 배설을 직접촉진. 탈수, 비뇨계감염 부작용. *(0.5~0.7%)	Dapagliflozin(포시가) Ipragliflozin(슈글렛)

1. 경구혈당강하제(oral hypoglycemic agents, OHA)는 생활요법이 반응이 없거나 인슐린 요법의 보조치료로 사용할 수 있고 또는 HbA1C가 7.0% 이상이면 바로 투약되기도 합니다.
2. 설폰요소제(SU)와 Glinide계는 모두 인슐린 분비를 촉진하는 작용이 있어 함께 Insulin secretagogues(인슐린 분비촉진제)로 묶어서 분류하고 이후 설폰계(SU)/비설폰계(Glinide계)로 분류하기도 합니다. (보통 식전 10-30분 복용) 혈당감소효과는 빠르지만 저혈당을 유발할 수 있으므로 주의해야 하며 과거에 비해 단독사용 보다는 병합요법으로 많이 사용되는 추세입니다.
3. 메트포민(Metformin)과 티아졸린딘디온(TZD)은 인슐린저항성을 호전시켜 혈당을 떨어뜨리기에 Insulin sensitizer(인슐린 감수성개선제)로 분류하기도 합니다.
4. 일반적으로 처음 OHA를 투여하는 경우는 메트포민(Metformin)의 사용이 권장되는데 이는 저렴한 가격에 비하여 효과가 우수하고 부작용이 적으며 체중감소 등의 부가적 효과도 얻을 수 있기 때문입니다. 약 1/3의 환자에게서 메트포민 단일요법으로 HbA1c 7% 이하에 도달할 수 있습니다. 다만 복용 중 오심, 식욕부진, 복부팽만 등 위장관 부작용이 많은 편이고 또한 신기능이 저하된 환자(남자는 Cr 〉1.5, 여자는 〉1.4)에서는 사용이 권장되지 않으며 특히 조영제를 사용한 영상검사시 급성신손상(AKI)을 유발할 수 있어 검사 48시간 전부터 투여를 중단해야 합니다.
5. 식후고혈당이 심하거나 IGT(내당능장애)에 해당한다면 a-glucosidase 억제제를 주로 고려할 수 있고 또는 SU/ GLN, DPP4i, SGLT2i 도 식후혈당감소 효과가 있습니다.
6. 약물마다 체중에 미치는 영향도 다른데 일반적으로 SU/GLN, TZD, Insulin 등은 체중을 증가시키는 반면 메트포민, SGLT2i, GLP-1A는 복용시 체중감소 효과가 보고되었습니다.

49-5 당뇨의 치료 (인슐린 요법)

(1) 인슐린 적응증과 부작용

1. 인슐린 분비 자체가 잘 되지 않는 1형 당뇨병(T1DM)에서는 진단 당시부터 인슐린요법이 적용됩니다.
2. 인슐린 분비는 일정정도 이상 이루어지는 2형 당뇨병(T2DM)에서는 경구혈당강하제(OHA)로 혈당강하가 불충분 하거나 심한 고혈당합병증 상태에 있는 경우, 중등도 이상의 수술이나 외상, 임신성당뇨(GDM) 등에서 인슐린 요법을 적용할 수 있습니다.
3. 인슐린 사용시의 가장 흔한 부작용은 저혈당(hypoglycemia)과 체중증가(weight gain)입니다.

인슐린 사용 TIP

- **주사부위의 변경** : 인슐린 주사는 복부에 주로 주사하고 또는 엉덩이, 팔 상부, 대퇴부 등에 주사하기도 합니다. 동일부위에 반복해서 주사하지 않도록 2-3cm 떨어진 부위에 돌아가면서 주사하며 대략 1개월에 한번 이상 중복되지 않도록 합니다.
- **주사 후 처치** : 주사 부위의 마사지는 흡수속도를 빠르게 할 수 있어 권장되지 않습니다. 주사 부위는 발적, 종창, 소양감 등 과민반응이 발생하기도 하지만 보통 수일 내에 소실됩니다.
- **보관요령** : 온도가 높은 환경이나 직사광선은 피하며 사용하지 않은 인슐린은 냉장고에 보관합니다. 단 인슐린 활성이 저하될 수 있으므로 얼지 않도록 주의합니다.

(2) 인슐린 종류별 특징

분류	제품	onset	최대효과	지속시간
초속효성 (Ultra-short acting)	Lispro(휴마로그) Aspart(노보래피드) Glulisine(애피드라)	5-15 분	1-1.5 hr	2-4 hr
속효성 (Rapid-acting)	Regular insulin (휴물린R, 노보렛R)	30-60 분	2-4 hr	5-8 hr
중간형 (Intermediate-acting)	NPH (휴물린N, 노보렛N)	1~2 hr	4-10 hr	14~20 hr
지속형 (Long-acting)	Detemir(레버미어) Glargine(란투스)	2 hr 2 hr	Some peak at 6-8 hr Minimal peak	18-24 hr 24 hr
혼합형 (Combination)	휴물린70/30, 노보렛70/30 (70% NPH, 30% RI) 휴마로그믹스25 (75% NPL, 25% lispro) 휴마로그믹스50 (50% NPL, 50% lispro) 노보믹스30 (70% NPH, 30% aspart)			16-24 hr

1. 1980년 유전자 재조합 기술로 휴먼인슐린(=Humulin 휴물린)이 생산되었는데 이 인슐린을 속효성 인슐린으로 분류하며 가장 기본적인 인슐린이라는 의미에서 Regular insulin(RI)라고 부릅니다. 이후 개발된 새로운 형태의 인슐린들도 이 RI를 기반으로 하여 일부 아미노산을 변형시켜 만든 제형이라 할 수 있습니다. RI는 작용 발현시간이 30-60분으로 다소 늦고(단 정맥주사시에는 즉시 효과) 지속시간도 5-8시간으로 길어서 사용상 불편한 점이 있습니다. 식사 30분 전에 투여하는 것이 일반적입니다.
2. 이후 Lispro라는 새로운 초속효성 인슐린이 개발되었으며 작용발현이 5-15분으로 매우 빨라서 주사 후 바로 식사할 수 있고 1시간 정도면 최고 혈장농도에 도달하여 식후혈당 조절이 용이해졌습니다. 식사 바로 직전(식전 15분 이내)에 투약하며 필요시 식후 바로 투여할

수도 있습니다.

3. 가장 최근에 개발된 제형이라 할 수 있는 지속형 인슐린은 란투스(Glargine)가 대표적입니다. Peak 농도가 없으면서도 효과가 완만하게 24시간 지속되므로 저혈당의 위험이 적은 것이 장점이며 보통 아침 식전 또는 취침전 1회 투여합니다.
4. 중간형 인슐린제제는 NPH(neutral protamine hagedorn)가 대표적이며 피하주사후 1-2시간만에 작용이 발현하고 효과는 12-18시간 정도 지속됩니다. 단 Peak가 투여 6시간 이후에 나올 수 있어 저녁 투여후 야간 또는 새벽저혈당(오전 3시경)이 초래되는 경우도 있습니다.
5. 혼합형 인슐린은 [중간형+속효성] 또는 [중간형+초속효성] 인슐린을 배합한 제제로 기저인슐린을 공급하면서 식후 고혈당을 조절하는 효과를 얻을 수 있습니다. 배합비율에 따라 조금씩 다르지만 일반적으로 속효성(초속효성)을 포함하기 때문에 효과는 30분 이내에 발현되고 전체적인 지속시간은 16-24시간 정도입니다.
6. 최근의 인슐린제제는 펜(pen)과 같은 형태로도 많이 출시되어 있으며 주사를 맞는 느낌 없이 간편히 자가투여할 수 있는 장점이 있습니다.

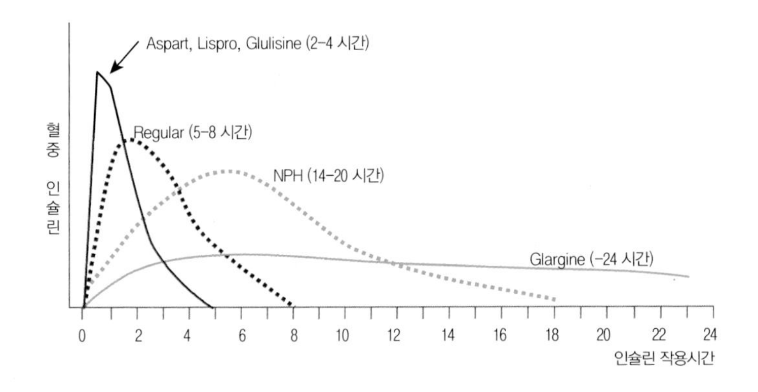

(3) 인슐린 사용례

1. 일반적으로 10-20단위(체중 1kg당 0.2-0.4 단위/일)의 중간형 인슐린(NPH)을 아침식전 또는 취침 전에 투여하는 것으로 시작하며 경구약을 병행하는 경우는 5-10단위(체중 1kg당 0.1-0.2 단위/일)로 시작하기도 합니다. 중증도가 심한 경우가 아니면 처음부터 20단위 이상 투여하는 경우는 드뭅니다. 인슐린요법에 전적으로 의존해야 하는 1형당뇨의 경우에는 체중 1kg당 0.5-1.0 단위를 기준으로 할 수 있습니다.
2. 인슐린의 증량은 2-3일 간격으로 증량하되 2-4단위 또는 투여량의 10% 이내에서의 증량을 고려하며 중등도가 심하면 6-8단위까지 증량하기도 합니다. 예를 들어 공복혈당(FBS) 목

표치를 100을 기준으로 할 때, 70 이하이면 1-2단위 감량, 140 이상이면 2-4단위 증량을 시행하며 혈당 20 초과시마다 NPH 1단위를 추가하는 방식으로 계산할 수도 있습니다.

3. 투여량이 20단위가 넘어가거나 오전혈당은 높은데 오후혈당이 낮은 상태라면 2회로 분할하여 투여하는 방법(split method)를 고려할 수 있습니다. 이 경우 오전:오후의 용량비를 2:1로 하는 것이 일반적입니다.
4. 인체의 생리적 특성을 고려하면 란투스, 레버미어와 같이 1회 투여로 24시간 지속되는 기저인슐린을 공급하면서 매 식전마다 초속효성 인슐린을 투여하여 식후 고혈당을 억제하는 것이 가장 이상적입니다. 이렇게 하루 3-4회의 인슐린 주사로 정상인의 분비기능과 유사하게 인슐린을 공급하는 방법을 강화인슐린요법(intensive insulin therapy)이라고 하며 하루 총 필요 인슐린량의 1/2은 기저 인슐린으로 투여하고 나머지 1/2은 매 식사 전에 속효성으로 투여하는 것이 일반적입니다.
5. 하지만 이러한 하루 3-4회의 인슐린 투여가 환자에게 불편할 수 있으므로 혼합형 제제를 이용하여 하루 1-2회 투여하는 방식도 많이 선호됩니다. 혼합형 제제는 중간형과 초속효성(속효성)이 다양한 비율로 혼합되어 출시되었으나 실제 임상에서는 70/30 등이 많이 사용됩니다.

Tip 소모기 현상(Somogyi phenomenon)

1. 저녁투여 인슐린(NPH)의 과용량으로 새벽(ex. 오전 3시)에 저혈당이 왔다가 이에 대한 반동(rebound)으로 기상 후에는 공복고혈당이 나오는 현상입니다. 치료는 인슐린 용량을 줄이거나 야식을 섭취하게 합니다.
2. 주로 NPH 투여시에 드물게 보이며 대부분의 공복고혈당은 소모기현상이 아닌 인슐린 부족에 의한 경우로 보아야 합니다.
3. 소모기현상과 대조적으로 새벽 3시 혈당이 높은 경우를 새벽현상(Dawn phenomenon)이라고 하며 이런 경우는 인슐린을 증량하도록 합니다.

49-6 당뇨 합병증

1. **급성 합병증(acute complication)** : 고혈당에 의한 대사합병증으로 응급상황에 해당되며 긴급한 조치가 필요합니다. 크게 DKA(당뇨병성 케톤산증, diabetic ketoacidosis)와 HHS(고삼투압성고혈당증, hyperosomolar hyperglycemic state)로 구분됩니다. **[참조항목 : 93-2, 93-3]**

2. **만성 합병증(chronic complication)** : 장기간의 고혈당으로 혈관 등에 합병증이 발생한 것으로 크게 미세혈관(microvascular) 합병증과 대혈관(macrovascular) 합병증으로 구분됩니다. 특히 미세혈관 합병증은 흔히 Triopathy라 불리우는 Retinopathy(망막병증), Nephropathy(신병증), Neuropathy(신경병증) 3가지가 가장 주요한 합병증이 됩니다.

미세혈관 합병증	망막병증 Retinopathy	실명의 가장 흔한 원인. 연 1회 이상의 안과검사 권장. 증식성의 변성이 보이는 초기에는 레이저를 이용한 광응고술(photocoagulation)을 시행하여 진행을 억제하기도 함.
	신병증 Nephropathy	만성신질환(CKD)이나 투석의 가장 흔한 원인으로 10-15년에 걸쳐 진행. 엄격한 혈당 및 BP관리와 함께 ACEi, ARB 등의 복용이 권장됨. **[참조항목 : 30-3]**
	신경병증 Neuropathy	1) 원위부 대칭성 신경병증 : DPN(distal symmetric polyneuropathy)이라고도 명명. 손끝, 발끝부터 시작해 원위부로 진행하며 감각소실, 저린 느낌, 찌르거나 타는 듯한 느낌 등으로 표현됨. 2) 자율신경장애 : 빈맥, 위장관 장애(구토, 설사) 등
대혈관 합병증	관상동맥 질환, 뇌혈관 질환 등	
기타	당뇨병성 족부병변(DM foot), 감염, 피부질환 등	

3. **말초신경병증의 관리** : 말초신경병증의 진단에는 임상증상뿐 아니라 신경전도검사(NCS 검사, 39-1) 결과나 진동감각, 온도역치 등을 측정하는 정량적감각기능검사(quantitative sensory test) 결과가 필요할 수 있으나 검사상 정상범주이면서 신경손상의 증상과 징후가 보이는 경우도 있습니다. 치료 약물로는 gabapentin(뉴론틴), pregabalin(리리카) 등 신경병증성 통증(Neuropathic pain)과 관련된 약물이 흔히 사용되고 또는 amitriptyline(에트라빌), imipramine 등의 TCA계 항우울제가 사용되기도 합니다.

4. **당뇨병성 족부병변 (diabetic foot, DM foot)** : 당뇨환자의 신경병증, 혈관합병증, 세균감염 등이 복합적으로 작용하여 발 부위에 발생하는 병변을 의미합니다. 특히 신경병증으로 감각이 둔해져 상처가 생겨도 모르고 방치하다가 족부궤양(foot ulceration)으로 악화될 수 있으며 일단 발생하면 쉽게 회복되지 않고 만성경과를 보이거나 심하면 절단(amputation)을 해야 하는 경우도 있으므로 주의해야 합니다. 국내 전체 족부절단의 54.4%, 미국내 족부절단의 84%는 당뇨병성 족부궤양 때문에 발생한 것으로 보고되기도 하였습니다.[14,15]

Tip 당뇨와 스테로이드

- 당뇨환자에게 스테로이드를 처방시 일시적으로라도 혈당이 상승할 수 있습니다. 주로 식후고혈당이 나타나기 쉬우므로 알파글루코시다제 억제제 또는 Meglitinide 등이 추가되기도 합니다.
- 정상인도 스테로이드 장기복용시 당뇨가 유발될 수 있으므로 유의하여야 합니다.

Tip 당뇨병성 족부병변의 평가와 궤양예방

1. 족부의 대칭적인 통증, 저림증상 등의 유무를 확인하는 문진과정이 필요하며 또는 가벼운 자극을 가해보는 촉진의 방법이나 모노필라멘트, tuning fork를 이용한 감각검사 등을 통하여 발에 대한 평가를 시행할 수 있습니다.
2. 양쪽 발의 족배동맥(dorsalis pedis artery)을 촉진하여 맥박이 약하거나 소실되었다면 해당 부위의 혈행이 원활하지 않음을 의미합니다. 후경골동맥(posterior tibial artery)을 함께 평가하기도 합니다.*
3. 환자는 양말을 매일 갈아신고 비누로 발을 매일 세척하는 등 발의 청결도 유지에 힘써야 하며 맨발보행이나 너무 조이는 신발의 착용도 피하는 것이 좋습니다. 발톱도 지나치게 짧지 않은 범위에서 일자로 자르는 것이 권장됩니다.
4. 침치료 등 침습적 방법을 발부위에 시행할 경우에는 시술부 소독에 특히 주의를 기울이도록 하며 발침 후에도 출혈부를 적절히 압박하거나 보호하는 등 감염예방에 유의하여야 합니다. 뜸치료나 핫팩 등 각종 열자극이 가해질 경우에도 화상이 생기지 않도록 특히 주의해야 합니다.

49-7 한의학적 접근

1. 당뇨는 한의학에서 소갈(消渴)의 범주에서 접근하며 上消(肺火), 中消(胃火), 下消(腎火)로 구분됩니다. 인슐린에 상당하는 한방치료는 존재하지 않으므로 1형 당뇨병에는 적용하기 곤란하지만 2형 당뇨병에 대하여 내당능장애 등의 개선을 위해 식이요법, 운동요법 등과 함께 적용하거나, Neuropathy 등의 만성합병증 관리에 보조적으로 고려할 수 있습니다.
2. 정경침 : 膈兪 肺兪 脾兪 腎兪 足三里 三陰交 胃脘下兪, [上消] 心兪 太淵 少府, [中消] 胃兪 內庭 [下消] 肝兪 太谿 太衝, [陰陽俱虛] 關元 命門, [煩渴口乾] 廉泉 承漿, [多食善飢] 中脘 豐隆 (胃脘下兪(EX-B3)는 척추를 향해 0.5-0.8촌으로 斜刺)
3. 이침 : 膵膽 內分泌 肺 胃 腎 膀胱 渴點 飢點
4. 임상연구

* 족배동맥은 충양혈(衝陽, ST42) 부위, 후경골동맥은 태계혈(太谿, KI3) 또는 내과첨 부위의 동맥박동처로 확인

1) 淸心蓮子飮 : 대조군에 비하여 유의한 내당능 개선을 보였으나 장기적 연구가 필요.[8]
2) 防風通聖散 : 비만여성의 내당능장애에 대하여 위약군에 비하여 유의한 개선효과[9]
3) 玉泉丸(Yu quan pill)* : 2형 당뇨에 대하여 대조군에 비해 유의한 혈당개선효과[10]
4) 牛車腎氣丸 : 당뇨병성 말초신경장애에 사용하여 저린증상 등의 신경장애를 개선[11]
5) 黃芪桂枝五物湯 : 당뇨병성 말초신경장애에 유의한 효과[18]
6) 溫脾湯 : 당뇨병성 신증(nephropathy)의 진행억제에 유의한 효과[12,13]
7) 黃連-桑白皮-葛根 혼합과립제 : 내당능장애 군에 투약하여 당뇨 발병 감소효과[24]
7) 광범위 당뇨병성 족부궤양 : 기존치료에 한약**을 병용하여 빠른 회복에 도움[16,17]
8) 당뇨병성 말초신경병증(DPN)에 대한 침치료의 효과 : 合谷, 豐隆, 曲池, 足三里, 三陰交와 함께 해당부위 주변경혈을 추가하여 시행한 침치료군이 대조군에 비해 우월한 증상개선 및 NCV 호전효과[19]

REFERENCES

1. Marc S Sabatine. Pocket Medicine. 3rd Ed. Lippincott Williams & Wilkins. 2007.
2. Kent RN et al. The Osler medical handbook. Saunders. 2006.
3. Sibal L, Home PD. Management of type 2 diabetes: NICE guidelines. Clin Med. 2009 Aug;9(4):353-7.
4. ADA. Standards of medical care in diabetes--2010. Diabetes Care. 2010;33 Suppl 1:S11-61.
5. Riddle MC, Rosenstock J, Gerich J; Insulin Glargine 4002 Study Investigators. The treat-to-target trial: randomized addition of glargine or human NPH insulin to oral therapy of type 2 diabetic patients.Diabetes Care. 2003;26(11):3080-6.
6. Fauci AS et al. Harrison's Principles of Internal Medicine 17th ed. McGraw-Hill Medical. 2008.
7. 강남세브란스병원 가정의학과. Current clinical manual. 한국의학. 2010.
8. Azuma M, Motomiya M, Toyota T. Effects of Seishin-Renshi-In (TJ-111) on blood sugar levels of patients with non-insulin-dependent diabetes mellitus. Nihon Toyo IgakiyZasshi (Japanese Journal of Oriental Medicine) 1994;45:339-44.
9. Hioki C et al. Efficacy of bofu-tsusho-san, an oriental herbal medicine, in obese Japanese women with impaired glucose tolerance. Clin Exp Pharmacol Physiol. 2004;31(9):614-9.
10. Xie W, Zhao Y, Zhang Y. Traditional chinese medicines in treatment of patients with type 2 diabetes mellitus. Evid Based Complement Alternat Med. 2011;Epub 2011 Mar.
11. Tawata M et al. The effects of goshajinkigan, a herbal medicine, on subjective symptoms and vibratory threshold in patients with diabetic neuropathy. Diabetes Res Clin Pract. 1994;26(2):121-8.
12. Yokozawa T, Satoh A, Nakagawa T, Yamabe N. Attenuating effects of wen-pi-tang treatment in rats with diabetic nephropathy. Am J Chin Med. 2006;34(2):307-21.
13. Wang J, Wan YG, Sun W et al. Progress in Japanese herbal medicine in treatment of chronic kidney disease. Zhongguo Zhong Yao Za Zhi. 2008;33(11):1348-52.
14. 정춘희 외. 우리나라 당뇨병성 족부질환의 현황: 건강보험자료 분석결과. 당뇨병, 2006; 30(5):372-376.
15. Brem H et al. Cellular and molecular basis of wound healing in diabetes. J Clin Invest. 2007;117(5)
16. Leung PC, Wong MW, Wong WC. Limb salvage in extensive diabetic foot ulceration: an extended study using a herbal supplement. Hong Kong Med J. 2008;14(1):29-33.
17. Wong MW, Leung PC, Wong WC. Limb salvage in extensive diabetic foot ulceration-a preliminary clinical study using simple debridement and herbal drinks. Hong Kong Med J. 2001;7(4):403-7.

* 葛根 天花粉 地黃 麥門冬 五味子 甘草으로 구성

** 黃芪 20g, 生地黃 12g, 白朮 防己 何首烏 土茯苓 山茱萸 山藥 9g, 牧丹皮 澤瀉 茯苓 五味子 6g으로 구성

18. Tong Y, Hou H. Effects of Huangqi Guizhi Wuwu Tang on diabetic peripheral neuropathy. J Altern Complement Med. 2006;12(6):506-9.
19. Tong Y, Guo H, Han B. Fifteen-day acupuncture treatment relieves diabetic peripheral neuropathy. J Acupunct Meridian Stud. 2010;3(2):95-103.
20. Action to Control Cardiovascular Risk in Diabetes Study Group et al. Effects of intensive glucose lowering in type 2 diabetes. N Engl J Med. 2008 Jun 12;358(24):2545-59.
21. Currie CJ et al. Survival as a function of HbA(1c) in people with type 2 diabetes: a retrospective cohort study. Lancet. 2010;375(9713):481-9
22. 대한당뇨병학회. 당뇨병진료지침(5판). 2015
23. American Diabetes Association. Standards of medical care in diabetes?2015. Diabetes Care. 2015;38(suppl 1):S1 S93.
24. Gao Y et al. Clinical research of traditional Chinese medical intervention on impaired glucose tolerance. Am J Chin Med. 2013;41(1):21-32

50 이상지질혈증/고지혈증

50-1 개요

(1) 정의

1. 이상지질혈증(dyslipidemia)으로도 불리는 고지혈증(hyperlipidemia)은 지단백대사의 이상이 발생한 상태로 1)총콜레스테롤 (Total Cholesterol, TC) 2)HDL 콜레스테롤 3)중성지방(Triglyceride, TG) 4)LDL 콜레스테롤의 4가지 지표를 통해 평가됩니다.
2. 고지혈증 단독으로의 위험 보다는 심혈관계 질환(특히 허혈성 심질환)의 밀접한 위험인자가 되므로 정기적인 검진의 대상이 됩니다. NCEP ATP III guideline*에 의하면 모든 20세 이상의 성인은 특별한 증상이 없어도 12시간 이상의 공복 후 지질관련검사(TC, HDL, TG, LDL)를 시행하도록 권장하며 우리나라는 5년에 한번 검사하도록 권장하고 있습니다.

(2) 임상증상과 진단

1. 고지혈증은 보통 임상적 증상이 없습니다. 하지만 TG의 경우 고도로 높아지면 (1000mg/dL 이상시) 췌장염이 유발되고 이로 인한 복통이 발생할 수 있습니다.
2. 각 지표별 평가기준은 다음과 같습니다. (ATP III 기준)

항목	수치(mg/dL)	평가
LDL Cholesterol	〈100	Optimal
	100~129	Near or Above optimal
	130~159	Borderline High
	160~189	High
	≥190	Very high
TC (Total Cholesterol)	〈200	Desirable
	200~239	Borderline high
	≥240	High
HDL Cholesterol	〈40	Low
	≥60	High

* ATP (Adult Treatment Panel) report : 심혈관질환의 예방책으로서 고콜레스테롤혈증을 억제하기 위한 국가전문기구인 NCEP(National Cholesterol Education Program)에서 발표한 성인의 고콜레스테롤 진단 및 치료 가이드라인. version III는 2001년에 발표되었고 2004년 일부 개정되었다.

TG (Triglyceride)	<150	Normal
	150~199	Borderline high
	200~499	High
	≥500	Very high

(3) 관련검사 예

1. 기본검사 : Lipid profile (Cholesterol, TG, HDL, LDL) - 일반적으로 12시간 이상의 공복이 후에 검사를 시행하는데 특히 LDL, TG가 금식시간에 따른 변동폭이 큰 편입니다.
2. 위의 4가지 지표가 기본이며 이 중 LDL은 별도로 검사하지 않고 다른 3가지 지표만 측정한 후 calculated LDL 공식으로 구하기도 합니다. (단 TG가 400mg/dl 이상일 경우는 직접 LDL 측정) **[참조항목 23-2]**
3. 추가검사 : Apolipoprotein B (Apo B) - 심혈관계질환과 밀접한 상관관계가 있으므로 고위험군에 주로 시행되며 80~90mg/dL 이하를 목표치로 합니다. **[참조항목 23-5]**

50-2 원인 및 분류

(1) 일차성 고지혈증 (primary hyperlipidemia)

1. 보통 유전적 원인으로 발생합니다.
2. 가족성 고콜레스테롤혈증(Familial hypercholesterolemia)의 경우 총콜레스테롤 수치가 최소 290 mg/dl 이상 오르게 되며, 400 내외까지 오르는 경우도 드물지 않습니다. 콜레스테롤이나 이와 함께 다른 지질이 피부에 침착하여 피부 일부가 부풀거나 아킬레스건이 두꺼워지는 황색종 (Xanthoma)이 발생하기도 합니다.

(2) 이차성 고지혈증(secondary hyperlipidemia)

1. 일반적인 고지혈증의 가장 흔한 원인이며 불균형한 식이나 운동부족 등으로 주로 발생합니다.
2. 당뇨, 갑상선기능저하증 등의 기저질환이나 스테로이드, 이뇨제, β-blocker, 경구피임약 등으로도 발생할 수 있습니다.

50-3 치료방법

(1) LDL 기준 치료방법의 결정 (NCEP 가이드라인)

1. 고지혈증에서는 LDL이 1차적 치료목표가 되는 지표이지만 치료 시작 여부는 LDL 결과뿐 아니라 동맥경화 위험요인을 총괄적으로 평가하여 결정하게 됩니다. 당뇨나 말초혈관질환 (peripheral artery disease)은 관상동맥질환(CHD)과 동등위험요인으로 간주합니다.

	치료시작 LDL level (mg/dL)		목표치
	생활요법 (TLC)	약물요법	
위험요인 1개 이하	〉160	〉190	〈 160
위험요인 2개 이상	〉130	〉160	〈 130
관상동맥질환 (CHD) 및 동등위험요인	〉100	〉130	〈 100

- 위험요인
- 나이 : 남자 ≥ 45, 여자 ≥ 55
- 고혈압 : ≥140/90 mmHg or 항고혈압제 복용
- 가족력 : 심근경색증 or 급사 (직계가족 남자 ≤ 55, 여자 ≤ 65)
- 흡연
- 낮은 HDL : 〈40mg/dL (HDL이 60mg/dL 이상이면 위험요인 하나를 뺍니다.)

2. 예를 들어 관상동맥질환 또는 동등한 위험요인이 없으면서 항고혈압제를 복용중인 50세의 남성은 위험요인이 2개 이상이므로 LDL이 130mg/dl이상이면 TLC를 시작하고 160mg/dl이 넘는다면 약물요법을 시작하면 됩니다. 이 경우 치료목표치는 130mg/dl이 됩니다.
3. 최근의 임상지침은 명확한 심혈관계질환, 만성 신질환 등이 동반된 고위험군의 경우는 경우에는 LDL을 70mg/dL 이하로 낮추는 것도 권장되는 경향입니다.
4. TLC(치료적 생활습관변화, Therapeutic lifestyle change)는 치료목적으로 생활양식을 변화시키는 것으로 TLC Diet, 체중조절, 운동 등으로 구성됩니다. TLC Diet는 포화지방산은 전체 칼로리의 7% 이하, 콜레스테롤은 200mg/day 이하로 하면서 LDL을 낮추기 위하여 선택적으로 수용성 섬유소(10~25g/day), 식물성 stanol/sterol(2g/day) 을 공급하는 방식입니다.

(2) TG 기준 치료방법의 결정 (NCEP 가이드라인)

1. TG가 200-499mg/dL 일 경우

1) TG가 높다고 하여도 주된 치료목표는 TG가 아닌 LDL level이며 체중조절 및 운동에 지속적으로 노력하여야 합니다.
2) 만일 LDL 목표치에 도달하였으나 TG가 200이상인 경우는 2차 목표를 non-HDL 콜레스테롤(=TC - HDL)로 변경해서 LDL 목표치보다 30을 높게 잡으면 됩니다.
3) 예를 들어 TG가 300mg/dL이면서 위험요인이 1가지인 환자가 치료를 통해 TC 240mg/dL,

LDL 100mg/dL, HDL 30mg/dL로 된 경우 non-HDL 콜레스테롤은 210mg/dL (=TC-HDL = 240-30)가 되고 이는 목표치인 190mg/dL에 비하여 여전히 20mg/dL 높은 상태이므로 치료를 지속하여야 합니다.

단위: (mg/dL)	LDL goal	Non-HDL goal
위험요인 1가지 이하	〈 160	〈 190
위험요인 2가지 이상	〈 130	〈 160
관상동맥질환 및 농능한 위험요인	〈 100	〈 130

2. TG가 500mg/dL 이상일 경우

1) TG가 500mg/dL 이상일 경우는 췌장염이 유발될 수 있으므로 TG부터 먼저 낮춘 후 LDL을 낮추는 치료를 시행합니다.

2) TG를 낮추기 위해서는 초저지방식이 (칼로리의 15%이하), 체중 조절, 운동 등과 함께 nicotinic acid나 fibrate 등의 약제가 투약됩니다.

50-4 약물요법

(1) 치료약물

계열	특징	약물례(상품명)
Statins	[HMG-CoA reductase inhibitor] 콜레스테롤 합성을 돕는 HMG-CoA 환원효소를 억제. LDL을 주로 낮춤. 최초의 스타틴 Lovastatin은 홍국(紅麴, Red yeast rice)에서 추출	Atorvastatin(리피토) Rosuvastatin(크레스토) Simvastatin(조코) Lovastatin(메바로친)
Fibrates	[피브레이트] 중성지방(TG) 상승시 주로 사용	Fenofibrate(리피딜)
Bile acid sequestrants	[담즙산 제거제] 담즙산(콜레스테롤로부터 합성됨)과 결합해 재흡수를 감소시킴. LDL을 낮추나 TG 상승부작용 우려	Colestyramine
Nicotinic acid	[니코틴산] 간에서 VLDL의 생성을 억제하여 결과적으로 LDL과 TG는 낮추면서 HDL은 올리는 효과. 안면홍조 부작용.	Nicotinic acid(=Vit B3= Niacin)
Other drugs	1)Ezetimibe은 장에서 콜레스테롤 흡수를 감소시켜 LDL을 낮춤. 스타틴과 많이 병용 2)심질환 예방을 위해 다용되며 중성지방도 낮추는 효과	1) Ezetimibe+Simvastatin 복합제(바이토린) 2) Omega 3 fatty acid

(2) 약물의 선택

1. 가장 대표적인 고지혈증 치료약물 스타틴(statin)은 LDL을 감소시키는 효능이 가장 우수하며 생활요법으로 LDL 감소가 충분하지 않을 때 1차적으로 선택될 수 있습니다. LDL이 높지 않은 환자라도 심혈관질환 예방목적으로 사용하기도 합니다. [스타틴의 종류별 동등용량 : Rosuvastatin 10mg = Atorvastatin 20mg = Simvastatin, Lovastatin, Pravastatin 40mg] [5)]
2. 스타틴 사용시 1-2%에서 AST/ALT 수치가 상승될 수 있어 2-3개월 투여 후 LFT를 시행하고 이후 필요시 또는 6개월마다 시행할 수 있습니다.(참고치의 2-3배 이상시 투약 중단) 드물게 근육독성이 유발되어 Rhabdomyolysis(횡문근융해증)가 발생하기도 하므로 정기적인 LFT 검사 시행시 CK 수치를 병행검사 하기도 합니다.
3. Fibrate는 TG가 높은 경우나 TG와 LDL이 함께 높을 경우에 선호되는 약입니다. 간독성, 신독성을 유발할 수 있어 정기적으로 검사를 시행하며 특히 신기능이 저하된 환자의 경우 스타틴과 병용처방시 Rhabdomyolysis 위험도가 더욱 높아지므로 주의하여야 합니다.
4. Niacin 등의 Nicotinic acid 및 유도체 류는 다른 약에 비하여 HDL을 높이는 효과가 우수합니다. 다만 안면홍조, 피부작열감 등의 부작용으로 복약 순응도가 떨어지는 편입니다.

Tip 고지혈증 약물의 복용시간

고지혈증 약물은 주로 저녁에 투여되는 경우가 많은데 이는 콜레스테롤 합성이 주로 야간에 일어나기 때문입니다. 단 Atorvastatin, Rosuvastatin 등은 혈중 반감기가 길어 오전에 투여될 수 있고 최근에는 기존의 제제를 서방형(slow release or controlled release)으로 개발하여 오전투여를 가능하게 하기도 합니다. 일반적으로 오전투여가 복약순응도를 높이는 경향이 있습니다.

50-5 [참고] 대사증후군

1. 대사증후군(metabolic syndrome)은 과거 Syndrome X 등으로 불리기도 했으며 인슐린 저항성, 고혈압, 이상지질혈증, 복부비만 등의 특징이 있으면서 심혈관질환, 당뇨 등의 발생가능성을 높이는 상태입니다.
2. 미국 성인의 약 20-25%가 대사증후군을 가지고 있는 것으로 보고되었으며 이는 연령이 증가함에 따라 증가합니다. 국내에서도 높은 비율로 상승하고 있는 상태입니다.
3. NCEP-ATP III에 의한 진단기준은 아래와 같습니다. (5개 중 3개 이상일 경우 진단)

위험요인	기준치 (괄호는 아시아인 기준치)
1. 복부비만도(허리 둘레) ①남 ②여	① 〉102 (90)cm ② 〉88 (80)cm
2. TG	≥ 150mg/dl
3. HDL 콜레스테롤 ①남 ②여	① 〈 40mg/dl ② 〈 50mg/dl
4. 혈압	≥ 130/85mmHg 또는 약물복용중
5. 공복혈당(Fasting plasma glucose)	≥ 100mg/dl 또는 약물복용중

50-6 한의학적 접근

1. 한의학적으로는 痰濁(血中의 痰濁), 痰飮, 濕痰, 血瘀의 범주에서 접근할 수 있으며 膏粱厚味 過食, 嗜酒無度(外因), 脾虛失運으로 인한 痰濕 등이 발생한 것으로 脾腎虛, 肝腎陰虛, 肺脾腎虛 등의 허증과 痰瘀, 氣血瘀滯, 痰濁, 水濕, 瘀血 등이 복합적으로 작용하여 발생하는 病因病機로 볼 수 있습니다.
2. 임상연구 현황
   1) 淸血丹* : 8주간의 투여로 위약군보다 유의하게 우수한 지질강하효과를 보였으나 스타틴(Atorvastatin) 보다 우월하지는 못함.[7]
   2) 大明膠囊(Daming capsule)** : 6주간의 투여군에서 TC 및 LDL 강하효과를 보임.[8]
   3) 마늘(大蒜, Garlic) 및 홍국(紅麴, Red yeast rice) : 몇몇 연구가 진행되었으나 서로 상충되는 결과.[9]

REFERENCES

1. Third Report of the National Cholesterol Education Program (NCEP) Expert Panel on Detection, Evaluation, and Treatment of High Blood Cholesterol in Adults (Adult Treatment Panel III) final report. Circulation. 2002;106(25):3143-421.
2. Marc S Sabatine. Pocket Medicine. 3rd Ed. Lippincott Williams & Wilkins. 2007.
3. 한국지질동맥경화학회. 이상지질혈증 치료지침. 2판 수정보완판. 2009.
4. Stocks N, Allan J, MansfieldPR. Management of hyperlipidaemia. Aust Fam Physician. 2005 Jun;34(6):447-53.
5. Roberts WC. The rule of 5 and the rule of 7 in lipid-lowering by statin drugs. Am J Cardiol. 1997;80(1):106-7.
6. 방혜정. 고지혈증에 대한 한의학적 고찰. 동서의학. 1995;20(1):25-36.
7. Cho KH, Kang HS, Jung WS, Park SU, Moon SK. Efficacy and safety of chunghyul-dan (qingwie-dan) in patients with hypercholesterolemia. Am J Chin Med. 2005;33(2):241-8.
8. Jing A, Li-Mei Z, Yan-Jie L et al. A randomized, multicentre, open-label, parallel-group trial to compare the efficacy and safety profile of daming capsule in patients with hypercholesterolemia.

---

* 黃芩, 黃連, 黃白, 梔子, 大黃으로 구성

** 大黃 決明子 丹參 陳皮 人參 茯笭으로 구성

Phytother Res. 2009;23(7):1039-42.
9. Hasani-Ranjbar S, Nayebi N, Moradi L et al. The efficacy and safety of herbal medicines used in the treatment of hyperlipidemia; a systematic review. Curr Pharm Des. 2010;16(26):2935-47.

51 종양

51-1 개요

(1) 역학

1. 암에 대한 국내의 연령표준화발생률은 인구 10만명당 남자 327.1명, 여자 269.1명이며 우리나라 국민들이 평균수명(남자 77세, 여자 83세)까지 생존할 경우의 암에 걸릴 확률은 남자 37.2%, 여자 30.5%로 대략 3명 중 1명 정도로 볼 수 있습니다.
2. 2008년 기준 가장 많이 발생한 암은 남자의 경우 위암(20.3%), 대장암(14.6%), 폐암(14.4%), 간암(12.7%), 전립선암(7.0%) 순이고 여자는 갑상선암(26.4%), 유방암(14.7%), 위암(10.7%), 대장암(10.6%), 폐암(6.3%) 순으로 분포합니다. [1)]

(2) 종양의 진단

종양의 진단은 대부분의 경우 조직검사(biopsy)를 통해 병리적으로 진단하는 것이 가장 정확하고 인정받는 방법입니다. 영상검사(imaging study), 종양표지자(tumor marker)검사는 주로 선별검사나 병기결정, 치료에 대한 경과관찰 등의 목적으로 시행됩니다.

51-2 병기 및 신체활동도 평가

(1) 병기결정(cancer staging)

1. 치료의 방향이나 예후를 결정하는데 중요한 요소인 병기(stage) 결정은 TNM staging이 가장 많이 사용됩니다. 암의 종류에 따라 각기 다른 TNM 기준이 적용되며 국제적 협의에 따라 정기적으로 개정되는 부분도 있으므로 최신기준에 대한 별도의 확인이 필요하며 주로 AJCC(American Joint Committee on Cancer) cancer staging 이 국제적 표준으로 사용되고 있습니다.[2)]

T	원발종양(Primary tumor)의 크기 및 해부학적 구조에 따라
N	림프절(Lymph node) 침범 여부에 따라 (병리검사를 거친 경우 pN으로 표기)
M	전이(Metastasis) 여부에 따라

2. 예를 들어 전격전이가 없는(M0) 유방암의 경우, 종양의 최대직경이 2-5cm 사이(T2)이고 림프절 전이가 없으면(N0) T2N0M0으로 병기는 IIA가 되고, 종양의 크기가 5cm를 초과하

면서(T3) 동측의 이동가능한 림프절에 전이가 있으면(N1) T3N1M0으로 병기는 IIIA가 됩니다. 종양의 크기나 림프절 전이와 무관하게 원격전이의 증거(M1)가 있으면 병기는 IV기로 분류합니다. (각 항목의 자세한 분류기준은 AJCC 또는 www.cancerstaging.org 참조)

유방암 병기	Tumor	Node	Metastasis
Stage IA	T1	N0	M0
Stage IB	T0 T1	N1mi N1mi	M0 M0
Stage IIA	T0 T1 T2	N1 N1 N0	M0 M0 M0
Stage IIB	T2 T3	N1 N0	M0 M0
Stage IIIA	T0 T1 T2 T3 T3	N2 N2 N2 N1 N2	M0 M0 M0 M0 M0
Stage IIIB	T4 T4 T4	N0 N1 N2	M0 M0 M0
Stage IIIC	any T	N3	M0
Stage IV	any T	any N	M1

3. 암의 정확한 병기는 수술이후에 확정되는 경우가 많습니다. 즉 수술부위와 주변의 림프절 등의 조직병리학적 검사를 통해 전이여부를 확인한 후 결정된 병기는 병리학적(pathologic) 병기라고 하며 TNM 앞에 p를 붙여 pT3N1M0와 같이 표기합니다. 이와 대비되어 수술전 검사만으로 추정되는 병기는 임상적(clinical) 병기라고 하며 TNM 앞에 c를 붙여 cT2N0M0 처럼 표기하기도 합니다.
4. 위암의 경우 AGC(advanced gastric cancer, 진행성 위암)라면 내시경 등을 통해 육안적 형태를 살펴서 4가지 Type으로 구분하는 Borrmann 분류법도 많이 사용됩니다.

Bormann I	Bormann II	Bormann III	Bormann IV
융기형 (Polypoid)	궤양형 (ulcerofungating)	궤양침윤형 (ulceroinfiltrative)	미만형 (Diffuse infiltrative)
I	II	III	IV

5. 대장암의 경우 종양의 침윤정도를 기준으로 A에서 D까지 구분하는 Duke 분류법이 병용되기도 합니다. TNM 분류와 유사하지만 Duke 분류는 수술을 통해 얻어진 정보를 기반으로 한 surgical staging입니다.

Duke A	점막(mucosa)까지만 침범
Duke B	근층(muscularis)까지 침범하면 B1, 장막(serosa)까지 침범하면 B2
Duke C	국소 림프절(lymph node) 침범
Duke D	원격전이 (distant metastasis)

6. 간암(HCC)의 경우 잔존하는 간기능의 상태에 따라 치료방법이 달라지므로 이를 기반으로 한 Child-Pugh 분류법이 많이 사용됩니다. Child-Pugh 분류는 간암뿐 아니라 간경화(LC, liver cirrhosis)환자의 평가에서도 기본이 되는 방법으로 5가지 항목의 점수를 합한 계산값을 기준으로 A, B, C로 구분됩니다. [Child A는 5-6점, Child B는 7-9점, Child C는 10점 이상일 때]

Factor	1	2	3
serum Bilirubin (mg/dL)	〈2.0	2.0-3.0	〉3.0
serum Albumin (g/dL)	〉3.5	3.0-3.5	〈3.0
PT INR	〈1.7	1.7-2.3	〉2.3
복수 (Ascites)	None	Easily controlled	Poorly controlled
간성뇌증 (Hepatic encephalopathy)	None	Minimal	Advanced

(2) 신체활동도 평가

1. 암환자의 치료방향의 결정에 있어서는 병기뿐 아니라 현재의 전신상태와 신체활동도를 함께 고려해야 합니다. ECOG(Eastern Cooperative Oncology Group)이 가장 많이 쓰이는 지표이고 WHO score 또는 Zubrod score로 불리기도 합니다.

[ECOG 신체활동도 스케일]

점수	해당 기능 상태
0	무증상 상태 - 병에 걸리기 전과 동일하게 모든 일상활동이 가능
1	증상은 있으나 완전한 거동이 가능 - 육체적으로 힘든 일은 제한이 있지만 거동이나 가벼운 집안일, 사무 등은 가능
2	증상이 있고 깨어있는 시간의 50% 이상을 일어나서 돌아다님 - 거동이나 자가관리(self-care)는 가능하나 일은 불가능.
3	증상이 있고 깨어있는 시간의 50% 이상을 침상(또는 휠체어)에서 보냄 - 자가관리는 제한적으로 가능
4	완전히 무력한 상태. 대부분의 시간을 침상(또는 휠체어)에서 보냄 - 어떠한 자가관리도 불가능
5	사망 상태

2. ECOG 보다는 적은 비율이지만 문헌에 따라 Karnofsky 활동도(performance status scale)가 사용되기도 합니다. 일반적으로 ECOG 2점 이상 또는 Karnofsky 70점 이하인 경우에는 정상상태처럼 일상활동을 하기에는 어려운 단계로 진입했다고 할 수 있습니다.

[Karnofsky 신체활동도 스케일]

점수	해당 기능 상태	관련 ECOG
100	정상상태 - 증상이 없음	0
90	정상활동가능 - 경미한 증상	1
80	노력하면 정상활동가능 - 약간의 증상	
70	자가관리(self-care)는 가능하나 정상생활 또는 일은 불가능	2
60	종종 도움이 필요. 대부분의 자가관리는 가능	
50	상당한 정도의 도움과 의료서비스가 필요	3
40	무력한 상태. 특별한 도움이 필요	
30	심한 무력상태. 입원치료 필요.	4
20	매우 아픈 상태. 입원 및 적극적인 지지치료 필요	
10	빈사상태, 임종임박	
0	사망	5

51-3 치료

(1) 개요

1. 암의 치료(cancer treatment)는 치료목적에 따라 근치적(완치적, curative) 목적의 치료와 완화적(고식적, palliative) 목적의 치료로 구분되며 병기 및 신체활동도뿐 아니라 의료진 및 환자의 의견 등을 종합적으로 고려하여 결정하여야 합니다.
2. 예를 들어 항암치료도 Curative chemotherapy(근치적 항암치료)라면 심한 부작용의 가능성에도 불구하고 적극적으로 시행할 수 있으나 Palliative chemotherapy(완화적 항암치료)라면 완치보다는 나 의 완화를 목적으로 삶의 질을 고려하면서 시행하게 됩니다.
3. 암치료는 치료수단에 따라 수술(Operation, Op), 방사선치료(Radiation therapy, RT), 항암화학요법(Chemotherapy, CTx) 등으로 크게 구분되며 호르몬요법, 생물학적치료 등도 활용됩니다.

(2) 수술 (Op)

수술적 치료는 특히 초기병기의 환자에게서 완치를 기대할 수 있는 방법입니다. 종양의 제거가 주된 목표이지만 수술시 얻어지는 종양 및 주위조직, 림프절 등의 분석을 통해 정확한 병리학적 진단과 병기를 결정하는 데에도 도움이 됩니다.

(3) 방사선치료 (RT)

1. 방사선치료(RT)는 높은 에너지의 방사선을 조사하여 종양을 치료하는 방법입니다. 바로 종양부위가 소실되기 보다는 이후의 세포분열과정에서 세포가 죽는 효과를 주로 이용하기 때문에 일반적으로 수개월 이상 지나야 정확한 치료효과를 판단할 수 있습니다.
2. 종양에는 높은 양의 방사선이 조사되고 정상조직에는 가능한 최소량의 방사선이 조사되도록 하여야 부작용을 줄이고 치료효과를 높일 수 있습니다. 예를 들어 전이성 뇌종양의 경우 WBRT(전뇌방사선조사요법, whole brain RT)를 시행할 수 있지만 학습 및 기억장애 유발률이 더 높으므로 단일 병소라면 특정부위만 조사하는 정위적 방사선수술을 우선 고려할 수 있습니다.
3. 정위적 방사선수술(stereotactic radiosurgery) : 기존의 방사선치료가 정상조직까지 조사되는 단점이 있으므로 3차원 공간분석을 통한 입체적(stereotactic) 접근으로 종양부위에 정밀하게 방사선을 조사하는 방법입니다. 외과적 수술이 아니면서도 결과적으로 수술과 유사한 효과를 얻을 수 있어 비침습적 수술(non-invasive surgery) 또는 무혈수술로 부르기도 합니다. 뇌관련 질환 이외에는 비교적 제한적으로 적용되었지만 최근에는 기존의 난점을 보완하면서 최신의 의료공학적 기술을 활용한 치료기기들의 개발로 적용범위가 확대되고 있습니다.
4. 영상유도 방사선치료(image guided radiotherapy, IGRT) : 방사선치료기기에 CT, MRI와 같은 영상장비를 결합한 것으로 토모테라피(tomotherapy)가 대표적입니다.

장비명	특징
감마나이프(Gamma-knife)	가장 먼저 개발된 정위적 방사선치료기. 뇌종양 등에 주로 이용.
사이버나이프(Cyber-knife)	환자의 위치변화에 맞추어 방사선 방향을 바꿀 수 있으며, 뇌뿐 아니라 호흡에 따라 움직이는 장기(위, 대장, 폐 등)에도 제한적으로 시술이 가능함.
토모테라피(Tomotherapy)	방사선치료기에 CT의 기능을 추가시켜 더욱 정확한 병변의 확인 및 치료를 가능하게 함.
하이프나이프(HIFU)	집속초음파치료(HIFU, High Intensity Focused Ultrasound). 방사선을 사용하지 않아 부작용은 많지 않지만 초음파를 이용하므로 정밀한 치료가 힘들고 공기(air)를 함유한 장기는 사용불가.

(4) 항암화학요법(CTx)

계열	특징	약물례(상품명)
Alkylating agents	[알킬화제] DNA에 직접 결합하고 나선구조에 손상을 주어 암세포의 성장, 분열을 억제	Nitrogen mustard (Cyclophosphamide, Chlorambucil)
Antimetabolites	[대사길항제] 퓨린, 엽산 등 DNA 복제에 필요한 대사물질의 유사구조체(analogues)로 DNA 복제를 방해. 5-FU는 Fluorouracil로도 표기.	Folic-acid유사체 (Pemetrexed알림타, MTX) Purine 유사체(6-MP) Pyrimidine 유사체(5-FU, Gemcitabine 젬자, Capecitabine 젤로다, Tegafur 티에스원)
Plant alkaloids	[식물 알칼로이드] 세포분열에 필수적인 Microtubule의 기능을 방해. 빈카(Vinca) 또는 주목나무(taxus) 등의 식물 유래	Vinca alkaloids(Vinblastine, Vincristine) Taxanes(Paclitaxel 탁솔, Docetaxel)
Cytotoxic antibiotics	[항종양 항생제] 세포독성 항생물질 등에서 유래	Anthracyclines(Doxorubicin) Other cytotoxic antibiotics(Bleomycin, Mitomycin)
Platinum	[백금계 항암제] DNA와 교차결합(Cross linking)하여 Alkylating agents와 유사한 기전으로 암세포를 사멸	Cisplatin, Carboplatin, Oxaliplatin(엘록사틴)
Targeted therapy	[표적치료제] 종양의 성장에 관여하는 1)특정 항원 또는 2)특정 단백키나아제에만 반응하여 항종양 효과	1)Monoclonal antibodies (Trastuzumab 허셉틴, Bevacizumab 아바스틴, Cetuximab 얼비툭스) 2)Protein kinase inhibitors(Imatinib 글리벡, Gefitinib 이레사, Erlotinib 타쎄바, Sorafenib 넥사바, Sunitinib 수텐)

1. 항암치료는 다양한 기전으로 암세포의 성장이나 분열을 저해하는 효과가 있으며 전신에 작용하므로 검사상 확인되지 않는 종양전이부위에도 투여효과가 있습니다.
2. 과거 항암제 치료의 가장 흔한 부작용 중 하나였던 오심, 구토는 Ondansetron, Granisetron 등과 같은 $5HT_3$(=serotonin) 수용체 길항제의 등장으로 심각도가 많이 감소하였습니다. 특히 최근 많이 개발되고 있는 표적치료제(targeted therapy)는 세포독성(cytotoxic) 항암제에 흔했던 탈모, 백혈구감소증, 오심과 같은 부작용이 감소한 편입니다.
3. 표적치료제는 약물에 따라 모든 환자에게 투여되는 것이 아니라 사전검사결과에 따라 적용여부를 결정하는 방식으로 투여됩니다. 예를 들어 유방암 등에 사용되는 Trastuzumab(허셉

틴)은 검사상 HER2 유전자가 과발현해야 적용되고 폐암치료제로 개발된 Crizotinib은 ALK 유전자의 mutation이 있어야 사용됩니다.

4. 수술 이후에 재발방지를 위하여 시행하는 항암치료는 Adjuvant chemotherapy(보조적 항암 치료)라 합니다.

(5) 증상관리

1. 완치 목적의 치료든, 완화적 목적의 치료든 암환자가 호소하는 다양한 증상에 대하여 적절히 대처해 주어야 합니다. 암성통증(73-1 **참조**), 오심/구토(97-3 **참조**), 흉수(32-1 **참조**), 복수(32-2 **참조**) **등** 각 증상 및 징후에 대한 관리는 해당 항목을 참조해 주시기 바랍니다.
2. 대부분의 암환자들이 우울증, 불면, 불안, 섭식장애 등 정신심리적인 문제를 가지고 있고 장기간 지속되면 치료경과나 삶의 질에도 좋지 않은 영향을 줄 수 있으므로 이와 관련된 Consult도 고려합니다. 이렇게 암환자들의 심리적, 사회적, 행동적 측면에 대하여 연구하고 중재하는 학문분야를 정신종양학(Psycho-Oncology)이라 합니다.

51-4 암치료의 평가 (RECIST)

1. RECIST(response evaluation criteria in solid tumors) 평가방법은 고형암에서의 종양치료성과를 객관적으로 판정하기 위해 2000년 처음 제안되어 사용되었고 2009년에는 PET 검사결과, 수정된 측정방법 등이 반영된 RECIST 1.1 버전이 발표되었습니다.

RECIST 항목		내용 예시
CR	Complete response(완전반응)	예) 종양의 완전한 소실, 종양표지자의 정상화 등
PR	Partial response(부분반응)	예) 직경의 합(sum of diameters)이 기준대비 30% 이상의 감소 (최소변화기준 : 5mm)
SD	Stable disease(불변)	예) 호전으로도 악화로도 판정되지 않은 상태
PD	Progressive disease(진행)	예) 종양이 20% 이상 더 커졌거나 (최소변화기준 : 5mm) 새로운 lesion이 발견되는 상태 등

2. 단순히 종양부위(target lesion)의 크기감소뿐 아니라 Tumor marker(종양표지자), Ascites(복수), Pleural Effusion (흉막삼출액)등 비종양부위(non-target lesion)의 상태까지 종합적으로 고려하여 판정합니다.

3. 예를 들어 기존의 종양부위가 완전히 소실되었으나(CR) Tumor maker 등의 변화가 없다면 최종적인 종합평가(Overall response)는 CR이 아닌 PR로 판정됩니다. 또 다른 예로 종양부위가 완전히 소실되고(CR), Ascites도 현격히 감소하였어도 새로운 lesion이 발견되었다면 PD로 판정됩니다.[6]
4. RECIST에 의한 평가는 폐암과 같은 고형암에 대하여 한시적인 치료성과를 반영하는 한계가 있습니다. 실제적으로 암치료에 대한 종합적인 유효성을 평가할 때에는 전체생존기간(overall survival)을 평가지표(endpoint)로 하는 것이 가장 확실하고도 평가자의 bias(편향)를 피할 수 있는 객관적인 방법입니다. 하지만 평가소요시간이 길어지면 현실적인 연구진행이 쉽지 않으므로 종양의 크기변화와 같은 간접적 대리지표(indirect surrogates)가 많이 사용됩니다. **[참조항목 : 13-3 (9)]**

51-5 한의학적 접근

(1) 개요

1. 한의학에서는 종양질환에 대하여 積聚, 癥瘕와 관련되거나 또는 噎膈(식도암) 反胃(위암) 肝積(간의 종양) 肺積(폐의 종양), 失榮(악성림프종, 이하선암), 乳癌(유방암), 石癭(갑상선암), 骨疽(뼈의 종양), 腸蕈(골반내종양, 난소낭종), 肉癭(연조직악성종양) 등 오늘날의 종양의 명칭과 비교될 수 있으며 氣滯血瘀, 邪毒鬱熱, 痰濕結聚, 臟腑失調, 氣血虧虛, 經絡瘀阻 등을 주요 病機로 하여 발생하게 됩니다. 치료는 補法과 瀉法의 구성에 따라 攻瀉法, 扶正固本法, 扶正祛邪法의 방법으로 구분될 수 있습니다.[7,8,9,27]
2. 일반적으로 종양의 치료에 있어서는 1) 치료적 목적으로 접근하여 생존기간의 연장을 목적으로 하거나 또는 2) 완화적(palliative) 목적으로 증상의 경감이나 치료부작용의 완화를 위주로 한 경우로 구분됩니다.
3. 한국과 지리적으로 가깝고 신체적, 인종적 특성이 유사한 측면이 많은 일본의 경우, 암치료병원 근무의사들을 대상으로 한 연구에서 응답자의 92.4%가 한방약 처방경험이 있고 이 중 73.4%에서는 암치료와 관련된 목적으로 처방한다는 결과도 보고되었는데 이는 국내에서도 한의학적 치료의 적용이 보다 확대될 수 있는 시사점이 되기도 합니다.[29]

(2) 연구현황 - 한약치료 관련

1. 생존기간의 연장과 관련된 국내연구로는 乾漆/漆樹를 기반으로 하되 법제과정을 통해 알러지를 유발하는 urushiol을 제거한 제제(nexia)를 암환자에게 투약하여 폐암(NSCLC), 대장암, 신장암 등 다양한 종류의 종양에 대한 생존기간연장 등의 임상적 효과가 보고되었습

니다.[10-12] 실험상으로는 혈관형성(angiogenesis)을 억제하는 기전이 주로 관여하여 항종양효과가 나타나는 것으로 판단됩니다.[13]

2. 다른 국내연구로는 三七根, 冬蟲夏草, 山慈菇 등을 위주로 한 제제를 폐암환자 등에게 투여하여 항종양효과를 보인 환자군연구(case series)도 보고된 바 있습니다.[14,15]
3. 국외연구로는 黃芪나 注射液(藥鍼液)을 이용한 연구가 많은데 메타분석결과 黃芪를 기반으로 한 한약이 NSCLC에 대한 백금계 항암치료와 병행하여 효과를 증강시키는 것으로 나타났습니다.[16] NSCLC 환자에게 한약과 표적치료제(Gefitinib이레사, Erlotinib타쎄바 등)를 병행한 메타분석에서도 효과는 높이면서 부작용은 경감시키는 결과를 보였습니다.[28]
4. 丹參과 黃芪로 구성된 參芪扶正注射液(Shenqi fuzheng injection)은 메타분석에서 항암치료를 받고 있는 NSCLC 환자에게 투여시 치료반응률은 증강시키면서 독성부작용을 감소시켰고[17] 이외에 紅蔘과 附子로 구성된 參附(Shenfu)注射液, 紅蔘과 麥門冬으로 구성된 參麦(Shenmai)注射液 등을 이용해 종양치료시 삶의 질을 높인 연구도 발표되었습니다.[18]
5. 대장암 치료를 위한 FOLFOX 항암치료시 牛車腎氣丸을 항암제와 병행투여하여 종양에 대한 치료결과에는 영향을 끼치지 않으면서 감각신경병증 부작용은 줄었습니다.[30]

(3) 연구현황 - 침치료 관련

1. 침을 이용하여 통증이나 오심, 말초신경병증을 관리한 각종 논문들이 발표되었습니다.[19]
2. 암성통증 (cancer pain) : 통증과 상응하는 부위에 이침(耳鍼)을 사용하여 통증을 완화[20]
3. 오심, 구토 : 內關(P6)의 자극요법이 잘 알려져 있으며 또 다른 연구에서는 항구토제 단독투여보다 항구토제와 전침병행군이 더 좋은 효과. 그러나 지속시간은 제한적.[21,22]
4. 구강건조증 (xerostomia) : 두경부 방사선치료로 유발된 구강건조환자에게 침치료를 시행하여 parotid gland로의 혈류를 증가 시키고, 타액 분비를 증가[23]
5. 안면홍조 (cancer-related hot flushes) : 유방암 수술환자의 타목시펜 사용 이후 나타난 홍조를 감소시키는 데 효과적.[24]
6. 암관련 피로 (cancer-related fatigue) : 항암치료 후의 암관련 피로에 대한 효과를 연구한 결과 침치료군이 지압치료군, 가짜침군에 비하여 유의한 피로 감소효과.[25] 암관련 피로에 대한 뜸치료의 효과를 메타분석한 연구에서는 연구에 포함된 4개 RCT 모두 뜸이 암성 피로에 효과적으로 나타났으나 논문 보고방식이 엄밀하지 않고 방법론적으로 bias의 가능성 등이 존재하여 보다 높은 수준의 연구가 필요.[26]

REFERENCES

1. 보건복지부, 국립암센터. 통계로 본 암 현황(Cancer Facts & Figures 2011). 2011.

2. Edge SB, Compton CC. The American Joint Committee on Cancer: the 7th edition of the AJCC cancer staging manual and the future of TNM. Ann Surg Oncol. 2010;17(6):1471-4.
3. 한방전공의협의회 학술국. 한방병원 인턴진료지침서. 군자출판사. 2010.
4. Fauci AS et al. Harrison's Principles of Internal Medicine 17th ed. McGraw-Hill Medical. 2008.
5. 김노경 외. 암진료가이드. 일조각. 2005.
6. Eisenhauer EA, Therasse P, Bogaerts J et al. New response evaluation criteria in solid tumours: revised RECIST guideline (version 1.1). Eur J Cancer. 2009 Jan;45(2):228-47.
7. 전병욱 외. 암에 대한 한의학적 인식 및 실험적 연구에 관한 고찰. 대한한방종양학회지. 1995;1(1):29-54.
8. 박재현, 문구. 積聚를 위주로 한 腫瘍의 治法에 관한 小考. 대한암한의학회지. 2008;13(1):1-11.
9. 조종관. 한방임상종양학. 周珉. 2005.
10. Lee SH, Kim KS, Choi WC, Yoon SW. The Concurrent Use of Rhus verniciflua Stokes as Complementary Therapy with Second or More Line Regimens on Advanced Non-small-cell Lung Cancer: Case Series. The Journal of Korean Oriental Medicine. 2009;30(6):112-117.
11. Lee SK, Jung HS, Eo WK et al. Rhus verniciflua Stokes extract as a potential option for treatment of metastatic renal cell carcinoma: report of two cases. Ann Oncol. 2010 Jun;21(6):1383-5.
12. Lee SH et al. Impact of standardized Rhus verniciflua stokes extract as complementary therapy on metastatic colorectal cancer: Korean single-center experience.Integr Cancer Ther. 2009;8(2):148-52.
13. 최원철, 이재호, 이은옥 외. 법제 옻나무 추출물의 혈관형성저해 및 항암효과에 관한 연구. 동의생리병리학회지. 2006;20(4):825-829.
14 김경순, 정태영, 유화승 외. 항암플러스 투여로 호전된 진행성 비소세포성 폐암 연속환자증례. 대한한방내과학회지. 2009;30(4):893-900.
15. Park HM, Kim SY, Jung IC et al. Integrative tumor board: a case report and discussion from East-West Cancer Center. Integr Cancer Ther. 2010;9(2):236-45.
16. McCulloch et al. Astragalus-based Chinese herbs and platinum-based chemotherapy for advanced non-small-cell lung cancer: meta-analysis of randomized trials. J Clin Oncol. 2006;24(3):419-30.
17. Dong J, Su SY, Wang MY, Zhan Z. Shenqi fuzheng, an injection concocted from Chinese medicinal herbs, combined with platinum-based chemotherapy for advanced non-small cell lung cancer: a systematic review. J Exp Clin Cancer Res. 2010;29:137.
18. Gu Y, Xu H, Zhao M. Clinical study on effect of Shenfu injection treating cancer-related fatigue of patients with advanced carcinoma. Zhongguo Zhong Yao Za Zhi. 2010;35(7):915-8.
19. O'Regan D, Filshie J. Acupuncture and cancer. Auton Neurosci. 2010;157(1-2):96-100.
20. Alimi D, Rubino C, Hill C et al. Analgesic effect of auricular acupuncture for cancer pain: a randomized, blinded, controlled trial. J Clin Oncol. 2003;21(22):4120-6.
21. Ezzo J, Streitberger K, Schneider A. Cochrane systematic reviews examine P6 acupuncture-point stimulation for nausea and vomiting. J Altern Complement Med. 2006;12(5):489-95.
22. Shen J, Wenger N, Glaspy J et al. Electroacupuncture for control of myeloablative chemotherapy-induced emesis: A randomized controlled trial. JAMA. 2000;284(21):2755-61.
23. Garcia MK, Chiang JS, Cohen L et al. Acupuncture for radiation-induced xerostomia in patients with cancer: a pilot study. Head Neck. 2009;31(10):1360-8.
24. Hervik J, Mjaland O. Acupuncture for the treatment of hot flashes in breast cancer patients, a randomized, controlled trial. Breast Cancer Res Treat. 2009;116(2):311-6.
25. Molassiotis A et al. The management of cancer-related fatigue after chemotherapy with acupuncture and acupressure:a randomised controlled trial. Complement Ther Med. 2007;15(4):228-37.
26. Lee S, Jerng UM, Liu Y et al. The effectiveness and safety of moxibustion for treating cancer-related fatigue: a systematic review and meta-analyses. Support Care Cancer. 2014;22(5): 1429-40.
27. 대한암한의학회 교재편찬위원회, 한의통합종양학, 군자출판사, 2013
28. Liu ZL et al, Traditional Chinese medicinal herbs combined with epidermal growth factor receptor tyrosine kinase inhibitor for advanced non-small cell lung cancer: a systematic review and meta-analysis. J Integr Med. 2014;12(4):346-58.
29. Ito A et al. First nationwide attitude survey of Japanese physicians on the use of traditional Japanese medicine in cancer treatment. Evid Based Complement Alternat Med. 2012;2012:957082.
30. Nishioka M et al. The Kampo medicine, Goshajinkigan, prevents neuropathy in patients treated by FOLFOX regimen. Int J Clin Oncol. 2011 Aug;16(4):322-7.

52 간염

▪ 간염(Hepatitis)은 간세포 및 조직에 염증이 발생한 상태로 원인에 따라 바이러스성 간염, 알코올성 간염, 독성간염(약인성 간염), 자가면역성 간염, 전격성 간염(fulminant hepatitis) 등이 있습니다. 본 장에서는 바이러스성 간염(Viral Hepatitis) 을 중심으로 설명합니다.

52-1 개요

(1) 정의 및 분류

1. 바이러스성 간염은 A, B, C, D, E의 5가지 형이 있고 6개월 이상 치료가 되지 않고 간의 염증반응이 지속되면 만성간염으로 분류합니다. 만성간염은 B형간염이 가장 많고 최근에는 C형간염의 비율도 많이 상승하였습니다. A형간염과 E형간염은 만성화 되는 경우가 거의 없으며 E형간염은 국내에 보고 자체가 거의 없는 상태입니다.
2. 특별한 치료법 없이 휴식과 대증치료, 충분한 영양, 금주 등으로 호전되는 경우가 많은 급성간염과는 달리 만성간염은 검사지표의 호전-악화 등을 반복하다가 간경화(liver cirrhosis, LC), 간세포암(hepatocellular carcinoma, HCC), 간부전 등으로 발전할 수 있는 만큼 적절한 관리와 추적검사가 중요합니다.
3. 급성간염의 경우에도 노인이나 기저질환으로 만성간질환이 있던 환자에게는 심한 전격성 과정이 이어질 수 있으므로 주의해야 합니다.

	감염 경로	잠복기	만성화	검사(급성발병시)	특징
HAV	경구감염	2-6주	-	IgM anti-HAV	급성간염, 여행자 간염의 주요 원인. 좋은 예후
HBV	혈액 체액	1-6개월	있음	HBsAg IgM anti-HBc	만성간염 중 가장 많음. 모자감염비율이 높음.
HCV	혈액	2-16주	흔함	anti-HCV	과거와 달리 현재는 수혈에 의한 감염은 거의 없는 상태
HDV	혈액 체액	1-6개월	있음	anti-HDV	항상 HBV 감염과 중복해 감염
HEV	경구감염	2-9주	-	IgM anti-HEV	국내에서는 거의 발견되는 않음.

(2) 임상증상 및 진단

1. 임상증상은 초기의 경우 급성감염시에는 감기, 몸살처럼 나타나는 경우가 많고 만성의 경우는 피로, 식욕부진 등의 증상이 흔합니다. 중증 또는 진행성의 경우에는 황달이 보일 수 있고 만성적으로 합병증이 더욱 진행되어 말기(terminal stage)에 오면 복수, 식도정맥류 출혈, 간성 혼수(hepatic encephalopathy, HEP) 등이 올 수 있습니다.
2. 진단검사는 AST, ALT, Albumin, Bilirubin, PT 등의 기본적인 간기능검사(LFT)와 함께 해당 바이러스에 따른 관련검사를 시행합니다. **[참조항목: 27-4]**
3. 일반적으로 급성간염을 의심할 때에는 A형(IgM anti-HAV), B형(HBsAg, IgM anti-HBc), C형(Anti-HCV)간염 항목 등 4가지 항목을 검사합니다. 모두 음성인 결과가 나오면 추가적으로 HCV-RNA나 E형간염(IgM anti-HEV) 검사를 시행하기도 합니다. B형간염이 있을 때에만 발병하는 D형간염은 anti-HDV 검사로 진단합니다.

52-2 B형간염

(1) 임상경과

1. 성인의 경우 급성으로 B형간염에 감염되었더라도 만성으로 진행되는 경우는 1-5% 정도지만 출생시 모자감염으로 이환된 경우에는 90%에서 만성간염으로 진행합니다.

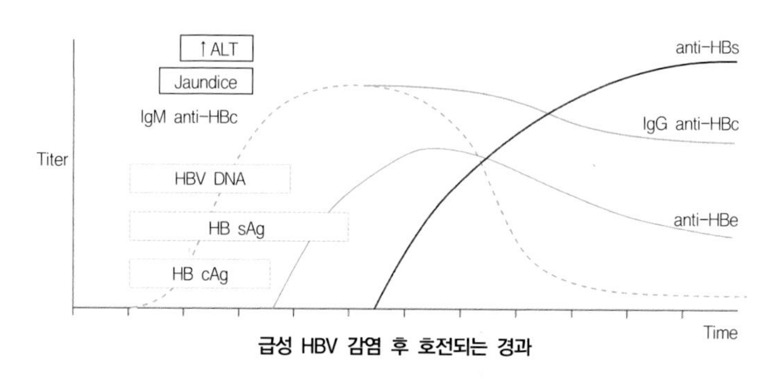

급성 HBV 감염 후 호전되는 경과

2. HBV의 임상경과는 크게 높은 감염성과 간손상을 의미하는 증식기(replicative phase)와 감염성과 간손상이 감소하는 비증식기(nonreplicative phase)로 구분됩니다. 염증상태가 오래 지속되었다면 비증식기로 되어도 간경변이나 간암이 발생할 수 있습니다.

증식기 - HBeAg(+)	면역내성기 (Immune tolerance phase)	소아의 경우처럼 면역계의 미성숙으로 바이러스가 증식해도 인체가 반응하지 않는 기간. ALT는 정상.
	면역제거기 (Immune clearance phase)	면역계가 바이러스에 반응하여 ALT가 상승하고 간세포가 손상되는 기간. 항바이러스제 적응.
비증식기-HBeAg(-)	HBeAg와 HBV DNA가 음성으로 전환되고 전염성 소실. ALT도 정상화. 그러나 HBsAg(+)는 지속됨. [Precore mutant : HBeAg는 음성이지만 HBV-DNA는 고농도인 상태로 실제로는 증식기에 해당. 항바이러스 치료에 더 높은 저항성을 보임]	

3. HBeAg 양성인 만성환자에서 적극적인 치료 없이도 HBeAg이 자연적으로 소실되어 비증식기로 전환되기도 하는데 그 비율은 연간 8-15% 정도 되며 이때 일시적으로 ALT가 급격히 상승하고 급성간염과 비슷한 경과를 보입니다. HBsAg의 자연 소실은 훨씬 적어서 그 비율은 연간 0.1-0.8% 이며 서양권은 이보다 약간 높아 1-2% 정도 됩니다.

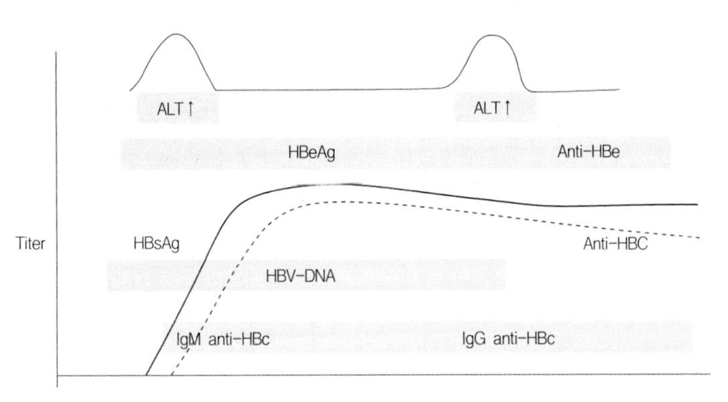

만성 HBV 감염 후 혈청전환(seroconversion)되는 경과

(2) 관련검사

1. 바이러스 관련검사 : HBsAg, HBeAg, anti-HBe(=HBeAb), anti-HBs(=HBsAb), HBV-DNA 등 **[참조항목 : 27-4]**
2. 기타 관련검사 : CBC, LFT, PT, AFP, 간초음파검사, 간조직검사 등
3. AFP, 간초음파검사는 간암 등을 조기진단하기 위한 검사입니다. 조직검사는 자주 시행되는 검사는 아니지만 염증 및 섬유화의 정도를 알아보기 위해 고려할 수 있습니다.

(3) 치료

1. **급성기 치료** : 급성의 경우에는 특별한 치료법 없이 보존적 치료가 위주가 됩니다.
2. **만성기 치료목표 및 대상** : 바이러스 증식을 억제하여 증식기에서 비증식기로 혈청전환(seroconversion)하는 것을 목표로 합니다. 치료는 ALT가 정상상한치(upper normal limit, UNL)의 2배 이상 상승한 만성간염환자 중 1) HBeAg이 양성이면서 HBV DNA가 10^5 copies/mL(=20,000 IU/mL) 이상인 경우 또는 2)HBeAg이 음성이라도 HBV DNA가 10^4 copies/mL(=2,000 IU/mL) 이상인 경우에 항바이러스제 치료를 시작합니다. ALT가 정상상한치(= 40U/L)의 2배, 즉 80U/L 이하라도 황달이 있거나 조직검사상 염증괴사나 문맥주변부에 섬유화 이상의 단계가 보이면 치료를 시작할 수 있습니다.
3. **치료약물(주사제)** : 인터페론(IFN)이 사용되어 왔으나 이후 인터페론 분자를 변형시켜 반감기를 증가시킨 페그인터페론(pegylated IFN)이 사용되며 48주간 투여하는 것이 일반적입니다. 최근에는 경구용약물이 주로 사용되므로 주사제의 처방빈도는 낮은 편입니다.
4. **치료약물(경구용약물)** : Lamivudine(제픽스®), Adefovir(헵세라®), Entecavir(바라크루드®), Clevudine(레보비르®) Tenofovir(비리어드®) 등이 있으며 주사제보다 독성이 적고 주사를 맞기 위해 내원해야 하는 불편함이 없는 장점이 있으나 HBeAg이 소실될 때까지 최소 1년에서 수년 이상 투여될 수 있습니다.
5. 약물 중 라미부딘은 부작용은 거의 없으나 투여기간이 길고 내성이 잘 생기는 단점(5년 70% 이상)이 있어 최근에는 사용이 감소한 추세이며 또는 아데포비어 등과 병합요법으로 사용되기도 합니다. 아데포비어는 내성이 잘 생기지 않으나 신독성 부작용에 주의해야 하고, 엔테카비어는 내성발현률이 가장 낮은 장점이 있으나 약제비가 높은 편입니다. 테노포비어는 가장 최근에 보험급여인정이 된 약제로 강력한 효과로 사용이 확대되고 있습니다.

Tip B형간염 예방접종

1. HBsAg과 anti-HBs 검사 결과가 모두 음성인 소아와 성인을 대상으로 시행하며 특히 감염된 가족이 있거나 혈액투석환자, 자주 수혈받아야 하는 환자(혈우병 등), 의료종사자, 성매개질환 고위험군(성매매, 동성연애자) 등에서는 우선접종 대상이 됩니다.
2. 보통 초회 접종 후 1개월 후, 6개월 후에 추가접종을 시행하며 이렇게 총 3번의 접종 후에 anti-HBs 수치가 10 IU/L 이상이면 양성(예방가능한 항체가 형성된 상태)으로 판단합니다. 3회 접종 후에도 항체가 형성되지 않으면 2회 더 접종하기도 하며 그래도 항체가 형성되지 않으면 무반응군으로 판단하고 추가접종은 시행하지 않습니다.
3. 산모 HBsAg가 양성인 신생아의 경우에는 생후 12시간 이내에 HBIG(면역글로불린) 및 B형간염 1차접종을 시행합니다.

52-3 C형 간염

(1) 임상경과

1. 급성으로 감염된 후에도 85-90%에서 감염상태를 만성적으로 지속하며 50-80%에서 만성 간염으로 진행하며 약 20%에서 10년 이내에 간경변증(LC)으로 진행합니다.
2. 유전자형에 따라 다르지만 자연소실되는 경우는 연간 1% 미만으로 극히 드문 편입니다.

(2) 관련검사

1. 바이러스 관련검사 : anti-HCV, HCV-RNA, HCV RIBA, HCV genotype **[참조 : 27-5]**
2. 기타 관련검사 : CBC, LFT, PT, AFP, 간초음파검사 등
3. anti-HCV가 스크리닝 목적으로 주로 이용되고 확진을 위해서 HCV-RNA, HCV RIBA 등이 이용됩니다. HCV genotype는 유전자형을 판별해 치료기간이나 예후를 판정하는데 도움이 됩니다. 기타관련검사는 간의 상태를 확인하고 간경화, 간암 등을 조기진단하기 위한 검사입니다.

(3) 치료

1. 만성 C형 간염의 치료목표는 HCV RNA가 음성으로 진환하는 것이며 치료를 종료한지 24주가 지난 후에도 PCR 검사에서 음성상태여야 지속바이러스반응(sustained virologic response, SVR)을 달성했다고 봅니다. (cf. SVR12는 치료종료 12주째 검사시) 일단 SVR 상태가 되면 재발하는 경우가 거의 없기 때문에 바이러스 완치상태로 간주되며, 재발한다고 해도 보통 재감염으로 추정됩니다.
2. 지난 30여년간 표준요법으로 [페그인터페론(peg IFN alpha) + 리바비린Ribavirin] 병용요법이 사용되어 약 55%의 SVR을 보였습니다. 특히 Genotype(유전자형)에 따라 치료반응도가 달라지는데 2형 또는 3형일 경우에는 24주의 병용요법 치료로 반응률이 좋은 반면, 1형 또는 4형은 48주 치료를 기본으로 하고 특히 12주째 시행한 HCV RNA 정량검사에서 호전반응이 없으면 이후의 치료도 의미없다고 보고 치료를 중단합니다.
3. 최근에는 바이러스에 직접 작용하는 DAA제제(direct-acting antiviral agent)가 출시되어 일부 아형에 있어서는 완치에 가까운 90% 이상의 높은 SVR을 보이기도 하였습니다. 특히 DAA제제는 주사제이면서 24~48주간 치료하는 인터페론과는 달리 경구용제제이고 투약기간이 12~24주 정도로 짧아 더욱 각광받고 있습니다. Daclatasvir(다클린자®), Asunaprvir(순베프라®), Sofosbuvir (소발디®) 등이 출시되어 있고 12주 또는 24주의 단독요법으로 사용되거나 DDA간 또는 인터페론과의 병합요법 등으로 사용이 급증하고 있는 추세입니다.

52-4 한의학적 접근

1. 한의학에서는 黃疸, 積聚, 脹滿, 酒傷, 勞倦傷, 脇痛 등의 범주에서 간질환에 접근할 수 있습니다. 간염에 관련된 임상연구로는 소시호탕(小柴胡湯)에 대한 임상연구가 많이 시행된 바 있는데 주로 인터페론 등 기존의 항바이러스치료가 실패하였거나 적응증이 되지 못한 경우에 적용되었습니다.[5-7] 특히 C형 간염에 대한 연구도 진행되었으며 2상(phase II) 임상시험결과 인터페론 실패군에 적용할 수 있는 가능성을 보인 바 있습니다.[8]
2. 간경화 환자들을 대상으로 한 전향적 연구에서 소시호탕 투여군의 HCC 발생비율이 비투여군 보다 감소했으며 이는 특히 HBsAg이 없는 간경화 환자군에서 뚜렷했습니다.[9]
3. 국내연구로는 라미부딘 또는 인터페론 투여력이 있는 B형간염환자에게 인진청간탕(茵蔯淸肝湯)을 투여하여 비록 Seroconversion은 나타나지 않았으나 임상증상 및 AST/ALT 결과가 호전된 증례들이 발표되었고, 바이러스성 간염이 아닌 약인성 간손상의 경우에도 茵蔯淸肝湯, 生肝健脾湯 등으로 치료한 증례들이 보고된 바 있습니다. [10-13]

REFERENCES

1. Marc S Sabatine. Pocket Medicine. 3rd Ed. Lippincott Williams & Wilkins. 2007.
2. Kent RN et al. The Osler medical handbook. Saunders. 2006.
3. 서동진. 만성B형간염의 최신지견 in 내과학의 최신지견 XII. 군자출판사. 2010.
4. Hoofnagle JH, Seeff LB. Peginterferon and ribavirin for chronic hepatitis C. N Engl J Med. 2006;355:2444-2451.
5. Oka H, Yamamoto S, Kuroki T et al. Prospective study of chemoprevention of hepatocellular carcinoma with Sho-saiko-to (TJ-9). Cancer. 1995 Sep 1;76(5):743-9.
6. Gibo Y. Clinical evaluation of shosaikoto for chronic hepatitis C - long term comparison with no treatment group. Kampo Igaku (Kampo Medicine) 1994; 18: 396-9.
7. Chang JS, Wang KC, Liu HW et al. Sho-saiko-to (Xiao-Chai-Hu-Tang) and crude saikosaponins inhibit hepatitis B virus in a stable HBV-producing cell line. Am J Chin Med. 2007;35(2):341-51
8. Deng G, Kurtz RC, Vickers A et al. A single arm phase II study of a Far-Eastern traditional herbal formulation (sho-sai-ko-to or xiao-chai-hu-tang) in chronic hepatitis C patients. J Ethnopharmacol. 2011;136(1):83-7.
9. Oka H, Yamamoto S, Kuroki T et al. Prospective study of chemoprevention of hepatocellular carcinoma with Sho-saiko-to (TJ-9). Cancer. 1995;76(5):743-9.
10. 이은형, 김상헌, 박상은 외. 한약과 양약의 병용 치료를 통한 약인성 간손상 치험례 1례. 동의생리병리학회지. 2007;21(1):285-290.
11. 정종수, 윤성우, 박재우 외. 인진청간탕으로 호전을 보인 반복적 약인성 간손상 환자 1례. 대한한방내과학회지. 추계학술대회. 2009.
12. 박진규, 이장훈, 김영철 외. 인터페론 투여 중단한 만성 B형 간염에서 인진청간탕 투여 관찰한 1례. 대한한방내과학회지 춘계학술대회. 2011.
13. 이지은, 이장훈, 우홍정 외. 라미부딘 투여 중단후 재발한 만성 B형 간염에서 인진청간탕 투여 관찰한 2례. 한방내과학회지. 춘계학술대회. 2005

53 폐렴

53-1 개요

(1) 정의 및 용이

1. 폐렴(Pneumonia, Pn)은 감염균에 의해 폐실질에 염증이 발생한 상태를 의미합니다. 특히 노인에게는 치명적일 수 있고 폐렴으로 입원한 환자에서 평균 15% 정도의 사망률을 보이므로 조기에 효과적인 항생제치료가 중요합니다.
2. 방사선치료로 인한 폐의 염증, 위산 등이 역류하여 발생한 폐렴 등 비감염성 원인의 폐렴은 Pneumonia가 아닌 Pneumonitis로 표현되지만 혼용되어 사용되기도 합니다.

(2) 폐렴의 분류

1. 감염경로에 따라 원외폐렴(또는 지역사회폐렴 community-acquired pneumonia, CAP)과 원내폐렴(또는 병원획득폐렴 hospital-acquired pneumonia, HAP)로 크게 구분하며 보통 입원 48시간 이후에 발생한 폐렴을 원내폐렴(HAP)으로 분류합니다. 음식물 등이 기도로 잘못 넘어가 발생하는 흡인성폐렴(Aspiration Pn)도 별도로 분류할 수 있습니다.
2. 최근에는 입원하지 않았으나 정기적으로 병원을 이용하는 환자들에게 발생하는 폐렴을 의료기관관련폐렴(healthcare-associated pneumonia, HCAP)로 구분하기도 하며 진단과 치료는 HAP에 준하는 경우가 많습니다.
3. 원외폐렴(CAP)의 경우 임상양상에 따라서 정형적폐렴(Typical Pn)과 비정형폐렴(Atypical Pn)으로 구분되지만 증상만으로 모두 구별되는 것은 아닙니다. 특히 소아나 젊은 청년에 많은 비정형폐렴은 혈청학적 진단법의 정확성이 높지 않고 균배양검사에 시간이 오래 걸려 주의해야 합니다.

	Typical Pn	Atypical Pn
발병	급성으로 발병	비교적 느리게 잠행성으로 발병
증상	발열, 객담, 기침, 호흡곤란 등	마른기침, 두통, 오심/구토, 피로, 근육통 등
원인균	S. pneumoniae(m/c), H. influenzae 등	Mycoplasma, Legionella, Chlamydia 등

53-2 진단 및 입원기준

(1) 관련검사

1. **기본검사** : V/S(SpO_2 포함), CBC/DC, ESR, CRP, 기본화학검사(LFT, BUN/Cr, Electrolytes 등), CXR(PA, Lateral), Sputum study(Gram stain/culture/AFB stain), Blood culture
2. **추가검사** : ABGA, HRCT, serum mycoplasma IgM, urine Legionella Antigen, urine S. pneumoniae Antigen 등
3. 객담검사(Sputum study)에서의 AFB stain은 결핵유병률이 높은 국내 현실을 고려한 것입니다. 추가검사 중 ABGA는 호흡곤란시, HRCT는 CXR에서 명확하지 않을 경우 보다 정확한 영상을 얻기 위해 시행하며 기타 원인균을 파악하기 위한 혈액 또는 소변검사를 시행할 수 있습니다.

[참고] 보건복지부 고시 "건강보험 행위 급여·비급여 목록표 및 급여 상대가치점수 개정(제 2007-113호)" 의 요양병원 급여목록에 의한 폐렴의 진단기준 *

다음 A과 B의 조건을 모두 만족시킬 때 폐렴으로 청구할 수 있는 진단기준으로 합니다.

A. 흉부방사선 상 신규 또는 진행성 폐 침윤(new or progressive infiltration)의 소견

B. A의 소견이 있으면서 다음 중 2가지 이상에 해당되는 경우

1) 폐렴으로 인하여 체온이 38° C를 초과하는 경우
2) 백혈구 수가 4,000/㎣ 미만 또는 12,000/㎣를 초과하는 경우
3) 새로 발생한 화농성 객담 또는 객담양상의 변화, 또는 새로 발생하거나 악화된 기침
4) 흉부 진찰 결과 Rale(Crackle)이 있는 경우
5) 혈액가스 검사결과 이상이 있는 경우(PaO_2가 60mmHg 미만 등)

---

(2) 입원기준 및 중등도 평가

1. 입원여부나 폐렴의 중등도를 평가하는 기준은 PORT(Pneumonia patients outcomes team) 방식과 이보다 간편한 CURB-65 방식이 있습니다.
2. PORT 중등도 지표산정 및 위험군 분류는 다음과 같습니다.

환자특성	점수	동반질환	점수		합계점수	분류
남자 여자 요양시설 거주	본인나이(세) 본인나이(세)-10 +10	악성종양 간질환 울혈성심부전 뇌혈관질환 신질환	+30 +20 +10 +10 +10		50세 이하 신체검진(-)	외래
					70점 이하	외래
검사결과	점수	신체검진	점수		71-90점	단기입원

* 배양검사 등 추가적 검사가 쉽지 않은 경우에도 참고할 수 있는 기준입니다.

동맥혈 pH 〈7.35	+30					
BUN 〉 30	+20	의식변화	+20		91-130점	일반입원
Na 〈 130	+20	호흡수 ≥ 30/분	+20			
Glucose 〉250	+10	수축기혈압 〈90	+20			
Hematocrit 〈30	+10	체온 〈35 or ≥40℃	+15		〉130점	ICU입원
PaO_2〈60 or SaO_2〈90	+10	맥박 ≥ 125/분	+10			
Pleural effusion	+10					

3. CURB-65의 지표산정 및 위험군 분류는 다음과 같습니다. 혈액검사가 불가능한 경우에는 Urea 검사부분을 제외한 CRB-65로 계산하여 1개 이상이면 입원치료를 고려하고 3개 이상이면 고위험군으로 분류합니다.

Confusion Urea(BUN) 〉 20mg/dL RR (Respiratory rate) : 분당 30회 이상 BP (Blood pressure) : sBP〈90 또는 dBP〈60 65세 이상	0-1개	저위험군 : 외래치료가능
	2개	중등도 위험군 : 입원치료
	3-5개	고위험군 : 입원(ICU)치료

4. 노인의 경우 발열이 없이 빈맥, 빈호흡, 식욕부진, 의식착란 등의 증상으로 나타나기도 하므로 주의합니다.

53-3 치료

(1) 개요

1. 각종 검사에도 불구하고 약 50%에서 뚜렷한 원인균이 밝혀지지 않으므로 일단 경험적 항생제를 투여하면서 경과 및 배양검사결과에 따라 항생제 교체를 고려합니다.
2. 항생제 치료의 반응여부는 48-72시간 정도 경과한 이후에 평가하며 일반적으로 항생제 투여 3일내로 임상적 호전을 보이게 됩니다. 단 Chest X-ray의 호전소견은 실제 호전정도보다 조금 늦게 나타날 수도 있음에 유의해야 합니다.
3. 일단 IV 항생제로 먼저 시작하지만 호흡곤란, 기침, 발열 등이 호전되고 WBC 수치가 정상화되면 발열이 해소된 3-5일이 지난 후 경구항생제로 변경하는 것을 고려합니다. 전반적인 몸 상태가 호전되면 퇴원하여 외래치료로 변경할 수도 있습니다.
4. 항생제 투여기간은 환자상태에 따라 달라질 수 있으나 일반적으로 S. pneumoniae는 7-10일, 비정형폐렴이나 스테로이드 장기사용환자의 경우는 10-14일 치료를 기준으로 합니다.
5. 2-4주 이상의 항생제 치료에도 Chest X-ray 등의 호전이 없다면 폐암 또는 다른 원인의 감

별을 위하여 기관지내시경 검사 등을 시행하기도 합니다.

(2) 경험적 항생제

1. 경험적 항생제(Empiric antibiotics)는 병원균의 확진 전에 해당 지역사회의 데이터나 치료 경험에 기반하여 항생제 투여를 시작하는 것입니다. 국내의 항생제 내성률 및 임상현실은 미국, 영국 등과 상이하므로 해외의 Guideline이 그대로 적용될 수 없음에 유의합니다.
2. 일반적인 정형적 폐렴에서는 Cefuroxime, Ceftriaxone, Amoxicillin+ Clavulanic acid (Augmentin®) 등과 같은 베타락탐계 항생제나 Levofloxacin, Moxifloxacin과 같은 호흡기계 퀴놀론(respiratory Quinolone= new Quinolone)을 사용합니다.
3. 특히 심폐질환 등의 위험인자가 있거나 중환자실 입원이 필요한 경우는 베타락탐계와 함께 Macrolide 항생제나 호흡기계 퀴놀론를 병합하여 사용합니다. MDR(다제내성, Multi-drug resistence) 위험이 큰 경우에도 병합요법을 시행합니다.
4. 소아나 40세 이하의 청년층에 많은 비정형적(atypical)폐렴에서는 베타락탐계 항생제는 효과가 없으므로 Clarithromycin, Azithromycin 등과 같은 Macrolide 항생제나 Levofloxacin, Moxifloxacin과 같은 호흡기계 퀴놀론을 사용합니다. 단 Macrolide의 경우 국내에서는 내성 비율이 높으므로 단독요법 보다는 병합요법으로 많이 사용됩니다.

(3) 배양검사 결과에 따른 항생제

1. 균배양검사에서 원인균주를 확인되면 약제 감수성 검사를 고려하여 항생제변경을 고려합니다.
2. 특히 녹농균(Pseudomonas) 감염결과가 나오면 Imipenam, Meropenem, Ciprofloxacin, Piperacillin +Tazobactam(Tazocin®) 등 Pseudomonas를 커버할 수 있는 항생제로 투여해야 합니다.

Tip 폐렴예방접종

1. 폐구균백신(Pneumococcal Vaccine)이 보다 정확한 용어이며 지역사회폐렴의 가장 흔한 원인균인 폐렴구균만을 예방하므로 다른 균에 의한 감염은 예방할 수 없습니다.
2. 소아, 65세 이상의 노인, 면역기능저하자(종양, HIV, 장기이식자) 등에서 시행이 권장됩니다.

(3) 한방치료

1. 肺溫, 春溫, 冬溫, 發熱, 咳嗽, 風寒喘 등의 범주에서 치료하며 주로 衛氣營血辨證을 많이 사용합니다.

2. 초기에는 銀翹散, 桑杏湯을 고열기에는 白虎湯, 黃連解毒湯, 淸燥救肺湯 등을 사용할 수 있고 어느정도 병세가 회복된 이후에는 補中益氣湯, 竹葉石膏湯, 沙蔘麥門冬湯 등의 사용을 고려할 수 있습니다.
3. 정경침 : 大杼, 肺兪, 列缺 中府 曲池, 內關 등
4. 임상연구 :
   1) 淸肺湯 : 재발성 흡인성폐렴 환자에 기존치료에 병행하여 淸肺湯을 투여한 군의 임상경과가 비투여군 보다 개선[7]
   2) 肺炎方* : 뇌졸중에 병발된 폐렴에 대하여 항생제와 동시에 투여한 환자군연구로 14례 중 완치 10례, 악화 2례가 있었으나 기저상태의 중증도를 고려하여 결과를 판단함이 필요[8]
   3) 柴梗半夏湯 : 뇌졸중에 병발된 폐렴이 있는 환자에게 항생제 사용없이 柴梗半夏湯 단독으로 치료하여 완치된 증례[9]

REFERENCES

1. Fauci AS et al. Harrison's Principles of Internal Medicine 17th ed. McGraw-Hill Medical. 2008.
2. Marc S Sabatine. Pocket Medicine. 3rd Ed. Lippincott Williams & Wilkins. 2007.
3. Kent RN et al. The Osler medical handbook. Saunders. 2006.
4. 가톨릭의과대학 내과학교실. Current principles and clinical practice of Internal medicine. 군자출판사. 2008.
5. 林寛之, 송형곤, 심민선 역. 응급실 이제 두렵지 않다. 대한의학서석, 2008
6. 박종현, 박치상, 신병엽. 폐렴의 양 한방적 고찰. 제한동의학술원논문집. 1999;4(1):759-773.
7. Mantani N, Kasahara Y, Kamata T et al. Effect of Seihai-to, a Kampo medicine, in relapsing aspiration pneumonia--an open-label pilot study. Phytomedicine. 2002;9(3):195-201.
8. 정희재, 정승기, 이형구 외. 뇌졸중에 병발된 폐렴환자의 임상적 고찰. 대한한방내과학회지 2000;21(5):723-728.
9. 이경진, 김재홍, 문상관 외. 뇌졸중의 폐렴합병증에 대한 시경반하탕의 치험 1예. 경희의학. 1999;15(1):107-110.

* 金銀花 30g, 沙蔘 15g, 桔梗, 枳殼, 黃芩, 白朮 10g, 生地黃, 白茯苓, 澤瀉, 前胡, 柴胡, 荊芥, 連翹, 石膏 8g으로 구성

54 천식 / COPD

54-1 개요

(1) 개요

1. 천식(asthma)과 만성폐쇄성폐질환(chronic obstructive pulmonary disease, COPD)은 기도 환기장애를 유발하는 대표적인 질환으로서 만성적인 호흡곤란, 기침 등의 증상이 일면 유사하면서도 서로 다른 병리적 특성과 임상경과를 보입니다.
2. 전세계적으로 천식은 GINA 가이드라인(Global Initiative for Asthma)이, COPD는 GOLD 가이드라인(Global Initiative for Chronic Obstructive Lung Disease)이 표준적인 치료지침이 되고 있으며 국내에서는 별도로 한국형 진료지침이 간행되어 사용됩니다.

(2) 천식과 COPD

1. 천식은 알레르기 반응을 기본으로 하는 기도의 만성적인 염증질환(호산구성)으로서 기도의 과민성과 가역성 기류제한 등이 특징적입니다. 주로 유년기부터 시작하는 경우가 많고 비염, 아토피 등을 동반하는 경우도 많으며 기도폐쇄는 대부분 가역적(reversible)입니다.
2. 반면 COPD는 주로 흡연 (또는 실내오염이나 직업적노출) 등에 의한 호중구성 염증질환으로서 만성기관지염, 폐기종(폐실질파괴) 등의 요소를 포함하고 있고 비가역적인 기류제한의 특성이 있습니다. 계절환경에 따라 증상변화가 심한 천식과는 달리 호흡곤란 정도가 비교적 일정한 편인데, 보통 장기간 담배를 피우던 사람이 중년기 이후 서서히 숨차거나 기침, 가래가 나타나는 등의 증상으로 시작하는 경우가 많습니다.
3. 10~30%의 환자들은 천식과 COPD의 특성을 모두 가지고 있으며 이를 천식-COPD 중복증후군(Asthma COPD Overlap Syndrome, ACOS)이라고도 합니다. 중년 이후의 천식 환자로서 장기간 흡연으로 COPD를 일으키는 경우 등이 대표적이며 단독으로 1가지 질환만 가지고 있을 때보다 삶의 질이나 임상경과는 불량한 편입니다.

54-2 천식의 진단 및 치료

(1) 천식의 진단

1. 천식의 진단은 1) 호흡곤란, 천명, 가슴답답함, 기침 등과 같은 반복적인 호흡기 임상증상과 함께 2) 아래와 같은 가변적인 호기기류제한이 확인되어야 진단됩니다.

가변적인 호기기류제한 (variable expiratory airflow limitation)
- 기관지확장제 반응 양성*
- 2주간 1일 2회 측정한 최고호기유량(PEF)의 과도한 변동성
- 4주간 항염증 치료 후 폐기능의 유의한 개선
- 운동유발시험 양성
- 기관지유발시험 양성 (메타콜린 유발시 FEV1 20%이상 감소 등)
- 매 방문 시 측정한 폐기능의 과도한 변동성

2. 임상증상은 일반적으로 한 가지 이상의 증상으로서 시간에 따라 다양한 강도로 나타나고 (야간 또는 기상직후 악화) 운동, 웃음, 알레르겐, 찬 공기 및 바이러스감염 등에 의해 나타나거나 더 악화될 수 있습니다.

(2) 천식의 치료제

1. 천식의 치료제는 크게 천식증상의 발생을 억제하기 위해 평소 지속적으로 투약하는 질병조절제(controller)와 이미 천식 증상이 발생했을 때 급성증상의 경감을 위하여 사용하는 증상완화제(reliever)로 구별됩니다.
2. 질병조절제 : 흡입형 스테로이드제(inhaled corticosteroid, ICS) 지속성 베타2항진제 (Long-acting Beta2 agonist, LABA)** 지속성 무스카린 작용제 (Long- acting Muscarinic Antagonist, LAMA) ***, 항류코트리엔제, 서방형 테오필린 등
3. 증상완화제 : 속효성 베타2항진제 (Short-acting Beta2 agonist, SABA), 경구용 스테로이드, 속효성 항콜린제, 속효성 테오필린 등
4. 기관지확장의 효능을 가진 LABA와 LAMA 및 경구형 테오필린제를 묶어서 지속성 기관지확장제(Long acting bronchodialator)로 부르기도 합니다.

---

* 살부타몰 200-400㎍ 흡입 10-15분 후 FEV1 증가가 기저치보다 〉 12%이면서 〉 200 mL (SABA 최소 4시간, LABA 최소 15시간 중단 후 시행)

** 지속형 무스카린 작용제로 부르기도 함.지속형 지속형 항콜린 작용제기관지확장제

*** 지속형 항콜린제(long-acting anticholinergic, LAAC)로 부르기도 함.

작용기전	특징	약물례(상품명)
Beta-2 agonist, inhalants	[베타2 항진제. 흡입제] 평활근을 지속적으로 이완시켜 기관지확장 작용 1) 빠르게 천식발작을 안정시키는 속효성(SABA). 4-5시간 효과지속. 2) Steroid가 복합된 12시간 지속성(LABA+steroid)/ 최대효과는 흡입 2시간 이후. * Ventolin의 성분명은 국가에 따라 Albuterol로도 명명됨.	1) Salbutamol (벤토린) 2) Salmeterol+ fluticasone (세레타이드) Formoterol+Budesonide (심비코트)
Other Inhalants	[기타흡입제] 1)흡입형 스테로이드(ICS) - 기도의 염증을 치료 2)속효성 항콜린제 (Anticholinergics) (SAAC) 기관지 확장효과 8시간 지속 3)지속성 항콜린제(LAMA=LAAC) 24시간 지속. 주로 천식보다는 COPD에 사용.	1)Budesonide(풀미코트) Fluticasone(후릭소타이드) 2)Ipratropium(아트로벤트) 3)Tiotropium(스피리바)
Xanthines	[잔틴계] 카페인도 잔틴계에 속함. 기관지 확장효과가 있으나 빈맥, 불안, 두통 등의 부작용에 주의	Theophylline Aminophylline
Antileukotriene	[항류코트리엔제] 기관지수축의 원인물질인 류코트리엔을 차단. 증상조절, 예방위주로 사용. 특히 아스피린에 예민한 천식시 좋은 효과.	Montelukast (싱귤레어) Pranlukast(오논) Zafirlukast(아콜레이트)
PDE4 inhibotor	[Phosphodiesterase 4 억제제] 염증과 관련된 PDE-4 효소를 억제하여 COPD 악화감소. 설사 및 구역 부작용	Roflumilast(닥사스)

(3) 치료약물의 선택

1. 질병조절제의 가장 기본은 흡입형 스테로이드제(ICS)를 사용하는 것이며 이와 별도로 급성 증상 발생시를 대비하여 증상완화제를 준비하는데 벤토린과 같은 SABA가 대표적입니다.
2. ICS의 사용은 천식증상의 감소, 삶의 질 개선 및 천식에 의한 사망률 감소 등이 입증되었으나 천식자체를 완치시키는 것은 아니며 ICS 중단시 수주~수개월 이내에 천식의 악화가 발생하게 됩니다. 장기간 사용시 국소적으로는 구강칸디다증, 발성장애 등이 발생할 수 있고 전신적으로는 부신억제, 골밀도감소 등이 발생할 수 있으나 경구용 스테로이드에 비해서는 전신부작용 문제가 크지 않은 편입니다.
3, 최근에는 심비코트(Salmeterol+ICS), 세레타이드(Formoterol+ICS) 등과 같이 LABA와 ICS를 결합한 복합제가 주로 많이 사용되고 있으며 정량분무식 흡입기(metered dose inhaler, MDI) 용기에 담겨져 공급됩니다. 이러한 흡입기는 기관지점막에 직접 투여할 수 있어 전신부작용을 줄이면서도 병소의 약물농도는 높게 유지할 수 있으며 일상생활 중에도 비교적 간편하게 흡입할 수 있다는 장점이 있습니다.

4. 약물선택에 관한 자세한 내용은 아래의 천식진료지침(대한결핵 및 호흡기학회)의 가이드라인을 참고합니다.

[천식치료를 위한 단계적 접근방식]

<table>
<tr><th></th><th>단계1</th><th>단계2</th><th>단계3</th><th>단계4</th><th>단계5</th></tr>
<tr><td>추천 질병조절제</td><td rowspan="4">저용량 ICS고려</td><td>저용량 ICS</td><td>저용량 ICS/LABA</td><td>중간/고용량 ICS/LABA</td><td>추가적 치료위해 천식전문의 의뢰 (예, 항 IgE 단클론항체 등)</td></tr>
<tr><td rowspan="3">대체가능 질병조절제</td><td>류코트리엔 조절제</td><td>중간/고용량 ICS</td><td>고용량 ICS+ 류코트리엔 조절제 (또는 서방형 테오필린 추가)</td><td rowspan="3">저용량 전신 스테로이드 추가</td></tr>
<tr><td rowspan="2">저용량 서방형 테오필린</td><td rowspan="2">저용량 ICS+ 류코트리엔 조절제 (또는 서방형 테오필린 추가)</td><td>중간 또는 고용량 ICS/LABA +류코트리엔 조절제 (and/or 서방형 테오필린)</td></tr>
<tr><td>천식 전문가 의뢰</td></tr>
<tr><td>증상완화제</td><td colspan="2">필요시 속효성 흡입 베타2 항진제</td><td colspan="3">필요시 속효성 흡입 베타2 항진제, 또는 ICS/ 포모테롤</td></tr>
</table>

54-3 COPD의 진단 및 치료

(1) COPD의 진단

1. 호흡곤란, 기침, 가래 등이 동반된 40세 이상의 환자로서 흡연력이 있거나 위험인자(분진, 가스 또는 취사-난방 등의 집안 연기)에 노출력이 있으면 일단 COPD를 의심하고 이후 확진을 위해 폐활량측정(spirometry) 검사를 진행할 수 있습니다. 임상증상에서 호흡곤란은 운동시 심해지는 것이 보통이고 기침, 가래는 없는 경우도 있습니다.
2. 이후 폐활량 검사에서 FEV1/FVC 〈 0.7 (또는 70% 이하) 이면 COPD로 진단합니다. 풀어 설명하자면 정상인은 전체 노력성 폐활량(FVC)에서 첫 1초간 내쉬는 공기량(FEV 1)이 전체 공기량의 70~80% 정도는 차지하는데 그 이하이면 기류의 제한(airflow limitation)이 있는 것으로 보고 폐쇄성 폐질환으로 판정하게 됩니다. **[참조항목: 42-2]**
3. 최근에는 FEV1/FVC 뿐 아니라 삶의 질이나 호흡곤란 정도 등을 종합적으로 고려하여 진단하려는 경향도 있습니다. 폐활량측정도 엄밀하게는 기관지확장제 흡입 후 폐활량을 측정해야 하나 실제 임상에서 천식과의 감별이나 치료반응예측에 크게 유의하지 않아 그냥

시행하는 경우가 많습니다.

(2) COPD의 증상평가

1. COPD의 증상평가는 크게 1) 호흡곤란 중증도 지표(Modified Medical Research Council, mMRC)와 2) 삶의 질 평가(COPD assessment test, CAT)로 나뉘어 집니다.
2. mMRC는 가장 상태가 좋은 0단계에서 가장 상태가 좋지 않은 4단계까지 5가지 Grade로 구분되고 CAT는 기침, 가래, 호흡곤란, 일상활동 등의 8가지의 질문을 통해 0~5점으로 점수화하여 계산하는데 삶의 질이 가장 좋은 상태는 0점, 가장 나쁜 상태는 40점이 됩니다.

mMRC 점수	호흡곤란내용
0	힘든 운동을 할 때 숨찬 것을 제외하면 숨차서 고생한 적이 없다
1	평지를 빨리 걷거나, 약간 오르막 길을 걸을 때 숨차서 힘들다
2	숨차서 평지를 동년배보다 늦게 걷거나 평지를 자신의 속도로 걸을 때 숨차서 멈추어 쉰다
3	평지를 약 100m 또는 몇 분 동안 걷고 나서 숨차서 멈추어 쉰다
4	너무 숨차서 집 바깥에 못 나가거나 옷을 입거나 벗을 때 숨이 차다

(3) COPD의 치료

1. 천식치료의 가장 기본약물이 흡입형 스테로이드제(ICS)라면 COPD 약물의 근간은 LAMA 또는 LABA 등의 지속성 기관지확장제(Long acting bronchodilator)입니다.
2. 국내 가이드라인에서는 증상의 심각도에 따라 가, 나, 다군으로 구분하여 다음과 같이 처방 약물을 제시하고 있습니다. 가, 나, 다군 모두 SABA는 필요시(prn)마다 사용할 수 있고 다군에 제시된 PDE4억제제는 FEV1이 정상 예측치의 50% 미만이고 중증 환자에서 만성기관지염과 악화병력이 있는 환자에서 기존 약물에 추가하여 사용합니다.

구분	분류기준	우선적 치료방법	악화 또는 mMRC ≥ 2 일 경우의 치료방법
가	FEV1 ≥ 60% + 급성악화 0-1회/년 + mMRC 0-1점 또는 CAT<10점	SABA (prn)	-
나	FEV1 ≥ 60% + 급성악화 0-1회/년 + mMRC ≥ 2점 또는 CAT≥10점	LAMA 또는 LABA	LABA+LMBA
다	FEV1 < 60% 또는 급성악화 2회이상/년 또는 급성악화로 입원력	LAMA 또는 24시간 LABA 또는 ICS/LABA 또는 LABA+LAMA	LAMA + 24시간 LABA ICS/LABA + LAMA PDE4 억제제

3. 대표적인 국제적인 GOLD 가이드라인에서는 아래와 같이 폐활량검사에 따라 4단계로 분류하고 이후 환자군도 검사결과와 임상증상에 따라 4가지 군으로 분류하여 치료합니다.

구분	분류단계	분류기준 (모두 FEV1/EVC 〈70%)
GOLD1	Mild	FEV1 ≥ 80%
GOLD2	Moderate	50%≤ FEV1〈 80%
GOLD3	Severe	30%≤ FEV1〈 50%
GOLD4	Very severe	FEV1 〈 30%

구분	특성	기준	1차 선택약물
A군	저위험 저증상	GOLD 1-2 급성악화≤1회/년 mMRC 0-1 (또는 CAT〈10)	SABA prn 또는 SAMA prn
B군	저위험 고증상	GOLD 1-2 급성악화≥2회/년 mMRC≥2 (또는 CAT≥10)	LABA 또는 LAMA
C군	고위험 저증상	GOLD 3-4 급성악화≤1회/년 mMRC 0-1 (또는 CAT〈10)	ICS/LABA 또는 LAMA
D군	고위험 고증상	GOLD 3-4 급성악화≥2회/년 mMRC≥2 (또는 CAT≥10)	ICS/LABA and/or LAMA

4. 약물요법과 함께 금연, 공기오염지역의 회피, 호흡재활운동, 예방접종(독감, 폐렴구균) 등이 동반되며 필요시 산소요법(만성호흡부전시 하루 15시간 이상)이나 수술요법(폐용적축소술)이 사용되기도 합니다.

(4) COPD의 급성악화

1. 호흡기증상이 일상의 변동범위를 넘어서 치료약제의 변경이 필요할 정도로 급격히 악화된 상태를 의미합니다.
2. 특히 증상이 매우 심하거나 기류제한이 심한 COPD, 새로 발생한 진찰소견(부종/청색증), 심각한 동반질환(특히 심혈관질환), 고령, 일차치료에 반응하지 않는 급성악화 및 가족이나 주위 사람의 도움을 기대하기 어려운 경우는 입원치료를 적극 고려합니다.
3. 치료는 복용중인 약제의 증량 또는 추가를 위주로 하면서 산소요법을 시행하는데 다만 COPD환자에게 고농도산소를 지속적으로 투여하면 이산화탄소 축적이 발생할 수 있으므로 SPO2 기준으로 88~92%를 목표로 합니다. **[참조항목: 83-3]**

54-4 한의학적 접근

1. 급성의 중증상태 호흡곤란 보다는 중등도 이하의 만성상태 위주로 접근을 고려해 봅니다.
2. 천식환자들에게 시박탕(柴朴湯)을 4주 투여한 RCT 연구에서 기관지유발검사(PC20)결과 및 임상증상이 호전되었습니다.[5] COPD 환자에게 보중익기탕을 투여한 연구에서도 투약군이 대조군보다 임상증상 호전, 감기 이환 및 COPD 악화빈도 감소 등이 관찰되었습니다.[12]
3. 청상보하탕(清上補下湯): 국내환자를 대상으로 4주간 투여한 결과 지속성 만성천식에 천식의 발병초기에서도 사용할 수 있는 가능성을 보였습니다.[6] 금은화(金銀花)를 흡입가능하도록 제형화하여 동물실험한 결과도 있으나 임상연구는 더 필요한 상태입니다.[7]
4. 소아천식 환자들에게 급성기처방(焊菜 5 射干 黃芩 白殭蠶 1.5 杏仁 1 麻黃 0.6g)과 관해기처방(山藥 茯苓 12 黃芪 太子參 菟絲子 9g)을 구분하여 투약한 결과 양약투여군(급성기 salbutamol, 관해기 Montelukast)과 동등한 면역학적 지표의 향상이 관찰되었습니다.[10]
5. 침치료(천식) : 기관지확장제(bronchodilator)로 인한 FEV1 개선이 20% 이상인 천식환자에게 列缺 合谷 內關 豐隆 曲池 曲澤을 시술한 crossover 대조군 연구에서는 침치료로 즉각적인 FEV1 과 호흡곤란 등의 호전이 관찰되었으나 호전 정도는 기관지확장제 보다 우월하지는 못했습니다.[9] 소아들에게 태충혈 자침 및 보조혈위의 지압 등으로 치료 기간 중의 천식 증상 및 약물사용량의 감소가 보고되기도 하였습니다.[11]
6. 침치료: COPD 환자의 양약-침치료(太淵 扶突 關元 中脘 足三里 太谿 完骨 肺兪 脾兪 腎兪) 병행군이 대조군에 비하여 각종 호흡관련 지표가 좋아진 RCT 결과도 보고되었습니다.[8]

REFERENCES

1. Kent RN et al. The Osler medical handbook. Saunders. 2006.
2. Fauci AS et al. Harrison's Principles of Internal Medicine 17th ed. McGraw-Hill Medical. 2008.
3. 대한천식알레르기학회 외. 천식진료지침. 2015
4. 대한결핵 및 호흡기학회. COPD 진료지침. 2014
5. Urata et al.Treatment of asthma patients with herbal medicine TJ-96. Respir Med.2002;96(6):469-74.
6. 정승기 외. 淸上補下湯의 기관지 천식 환자에 대한 임상적 효과 대한한의학회지. 2002;23(4):151-160.
7. Park YC et al. Effects of inhalable microparticle of flower of Lonicera japonica in a mouse model of COPD. J Ethnopharmacol. 2014;151(1):123-30
8. Suzuki M et al. A randomized, placebo-controlled trial of acupuncture in patients with chronic obstructive pulmonary disease (COPD). Arch Intern Med. 2012 Jun 11;172(11):878-86
9. Chu KA, Wu YC, Ting YM et al. Acupuncture therapy results in immediate bronchodilating effect in asthma patients. J Chin Med Assoc. 2007;70(7):265-8.
10. Li S et al. Regulatory effects of stage-treatment with established Chinese herbal formulas on inflammatory mediators in pediatric asthma. J Tradit Chin Med. 2013;33(6):727-32.
11. Karlson G et al. Acupuncture in asthmatic children: a prospective, randomized, controlled clinical trial of efficacy. Altern Ther Health Med. 2013;19(4):13-9.
12. Koichiro T. Clinical Usefulness of Hochuekkito in Patients with COPD. Kampo Medicine. 2011;62(3):329-336

55 요로감염

55-1 개요

(1) 정의

1. 요로감염(urinary tract infection, UTI)은 요도에서 신장에 이르는 요로에서 발생한 감염증을 의미합니다. 노인들에게서 가장 흔한 감염으로 특히 요로감염에 대한 방어기전이 취약한 여성이 남성 보다 훨씬 높은 빈도로 감염됩니다.
2. UTI는 해부학적 위치에 따라 신장실질에 감염된 상부요로(upper tract) 감염증과 방광 이하에 주로 감염되는 하부요로(lower tract) 감염증으로 구분됩니다. 외래에서 치료가 가능한 하부요로감염증과는 달리 급성신우신염(acute pyelonephritis, APN) 등의 상부요로감염증은 쉽게 상태가 악화될 수 있어 일반적으로 입원치료가 권유되며 항생제 투여기간도 더 길어집니다.

상부요로감염증	신우신염(Pyelonephritis), 신농양(renal abscess)
하부요로감염증	방광염(Cystitis), 전립선염(Prostatitis), 요도염(urethritis)

(2) 임상증상과 진단

1. 하부요로감염은 방광염(cystitis)이 대표적으로 배뇨통, 빈뇨, 야간뇨, 요실금 등의 방광자극증상이나 혈뇨, 치골상부의 압통(suprapubic pain) 등이 있을 수 있습니다. 발열은 거의 없습니다.
2. 상부요로감염은 신우신염(pyelonephritis)이 대표적으로 빈뇨, 배뇨곤란 등과 함께 발열, 오한, 측복부 통증(flank pain=협통), 오심/구토 등이 발생할 수 있고 감염이 더 진행되면 빈맥, 빈호흡과 함께 의식변화, 쇼크(septic shock)까지 올 수 있습니다. 특히 신장실질의 부종으로 CVA tenderness가 흔히 발견되는 것이 특징적입니다.
3. 노인의 경우 발열이나 배뇨곤란 등의 증상이 없이 피로감, 식욕부진, 의식착란 등의 증상으로 나타나기도 하므로 주의합니다.
4. 진단은 U/A에서 Nitrate가 검출되고 Bacteria가 검출될 때 일단 UTI로 간주할 수 있습니다. 정확한 진단은 요배양검사(urine culture)상 다음과 같이 세균이 나올 때 할 수 있습니다. 세균수가 충분하지 않으면 단순오염(contamination)을 의심하지만 임상증상이 있으면 재검을 고려합니다.

분류		세균수
일반적인 세균뇨의 정의		〉10^5 CFUs/mL
증상 (+)	젊은 여성(cystitis)	〉10^3 CFUs/mL
	젊은 여성(APN)	〉10^4 CFUs/mL
	남성	〉10^4 CFUs/mL
증상 (-) : 무증상성 세균뇨		〉10^5 CFUs/mL (2회 연속)

(3) 관련검사 예

1. 기본검사 : U/A, Urine culture, CBC, BUN/Cr, ESR, CRP 등
2. 추가검사 : KUB, IVP, 신/방광초음파, CT, EKG, CXR, Blood culture 등 - 모든 배양검사(culture)는 항생제 투여가 시작되기 전에 시행되어야 합니다.

55-2 치료

(1) 일반적 관리

1. 하부요로감염과 상부요로감염을 구분하여 치료합니다. 원인균은 E. coli(대장균)가 UTI의 가장 흔한 원인균이므로 이에 맞는 경험적 항생제로 시작하며 증상이 호전되었다고 중도에 항생제 투여를 중단하면 오히려 내성균을 유발할 수 있으므로 치료기간 끝까지 복용하도록 합니다.
2. 도뇨관(foley catheter)를 유치하고 있는 경우는 도뇨관을 교체하며 또는 4-6시간 마다의 간헐적도뇨법(CIC)으로의 변경을 고려합니다.

(2) 하부요로감염 (cystitis 등)

1. 경험적 항생제로 퀴놀론계나 TMP-SMX(Bactrim®)를 3일간 단기투여하는 방법을 사용합니다. 단 당뇨환자, 재발성 UTI, 65세 이상, 질격막(diaphragm) 피임여성, 남성환자이거나 1주 이상 증상이 지속된 경우는 7일투여가 일반적입니다. (Ex. Ciprofloxacin 250mg 1-2T bid)
2. 증상이 지속되거나 2주 이내에 재발하면 소변배양검사 결과를 확인하며 추가적검사 성매개질환(STD)이나 결핵의 경우는 배양검사에서 음성이 나올 수도 있으므로 주의합니다.
3. 최근에는 퀴놀론계 등에 대한 내성이 증가하여 일차선택제로 Nitrofurantoin 또는 TMP-SMX가 권장되기도 합니다.

(3) 상부요로감염 (APN)

1. 일반적으로 오심, 구토 등 임상증상이 심하거나 전신상태가 좋지 않은 환자라면 입원하여 치료합니다. 외래치료인 경우는 하부요로감염과 동일한 항생제요법을 10-14일간 시행합니다.
2. 입원치료시에는 경구투여가 아닌 IV투여로 2-3일간 시행한 후 발열이 해소되면 경구항생제로 전환하여 10-14일간 투여하는 것이 일반적입니다. IV투여시에는 퀴놀론계(Ciprofloxacin 등) 또는 세파계 항생제(Ceftriaxone 등)가 주로 투여됩니다.
3. 항생제 치료 2-3일이 경과하여도 증상의 호전이 없으면 APN이 아닌 요로폐색, 신농양 등의 가능성을 고려하여 신장초음파(U/S)나 CT 등을 시행할 수 있습니다.

(4) 무증상성 요로감염 (asymptomatic bacteriuria)

1. 임상증상이 없으나 U/A 검사상 세균뇨가 나오는 상태로 특히 노인에게서 많이 보이는 상태입니다. 대부분 경우는 별도의 치료가 필요없으며 억지로 항생제 치료를 적용하면 오히려 내성균의 출현을 유발할 수 있습니다.
2. 단 임산부, 소아, 당뇨환자, 백혈구감소증(neutropenia), 요로폐색, 요로계 구조이상, 면역저하, 신장이식, 신기능 장애 등과 같이 합병증이나 신우신염으로의 악화가 잘 되거나 신기능을 악화시킬 위험이 큰 경우에 해당하면 7-10일간의 항생제 치료를 적용할 수 있습니다.
3. 특히 임산부의 경우 APN으로 발전하면 태아 저체중이나 조산의 위험이 높아지므로 미리 적극적으로 치료해야 합니다. 단 임신시에는 퀴놀론계, aminoglycoside, TMP-SMX 등은 금기이므로 대신 세파계 항생제나 amoxillin 등이 사용됩니다.

(5) 재발성 요로감염 (recurrent UTI)

1. 여성의 Recurrent UTI : 1년에 3회 또는 6개월에 2회 이상 UTI가 반복 발생할 때 재발성으로 간주하며 TMP-SMX 또는 퀴놀론 등의 항생제를 저용량으로 6개월-1년간 복용하거나 또는 성관계 2시간 이내에 복용하도록 합니다. 더불어 충분한 수분섭취, 성관계 후 배뇨, 휴식 등의 조치를 취하도록 권장하고 폐경기에서는 Estrogen cream 도포도 시행합니다.
2. 남성의 Recurrent UTI : 요로계 이상에 대한 검사시행이 권장됩니다. 참고로 전립선염(prostatitis)에서 항생제를 사용할 경우 급성이면 4-6주, 만성이면 6-12주의 장기간 치료가 적용됩니다.

55-3 한의학적 접근

1. 한의학에서는 요로감염은 淋症, 癃 등의 범주에 속하며 膀胱濕熱, 下焦濕熱, 腎陰虛 등으로 접근해 볼 수 있습니다. 일반적인 급성감염증은 항생제의 사용이 우선시되지만 임상증상의 완화나 만성적인 상태에서 보조적 효과를 위하여 사용을 고려해 볼 수 있습니다.
2. 한약제제 : 金木八正散 八正散 龍膽瀉肝湯
3. 정경침 : 中極 陰陵泉 三陰交 腎兪 膀胱兪, [熱證] 合谷 曲池, [腎陰虛] 太谿 陰郄 復溜, [脾腎兩虛] 脾兪 足三里
4. 동씨침 : 通腎-通胃-通背 / 火硬-火主 / 下三皇 / 浮間-外間 肩中 雲白
5. 이침 : 膀胱 腎 尿道 尿管 三焦 交感 神門
6. 임상연구
   1) 金木八正散 : 주로 허증보다는 실증의 환자에게 사용하여 효과를 얻은 환자군 연구보고[5]
   2) 전침 : 간질성 방광염(Interstitial Cystitis)에 關元, 陰交, 水道 등의 전침을 시행하여 임상적 효과[6]

REFERENCES

1. Kent RN et al. The Osler medical handbook. Saunders. 2006.
2. Fauci AS et al. Harrison's Principles of Internal Medicine 17th ed. McGraw-Hill Medical. 2008.
3. Marc S Sabatine. Pocket Medicine. 3rd Ed. Lippincott Williams & Wilkins. 2007.
4. Gupta K, Hooton TM,. Naber KG et al. International clinical practice guidelines for the treatment of acute uncomplicated cystitis and pyelonephritis in women: A 2010 update by the Infectious Diseases Society of America and the European Society for Microbiology and Infectious Diseases. Clin Infect Dis. 2011;52(5):e103-20.
5. 노기환, 최동준, 조기호. 腦卒中 患者의 尿路感染 合併症에 대한 金木八正散의 임상효과. 대한한방성인병학회지. 1999;5(1):286-295.
6. 최유행, 이승덕, 김갑성. Effects of Acupuncture on Symptoms in a Patient with Interstitial Cystitis. 대한침구학회지. 2001;18(4):212-220.

56 만성신질환(CKD) / 투석

56-1 개요

(1) 정의 및 원인

1. 만성신질환(chronic kidney disease, CKD)은 1) 3개월 이상 GFR이 60mL/min/1.73m2 미만으로 감소해 있거나 2) 3개월 이상 병리적 이상소견 또는 단백뇨, 고질소혈증(Azotemia), 영상검사상 양측 신장의 크기감소 등과 같은 신손상의 증거가 있을 때 진단됩니다.
2. CKD를 유발하는 가장 흔한 원인은 당뇨와 고혈압이고 이 밖에 Glomerulonephritis(사구체신염, GN), Polycystic kidney disease(다낭성 신장병, PKD), 약물성(drug-induced), 요로감염(UTI) 등으로도 유발될 수 있습니다.

(2) CKD의 병기구분 (K/DOQI 기준)

Stage	GFR	비고	
1기	>90	정상 또는 GFR 증가	
2기	60-89	Mild한 GFR 감소	
3기	30-59	Moderate한 GFR 감소	CRF
4기	15-29	Severe한 GFR 감소	
5기	<15 또는 투석	Kidney failure	ESRD

1. CKD는 GFR에 따라 5단계로 구분되며 단 GFR이 60 이상이면서 신손상의 증거가 없으면 별도로 CKD에 분류하지 않습니다.
2. 어떤 경우든 GFR이 60 미만이면 정상신기능의 절반 이하의 기능을 갖고 있는 상태로서 특히 합병증을 최소화하기 위한 적극적인 대처가 필요합니다. CKD라는 개념이 도입되기 전에 주로 사용되었던 용어 중 CRF(chronic renal failure, 만성신부전)는 주로 CKD 3-4기에 해당하고 투석이나 이식이 필요한 상태에 해당하는 ESRD(말기신질환, end-stage renal disease)는 CKD 5기에 해당합니다.

(3) 관련검사(예)

1. 신기능 관련 : BUN/Cr, GFR, U/A, urine Microalbumin, 신초음파 등
2. 합병증 관련 : Electrolytes, Lipid profile, Total protein/Albumin, 골대사관련(Ca/P, ALP,

PTH) 빈혈관련(CBC, serum Iron, TIBC, Ferritin, Folate) 등

Tip 신증후군 (Nephrotic syndrome)

1. 신증후군은 단백질에 대한 사구체 투과율(glomerular permeability)이 증가되어 단백뇨(1일 3.5g 이상), 저단백혈증(6g/dL 이하), 부종, 고지혈증 등의 증상을 보이는 상태를 지칭하며 GFR은 일정하게 유지된다는 점에서 CKD와 구별됩니다.
2. 사구체신염(glomerulonephritis, GN)이 주원인이 되지만 이차적으로 감염, 약물, 전신질환이나 당뇨, B형간염 등으로 유발되는 경우도 있습니다.
3. 사구체질환 중에서도 미세변화질환(minimal change disease, MCD)처럼 예후가 비교적 양호한 경우도 있으나 치료를 받지 않거나 일부 아형의 경우 쉽게 ESRD로 진행되기도 합니다.
4. 치료는 생활습관교정과 함께 일반적으로 요단백을 감소시키며 신장보호효과가 있는 ARB 또는 ACEi를 주로 사용합니다.

56-2 치료

이미 사구체 손상이 상당부분 진행된 상태의 회복은 어렵기 때문에 완치보다는 병의 진행을 최대한 지연시키는 것을 치료목표로 합니다.

1. **생활습관** : 단백질은 과거 0.7g/kg/day 이하로 제한하기도 했으나 그러한 엄격한 제한이 병의 진행을 막는다는 근거가 부족하므로 체중 1Kg당 하루 0.8-1.0g 정도의 제한이 권장됩니다. 이 밖에 금연, 체중감소, 운동 등이 권장되고 Sodium 섭취제한은 특히 고혈압이 있거나 위험성이 큰 경우 적용됩니다. 고칼륨혈증(hyperkalemia)이 있어 칼륨섭취를 제한해야 하는 경우도 있습니다.
2. **혈압, 혈당, 지질 관리** : 혈압(BP)은 130/80을 목표로 하여 신장보호작용이 있는 ACEi 또는 ARB 등으로 시작해 볼 수 있습니다. (또는 Thiazide 등 이뇨제 사용) 당뇨의 경우 혈당을 엄격히 관리해야 하는데, 단 가장 많이 사용하는 경구용 혈당강하제의 하나인 Metformin은 Cr 〉 1.5mg/dL이면 사용하지 않으며 이 경우 인슐린 사용도 고려합니다. 이상지질혈증이 있는 경우도 일반적인 진료지침에 준하여 치료합니다.
3. **Acidosis** : 대사성 산증이 있는 경우 Bicarbonate 투여를 고려할 수 있습니다.
4. **빈혈** : CKD 환자는 신장에서의 EPO(erythropoietin) 생산이 감소하므로 빈혈이 잘 발생하며 특히 GFR이 60 미만일 때 많이 발생합니다. 치료는 EPO 주사제를 투여할 수 있고 Iron이 부족할 경우는 철분제를 투여합니다. 빈혈수치를 완전히 정상화한다고 해도 뚜렷한 이

득이 없다고 보고되는 만큼 치료목표는 Hb 11.0mg/dL 정도로 하는 것도 권장됩니다.[2,3]

5. **골대사 관련** : 신기능의 감소로 인(phosphate)의 배설이 감소하여 고인산혈증이 발생하면 결국 저칼슘혈증으로 이어지게 되며 이에 따라 뼈로부터 칼슘을 유리하여 혈중 칼슘농도를 높이는 PTH(부갑상선호르몬)의 분비가 자극됩니다. 뼈에서 칼슘이 빠져 나오게 되면 각종 골절의 위험성이 증가하고 골통증(bone pain)도 유발되므로 PTH의 분비를 적절히 억제하는 것도 중요합니다. 치료는 인과 결합하여 체내흡수를 억제하는 phosphate binder를 투여하거나 PTH 수치가 상승해 있으면 Calcitriol과 같은 비타민 D 유도체를 투여해 PTH를 직접적으로 억제합니다.
6. **약물 복용** : 항생제를 비롯한 각종 약물의 처방시 신기능감소를 고려하여 감량되어야 합니다.

56-3 신 대체 요법

(1) 개요

1. 신 대체 요법(renal replacement therapy, RRT)은 CKD의 진행으로 보존 요법만으로는 환자가 견디기 어려운 상태에서 신장의 기능을 대신하는 치료요법으로 크게 투석요법과 신장이식으로 구분됩니다.
2. 보통 GFR이 15 이하로 감소되었을 경우 고려하지만 일반적으로 GFR 등의 절대적 수치보다는 증상이나 합병증 여부에 따라 시행여부를 결정합니다. 특히 Uremia(요독증), 보존적 치료에 호전이 없는 전해질이상이나 산증(Acidosis), 전신부종, 영양상태 악화 등이 있는 경우에 고려합니다.

(2) 투석요법 - 혈액투석 (HD, Hemodyalysis)

1. 인공 신장기를 이용해 노폐물을 제거하는 방법으로 매일 실시해야 하는 복막투석(PD)에 비해 주 2-3회 치료로 충분하고 신체에 카테터를 달고 다닐 필요가 없으며 병원에서 의료진에 의해 투석이 시행되므로 안전한 편입니다.
2. 고정된 스케줄로 병원에 방문해야 하며 투석일 사이에 노폐물 축적이나 투석전후의 전해질 변화가 심합니다. 심혈관계 합병증에 취약해서 심질환이 있는 경우는 복막투석을 대신 시행합니다.
3. 투석시에는 분당 200-300ml 이상의 혈류가 필요하므로 일반 정맥은 사용하지 못하고 동맥과 정맥을 잇는 AVF(arteriovenous fistula, 동정맥루) 수술을 통해 혈관을 확보하며 혈관이 좋지 않으면 인조혈관을 이식하는 AVG(AV graft) 방법이 사용됩니다. AVF 후에는 투석환

자 팔의 해당부위에서 강한 혈류의 진동(thrill)이 느껴지거나 청진시 혈류소리(Bruit)가 들리게 됩니다.

(3) 투석요법 - 복막투석 (PD, Peritoneal dialysis)

1. 복강내에 투석액을 주입하여 복막을 통해 혈액의 노폐물을 걸러내는 투석 방법으로 환자 자신이 집에서 자가시행할 수 있습니다. 또한 매일 일정한 간격으로 시행함으로써 식이 및 수분 섭취가 자유롭고 정상신장의 작용과 비슷하게 유지할 수 있다는 장점이 있습니다.
2. 한번에 1.5-2L의 투석액을 하루 3-4회 씩 주입해 주어야 하는 번거로움이 가장 큰 단점이며, 청결한 환경에서 올바르게 시행하지 않으면 감염으로 인한 Peritonitis(복막염)이 발생할 수 있으므로 주의해야 합니다. 복막액에 의해 횡격막이 상승하므로 심한 폐질환이 있어도 적용하지 않습니다.
3. 복막투석시 사용되는 투석액에는 보통 glucose가 포함되어 있으므로 당뇨, 고지혈증 등의 대사성 부작용이 발생할 수 있으며 당뇨환자의 경우에는 투석액에 Insulin을 mix하여 투여하기도 합니다.
4. 최근에는 자동복막투석(automated PD, APD) 기기를 이용해 수면시 2시간마다 자동으로 투석액을 교환해주는 방법이 사용되기도 합니다. 기계소리가 수면에 방해될 수 있으나 낮 동안 투석액을 갈아주지 않아도 되어 일상생활이 비교적 자유로운 장점이 있습니다. APD와 비교하여 하루 3-4회 환자가 수동으로 교환하는 방법은 CAPD(continuous ambulatory PD)라 합니다.

(4) 신장이식 (Kidney transplantation, KT)

성공적으로 시행되었을 경우 삶의 질이 가장 좋고 비교적 자유로운 식생활이 가능하지만 일단 시행을 위해 Donor(기증자)가 필요하고 수술 후 면역억제제의 복용이 필요합니다. 이식 수술 후 이식받은 신장이 기능을 유지할 확률은 수술 1년 후 약 94%, 5년 후 약 80% 이상이 됩니다.

56-4 한의학적 접근

1. 환자상태에 따라 제한적으로 사용을 시도해 볼 수 있으나 신기능검사 f/u 등이 동반되어야 합니다. 필요시 용량을 적절히 감량하는 것도 고려합니다.
2. 한약 처방 중 시령탕(柴苓湯)은 CKD나 소아 또는 성인의 IgA신증 등에서도 유의한 개선효과를 보였고 [4,5] 온비탕(溫脾湯)* 도 만성신부전(CRF), 당뇨병성 신증(nephropathy) 등에 개

선효과가 보인 결과가 보고되었습니다. [6-8]

3. 막성신병증(membranous nephropathy) 환자에게 한약처방*을 투여한 결과 면역억제제 + 스테로이드 투여군에 비하여 부작용은 적으면서도 동등한 치료효과를 보였습니다. [10]
4. 만성신질환(CKD) 3기 환자에게 ACEi 투여와 함께 변증별 한약(當歸補血湯, 下瘀血湯, 防己黃芪湯, 土茯苓湯 가감방)을 병용투여한 결과 ACEi 단독투여군에 비하여 신기능 향상과 단백뇨감소에 우월한 효과가 보고되었고, [11] 또 다른 연구에서는 CKD 2기 환자들에게 육미지황탕 가미방을 투여하여
5. 복막투석 환자에게 涌泉, 足三里, 陽陵泉, 三陰交의 지압 및 전기자극을 시행하여 피로도와 수면상태, 우울감을 개선시켰다는 보고가 있습니다. [9]

REFERENCES

1. Marc S Sabatine. Pocket Medicine. 3rd Ed. Lippincott Williams & Wilkins. 2007.
2. Levin A, Hemmelgarn B, Culleton B et al. Guidelines for the management of chronic kidney disease. CMAJ. 2008;179(11):1154-62.
3. Drueke TB, Locatelli F, Clyne N, et al. Normalization of hemoglobin level in patients with chronic kidney disease and anemia. N Engl J Med. 2006;355:2071-84.
4. Yoshikawa N, Ito H, Sakai T, et al. A prospective controlled study of Sairei-to in childhood IgA nephropathy with focal/minimal mesangial proliferation. Nihon Jinzo Gakkaishi (The Japanese Journal of Nephrology) 1997; 39: 503-6.
5. Saruta T, Konishi K. Efficacy of Kampo medicines for renal diseases - with emphasis on saireito. 21 Seiki no Iryo to Kampo (Medical Care and Kampo in the 21st Century) 1994: 157-65.
6. Mitsuma T, Yokozawa T, Oura H et al. Clinical evaluation of kampo medication, mainly with wen-pi-tang, on the progression of chronic renal failure. Nippon Jinzo Gakkai Shi. 1999 Dec;41(8):769-77.
7. Wang J, Wan YG, Sun W et al. Progress in Japanese herbal medicine in treatment of chronic kidney disease. Zhongguo Zhong Yao Za Zhi. 2008 Jun;33(11):1348-52.
8. Yokozawa T, Satoh A, Nakagawa T, Yamabe N. Attenuating effects of wen-pi-tang treatment in rats with diabetic nephropathy. Am J Chin Med. 2006;34(2):307-21.
9. Tsay SL, Cho YC, Chen ML. Acupressure and Transcutaneous Electrical Acupoint Stimulation in improving fatigue, sleep quality and depression in hemodialysis patients. Am J Chin Med. 2004;32(3):407-16.
10. Chen Y et al. Efficacy and safety of traditional chinese medicine (Shenqi particle) for patients with idiopathic membranous nephropathy: a multicenter randomized controlled clinical trial. Am J Kidney Dis. 2013;62(6):1068-76.
11. Wang YJ et al, Optimized project of traditional Chinese medicine in treating chronic kidney disease stage 3: a multicenter double-blinded randomized controlled trial. J Ethnopharmacol. 2012;139(3):757-64.

* 온비탕: 천금요방(千金要方) 유래로 8) 논문의 경우, 다음의 용량으로 사용 : 大黃 15 附子 9 甘草 5 人蔘 乾薑 3g

* 막성신병증 투약처방: 黃芪 蔓蔘 丹蔘 白花蛇舌草 薏苡仁 30g, 山藥 20g, 當歸 白朮 蒼朮 白殭蠶 15g, 猪苓 茯苓 12g, 水蛭 1g

57 갑상선질환

▪ 본 장은 다음과 같이 구성되었습니다. 갑상선검사와 관련된 항목은 18장을 참조하여 주십시오.

52-1. 갑상선 기능항진증 (그레이브스병)
52-2. 갑상선 기능저하증 (하시모토병, 그레이브스병의 방사성요오드 치료후, 갑상선절제술 이후)
52-3. 갑상선염
52-4. 갑상선결절 및 갑상선암
52-5. 한의학적 접근

57-1 갑상선 기능항진증

(1) 개요

1. 갑상선기능항진증(hyperthyroidism)은 갑상선의 기능이 부적절하게 높아져 T3, T4 등의 갑상선호르몬의 생산이 과도해진 상태입니다. 갑상선중독증(thyrotoxicosis)은 갑상성기능항진증과 유사한 의미로 사용되기는 하지만 갑상선호르몬제의 과도한 섭취나 종양, 갑상선염 등으로 혈중 갑상선호르몬이 높아진 상태 등도 포함하는 보다 넓은 범주의 용어입니다.
2. 갑상선기능항진증의 가장 흔한 원인질환은 자가면역질환의 일종인 Graves' disease입니다. 자기항체가 TSH receptor에 작용하여 갑상선 호르몬의 생성이 과다해진 상태로서 20-50대 여성에서 호발합니다.

(2) 임상증상 및 징후

1. 빈맥, 불안, 진전, 체중감소, 피로, 열불내성(Heat intolerance), 배변횟수 증가, 월경이상 등 체내대사가 항진된 상태를 보입니다.
2. 안검이 처지거나 안검부종, 결막충혈, 안구돌출, 복시(diplopia) 등의 안병증(ophthalmopathy)이나 갑상선의 크기가 커진 갑상선종(goiter), 경골앞 점액부종(pretibial myxedema) 등도 나타날 수 있습니다. 특히 안병증에서 안구돌출(exophthalmos)은 안와후방의 근육비대, 지방 및 결체조직의 증식으로 발생하며 갑상선 기능이상이 치료되어도 안구돌출 상태는 원상태로 회복되지 않습니다.

(3) 진단

1. TSH 감소, free T4 증가가 특징적이며 2-5% 정도는 T4는 정상이나 T3만 증가하는 T3 tox-

icosis 양상을 보이기도 합니다.

2. TPO Ab는 그레이브스병 환자의 90%에서 양성이나 다른 자가면역성 질환에서도 양성인 경우가 많아 진단적 특이성은 없으며 TBII 또는 TSAb(=TSI)의 측정이 확진에 도움이 됩니다. RAIU, Thyroid scan도 함께 활용됩니다. **[참조항목 : 22-2]**

(4) 치료

계열	특징	약물례(상품명)
Antithyroid, PTU	[항갑상선제] T4에서 T3로의 전환을 억제. 간독성 보고 등으로 임신1기 또는 메치마졸 부작용시에만 처방	Propylthiouracil (PTU, 안티로이드)
Antithyroid, Imidazole계	[항갑상선제] 요오드와 Thyroglobulin의 결합을 방해	Methimazole(메치마졸, 메티마졸), Carbimazole(카비마졸)

1. **항갑상선제** : PTU(Propylthiouracil)와 메치마졸(Methimazole)이 대표적이며 임신, 수유의 경우가 아니라면 메치마졸을 일차적으로 사용합니다. 처음 항갑상선제를 투여할 때에는 투여 시작 2-3주 이후부터 증상의 호전이 나타납니다. 일반적으로 12-18개월의 장기요법이 선호되고 관해율은 40-70% 정도이지만 복약을 중지하면 많게는 70%까지 재발합니다. 부작용으로는 발진, 두드러기 등이 흔히 나타나는 편이고 드물지만 CBC상 ANC(절대호중구수)가 500/uL이하인 무과립증(agranulocytosis)이 발생할 수 있는데 이 경우 즉시 항갑상선제를 중단하고 광범위 항생제를 투여합니다.
2. **방사성 요오드 치료** : 항갑상선제치료나 수술 후에도 재발하였을 때, 노인의 경우 등에서 고려할 수 있습니다. 치료 후 2-3개월이 경과해야 치료효과가 나타나므로 이 기간 동안 항갑상선제를 계속 복용합니다. 시행 후 첫 해 10-20%에서 영구적인 갑상선기능저하증이 발생하며 이후 매년 5%씩 증가하여 10년 이내에는 50% 이상에서 발생합니다.
3. **수술** : 항갑상선치료에 재발하거나 젊은 환자, 큰 goiter를 가진 환자 등에서 고려됩니다.
4. **베타차단제** : 치료적 목적보다는 주로 빈맥, 심계항진, 불안 등의 증상완화를 목적으로 사용되며 Propranolol, Atenolol 등이 흔히 처방됩니다.

Tip Thyroid Storm (Thyrotoxic crisis)

1. 갑상선중독위기는 매우 드물게 발병하지만 사망률이 30%에 이르는 심각한 합병증 상태로 발열, 섬망, 혼수, 구토 등이 동반됩니다.
2. 치료는 항갑상선제, 베타차단제, Steroid 등을 적용합니다.

57-2 갑상선 기능저하증

(1) 개요

1. 갑상선기능저하증(hypothyroidism)은 갑상선호르몬의 결핍으로 전신의 대사가 저하된 상태로 하시모토 갑상선염(Hashimoto's thyroiditis) 등의 자가면역성 갑상선염이 대부분의 원인을 차지합니다.
2. 방사성요오드치료, 갑상선절제술 등 갑상선기능항진증의 치료 이후에 발생하기도 하며 또는 뇌하수체기능저하 등으로 유발되기도 합니다.

(2) 임상증상 및 징후

1. 피로, 한불내성(Cold intolerance), 탈모, 피부건조, 변비, 식욕감퇴, 체중증가, 서맥, 기억력감퇴 등 체내대사가 저하된 상태를 보입니다. 장기간 심하게 지속시 피하에 Glycosaminoglycan이 축적되어 수분이 저류될 수 있고, 이에 따라 함요가 없는 부종(non-pitting edema) 즉 점액부종(Myxedema)이 나타납니다.
2. 하시모토 갑상선염의 경우는 갑상선종(goiter)의 증상으로 처음 질환을 인지하는 경우가 많습니다.

(3) 진단

1. TSH의 증가가 가장 중요한 지표이며 free T4의 감소가 동반됩니다. TPO-Ab는 하시모토 갑상선염 환자의 95%에서 양성으로 나타납니다.
2. TSH는 증가했으나 T3, T4는 정상이어서 임상증상이 없는 경우는 불현성(subclinical) 갑상선기능저하증으로 분류합니다.
3. Sick euthyroid syndrome : 중증질환이나 수술 후 등 갑상선과 무관하게 전신상태가 좋지 않은 상태에서 갑상선 호르몬 농도가 변화한 것으로 TSH가 정상인데 T3가 감소하거나 TSH와 무관하게 T4가 감소하는 등 다양한 양상을 보입니다. 일반적으로 갑상선호르몬제는 투여하지 않으며 대신 기저질환을 치료하면 지표가 정상화됩니다.

(4) 치료

1. [T4] 또는 [T3, T4]가 복합된 갑상선호르몬제를 투여하는 것이 주된 치료가 되며 일과성의 갑상선기능저하증을 제외하면 대부분 평생 복용해야 합니다. 식후에 T4를 복용하면 흡수율이 급격히 저하되므로 공복시 또는 취침전 복용이 권장되며 커피, 철분제제 등도 T4의

흡수를 저해하므로 일정한 시간 간격을 두고 복용하도록 합니다.

2. 경과관찰은 TSH의 정상을 목표로 하는데 보통 3개월 정도 복용하면 정상범위에 도달하게 되고 이후에는 연 1~2회 정도 TSH, free T4 추적검사를 시행합니다.

Thyroid hormones	[갑상선호르몬제] 갑상선기능저하증에 사용. T4+T3 복합제도 있으나 T3의 작용시간이 짧아 유지요법에 한계	Levothyroxine(T4, 씬지로이드), Levothyroxine(T4)+Liothyronine(T3)(콤지로이드)

Tip 불현성(subclinical) 갑상선기능저하증

1. TSH는 증가되었으나 T3, T4 등은 정상이어서 임상적 증상은 없는 상태로 노인이나 여성에 많습니다. 무증상 갑상선기능저하증이라고도 합니다.
2. 치료 적응증은 확립되지 않았으나 일단 2-3개월 후 TSH, fT4, TPO Ab검사를 재시행해서 TSH 〉 10mU/L이거나 TPO Ab가 양성이면 치료가 권장되고 Goiter가 있거나 피로, 우울증 등의 증상이 있어도 저용량의 T4 투여를 고려합니다.

Tip 임신중 갑상선호르몬의 복용

1. 갑상선호르몬 복용 환자가 임신을 하면 호르몬 대사가 증가되어 갑상선호르몬의 요구량이 평균 50% 정도 증가되므로 용량을 늘려 투약해야 합니다.
2. 임신중 갑상선호르몬의 복용은 매우 안전한 것으로 알려져 있으므로 약물을 중단할 필요가 없으며 보통 출산후 1~2개월이 지나면 임신 전의 호르몬 상태로 돌아오게 됩니다.

57-3 갑상선염

(1) 아급성 갑상선염 (subacute thyroiditis)

1. 바이러스가 원인인 염증성 질환으로 흔히 발병 2-4주 전에 상기도감염력이 있습니다. 갑상선 부위의 동통과 압통, 부종이 있으며 검사상 ESR의 증가, RAIU의 감소 등이 나타납니다.
2. 임상경과가 특징적인데 수주간 갑상선 기능항진상태였다가 정상화 되고, 이 후 수개월간 갑상선 기능저하상태를 거쳐 최종적으로 정상상태로 돌아오게 됩니다. 항갑상선제의 복용은 대개 필요 없고 대부분 보존적 치료로 호전되며 증상이 심하면 NSAID를 투여하거나 Steroid를 단기간 사용할 수 있습니다. 5% 정도는 영구적 갑상선저하증이 있을 수 있습니다.

(2) 무통성갑상선염 (painkess thyroiditis)

1. 아급성 갑상선염과 유사한 임상경과를 보이나 갑상선에 동통 및 압통이 없고 검사상 ESR 정상 및 TPO Ab 양성결과를 보이는 차이가 있습니다 (RAIU는 아급성과 동일하게 감소). 출산 후 3-6개월 사이에 많이 발생합니다.

57-4 갑상선 결절 / 갑상선암

(1) 개요

1. 대부분의 갑상선결절(thyroid nodule)은 양성의 콜로이드결절이며 결절에 의한 증상도 없는 경우가 많습니다.
2. 악성인 경우는 약 5% 정도로 추정되며 특히 최근 수개월 사이에 갑자기 커지거나 연하곤란, 성대를 침범하여 목소리가 쉰 경우, 주위조직과 유착이 된 경우, 결절의 표면이 불규칙하거나 윤곽이 불분명한 경우는 악성을 시사합니다. 20세 이전 또는 60세 이후의 결절에서도 악성의 가능성이 높은 편입니다.

(2) 관련검사(예)

1. TFT : TSH, free T4, T3, TPO Ab 등을 시행할 수 있으나 대부분 정상범위 내에 분포합니다.
2. 영상검사 : 갑상선초음파, CT/MRI, 갑상선 스캔 등을 시행할 수 있습니다. 갑상선스캔 결과는 갑상선기능이 저하되어 영상에서 뚜렷하지 않게 나타나지 않는 냉결절(cold nodule)과 정상조직 보다 진하게 나타나는 열결절(hot nodule)로 구분되는데 cold nodule일 때 악성의 가능성이 더 높습니다.
3. FNA 또는 FNAC(세침흡인 세포검사*) : 악성과 양성을 감별하는 우선적인 검사로 결절의 크기가 0.5cm 이상인 경우에 주로 시행됩니다. 이는 무증상이고 크기가 증가하지 않는 0.5cm 이하의 결절의 경우는 갑상선암이라 할지라도 예후가 양호하기 때문입니다.

(3) 치료

1. 양성으로 판단되면 경과를 관찰하거나 또는 유용성에 논란이 있지만 T4 억제요법(T4 suppression)도 고려할 수 있습니다. 6-12개월 투여 후에도 결절의 크기에 변화가 없으면 T4 치료는 중단합니다.
2. 악성이거나 악성이 의심되면 수술적 절제를 시행하며 미용상의 목적으로 절제하기도 합니

* FNAC (Fine needle aspiration cytoloty)

다. FNAC 결과가 소포상(follicular) 형태일 경우에도 악성인지 양성인지를 확정할 수 없기 때문에 갑상선스캔에서 cold nodule 이었다면 수술을 시행합니다.

3. 갑상선암의 경우 5년 생존율이 98.1%에 달하며 특히 가장 많은 비율을 차지하는 Papillary carcinoma(유두암 또는 유두상 갑상선암)의 예후가 가장 양호합니다. Follicular(여포상) 갑상선암도 분화가 잘 된 암에 속하지만 혈행성 전이가 많아 유두암보다는 예후가 좋지 못합니다. Medullary carcinoma(수질암)은 분화가 좋지 못한 암으로 분류되며 종양표지자(tumor marker)도 다른 갑상선암과는 달리 calcitonin을 이용합니다. **[참조항목 : 28-1]** 매우 분화가 나쁜 미분화암(anaplastic)의 경우는 예후가 가장 불량합니다.[5]

57-5 한의학적 접근

(1) 개요

1. 갑상선기능항진증은 한의학에서는 癭瘤, 兔眼, 驚悸, 怔忡의 범주에서 접근하여 肝鬱血虛, 心火亢盛, 陰虛 등으로 변증할 수 있습니다. 일반적으로는 침구치료는 기존의 치료에 보조적으로 증상완화를 위주로 사용하며 한약은 항갑상선제제의 대체 또는 보완적 목적으로의 활용을 고려합니다.
2. 갑상선기능저하증은 한의학적으로 結陽證, 癭瘤, 濕痰 등의 범주에서 접근할 수 있습니다.
3. 정경침 : 臑會 人迎 內關 神門 合谷 豐隆 三陰交 太衝, [肝鬱痰凝] 扶突 天突 期門 太淵 太白, [肝火胃熱] 足三里 內庭 陽陵泉 丘墟, [心肝陰虛] 氣舍 心兪 肝兪 巨闕 復溜 照海, [甲狀腺腫大] 天鼎 天容 天井, [眼球突出] 風池 上天柱(天柱上0.5촌) 攢竹 陽白 絲竹空 - 경부자침 또는 goiter 자극 시에는 直刺, 深刺는 피하고 斜刺 또는 0.5-0.8촌 정도로 얕은 정도로 直刺
4. 사암침 : [瞳子突出] 陰谷(+) 然谷(-) 三里(斜)
5. 이침 : 神門 內分泌 肝 腎 脾 胃 皮質下 交感

(2) 임상연구

1. 갑상선기능항진증 : 葛根解肌湯을 기초로 한 安全白虎湯(葛根 20g, 黃芩 8g, 石膏 桔梗 藁本 升麻 甘草 白芷 4g)을 사용하여 TFT를 정상범위에서 유지하고 임상증상도 개선. cyclic AMP와 Tg의 조절을 통하여 T4 합성을 억제하는 기전.[6,7]
2. 갑상선기능저하증 : 安全理中湯(黃芪 人蔘 白朮 乾薑 8g 甘草 4g 吳茱萸 2g)을 사용하여 임상증상의 호전 및 Levothyroxine과 유사한 TFT 개선효과.[8]

Tip 요오드 섭취와 갑상선질환 [9]

1. 요오드(Iodine)와 갑상선 : 김, 미역, 다시마 등의 해조류나 생선, 유제품 등에도 포함된 요오드는 T3, T4 생산에 필수적인 성분입니다. 정상인은 Wolff-Chaikoff 효과라는 요오드대사의 자동조절기전에 의해 다량의 요오드를 섭취해도 갑상선호르몬 생산은 비교적 정상으로 유지됩니다.
2. 요오드 섭취과잉 : 갑상선질환 기왕력이 있거나 신생아 등 취약한 상태에서의 지속적인 요오드 과량복용은 갑상선기능의 이상을 초래할 수 있으며 기저상태에 따라 다른 양상으로 나타납니다.
   - 갑상선항진증 : 평소 요오드 섭취가 부족한 지역의 사람 또는 Graves 병 환자 등이 요오드를 과잉섭취한 경우
   - 갑상선저하증 : 자가면역성 갑상선염(하시모토병 등), Graves 병으로 수술, 방사성요오드, 약물치료 등을 시행한 자, 신생아 등이 요오드를 과잉섭취한 경우
3. 요오드 섭취부족 : 요오드 결핍시에는 갑상선기능저하증을 초래할 수 있으며 갑상선의 크기가 커지는 Goiter(갑상선종)가 나타나기도 합니다.
4. 권장섭취량 : 한국인이나 일본인 등에서는 요오드 과잉섭취가 주로 문제가 됩니다. 정상인의 요오드 하루 권장섭취량은 150mcg/d(=미역 1.5g)이고 상한섭취량(tolerable upper intake level)은 3000mcg/d(=3mg/d)입니다. 특히 요오드는 장기간에 걸쳐 지속적으로 과다섭취하는 것이 주로 위험하고 간헐적으로 다량 섭취(Ex. 5mg/d)하는 것은 큰 문제가 되지 않습니다.
5. 원전 사고 등의 각종 원인으로 방사성 요오드에 과량 노출되면 갑상선으로 가서 갑상선을 파괴하며 수년간의 잠복기를 거쳐 갑상선암이 발병할 수 있습니다. 피폭 예상시에는 예방목적으로 요오드를 1일 100mg 정도로 대량복용하기도 합니다. (노출전 2일내 또는 노출후 8시간내 복용)

REFERENCES

1. Marc S Sabatine. Pocket Medicine. 3rd Ed. Lippincott Williams & Wilkins. 2007.
2. 프리미어 의학연구회. 프리미어 내과. 고려의학. p.1049-1087. 2006
3. 안세영. 갑상선클리닉. 성보사. 2004.
4. 대한갑상선학회. 갑상선결절 및 암 진료권고안 개정안. 2010.
5. 안화영, 박영주. 우리나라 갑상선암의 발생 현황 및 특징. 대한내과학회지. 2009;77(5):537-542.
6. Lee BC, Kang SI, Ahn YM, Doo HK, Ahn SY. An alternative therapy for graves' disease: clinical effects and mechanisms of an herbal remedy. Biol Pharm Bull. 2008 Apr;31(4):583-7.
7. 김영석, 이상헌, 강기훈, 강철호, 이병철, 안영민, 두호경, 안세영. 그레이브스병 환자에 대한 안전백호탕 · 환의 항갑상선제제 대체효과. 대한한방내과학회지. 추계학술대회. 2006.
8. 김순일, 변상혁, 강기훈, 이병철, 안영민, 두호경, 안세영. 갑상선 기능저하증 환자에 대한 安全理中湯의 임상적 효능. 대한한방내과학회지. 추계학술대회. 2004.
9. 이현숙, 민혜선. 한국인의 요오드 섭취와 요오드 상한섭취량. 한국영양학회지. 2011;44(1):82-91.

58 골다공증

58-1 개요

(1) 정의 및 원인

1. 골다공증(osteoporosis)은 골밀도의 감소 등으로 골의 강도(bone strength)가 약해져 결과적으로 골절의 위험이 증가된 상태를 의미합니다. 즉 골다공증 자체가 위험하기 보다는 이로 인해 발생한 골절로 독립적인 일상활동이 불가능해지고 사망률이 증가하는 것이 주요한 문제입니다.
2. 여성, 고령, 백인(아시아인)일 때와 골절의 과거력(또는 골절 가족력), 치매 등이 있을 때 골다공증으로 인한 골절의 위험이 증가하고 저체중, 흡연, 알코올중독, 여성호르몬 부족(조기폐경 등), 칼슘부족, 운동부족, 최근 낙상력 등의 상태에서도 위험이 증가합니다.

(2) 진단

1. 골다공증은 골밀도(BMD, bone mineral density) 측정값을 이용하여 진단합니다. 주로 X-ray의 흡수정도를 측정하는 DEXA(Dual-energy X-ray absorptiometry)가 가장 많이 이용되며 또는 정량적 CT(Quantitative CT), 정량적 초음파(QUS)로 측정하기도 합니다.
2. BMD의 측정부위로는 대퇴골(femur) 부위의 평균값이나 경부(femoral neck)의 측정값을 이용하는 경우도 있지만 일반적으로는 L1-L4의 요추부가 측정됩니다. 압박골절이나 퇴행성 변화가 있으면 왜곡된 값이 나올 수 있으므로 이런 부위는 제외하고 나머지 부위의 평균값을 많이 사용하며 보통 T-score가 주변보다 1.0 이상 차이나면 왜곡된 값으로 봅니다.
3. BMD 결과는 T-score 또는 Z-score로 비교하는데 T-score는 젊은 성인의 평균 골밀도값과 비교한 값이고 Z-score는 동일연령대의 평균 골밀도값과 비교한 값입니다. 일반적으로 골절 위험도를 잘 반영하는 T-score를 기준으로 하며 특히 평균에서 표준편차(SD) 2.5배 이상 저하되어 있을 때를 골다공증으로 정의합니다. 최대골량에 도달한 적이 없는 소아이거나 2차성 골다공증과 관련된 경우에는 주로 Z-score를 활용합니다.

Category	BMD (숫자단위는 SD)
정상 (Normal)	T score 〉 -1.0
골감소증 (Osteopenia)	-2.5 〈 T score 〈 -1.0
골다공증 (Osteoporosis)	T score ≤ -2.5
심한 골다공증 (Severe osteoporosis)	[T score ≤ -2.5] + [비외상성 골절]

58-2 골다공증 분류 및 관련검사

(1) 일차성 골다공증(primary osteoporosis)

1. 대부분의 경우가 이에 해당하며 1형과 2형으로 구분합니다. (Type I : 폐경 후 Estrogen 결핍에 따른 골다공증 / Type II : 노인성 골다공증 - 주로 65-70세 이상)
2. 기타 특발성(Idiopathic) 또는 연소성(juvenile) 골다공증이 발생하기도 합니다.

(2) 이차성 골다공증(secondary osteoporosis)

1. 약물(스테로이드, 알코올 등) 등의 유발요인이나 내분비질환(갑상선기능이상, 쿠싱증후군), 소화기질환(만성간질환, 위절제술, 염증성장질환), 신질환 등의 기저원인으로 발생하는 골다공증입니다.
2. Z-score가 -2.0 이하로 골다공증의 정도가 심하거나, 위험요인이 적은데도 골다공증이 있는 경우는 이차성 골다공증을 의심하여 추가적 검사를 시행합니다.

(3) 관련검사 예

1. 기본검사 (골다공증 관련) : BMD 측정검사 (DEXA, QCT, QUS 중 하나)
2. 추가검사 (원인질환 관련) : CBC, Ca, P, PTH, ALP, TFT, LFT, BUN/Cr, Testosterone(남성만), 25-OH-vitamin D

Tip FRAX를 이용한 10년 골절 위험률

1. 세계보건기구에서 제공하는 도구로서 10년 내 대퇴골 골절 및 주요한 골다공증성 골절 (척추, 손목, 대퇴골, 어깨 골절)의 위험도를 예측하여 줍니다.
2. 온라인으로 입력하여 계산이 가능하며 다음의 웹페이지를 통해 접속합니다.
   http://www.shef.ac.uk/FRAX

58-3 비약물적 치료

(1) 일반적 관리

1. 골다공증의 치료는 보통 T-score -2.5 이하일 때 시작하며 위험요인이 있는 여성에서는 1.5-2.0에서 치료를 시작하기도 합니다. 골다공증의 치료는 크게 1)영양공급(칼슘 및 Vit

D), 2)생활요법(운동, 금연) 및 3)약물치료로 구분됩니다.

2. 골다공증 치료경과를 살펴보기 위한 BMD 측정은 단기간 내에 쉽게 변하지 않기 때문에 1-2년 이상의 간격을 두고 재측정합니다.

(2) 영양공급

1. 칼슘은 국내기준으로 성인에서는 1일 1000mg, 18세 미만이거나 50세 이상의 성인에서는 1일 1200mg을 섭취하는 것이 권장됩니다.
2. 비타민D는 국내기준으로 1일 800IU로 섭취하는 것이 권장됩니다. 햇볕을 쬐는 것으로도 비타민 D가 공급될 수 있으나 일반적으로 충분하지 못한 경우가 많기 때문에 대부분 보충제의 형태로 섭취하게 됩니다. 혈액검사상 25-OH-vitamin D를 측정하여 결핍정도를 평가하기도 합니다.

(3) 생활요법 / 예방조치

1. 운동은 주 3회 이상, 각 30분 이상 체중을 부하(weight-bearing)하거나 근력을 강화하는 운동으로 추천됩니다. 고령일수록 낙상의 위험도가 증가하므로 한발로 서기(보조자 필요), 태극권처럼 신체의 균형을 조절하는 운동도 추천됩니다.
2. 흡연도 골밀도를 감소시키는데 기여하므로 금연을 권장합니다.
3. 대표적인 골다공증 처방 약물인 비스포스포네이드 제제의 실제적인 골절 예방효과가 복용 1년이 지난 시점부터 나타나기 시작한다는 임상연구 결과나 또는 장기 복용(ex. 3~5년 이상)시의 임상적인 유용성이 감소한다는 점을 고려하면, 골밀도를 높이는 약물을 복용하는 것도 필요하지만 이와는 별도로 낙상을 방지하기 위한 예방조치도 특히 중요합니다.
4. 평소에 잘 넘어지지 않도록 연습하거나 진정-정신이완효능 약물의 조정, 미끄러운 바닥-문턱 등을 개선하는 것, 적절한 조명으로 어둡지 않게 하는 것 등도 고려합니다. [7-9]

58-4 약물적 치료

(1) 관련약물

계열	특징	약물례(상품명)
Bisphosphonates	[비스포스포네이트제] 골다공증, 골감소증에 적용. 파골세포(osteoclast)의 골흡수(bone resorption) 작용을 억제.	Risedronate(악토넬) Alendronate(포사맥스) Ibandronate(본비바)

		Zoledronic acid (졸레드론산)
SERM	[Selective estrogen receptor modulators] 폐경기여성의 골다공증 치료제이며 유방암 예방에도 사용. Estrogen 수용체에 결합하여 작용.	Raloxifene(에비스타)
PTH	[부갑상선호르몬 Parathyroid hormone] 혈중 칼슘(Ca2+)농도를 상승. Teriparatide는 골다공증 치료제로 사용.	Parathyroid hormone(PTH), Teriparatide(포스테오)
Anti-parathyroid	[항부갑상선호르몬제] 혈중 칼슘(Ca2+)농도를 저하. 골밀도는 상승시킴.	Calcitonin(칼시토닌) Elcatonin(엘카닌)

(2) 약물의 선택

1. **약물의 분류 :** 골다공증 치료약물은 크게 1)골손실 또는 골흡수(bone resorption)를 억제하는 약물과 2)골형성을 촉진하는 약물로 구분됩니다. 비스포스포네이트, SERM, 에스트로겐, 칼시토닌 등이 골흡수 억제제로 작용하고 PTH 등이 골형성 촉진제로 작용합니다.
2. **비스포스포네이트 :** 골다공증 치료에 사용되는 가장 대표적인 제제입니다. 1일 1회 또는 월 1회 경구복용하는 제제에서 3개월에 1회(본비바) 또는 1년에 1회(Zoledronic acid) IV로 투여하는 제형까지 다양한 형태가 출시되어 있습니다.

Tip 비스포스포네이트의 부작용과 휴약기간

1. 비스포스포네이트는 가장 흔히 사용되는 골다공증 약물이지만 급성 또는 장기간 복용시의 부작용도 많이 알려져 있습니다.
2. 경구약은 식도염 등의 부작용이 많아 충분한 물과 함께 복용하고 복용후 30분~ 1시간 정도는 눕지 말아야 합니다. 또다른 급성기 반응으로 감기, 몸살과 같은 부작용이 오기도 하며 이는 IV제제에서 더 심한 편입니다.
3. 최근에는 장기간 복용시 턱뼈 괴사나 대퇴골 피로골절 등도 보고되었으므로 주의를 기울일 필요가 있습니다. 보통 경구약 기준 3년 이상 복용하였거나 3년 이하라도 스테로이드제제도 같이 복용한 경우는 치과적 시술(발치, 치주치료 등)을 받기 3개월 전부터 복용을 중단합니다. 3년 미만 투여환자로 다른 위험인자가 없는 경우는 예정대로 시술합니다.
4. 장기복용의 부작용이나 임상적 유용성의 감소에 따라 일정기간 복용 후에는 휴약기간(drug holiday)을 가지게 됩니다. 보통 경구약제는 5년 후, 주사제는 3년 후부터 약물사용을 중단하며 이후에는 골밀도, 골표지자, 골절여부 등을 추적관찰 하면서 재사용 여부를 결정합니다.

3. **SERM :** 주로 비스포스포네이트에 부작용이 있는 경우에 많이 사용됩니다. 뼈에서 여성호

르몬과 유사한 작용을 하면서도 유방에서는 길항하는 작용을 하는 선택적(Selective) 특성으로 유방암 위험이 없는 장점이 있습니다. 폐경기 이후의 여성에서만 사용되며 안면홍조 등의 부작용이 있습니다.

4. **PTH :** 본래 PTH는 골손실을 유발하지만 경도로 상승된 경우에는 골형성을 증가시킵니다. Teriparatide는 거의 유일한 골형성촉진제로서 비스포스포네이트에 반응이 없는 중증의 골다공증이나 약물성 원인인 경우에도 효과가 입증되었지만 기존 약물에 비해 수십배 이상 비싸고 주사제 또는 흡입제로만 사용이 가능하다는 단점이 있습니다.
5. **칼시토닌 :** 비강분무 또는 주사제(IM)로 투여되므로 소화기능이 좋지 못하거나 비스포스포네이트에 순응하지 못하는 고령의 환자들에게 고려될 수 있고 골다공증으로 인한 골통증(Bone pain)에도 효과적입니다.

(3) 한의학적 접근

1. 한의학에서의 骨痺, 骨痿, 骨極, 骨枯의 범주에서 접근하며 "腎主骨" 의 원리에 따라 腎陰, 腎陽이나 氣血을 補하는 접근방식이 있습니다.
2. 골다공증에 대한 한약관련 RCT들을 분석한 체계적 고찰(systematic review)에서 음양곽, 골쇄보, 보골지 등이 포함된 한약투여군이 위약군과 비교하여 요추부의 BMD를 유의하게 증가시켰고 실험적 연구에서도 골밀도 향상과의 유의성 등이 밝혀진 바 있습니다.[11] 大補元煎, 加味獨活寄生湯, 柴胡加龍骨牡蠣湯 등의 일부 처방이나 홍화자, 녹용, 자하거 등의 약침이 동물실험상 골다공증에 유의성 있는 효과를 보였으나 임상시험 연구까지 진행되지는 못한 상태입니다.[3-6,10]

REFERENCES

1. Marc S Sabatine. Pocket Medicine. 3rd Ed. Lippincott Williams & Wilkins. 2007.
2. 대한골대사학회 진료지침위원회. 골다공증 진단 및 치료지침 2008. 대한골대사학회. 2008.
3. 이채훈, 이인선. 骨多孔症의 韓醫學的 治療에 대한 文獻的 考察. 동의한의연 2000;4(1):107-127.
4. 최원확. 加味獨活寄生湯의 經口投與와 志室·懸鐘 電鍼 倂用 施術이 흰 쥐의 骨多孔症에 미치는 影響.대한침구학회지 2006;23(3)
5. 조한백. 大補元煎이 卵巢摘出로 骨多孔症이 誘發된 白鼠에 미치는 影響. 대한한방부인과학회지. 1999;12(1)
6. 육태한 외. 홍화자 · 녹용 · 자하거 약침이 골다공증에 미치는 영향. 대한침구학회지. 2001; 18(1): 61-75.
7. 한원희 옮김. 약의 의문. 대한의학. 2012. p.250-252
8. Black DM et al. Effects of continuing or stopping alendronate after 5 years of treatment: the Fracture Intervention Trial Long-term Extension (FLEX). JAMA. 2006;296(24): 2927-38.
9. Black DM et al.Randomised trial of effect of alendronate on risk of fracture in women with existing vertebral fractures. Fracture Intervention Trial Research Group. Lancet. 1996;348(9041):1535-41.
10. Hattori T et al. The fixed herbal drug composition "Saikokaryukotsuboreito" prevents bone loss with an association of serum IL-6 reductions in ovariectomized mice model. Phytomedicine. 2010 ;17(3-4):170-7.
11. Wang ZQ et al. Chinese herbal medicine for osteoporosis: a systematic review of randomized controlled trials. Evid Based Complement Alternat Med. 2013;2013:356260. doi: 10.1155/2013/356260.

59 통풍

59-1 개요

(1) 정의

1. 통풍(Gout)은 요산염 결정체(urate crystal)가 관절이나 주위 주직에 침착되어 염증을 일으키는 상태입니다. 침착되는 결정의 종류는 MSU(monosodium urate), CPPD 등 몇 가지가 있으나 MSU가 가장 흔하며 일반적으로 이 경우에만 통풍이라고 하고 CPPD가 침착되었을 때는 가성통풍(pseudo-gout)으로 분류합니다.
2. 통풍은 고요산혈증과 밀접하게 관련되는데 보통 대사증후군, 비만, 고혈압, 만성신질환 등이 있을 때 흔하고 약물(이뇨제, 아스피린 등), 과음, 과식(특히 육류, 해산물) 등도 위험요인이 됩니다.
3. 보통 혈중요산이 7.0mg/dL 이상일 때 고요산혈증으로 분류하며 수치가 높을수록 통풍발생률이 상승합니다. (9.0mg/dL 이상이면 7.0~8.9mg/dL일 때보다 통풍발생률이 10배 상승[3])

(2) 임상양상

1. 급성인 경우 급성관절염으로 나타나며 야간에 갑자기 심한 관절통이 발생하고 시간이 지나면서 발적, 부종이 동반되는 것이 일반적이지만 통증이 별로 심하지 않은 경우도 있습니다. 발생부위는 엄지발가락의 중족지관절(MTP)이 가장 흔하고(太白穴 부위), 발목이나 무릎에 나타나기도 합니다.
2. 만성적인 상태에서는 급성관절염이 여러 차례 반복되어 관절 및 주위조직에 요산결정체가 침착되다가 결국 관절형태가 변형되거나 또는 혹처럼 튀어나온 통풍결절(Tophi)을 관찰할 수 있습니다.
3. 급성으로 통풍발작이 온 경우, 별도의 치료 없이도 5-10일 정도면 안정되기도 하나 1년내 재발율이 60%에 달하므로 재발방지가 중요합니다.

(3) 진단 및 관련검사

1. 기본검사 : 관절윤활액 검사(synovial fluid analysis), serum uric acid 등
2. 추가검사 : CBC, ESR, CRP, BUN/Cr, 24hr urine uric acid, X-ray 등
3. 혈청 요산(uric acid) 결과는 급성기에서는 정상이거나 오히려 낮은 경우도 있으므로 정확

한 기준이 되지 못하며, 관절천자를 통해 얻어진 관절액을 분석하여 편광현미경 하에서 날카로운 바늘 모양의 MSU 결정이 관찰되어야 비로소 통풍으로 확진됩니다.

4. X-ray는 관절주변의 변형이나 화농성변화(septic change) 등의 관찰을 위해 보조적으로 시행되고 24시간 소변 요산 배출량은 만성기에서 약물선택시 참고하기 위해 시행됩니다.

59-2 치료

(1) 관련약물

작용기전	특징	약물례(상품명)
Uric acid production	[통풍치료제- 요산생성억제제] 요산 생산을 억제하여 통풍, 고요산혈증에 사용. 통풍의 급성발작기에는 금기. 최근 개발된 Febuxostat는 요산강하효과는 강력하나 심장독성에 주의	Allopurinol (알로푸리놀), Febuxostat
Uric acid excretion	[통풍치료제- 요산배설촉진제] 신장에서 요산재흡수를 담당하는 URAT1 효소를 억제하여 요산 배설이 증가. 신기능이상, 요로결석에는 금기.	Probenecid, Benzbromarone
No effect on uric acid	[통풍치료제- 기타] 요산과 무관하지만 Neutrophil의 작용을 억제하여 항염증효과. 콜키쿰(Colchicum) 추출물로 독성에 주의	Colchicine(콜키신)

(2) 약물의 선택(급성기)

1. 급성기에는 알로푸리놀 등 요산을 낮추는 약은 오히려 증상악화를 초래할 수 있어 사용하지 않으며 대신 통증조절 및 염증완화를 위주로 합니다. NSAIDs가 우선적으로 선택되고 또는 NSAID에 금기이거나 반응이 없으면 스테로이드 (경구용 또는 관절강내 Corticosteroid)를 사용할 수 있습니다. 통증이 심하면 해당부위에 아이스팩을 20-30분씩 적용하거나 Tramadol 등 약한 Opioid를 함께 처방하기도 합니다.
2. 과거에는 Colchicine(콜키신)이 급성기의 1차선택제였으나 구토, 설사 등 위장관부작용이 많아 NSAID를 주로 사용하는 추세이며 또는 스테로이드를 사용하기도 합니다.

(3) 약물의 선택(만성기)

1. 만성기에는 재발방지를 위하여 혈청 uric acid를 6.0mg/dL 이하로 유지하는 것을 목표로 합니다. 보통 24시간 소변 요산배출량을 측정하여 배출량이 많으면(800mg 이상) 요산생성이 많은 것으로 간주하여 생성을 억제하는 Allopurinol을 사용하고 배출량이 적으면(600mg 이하) 요산의 체외배설을 증가시키는 Probenecid 등을 사용할 수 있습니다.
2. 갑자기 요산치에 변화가 오면 급성통풍발작이 올 수 있으므로 예방적으로 Colchicine을 함께 사용하기도 합니다.
3. 이뇨제는 혈중요산치를 상승시키므로 중단을 고려해야 하며 또는 고혈압의 경우 요산의 재흡수를 차단하는 ARB계 약물(특히 Losartan)을 사용할 수 있습니다.[4]

(4) 생활요법

1. 주의해야 할 음식 : 술(특히 맥주), 육류(특히 간, 콩팥 등 동물의 내장), 해산물(특히 참치, 정어리, 고등어, 꽁치 등의 등푸른 생선) 등
2. 통풍과 무관한 음식 : 밥, 빵, 과일, 야채, 계란, 유제품, 커피 등
3. 일반적으로 퓨린(purine) 함량이 많은 육류, 해산물을 주의하게 하지만 철저한 퓨린제한 식이로도 실제 요산의 감소 정도는 약물의 효과에 비해 미약한 수준이고, 식사로 흡수되는 요산은 혈중 요산의 1.0mg/dL 정도만 차지하므로 질적인 제한보다는 식사량 조절을 좀더 권장하기도 합니다.
4. 퓨린함량이 많아 섭취가 권장되지 않던 콩, 버섯, 시금치 등의 야채는 실제 임상연구에서 통풍발생률을 높이지 않는다고 보고되어 오히려 적절한 섭취를 권장하는 추세입니다.[5]
5. 통풍발생은 비만, 대사증후군과도 관련이 있으므로 신체활동을 늘이고 체중을 줄이는 것도 좋습니다.[6]

59-3 한의학적 접근

1. 통풍은 한의학에서 白虎歷節風, 痛痺의 범주에서 접근할 수 있습니다.
2. 정경침 : 腎兪, 氣海兪, 關元, 三陰交, 百會(灸), 大椎 / 痛處 瀉血 및 주변부 循經取穴
3. 사암침 : [白虎風-폐승격] 少府 魚際(+) 陰谷 尺澤(-)
4. 동씨침 : 患部 點刺出血 / 上三黃(明黃, 天黃, 其黃), 下三皇(天皇, 地皇, 人皇) / 中九里, 通關 通山 駟馬
5. 이침 : 神門 內分泌 交感 相應肢體關節

REFERENCES

1. Eggebeen AT. Gout: an update. Am Fam Physician. 2007;76(6):801–8.
2. Fauci AS et al. Harrison's Principles of Internal Medicine 17th ed. McGraw-Hill Medical. 2008.
3. Campion EW et al. Asymptomatic hyperuricemia. Risks and consequences in the Normative Aging Study.Am J Med. 1987 Mar;82(3):421–6.
4. Matsumura K et al. Effect of losartan on serum uric acid in hypertension treated with a diuretic: the COMFORT study. Clin Exp Hypertens. 2014 Jul 22:1–5.
5. Choi HK, Atkinson K, Karlson EW et al. Purine-rich foods, dairy and protein intake, and the risk of gout in men. N Engl J Med. 2004;350(11):1093–103.
6. Choi HK, Atkinson K, Karlson EW et al. Obesity, weight change, hypertension, diuretic use, and risk of gout in men: the health professionals follow-up study. Arch Intern Med. 2005 Apr 11;165(7):742–8.

60 안면마비

60-1 개요

(1) 안면마비의 원인 및 감별

1. 안면마비(Facial Palsy)는 대부분 한쪽의 안면신경에 말초성으로 마비가 오게 되며 벨마비(Bell's palsy), 람세이헌트증후군(Ramsay Hunt Syndrome) 등이 대표적입니다. 드물지만 Guillian-Barre 증후군, Sarcoidosis 등에서는 양측성으로 안면마비가 발생하기도 합니다.
2. 중추성으로 발생하는 경우는 뇌혈관 장애, 뇌종양, 탈수초성병변, 중추신경계 감염 등이 주된 원인이 되며 다른 신경학적 증상들이 동반되어 있는 경우도 흔합니다.
3. 중추성과 말초성을 감별하는 것도 중요한데 이학적 검사상으로는 이마의 주름잡기 방법이 주로 사용됩니다. 중추성(central type facial palsy)에서는 안면상부는 비교적 정상이므로 이마의 주름잡기가 가능하며 미각, 타액 분비, 눈물 분비 등은 정상기능을 유지합니다. 말초성에서는 안면의 상하에 모두 침범되어 근육의 수의적, 감정적 운동들에서도 모두 이상이 발생하는 경우가 많으며 이마의 주름잡기가 불가능하고 눈이 완전히 감기지 않거나 미각상실, 청각과민 등이 동반되는 경우도 흔합니다.
4. 소아의 안면마비도 벨마비(Bell's palsy)로 인한 것이 흔하나 선천성 또는 급성중이염(acute ottis media, AOM)으로 발생하기도 합니다.

(2) 관련검사/평가도구

1. ENoG(electroneurography, 신경전도검사), EMG(electromyography, 근전도) : 실제 임상에서는 검사가 생략되는 경우가 많으나 증상이 심하거나 정확한 예후판단이 필요할 경우에는 시행될 수 있습니다. ENoG는 발병 3일 이후부터 14일 이내에 주로 시행됩니다. **[참조항목: 43-2]**
2. 안면마비의 중증도나 호전정도를 객관적으로 평가하기 위해서 흔히 Yanagihara scale 또는 House & Brackmann scale(H-B scale) 등이 활용됩니다. **[참조항목: F-3 , F-4]** 중추성이 의심되면 Brain MRI를 시행합니다.

60-2 Bell's palsy

(1) 개요

1. 안면마비의 가장 흔한 원인인 벨마비(Bell's palsy)는 명확한 원인이 아직 밝혀지지 않은 급성의 편측 안면마비입니다. 1.5-2%에서 양측성으로 발생합니다.
2. 원인으로는 바이러스 감염, 한냉노출, 유전성, 자가면역성 및 혈관장애설 등이 제기되고 있으며 일반적으로 안면신경의 염증으로 부종이 초래되어 신경섬유가 입박과 허혈 및 변성을 일으키게 됩니다.

(2) 증상 및 예후

1. 안면마비와 함께 귀 주변의 통증이나 미각이상, 청각과민증상 등이 나타날 수 있습니다. 귀 주변의 통증은 전구증상으로 나타나기도 합니다.
2. 일반적인 예후는 3주 정도면 회복을 보이기 시작하고 80-85%에서 보존적 치료로 후유증 없이 정상으로 돌아옵니다. 약 15-20%에서는 3개월 이전에는 기능회복이 관찰되지 않으며 안면근육경련, 안면근 위약, 연합운동(synkinesis, 입이 움직일 때 눈꺼풀도 함께 움직이는 것) 등의 후유증이 남을 수 있습니다. 재발률은 12% 정도이고 동측 재발이 약 1/3, 반대편 재발이 약 2/3 정도 됩니다.
3. 전형적인 Bell's palsy에서 지속적인 신경손상은 아주 드뭅니다. 4개월 후에도 임상적, 근전도상 호전의 소견이 없다면 안면신경종(facial nerve neuroma), 청신경 종양(acoustic neuroma), 경정맥공 종양(jugular foramen tumor)의 가능성도 고려합니다.

(3) 예후불량인자

1. 완전마비, 3주이내에 회복이 보이지 않는 경우, 60세 이상, 심한 통증, 마비와 함께 미각장애 또는 타약분비의 감소 동반시 등
2. Ramsay Hunt syndrome, 당뇨, EMG/ENoG상 심한 신경변성 등

60-3 Ramsay Hunt Syndrome

1. 람세이헌트 증후군은 Herpes zoster virus(HZV)의 감염에 의해 유발되며 안면신경마비, 이부의 대상포진, 외이부의 동통 및 뇌신경등의 장애로 인한 청력장애, 이명, 현훈, 삼차신경통 등의 다양한 증상을 동반합니다.

2. Bell's palsy와 유사하나 증상이 심한 경우가 많고 귀 주위(이개, 외이도)에 피부병변이 보이는 것이 특징적입니다. 안면신경마비 중 람세이헌트 증후군이 원인인 비율은 3-12% 정도로 추정됩니다.
3. Acyclovir, Famciclovir 등의 항바이러스제를 적용하지만 치료에도 불구하고 완전히 회복되는 비율은 50% 미만으로 예후가 좋지 않은 편입니다.

60-4 치료

(1) 기본적 치료

1. 발병이후 약 1주일 간은 치료를 시행하는 도중에도 증상이 더 악화되는 경우도 있기 때문에 미리 환자에게 일시적인 악화의 가능성을 설명하도록 합니다.
2. 급성기에 투여하는 스테로이드의 효과는 일부 논란이 있기는 하지만 다양한 문헌에서 유용성이 보고되었으므로 다른 보존적 치료를 주로 고려하더라도 스테로이드의 사용은 권장할 수 있습니다(consult to ENT).[3,4] 단 소아안면마비의 경우에는 스테로이드 치료가 유의한 영향을 주지 못했다는 결과가 많습니다.[5,6]
3. 보존적 치료와 더불어 마비가 있는 안면근육을 마사지하거나 따뜻하게 하고 환자 스스로 안면주위의 근육을 적극적으로 운동하는 연습(웃기, 찡그리기, 껌씹기 등)을 병행하도록 격려합니다.
4. 안면마비 환자에서는 눈을 완전히 감을 수 없을 경우가 많아 눈이 건조하기 쉽습니다. 지속되면 각막손상, 시력저하 등을 유발할 수 있으므로 인공눈물, 안연고 또는 안대(특히 수면시) 등을 이용한 관리가 필요합니다. 혀 앞쪽 2/3의 미각도 없어져 식욕이 감소할 수 있으므로 적절한 영양섭취도 격려합니다.

(2) 한약치료(예) - 변증에 따라 시행

1. 보험제제 : 不換金正氣散 內消散 大和中飮 등
2. 비보험제제 : 理氣祛風散 烏藥順氣散 등

(3) 침구치료(예) - 변증에 따라 시행

1. 정경침 : 地倉-頰車(透刺/전침) 四白 陽白 水溝 風池 合谷, [耳後痛] 翳風, [眼不能開合] 睛明 瞳子髎 陽白 攢竹 後谿, [氣血虛] 氣海 關元 腎兪 膈兪 足三里

2. 사암침 : [口眼喎斜-肝實] 三里(迎) 陽輔(正) 完骨(斜) 然谷(-) 少海(+), [偏風口喎-肝實] 勞宮(+) 照海 完骨(-) 前谷(迎)
3. 동씨침 : 側三里, 側下三里 三重, 四花外 / 환측 구강내측의 瀉血
4. 기타 : 中脘 天樞 등 하복부에 灸法 / 翳風(刺絡)
5. 임상연구
   1) 메타분석(Cochrane) : 다양한 문헌에서 침치료의 긍정적인 효과가 보고되었으나 정량적인 결과지표를 사용하지 않거나 연구디자인의 결함으로 최종결론은 보류 [7]
   2) 한양방 병행치료 : 한방 단독치료군과 한방치료에 Prednisolone 등의 스테로이드를 병행한 치료군을 비교한 결과, 최종 평가에서는 양군에 차이가 없었으나 2주 이내의 단기결과는 한방치료와 스테로이드치료를 병행한 군이 보다 빠른 치료속도 [8,9]
   3) 안면성형침 : 안면부의 경혈과 근육을 여러 깊이와 방향으로 자침하는 안면성형침을 이용하여 안면마비 후유증에 개선효과 [10]
   4) 강자극과 일반자극의 비교 : 10분마다 득기를 주는 강한 침자극군이 일반침치료군에 비하여 우수한 치료효과. 사용혈위는 陽白 地倉 頰車 下關 翳風 合谷 등. [13]
   5) 온침 병행치료 : 地倉, 陽白, 下關, 翳風, 合谷에 자침 및 온침(溫鍼) 치료를 시행한 결과 Prednosolone, 비타민 투여군에 비하여 유의한 개선 효과 [11]

(4) 양약치료

1. Steroid : 고용량으로 투여하여 부종을 감소시키고 소염작용을 합니다. 발병 72시간 이내로 가능한 빠른 시간 내에 투여하는 것이 더 우수한 결과를 보입니다. (Ex. 5-7일간 Prednisolone 40-60mg/day, 이후 2주간 tapering)
2. 항바이러스제 : Acyclovir(또는 Famciclovir) 등의 제제를 사용하나 바이러스성 질환이 아닌 경우의 효과에 있어서는 논란이 있는 상태입니다.[12] 람세이헌트의 경우에는 필수적으로 사용하며 경구약의 흡수율이 높지 않으므로 IV로 투여하기도 합니다. (Ex. 7일간 Acyclovir 2000mg/day)
3. 항생제 : 사용빈도는 높지 않지만 급성중이염(AOM), 만성중이염(COM), 외이도염 등 염증으로 발생한 경우에 사용될 수 있습니다.

(5) 기타

1. 성상신경절차단 (stellate ganglion block) : 안면신경의 허혈상태를 개선할 목적으로 뇌, 목, 상지 등을 지배하는 교감신경의 작용을 국소마취제로써 차단합니다. 실제 시행빈도는 높지 않습니다.

2. 안면신경 감압술(facial nerve decompression) : ENoG 검사 결과 95% 이상 변성(degeneration) 되었거나 보존적 치료에 반응이 없는 경우 시행을 고려할 수 있지만 임상적 효과는 확립되지 않았습니다.

REFERENCES

1. Gilden DH. Clinical practice. Bell's Palsy. N Engl J Med. 2004;351(13):1323-31.
2. Hazin R, Azizzadeh B, Bhatti MT. Medical and surgical management of facial nerve palsy. Curr Opin Ophthalmol. 2009;20(6):440-50.
3. Sullivan FM, Swan IR, Donnan PT et al. Early treatment with prednisolone or acyclovir in Bell's palsy. N Engl J Med. 2007;357(16):1598-607.
4. Salinas RA, Alvarez G, Daly F, Ferreira J. Corticosteroids for Bell's palsy (idiopathic facial paralysis). Cochrane Database Syst Rev. 2010;(3):CD001942.
5. Wang CH, Chang YC, Shih HM et al. Facial palsy in children: emergency department management and outcome. Pediatr Emerg Care. 2010;26(2):121-5.
6. Chen WX, Wong V. Prognosis of Bell's palsy in children-analysis of 29 cases. Brain Dev. 2005 ;27(7):504-8.
7. Chen N, Zhou M, He L et al. Acupuncture for Bell's palsy. Cochrane Database Syst Rev. 2010;(8):CD002914.
8. 박인범, 김상우, 이채우 외. 말초성 안면신경마비에 대한 한방 치료 및 한 · 양방 협진 치료의 임상적 고찰. 대한침구학회지. 2004;21(5):191-203
9. 조기호, 정우상, 홍진우 외. 급성기 말초성 안면신경마비에 대한 한방치료와 한·양방 병용치료의 효과비교. 대한한의학회지. 2008;29(1):146-155.
10. 추민규, 조희근, 박수곤 외. 안면성형침을 이용한 안면신경마비 후유증의 치험례 보고. 한방재활의학과학회지. 2009;19(4):175-187.
11. Li Y, Liang FR, Yu SG, Li CD et al. Efficacy of acupuncture and moxibustion in treating Bell's palsy: a multicenter randomized controlled trial in China. Chin Med J (Engl). 2004 Oct;117(10):1502-6.
12. Lockhart P, Daly F, Pitkethly M et al. Antiviral treatment for Bell's palsy (idiopathic facial paralysis). Cochrane Database Syst Rev. 2009;(4):CD001869.
13. Xu SB et al. Effectiveness of strengthened stimulation during acupuncture for the treatment of Bell palsy: a randomized controlled trial. CMAJ. 2013 Apr 2;185(6):473-9.

NEO HANDBOOK OF INTEGRATIVE INTERNSHIP

6장

진료기록 이해하기

처음 병원업무를 시작하면서 의무기록을 이해하고 작성하는데 어려움이 있거나, 협진관련 용어와 절차에 익숙하지 않은 임상의들에게 도움이 되도록 실제 진료의뢰서, 소견서, 입원기록 등을 참조하여 내용을 재구성하고 설명을 덧붙였습니다.

61 소견서 - 뇌졸중 관련

▪ **약어 사용에 대한 주의사항**

1. 공식적인 의학논문이나 진단서가 아닌 일반 차트, 소견서 등에는 다양한 약어들과 medical slang 등이 사용되고 있습니다.
2. 병원별, 과별로 동일한 약어가 다른 의미로 사용되기도 하고 같은 문구에 대한 약어가 서로 다르기도 하므로 유의해야 합니다. 예를 들어 BBB가 순환기내과에서는 Bundle Branch Block으로, 신경외과에서는 Blood-brain barrier의 의미로 쓰였을 가능성이 높고 PT도 소화기내과에서는 Prothrombin Time으로, 재활의학과에서는 Physical therapy의 의미로 쓰였을 가능성이 높습니다.
3. 또한 특정병원에서만 사용되어 사전이나 인터넷검색으로 찾을 수 없는 약어들도 많으므로 이런 경우에도 문맥상에서 드러나는 의미로 추정해야 하기도 합니다.

61-1 연하곤란이 있는 뇌경색 환자

[소견서]

(1) **M/78, Lt Hemiplegia, Dysphagia**

(2) ① 상기 환자 HTN 5년, DM 10년 p.o. medication 중인 분으로 20XX.09.29 집에서 화장실 가던 중 갑자기 발생한 Lt. Hemiplegia 로 본원 ER 내원, 시행한 Brain MR상 acute lacunar inf in Rt pons lower portion 및 mild stenosis in Rt VA origin 소견 보임.

② NR에 입원하여 1주간 가료후 포괄적 재활치료 위해 본과(PMR)로 transfer 하였고

③ 입원기간 중 시행한 VFSS 상 fluid에서 aspiration 소견보여 fluid 식이시에만 토로미업 사용하여 식이중임.

④ 현재 gait시 balance training 중이며 재활치료실 내에서 supervision 하에 30cm 이상 gait 가능한 상태.

⑤ medication은 NR 입원시 ASA +UK 5일 사용후 현재는 clopi로 change 하여 유지하고 있으며 WFR target INR 2-3으로 복용중임.

(1) 78세 남환 / 좌측의 반신마비(Hemiplegia), 연하곤란(Dysphagia)

(2)

1. 고혈압(hypertension, HTN), 당뇨(diabetes mellitus, DM)약을 10년째 경구복용중(p.o.med)인 78세의 환자로 좌측의 마비(hemiplegia)가 발생하였으므로 일단 Brain 쪽 영상검사를 시행하게 됩니다. 결국 MRI가 시행되었는데 증상이 좌측(Lt)이므로 병변은 우측(Rt)을 염두해 두고 찾아야 하며 판독 결과 acute한 병변이 확인되었고 그 부위는 우측 pons의 열공성 경색(lacunar infarction)으로 확인되었습니다. 부가적으로 Br-MRI 검사시 MRA(MR Angiography)가 추가적으로 시행되어 뇌혈관의 상태를 파악하기도 하는데 이 환자의 경우 VA(vertebral artery) 기시부에서 경도의 협착(mild stenosis)이 관찰되었습니다.

2. 뇌졸중이 확인되었으므로 입원은 일단 신경과(NR)로 하여 보존적 치료를 받는데 보통은 aspirin, clopidogrel 등의 항혈소판제제(antiplatelet)를 위주로 투약하면서 혈당이나 기타 생체징후나 신경학적 검사결과가 안정되게 유지하는 것을 목표로 관리됩니다. 혈당(glucose) 등은 엄격히 관리되어야 하나 혈압(BP)의 경우는 급성기에 해당하므로 BP는 무리하게 낮추지 않으며 어느 정도 전반적인 상태가 안정되었다고 판단되면 본격적 재활을 시행하게 됩니다. **[참조항목 : 45-5]** 재활은 타과에 입원하면서 재활의학과(PMR 또는 RM)에 의뢰하여 시행하기도 하고 재활의학과로 전과(transfer)되기도 합니다.

3. VFSS 검사는 연하장애가 동반된 환자가 경구로 음식을 먹고자 할 때에 필수적인 검사라 할 수 있는데 조영제가 포함된 음식을 섭취시켜 식도로 잘 통과하는지를 비디오적 투시를 통해 분석하는 검사입니다. **[참조항목 : 37-1]** 본 환자의 경우 액체류(fluid)를 섭취할 경우에만 흡인(aspiration)되는 것이 관찰되었으므로 밥이나 국물이 없는 반찬 등의 고형물은 그냥 경구로 섭취해도 괜찮은 상태라고 할 수 있고 대신 액체류를 섭취할 경우에는 점도증진제(토로미업)를 사용하고 있습니다. **[참조항목 : 72-3]**

4. 현재 환자는 보행(gait)시 균형이 잘 맞지 않으며 물리치료사의 관리, 관찰(supervision) 하에 30cm 이상 보행이 가능하므로 향후 지속적인 재활치료가 요구된다고 할 수 있습니다.

5. 신경과(NR)입원시 아스피린(acetylsalicylic acid, ASA)과 혈전용해제 유로키나제(urikinase, UK)가 사용되었는데 이후 아스피린 대신 clopidogrel (상품명 Plavix)로 변경되었습니다. 항응고제는 와파린(warfarin)으로 유지중이고 일반적인 환자들과 마찬가지로 INR은 2.0에서 3.0사이를 목표(target)로 용량 조절하여 적용중입니다. 참고로 ASA는 아스피린을 의미하는 일반적으로 많이 쓰이는 약어이고 clopi, WFR은 실제 많이 통용되는 약어는 아니지만 해당 질환의 대표적인 약이므로 유추할 수 있는 것입니다.

61-2 뇌실질내출혈(ICH)

> **[소견서]**
>
> 1. 상기 환자 타병원에서 Dementia, Parkinson's disease 진단받고 medication 중인 78세의 환자로 2개월 전 drowsy mentality를 주소로 본병원 ER 내원하여 시행한 Brain CT 상 ICH 소견보여 ICU에서 conservative care하다가 general ward 이실하였습니다.
> 2. Br-MRI 상 Cavernous Malformation 의심되어 향후 4 vessel angio 시행 필요한 상태입니다.
> 3. 입원중 UTI 발생하여 anti 사용된 바 있고 현재는 현재 급성기 치료 완료된 상태로 귀원 전원 의뢰드리오니 고진선처 바랍니다. 감사합니다.
> 4. 현재 GCS (E4V5M6) = 15 Pt

1. 치매, 파킨슨씨병 등으로 복약 중이던 환자가 정신이 맑지 못하고 계속 졸린 것처럼 보이는 정신상태(drowsy mentality)를 보였으므로 CT를 시행하였고 뇌실질내출혈(intra-cerebral hemorrhage, ICH) 소견으로 중환자실(intensive care unit, ICU)에 입원하여 보존적 치료(conservative care)를 받은 환자입니다. 아마 고령의 나이에 출혈이 심하지 않아 수술보다는 보존적 치료 위주로 받은 것으로 보이며 이후 특이소견 보이지 않아 일반병동(general ward)으로 이실되었습니다.

2. 보다 많은 정보를 얻기 위해 Brain MRI가 시행되었으며 해면상 혈관종(Cavernous Malformation)이 의심된다고 하였습니다. 혈관의 상태는 MRA를 찍어야 보다 정확히 알 수 있는데 소견서에 보이는 4 vessel angio 는 특히 Brain에 혈액공급(blood supply)를 담당하는 4개의 혈관(Internal carotid artery (내경동맥), external carotid nerve (외경동맥), 2개의 vertebral artery(척추동맥))을 잘 보기 위한 angiography 검사입니다.

3. 입원중 요로감염(urinary tract infection, UTI)이 발생하여 항생제(antibiotics) 사용된 바 있고 현재 감염의 증거 없어 타병원으로 전원 의뢰한 상태입니다.

4. 의식상태를 평가하는 GCS(Glasgow Coma Scale)는 15점 만점으로 정상인과 동일한 상태입니다. Eye opening(E), Verbal response(V), Motor response(M) 등 각 항목 모두 만점입니다.

61-3 만성 경막하출혈

[소견서]

(1) M/59, Chronic SDH

(2) ① 상기 환자 59세 남환으로 heavy alcoholic으로 1개월 전 drunken state로 slip down후 local 병원에서 치료 받은 기왕력 있으며 이후 1주 정도 경과하면서 leg weakness 나타났고

② 점차 Sx이 aggravation 되어 본 병원 내원하여 시행한 Br-CT상 Chronic SDH 소견 관찰 되었음

③ 이후 burr hole 시행하였고 cath 통해 hematoma drainage 하였으며 현재 환자 N/Ex 상 저명한 이상소견 관찰되지 않은 상태로 추후 지속적인 경과관찰 및 기저 질환에 대한 치료 필요할 것으로 사료됨.

(1) 59세 남환 / 만성 경막하출혈

(2)

1. 증례의 환자는 심한 알코올섭취가 문제되는 환자로 술취한 상태(drunken state)에서 넘어진(slip down) 과거력이 있는 상태에서 하지에 힘이 빠지는 증상이 나타났습니다.

2. 이후 증상(symptom, Sx)이 점차 악화(aggravation)되면 당연히 뇌의 병변을 의심해야 하며 이 경우 출혈(hemorrhage)를 의심하므로 MR보다는 출혈에 더욱 민감한 CT를 우선 시행합니다. 노인의 경우 일정 시간이 지나면 넘어지거나 부딪힌 것을 기억하지 못하는 경우가 있으므로 주의해야 하며 의심되면 일단 Br-CT라도 시행해 보는 것이 중요합니다. 본 환자는 만성 경막하출혈(chronic SDH)가 발견되었습니다.

3. SDH가 발견되면 보통 신경외과(neurosurgery, NS)로 입원하여 수술적 치료를 고려하며 급성은 개두술(craniotomy)를 고려하나 만성은 보통 Burr hole surgery를 시행하여 혈종(hematoma)을 카테터(catheter)를 통해 빼내어(drain) 해결하게 됩니다. 본 환자는 혈종 배액(hematoma drainage)을 한 결과 신경학적 검진(neurologic examination)상 뚜렷한 특이소견은 발견되지 않았습니다.

Tip 음주 후 응급실 이송환자

- 음주 후 의식을 상실한 상태에서 ER에 방문한 환자들의 경우 항상 저혈당과 TBI(외상성 뇌손상, traumatic brain injury)의 가능성을 염두하여야 합니다. 보통 5DW과 같은 포도당제제에 vitamin B군을 믹스하여 iv로 투여하면서 술에서 깨기를 기다리는 경우가 많지만 길에서 쓰러진 상태에서 실려오거나 머리 등을 부딪힌 흔적이 있는 경우 신경학적 검진 등을 시행하면서 TBI를 의심하여 Br-CT를 시행하기도 합니다.
- 술이 깬 환자들 입장에서는 술취해서 길거리에서 잔 것뿐인데 CT까지 찍어 치료비를 더 많이 내게 한 병원을 원망할 수도 있겠지만 의료진의 입장에서는 혹시라도 TBI로 SDH 등이 있다면 한시라도 빨리 응급수술을 시행하는 것이 중요하기 때문입니다.

61-4 동맥류 파열로 인한 SAH

[소견서]

① 상기 환자 특이 소견 없던 자로 3월 21일 sudden onset headache, vomiting 있으며 의식저하 소견보여 Br-CT 시행 후 ER 경유 NS 입원하여 SAH 및 Rt MCA bif Aneurysm, ruptured로 clipping 시행 받았으며 Lt MCA bif saccular an, UnRx 도 동반된 상태입니다.

② 이후 f/u CT상 hydrocephalus 소견보여 VP shunt 시행받은 환자로 11.7부터 OT, PT 시작하였습니다.

1. 갑작스런 두통, 구통, 의식저하를 보이므로 일단 Brain CT를 시행하였고 이후 신경외과(Neurosursery)로 입원한 것으로 보아 수술적 접근이 요구되는 상태였음을 추정할 수 있습니다. 진단결과 지주막하출혈(Sub-Arachnoid Hemorrhage, SAH)이 있었으며 그 원인은 우측의 MCA의 분지부위(bifurcation)에서 동맥류(aneurysm)가 파열(ruptured)되었기 때문으로 수술로 결찰술(clipping)이 시행되었습니다. 좌측에도 역시 MCA 분지에 주머니 모양(saccular)의 aneurysm이 있으며 아직 파열되지 않은(unruptured) 상태입니다. MCA 분지부에 동맥류가 많은 것은 혈류가 양쪽으로 퍼지면서 가운데 부분이 지속적으로 압력을 받는데 노화 또는 기타의 원인으로 해당 혈관부위가 더욱 약해지기 때문입니다.

2. 뇌동맥류는 일단 파열되면 후유증이 크거나 사망률도 높은 반면 파열되기 전까지는 증상이 없다시피 하기 때문에 필요하다면 평소에 뇌혈관에 대한 영상검사를 확인할 필요도 존재합니다. 동맥류가 우연히 발견된다고 하여도 실제 rupture 될 확률은 1% 정도로 보고되고 있으며 뇌동맥류의 크기가 너무 작거나 고령일 경우 치료보다는 추적관찰이 위주가 되기도 합니다.

3. 수두증(hydrocephalus) 때문에 뇌실-복강 단락술(VP shunt)이 시행되었고 이후 작업치료(occupational therapy, OT)와 물리치료(physical therapy, PT)가 시작되었습니다.

Tip 뇌동맥류의 치료

- 뇌동맥류(Cranial aneurysm)의 치료는 크게 두가지로 나뉩니다.

1. 결찰술(Clipping) : 개두술(craniotomy)을 하여 금속클립으로 동맥류를 직접 결찰하는 방식으로 재발예방은 뛰어나지만 개두술을 하기 때문에 회복기간이 길고 고령자에게는 부적합니다.
2. 코일 색전술
   1) 1990년대 개발된 시술로 femoral artery에 카테터를 집어넣어 대동맥을 지나 뇌혈관까지 접근한 후 백금 코일(Platinum Coil)을 뇌동맥류에 집어넣는 방식입니다. 이 코일이 혈전처럼 작용하여 현류가 통하지 않게 되고 결국 동맥류가 없어지게 됩니다.
   2) 코일 방식이 개두술을 할 필요가 없고 회복기간이 짧으나 모든 환자에게 적용되는 것은 아니며 1/4 정도의 환자는 1년 이내에 동맥류가 재발하기도 하므로 주의해야 합니다(Piotin M et al., Radiology 243(2):500-508, 2007)

Tip VP Shunt (Ventriculo-peritoneal Shunt)

1. 두개강내나 뇌실 등에 과잉 축적된 뇌척수액(CSF)을 한쪽으로만 흐르는 단락관을 통해 복막강으로 배액시키는 방법입니다.
2. VP shunt 외에도 복막강이 아닌 우심방으로 배액시키는 VA shunt(Ventriculo-Atrial shunt)나 요추에서 복막강으로 배액시키는 LP shunt(Lumbo-Peritoneal shunt)의 방법도 있으나 비교적 안전하고 수액을 흡수하는 능력이 뛰어난 복막강을 이용한 VP shunt가 가장 많이 시행됩니다.
3. 특히 수두증 유아 등에 시행될 때에는 VP shunt가 선호되는데 이는 미리 여유분을 두고 카테터를 복강내에 두면 아이가 성장함에 따라 긴 카테터로 교환하는 재수술을 할 필요가 없기 때문입니다.

61-5 tPA 사용 후 출혈성 전환

[소견서]

1. known HTN, hyperlipidemia on medication/ A-fib(+)
   h/o TIA (2007년) Cb-inf (2008년)
2. 2011.2.11 발생한 acute onset Rt.arm weakness, dysarthria, whirling type vertigo로 ER 내원하여 Rt. cerebellar PICA territory infarction (mech:CE,Afib) 진단 받고 IV tPA 시행되었고 증상호전됨.
3. 2011.2.12 오전 mental state drowsy해 지면서 dysarthria, CTFP 발생하였고 Image study 결과 Rt. PICA area에 large hemorrhagic transformation 소견 보여 당일 craniectomy 통해 decompression 및 lobectomy of Rt cerebellum 하였고 수술 후 mentality 호전되었음.
4. 입원 중 hematochezia 발생하여 colonoscoy 시행한 결과 ischemic colitis에 부합하는 소견 관찰되었고 bleeding은 spontaneous하게 stop함.
5. Atrial fibrillation으로 HR 변동폭 심하여 cardio consult 후 target INR 1.7-2.0으로 하여 2011.3.3 부터 warfarin 복용 시작하였음.

1. 고혈압(HTN) 고지혈증(hyperlipidemia)이 이미 과거에 발견되어 복약 중인 분으로 심방세동(atrial fibrillation, Af)도 있으며 2007년에 일과성뇌허혈증(transient ischemic attack, TIA), 2008년에 뇌경색(cebrebral infarction, Cb-inf)이 있었던 기왕력이 있는 환자입니다.

> ▪ h/o는 "history of"의 약자로 과거에 발병했던 주요 질환을 기재하며 s/p는 '..한 이후의 상태'를 의미하는 "status post"의 약자로 질환명을 기재하기도 하지만 주로 과거에 시행받은 수술이나 시술명을 기재할 때 많이 활용됩니다. (예: s/p tracheostomy)

2. 급성으로 발생한 오른팔의 위약감(weakness), 구음장애(dysarthria), 회전감이 있는 현기증(whirling type vertigo) 등으로 응급실에 방문한 결과 우측 소뇌의 PICA(posterior inferior cerebellar artery) 영역에 경색으로 진단되었고 혈전용해제인 tPA가 투여되어 증상이 호전되었습니다. 뇌경색이 온 기전(mechanism)은 심방세동(Af)으로 인한 심장성 색전(Cardioembolism, CE)으로 추정되었습니다. PICA의 폐색은 소뇌경색의 가장 흔한 원인으로 동측(ipsilateral)의 운동실조, 구음장애 등이 발생하며 현훈, 보행장애 등이 동반되기도 합니다.

3. 그러나 그 다음날 자꾸 졸려하면서(drowsy) 의식이 변화하였고 더불어 말도 어눌해지고(dysarthria), 안면부에 중심성 안면마비(central type facial pasy)도 보여 영상검사를 시행하였고 그 결과 PICA 부위에 커다란 출혈성 전환부위(hemorrhagic transformation)가 발견되어 당일 두개절제술(craniectomy)을 통해 감압(decompression) 및 우측 소뇌의 뇌엽절제술(lobectomy)이 시행되었습니다.

Tip tPA (tissue Plasminogen Activator)

1. 위의 증례는 tPA의 가장 주요한 부작용 중 하나인 출혈성 전환(hemorrhagic transformation)이 발생한 경우를 보여주고 있습니다.
2. 뇌경색이 발생한 이후 3시간 이내에 병원에 도착하고 일정기준을 충족하면 tPA의 사용이 고려되는데 효과가 좋을 때는 tPA가 막힌 경색 부위를 뚫어주면서 드라마틱하게 증세가 모두 사라지기도 하지만 일부의 경우 오히려 뇌출혈을 유발하여 상태가 더욱 악화되기도 하므로 임상에서 엄격한 적용이 요구되는 약물입니다. **[참조항목 : 45-5]**

4. 입원중 혈변(hematochezia)이 발생하여 대장내시경(colonoscoy) 시행결과 허혈성 대장염(ischemic colitis) 소견을 보였고 출혈(bleeding)은 특별한 조치없이 자연적으로(spontaneous) 멈추었습니다.

5. 심방세동(Af)으로 심박동수(Heart rate)의 변동폭이 심하여 심장내과(cardiology) 의뢰후 항응고제인 와파린을 복용하기 시작하였으며 목표(target)로 하는 와파린의 용량은 혈액검사상 INR이 1.7-2.0이 되도록 설정되었습니다. 일반적으로 심방세동이 있는 환자가 뇌경색 재발을 방지하기 위해 와파린을 복용하는 경우 용량조절을 통해 혈액검사상 INR이 2.0-3.0이 되는 것을 목표로 합니다. 그러나 본 환자의 경우 입원중 보인 출혈경향의 우려 때문에 그 정도까지 응고를 억제하지 않고 INR 1.7-2.0 정도로 완화한 것으로 판단됩니다. 참고로 와파린 등의 항응고제를 복용하지 않는 정상인의 INR은 이론상 1.0이고 실제 측정결과는 0.9-1.2 정도에서 분포합니다. **[참조항목 : 66-3]**

61-6 뇌경색 발병 이후 PEG 시행한 환자

[소견서]

1. Lt hemi d/t Rt MCA inf - PEG state

상기환자 2008.2 자택에서 Lt weakness 발생하여 Rt MCA inf 진단후 보존적 치료 및 재활 받던 환자로 Dysphagia로 L-tube feeding 지속되던 중 20XX.2 PEG 시행되었습니다. PEG site에 seropurulent discharge 있어 현재 daily dressing 중입니다.

2. MMT : Lt side F+ 이상
   Bladder & bowel : continent

3. ADL (MBI) : 65/100, come to sit (+) sit to stand (+)

1. 오른쪽(Rt) 중대뇌동맥(MCA)에 발생한 경색(Infarction)으로 좌반신마비인 상태이며 연하곤란(Dysphagia)으로 비위관(L-tube)을 사용하다가 결국 PEG를 한 상태입니다. 특히 본 환자와 같이 PEG 부위에 장액고름성의 분비물(seropurulent discharge)이 있다면 특히 소독에 신경써야 합니다.

Tip PEG (percutaneous endoscopic gastrostomy, 경피적내시경위루술)

1. 연하곤란이 있으면 일단 비위관(L-tube)을 통해 영양을 공급하나 3개월 또는 6개월 이상 tube feeding을 장기적으로 지속해야 할 때에는 PEG로 변경합니다.
2. 환자 본인 입장에서는 '콧줄 대신 뱃줄이 생긴 셈'으로 일단 호흡이 편해지고 염증이나 위식도역류 등의 부작용이 없어지는 장점이 있으나 욕조목욕 등이 불가능하고 정기적으로 소독(dressing)을 해야 한다는 단점도 존재합니다.
3. PEG는 보통 소화기내과에서 내시경을 이용하여 시행하며 보통 6개월에서 1년마다 교체해야 합니다.

2. MMT : Lt side F+ 이상

근력평가(manual muscle test, MMT) 결과는 좌측에 F+ (Fair plus: Grade 3)의 상태이므로 중력에 이길 수 있고 적절한 저항(Optimal resistance)에 대해 어느정도 움직임이 가능한 상태입니다. **[참조항목 : 3-3]** continent는 '대륙'이란 일반적인 의미로 쓰인 게 아니라 '금욕의' '배설자제력이 있는' 의 의미로 사용되었으며 배뇨기능(bladder function)이나 배변(bowel movement)이 본인 의지대로 조절가능함을 의미합니다. 쉽게 말해 요실금(urinary incontinence), 변실금(fecal incontinence)이 없는 상태임을 알 수 있습니다.

3. 일상생활동작 (Activities of daily living, ADL)의 평가는 보통 MBI(modified Bathel index)와 FIM(functional independent measure)가 많이 쓰이는데 여기서는 MBI가 사용되었습니다. 100점 만점에 65점으로 중등도의 의존상태(moderately dependent)라고 할 수 있으며 앙와위 자세에서 앉는 동작(come to sit)과 앉은 자세에서 일어서는 동작(sit to stand)은 모두 가능한 상태입니다. 참고로 MBI는 휠체어를 타고 있는 경우 90점을 만점으로 하고 있습니다.

62 소견서 – 종양 관련

62-1 내시경상 발견된 위암

소 견 서			
성명	양 ○ ○	주민등록번호	351120-2000000
주소	서울시 성동구 OO 동	성별	여
상병명	상세불명의 위 악성신생물	상병분류	C16.9
환자상태 및 진료소견			
상기 여환 평소 dyspepsia 지속되던 중 시행한 EGD상 EGC 발견되어 endoscopic mucosal excision 시행후 SM(+) 이후 진행한 w/u에서 AGC with peritoneal seeding, luminal obstruction 진단 받고 본원에서 stent insertion 하였던 분으로 현재 soft diet 적용하고 있는 상태입니다. 보호자 및 환자분 보존적 치료 원하여 귀원으로 전원 의뢰드립니다. 감사합니다.			
비고		용도	타병원 의뢰용
위와 같이 소견함 면허번호 제 00000 호 성명 김 ○ ○ 발행일 20 년 월 일 OO 대학교 부속 병원			

1. 상기 환자는 평소 소화불량(dyspepsia)이 지속되던 중 시행한 위내시경(EGD)상에서 조기위암(early gastric cancer, EGC)이 발견되어 내시경적 점막하박리술(endoscopic submucosal dissection, EMR)을 시행하였고 점막하(submucosal)에도 악성으로 진단되었습니다.
2. 이후 진행한 검사들(work-up)에서 진행성위암(advanced gastric cancer, AGC)과 함께 복막전이 또는 복막파종(peritoneal seeding), 장관협착(luminal obstruction) 등의 진단을 받고 해당 병원에서 스텐트(stent)를 삽입한 상태입니다.
3. 현재 죽과 같은 연식(soft diet) 위주의 식사를 하고 있는 상태로 완화적 목적의 관리를 위해 전원이 의뢰된 상태입니다.

62-2 ARF(=AKI)가 동반된 대장암 환자

[진료의뢰서]

의뢰진료과 : 한방내과 / 의뢰의사 : 박 O O
수신진료과 : 비뇨기과 / 수신의사 : 최 O O
응급여부 : 응급　　왕진여부 : 왕진

(1)

colon ca (20XX.1) with peritoneal seeding
s/p LAR, metastasectomy for bowel obstruction relief (20XX.2)
s/p FOLFOX, XELIRI, cetuximab -> PD 로 현재는 추적관찰 중

(2) 상기 환자 20XX-09-08 OO 대학병원 URO 통하여 DJ stent (both) 시행된 상태로 입원한 환자로 Cr 3.6, (FeNa 0.9)으로 상승되어 금일 U/S 시행되어 "Slightly more aggravated both hydronephrosis. No evidence of both renal artery stenosis" 소견 받은 상태입니다. 귀과적 Mx 시행 의뢰드리오니 고진선처 바랍니다. 감사합니다.

* 지난 3일간 I/O : 1900/1500, 2270/1410, 1900/1050 이며 현재 medication은 self약인 oxycontin 30mg bid 및 herbmed 적용중 입니다.

한방내과 박 O O 배상

[회신내용]

ARF 환자로 ureter obstruction으로 인한 postrenal azotemia가 원인으로 보입니다.
(3) 금일 lab상에서 emergent HD indication은 없으나 BUN/Cr, Total CO_2, K, CXR f/u 필요합니다. 특히 persistent hydronephrosis대해 PCN이 필요하겠습니다. 감사합니다.

비뇨기과 최 O O

(1)

1. 대장암 (colon cancer) + 복막전이(peritoneal seeding) - 장폐색(bowel obstruction)이 발생하여 저위전방절제술 (LAR, low anterior resection), 전이부위 절제술 (metastasectomy)을 시행한 상태(s/p, status post)이고 또한 각종 항암요법(FOLFOX, XELIRI, cetuximab)을 시행한 상태로 종양이 진행(progressive disease, PD)되어 현재는 추적관찰 중입니다.

2. 복막파종(peritoneal seeding)은 복막에 전이가 되었다는 의미인데 마치 복막에 씨앗(seed)을 뿌리듯 퍼져있다는 것을 비유하여 파종(seeding)이란 용어가 쓰입니다. 복막까지 전이가 된 stage IV인 상황에서는 보통 수술은 치료적 의미가 없는 것으로 간주되지만 장폐색(bowel obstruction)이 발생하였으므로 이를 해결하기 위한 LAR이 시행되었습니다. PD는 RECIST 기준으로 종양이 진행되었다는 의미입니다. **[참조항목: 51-4]**

(2)

1. 상기 환자 타병원 비뇨기관(URO) 통하여 양쪽에 Double J stent가 시행된 상태로 입원한 환자로 Creatinine이 3.6으로 상승되어 금일 초음파(ultra-sonography, US) 시행되어 약간 더 악화된(aggravated) 양측의 수신증(both hydronephrosis)이 보였고 신동맥(renal artery)의 협착(stenosis)은 없다는 소견을 받을 상태입니다. 이에 비뇨기과적 관리(management, Mx)의 시행을 의뢰하고 있으며 FeNa가 사용된 것은 Creatinine 상승의 원인을 알기 위한 것으로 자세한 것은 관련 파트 **[참조항목 : 92-3]**를 찾아보시기 바랍니다.
2. Creatinine이 3.6까지 상승한 것은 급성신부전(ARF)에 준하는 상태로 신장 자체의 문제도 있을 수 있고 또는 종양의 진행으로 stent가 막혔을 가능성도 높습니다. 일단 신장의 상태를 알아보기 위해 초음파를 시행한 결과 양쪽 신장 모두 소변을 제대로 배출하지 못하여 신장이 붓는 수신증이 발생하였습니다.
3. I/O(input/output)를 기재한 이유는 소변량의 변화를 관찰하여 신기능을 상태를 보기 위함입니다. 들어가는 수분의 양은 1900-2200ml 정도로 일정하나 배출되는 수분의 양은 처음 1500ml에서 점차 감소하는 경향을 보이고 있습니다. 현재 약은 타 병원에서 가져온 마약성 진통제인 옥시콘틴과 한약(herbmed)이 적용중입니다.

(3) [회신내용]

1. 급성신부전(acute renal failure, ARF=AKI) 환자로 요관(ureter)의 협착(obstruction)으로 인한 신후성(postrenal)의 고질소혈증(azotemia)이 원인으로 추정되었습니다. 검사상 응급적인(emergent) 혈액투석(hemodialysis, HD)의 적응증(indication)은 없으나 각종 혈액검사(BUN/Cr, Total CO_2, K 등) 및 CXR(chest X-ray)를 추적검사(f/u, follow-up)하는 것이 필요한 상태라고 하면서 특히 지속적인(persistent) 수신증에 대해 경피적 신루설치술(PCN, Percutaneous nephrostomy)이 필요하다고 회신되었습니다.
2. PCN은 보통 영상의학과에서 시행되므로 이런 회신이 온 경우 주치의는 환자를 영상의학과에 다시 의뢰를 하여야 합니다.

Tip PCN (percutaneous nephrostomy)

1. DJ stent를 시도할 수 없거나 시행해도 urination에 문제가 발생하면 아예 요관(ureter)를 사용하지 않고 소변을 체외로 빼내는 PCN이 사용됩니다.
2. 옆구리에 관을 달고 있어야 하기 때문에 일상생활이 불편하고 감염이 되거나 소변이 조금씩 새어 나올 수 (oozing) 있는 등의 불편한 점이 있습니다.
3. 영상의학과에서 시행되며 보통 1개월마다 tube를 교체합니다.

Tip Double J stent

1. 요관부목이라고도 하며 종양으로 요관(ureter)이 막히거나 신장결석(renal stone) 등을 수술적으로 제거한 후 원활한 배뇨를 위해 일시적으로 시술해 놓기도 합니다. 양쪽으로 J자 모양으로 이루어진 24-30cm의 관이므로 Double J stent 또는 D-J stent로 불리며 요도를 통해 삽입되어 방광을 지나 요관의 개구부에 다다르게 됩니다.
2. 비뇨기과에서 시행되며 장기간 유치해야 할 경우에는 3-4개월마다 stent를 교체해야 합니다.

Tip 항암제 복합처방(combination chemotherapy)의 약자(예)

1. 암환자의 차트에 표기된 약자 중 초심자에게 가장 혼란스러운 부분 중 하나가 바로 약어사전에 나오지도 않는 항암제 복합처방과 관련된 약자입니다. 일반적으로 2-3개의 항암제가 한꺼번에 투여되므로 각각의 항암제들을 약어로 표시한 후 이를 다시 하나의 약어로 만들게 됩니다.
2. 최근에는 다양한 항암제의 출현으로 개별약제를 모두 표기하는 경향도 있지만 대표적인 항암제 처방의 약자는 여전히 많이 사용됩니다. 몇몇 약어를 예를 들면 다음과 같으며 같은 약제라도 암종별로 사용되는 약자는 다를 수 있으므로 주의해야 합니다. 예를 들어 P는 cisplatin(주)으로도 또는 prednisolone으로도 사용됩니다.

   FOLFOX = 5-FU + leucovorin + oxaliplatin
   FOLFIRI = 5-FU + leucovorin + irinotecan
   FOLFIRINOX = 5-FU + leucovorin + irinotecan + oxaliplatin
   XELOX = capecitabine (xeloda) + oxaliplatin
   AC = Doxorubicin (adriamycin) + Cyclophosphamide
   CAF = Cyclophosphamide + Doxorubicin + 5-FU
   CMF = Cyclophosphamide + MTX (methotrexate) + 5-FU
   TAC = Taxane (Taxol) + Doxorubicin + Cyclophosphamide
   IP = irinotecan + cisplatin
   CHOP = Cyclophosphamide + adriamycin + vincristin + prednisolone

*(주) 시스플라틴(cisplatin)은 대표적인 백금계(platinum) 항암제로 원래의 이름 (cisdiamminedichloroplatinum)을 따서 CDDP로 표기되기도 합니다.

62-3 직장암 환자

소견서
[Current Diagnosis] rectal ca liver/bone/lung mets s/p FOLFOX CTx 1st-20th (1.23-11.19) s/p xeloda CTx Lt hemiplegia d/t brain mets
[Brief History] 1. 64세 남환으로 local 의원 건강검진으로 시행한 CFS상 rectal ca imp하에 본원 내원하여 evaluation 결과 rectal ca multiple liver mets, r/o lung mets로 inoperable 하여 CTx 중인 상태입니다. 2. 8th FOLFOX 시행당시 입원기간 동안 ANC 150으로 neutropenia 보여 5FU 50 % DR로 시행하였습니다. 3. 22th FOLFOX CTx 시행후 PET CT상 r/o PD 소견 보여 regimen change 하여 xeloda therapy로 OPD 통한 치료 하였습니다. 4. 이 때까지 independent ambulation, ADL 모두 가능하였으나 12.29 sudden Lt side weakness로 ER 내원하여 brain tumor bleeding Imp하에 hematoma & tumor removal 시행(pathology : adenoca)되었고 ICU에서 sepsis care 후 일반 ward로 전원되었습니다. 5. 현재 eating 800kcal 정도로 TPN 같이 시행중입니다. v/s stable 하며 lab 상 큰 interval change는 없는 상태입니다.

(1) Current Diagnosis

1. 현재 진단된(Current Diagnosis) 상태와 간략한 기왕력(Brief History)으로 구분하여 제시된 소견서 입니다. 상기 환자는 직장암(rectal cancer)으로 간, 뼈, 폐에 전이(metastasis)가 된 상태로서 FOLFOX 항암치료(CTx)와 젤로다(xeloda) 항암치료를 시행받은 바 있습니다. FOLFOX는 5-FU(fluorouracil), leucovorin, oxaliplatin 등으로 구성된 항암제 처방의 약자로 대장결장암에 많이 사용됩니다.
2. 좌측의 편마비(hemiplegia)는 뇌 전이(brain metastasis)로 인한 것입니다. d/t는 due to 의 약자형태표기로 원인이 되는 질환을 기술할 때 사용됩니다.

(2) Brief History

1. 본 증례의 환자는 64세 남성환자로 동네 의원 건강검진으로 시행한 대장내시경(CSF, colonofiberscopy)상 직장암이 의심(impression)되어 내원하여 평가한 결과 직장암에 다발성 간전이(multiple liver metastasis) 및 폐전이 의증 (rule out lung metastasis)으로 수술이 불가(inoperable)하여 항암치료(chemotherapy, CTx) 중인 상태입니다. 이 정도로 원격전이가 된 4기암의 경우 보통 국소부위의 종양제거가 목적인 수술보다는 전신적인 항암치료가 위주가 되며 다만 특정 부위의 폐색이나 기타 필요성이 있을 경우 선택적으로 수술이 시행되기도 합니다.

Tip 내시경의 약자표기

1. 대장내시경은 colonoscopy가 일반적인 표기이고 흔하지는 않지만 CFS로 표기되기도 합니다.
2. 위내시경의 경우는 EGD(esophagogastroduodenoscopy)가 약자로 많이 사용되는 편이나 GFS (gastrofiberscopy)로 표기되기도 합니다. endoscopy는 본래 위내시경, 대장내시경을 모두 포함하는 용어지만 단독으로 쓰일 때는 보통 위내시경을 의미합니다.

2. FOLFOX 항암치료를 8번째 시행받을 때 절대호중구수(absolute neutrophil count, ANC)가 150으로 급감한 호중구감소증(neutropenia)을 보여 5-FU의 용량을 50% 감량(dose reduction, DR)하였습니다. ANC는 백혈구(WBC) 중에서 호중구의 비율을 계산하여 호중구수를 계산한 것으로 500 이하라면 감염에 특히 취약해지므로 격리가 필요합니다. 독성이 강한 5-FU를 원래 용량으로 투여하면 ANC가 더욱 감소될 것을 우려해서 50%로 감량되어 투여된 것입니다.
3. 22번째 FOLFOX 항암제 투여 후에는 PET-CT가 시행되었고 검사결과 악화(progressive disease, PD) 판정을 받아서 항암제의 처방(regimen)이 젤로다(xeloda)로 바뀌었습니다. 젤로다는 정제(tablet) 형태의 경구용 항암제이기 때문에 OPD(outpatient department, 외래)를 통한 치료가 위주가 됩니다. 악화되었다는 의미로 사용된 'PD'는 고형암(solid tumor)의 치료반응 평가기준인 RECIST의 용어입니다. **[참조항목: 51-4]**
4. 이 당시까지 독립적으로 보행(ambulation) 및 일상활동(activities of daily living, ADL)이 모두 가능하였으니 12.29 갑자기 좌측의 위약(Lt side weakness)을 증상으로 응급실(ER) 내원하였고 뇌종양(brain tumor)으로 인한 출혈(bleeding)이 추정진단(Impression)되어 혈종(hematoma) 및 종양(tumor)의 제거가 시행되었습니다. 제거조직을 병리적(pathology)으로 분석한 결과 선암(腺癌, adenocarcinoma)으로 진단되었고 이후 중환자실(ICU)에서 패혈증(sepsis) 관리 후 일반 병동으로 전원되었습니다.
5. 현재 경구섭취열량이 800kcal 정도이며 부족한 열량은 TPN으로 보충하고 있습니다. 생체징후(v/s)는 안정적(stable)이고 검사결과에서 큰 변화는 보이지 않는 상태입니다.

63 소견서 - 기타 내과계질환

63-1 횡문근융해증 (Rhabdomyolysis)

[소견서]

(1) 2주전 difficulty in urination으로 LMC에서 medication 처방 받아 복용하던 중 myalgia 및 edema, nausea 등이 동반되어 f/e 및 Mx 위해 본원 ER 내원하신 분으로 Lab상 CK, myoglobin 포함한 muscle enzyme 상승한 양상으로 drug induced myopathy로 생각되며 또는 Rhabdomyolysis의 improving state로도 판단됩니다.

(2) 원인은 2주전 처방받은 diuretics로 추정되며 또는 statin도 가능성 있어 보입니다. ER에서 hydration하면서 ARF, e'imbalance 교정하여 renal function 호전되었고 myalgia도 호전되었으나 아직 남아 있는 상태입니다. 귀원에서도 지속적인 hydration 및 m. enzyme f/u 시행 부탁드립니다. 감사합니다.

(1)

1. 2주전 배뇨(urination)의 장애로 지역내 1차 또는 2차 의료기관(Local medical center, LMC)에서 약을 처방 받아 복용하던 중 근육통(myalgia), 부종(edema), 오심(nausea) 등이 동반되어 추가적 검사(f/e, Further evaluation) 및 관리(Management)를 위해 해당병원 응급실 내원한 환자입니다.
2. 혈액검사상 CK(creatine kinase), myoglobin 포함한 근효소치의 상승한 양상으로 약물유발성근병증(drug induced myopathy)으로 생각되며 또는 횡문근융해증(rhabdomyolysis)의 호전중인 상태로도 판단되는 상황입니다.

(2)

1. 원인은 2주전 처방된 것으로 보이는 이뇨제(diuretics)로 추정되며 또는 고지질혈증의 치료를 위해 흔히 복용되는 스타틴(statin)도 가능성이 있어 보입니다. 응급실에서 수액공급(hydration) 하면서 급성신부전(acute renal failure, ARF) 및 전해질 불균형(electrolyte imbalance)을 교정하여 신기능(renal function)은 호전되었고 근육통(myalgia)도 호전되었으나 아직 남아 있는 상태입니다.

2. 전원이후에도 지속적인 수분공급(hydration) 및 근효소의 추적검사(follow-up, f/u) 시행이 요망되고 있습니다.

Tip Rhabdomyolysis (횡문근융해증)

1. 교통사고, 경련, 과도한 운동, 수술적 손상 등으로 근육이 충격을 받거나 음주, 약물, 감염 등의 원인으로 골격근(Rhabdomyo-)에 융해(lysis)가 발생되어 유발되는 질환입니다.
2. 근육의 손상으로 단백질의 일종인 myoglobin이 혈액속으로 유출되고 이것이 신장으로 배출되면서 신기능에 장애를 초래하게 되며 심하면 ARF가 유발되기도 합니다.
3. 소변이 적갈색 또는 콜라색으로 보이기도 하는데 이는 혈뇨가 아니라 Myoglobin이 소변에 섞여 있기 때문입니다. Myoglobin은 손상초기에 증가하나 반감기가 짧아 진단적 중요도는 떨어지는 검사입니다.
4. Myoglobin 보다는 CK가 보다 확실한 진단이 되며 보통 정상치보다 5배 이상 상승합니다. 이 때 심장이나 뇌 등의 손상은 없어야 합니다. 보통 최초 손상 12시간 이후부터 증가해 1-3일간 Peak level을 유지합니다.
5. 치료는 충분한 Hydration 및 Electrolyte 교정이 위주가 됩니다.

[Reference] Vanholder R, Sever MS, Erek E, Lameire N. Rhabdomyolysis. J. Am. Soc. Nephrol. 2000;11(8): 1553-61.

63-2 급성심근경색

(1)	c/c	Rt. Chest pain
	P.I	상기 환자 DM & HTN 10YA Dx 받고 medication 중으로 내원당일 오후부터 시작된 chest pain으로 local Hosp에서 시행한 EKG상 V1-V6 ST elevation 있어 f/e 위해 본원 내원함.
(2)	PMHx	DM/HTN/Tbc/HBV (+/+/-/-)
	OpHx	(-)
	Drug allergy	(-)
	FHx	아버지 CVA
	Social Hx	alcohol (-) smoking(+) :30 pack years / 가정주부
	ROS	chest discomfort(+) dyspnea(-)
(3)	P/E	M/S ; alert G/A : acute ill looking HEENT : isocoric pupil c L/R (++/++) pink conjunctiva Chest : BSE CBS RHB Abd : T/RT (-/-) NABS organomega(-)
(4)	A	STEMI r/o AP (Angina Pectoris) r/o GERD
(5)	P	Dx plan – EKG, CBC/DC, UA, electro, CKMB, TnI, CXR, cardiac echo Tx plan – sublinguial NTG , morphine Aspirin/clopidogrel/BB, CCB, anticoagulation drug 호전없으면 CAG & PCI 고려

(1)

1. c/c(chief complaint)는 주증상 또는 주소증(主訴證)을 의미하며 우측의 흉통(chest pain)을 c/c로 내원한 환자입니다. P.I (present illness)는 현재의 질환에 대한 기재란입니다. c/c와 관련되거나 기타 중요한 의학적 사실들을 기술합니다.
2. 당뇨(DM), 고혈압(HTN)을 10년 전(10 year ago) 진단 받고 복약(medication) 중이었으며 흉통으로 지역병원(Local Hospital)에서 시행한 심전도(EKG)상 V1-V6 부위에 ST 분절의 상승(elevation)이 있어 추가적 검사(further evaluation)위해 본원 내원한 상태입니다.

(2)

1. 과거력(previous medical history, PMHx)은 당뇨(DM), 고혈압(HTN)은 있는 상태이나 결핵(Tbc), B형간염(HBV) 과거력은 없는 상태입니다. 수술력(operation history, OpHx)이나 약물 알레르기(drug allergy)도 없으나 가족력(family history)상 아버지의 뇌졸중(CVA)이 있었고 사회력(social history)상 음주(alcohol)는 없으나 흡연력이 30 pack-year나 됩니다. 1 갑

년(pack-year)이 하루 한 갑씩 1년간 흡연한 양에 상당하므로 하루 한 갑씩 30년 또는 두 갑씩 15년간 피운 셈이 됩니다.

2. 계통적문진(ROS) 상 흉통(chest discomfort)은 있으나 호흡곤란(dyspnea)은 없습니다.

(3)

1. 이학적 검진에서 의식상태(mental state, M/S)는 정상이나 외견상(general appearance, G/A) 급성으로 아픈 상태가 보이고 있습니다.
2. 머리(Head), 눈(Eye), 귀(Ear), 코(Nose), 인후(Throat) 등의 검진시, 특히 급성상태로 내원한 환자의 경우 안구 쪽의 신경학적 검진이 위주가 됩니다. 본 환자의 경우에는 양쪽 동공의 크기가 동일하고(isocoric pupil) 대광반사(L/R, Light reflex)도 정상이며 분홍빛의 결막(conjunctiva)을 보여 정상인 상태입니다.
3. 흉부에서는 호흡시 좌우대칭으로 정상적 확장형태(bilateral symmetric expansion, BSE)를 보이고 있고 청진상 정상호흡음(clear breathing sound, CBS), 규칙적심박동(regular heart beat, RHB)을 보이는 상태입니다. 복진에서는 압통(tenderness)이나 반발통(rebound tenderness)이 없고 장기비대(organomegaly)도 없는 상태이고 장음(bowel sound) 청진시 정상적 활동(normal active)의 상태를 나타내었습니다(NABS).

(4)

1. A(assesment, 평가)에서는 ST 분절이 상승한 심근경색, 즉 STEMI(ST elevation myocardial infarction)로 판단하고 있습니다.
2. 또는 협심증(Angina Pectoris, AP)이나 위식도역류증(GERD)의 가능성도 배제할 수 없으므로 유념하고 배제진단을 고려해야 하는 상태입니다.

(5)

1. P(plan, 계획)에서는 진단을 위해 심전도(EKG), CBC/DC, 소변검사(UA), 전해질검사(electrolyte), CK-MB, TnI 등과 함께 흉부X선(CXR), 심장초음파(cardiac echo) 예정입니다.
2. 치료는 일단 STEMI로 간주하여 Nitrogycerin을 설하(sublinguial)로 투여하고 아울러 심한 통증이 지속된다면 몰핀(morphine)도 투여될 수 있습니다. 기타 Aspirin, clopidogrel 등의 항혈소판제제와 베타차단제(BB), 칼슘채널차단제(CCB) 및 와파린(warfarin)과 같은 항응고제(anticoagulation) 약물의 투여도 고려됩니다.
3. 호전이 없으면 관상동맥 조영술(coronary angiogram, CAG) 및 관상동맥 중재술(PCI, Percutaneous Coronary Intervention)이 시행될 수 있습니다. **[참조항목 : 84-3]**

63-3 2VD환자와 관상동맥조영술(CAG)

[소견서]

(1)

#1. 2VD
상기 환자 1년전 CAG상 2VD 소견으로 pRCA에 PCI 시행되었던 환자입니다.

#2. Alzheimer's disease
약 2년전 sl. recent memory impairment로 AD 진단받으신 분으로 2개월 전부터 memory deficit, intermittent irritability, disorientation, urinary frequency 심해져 입원한 환자로 입원중 delirium 보여 galantamine 16mg에서 24mg로 증량하고 QTP 50mg 사용되었습니다. (MMSE-K : 20, CDR :0.5, GDS : 4)

(2) f/u CAG상 pRCA의 previous stenting site는 ISR 없이 patent 하지만 m-Lcx 부위에 90% stenosis 소견으로 PCI rec 되어 1개월 전 PCI to LCx 시행되었고 11.13에 본원 cardio OPD 예약 잡혀있는 상태입니다.

(1)

1. 2-VD (2 vessel disease)
2. 상기 환자는 1년전 관상동맥 조영술(coronary angiogram, CAG)상에 이중혈관병변(2 vessel disease, 2-VD) 소견으로 p-RCA (proximal- Right coronary artery)의 부위에 관상동맥 중재술(PCI, Percutaneous Coronary Intervention)이 시행되었던 환자입니다.
3. 약 2년전 경도의(slightly) 최근기억(recent memory) 장애로 알츠하이머성 치매(AD, Alzheimer's Disease) 진단받으신 분으로 2개월 전부터 기억력 감소, 간헐적인 짜증냄(irritability), 지남력장애(disorientation), 빈뇨(urinary frequency) 등이 심해져 입원했으며 입원중 섬망(delirium)이 보여 치매치료제인 galantamine, 항정신병제인 Quetiapine (Seroquel) 50mg이 사용되었습니다.

(2)

1. 이후 추적검사(f/u, follow-up)로 시행한 CAG상 pRCA의 과거 스텐트 시행부위는 스텐트 내 재협착(ISR, In-stent Restenosis)없이 개방성(patency)이 유지되지만 m-LCx 부위에 90% 정도 협착된 소견이 있어 PCI가 권장(recommend)되었고 이에 1개월전 LCx 부위에 PCI가 시행되었습니다. 현재 11.13 해당병원 심장내과(cardiology)에 외래(OPD, outpatient depart-

ment) 예약이 잡힌 상태입니다.

2. Patency는 관(tube) 또는 통로 등이 막히지 않고 잘 뚫려있는 것을 의미합니다.

Tip 관상동맥(coronary artery)과 CAG

1. 심장에 혈액을 공급하는 관상동맥의 상태는 CAG 검사로 평가할 수 있는데 크게 RCA, LAD, LCx의 3개의 주요한 혈관을 위주로 평가합니다. 여기에서 PDA(posterior descending a.) 등 더 갈라져 나오는 혈관들도 구분되나 이 3개의 혈관이 임상적으로 가장 중요합니다.
2. 다음의 그림을 참고하면 오른쪽에는 RCA (우관상동맥, Right circumflex artery)가 있고 왼쪽에는 좌관상동맥에서 두갈래로 나뉜 LAD(Left anterior descending artery), LCx(Left circumflex artery)가 위치합니다. 이중 2개에 이상이 있으면 2-VD(2 vessel disease), 3개가 문제되면 3-VD(3 vessel disease)라고 합니다.
3. p-LCX, m-RCA 등으로 표기하는 것은 각 혈관에서의 부위를 나타내는 것으로 P는 proximal로 상부, M은 middle로 중간부, D는 distal로 하부를 의미합니다. (본래 Proximal, distal은 근위부, 원위부를 뜻하나 혈관이 위에서 아래로 내려오는 형태이므로 근위부가 상부, 원위부가 하부가 됩니다)

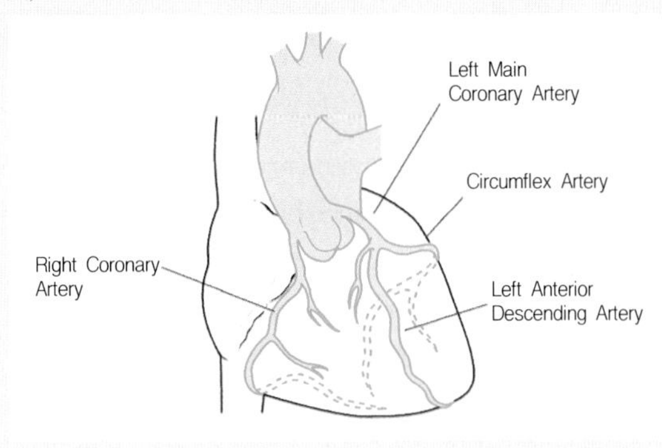

4. 참고적으로 각각의 부위에 따른 유발병증은 아래와 같습니다. 만성적으로 폐색이 진행된 경우에는 측부혈행(collaterals bridging)이 발달되어 아래의 양상과 다를 수 있습니다.

   1) **RCA의 폐색** - acute inferior MI 또는 posterior or right ventricular MI를 유발
   2) **LAD의 폐색** - anterior infarction을 유발. 때로는 BBB(bundle branch block), Mobitz II 2° AV block도 동반
   3) **LCX의 폐색** - lateral infarction을 유발

63-4 만성설사환자

[진료의뢰서]

의뢰진료과 : 한방내과　　의뢰의사 : 강 O O
수신진료과 : 영상의학과　수신의사 : 박 O O

(1) # refractory diarrhea - 1 MA
s/p Laparoscopic Cholecystectomy for GB stone (20XX)

ruled out〉
1) bacterial enteritis (salmonella, shigella(-))
2) viral enteritis (Adeno virus (-), Rota virus ag(-) anti-HIV Ab(-))
3) Bile salt induced diarrhea
(cholestyramine 투여에도 no effect)
4) Amyloidosis (Congo-red stain negative)

- OO대학병원 w/u 결과입니다.

(2) 상기 환자 1개월 이상 지속된 refractory diarrhea로 bwt loss 12kg in 1 month인 환자입니다. OO대학병원 입원 이후 w/u 진행하였으나 아직까지 etiology 찾기 어려운 환자입니다. 현재까지 하루 8-10회 정도 watery diarrhea 지속중이며 환자 및 보호자 한방치료 원하여 어제 본 병원으로 transfer 되었습니다.

현재 oral intake 거의 못하는 상태이며 nutritional support 위하여 cental TPN 예정으로 C-line placement 의뢰드립니다. 고진선처 바랍니다. 감사합니다.

한방내과 R2 강OO 배상

(1)

불응성(refractory) 설사(diarrhea) - 1 Month ago
20XX년 담석(gall bladder stone)이 발견되어 복강경(Laparoscopy)을 통해 담낭절제술(cholecystectomy)시행받은 상태(s/p, status post)

가능성이 배제된(ruled out) 질환들〉

1) 박테리아성 장염(bacterial enteritis) - 살모넬라균, 시겔라균 검사에 음성
2) 바이러스성 장염 - Adeno virus, Rota virus, HIV 검사 등에 음성
3) 담즙산염 유발설사 (bile salt induced diarrhea) - 담낭(GB)이 제거된 경우 담즙이 식사와 무관하게 계속 배출되어 결국 Bile salt induced diarrhea가 발생할 수 있으며 이 경우 bile acid에 결합하여 작용을 방해하는 cholestyramine을 투여하면 호전됩니다. 이 약에 반응이 없었으므로 진단후보에서 배제되었습니다.
4) 아밀로이드증 (Amyloidosis) - 대사장애로 인해 아밀로이드(amyloid)라는 단백질이 전신의 장기에 침착하는 아밀로이드증은 병변 조직을 Congo-red라는 염료로 염색하면 붉게 변하는 것으로 양성으로 진단됩니다. 음성으로 나왔으므로 진단에서 배제되었습니다.

(2)

1. 상기 환자는 1개월 이상 지속된 불응성(refractory)의 설사로 체중(body weight, BWT)이 1개월 만에 12kg 감소한 환자입니다. 타 병원에 입원한 이후 진단을 위한 각종 검사(workup, w/u)를 진행하였으나 아직까지 병인(etiology)을 찾기 어려운 환자로 하루 8-10회의 수양성 설사(watery diarrhea)가 지속중인 상태에서 한방치료 위해 한방병원으로 전원(transfer)된 환자입니다.
2. 현재 경구섭취(oral intake)는 거의 못하는 상태이며 영양공급(nutritional support)을 위하여 중심정맥(central vein)을 통한 총정맥영양공급(total parenteral nutrition)을 시행할 예정으로 중심정맥관(central venous line, C-line)의 삽입을 의뢰하고 있습니다. 각종 필수영양소가 함유되어 있는 TPN은 일반 수액에 비하여 농도가 높기 때문에(hypertonic) 혈관상태가 좋지 않거나 장기간 투여가 예상되면 말초보다는 중심정맥관(C-line)이 선택됩니다.
3. 참고로 실제 c-line만 의뢰할 때에는 지나치게 자세한 환자관련 정보는 생략하고 의뢰내용 위주로 간략히 기재해도 됩니다.

Tip 중심정맥관 (central venous line 또는 central venous catheter)

1. C-line은 보통 subclavian vein(쇄골하정맥)에 일차적으로 시행되며 삽입에 실패했을 때에는 jugular 또는 femoral vein에 시행되기도 합니다.
2. Subclavian vein 위치의 특성상 카테터 삽입시 폐를 찌를 위험성도 있기 때문에 C-line 삽입을 하고 온 환자는 Chest x-ray를 시행해서 혹시라도 PTX(pneumothorax, 기흉)가 발생하지 않았는지 확인해야 합니다.

Tip 인터벤션 영상의학 (interventional radiology)

1. 내과 또는 외과 등에서는 자체적으로 c-line을 시행하기도 하지만 기흉의 가능성을 최소화해야 할 경우 영상의학과에 의뢰하면 영상 유도하에 정확한 해부학적 위치로 카테터를 삽입할 수 있게 됩니다.
2. 이렇게 각종 혈관조영장비나 초음파, CT 등을 실시간으로 이용하면서 병변에 직접적으로 접근하여 시술하는 방법을 인터벤션(intervention)이라고 하며 과거 영상판독이 주업무였던 영상의학과의 성격을 완전히 바꾼 분야라 하겠습니다.

64 소견서 - 근골격계질환

64-1 교통사고 후유증

[진료의뢰서]

의뢰진료과 : 재활의학과 의뢰의사 : 최 ㅇ ㅇ
수신진료과 : 침구과 수신의사 : 김 ㅇ ㅇ

(1) 3.20 발생한 pedestrian's TA로 multiple rib Fx, pelvic bone Fx로 Adm 하여 수술적 치료 이후 재활치료 받던 환자로 Lt lower leg의 지속적인 numbness, tingling sensation 호소하여 EMG, NCV 시행한 결과 Lt lower lumbosacral plexopathy 있는 것으로 나타났고 MR sacrum에서 left S1 nerve root compression at extraneural foramen 소견 보였습니다.

(2) 현재 다른 내과적 치료는 필요하지 않을 것으로 보이나 지속적인 rehab 및 Lt lower leg 등의 증상관리 요하는 환자로 한방치료 병행 위하여 의뢰드립니다. 고진선처 바랍니다. 감사합니다.

1. 3월20일에 발생한 보행자 교통사고(pedestrian's TA)로 다발성의 늑골골절(multiple rib Fx), 골반 골절(pelvic bone Fx)로 입원(admission) 하여 수술적 치료를 시행한 이후 재활치료를 받던 환자로 좌측하지(Lt lower leg)의 지속적인 무감각(numbness), 저린 느낌(tingling sensation)을 호소하여 근전도(EMG), 신경전도속도(NCV) 시행한 결과 좌하지의 요천추부 신경총병증(lumbosacral plexopathy)이 있는 것으로 나타났고 천골부(sacrum)의 MRI에서 좌측 S1 신경근의 압박소견이 보였습니다.

2. 현재 다른 내과적 치료는 필요하지 않을 것으로 보이나 지속적인 재활(rehabilitation) 및 증상의 관리를 요하는 환자로 한방치료 병행 위하여 의뢰되었습니다.

64-2 골절 후 수술적 치료

[소견서]

(1)

Quadriparesis d/t T-SAH
h/o Rt femur & tibia Fx, hemoperitoneum
s/p BPHA, Lt d/t femur neck Fx

(2)

1. 상기 환자 TA로 T-SAH, Rt femur & tibia Fx, hemoperitoneum 진단 후 개복수술 및 Fx에 대한 ORIF 등이 시행되었던 환자로 현재 Quadriparesis인 상태입니다.
2. Op 이후 XX대학교병원으로 전원하였고 nonunin of Rt tibia Fx로 재수술 받았습니다. 지난 7.21 부터 본원 입원하였고 재활 치료 등으로 minimal assisted 하에 보행이 가능하였으나 slip down되어 시행한 검사상 Lt. femur neck Fx 소견 보여 10.28에 BPHA 시행되었습니다.
3. 현재 full weight bearing 가능하나 ADL상 moderate assist 요하는 상태입니다.

(1)

1. 상기 환자는 교통사고(traffic accident, TA)로 외상성 지주막하출혈(traumatic SAH, T-SAH), 우측 대퇴골, 경골의 골절(fracture, Fx), 복강내출혈(hemoperitoneum) 진단을 받고 개복술 및 골절에 대한 ORIF(open reduction-internal fixation) 수술이 시행되었으며 현재는 사지불완전마비(quadriparesis)인 상태입니다.

Tip 골절(fracture)과 Reduction

1. 일반적인 단순 골절이 발생하면 보통 수술 또는 비수술적인 방법으로 Reduction(정복술)을 시행하는데 쉽게 말해 뼈를 원래의 위치로 복구시키는 것을 말합니다.
2. 리덕션(reduction)에는 수술로 골절부위를 직접 노출시켜 정복하는 open reduction (O/R, 관혈적 정복술 또는 개방적 정복술)과 골절부위를 open하지 않고 교정하는 closed reduction(C/R, 비관혈적 정복술 또는 폐쇄적 정복술)으로 구분됩니다. 골절부위를 노출시키는 관혈적(觀血的) 방법은 보통 closed reduction이 불가능할 때 시행되며 연부조직, 혈종 등 방해인자들을 제거하면서 직접 눈으로 확인하고 reduction할 수 있다는 장점이 있으나 감염의 우려가 있습니다.
3. Reduction 후에는 그 상태가 잘 유지되도록 wire, pin 등을 이용해 Internal fixation(I/F, 내고정술)이 병행하기도 합니다. ORIF는 open reduction후 내고정술을 한 것이고 CRIF는 closed reduction후 내고정술을 시행한 것입니다. 골절의 부위와 양상에 따라 리덕션(reduction)보다는

견인(traction), 인공관절술 등이 활용되기도 합니다.

*(주) open reduction을 개정된 의학용어에서는 '열림되맞춤술'로 표기합니다.

2. 수술 이후 타병원으로 전원하였으나 tibia의 골절이 불유합(nonunion)되어 재수술을 받았습니다. 재수술 후 재활 치료 등으로 최소한의 보조만으로 보행이 가능하였으나 넘어져서(slip down) 좌측 대퇴골두골절이 발생하였고 10.28에 BPHA(bipolar hemiarthroplasty) 수술을 받았습니다.

Tip 대퇴골 경부 골절 (femur neck fracture)

1. 경도의 대퇴골 경부 골절은 노인의 낙상시 흔히 발생하는 골절입니다. 수술적 정복술(surgical reduction) 및 나사못 내고정술(screw fixation)을 통해 치료하지만 고령이거나 중등도 이상의 골절일 경우 AVN(avascular necrosis 무혈성 괴사)이 발생할 확률이 높아 인공대퇴골두를 넣는 수술이 선호됩니다.
2. 고관절에 인공 대퇴골두를 넣는 치환술은 크게 두가지가 있습니다.
   1) BPHA (bipolar hemiarthroplasty) 양극성 인공관절 부분치환술
   2) THRA (total hip replacement arthroplasty) 고관절 인공관절 전치환술
3. 고관절을 Ball and socket joint라 하였을 때 관골구(acetabulum)는 socket에 해당하고 대퇴골두(femoral head)는 ball에 해당하는데 socket(acetabulum)의 연골이 온전하면 ball(femoral head)에 해당하는 부위만 치환하는 BPHA를, socket의 연골이 온전하지 않거나 고관절의 변성이 심하면 socket과 ball을 모두 치환하는 THPA를 시행하게 됩니다.
4. 참고로 femur neck은 blood supply가 취약하여 조기에 해부학적인 위치로 Reduction이 안되면 무혈성 괴사(AVN)가 발생하기 쉬우므로 빠른 치료가 유리합니다. 최근에는 과음, steriod 사용 등의 원인으로 젊은 남성들에게서 고관절의 AVN이 증가하였는데 이 또한 심한 경우라면 BPHA 등이 시행되기도 합니다.

3. 현재는 전신의 체중부하(full weight bearing)가 가능하나 일상활동평가(activities of daily living, ADL)상 중등도의 도움이 필요한 상태입니다.

Tip 체중부하의 정도

- Full weight bearing : 목발 등 보조기구 필요없이 전신의 체중부하가 가능
- Partial-weight bearing : 목발 등을 사용해 부분적으로 체중부하가 가능
- Non-weight bearing : 수술 직후와 같이 체중을 실으면 안되는 상태

7장

입원환자 관리

입원환자의 관리시 필요한 주제들(특히 만성질환 관련)을 선정하여 설명하였습니다.

65 욕창 관리

65-1 기전 및 주요 원인

(1) 욕창(pressure ulcer)의 기전

조직의 모세혈관압을 초과하는 압박이 가해지면 조직 허혈이 생기는데, 이러한 허혈이 장시간 지속되면 모세혈관막의 투과성이 변화하고 세포대사에 방해를 가져와 근육 조직의 세포가 죽으며 염증반응이 발생하게 됩니다. 이러한 반응이 욕창(pressure ulcer 또는 decubitus ulcer)의 기전이 됩니다.

(2) 주요 유발요인

1. Pressure (압박) : 중력에 의해 모세혈관이 지속적으로 압박을 받아서 발생합니다.
2. Shear (전단력) : 연부조직에 평행으로 작용하는 힘이며 예를 들어 침대를 45도 기울인 상태에서 환자를 눕혔을 때 가해집니다. 이로 인하여 피하의 혈관들이 늘어나거나 또는 각지게(angulated) 분포하며 장시간 지속시 욕창이 유발됩니다.
3. Friction (마찰력) : 주로 침대시트 위에서 환자를 이동할 때 유발됩니다.
4. Moisture (습기) : 대소변 등에 의한 과도한 습도로 상태가 쉽게 악화됩니다.

65-2 임상적 특징

(1) 욕창 호발 부위

천골(sacrum), 척추부(spinal column), 좌골결절(ischial turberosity), 대전자(trochanter), 후두부(occiptal), 팔꿈치(elbow), 손목(wrist), 견갑골(scapular), 발꿈치(heel) 등에서 호발합니다.

(2) 욕창의 분류

- 1단계(Gr I) : 피부홍반. 압력이 해소된 후에도 30분 이상 지속
- 2단계(Gr II) : 진피를 침범하지 않는 부분층 피부괴사, 물집, 얇은 가피(eschar)
- 3단계(Gr III) : 전층 피부괴사, 경우에 따라 eschar, exudate, infection, necrotic tissue 등이 동반

- 4단계(Gr IV) : 깊은 분화구 모양의 함몰. 근막, 근육, 뼈 손상

* 증상이 상당히 진행된 상태일수록 오히려 통증은 상대적으로 못 느끼는 경우도 많습니다.

65-3 예방 및 식이요법

(1) 주요 유발요인의 최소화

1. Pressure : 2시간마다 체위변경을 해주며 만일 고위험군에 속하거나 의자에 앉아있는 경우 매시간 위치변경이 될 수도 있습니다. 특수형 매트리스(에어매트) 등 압박을 분산하는 도구(Pressure-relief device)의 사용도 고려합니다. 휠체어에서는 15-30분 간격으로 몸을 들어올립니다.
2. Shear : 불가피한 경우가 아니면 침대를 30도 이상 올리지 않습니다.
3. Friction : 환자이동시 침대시트 위에서 끌리지 않도록(소위 "sheet burn") 주의합니다.
4. Moisture : 대소변 등에 의한 과도한 습도로 상태가 악화되기 쉬우므로 규칙적인 대소변 가리기 및 요실금의 치료에 유의하고 피부는 건조하고 청결하게 유지시킵니다.

(2) 식이

1. 영양실조 파악 : 이유 없는 체중감소나 저알부민혈증을 확인합니다.
2. 초기에 영양보충을 시작 : 최소한 3kcal/kg/day의 실제적인 치료목표를 세웁니다. 일반 성인은 0.8g/kg/day가 요구되는데 비하여 욕창환자들은 일반적으로 1.0-1.5g/kg을 공급합니다. 심한 영양불량상태의 경우 1.5-2.0g/kg까지 공급하기도 합니다.
3. 비타민과 미네랄 보충 : 예를 들어 하루 두 번씩 Vit C 500mg을 투여할 수 있습니다.

65-4 Dressing 및 상처관리법

(1) 욕창 드레싱의 기본적인 목적

욕창드레싱은 욕창의 악화를 방지하고 지속적인 습윤환경(continuously moist environment)을 적절히 조성하여 조직의 원상회복을 돕는 것을 주요 목적으로 합니다.

(2) 욕창 드레싱시 사용되는 소독제(Antiseptics)

1. 욕창부위는 생리식염수(N/S)나 수돗물로 세척하는 것이 권장되며 Chlorohexidine, povidine-iodine, alcohol, hydrogen peroxide 등은 모두 세포독성(cytotoxic) 작용이 있고 조직의

재생을 방해하므로 이 중 어느 것도 욕창 부위의 소독에는 적절하지 않습니다. "Don't put anything in wound you wouldn't put in your eyes" 라는 격언도 참고할 만 합니다.

2. 다만 박테리아 증식 등을 억제해야 할 때나 데브리망 실시한 경우 등 제한된 기간 동안에는 국소항균제가 사용될 수 있으며 이 경우에도 routine한 사용은 금합니다.

(3) 드레싱의 종류

1. 초기의 경우 투명필름 정도도 충분하지만 일정 단계 이상 진행지면 듀오덤 등의 하이드로 콜로이드(Hydrocolloid)나 메디폼 등의 폼(Foams) 종류가 가장 많이 사용됩니다.

종류	개요	상품명	적응증/장점	금기/단점
Transparent Film	-막을 통해 산소, 수증기 통과하면서 세균과 액체의 통과는 방지 -흡수력은 전혀 없음	Opsite Tegaderm	-마찰력 예방/감소 -1도화상, 욕창 -정맥주사부위	-창상에 부착될 우려가 있음 -감염이나 삼출물 많은 상처에 부적절
Hydrocolloid	-폴리우레탄 포말에 들어있는 친수성 콜로이드입자 -습윤환경을 유지하면서 세균과 액체의 통과는 방지 -중등도의 흡수성 -Autolylic debribement	Comfeel Duoderm Intrasite RepliCare	-1도, 2도, 3도 욕창, 2도화상 -혈관성 궤양 -3-7일간 유지가능	-삼출물이 많은 창상에는 부적절 -감염이 있거나 전층 창상에는 금기 -제거시 악취는 감염과 혼동됨
Hydrogel	-수분 혹은 글리세린이 기초로 부드럽고 습윤한 환경 조성 -괴사조직에 다시 수분을 주어 괴사조직 제거를 촉진	IntraSite Duoderm Purilon Gel	-깊게 균열된 상처, 3도 4도 욕창, 3도화상 -삼출물이 보통 또는 그 이하인 경우	창상주위 피부의 삼출물이 많은 창상에 부적절
Foams	-친수성 폴리우레탄이나 젤 필름 -포말, 비폐쇄성, 비부착성, 흡수성 창상 드레싱	Allevyn 메디폼	-비부착성으로 손상없이 제거가능 -배액량에 따라 교환빈도를 조절	-배액이 없는 창상이나 건조한 가피가 있으면 부적절 -감염 창상이나 깊이 파인 형태에는 부적절
Calcium Alginate	-해조류에서 유래한 흡습성 높은 드레싱 -지혈과 흡수작용	AlgiSite Kaltostat	-중등도의 삼출물 -깊고 좁은 누(fistular)와, 궤양 -화상, 피부이식공여부, 출혈, 감염상처	-건조가피, 3도화상, 이식수술시, 다량의 출혈에는 금기 -고정을 위해 2차 드레싱이 필요
Antimicrobial dressing	-은이 입혀진 제품으로 항균효과가 있고 염증을 줄여 상처 치유에 긍정적인 효과. -살아있는 세포에 무해하고 세균내성이 없음.	Acticoat Aquacel-Ag	-감염된 상처 -상처의 악취를 감소	-접착력이 없으므로 고정을 위해 2차 드레싱이 필요

(4) 드레싱 적용례

단계	정의	드레싱 예시	평균 회복기간
I	피부홍반 (압력해소후에도 30분 이상 지속)	투명필름, 듀오덤 q2-3d(2-3일마다 교체)	14 (일)
II	부분층 피부괴사, 물집, 얇은 escar	생리식염수(N/S)로 세척 후 듀오덤/테가덤 드레싱. 삼출물 많으면 algisite q1-3d	45
III	전층 피부괴사, 피부전층의 escar	필요시 데브리망. 생리식염수로 세척 후 듀오덤/테가덤 드레싱. Intrasite gel (거즈로 덮으면 qd, 필름이나 하이드로콜로이드로 덮으면 q3d)	90
IV	깊은 분화구 모양 함몰, 근막, 근육, 뼈 손상	III와 동일기준 적용. 필요시 수술적 데므리망. 생리식염수로 세척 후(필요시 강한 압력) 적절한 드레싱 제제 적용. 필요시 항생제 사용	120

(5) Debriding methods

1. 데브리망(Debridement, 변연절제술) : 미생물이 자라기 쉬운 환경이 되는 죽은 조직을 제거하는 방법입니다. 드레싱 방법을 이용해 시행될 수도 있지만 범위가 크고 확정적이라면 외과적 변연절제술(Surgical debridement)을 시행합니다.
2. Wet-to-damp saline and gauze dressing : 초기 debridement에 유용하지만, 마르게 되면 거즈와 피부가 유착되어 상피손상을 야기하기도 합니다.
3. Normal saline 침투 dressing: 깊거나 감염된 욕창 상처에서 삼출물, 상처 부스러기, 또는 세균을 배출시킴으로써 상처를 청결히 하고, 상처의 습기를 유지하여 치유를 촉진합니다.
4. 외과적 변연절제술(두꺼운 eschars나 심부 괴사조직) : 욕창이 생긴 피부가 검은색으로 변하면 조직세포가 죽은 상태를 의미하므로 이때는 죽은 조직을 떼어낸 후(변연절제술) transparent film이나 Hydrocolloid dressing, Wet dressing을 하면 좋습니다.

REFERENCES

1. Garcia AD, Thomas DR. Assessment and management of chronic pressure ulcers in the elderly. Med Clin North Am. 2006 Sep;90(5):925-44.
2. Thomas DR. Prevention and treatment of pressure ulcers: what works? what doesn't? Cleve Clin J Med. 2001 Aug;68(8):704-22
3. Clark M. Repositioning to prevent pressure sores--what is the evidence? Nurs Stand. 1998 Oct 7-13;13(3):58-60, 62, 64.
4. Christopher H. Moon, Thomas G. Crabtree, New Wound Dressing Techniques to Accelerate Healing, Current Treatment Options in Infectious Disease 2003, 5:251-260)

5. Garcia AD, Thomas DR. Assessment and management of chronic pressure ulcers in the elderly. Med Clin North Am. 2006 Sep;90(5):925-44.
6. 김융수 외, 하이드로겔과 하이드로콜로이드 드레싱을 이용한 압박성 궤양의 치험례, 대한성형외과학회지 2005 Vol. 32, No. 6, pp.782-786
7. 오득영, 박경희 외, 2005년 대한창상학회 교육심포지엄 자료, 대한창상학회, 2005
8. Rakel, Conn's current therapy, 58th ed., Saunders, 2006, pp.1036-1037

66 혈전증의 예방

66-1 개요

(1) 반성질환자의 혈전증

1. 혈전증의 예방(thrombosis prophylaxis)은 특히 장기간 누워있는 환자나 만성질환자, 심혈관계 환자, 암환자 등에서 중요한 치료목표 중 하나가 됩니다.
2. 혈전증의 임상양상은 심부정맥혈전증(deep vein thrombosis, DVT)과 폐색전증(pulmonary embolism, PE)이 대표적이며 그 외에 범발성 혈관내응고증(DIC), 혈전성 미세혈관병증, 동맥혈전증 등으로 나타날 수 있습니다.
3. 암환자의 경우 전체 암 환자의 10-15%(진행암 환자의 50%)에서 증상을 동반한 혈전색전증이 나타나고 특히 수술이나 항암제, 호르몬제 등으로 인해서도 발생가능성이 상승합니다.

(2) 관련 응고계의 변화

1. 혈액응고인자 농도의 증가 : fibrinogen, factor V, VII, VIII, IX, XI, FDP, 혈소판↑
2. 혈액응고 억제인자 농도의 감소 : antithrombin, C/S단백
3. von Willebrand인자, vWF의 증가 및 vWF 절단효소 활성의 감소

66-2 DVT / PE

(1) DVT

1. 하지부에 특히 호발하며 종아리 부위의 통증, 종창 및 발열 등이 나타는 것이 전형적인 임상증상 중 하나입니다.
2. 상당수의 경우에서 임상증상이 보이지 않기 때문에 도플러초음파, Duplex scan, MRI 등이 시행되기도 하며 D-dimer, Fibronogen 등의 혈액검사를 보조적으로 시행합니다.

(2) Pulmonary embolism

1. 갑작스런 호흡곤란이나 흉통, 빈맥 등이 나타날 수 있으며 폐동맥이 폐색된 부위나 정도에 따라 증상의 심각도가 달라질 수 있습니다.

2. D-dimer, ABGA, EKG 등의 검사를 시행할 수 있지만 확진을 위해서는 보통 Chest CT를 시행합니다.

66-3 혈전증의 치료 및 예방

(1) 급성기 치료 (예)

1. 저분자량 Heparin (Enoxaparin 30~60mg, ×1~2/d, 피하주사)
2. Heparin (5,000U IV → 500~1,000U/시간 지속정주. 목표 aPTT는 정상의 1.5~2배)

(2) 예방요법

1. 가능한 빨리 보행 및 활동을 시작하는 것이 가장 중요한 비약물적 예방법이지만 스스로 움직이기 힘든 상태라면 하지거상, 탄력스타킹 착용, 발목관절 굴신운동, 공기압 치료기 등의 방법을 활용할 수 있습니다. 발목관절 운동은 누운 상태에서 배측굴곡(dorsiflexion) 및 족저굴곡(plantarflexion)을 반복하는 것으로 환자 스스로의 능동운동이 불가능하면 간병인을 통한 수동운동이라도 시행해 보도록 합니다.
2. 약물적 예방요법은 와파린(Warfarin) 투여가 기본입니다. PT INR은 보통 2.0에서 3.0 사이로 유지하는 것을 목표로 합니다.* 참고적으로 와파린의 혈중 반감기는 개인차가 크지만 평균 36-42시간 정도이며 항응고효과는 복용 후 3-4일 후에 발현됩니다.
3. 최초로 와파린을 투여하는 경우, 정상인은 5mg/day, 간질환환자나 노인 등은 2.5mg/day에서 시작할 수 있고 이후 INR 결과에 따라 적절한 용량으로 맞추어 나갑니다.
4. INR의 측정은 초반에는 매일 시행하다가 2일 연속 적정범위에 속한 경우에는 주 2-3회 정도로 1-2주간 시행하고 와파린 적정용량이 결정된 이후에는 2-4주 또는 1-2개월마다 INR을 확인할 수 있습니다. 특히 음식/약물의 상호작용이 INR에 쉽게 영향을 주기 때문에 다른 약물이 추가되거나 Vitamin K가 많이 포함된 음식섭취 등이 있었다면 정기검사일 이전에 검사할 수 있습니다. **[참조항목 : 78-2]**
5. INR 결과에 따른 와파린 용량조절은 환자상태에 따라 변동이 심해 일괄적인 기준을 적용하기는 힘들지만 다음의 표를 참고할 수 있습니다.[3] 보통 0.2-2mg/day 정도로 용량조절을 합니다.

INR	용량조절 및 처치 (예)
INR 〈2.0	1주 복용량의 10-15% 증량

* 일본의 경우, 70세 이상이면 PT INR 1.6~2.6을 목표로 함

2.0〈INR〈3.0	현재용량 유지
3.0〈INR〈3.5	1주 복용량의 10-15% 감량
3.5〈INR〈5.0	1회 중단 후 1주 복용량의 10-15% 감량
5.0〈INR〈9.0	1-2회 중단 후 INR이 적정범위에 도달하면 감량하여 투여. 위험요인이 있으면 Vit K1 1-2.5mg PO 투여도 고려
INR 〉 9.0	와파린 중단 후 Vit K1 2.5-5 mg PO 투여. f/u INR q8hr, 필요시 Vit K 재투여
Bleeding sign (+)	와파린 중단 후 Vit K1 1-5mg PO (증상이 심하면 10mg IV로 천천히 투여). f/u INR q6-8 hr, 필요시 Vit K 재투여, FFP 투여고려

5. 불응성(refractory)의 혈전증의 경우에는 Warfarin의 목표 INR을 3.0-4.5 까지도 상향 조정하며 필요시 하대정맥(IVC) 필터를 삽입합니다.

질환명	와파린 복용시 INR 권장 범위
- DVT, PE / TIA, Af	2.0-3.0
- Mechanical prosthetic valve(인공심장판막) - DVT, PE 등의 재발시	3.0-4.5

* DVT(deep vein thrombosis, 심부정맥혈전증), PE(pulmonary embolism, 폐색전증)
TIA(transient ischemic attacks, 일과성허혈발작), Af(atrial fibrillation, 심방세동)

Tip 와파린이 보통 저녁때 투여되는 이유

1. 와파린은 Vitamin K dependent clotting factor들(factor II, VII, X)에 작용하는데 비타민 K는 혈중농도가 circadian rhythm의 영향을 받습니다. (즉 하루 24시간 주기로 시간마다 농도가 변화합니다.)
2. 따라서 와파린과 길항하는 Vit K의 혈중농도가 가장 높은 시간이 저녁 10시경임을 고려하여 보통 저녁식사 이후에 와파린을 투여합니다.
3. 최근에는 고혈압, 협심증 등 심혈관계 질환의 경우 이러한 24시간 주기리듬(circadian rhythm)을 이용한 약물투여법이 추천되기도 하며 이러한 방식을 chrono-therapeutics라 부릅니다.

REFERENCES

1. Thomas M. De Fer et al. The Washington Manual Survival Guide Series Internship Survival Guide. 3rd edition. Lippincott. 2008.
2. Fauci AS et al. Harrison's Principles of Internal Medicine 17th ed. McGraw-Hill Medical. 2008.
3. Uptodate Desktop. version 19.1. 2011
4. Ansell, J, Hirsh, J, Hylek, E, et al. Pharmacology and management of the vitamin K antagonists: American College of Chest Physicians Evidence-Based Clinical Practice Guidelines (8th Edition). Chest 2008; (6 Suppl):160s.

67

수혈요법

67-1 수혈(Transfusion) 혈액의 종류

1. 종류 : 농축적혈구(packed red blood cells, pRBC), 농축혈소판 (platelet concentrate, PC), 신선동결혈장(fresh frozen plasma, FFP), 전혈 (whole blood)
2. pRBC는 수혈시 가장 많이 이용되는 형태로서 혈소판과 혈장이 제거되고 주로 적혈구로 구성된 제형입니다. 면역반응억제를 목적으로 백혈구도 걸러진 LP RBC(Leukocyte poor pRBC) 제형이 이용되기도 합니다. PC와 FFP는 응고장애가 있을 때 많이 사용됩니다.
3. 식도정맥류 출혈(variceal bleeding)과 같이 혈장의 확보도 필요한 대량의 수혈이 필요한 경우 전혈(whole blood)의 형태로 수혈되기도 합니다. 또는 pRBC 10단위당 PC 10단위, FFP 2단위의 비율로 구성하여 투여되기도 합니다.

67-2 수혈과정

(1) 수혈전 관리

1. 수혈전 검사 : ABO/Rh typing, antibody screening test, cross matching
2. 혈액형이나 항체검사는 최초1회만 시행되지만 cross matching 검사는 공여자의 RBC와 환자의 Plasma를 혼합하는 교차반응검사로 새로운 수혈시마다 실시됩니다.
3. 발열, 알러지 등의 수혈부작용을 최소화하기 위해 Antihistamine이 투여되는데 수혈 시작시에만 투여하기도 하고 또는 매번 새로운 blood pack 연결시마다 투여하기도 합니다. (Ex. Piprinhydrinate(Plakon®) 1A) 최근에는 수혈 전 약물투여군과 비투여군 사이의 발열, 알러지 등의 발생율에 차이가 없다는 연구보고도 있었습니다.[4]
4. 대량수혈 시에는 citrate toxicity를 예방하기 위하여 calcium gluconate가 투여되기도 합니다.

(2) Transfusion

1. 수혈전 반드시 환자의 성명과 혈액정보를 확인하고 시작합니다. 치명적인 수혈 부작용은 대부분 30분 이내에 발생하므로 첫 15분간은 천천히 주입(ex. 15gtt)하여 환자를 관찰하고 vital sign도 15분마다 2회 관찰하며 그 이후에는 30분마다 관찰하면서 환자상태를 확인합

니다. 부작용이 나타나지 않으면 40gtt 정도로 속도를 올릴 수 있습니다. PC 등은 full dropping하는 경우도 있습니다.

2. 수혈시간은 1 pint를 기준으로 정상성인은 1-2시간이내에 종료되고 천천히 주입하는 경우는 4시간 정도 소요됩니다.
3. 수혈을 할 때는 보통 다른 Fluid, 예를 들어 포도당제제(D/W)나 하트만제제(H/S)와는 함께 주입을 하지 않으며 N/S 정도는 같이 주입하기도 합니다.

67-3 수혈부작용

1. 오한(chilling)이나 40도 이하의 발열, 두통, 오심 등이 보인다면 수혈속도를 늦추고 Acetaminophen 등을 투여할 수 있습니다.
2. 아나필락시스가 의심되면서 wheezing, 호흡곤란, 40도 이상의 발열 등이 나타나면 즉시 수혈을 중단하고 수혈하던 혈액과 환자혈액을 검사실로 보내 cross-match를 재시행합니다. 에피네프린, Antihistamine, Steroid 등의 투여를 고려합니다.
3. 혈압저하, 의식저하 등 용혈성(hemolytic) 반응으로 의심되는 증상이 보인다면 즉시 수혈을 중단하고 IV fluid를 공급하면서 신기능, 전해질을 포함한 전반적인 상태를 확인합니다. 수혈혈액과 환자혈액에 대한 cross-match와 함께 Coomb's test 및 DIC 검사 등도 시행합니다.

Tip 수혈관련 TIP

- 일반적으로 pRBC 1 pint를 수혈할 경우, Hb이 1.0g/dl 정도 (또는 Hematocit 기준으로 3.0%) 상승됩니다. (Hb<10g/dl, Hct 30%인 성인기준)
- 수혈준비가 다 되었음에도 수혈시행이 지연되는 경우 pRBC는 냉장온도에 보관하고 PC는 실온에서 천천히 혼합하며 보관합니다. 혼합할 수 없으면 냉장고에 보관하는 것이 오히려 좋습니다. 실온에 15분 이상 노출되었다면 혈액은행 반납이 불가능할 수도 있는데 이는 혈액의 온도가 10℃ 이상 올라가면 세균이 성장할 위험성이 높아지기 때문입니다.

REFERENCES

1. Shane Marshall. On Call Principles and Protocols. 4th. Saunders. 2004
2. Thomas M. De Fer et al. The Washington Manual Survival Guide Series Internship Survival Guide. 3rd edition. Lippincott. 2008.
3. 한규섭. 수혈의학. 고려의학. 2006.
4. Martí-Carvajal AJ, Solà I, González LE et al. Pharmacological interventions for the prevention of allergic and febrile non-haemolytic transfusion reactions. Cochrane Database Syst Rev. 2010;(6):CD007539.

68 항생제 가이드

68-1 개요

(1) 항미생물제제의 분류

- 항생제(antibiotics)의 보다 정확한 명칭인 항미생물제제(Antimicrobials)는 치료대상에 따라 1)항균제(Antibacterials) 2)항진균제(Anti-fungals) 3)항바이러스제(Antivirals)로 구분되는데 보통 항생제라고 하면 항균제를 지칭하는 경우가 많습니다.

(2) 세균의 분류

1. 항생제의 대상이 되는 세균은 그람염색법으로 처음의 보라색 염색이 계속 유지되는 그람양성균(Gram-positive)과 염색된 색을 유지하지 못하는 그람음성균(Gram-negative)로 구분됩니다. 또한 형태에 따라 구(球) 형태의 구균(coccus, 또는 알균), 막대 형태의 간균(bacillus 또는 막대균), 나선형태의 나선균(spirillum)으로 불리게 됩니다.
2. 그람양성균은 포도구균(staphylococci), 연쇄구균(streptococci), 장구균(enterococci) 등의 구균 및 그람양성간균(Gram positive rods) 등이 있습니다. 참고로 staphylo는 포도송이모양이란 뜻이고 strepto는 사슬처럼 꼬인(twisted) 모양을 뜻합니다. S. aureus(황색포도구균) 등 호흡기 감염의 주요 원인균 중 상당수가 그람양성균입니다.
3. 그람음성균은 대장균(E.coli), 클렙시엘라(klebsiella), 살모넬라(salmonella), 쉬겔라(shigella), 녹농균(pseudomonas aeruginosa) 등이 있습니다. 요로감염(UTI)이나 위장관(GI)질환 등에서 그람음성균의 비율이 높은 편입니다. 이 중 P. aeruginosa(슈도모나스)는 원내감염(nosocomial infection) 등의 주요원인 중 하나로 이것의 발현유무는 그람음성균에 대한 항생제 선택시 중요한 지표가 됩니다. 특히 다제내성(multi-drug resistant)을 보이는 경우가 많으므로 내성균주 발현의 억제를 위해 보통 2가지 이상의 항생제를 복합투여 합니다.
4. 혐기성균(anaerobe)은 상처부위의 악취(foul odor), 농(pus), 가스 등으로 추정될 수 있는데 그람음성균에서 더 흔합니다. 그람염색은 되지만 Culture에서 균이 동정되지 않으므로 주의해야 합니다.

68-2 항생제의 분류

(1) 세포벽 합성억제 항생제

1. **페니실린 (PCN)** : 세포벽 합성에 중요한 역할을 하는 PBP(penicillin-binding protein)에 결합하여 세포벽합성을 억제하는 기전으로 작용하는 가장 고전적인 항생제 계열입니다. 대부분의 그람양성균, 일부 음성균 및 임균, 매독균에 효과가 있고 Piperacillin은 녹농균에도 항균력을 보입니다. Drug fever, 피부증상 등이 나타날 수 있으며 드물지만 아나필락시스 등이 발생할 수 있으므로 투여전 반드시 피부반응검사(전박을 3등분하여 중간부분에 주로 시행)를 시행합니다.

기전	분류	약물예시	작용범위		
세포벽 합성억제 (B-lactam계)	Penicillin (PCN)	Penicillin G, Methicillin, Oxacillin Ampicillin, Amoxicillin Piperacillin	G(+〉-)	- - A	- - P
	[B-lactam] + [B-lactamase inhibitor]	Amoxicillin+ Clavulanic acid (Augmentin®) Ampicillin+Sulbactam (Unasyn®) Piperacillin+Tazobactam (Tazocin®)	G(+〉-)	- A A	- - P
	Cephalaosporin	[1세대] Cefazolin	G(+)		
		[2세대] Cefuroxime, Cefaclor [Cephamycin] Cefmetazole, Cefoxitin	G(+〉-) G(+-)	- A	
		[3세대] Cefotaxime, Ceftriaxone Ceftazidime Cefoperazone	G(+〈-) G(-)		- P
		[4세대] Cefepime	G(+-)		P
	Monobactam	Aztreonam, Carumonam	G(-)		
	Carbapenem	Imipenam, Meropenem	G(+-)	A	P
(비B-lactam)	Glycopeptide	Vancomycin, Teicoplanin	G(+)		
단백질 합성억제	Aminoglycoside (AG)	Amikacin, Gentamicin, Streptomycin	G(-)		P
	Tetracycline	Tetracycline, Doxycycline	G(+-)		
	Macrolide	Erythromycin (신세대) Clarithromycin, Azithromycin	G(+)		
	Lincosamide	Clindamycin	G(+)	A	
	(VRE resistant)	Dalfopristin (Synercid®), Linezolid (Zyvox®)	G(+)		
핵산(DNA) 합성억제	Fluoroquinolone (FQ)	[2세대] Ciprofloxacin, Ofloxacin	G(-)		P
		[3,4세대] Levofloxacin, Moxifloxacin	G(+〉-)	A	
	Metronidazole	Metronidazole		A	
엽산합성억제	TMP-SMX	Trimethoprim-Sulfamethoxazole (Bactrim®)			

* 각 세부약물별로 작용범위는 다를 수 있음 G(+): 그람양성균, G(-): 그람음성균, A: 혐기성균 Anaerobe), P: 녹농균(P. aeruginosa)

2. **BL/BLI** : 페니실린 내성기전 중 하나는 구조식의 B-lactam ring이 분해되기 때문인데 이 기전을 막기 위해 페니실린과 B-lactam 분해억제제를 결합시킨 항생제 계열입니다. 그람양성/음성균, 혐기성균 등을 광범위하게 커버하므로 복합감염이 우려되는 경우 선호됩니다.
3. **세파계** : 현재 4세대까지 등장하였으며 같은 세대의 항생제들 간에도 각기 특징적인 항균력을 지니고 있어 구별이 필요합니다. 대략적으로 1세대는 그람양성구균과 일부 그람음성간균에, 2세대는 그람양성구균의 항균력은 1세대보다 떨어지나 그람음성간균에 효과적이고 Cefuroxime 등은 인플루엔자에도 효과를 보입니다. 3세대 중 Cefotaxime(, Ceftriaxone 등은 녹농균을 커버하지는 못하나 그람음성간균에 매우 효과적이고 Ceftazidime 등은 녹농균에 대해서도 효과적인 3세대 약물입니다. 4세대는 3세대에 비해 그람양성균과 녹농균에 대한 항균력이 개선되었습니다. 페니실린 알러지가 있는 환자의 3-7%는 세파계에도 과민반응이 발생하므로 주의가 필요합니다.
4. **Monobactam** : 그람음성간균에 주로 효과적이나 실제 임상사용은 많지 않은 편입니다.
5. **Carbapenem** : Carbapenem 항생제는 MRSA, C.Difficile 등을 제외하면 그람양성균, 녹농균을 포함한 그람음성균, 혐기성균 등에 대한 광범위한 항균력을 가지고 있습니다. Imipenam 사용시 약 1.5%에서 경련이 발생할 수 있지만 Meropenem은 경련의 부작용이 적습니다.
6. **Glycopeptide** : 베타락탐계는 아니면서도 세포벽 합성을 억제하는 기전으로 항균작용을 하는 계열입니다. 반코마이신이 대표적으로 MRSA 등 그람양성균 내성균 위주로 사용되는데 단 신독성을 유발할 수 있어 주의해야 합니다. 경구약도 있으나 내성유발율이 더 높아 주사제가 주로 사용됩니다. Teicoplanin은 Vanco의 부작용을 줄이고 투여가 편리하게 개선된 제형입니다.

(2) 단백질 합성억제 항생제

1. **Aminoglycoside (AG)** : 그람음성균에 효과적이나 신독성이 있으며 청각장애, 전정장애 등 이독성(ototoxicity)도 유발할 수 있어 주의합니다.
2. **Tetracycline** : 비교적 광범위하게 커버하는 정균항생제로 클라미디아(chlamydia) 마이코플라스마(mycoplasma) 등 비정형폐렴(Atypical pneumonia) 등에도 사용됩니다. 임산시 금기이고 8세 이하 소아에게는 치아착색을 유발할 수 있어 사용되지 않습니다. 최근에는 경구흡수가 더 잘되고 반감기가 긴 Doxycycline이 주로 사용됩니다.
3. **Macrolide** : 그람양성균에 항균력을 보입니다. 클라미디아(Chlamydia) 마이코플라스마(Mycoplasma), 레지오넬라(Legionella) 등 비정형 폐렴(Atypial Pn)의 치료에도 많이 사용됩니다. 최초로 개발된 Erythromycin에 이어 위산에 대한 안정성을 높이고 소화관 부작용을 감소시켜 새로이 개발된 Clarithromycin, Azithromycin 등을 신세대 마크로라이드로 별

도로 구분하기도 합니다.

4. **Lincosamide** : Clindamycin은 그람양성균과 혐기성 균에 효과적이며 Penicillin 적응증이지만 심한 페니실린 알러지가 있는 환자에게 대신 투여되기도 합니다.
5. **Dalfopristin, Linezolid** : VRE 내성균 등에 선택적으로 사용할 수 있습니다.

(3) 핵산 합성억제 항생제

1. **퀴놀론계 (FQ)** : 핵산(nucleic acid)의 합성을 억제해 항균력을 발휘합니다. 녹농균을 포함한 그람음성균에 주로 작용하고 비뇨기계, 임균성 질환에도 사용되지만 특히 경구로 잘 흡수되고 소화기계 감염에 효과적이어서 해외여행시 세균성설사에 대한 상비약으로도 준비되기도 합니다. 임산부 금기약물이고 소아는 연골손상을 유발할 수 있어 역시 금기입니다.
2. **신세대 퀴놀론(new Quinolone)** : 그람양성균에 대한 항균력도 가지게 되어 호흡기감염에도 사용되기 시작한 3,4세대 퀴놀론을 New Quinolone 또는 Respiratory Quinolone(호흡기계 퀴놀론)으로 부르기도 합니다. 4세대 Moxifloxacin 등은 혐기성균에도 항균력을 보입니다.
3. **Metronidazole** : 대부분의 혐기성 세균에 대해 우수한 항균력을 보이며 복강, 골반내 감염 등에 많이 사용됩니다. 특히 C.Difficile이 원인균인 항생제유발 설사(PMC)에 우선적인 선택약물(drug of choice, DOC)이 됩니다. 트리코모나스(Trichomonas) 등 원충류(protozoa) 감염에도 좋은 효과를 보여 항원충제(antiprotozoals)로 분류되기도 합니다.

(4) 엽산 합성억제 항생제

1. TMP-SMX로 약칭되는 Trimethoprim-Sulfamethoxazole의 복합제가 대표적이며 급만성의 요로감염이나 Pneumocystis pneumonia(PCP) 등에 주로 사용됩니다.

(5) 외용항생제

1. 그람양성균에 효과있으면서 모낭염, 농가진 등의 피부감염에 다용되는 Mupirocin (박트로반®)과 역시 그람양성균과 그람음성구균 등에 효과 있어 피부감염에 사용되는 Fusidic acid(후시딘®) 등이 대표적입니다. Fusidic acid는 경구약으로도 처방됩니다.

68-3 항생제의 사용

(1) 약력학 측면에 따른 항생제 사용

1. 약력학(phamacodynamics) 측면에서 항생제와 관련된 중요한 개념이 MIC(minimal inhibitory

concentration), 즉 세균을 억제하는 최소농도입니다. 항생제가 투여되어 항생제 혈중농도가 MIC 이상 올라가야 세균증식이 억제되는데, 여기서 (1) 농도가 더욱 높아지거나 또는 (2) MIC 이상의 농도가 일정시간 이상 지속되면 세균이 죽게 됩니다.

2. (1) 농도가 높을수록 더 효과적으로 균이 죽는 항생제를 농도의존적(concentration-dependent)이라 하며 Aminoglycoside, 퀴놀론 등이 있습니다. Peak level이 중요하므로 조금씩 오래 투여하는 것보다 한번에 많은 양을 주는 것이 유리합니다. (2) MIC 이상의 농도에 오래 노출될수록 더 효과적으로 균이 죽는 항생제를 시간의존적(Time-dependent)이라 하며 beta-Lactam계, Vancomycin, Macrolide 등이 있습니다. 항생제를 적용시 투여된 용량만큼을 예정된 기간동안 투여하는 것이 중요한 이유가 됩니다.
3. 이와 같이 항생제는 적응증을 잘 감별하여 신중히 사용하되 일단 시작했으면 확실하게 사용하는 것이 효과의 측면이나 내성균 방지의 측면에서 중요합니다.

(2) 경험적 항생제

1. 배양(culture)검사 등을 통해 원인균을 정확히 파악한 후 항생제를 사용하는 것이 가장 정확할 수 있으나 실제 임상에서 증상이 진행되고 있어도 무작정 기다리기만 할 수는 없으므로 경험적 항생제(empiric antibiotics)가 일단 사용됩니다.
2. 예를 들어 환자가 폐렴소견이 있을 시, 배양검사를 시행한 후에는 일단 경험적 항생제부터 투여합니다. 일반적 폐렴을 커버하는 베타락탐계(ex. Cefuroxime)와 비정형적(atypical) 폐렴을 커버하는 Macrolide(ex. Azithromycin)의 복합처방으로 시작하거나 또는 그람양성/음성균 모두를 커버하는 신세대 퀴놀론(ex. Levofloxacin) 단일처방으로 시작하는 것도 한 예이며 이후 임상관찰을 하면서 배양검사 결과를 기다리게 됩니다.
3. 만일 증상호전이 없으면서 배양검사에 P. aeruginosa(녹농균)가 동정되었다면 녹농균을 커버할 수 있는 베타락탐계(ex. Tazocin®)나 Carbapenem(ex. Imipenam)과 함께 2세대 퀴놀론(ex. Ciprofloxacin)으로 복합처방하는 것을 고려할 수 있습니다.
4. 또 다른 예로, 요로감염의 의심될 경우 E.coli(대장균)가 가장 많은 원인을 차지하므로 그람음성균을 커버하는 퀴놀론이나 세파3세대부터 사용될 수 있고 수술시 감염예방을 위해서는 Staphylococcs aureus와 같은 그람양성균이 통계상 가장 많으므로 세파 2,3세대보다는 Cefazolin과 같은 세파 1세대를 선호하게 됩니다.
5. 경험적 항생제는 항생제에 대한 내성이 국가별로 다를 수 있고 또 동일 국가 안에서도 세균 유행성이나 항생제 감수성을 고려하여 다르게 처방되기도 합니다.

(3) 항생제 사용시 주의사항

1. 항생제의 효과판정 : 항생제가 충분한 혈중농도까지 도달하는 48-72시간 정도는 관찰하고 판단하며 그 이후에도 호전이 없다고 판단된다면 배양검사 재시행 및 항생제 교체 등을 고려합니다.* 다만 입원환자가 열이 떨어졌다가 다시 오른다면 내성보다도 우선 drug fever의 가능성, 혼합감염의 가능성도 함께 고려해야 합니다.
3. 항생제 배양검사 중 특히 S. aureus(SA)가 동정되었을 때 Oxacillin에 내성이 나타나면 MRSA로 판정됨을 잊지말아야 합니다. 원래 MRSA는 Methicillin에 내성(resistant)을 의미하나 실제 배양검사시에는 Oxacillin 배지로 대신하게 됩니다. 또한 Oxacillin의 내성은 다른 모든 베타락탐계 항생제의 내성으로 보아야 하므로 혹 세파계에 감수성이 있다고 하여도 다른 항생제를 선택해야 합니다.
4. 임신시에는 페니실린, 세파계, erythromycin 등이 비교적 안전한 항생제로 분류됩니다.
5. 항생제의 사용, 내성균에 대한 치료, 격리관리 등에 관한 지침 및 문의사항은 각 병원별 감염내과를 통해 적절히 의뢰되도록 합니다.

(4) 항생제의 대사와 배설

1. 항생제의 대사와 배설은 간 또는 신장으로 이뤄지는데 신기능이 좋지 않을 때는 GFR에 따라 적절한 용량으로 감량되어야 합니다. 각종 항생제 처방가이드(Ex. Sanford Guide [熱病]) 등을 참조해도 됩니다.
2. 간기능이 좋지 않은 경우 간에서 대사되는 Tetracycline, SMP, Erythromycin, Clindamycin, Fluconazole 등은 유의해서 사용되어야 하며 일반적으로 정상인의 1/2-2/3 정도 감량하여 사용합니다.
3. 같은 계열의 항생제라도 개별 항생제 마다의 특성을 고려하여 투여될 수 있는데 예를 들어 같은 3세대 세파계 항생제라도 Cefotaxime은 신장으로 배설되므로 신기능 저하시 투여량의 조절이 필요한 반면 Ceftriaxone은 신장, 담도로 배설되어 신기능 저하시 상대적으로 안전한 편이나 대신 간기능 저하시에는 용량 조절이 필요합니다.

68-4 기타 항미생물제제

(1) 항진균제

* 배양검사의 재시행은 항생제를 24시간 중단 후 시행하는 것이 원칙이나 실제 진료시에는 항생제의 혈중농도가 가장 낮을 때인 다음번 항생제 투약 직전에 시행하는 경우가 보통입니다.

1. 진균(곰팡이)감염을 치료하는 항진균제는 Amphotericin B와 Azole계 약물이 대표적입니다. 인체의 세포막에 존재하는 콜레스테롤처럼 진균 세포막에는 ergosterol이 있는데 여기에 작용하여 효과를 나타냅니다.
2. 1950년대 개발된 Amphotericin B는 80%에 달하는 신독성 유발률 등 부작용이 심하지만 중증의 전신성 진균감염증 등에 우선적으로 사용되는 약물입니다. 아졸계 약물 중 대표적인 것은 비듬샴푸로 더 알려진 니조랄®의 주성분 ketoconazole이며 각종 칸디다증에 주로 사용되는 fluconazole도 많이 사용됩니다.
3. 족부백선(Tinea peids), 즉 무좀과 같이 피부사상균(dermatophytes)에 감염된 경우도 항진균제가 사용되는데 외용(topical)과 경구용(systemic)이 모두 출시된 terbinafine(Lamisil®) 등도 많이 사용됩니다.

(2) 항바이러스제

1. **Acyclovir** : 각종 Herpes virus 감염을 치료하는 대표적인 항바이러스제제로 입술이나 음부에 수포를 형성하는 단순포진(Herpes simplex virus)뿐 아니라 수두(varicella) 나 대상포진(herpes zoster)의 원인바이러스인 VZV(varicella zoster virus)에도 효과를 나타냅니다. 아시클로버의 경구흡수율을 개선한 팜시클로버(Famciclovir)가 대신 사용되기도 합니다.
2. **Amantadine** : 인플루엔자 A 바이러스 감염에 효과가 있어 예방요법과 치료제로 사용되며 감염질환뿐 아니라 파킨슨병의 치료에 사용되는 경우도 있습니다.

(3) 항결핵제

1. 국내 및 전세계 인구의 1/3이 결핵균에 감염되어 있을 것으로 추정되며 이중 실제 발병한 상태를 결핵(tuberculosis, TB)으로 봅니다.
2. 결핵치료는 최소 3가지 이상의 약제를 최소 6개월 이상 투여한다는 특성이 있으며 초치료에 실패하면 새로운 항결핵제들의 복합처방으로 12-24개월간 복용해야 합니다. 복약순응도가 중요한 만큼 적극적인 복약지도 및 격려가 필요합니다.
3. Isoniazid(INH, H) Rimfampicin(RFP, R) Ethambutol (EMB, E) Pyrazinamide(PZA, Z) 등이 대표적인 항결핵제입니다. 결핵의 초치료는 "2HREZ/4HRE"가 대표적으로 처음 2개월간 H,R,E,Z의 4가지 약물을 복용하고 이후 4개월간 H,R,E를 복용하게 됩니다. Z의 간독성이 우려되는 경우에는 9개월간 H,R,E만 복용하기도 합니다(9HRE).
4. Rimfampicin은 소변이나 타액, 눈물 등이 붉게 변하기도 하므로 출혈과의 감별에 유의합니다.

68-5 항생제 내성과 격리

(1) 내성균의 종류과 치료

1. 황색포도구균(S. aureus, SA)이 페니실린계 항생제인 메치실린에 내성을 보이면 MRSA (Methicillin-resistant staphylococcus aureus)라고 하며 반코마이신에도 내성을 보이는 구균을 VRE(vancomycin-resistant enterococci)로 명명합니다. MRSA라면 Vancomycin 등이 우선적으로 사용되나 여기에서도 내성을 보인다면 VRE로 판정되어 특히 주의깊은 관찰 및 격리가 필요한 상태가 됩니다.
2. 최근에는 linezolid(Zyvox), Dalfopristin 등 VRE에 대한 새로운 항생제가 개발되어 선택적으로 적용됩니다.
3. 발열 등의 병적 증상 없이 균 검출만 되는 무증상 집락화(colonization) 상태에서는 격리는 하되 치료적 항생제 투여는 하지 않는 것이 일반적입니다. 보중익기탕 등의 투여가 VRE 내성균 보균상태 해제에 도움을 줄 수 있음을 시사하는 증례보고도 참조할 수 있습니다.[5]

(2) 환자 격리 및 격리해제

1. 격리 : VRE 감염환자는 1인실로 격리하고 MRSA도 1인실이 권장되나 불가능한 경우 MRSA 감염환자끼리 같은 병실을 사용하기도 합니다. 내성균 격리로 인한 1인실 사용은 건강보험이 적용될 수 있으니 별도로 기준을 확인합니다.
2. 격리해제 : 각 병원별 프로토콜에 따라 다를 수 있지만 보통 VRE는 해당 부위와 직장도말(rectal swab)에서 1주간격으로 검사하여 3회 연속 음성일 때, MRSA는 해당 부위와 비강도말(nasal swab)에서 1주간격으로 검사하여 2회 연속 음성일 때 적용됩니다. Imipenem에 저항성이 있는 IRPA, IRAB 등도 해당 부위 2회 연속 음성이 기준이 됩니다.

REFERENCES

1. 프리미어 의학연구회. 프리미어 내과. 고려의학. 2006
2. 대한감염학회. 항생제의 길잡이. 광문출판사. 2008
3. 박성진. 만화항생제. 군자출판사. 2005
4. David NG et al. The Sanford Guide to Antimicrobial Therapy 2010. Antimicrobial Therapy Inc. 2010
5. 윤승규 외. Vancomycin 내성 장구균 집락 해제에 대한 보중익기탕의 효과. 대한한방내과학회지. 2010; 31(4):908-913

69 스테로이드 치료 (부록:감초의 사용)

69-1 스테로이드 개요

(1) 스테로이드의 분류

Animal steroid	Steroid hormone	Sex steroids (Androgen, Estrogen, Progestagen)
		Corticosteroids (Glucocorticoid, Mineralocorticoid)
		Anabolic steroids
	Insect steroid	
	Cholesterol	
Plant steroid	Phytosterol, Brassinosteroid	
Fungus steroid	Ergosterol	

1. 스테로이드는 스테로이드 핵 구조를 갖는 유기화합물을 통칭하는 용어로 크게 동물성, 식물성으로 구분됩니다. 동물성 스테로이드 중에서도 호르몬과 같은 역할을 하는 스테로이드 호르몬은 성호르몬(sex steroids)과 부신피질호르몬(corticosteroids)이 대표적입니다.
2. 스테로이드 용어의 혼용 : 일반적으로 의료분야에서 치료목적으로 사용되는 스테로이드는 부신피질호르몬 중의 Glucocorticoid를 지칭하고, 스포츠 분야에서 운동선수의 경기력 향상(ergogenic)을 위해 사용되는 스테로이드는 Anabolic steroid를 지칭합니다. 부신피질호르몬(corticosteroids)이라는 용어가 사용되어도 실은 Glucocorticoid만을 의미하는 경우도 많습니다.
3. 합성 스테로이드는 1953년 Hydrocortisone이 최초로 합성되었고 이후 효과가 강해진 프레드니솔론, 가장 강력한 약효의 덱사메타손 등이 차례로 개발되었습니다

(2) Corticosteroid의 분류

1. Glucocorticoid : 당질코르티코이드는 당신생을 증가시켜 혈당(Glucose)을 높이고 감염, 알러지 등에 관련하는 면역반응을 저하시킵니다. 코르티솔(Cortisol), 프레드니솔론(Prednisolone), 덱사메타손(Dexamethasone) 등이 대표적이며 통상적인 치료목적으로 사용하는 스테로이드가 여기에 해당합니다.
2. Mineralocorticoid : 무기질코르티코이드는 수분 및 전해질(Mineral) 대사를 조절합니다. 나트륨(Na)의 재흡수는 촉진되고 칼륨(K)은 배설이 촉진되어 저칼륨혈증이 유발될 수 있습니다. 알도스테론(Aldosterone) 등이 대표적입니다.

(3) Anabolic steroid

1. Anabolic steroid(단백동화 스테로이드)는 통상적으로 테스토스테론 등과 같은 남성호르몬 작용(adrogenic)을 하지만 특히 세포내 단백질 합성을 촉진시키는 단백동화 작용을 극대화한 합성 스테로이드를 주로 의미합니다.
2. 특히 골격근에서의 세포 단백질을 증가시키므로 근육합성 및 근력, 집중력 향상 등의 효과를 보입니다. 그러나 부작용으로 지질증가, 심혈관계 부작용(부정맥, 고혈압), 여드름, 간손상, 여성의 남성화 등이 나타날 수 있고 특히 남성의 경우 장기간 사용시 시상하부에서의 GnRH, 뇌하수체 전엽에서의 FH와 LH의 분비가 억제되어 고환에서의 테스토스테론 저하 및 무정자증이 유발될 수 있습니다.

69-2 스테로이드제제의 사용

(1) 주요 스테로이드제제의 역가 [2,3]

분류		품목	Glucocorticoid potency	Mineralocorticoid potency	작용반감기
Glucocorticoid	short-acting	Cortisol (Hydrocortisone)	1	1	8-12 hr
		Cortisone	0.8	0.8	
	intermediate - acting	Prednisolone	4	0.8	12-36 hr
		Prednisone	4	0.8	
		Methylprednisolone	5	0.5	
		Triamcinolone	5	0	
	long-acting	Paramethasone	10	0	36-54 hr
		Dexamethasone	25	0	
		Betamethasone	25	0	
Mineralocorticoid		Fludrocortisone	15	125-200	12-36 hr
		Aldosterone	0.3	200-1000	-

1. 부신에서 자연적으로 분비되는 스테로이드 호르몬 Cortisol 또는 이와 거의 동등한 효력을 지닌 스테로이드 제제 Hydrocortisone의 역가(potency)를 1로 정한 후 다른 종류의 스테로이드의 역가를 상대적으로 표시하여 비교합니다. 예를 들어 potency가 25나 되는 Dexamethasone 1mg을 사용하는 것은 Hydrocortisone을 25mg 사용하는 것과 동등한 정도의 항염증효과를 보입니다. Cortisol과 Cortisone은 유사한 명칭이나 서로 다른 스테로이드이므로 혼동되지 않도록 합니다.

2. Glucocorticoid의 역가가 높을수록 작용시간은 길어지고 Mineralocorticoid의 효과는 거의 없는 상태가 됩니다. Fludrocortisone은 당질코르티코이드 효과도 상당히 있으나 Mineralocorticoid의 역가가 훨씬 높기 때문에 Mineralocorticoid 제제로 분류됩니다.

(2) 효과 : **[참조항목 : 69-1]**

(3) 부작용

1. 감염의 발생 또는 악화, 골다공증 또는 골괴사, 당뇨, 고지혈증, 고혈압, 뇌하수체-부신축(HPA) 억제, 백내장, 녹내장 등이 나타날 수 있고 반드시 치료를 요하지는 않지만 보름달형 얼굴(moon face), 체중증가, 식욕증가, 월경이상이나 자반, 다모증, 여드름성 발진, 피부얇아짐, 피하출혈 등의 피부병변이 나타나기도 합니다.
2. 특히 고용량 또는 중등도의 용량 이상으로 투여하면 수시간-수일 내에 고혈당, 부정맥, 고혈압, 부종 등이 나타날 수 있습니다.
3. 저용량이라 할지라도 3개월 이상 복용을 지속하면 부작용이 발현될 수 있습니다.

(4) 국소 스테로이드(Topical Corticosteroid) 비교

역가	품 목	7단계식
Very Potent (가장 강력)	Clobetasol propionate 0.05%, Diflucortolone valerate 0.03% 등	Group I
Potent	Betamethasone dipropionate 0.05%, Betamethasone valerate 0.05%, Diflucortolone valerate 0.1%, Fluocinonide 0.05%, Halcinonide, Mometasone furoate 0.1% 등	Group II - Group VI
Moderately Potent	Clobetasone butyrate 0.05%, Hydrocortisone acetate 1.0%, Prednicarbate 0.1%, Triamcinolone acetonide 0.1% 등	
Weak/Mildly Potent (약한 역가)	Desonide 0.05%, Hydrocortisone 0.5%, Hydrocortisone acetate 0.5%, Prednisolone 등	Group VII

1. 피부에 도포하는 Topical steroid 연고는 Oral 제제와는 다르게 분류하는데 미국에서는 7단계, 유럽에서는 4단계로 많이 분류합니다.
2. 국소 스테로이드의 부작용으로는 표피위축, 여드름이나 피부감염의 발생 또는 악화, 모세혈관확장, 피부건조, 자반증, Rebound 현상 등이 있습니다. 전신적 부작용이 나타나는 경우는 드문 편이나 유소아의 경우 넓은 부위에 도포하거나 장기간 사용한 경우 발생할 수 있으며 특히 역가가 낮은 hydrocortisone에 발생한 사례도 있어 주의가 필요합니다.[4)]

3. 노인의 경우 피부위축이 있어서 외용제의 흡수가 항진되므로 일반적인 외용 스테로이드의 단계보다 낮추어서 적용하기도 합니다.

69-3 스테로이드의 Tapering (+ 정신과약물)

(1) 개요

1. 스테로이드, 특히 경구 또는 주사제로 투여되는 전신(systemic) 스테로이드는 항염증작용과 면역억제효능 때문에 천식, 류마티스관절염, SLE(systemic lupus erythematosus), 혈관염(vasculitis), 크론씨병(Crohn's disease) 등의 만성경과를 보이는 질환뿐 아니라 안면마비나 돌발성난청과 같은 급성질환 등 다양한 경우에 사용됩니다.
2. 하지만 일정 기간 이상의 스테로이드 사용 후에는 치료적 효과의 달성 또는 부작용, 효과없음 등의 이유로 사용을 중지할 시기가 올 수 있고 일반적으로 테이퍼링(Tapering)이라 통칭되는 점진적 감량과정을 거치게 됩니다. 특히 스테로이드 복용기간과 양에 따라 갑작스런 스테로이드 사용의 중단은 치명적일 수 있으며 외상 등의 사고나 다른 질환에 대한 치료로 갑자기 중단되는 경우가 없도록 주의해야 합니다.
3. 스테로이드 외에 테이퍼링을 시행하는 약물로는 삼환계항우울제(TCA), SSRI 등의 항우울제 또는 Benzodiazepine (BDZ) 계열의 항불안제 약물이 대표적입니다.

(2) 방법

1. 일반적으로 용량과 무관하게 3주 이내의 치료를 받았거나 격일투여를 시행한 경우는 테이퍼링(Tapering)이 필요없을 수 있으나 쿠싱증후군과 유사하게 외모의 변화가 있거나 prednisone을 10mg/day 이상의 용량으로 3주 이상 처방받았다면 테이퍼링을 적극적으로 고려해 볼 수 있습니다. 인체 내부에서 생리적으로 분비되는 스테로이드량은 Prednisolone 역가 기준으로 하루 3mg 정도이며 임상적으로 하루 5mg 미만의 prednisone 투여는 테이퍼링이 불필요했다는 보고도 있습니다. [5,6]
2. 국소 스테로이드(Topical Corticosteroid)도 증상의 개선에 따라 도포빈도를 1일 1회 또는 2일 1회로 줄이거나 역가가 낮은 단계의 약물을 사용하는 방식으로 테이퍼링을 시행합니다.
3. 테이퍼링 방식은 다양하게 존재하며 예를 들어 만성적으로 복용해 왔다면 다음의 방법도 고려할 수 있습니다.[6]

1) 하루 60mg 이상의 prednisone : 1-2주 마다 10mg/day 감량
2) 하루 20-60mg 사이의 prednisone : 1-2주 마다 5mg/day 감량
3) 하루 10-19mg 사이의 prednisone : 1-2주 마다 2.5mg/day 감량
4) 하루 5-9mg 사이의 prednisone : 1-2주 마다 1mg/day 감량
5) 하루 5mg 미만의 prednisone : 1-2주 마다 0.5mg/day 감량
(또는 5mg-4mg-5mg 식으로 격일별 용량조절)

* 환자상태, 질병특성 등에 따라 tapering 일정은 조정될 수 있습니다.

3. 테이퍼링 과정 중 증상이 악화된다면 10-15% 증량해서 투여할 수 있고 루프스신염이나 용혈과 같이 치명적인 Flare가 발생하면 과거 사용되었던 최대용량으로 투여하는 것도 고려됩니다. 증량 후의 테이퍼링은 보다 점진적으로 시행합니다.
4. 항우울제의 경우 TCA는 3개월 이상 천천히 감량하며 SSRI의 경우는 5~7일 마다 최저 사용용량 또는 그 절반의 용량 정도씩 감량할 수 있습니다.
5. Benzodiazepine(BDZ) 계의 항불안제 약물의 경우 4주 이상 복용하면서부터 의존성, 이탈증상이 나타날 수 있으며 특히 6개월 이상 복용시 더욱 뚜렷합니다. Etozolam 과 같은 단시간 작용형의 BDZ일수록 더욱 의존성이 높으므로 이런 경우 2-4주 마다 3/4, 2/4, 1/4 정도씩 환자의 증상을 고려하면서 테이퍼링을 시행할 수 있습니다. [18,19]

69-4 감초와 스테로이드

(1) 감초의 성분

1. 160가지에 이르는 감초(일반명: Licorice, 학명: Glycyrrhizae Radix)의 성분 중 스테로이드에 속하는 것은 Stigmasterol과 β-sitosterol 등 Plant steroid 2가지뿐으로 Stigmasterol은 대두, 카카오버터, 평지기름, 콩기름 등에 함유된 불포화의 식물스테롤(Phytosterol)이고, β-sitosterol은 식물에 가장 널리 분포하는 스테롤이며 천연 식물스테롤에 속합니다.
2. 감초의 주성분 중 하나인 글리시리진(Glycyrrhizin)은 스테로이드가 아닌 플라보노이드(flavonoid)로서 Mineralocorticoid 분해와 관련된 효소를 길항하는 약리작용이 있습니다.[7]

(2) 감초의 스테로이드 효과

1. 글리시리진은 Mineralocorticoid 스테로이드 호르몬의 분해와 배설 과정에 관여하는 11 beta- hydroxylase의 작용을 방해하며 과량복용시 Mineralocorticoid 효과를 나타냅니다. 심한 경우 '가성알데스테론증(pseudoaldosteronism)' 인 부종, 고혈압, 저칼륨혈증 등의 부작용이 발생할 수 있습니다. [7]

Aldosterone

1. 부신피질에서 분비되는 Mineralocorticoid계 호르몬의 하나인 알도스테론은 Na+의 재흡수는 촉진하면서 K+은 배설시키는 작용을 합니다. Na+가 상승하므로 체액량이 증가하여 부종을 유발하고 혈압도 상승하게 됩니다.
2. 이뇨제 중 하나인 Spironolactone은 알도스테론 수용체를 차단하므로 K+ 배설을 억제하면서 혈압을 하강시키는 효과가 있습니다.

2. WHO 보고에 의하면 일반적으로 감초로 가성 알데스테론증을 일으키려면 하루에 50g이상씩 6주를 섭취해야만 나타날 수 있습니다. (cf. 감초의 일반 상용량: 1첩기준 1.2~ 4g정도) [8] 국내에서 감초로 저칼륨혈증이 보고된 증례들의 경우, 하루 50g씩 4개월간 복용하였거나 1개월간 약 500g의 감초를 복용하는 등 일반적인 처방용량을 훨씬 상회하는 수준에서 섭취한 경우였습니다.[9,10] 또다른 문헌에서도 60kg의 성인이 하루 최대 18g의 건조감초를 열수 추출로 복용하는 정도는 유해작용이 없을 것으로 추정되었습니다. [20]
3. 감초의 주요 대사산물 중 하나인 glycyrrhetinic acid는 Glucocorticoid와 유사한 구조를 가졌는데 Glucocorticoid 수용체와 결합하여 간내 대사를 방해할 수 있습니다. 따라서 Glucocorticoid 스테로이드를 이미 복용하고 있는 경우에 감초를 투여하면 분해가 지연되어 해당 스테로이드의 농도를 간접적으로 상승시킬 가능성이 있습니다. 다만 이 Glucocorticoid 수용체와의 결합력은 미약한(weak) 편이고 스테로이드 제제 중 가장 낮은 역가를 지닌 Hydrocortisone 보다도 훨씬 낮은 점 등을 고려할때, 감초는 존재하지 않는 Glucocorticoid 효과를 새로이 발생시키기 보다는 오히려 이미 발현되고 있는 스테로이드의 효과를 강화 또는 지속시키는 작용으로 이해됩니다.[16,17]
4. 감초는 미국 FDA에서도 캔디, 껌 등의 원료물질로의 사용을 허용할 정도로 비교적 안전하다고 할 수 있습니다. 만일 감초가 Anabolic steroid 또는 Prednisolone, Dexamethasone 등과 같은 Glucocorticoid 효과를 보인다면 이미 세계반도핑기구(World Anti-Doping Agency, WADA)나 한국도핑방지위원회에 의해 금지약물로 지정되었을 것이나 감초는 금지 한약재 목록에 포함되지 않습니다.[11]
5. 감초와 testosterone의 관련연구에서는 감초의 복용으로 남녀 모두 혈장 testosterone 농도가 감소하는 것으로 보고되었으나 복용중단후 가역적으로 회복되었으며 측정부위(타액)에 따라 변화가 없는 결과도 보고되어 추가적 연구가 필요합니다. [21,22]

Tip Glucocorticosteroid 효과를 보이는 한약재

한약재 중 유의한 Glucocorticosteroid 효능으로 국제반도핑기구(World Anti-Doping Agency)에서 금지한 약재는 우신(牛腎), 자하거(紫河車 = Placenta) 등 2가지이고 Anabolic agents로 금지한 약재는 해구신(海狗腎), 인뇨(人尿), 고우난낭(牯牛卵囊) 등 3가지에 불과합니다. 특히 일상적으로 사용되는 한약재는 포함되어 있지 않으므로 상용처방에 대해 일반적인 스테로이드 효과를 우려할 필요는 없을 것으로 보입니다. **[참조항목 : 79-1]**

(3) 감초복용자 중 가성알데스테론증 위험도

1. 스테로이드 제제 복용자 : 이미 steroid를 복용중인 환자가 감초를 장기간 과량복용하면 Mineralocorticoid 부작용이 보다 쉽게 나타날 수 있고 Glucocorticoid 효과가 보다 강화되거나 체내 cortisol 농도가 증가되는 부작용이 발생할 수 있으므로 주의합니다.
2. 고용량 및 고연령 : 일본에서 작약감초탕과 소시호탕의 복용으로 가성알데스테론증이 유발된 증례들을 분석한 결과 감초 함유량이 3배나 높은 작약감초탕에서의 유발기간 중앙값이 소시호탕보다 13배나 차이나는 용량의존적인 유발도를 보여주었으며 연령도 60세 이상에서 risk가 높아진 것으로 나타났습니다.[12]
3. ACEi의 예방적 효과 : 10년 이상 한약을 장기복용한 환자가 고혈압으로 병용하던 ACE inhibitor의 용량을 줄이니 가성알데스테론증상이 발현한 사례가 있으며 저자는 RAA(renin-angiotensin-aldosterone)에 작용하는 ACEi의 알도스테론 생성저해 효과가 가성알도스테론증으로의 악화를 저하시킨 것으로 추정하였습니다.[13]
4. 감초는 캔디, 껌 등의 원료물질로 사용될 정도로 비교적 안전하지만 임의로 남용되거나 11 beta- hydroxylase가 결핍된 일부 사람들이 복용할 경우 저용량이라 할지라도 가성알데스테론증이 유발될 수 있으므로 임상에서 유념하고 있어야 합니다.[14] **[참조 : 78-3 (3)]**
5. 감초로 유발된 저칼륨혈증의 경우 치료는 Potassium을 보충하면서 spironolactone을 투여하는 방식을 사용할 수 있습니다. 저칼륨혈증과 함께 횡문근융해증(rhabdomyolysis)이 동반되는 사례들도 보고되었으므로 CK(creatine kinase), urine Myoglobin 등의 관련검사도 함께 시행합니다.[10,15]

REFERENCES

1. 山本一彦, 스테로이드 언제 어떻게 쓸 것인가? 대한의학서적. 2010
2. Leung DY, Hanifin JM, Charlesworth EN et al. Disease management of atopic dermatitis: a practice parameter. Ann Allergy Asthma Immunol. 1997;79(3):197-211.
3. Schimmer, BP, Parker, KL. Adrenocorticotropic hormone in Pharmacological basis of therapeutics 11th ed. McGraw Hill. 2006
4. Turpeinen M. Adrenocortical response to adrenocorticotropic hormone in relation to duration of

topical therapy and percutaneous absorption of hydrocortisone in children with dermatitis. Eur J Pediatr. 1989;148(8):729-31.
5. Berger JR. Neurosyphilis in HIV-infected patients. Am J Med 1993; 95:664.]
6. Daniel E Furst et al. Glucocorticoid withdrawal in Uptodate Desktop. version 19.1. 2011
7. Stewart PM, Wallace AM, Valentino R, Burt D, Shackleton CH, Edwards CR. Mineralocorticoid activity of liquorice: 11-beta-hydroxysteroid dehydrogenase deficiency comes of age. Lancet. 1987 Oct 10;2(8563):821-4
8. World Health Organization. WHO monographs on selected medicinal plants. Vol. 1. 1999. p.191
9. 조숙경, 임병국, 조현경 외. 감초로 유발된 저칼륨혈증. 대한신장학회지. 2001;21:1021-1025.
10. 홍현일, 한군희, 황정원 외. 감초 복용에 의한 저칼륨마비와 횡문근융해가 병발한 1예. 대한내분비학회지. 2005;20(2):179 182.
11. 한국도핑방지위원회. 2011 도핑방지가이드. 2011. p.18-19
12. Homma M, Ishihara M, Qian W, Kohda Y. Effects of long term administration of Shakuyaku-kanzo-To and Shosaiko-To on serum potassium levels. Yakugaku Zasshi. 2006 Oct;126(10):973-8.
13. Iida R, Otsuka Y, Matsumoto K, Kuriyama S, Hosoya T. Pseudoaldosteronism due to the concurrent use of two herbal medicines containing glycyrrhizin: interaction of glycyrrhizin with angiotensin-converting enzyme inhibitor. Clin Exp Nephrol. 2006 Jun;10(2):131-5.
14. Russo S, Mastropasqua M, Mosetti MA et al. Low doses of liquorice can induce hypertension encephalopathy. Am J Nephrol. 2000;20(2):145-8.
15. Kinoshita H, Okabayashi M, Kaneko M et al. Shakuyaku-kanzo-to induces pseudoaldosteronism characterized by hypokalemia, rhabdomyolysis, metabolic alkalosis with respiratory compensation, and increased urinary cortisol levels. J Altern Complement Med. 2009;15(4):439-43.
16. Nicolas JG, Rod JF. Glucocorticoids. Springer Science & Business Media.2001. p.148
17. Lin D et al. The effect of glycyrrhetinic acid on pharmacokinetics of cortisone and its metabolite cortisol in rats. J Biomed Biotechnol. 2012:856324. doi: 10.1155/2012/856324. Epub 2012 Nov 1.
18. 한원희 옮김. 약의 의문. 대한의학. 2012. p.214-217
19. Warner et al. Antidepressant discontinuation syndrome. Am Fam Physician. 2006;74(3):449-56.
20. 이선동, 박영철. 한약독성학 I. 한국학술정보. 2012 p.305-332
21. Josephs et al. Liquorice consumption and salivary testosterone concentrations. Lancet. 2001;358 (9293):1613-4.
22. Armanini et al. Reduction of serum testosterone in men by licorice. N Engl J Med. 1999;341 (15):1158.

70 수액요법

70-1 인체의 수분분포와 수액

1. 체내 총 수분량(total body water, TBW) : 남성은 체중의 60%가 수분이고, 여성은 체중의 50%를 수분이 차지합니다. 노년층에서는 이보다 5-10% 더 감소합니다.
2. TBW는 크게 세포내액(intracellular fluid, ICF)과 세포외액(extracelluler fluid, ECF)으로 나눌 수 있으며 이 중 ICF가 2/3를, ECF가 1/3을 차지합니다. ECF는 다시 간질액(interstitial fluid)과 혈장(plasma)으로 구분되며 혈장이 ECF의 1/4을 차지합니다. 즉 혈액은 체중의 5% 정도를 차지한다고 할 수 있습니다.

TBW (체중의 60%)	ICF (40%)
	ECF (20%) = 혈장 5% + 간질액15%

3. 인체의 주요 전해질인 Na+(Sodium)은 주로 ECF에 분포하고 K+(Potassium)은 주로 ICF에 분포합니다. ECF 소실시 Na+도 함께 소실되어 저나트륨혈증이 발생하기 쉽습니다.
4. 출혈, 설사, 과도한 발한 등으로 체액이 부족해지는 것은 보통 ECF가 부족한 상황이므로 IV로 투입시 ECF에 주로 분포하는 수액(ex. Normal Saline: N/S)을 투여합니다. 이 경우 ICF, ECF에 골고루 분포되는 포도당수액(5% Dextrose in Water: 5DW)은 효과가 미약하다고 할 수 있습니다.
5. 일반적으로 전해질로만 구성된 수액을 Crystalloid라 하고 분자량이 큰 알부민 등이 포함된 수액을 Colloid라 합니다. 분자량이 큰 콜로이드 수액은 혈관 밖으로 잘 이동하지 못하여 ECF를 올리는 효과가 약하고 분자량이 작은 Crystalloid 수액은 혈관 밖으로도 잘 이동하여 ECF를 올리는 효과가 보다 우월합니다.

70-2 주요 수액별 특징*

(1) N/S

1. **Normal Saline (0.9% NaCl)** : Na 154mEq/L, Cl 154mEq/L의 조성으로 생리식염수라고도 하며 체내삼투압과 같은 등장성 수액(isotonic saline)입니다. 수분결핍시나 체액손실(volume loss) 시의 체액보충, 전해질 (Na, Cl)결핍시의 보급에 적합합니다. 지나치게 빠르게 주입하면 심장에 문제가 있는 환자에게는 폐부종(pulmonary edema)이 유발될 수 있고 또는 Hyponatremia의 환자에게는 빠른 교정 과정에서 뇌손상이 올 수 있으므로 주의합니다.
2. **Half Saline (0.45% NaCl)** : Na=77, Cl=77의 조성이며 체액농도의 절반 정도로 Na과 Cl가 있습니다. 수분은 공급해야 하나 N/S가 volume이나 Sodium을 지나치게 상승시킬 우려가 있을 때 주로 사용됩니다. 참고로 Na, Cl 등도 아예 없는 증류수(distilled water)를 체내에 주입하면 삼투압이 낮아 투여 즉시 용혈(hemolysis)이 유발됩니다.

(2) H/S

1. Lactated Ringer로 불리기도 하는 H/S(Hartmann solution)은 흔히 링겔을 맞았다고 할 때의 유래가 되는 수액이지만 실제 사용빈도가 그리 높은 편은 아닙니다. [Na=130mEq/L, Cl=109, K=4, Lactate=28, Ca-3]의 조성이며 Ringer 용액(NaCl, KCl, CaCl2를 혼합)에 Lactate가 첨가된 용액입니다. 전해질 조성이 체액과 유사하고 , K일반인에게도 큰 부작용 없이 사용될 수 있습니다. 통상적으로 외과계에서는 H/S을, 세부적인 전해질 조정이 필요할 수도 있는 내과계 환자들에게는 N/S가 더 선호되는 경향도 있습니다.
2. 심하지 않은 Metabolic Acidosis 교정목적으로도 사용가능하며 전해질의 양적인 측면에서 K, Ca의 양은 미미하여 전해질이 비교적 정상일 경우 N/S과도 치환되어 사용될 수도 있습니다.

(3) 5DW

1. 5DW(5% Dextrose in Water)에는 Glucose가 5%, 10DW에는 Glucose가 10% 포함되어 있습니다. 예를 들어 20DW 100ml에는 Glucose가 20g 있는 것으로 계산합니다.
2. DW는 수분뿐 아니라 칼로리 공급의 목적으로도 사용되며 식사량이 불충분하고 탈수된 상태 등에서 적용될 수 있으나 체액 손실 또는 저혈압이 있을 경우에는 Volume을 효과적으로 올려주지 못하므로 적응증이 되지 못합니다. 20DW, 50DW 등은 저혈당일 때 혈당을 빠

* Na, Cl, K 등의 단위는 재래식 단위(Conventional units)에서는 mEq/L로, 국제표준단위(SI units)에서는 moll/L로 표기하지만 1 mEq= 1 moll이므로 이하 본 장에서는 단위를 생략하거나 또는 구별 없이 사용하였습니다.

르게 올리기 위한 목적으로 주로 사용됩니다.

3. 당뇨환자에게 DW를 투여하면 고혈당이 유발될 수 있으므로 필요한 경우에는 RI(Regular Insulin)를 혼합해서 투여합니다. 이 경우 Glucose : RI의 비율은 일반적으로 5:1을 적용하는데 예를 들어 5DW 1L(1000ml)의 경우 glucose가 50g 있으므로 RI는 5분의 1에 해당하는 10 Unit을 mix하여 투여하고 심한 당뇨이거나 평소 Insulin을 투여받던 환자라면 이 용량에서 적절히 증량합니다.

(4) 5DS

1. 5DS(5% Dextrose and Saline)는 5DW와 0.9% N/S를 합친 개념으로 1L당 Glucose 50ml, Na 154mEq/L, Cl 154mEq/L로 조성되어 있습니다.
2. N/S 적응증에 칼로리 공급의 의미도 겸한 수액으로 심한 설사, 구토 등으로 경구섭취도 잘 못하는 상황에서 Volume이 부족해져 있거나 전해질 불균형이 올 수 있는 경우 등에 사용 가능합니다. D/S로 Volume회복이 된 이후에는 D/W로 전환하여 수분과 열량을 계속 공급할 수 있습니다.

(5) H/D

- H/D(Hartman and Dextrose solution)는 하트만용액(H/S)에 칼로리 공급 목적의 5DW가 포함된 수액입니다. 조성은 하트만 용액에 준하면서 Dextrose 50g이 포함되어 있습니다.

(6) 아미노산 수액제 (Amino Acid Solution)

- 저단백혈증, 저영양상태, 수술전후 등에 아미노산 보급용으로 투여되며 Cafsol 10% 500ml, Freamine 10% 500ml, Proamin 10% 500ml 등 여러 가지 제품들이 출시되어 있습니다. 간기능 장애 또는 중증 신장애시에는 투여에 신중해야 합니다.

(7) 알부민

1. 알부민(Albumin)은 혈액의 삼투압을 조절하는 주요한 물질 중 하나입니다. 간경변 환자의 복수나 하지부종에 알부민을 사용하여 부종이 호전되는 것도 삼투압 결핍이 해소되었기 때문입니다.
2. 알부민 수액은 화상, 신증후군 등 알부민이 상실되거나 간경변 등 알부민의 합성이 저하된 저단백혈증의 치료에 유효하며 보통 serum Albumin 3.0 mg/dl 이하에 저단백혈증으로 인한 삼투압 결핍(oncotic deficit)이나 체액량 결핍(volume deficit) 등이 동반되었을 경우 사용합니다.

3. 사람의 혈장(human plasma)을 원료로 하는 비교적 고가의 수액이므로 보험기준도 잘 확인해야 합니다. 너무 빨리 투여하면 체내 흡수가 잘 안된 상태에서 배출될 수도 있으므로 주의하며 보통 분당 2-4ml 정도로 천천히 주입합니다.

(8) Mannitol

1. N/S의 삼투압이 308 mOsm/L, 5DW가 278 mOsm/L인데 반하여 15% 만니톨의 삼투압은 823 mOsm/L, 20% 만니톨은 1098 mOsm/L로 매우 높습니다. 보통 빠른 속도로 투여하여 두개내압 강하나 안내압 강하 등에 사용됩니다.
2. 전신의 osmotic pressure를 높여 체액을 ICF에서 ECF로 이동시키고 이에 따라 삼투압성 이뇨작용(osmotic diuretics)이 발생하게 되며 이는 Lasix처럼 신장에서만 작용하는 이뇨제(loop diuretics)와 구별됩니다.

Tip 수액의 투입속도(gtt) 이해

1. 수액이 주입되는 속도를 표현할 때 쓰이는 가트(gtt, gutta)는 정맥주사의 분당 방울수를 의미하며 10 gtt는 1분당 10방울, 즉 1시간에 600방울 떨어지는 속도를 뜻합니다.
2. 보통 15방울이 1ml(=1cc)가 되므로 10gtt로 주입시 1시간에 40cc가 주입되게 됩니다. 또한 10 gtt로 24시간 동안 투여하면 총 960cc (시간당 40cc)가 투여됩니다.
3. 이를 적용하면 24시간 동안 생리식염수(Normal saline) 1000ml를 주려면 10가트 정도로, 2000ml를 주려면 20가트로 투입하면 됩니다. 정확한 투입속도가 요구될 때에는 Infusion Pump를 사용해야 합니다.

70-3 NPO시 필요한 수액량

(1) 하루 필요량

1. 수분 : 체중당 30cc(또는 40cc까지도) 정도가 필요하므로 50Kg일 경우 하루 약 1500-2000ml를 공급합니다. 발열을 동반한 환자는 체온 1℃ 상승마다 100-150cc를 추가로 더 공급해야 합니다. 환자 상태에 따라 소변량(I/O)을 확인하면서 공급량 또는 수액을 변경합니다.
2. 칼로리/전해질 : 금식시에는 하루 100-150g의 glucose가 공급되어야 체단백 소실을 1/2이하로 줄일 수 있습니다. 보행이 불가능한 환자는 필요량이 적어집니다. 하루에 필요한 전해질은 Sodium(Na)의 경우 50-150mEq, Potassium(K)은 20-60mEq이 필요합니다. PTBD와 같이 관(tube)을 통하여 체액을 외부로 배액(drainage)하는 경우는 추가적인 전해질 공급을 고려합니다.

(2) 투여예시 및 주의사항

1. [예시] 5DW 1000mL + NaCl 2 Amp + KCL 1/2 Amp로 하루 2회 총 2L 공급
2. NaCl 앰플 하나에 Na 40mEq, Kcl 앰플 하나에 K 20mEq이 포함되어 있으므로 위의 예시대로 투여하면 하루에 수분 2000ml, glucose 100g, Na 160mEq, K 20mEq의 공급이 이루어지게 됩니다. 24시간 동안 총 2L가 투여되므로 투여속도는 20gtt로 하면 됩니다.
3. 체액소실이 있을 경우 N/S(0.9% NaCl) 투여도 고려하되 울혈성심부전(congestive heart failure, CHF)나 신부전 환자에서는 투여량을 조절해야 합니다. NPO 상태를 지속적으로 유지해야 할 경우(ex. 7일 이상)는 TPN 제제로 전환하여야 합니다.

70-4 TPN

(1) TPN 개요

1. 총정맥영양 (total parenteral nutrition, TPN)은 경구 또는 위장관을 통한 영양보급이 불가능하거나 또는 제한된 환자들에게 정맥을 통해 영양을 공급하는 방법입니다. 쉽게 말해 하루 종일 음식섭취를 하지 않아도 수분, 전해질, 아미노산 및 칼로리가 충분히 공급될 수 있도록 합니다. 5일 이상 장기간 기아시에는 필수지방산 공급목적으로 지방(lipid)도 포함하여 공급합니다.
2. 보통 7일 이상 위장관(GI Tract)을 이용할 수 없을 때 고려하며 제약회사에서 출시된 TPN 제제를 사용할 수도 있고 또는 병원내 영양지원팀(NST), 약제부 등에 의뢰하여 개인별 맞춤형으로 조제될 수도 있습니다. 간기능 또는 신기능 저하시 특히 개인별 조정이 필요합니다.

(2) TPN 주의사항

1. TPN 투여시 말초(peripheral)로 투여할 것인지 중심정맥관(central line)으로 투여할 것인지에 따라 투여수액이 다르며 제약사들의 TPN도 말초공급용, 중심정맥용으로 구별되어 공급되므로 주의합니다. Central을 통하여 주입하는 수액의 삼투압이 Peripheral로 투여되는 제형보다 높습니다.
2. TPN의 삼투압은 일반수액보다 높아서 말초혈관에 부담이 될 수 있습니다. 장기간 TPN을 해야 할 경우는 cental line을 잡아놓는 것이 좋습니다.
3. TPN 투여가 시작되면 혈당측정(BST), 기본적인 혈액검사(CBC, Elecrolytes, BUN, LFT, TG 등)와 함께 체중측정 및 I/O 확인도 병행되어야 합니다.

4. 필요시 H2RA(H2 blocker- 위산분비억제), Insulin(고혈당 방지), Vitamin K(출혈 예방) 등을 혼합하여 투여하기도 합니다.
5. TPN 중단시에는 다른 수액(ex. 5DW)을 일정시간 대신 투여하면서 경과를 지켜보기도 하며 갑작스런 영양공급의 중단을 감안하여 BST 확인도 병행되어야 합니다.

Tip I/O Check

수액이 주입되면 보통 I/O (input/output) check를 qd로 확인하지만 집중적인 관찰이 필요할 때는 4-8시간마다 시행될 수 있습니다. 불감성 손실이나 대변으로의 배출 등으로 800cc 정도 소실되는 것도 감안할 수 있으며 I/O가 1000ml 이상 차이나면 환자상태를 다시 평가하여야 합니다.

REFERENCES

1. Shane Marshall. On Call Principles and Protocols. 4th. Saunders. 2004
2. Thomas M. De Fer et al. The Washington Manual Survival Guide Series Internship Survival Guide. 3rd edition. Lippincott. 2008.
3. 서울아산병원 의학교육연구지원. 인턴진료지침서. 고려의학. 2011
4. Fred Ferri. Practical Guide to the Care of the Medical Patient. Mosby. 2008. 7th ed.
5. 한방전공의협의회 학술국. 한방병원 인턴진료지침서. 군자출판사. 2010.

71 전해질이상

▪ 본 장에서는 전해질이상(electrolytes abnormality) 중 Na, K에 대한 이상을 다루었습니다.

71-1 저나트륨혈증 Hyponatremia

(1) 개요

1. 저나트륨혈증은 Na+(sodium)이 135mEq/L 이하일 때로 정의되며 입원환자나 만성질환 환자의 경우에서 드물지 않게 발견됩니다. 신경학적 증상이 있거나 110mEq/L 이하로 저하되면 신속한 처치가 필요합니다.
2. 임상증상은 경도(Na 〉120-125mEq/L)에서는 식욕부진, 두통, 오심, 구토, 쇠약감이 나타날 수 있고 중등도(115-120)에서는 인격변화나 정신착란이 발생할 수 있으며 중증(〈110-115) 상태에서는 경련, 혼수 및 사망에까지 이를 수 있습니다. Na+수치 자체보다는 저하된 속도가 더 중요합니다.
3. 원인감별 및 치료는 혈장의 삼투압(osmolality)와 체액량(ECF volume)의 증가, 감소 또는 정상인지의 여부에 따라 달라집니다.

(2) 원인감별

s Osm	u Osm	관련 질환	
증가 (Hypertonic)	고혈당, 만니톨(Mannitol) 사용		
정상 (Isotonic)	가성저나트륨혈증 (고지혈증 고단백혈증 등)		
감소 (Hypotonic)	〈100	일차성 다음증 (Primary polydipsia)	
	〉100	ECF 증가	CHF, Liver cirrhosis, Nephrotic Syndrome, Renal insufficiency
		ECF 정상	SIADH, Hypothyroidism, Adrenal insufficiency
		ECF 감소	[urine Na 〈10] 신장외 손실(설사 등), 최근의(remote) 이뇨제 사용, 최근의 구토
			[urine Na 〉20] Na+ waisting nephropathy, 저알도스테론증, 이뇨제, 구토

1. 저나트륨혈증의 원인평가시 필요한 추가검사는 serum Osmolarity, urine Osmolarity, urine Na 등입니다. serum osmolarity는 별도로 측정해도 되고 또는 계산식으로도 구해집니다.
   * serum Osm = 2[Na+] + glucose/18 +BUN/2.8 (참고치 : 275-295)
2. Serum Osmolarity(s Osm), urine Osmolarity(u Osm)에 따른 저나트륨혈증 감별은 위의 표와 같습니다.
3. 일단 혈장 삼투압(serum Osm)의 증가, 감소, 정상 여부에 따라 Hypertonic, Isotonic, Hypotonic hyponatremia로 구별되며 이중 Hypotonic한 경우가 대부분을 차지하므로 이를 중심으로 설명합니다. 특히 Isotonic한 경우는 실제 Na+ 수치는 정상인데 검사상의 한계로 발생하는 가성저나트륨혈증입니다.
4. 저장성(Hypotonic) 저나트륨혈증은 ECF 상태에 따라 추가적으로 분류됩니다. 다만 이 전에 소변삼투압(urine Osm) 검사를 시행하여 100 이하로 희석뇨가 나오면 수분섭취가 과도한 상태인 Primary polydipsia(일차성 다음증)로 판단할 수 있습니다.
5. ECF volume은 증가(부종, 복수 등), 정상, 감소의 경우로 구분되는데 특히 감소한 경우는 urine Na+ 검사결과에 따라 추가적으로 분류됩니다. 즉, urine Na+가 10이하로 적게 배설되는 경우는 설사 등 신장외 손실이거나 최근의 이뇨제, 구토 등이 원인이고 20 이상으로 많이 배설되는 경우는 신장(renal)과 주로 관련된 소실로 판단합니다.
6. ECF가 정상인 경우는 SIADH(syndrome of inapproate antidiuretic hormone)가 가장 많으며 특히 암환자에서 발견되는 저나트륨혈증도 대부분 여기에 해당합니다. SIADH는 수분의 배설을 막는 항이뇨호르몬(ADH)이 부적절하게 분비되는 상태로 종양, 중추신경계질환, 폐질환(결핵, 폐렴) 등이 주원인입니다.

(3) 치료

1. ECF 증가(Hypervolemic) : 부종이 동반되는 가성 저나트륨혈증으로 치료는 수분과 염분의 섭취를 제한하거나 또는 이뇨제(loop diuretics)를 사용합니다.
2. ECF 정상(Isovolemic) : SIADH의 경우 하루 1L 이하로 수분섭취 제한을 시도하지만 신경증상이 있거나 심한 상태라면 3% NaCl 등을 이용하여 천천히 교정할 수 있습니다.
3. ECF 감소(Hypovolemic) : N/S(0.9% Normal saline)와 같은 등장성 수액을 투여합니다. Na+ 130 mEq/L을 1차목표로 하되 시간당 0.5mEq(하루 10-12mEq) 이상 올리지 않도록 합니다. 중증의 경우라면 일단 고장액 수액으로 첫 24시간 내에 120-125 정도 상승시키고 이후의 3-5일간 나머지 부분이 교정될 때까지 점진적으로 치료합니다.
4. 지나치게 빠르게 상승시키면 뇌세포가 적응하지 못하고 세포내 수분이 빠져나가 ODS (Osmotic demyelination syndrome)*가 유발될 수 있습니다. ODS는 비가역적인 뇌손상을

초래하며 이완성마비, 연하장애 등 뇌졸중과 유사한 증상이 동반됩니다.

5. Na+로서 일반 0.9% N/S 1L에는 154mEq, 3% Nacl 1L에는 513mEq, NaCl 앰플(20cc) 1개에는 40mEq이 포함되어 있습니다.* 목표 Na+ 수치에 따른 필요용량계산식은 다음과 같으며 TBW(Total body water) 계산은 남자는 [체중(Kg) x 0.6], 여자는 [체중 x 0.5]로 하면 됩니다.

* [필요용량 (mEq/L)] = [TBW] x (목표 Na - 현재 Na)

[치료예시]

- CNS 장애를 보이는 몸무게 60kg, Na=108mEq/L인 여자환자

1) 목표 Na수치를 120으로 할 때 필요한 Na용량은 [60 x 0.5] x (120-108) = 360mEq
2) 3% Nacl 1L에는 Na이 513mEq/L이 있으므로 약 720mL의 3% Nacl이 필요하며 일반 N/S(0.9% Nacl)를 사용할 때는 N/S 1L에 154mEq/L이 있으므로 약 2.3L가 필요합니다.
3) 시간당 0.5mEq/L 속도 기준으로 12mEq/L를 올려야 하므로 필요한 투여시간은 24시간입니다. 즉 3% NaCl 720mL를 24시간 동안 IV로 투여합니다.
4) 경련 등 심한 신경증상이 있을 때는 첫 5-10mEq/L 올릴 때까지 시간당 1-1.5mEq/L의 속도로 빨리 올리기도 합니다.
5) 정확한 수액공급이 요구되면 Infusion pump를 이용합니다. 상승속도는 사람마다 다르므로 교정 첫날에는 하루 4-5회 이상 Na+수치를 확인할 수도 있습니다

71-2 고나트륨혈증 Hypernatremia

- 고나트륨혈증은 문헌마다 비교적 다양한 진단적 접근과 치료적 분류가 있으며 본 장에는 주로 Ferri[3] 등의 문헌을 주로 참조하였습니다.

(1) 개요

1. 고나트륨혈증은 Na+이 145mEq/L 이상일 때로 정의되며 일반적으로 약간의 상승에도 갈증을 유발하기 때문에 저나트륨혈증보다 발생빈도가 훨씬 낮고, 의식이 없거나 영아와 같이 스스로 수분 섭취가 불가능한 경우에 주로 발생합니다.
2. 임상증상은 만성으로 진행된 경우는 잘 나타나지 않으나 무력감(lethargy) 등이 나타날 수

* Central pontine myelinolysis(중심성 뇌교 수초용해증)으로 부르기도 함.
* 3% Nacl 500ml 수액 혼합하는 법 : 400ml N/S + Nacl (20ml당 Na 40mEq 함유) 5 Ampule

있고 심해지면 경련이나 혼수 등 CNS 이상도 초래됩니다.

3. 원인감별 및 치료는 체액량(ECF volume)의 증가, 감소 또는 정상인지의 여부에 따라 달라집니다.

(2) 원인감별

1. ECF 감소(Hypovolemic) : 수분과 Na+이 감소한 상태(정확히는 수분소실 〉 Na+소실)이며 고나트륨혈증의 가장 흔한 원인입니다. 이뇨제 사용에 의한 신장성 소실이나 수분섭취 감소, 삼투성 설사, 심한 운동으로 인한 탈수 등에서 발생합니다.
2. ECF 정상(Isovolemic) : Na+은 그대로이나 수분만 감소한 상태입니다. 신장에서의 소변농축이 안되어 free water의 배설이 증가된 요붕증(diabetes insipitus, DI)이 대표적으로 중추성 또는 신성으로 구분됩니다.
3. ECF 증가(Hypervolemic) : 수분과 Na+이 모두 과잉인 상태로 발생빈도는 낮은 편입니다. 부종이 관찰될 수 있으며 NaCl, $NaHCO_3$ 등의 과잉공급이나 Mineralocorticoid의 과잉으로 발생합니다.
4. 보다 정확한 감별을 위해서는 Urine osmol(소변 삼투압/ 참고치 : 250-1000)을 측정해야 합니다. 탈수시에는 일반적으로 농축뇨가 배설되지만 탈수시에도 희석뇨가 배설되는 요붕증(DI)라면 항이뇨호르몬인 Vasopressin(또는 Desmopressin)을 투여하여 중추성 또는 신성 여부를 감별해야 합니다. Vasopressin을 투여해도 Urine osmol의 증가없이 희석뇨가 유지되면 신성 요붕증이고 Urine osmol이 증가하면 중추성 요붕증이 됩니다.

(3) 치료

1. ECF 감소(Hypovolemic) 또는 정상시(Isovolemic) : 5DW 등으로 수액을 공급합니다. 급격한 교정은 뇌부종(Brain edema)를 유발할 수 있기 때문에 시간당 0.5mEq/L 이하, 하루에 12mEq/L 이하의 속도로 교정하며 보통 48-72시간에 걸쳐 수분부족량을 투여합니다. 체액량이 부족한 경우(Hypovolemic)에는 Normal saline 등으로 체내 volume 부족을 보충하고 이후 Half saline 또는 5DW 등의 저장성 수액(hypertonic solution)으로 변경하여 이어서 투여합니다.
2. ECF 증가시(Hypervolemic) : Na+ 및 수분의 과잉을 해소하기 위하여 이뇨제(furosemide)를 사용하고 이후 5DW 등의 수액을 공급합니다.
3. 요붕증(DI)의 경우 중추성은 DDAVP(desmopressin)를 비강내에 분무하여 소변량을 감소시키고, 신성은 원인약물을 중단하는 한편, thiazide 이뇨제를 사용하여 뇨량을 감소시킵니다.
4. 필요시 8-12시간 마다 Na+ 농도를 재검사합니다.

[치료예시]

- 체중 70Kg, Na 160인 남자의 Na를 150으로 낮출 때

1) 수분부족량(Water deficit) = [TBW] x ([현재 Na/목표 Na]-1) = [70 x 0.6] x ([160/150]-1) = [42] x ([1.067]-1) = 2.8L
2) 24시간 동안 5DW 2.8L를 투여합니다. 10gutt가 24시간 동안 1L를 공급하는 속도이므로 24시간 동안 2.8L를 투여하기 위해서는 약 30gutt 속도로 투여하면 됩니다.
3) TBW(Total body water) 계산은 남자는 [체중 x 0.6], 여자는 [체중 x 0.5]로 구합니다.

71-3 저칼륨혈증 Hypokalemia

- 원인에 따라 치료방법이 달라지는 Sodium 이상과는 달리 Potassium의 이상은 원인에 관계없이 1차적인 치료방법이 일정하므로 상대적으로 원인질환에 대한 감별의 필요성은 떨어질 수 있습니다. 하지만 명확한 원인이 없이 발생한 이상에 대해서는 재발방지의 측면에서도 추가적인 감별이 필요합니다.

(1) 개요

1. 98%가 ICF(세포내액)에 존재하는 Potassium(칼륨, K+)은 신경, 근조직의 흥분성과 밀접한 관계가 있으며 특히 심장에 관련되므로 지나치게 높거나 낮은 경우 사망이나 심각한 이상을 초래할 수 있는 중요한 전해질입니다.
2. 저칼륨혈증(Hypokalemia)은 K+이 3.5mEq/L 이하로 떨어질 때로 정의하며 2.5 이하라면 신속한 처치가 필요합니다. 증상은 보통 3.0-2.5 이하로 감소할 때 나타나는데 근수축성이 저하되어 근육쇠약, 이완성마비, 근육통(myalgia) 등이 나타날 수 있습니다. EKG상에는 U wave, flat or reverse T wave가 나타날 수 있고 심실 부정맥(arrhythmia)이 발생할 수 있습니다.
3. 발생 원인으로는 K+ 섭취 부족(특히 수액만으로 영양공급시)으로도 발생할 수 있으나 신장에서의 배설증가(이뇨제, 신세뇨관질환 등)나 위장관 소실(구토, 설사 등) 등으로 주로 발생합니다.
4. 약물도 주요한 유발요인입니다. 특히 인슐린, Bicarbonate 및 베타2 항진제인 Albuterol(벤토린®) 등은 혈장내 K+을 ICF로 이동시켜 저칼륨혈증을 유발할 수 있고 드물지만 감초의 과도한 사용도 가성알데스테론증(pseudoaldosteronism)을 유발해 K+이 낮아질 수 있습니다.

(2) 원인감별

1. 원인을 감별하기 위해서는 24시간 Urine K+ 및 TTKG 값이 필수적이며 추가적으로 ABGA 검사가 필요할 수 있습니다.

Tip TTKG (Trans-tubular potassium gradient)

1. 소변으로 배설되는 K+의 양을 삼투압 비율로 보정한 지표이며 소변 및 혈장의 K+, osmolality (삼투압) 값을 이용해 계산합니다.

   * TTKG = [Urine K / Plasma K] / [Urine osm / Plasma osm]

2. 신장의 K+ 배설기능이 정상일 경우 1) 고칼륨혈증에서는 K+이 많이 배설되므로 TTKG가 상승하고 2) 저칼륨혈증에서 K+이 적게 배설되므로 TTKG가 감소합니다. 만일 TTKG 값이 이와 반대로 향한다면 mineralocorticoid 등 다른 원인을 의심할 수 있습니다.

2. 감별진단은 아래 표와 같습니다. 대체적으로 Urine K+가 15 이상이면 신장성(renal)으로 15 미만이면 신외성(non-renal)로 분류하고 이후 TTKG, ABGA 결과 등으로 더 분류합니다. 문헌에 따라 15 대신 20을 기준으로 삼기도 합니다.

Urine K+ 〈15mmol/d (신외성)	대사성 산증	설사 등	
	대사성 알칼리증	땀으로 소실 / 최근(remote)의 구토, 이뇨제 사용 등	
Urine K+ 〉15mmol/d (신장성)	TTKG 〉4	대사성 산증	DKA, RTA
		대사성 알칼리증	(고혈압) Mineralocorticoid 과잉 등 (정상혈압) 구토, 저Mg혈증, Bartter 증후군
	TTKG 〈2	이뇨제, Na+ waisting nephropathy 등	

(3) 치료

1. 이뇨제 과용이 원인인 경우가 많으므로 사용여부를 확인하고 다른 유발약제도 확인하여 중단하게 합니다. 5DW 등 포도당 수액을 투여받고 있다면 glucose가 포함되지 않은 다른 수액으로 변경합니다. 이는 glucose가 혈장내 K+를 ICF로 이동시키는 인슐린의 분비를 촉진하기 때문입니다.
2. K+ 정상치에서 1.0 저하시마다 약 300mEq의 K+ 보충이 필요합니다(체중 60Kg 기준). 심하지 않은 무증상의 저칼륨혈증이라면 경구용(PO) 약을 우선 처방합니다. (ex. K-contin 2T tid / K contin 1정(600mg)은 K+ 7.8mEq 함유)
3. 증상이 있거나 2.5mEq 이하로 심하게 저하된 상황에서는 수액을 통해 공급합니다. Kcl 앰

플 1개(20cc)는 K+ 40mEq을 포함하며 시간당 20mEq 이하의 속도로 하루 최대 200mEq까지 투여합니다. 투여농도는 일반적으로 40mEq/L(단 central line은 60mEq/L)를 넘지 않게 하며 그 이상 농도에서는 정맥염(phlebitis)이 유발될 수 있습니다. 예민한 환자의 경우는 권장농도를 넘지 않아도 혈관을 따라 따끔거림을 호소하기도 합니다. (ex. N/S 1000ml에 Kcl 1A mix하여 20gtt 속도로 투여, 필요시 2개 이상의 line 또는 PO약 병행)

4. 마그네슘(Mg)이 저하되어도 K+ 재흡수에 장애를 초래하므로 부족시 함께 보충해 주어야 합니다. (ex. MgO 1T bid)

71-4 고칼륨혈증 Hyperkalemia

(1) 개요

1. 고칼륨혈증(Hyperkalemia)은 K+이 5.0mEq/L 이상일 때로 정의하며 심독성에 의한 사망을 초래할 수 있어 저칼륨혈증보다 응급으로 분류됩니다. 6.5 이상이면 응급처치가 필요하고 8.0 이상이면 생명이 위험한 상태입니다.
2. 임상적 증상으로는 무력감, 오심, 감각마비, 두근거림(palpitation) 등이 있을 수 있습니다.
3. EKG 시행은 필수적이며 K+ 농도와 EKG 이상이 일치하지 않는 경우도 있으므로 반드시 고려합니다. EKG상 peaked T파(특히 V2, V3에서)가 보이면 일단 심각한 장애로 간주하며 점차 진행됨에 따라 P파 소실, PR 연장, QRS 간격 확장 등이 이어지다가 결국 심정지까지 이를 수 있습니다.

(2) 원인감별

1. 가장 먼저 가성고칼륨혈증(Pseudohyperkalemia)를 구별해야 합니다. 채혈시 주먹을 쥐는 동작을 반복하거나 토니킷(tourniquet)을 너무 오래 맨 경우, 용혈되었거나 CBC 검사상 WBC 또는 platelet이 상승한 경우 등에서 K+가 상승할 수 있으므로 K+를 재검사하도록 합니다. 재검시에는 주먹을 쥐는 동작을 생략하고 토니킷도 사용하지 않고 채혈하는 것이 좋습니다.
2. 진성으로 고칼륨혈증인 경우의 감별은 다음의 표를 참조하시기 바랍니다. 원인약물 중 spironolactone은 Na+와 K+를 모두 배설시키는 다른 이뇨제와는 달리 칼륨보존형(Potassium-sparing) 이뇨제이므로 고칼륨혈증이 유발될 수 있습니다.

K+ 섭취 과다	K+ 공급과다, 고칼륨위주의 식사(드문 원인)
K+ 배설 감소	신부전, 체액결핍, 약물성(NSAIDs, ACE inhibitir, ARB, Heparin, spironolactone, TMP-SMX 등), 저알도스테론증
ICF에서 ECF로의 K+ 유출 (Transcellular shifts)	산증(Acidosis), 인슐린 부족, 약물(Beta blocker), 조직의 파괴(용혈, 종양의 괴사, 외상, 화상 등)

3. 드물지만 다른 원인들이 배제되고 신장에서의 K+배설 장애가 의심될 때에는 TTKG를 시행합니다. TTKG가 10 이상이면 K+ 배설자체는 정상인 상태로 유효 체액량의 감소나 저단백 식이를 의심하고, 5 이하이면 Aldosterone과 관련된 이상으로 보아 Mineralocorticoid 효과가 있는 약물인 Fludrocortisone을 투여하는 방법처럼 추가적인 평가가 필요합니다. **[참조항목 : 69-2]**

(3) 치료

종류	용량	Onset	기전
Calcium gluconate	10%용액 10ml IV 2-3분간 (EKG 변화없으면 5-10분 간격 재투여)	수분내 작용/ 30-60분 지속	일시적인 세포막 안정화
Insulin	RI 10-20 unit + 50%DW 50ml	15-30분내 작용/ 수시간 지속	ICF로의 일시적인 K+ 이동
Bicarbonate (Bivon®)	1-3 ampule IV (특히 Acidosis일 경우)	15-30분내 작용/ 수시간 지속	
beta 2 agonists	Albuterol(ventolin®) 10-20mg (nebulizer로 30분 정도 흡입)	30-90분내 작용/수시간 지속	
Kayexalate	[PO] 20-50g in 100ml 20% sorbitol [PR] 50g in 200ml 20% sorbitol(또는 수돗물 150ml)	1-2시간내 작용	K+ 체외 배출
Diuretics	Furosemide 40-120mg IV	30분내 작용	
투석(HD)	신장내과(투석실) 의뢰	5분내 작용	

1. 고칼륨혈증의 치료는 크게 급성기 치료와 만성기 치료로 구분되고 급성기 치료는 K+를 ICF로 이동시키는 치료와 K+를 체외로 배출시키는 치료로 구분됩니다. 응급시에는 6.5mEq 이하로 떨어질 때 까지 1-2시간 간격으로 K+농도를 검사하기도 합니다.
2. 급성기 치료에서 응급의 경우에는 가장 우선적으로 심장의 세포막 흥분성을 감소시키는 Calcium gluconate를 투여합니다. Ca2+이 K+과 경쟁적으로 작용하여 세포막을 안정시키게 됩니다.

3. 인슐린 또는 비본(Bicarbonate)을 투여하거나 천식치료에 많이 쓰이는 베타2 항진제인 벤토린(Albuterol)을 흡입시키는 방법 등을 통해 일시적이지만 K+를 ICF로 이동시킬 수 있습니다.
4. 보다 확실한 치료는 체내 K+를 체외로 배출시키는 것으로 양이온 교환수지인 Kayexalate (Kalimate)가 가장 많이 사용되며 이뇨제가 병행되기도 합니다. Kayexalate는 경구약(PO)으로 복용할 수도 있고 관장(Kalimate enema)을 통해서 효과를 볼 수도 있습니다.
5. 치료에 반응이 없거나 긴급한 경우에는 혈액투석(Hemodialysis, HD)이 고려됩니다.
6. 만성기치료는 기저질환을 치료하면서 유발 약물을 피하거나 칼륨섭취의 제한 등이 포함되며 필요시 mineralocorticoid가 투여되기도 합니다.

REFERENCES

1. Fauci AS et al. Fluid and Electrolyte Disturbances in Harrison's Principles of Internal Medicine 17th. 2008
2. Thomas M. De Fer et al. The Washington Manual Survival Guide Series Internship Survival Guide. 3rd edition. Lippincott. 2008.
3. Fred Ferri. Practical Guide to the Care of the Medical Patient. Mosby. 2008. 7th ed. p.691-696.

72 뇌졸중의 재활치료

※ 본 장에서는 급성기를 지난 뇌졸중(뇌중풍) 후유증에 대한 재활치료 및 이차예방을 중심으로 설명합니다. 기타 뇌손상 또는 척수손상환자들의 경우에도 일부 적용될 수 있습니다.

72-1 뇌졸중의 재활

(1) 개요

1. 뇌졸중 재활은 이차적 합병증을 예방하고 신체의 기능을 향상시켜 삶의 질을 높이는 것을 목적으로 합니다. 의사직뿐 아니라 간호직, 물리치료사, 작업치료사, 언어치료사 등 다양한 직군의 협동적인 접근이 필요한 분야라 할 수 있습니다.
2. 예전에는 발병 후 1주일 정도의 안정 후 재활치료를 시작하기도 했지만 최근에는 일반적으로 48-72시간 이내에 생체징후와 신경학적 상태가 안정되는 대로 가능한 한 빨리 재활치료를 시작하는 것이 권장됩니다. 단 발병 1주일 이내에는 Bedside PT(bedside physical therapy, 침상물리치료) 등 약한 강도로 시작할 수 있습니다.
3. 초기단계가 지난 이후의 수개월간의 신경학적 회복은 뇌의 구조적이고 기능적인 재구성에 의해 이루어지며 이러한 신경계의 적응과정을 뇌의 가소성(neuroplasticity)이라 합니다.

(2) 예후

1. 신경학적 손상에 대한 회복은 대개 3개월 이내에 90% 회복되며 6개월 이후에는 정점에 이르지만 꾸준한 노력과 적절한 재활치료로 수년 후까지도 기능적 회복을 기대할 수 있습니다. 특히 재활치료의 강도가 높을수록 예후가 호전된다는 보고도 있는 만큼 적극적인 재활과 환자의 참여가 중요합니다.[1]
2. 일반적으로 하지 보다는 상지가, 근위부 보다는 원위부의 회복이 느리고 불완전한 편입니다. 특히 상지의 원위부에 해당하는 손의 미세운동은 발병 4주 이내에 움직임이 나타나야 예후가 양호합니다.
3. 고령, 동반질환(당뇨, 심근경색), 뇌졸중의 정도(심한위약, 앉은자세에서 균형유지가 어려울 때, 시각공간무시, 인지장애, 실금, 낮은 초기의 기능점수), 재활치료 시작의 지연, 뇌졸중 과거력, 비만 등이 좋지 않은 예후와 관련됩니다.

(3) 평가도구

1. 뇌졸중 중증도는 미국국립보건원 뇌졸중척도(NIHSS)가 초기예후와 연속적인 평가에 유용합니다. 뇌졸중 환자 기능평가에는 Modified Rankin Score(mRS), 신체적인 일상생활능력을 평가하는 Barthel Index(BI)등이 공식한글판 평가지가 발표되어 활용되고 있습니다.
2. 삶의 질 평가는 SF-36 보다는 Stroke Impact Scale(SIS-16)이 뇌졸중 환자의 삶의 질 평가에 우수하나 표준화된 한글판이 아직 나와 있지 않은 상태입니다.

72-2 운동장애의 재활

(1) 관절구축방지

1. 스트레칭이나 보툴리눔독소(보톡스) 주사 등으로 조절하기도 하며 전신적인 강직이 있으면 약물치료를 시행합니다. 평소 구축이 쉽게 올 수 있는 자세는 피하고 경직이 생기지 않는 방향으로 위치하도록 합니다.
2. 생체징후가 안정되면 관절운동 범위내에서 전 범위의 수동적 관절운동을 적어도 하루에 3회 모든 관절에서 시행하도록 합니다. 환자가 견딜 수 있고 vital sign에 이상이 없다면 횟수나 시간은 늘리는 것이 좋고 한번에 한 관절씩 무리하지 않는 범위에서 시행합니다.

(2) 운동치료

1. 초기의 근이완기에는 수동적 관절운동, 혼자 돌아눕기 등을 위주로 시행합니다.
2. 어느 정도 의식이 회복되고 정상쪽 손발로 환측 상하지를 운동시킬 수 있는 시기가 되면 앉아 있는 연습(sitting tolerance, 좌위 내성)을 하게 되고 일정단계 이상이 되면 누운자세에서 앉기, 앉은 상태에서 서기 훈련을 시행합니다.
3. 서 있기 연습은 Tilting table에서 몸무게 유지가 가능하면 평행바(parallel bar)에서 서있기(standing)를 시도하고 이후 보행연습을 하게 됩니다. 또는 체중부하 트레드밀 훈련을 시행하기도 합니다.
4. 최근에는 기능을 촉진시키는 기법으로 보바스 신경발달치료(NDT, Bobath's neuro-developmental technique), 고유감각신경근촉진법(PNF, proprioceptive neural facilitation), Rood 치료법 등이 활용되고 있습니다.

척수손상환자에 대한 침치료

1. 일부 실험적 연구나 임상시험에서 급성(acute)의 척추손상에 대하여 침치료가 유용할 수 있음이 입증된 바 있습니다. Wong 등은 ASIA(American spinal injury association) A등급 또는 B등급에 해당하는 급성의 척추손상환자에게 後谿, 申脈 전침 및 관련부위 耳鍼을 적용하면서 재활치료 시행한 군이 재활단독군에 비하여 유의하게 호전됨을 보고하였습니다.[17] 이러한 침의 기전에 대해 염증억제 등을 통한 신경보호효과로 보기도 합니다.[18]
2. 중국에서 발표된 RCT 논문들을 분석한 systematic review에서는 효과성이 암시(suggestive)되었으나 논문들의 질이 높지 않아 보다 많은 연구가 필요합니다. 방광기능의 회복에는 기존치료보다 우월한 결과를 보여주기도 했습니다.[19]

72-3 연하장애의 재활

(1) 연하장애의 평가 및 기본관리

1. 연하장애(dysphagia or deglutition disorder)는 탈수나 영양장애를 유발하고 특히 음식물 등이 기관지나 폐로 잘못 넘어가면 흡인성폐렴(aspiration pneumonia)과 같은 심각한 합병증을 유발할 수 있어 적절한 예방과 치료가 중요합니다.
2. 뇌졸중 환자에서의 연하장애 발생률은 평가방법에 따라 37%에서 78%까지 분포하는데 물 삼키기 검사(water swallow test) 등의 방법보다는 VFSS (videofluroscopic swallowing study)와 같은 영상의학적 검사에서 더 발생률이 높게 나옵니다. **[참조항목 : 37-1]**
3. 모든 급성기 뇌졸중 환자는 3mL 정도의 물을 삼키는 검사가 포함된 침상선별검사(bedside swallowing assessment)를 시행하여 사레들림, 기침이 있거나 호흡의 변화가 있는지 확인할 수 있습니다. 사레가 없어도 호흡에 이상이 있으면 무증상 흡인(silent aspiration)의 가능성이 있으며 고령자나 중증 연하장애에서 일부 나타납니다.
4. 선별검사에서 연하장애가 의심되면 VFSS 검사나 내시경적연하검사(Fiberoptic Endoscopic Evaluation of Swallowing, FEES)를 시행하여 연하기능을 영상의학적으로 판단한 후 경구식사여부를 결정하여야 합니다. 경구식사가 불가능한 경우에는 우선 L-tube를 통한 비위관 식이(nasogastric tube feeding)를 고려합니다. **[참조항목 : 5-3]**
5. 장관 식이가 4주 이상 필요한 경우에는 L-tube 보다는 PEG*를 통한 식이로 전환하는 것이 권장됩니다. 이는 지속적인 L-tube 식이가 미용상의 문제, 세균감염의 기회 증가뿐 아니라 지속적인 인두, 식도의 자극으로 연하반사를 억제하고 식도하부괄약근의 지속적 이완을 유도하여 GERD가 쉽게 유발될 수 있는 등의 단점이 있기 때문입니다. 실제 임상연구

* PEG : 경피적 내시경 위조루술, percutaneous endoscopic gastrostomy **[참조항목 : 5-1 (3)]**

에서도 시술로 인한 합병증을 제외하고는 영양상태, 식이성공률 등 거의 모든 항목에서 PEG 시술군이 보다 우월한 결과를 보였습니다.[5]

6. 최근에는 PEG 시행 환자에게 Mosapride와 같은 위장운동촉진제(prokinetics)를 투여하여 흡인성폐렴의 발생률을 확연히 감소시킨 연구결과가 보고되기도 하였습니다.[20,21]

(2) 연하장애의 재활

1. 발병초기에는 연하장애로 L-tube 등을 적용하더라도 환자상태와 VFSS 등의 결과에 따라 작은 크기의 얼음을 먹여보거나 또는 연하곤란식, 젤리, 요플레 등의 반유동식을 이용하여 연하연습을 시행해 볼 수 있습니다. 천천히 먹도록 지도하고 한 번 음식물을 구강에 넣었다면 2-3회 정도 반복하여 삼키도록 합니다. 일반적으로 몸을 뒤로 기대는 자세, 고개를 약간 앞으로 굽힌 자세(chin down), 마비가 온 쪽으로 고개를 돌린 자세에서 섭취할 때 흡인이 가장 감소합니다.[6]
2. 물이나 국과 같은 액체류는 일반적으로 뇌졸중으로 인한 연하장애 환자들이 가장 삼키기 어려워 하는 형태이며 따라서 연습도 가장 나중에 시도하게 됩니다. 필요시 점도증진제(토로미업)를 사용할 수 있습니다.

Tip 점도증진제 (thickener)

- 점도증진제는 토로미업, 티크앤이지, 연하이지 등 몇몇 제품들이 출시되어 있는데 음료수(물, 우유, 쥬스, 된장국 등)와 믹서식(곡류, 어육류, 과채류) 등에 첨가하면 액체가 푸딩 형태로 만들어지므로 액체류 섭취가 곤란한 연하장애 환자에게 많은 도움이 됩니다.

3. 환자 스스로 본인의 혀를 입 안 구석구석 닿도록 사방으로 움직여 보거나 또는 혀 내밀기, 혀 말기 등의 운동이 권장되고, 헛기침내기 연습이나 '아-' 소리를 내는 발성연습, 침삼키기 연습, 씹는 연습 등을 병행하는 것도 도움이 됩니다. 의식수준이 명확하다면 간병인이 거즈를 이용하여 환자의 혀를 잡고 수동적 운동을 해주는 방법도 있습니다.
4. 의치관리, 가글링를 포함하여 적절한 구강위생관리는 타액 중의 세균수를 감소시킬 수 있고 감염 등의 합병증을 예방하기 위해서도 필요합니다.
5. 상위운동신경의 장애로 불수의근이 된 근육에 근수축을 유발하여 기능적 회복을 돕는 신경근 전기자극치료(neuromuscular electrical stimulation) 또는 기능적전기자극치료 (functional electrical stimulation, FES)의 유용성도 보고되었습니다.[7] 주로 설골(hyoid)상의 근육(廉泉穴 주위)에 패드를 부착하여 전기자극을 가해줍니다.

(3) 한의학적 접근

1. 한약으로는 半夏厚朴湯 복용으로 연하반사를 개선시켰다는 보고가 있으며 증상의 정도 및 환자상태에 따라 선별적으로 접근해야 할 것으로 보입니다.[8)]
2. 급성뇌졸중에서의 연하장애에 대하여 본격적인 침치료 연구는 많지 않은 편이고 코크란 리뷰에서도 채택된 RCT 연구도 1건에 불과합니다.[9)] 이 연구에서는 人迎, 廉泉, 風池, 風府 및 頭鍼法 등을 활용하여 유의한 효과를 보였습니다.[10)] RCT는 아니지만 足三里, 太谿의 침 시술로 연하장애가 호전된 연구가 보고되기도 하였습니다.[11)]
3. 뜸을 이용한 연구로는 膻中 直接灸를 이용한 보고가 있었고 주로 寒證 환자 위주로 효과적인 것으로 나타났습니다.[12)]

72-4 언어장애의 재활

(1) 개요

1. 뇌졸중으로 발생한 언어장애는 크게 실어증(aphasia)과 구음장애(dysarthria, 또는 말마비장애)로 구분됩니다. 이 중 실어증은 상대의 말을 이해하지 못하거나 자신의 의사를 말로 표현하지 못하는 것으로 보통 좌측뇌의 병변이 있을 때 많이 보이고, 구음장애(dysarthria)는 의사표현이나 언어의 이해에는 큰 지장이 없으나 운동실행에서의 장애로 발음이 정확하지 않은 것이 주로 문제인 상태입니다.* **[참조항목 : 3-1 (3)]**
2. 실어증은 운동성 언어장애인 브로카(broca) 실어증(= 표현성 실어증), 감각성 언어장애로 언어의 이해에 문제가 있는 베르니케(wernicke) 실어증(= 이해성 실어증), 감각-운동 모두 장애가 있는 전실어증(global aphasia)으로 구분합니다. 뇌졸중으로 심각한 실어증이 발생하는 빈도는 21-38% 정도이며 이 중 6개월 후 생존자의 약 50%에서 증상이 남습니다.[2,13)]
3. 일반적으로 언어치료사(speech therapist)의 평가와 훈련을 통해 재활치료가 이루어지게 되는데, 일반적인 표준치료보다는 재활시간과 강도를 높여 진행하는 강화(intensive) 언어치료가 더욱 효과적인 것으로 나타났습니다. 실어증에 대한 약물요법으로는 Piracetam, Donepezil 등에서 유의한 효과가 보고되었으며 주로 언어치료에 대한 부가적 요법으로 활용됩니다.[2,14)]

(2) 한의학적 접근

1. 한의학적으로는 뇌졸중으로 인한 언어장애를 舌瘖의 범주에서 접근할 수 있으며 地黃飮

* 발음과 관련된 근육의 마비나 약화가 없음에도 적절한 운동을 수의적으로 실행하는 기능에 손상(motor planning disorder)을 입은 말실행증(apraxia of speech)도 언어장애에 포함됩니다.

子, 清神解語湯, 導痰湯, 腎瀝湯 등의 처방을 활용하거나 廉泉, 瘂門, 天突, 豐隆, 風府, 支溝, 涌泉, 金津玉液, 靈道, 關衝, 陽陵泉, 太谿, 神門, 人中, 地倉, 間使, 曲池, 合谷, 照海 등의 침치료 방식이 제시되었습니다.[13)]

2. 임상연구로는 頭鍼治療의 言語區를 활용한 임상적 효과가 보고되었고, 소규모 후향적 연구지만 실어증에 대하여 한방치료를 병행한 군이 단독치료군 보다 유의한 언어기능 향상도를 보인 결과가 보고된 바 있습니다.[13,15-16)]

REFERENCES

1. Kwakkel G, van Peppen R, Wagennar RC et al. Effects of augmented exercise therapy time after stroke: A metaanalysis. Stroke. 2004;35;2529.
2. 김연희 외. 뇌졸중 재활치료를 위한 한국형 표준 진료 지침. 대한뇌신경재활학회지. 2009; 2(1):1-38.
3. 고명환, 신용일, 이삼규. 알기쉬운 뇌졸중 재활. 전남대학교출판부. 2008.
4. 대한뇌졸중학회. 뇌졸중 Textbook of stroke. E-public. 2009. pp 421-426
5. Norton B et al. A randomised prospective comparison of percuta- neous endoscopic gastrostomy and nasogastric tube feeding after acute dysphagic stroke. BMJ. 1996;312(7022):13-6.
6. 椿原彰夫. 알기쉬운 연하장애. 군자출판사. 2011.
7. Carnaby-Mann GD, Crary MA. Examining the evidence on neuromuscular electrical stimulation for swallowing: a meta-analysis. Arch Otolaryngol Head Neck Surg. 2007;133:564-571
8. Iwasaki K, Wang Q, Nakagawa T, et al. The traditional Chinese medicine banxia houpo tang improves swallowing reflex. Phytomedicine 1999; 6: 103-6.
9. Xie Y, Wang L, He J, Wu T. Acupuncture for dysphagia in acute stroke. Cochrane Database Syst Rev. 2008 Jul 16;(3):CD006076.
10. Han JC. An observation on the therapeutic effect of acupuncture for bulbar palsy after acute stroke. Henan Journal of Practical Nervous Disease. 2004;7(3):81-2.
11. Seki T, Kurusu M, Tanji H et al. Acupuncture and swallowing reflex in poststroke patients. J Am Geriatr Soc. 2003;51(5):726-7.
12. 김태훈, 나병조, 이준우 외. 中風患者의 嚥下障碍에 膻中穴 灸治療가 미치는 效果. 대한한방내과학회지. 2005;26(2):353-359
13. Jung W et al. Can combination therapy of conventional and oriental medicine improve poststroke aphasia? Comparative, observational, pragmatic study. Evid Based Complement Alternat Med. 2012;2012:654604.
14. Kelly H, Brady MC, Enderby P. Speech and language therapy for aphasia following stroke. Cochrane Database Syst Rev. 2010;(5):CD000425.
15. 배한호, 이지영, 오병열 외. 뇌경색으로 유발된 실어증에 대한 두침요법의 임상적 효과. 대한한방내과학회지. 2002;23(3):460-473.
16. 하치홍, 조명래, 유충렬. 頭針療法의 臨床活用에 대한 考察. 대한한의진단학회지. 2000;4(2):49-65.
17. Wong AM, Leong CP, Su TY et al. Clinical trial of acupuncture for patients with spinal cord injuries. Am J Phys Med Rehabil. 2003;82(1):21-7.
18. Choi DC, Lee JY, Moon YJ. Acupuncture-mediated inhibition of inflammation facilitates significant functional recovery after spinal cord injury. Neurobiol Dis. 2010;39(3):272-82.
19. Shin BC, Lee MS, Kong JC et al. Acupuncture for spinal cord injury survivors in Chinese literature: a systematic review. Complement Ther Med. 2009;17(5-6):316-27.
20. He M et al. Mosapride citrate prolongs survival in stroke patients with gastrostomy. J Am Geriatr Soc. 2007;55(1):142-4.
21. Takatori K et al. Therapeutic effects of mosapride citrate and lansoprazole for prevention of aspiration pneumonia in patients receiving gastrostomy feeding. J Gastroenterol. 2013 Oct;48(10):1105-10

73 암성통증관리

73-1 개요

(1) 암성통증관리의 중요성

1. 암성통증(cancer pain)은 암환자의 삶에 질에 큰 영향을 미치는 요소 중 하나로 환자 진료시에도 필수적으로 평가하여야 하는 항목입니다. 최근에는 과거 암환자의 통증을 당연시 하거나 소극적으로 관리하던 경향에서 벗어나 보다 적극적인 통증관리가 권장되고 있는 추세입니다.
2. 물론 진통제가 필요없을 정도로 통증이 없거나 비마약성 진통제로도 통증이 경감되는 것이 가장 이상적이겠으나 통증이 삶의 질의 저하뿐 아니라 불면, 우울증 등 2차적 증상이나 치료의지의 약화 등을 초래할 수 있다는 점 등도 고려하여 종합적이고도 적절한 통증관리를 시행하도록 합니다.

(2) 암성통증의 평가

1. 통증의 부위와 방사통 여부, 호전 및 악화요인, 통증의 강도 등을 평가합니다.
2. 통증의 강도는 0(통증없음)에서 10(가장 심한 통증상태)까지의 숫자로 평가하는 NRS (Numeric Rating Scale) 방식이 사용되고 또는 10cm 직선에 통증정도를 표시한 VAS(Visual analogue scale)도 사용됩니다. 일반적으로 통증 없음(0), 경도(1~3), 중등도(4~6), 심함(7~10)으로 구분하게 됩니다.
3. 종양의 직접적인 침범으로 인한 통증뿐 아니라 신경병증통증의 병존 여부도 확인합니다. 일반 진통제에 잘 반응하지 않는 신경병증통증(Neuropathic pain)은 종양이 직접 신경을 침윤하거나, 항암제, 감염 등으로 신경이 손상되었을 때 유발되며 특정 부위가 칼로 벤 듯 하거나 타는 느낌, 무딘 감각 등이 나타납니다.

73-2 약물치료

(1) WHO의 3단계 진통제 사용지침

- 1단계 : [비마약성 진통제 ± 진통보조제]
- 2단계 : 약한 마약성 진통제 ± [1단계 약물]
- 3단계 : 강한 마약성 진통제 ± [1단계 약물]

1. 비마약성 진통제 : Acetaminophen(AAP), NSAIDs 등이 있습니다. 천식이나 위장관 장애, 신장애, 출혈경향 등이 있으면 AAP가 선호되고 간장애가 있거나 뼈전이에 의한 통증에는 NSAIDs가 선호됩니다. 단독제형뿐 아니라 AAP+NSAID+codeine 복합제도 많이 사용됩니다.
2. 진통보조제 : 신경병증통증에는 Gabapentin, Carbamazepine 등의 항경련제나 Amitriptyline 등의 항우울제가 사용되고 뼈전이로 인한 통증에는 NSAIDs, 비스포스포네이트, 칼시토닌, 스테로이드 등이 사용됩니다.
3. 약한 마약성 진통제 : Codeine, Tramadol 등이 사용됩니다. 코데인은 진해제(Cough suppressants)로도 많이 쓰이는 약물이고 트라마돌은 단독제형(트리돌®, 지판®)으로 사용되지만 AAP와 혼합된 제형(울트라셋® 등)으로도 많이 처방됩니다.
4. 강한 마약성 진통제 : 경구용으로 몰핀(Morphine)과 몰핀의 부작용을 줄인 옥시코돈(Oxycodone)이 있고 경피용으로는 파스처럼 간편하게 피부에 붙여서 72시간 동안 진통효과를 보이는 Fentanyl(듀로제식 패치®, 펜타스 패치®)이 있습니다. 수술 후 통증 등 외과계열에서 많이 사용하는 Meperidine(=Pethidine, 데메롤®)은 반복사용시 대사산물에 의한 CNS 부작용을 초래하므로 암성 통증 같은 만성 통증에는 잘 사용하지 않습니다.

(2) 투여방법

1. 경구용 진통제가 우선적으로 사용되며 주사제는 원칙적으로 빠른 진통 효과가 필요할 때 일시적으로 사용될 수 있습니다.
2. 경구용의 경우 지속적인 통증에 대해 기본유지용량으로 사용하는 서방형과 돌발성 통증(breakthrough pain) 등에 대비한 속효성 제형으로 구별하여 사용합니다. 예를 들어 oxycodone을 사용하는 경우에도 12시간 지속 서방형인 oxycontin을 하루 2회 처방하는 동시에 IR codon(속효성으로 복용 30분 이내에 효과)도 prn으로 제공하여 갑작스런 Breakthrough pain시 복용하도록 할 수 있습니다. 긴급한 통증을 해결한다는 의미에서 속효성 제형을 구제약물(rescue medication)로 부르기도 합니다.
3. NSAIDs는 최대 투여량 이상으로 증량해도 진통효과가 늘지 않는 천장 효과(ceiling effect)가 있으므로 이 경우 다른 약물로 변경해야 합니다. 마약성 진통제는 천장 효과가 없기 때문에 용량에 비례하여 진통효과를 나타낼 수 있습니다. 통증이 있는 환자에게 사용하는 마약성 진통제의 증량은 마약중독과 구별되어야 합니다.
4. 마약성 진통제의 사용시 변비 또는 오심/구토 등의 부작용이 흔히 발생하므로 미리 MgO(마그밀®, 미루바®)와 같은 예방적 완화제를 사용하거나 항구토제를 prn으로 준비해 놓기도 합니다. 특히 분당 호흡수 10회 미만 등 호흡억제 부작용이 발생하면 Morphine 투여를 중단하고 마약 길항제인 Naloxone을 투여해야 합니다.

73-3 투여방법 또는 약물의 변경

(1) 동등진통용량표

약물	10mg IV/SC morphine과 동등용량		IV/SC:PO	반감기	작용시간
	IV/SC	PO	ratio	(hr)	(hr)
Morphine	10	30	3:1	2~3.5	3~6
Codeine	-	200	-	2~3	2~4
Oxycodone	-	20	-	3~4	2~4
Tramadol	100	120	1.2:1	6	4~6
Hydromorphone	1.5	7.5	1:2~1:5	2.5	4~5
Hydrocodone	-	15~30	-	-	-

1. 예를 들어 Oxycodone 20mg을 PO로 복용하던 환자를 주사제로 바꾸려면 위의 표에 따라 IV morphine 10mg 또는 IV Tramadol 100mg으로 바꾸어 투여하면 됩니다.
2. 단 이렇게 약제를 변경하는 경우의 초회 용량(initial dose)은 불완전한 교차내성으로 효과와 부작용이 증가될 수 있으므로 동등진통용량의 50-75% 정도로 감량하여 투여하며 아울러 돌발성 통증(breakthrough pain)에 대비하여 변경된 약제 1일 총용량의 10-15%를 prn으로 준비합니다. 경피용 펜타닐의 경우는 용량감량을 하지 않기도 합니다.

(2) 경피용 펜타닐 - 몰핀 동등진통용량표

Morphine (IV/SC)	Morphine (PO)	Fentanyl (경피용)
20mg	60mg	25μg/h
40mg	120mg	50μg/h
60mg	180mg	75μg/h
80mg	240mg	100μg/h

- 예를 들어 펜타닐 패치 50μg/h를 부착하고 몰핀 60mg을 경구복용(PO)하던 환자를 주사제(IV morphine)로 변경하여 처방하려면 40mg + 20mg = 60mg의 용량으로 처방합니다.

(3) 용량조절방법

1. 일반적으로 암성통증이 3 이하이면 비마약성 약물을 시도해보고 4 이상이면 마약성 진통제를 사용합니다. 특히 7점 이상인 경우는 통증응급상황(pain emergency)로 간주하여 속효성

또는 주사용 몰핀을 적극적으로 사용합니다.

2. 중등도 이상의 통증일 경우 일단 경구용(PO) 속효성 몰핀 5-15mg(또는 속효성 옥시코딘 5-10mg) 또는 주사제(IV) 몰핀 2-5mg을 투여하며 이미 이러한 제제를 사용중인 환자에게는 1일 총사용량의 10% 정도를 투여합니다.
3. 60분 후 재평가하여 (주사제의 경우 15분 후) 통증의 감소가 없으면 2배 증량하여 재투여, 통증이 4-6점으로 감소했으면 동일용량으로 재투여, 0-3점으로 감소했으면 추가투여 없이 2-3시간 후 재평가를 시행합니다.
4. 이렇게 24시간 동안 투여된 총용량을 계산하여 서방형 제제로 투여하고 이 용량의 10-20%를 돌발성통증에 대비한 속효성 제제로 하여 prn으로 추가처방합니다.
5. 노인이나 심폐기능에 이상이 있는 환자라면 급격한 용량조절에 신중해야 합니다.

Tip 투여예시 : 통증(NRS척도 7)을 호소하는 환자

1. [초투여] 일단 속효성 경구용(PO) 제제인 IR codon 10mg을 투여하고 60분 후에 실시한 재평가 시에도 NRS가 7이라면 2배 증량하여 20mg을 투여합니다. 경구약(PO) 대신 주사제(IV)를 투여했다면 15분 후에 재평가합니다.
2. [재투여] 이 후 60분 후 재평가하여 통증이 5이라면 동일용량인 20mg을 재투여하고 다시 60분 후 통증이 2로 감소했으면 추가투여 없이 2-3시간 후 재평가 합니다.
3. [서방형 + PRN 처방] 이런 방식으로 24시간 동안 oxycodone이 총 160mg이 사용되었다면 이후부터는 서방형 경구용 제제인 oxycontin 80mg을 12시간마다 복용하게 합니다. 아울러 돌발성 통증을 대비하여 속효성인 IR codon 20mg(하루 총용량 160mg의 10-20% 정도)을 prn으로 제공하고 필요시 1시간 간격을 두고 복용케 합니다.
4. [주사제 고려] 처음의 단계에서 만일 경구약 투여 2-3회 후에도 반응이 없었다면 주사제 적정을 고려할 수 있습니다. 초반부터 매우 심한 통증을 호소해도 주사제가 사용됩니다.

73-4 비약물적 치료

(1) 방사선 치료

1. 방사선 치료(radiation therapy, RT)는 국소적인 뼈 전이(bone metastasis)일 때 많이 사용되며 이 경우 약 80-90%의 환자에서 통증이 감소하고 동증이 감소된 환자의 50%에서 통증이 완전히 소실됩니다.
2. 뇌전이, 척수신경 압박 등에도 RT로 종양의 크기를 줄여서 통증을 감소시킬 수 있습니다.

(2) Nerve Block

1. 신경차단술(Nerve block)은 WHO의 3단계 진통제 사용지침에도 통증이 지속될 때 주로 고려됩니다. 교감신경총 차단의 경우 감각이나 운동기능의 손실 없이 진통 효과를 발휘되므로 유용한 방법이 되고 척수강 내 마약성 진통제 투여(epidural, intrathecal) 방법도 사용됩니다. 통증 부위에 따라 다른 부위에 Block이 시행되게 됩니다.
2. 이러한 신경블록은 암성통증뿐 아니라 만성요통 등 기타 질환으로 인한 심한 통증시에 시행되기도 합니다.

(3) 한방치료

침이나 뜸을 이용하여 보조적인 통증완화효과를 얻을 수 있지만 심한 통증으로 이미 마약성 진통제를 고용량으로 복용하고 있는 경우에는 지속시간이 일정하지 않거나 효과가 크지 않을 가능성도 고려합니다.

REFERENCES

1. 김노경 외. 암 진료 가이드, 일조각, 2005
2. 보건복지부. 암성통증관리지침 권고안. 3판. 2010

74 입원환자 식사처방

※ 대략적인 식사처방의 종류를 살펴서 필요한 경우 식사오더를 변경하시면 됩니다. 병원별로 식사 처방목록 및 내역이 다를 수 있습니다.

74-1 일반 환자식

1. 일반식 (GD: General Diet) : 특별한 식이제한을 필요로 하지 않을 때
2. 경식 (Light diet) : 진밥에 해당. 소화되기 쉽고 위장에 부담을 적게함.
3. 연식 (SD: Soft Diet) : 구강과 식도에 장애가 있을 때, 위장장애시 등.
4. 편도절제후 연식 : 찬 죽. 인후에 자극을 주지 않고 수술부위의 출혈방지.
5. 일반유동식 (Liquid diet) : 액체 또는 반액체 상태. 소화기능 저하시.
6. 맑은유동식 : 수술 전후나 검사 전후, 급성 위장 장애 시 처음으로 경구 급식을 시작할 때에 수분 및 전해질 공급을 요하는 환자에게 적용
7. 편도절제후 유동식 : 찬 유동식으로 인후자극 최소화
8. 구강외과식 유동식 : 일시적으로 저작 기능이 전혀 없거나 입을 못벌릴 때.
9. 산모식 : 임신 중 소모된 체조직을 정상화하고, 수유에 필요한 영양소 공급
10. 소아식 : 15세 이하
11. 치아보조식 : 모든 음식은 다져서 촉촉하고 부드러운 상태로 제공

74-2 질환별 치료식

(1) 위장관질환식

1. 저잔사식 (Low residual diet) : 섬유질과 잔사를 제한해 대변량과 빈도를 줄이고, 향신료 사용 줄여 장내 자극을 감소. 염증성 장질환, 장 수술 전후
2. 저섬유소식 : 섬유소가 많은 식품 제한. 장출혈, 설사, 장수술 전후 적용
3. 고섬유소식 : 섬유소 25:50g 정도 증가. 만성변비, 대장암, 비만, 당뇨 등
4. 위절제후식 : 위절제술후 적용.
5. 저지방식 : 담도, 췌장 등 질환 또는 지방의 흡수 불량증이 초래될 때.

6. MCT Oil 보충 저지방식 : 담즙의 도움없이 흡수될 수 있는 중쇄지방산 공급. 장기간 지방 제한 식사가 요구되는 환자에게 적용

(2) 심혈관질환식

1. 염분조절식
2. 저콜레스테롤식(고지혈증식) : 혈액내 TG, Cholesterol 높은 경우. 하루 콜레스테롤 섭취를 300mg 미만, 지방섭취를 총 열량의 20%미만으로 함.
3. 저콜레스테롤, 저열량, 저염식 : MI 등으로 인한 심장발작을 일으킨 환자에게 염분 및 콜레스테롤, 열량을 조절해 제공.
4. 고중성지방혈증식 : 콜레스테롤과 포화지방산이 다량 함유된 식품을 제한. 혈중 중성지방 농도를 150mg/dL 이하로 낮추는 것을 목표
5. 항응고저콜레스테롤식 : 비타민K를 제한해 항응고제와파린.의 작용보조.

(3) 신장질환식

1. 만성신부전식 : 신장 기능의 손상도에 따라 단백질 제한.나트륨은 고혈압이나 부종이 있으면 제한
2. 신증후군식 : 혈압 조절, 부종을 경감시키고 요단백의 손실을 줄이며 신질환으로의 진행을 완화
3. 요로결석, 요석증식: 소변내 수산 수치를 낮추기 위한 수산(Oxalate)제한식.
4. 신장이식후식 : 면역억제제등의 약제 사용등을 고려함.
5. 혈액투석식 : 신장기능의 저하로 혈액투석을 시행하는 환자에게 적용
6. 복막투석식 : 평상시 투석으로 인한 단백질 손실과 복막염이 있는 경우 추가로 손실되는 단백질의 양을 고려해서 양질의 단백질을 충분히 섭취
7. 칼륨조절식 : 고칼륨혈증 개선용. 식사에서 칼륨의 섭취량을 제한

(4) 간질환식

1. 간염식 : 각종 간 질환자에 적용. 저 단백 식사 위주
2. 간경변식 : 단백질 분해 작용을 막는 것 목표. 식도 정맥류가 있을 경우 딱딱하거나 거친 음식 피함
3. 간성혼수식 : 단백질 섭취 제한. 복수/부종이 동반된 경우에는 나트륨 제한
4. 구리제한식 : 축적이 심한 경우 하루 1mg이하, 중정도이면 하루 2mg이하

(5) 당뇨식

1. 당뇨식 : 당뇨환자에게 적합하도록 열량, 단순당의 섭취 등을 조절
2. 당뇨병성 신부전식 : 신부전 + 당뇨병인 환자에게 적용. 저단백식.*
3. 당뇨혈액투석식
4. 당뇨복막투석식
5. 당뇨저콜레스테롤식 : 당뇨환자 이면서 고지혈증인 환자에게 적용
6. 임신성당뇨병식 : 열량별 당뇨식 제공법에 준하며 야식 포함 1일 4회 제공.

(6) 체중조절식

1. 열량조절식 : 과체중이나 비만 환자에게 제공. 지정 칼로리를 입력해야 함.
2. 극저열량식 : 1000Kcal이하로 처방
3. 단식요법식 : 조식은 금식, 중식과 석식만 제공. 모든 음식은 무염조리

(7) 암환자식

1. 저균식 : 항암치료 등으로 면역상태 저하된 상태에 익힌 음식 위주로 제공.
2. 멸균식 : 골수이식 등 무균실에 있는 환자에게 제공. 모든 음식은 익히고 사용하는 모든 그릇, 도구는 쿠킹호일로 두 번씩 싸서 제공됨.

(8) 기타식

1. 고칼슘식 : 칼슘 섭취량을 1일 1000mg 이상으로 증가시키는 것을 목표
2. 요오드제한식 : 갑상선 기능 항진증과 방사선 요오드 치료 전후에 적용
3. 저퓨린식 : 통풍, 요산 결석(urate stone)등 퓨린 대사 장애가 있는 환자에게 적용. 요산 수치를 줄이기 위하여 퓨린 섭취를 1일 150mg 정도로 제한
4. 연하곤란식 : 연하곤란식 1단계(푸딩정도) 2단계(요플레정도) 3단계(된죽 제공, 반찬 갈아서) 4단계(진밥, 다진 반찬) 연하연습식(경관유동식과 함께 제공)
5. 수분제한식 : Hyponatremia 등에서 체내 수분 보유방지. 국은 제공되지 않음.
6. 케톤식 : 케톤성 영양소(지방)양을 늘려 케톤체의 항경련효과를 나타낼 정도로 충분한 케톤증(ketosis)을 유발 -> 소아 간질환자에게 적용

* 〈 단백질 제한이 바람직하지 않은 경우〉 1. 감염: 결핵, 세균 감염 등 질환 완치 후 제한하는 것이 바람직. 2. 수술 전후 상태, 외상 환자: 충분한 영양 섭취가 중요 3. 임신 및 성장기 4. 암환자

(9) 경장영양식(Enteral Nutrition)

- 그린비아, 뉴케어, 제비티, 메디푸드 등

(10) 신생아조유식

- 모유수유가 어렵거나 불충분하여 보충이 필요한 영아용

74-3 검사식

1. 지방변 검사식 : 1일 100g의 지방을 함유한 식사로서 검사전 3일간 공급
2. MBS(modified barium swallowing) 검사식 : 연하 장애가 있는 환자의 상태를 파악하기 위한 VFSS 검사시 적용
3. 400mg칼슘 검사식 : 고칼슘뇨증(hypercalciuria) 진단용. 칼슘 섭취가 증가되면 결석이 있는 사람에게서 급격히 상승함. 400mg은 식사로, 600mg은 칼슘제재(Calcium gluconate)로 보충 후 검사실시
4. 간담도계 검사식 : 우유 1봉으로 구성. 별도로 동위원소 이용해 검사시행.
5. 레닌 검사식 : 고혈압이 있는 환자의 renin 활성을 평가하기 위한 검사식. 검사전 3일간 Na는 20mEq, K는 90mEq으로 제한.
6. 위배출능 검사식 : 위 연동 운동 기능의 부전 및 폐색 진단을 위한 검사시 적용. 식빵 2장, 생계란 1개로 구성되어 섭취 후 2시간에 걸쳐 위배출능 평가
7. 5-HIAA 검사식 : 소변내의 5-HIAA 함량을 측정하여 암종성 종양(carcicoid tumor)을 진단시 사용. Seratonin(혹은 5:HIAA)이 함유된 식품 섭취를 제한.
8. 대장조영술 검사식 : 검사 전날 아침과 점심에는 저잔사연식(low residue, soft diet)을 공급하고 저녁은 금식.

8장

진료관련 주의사항

75

침구치료 관련

75-1 전침의 사용

(1) 전침자극의 종류

1. 전침(electroacupuncture, EA) 자극은 전압, 전류, 파형, 주파수, 진폭, 극성 등 다양한 인자(parameter)들의 영향을 받지만 실제 임상에서는 1)전류(current)를 조절하는 강도(intensity)와 2)반복자극의 빠르기에 해당하는 빈도(frequency, 주파수)를 위주로 자극을 조절합니다.
2. 고강도란 육안적으로 근육수축이나 경련이 관찰되는 강도이고, 저강도는 근육 수축은 나타나지 않고 감각신경만을 자극하는 정도의 자극입니다. 빈도(주파수)의 경우 저빈도는 보통 1-5Hz, 고빈도는 50-100Hz 정도가 해당합니다.
3. 전침자극은 고빈도(high frequency)와 저빈도(low frequency)에서 서로 다른 효과를 나타내며 실험상에서도 다른 신경전달물질이 분비시켰습니다. 즉 2Hz의 저빈도에서는 enkephalin, β-endorphin 등이 분비되고 100Hz의 고빈도에서는 dynorphin 등이 분비됩니다.[1]

전침 주파수	2Hz (저빈도)	100Hz (고빈도)
Opioid peptide	엔케팔린(Enkephalin) 베타엔돌핀(β-endorphin) 엔도몰핀(Endomorphin)	다이놀핀(Dynorphin)
Opioid receptor	μ (mu), δ (delta)	κ (kappa)

CNS에서의 Peptide 분비

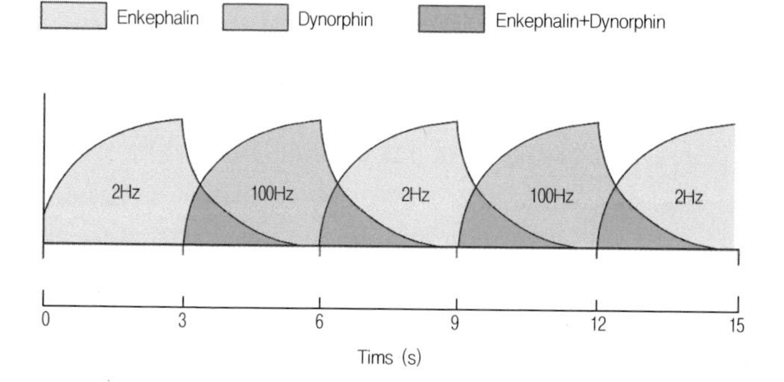

(2) 통증질환의 전침 적용

1. 위의 연구 결과를 일반적인 통증질환에 적용하면, 저빈도(2-4Hz) 또는 고빈도(80-100Hz) 중 어느 하나만 선택하기 보다는 두 가지 모두를 일정간격으로(Ex. 3초) 교대로 적용하는 방식이 추천되며 결과적으로 신경말단의 순응을 최소화하고 분비되는 신경전달물질의 종류를 다양화하는 효과를 기대할 수 있습니다. 다만 단일빈도자극만 가능한 전침기를 사용한다면 진통효과는 빠르나 지속효과가 약한 고빈도 자극 보다는 Endorphine계 기전이 관여하고 지속효과가 강한 저빈도(2Hz) 시행이 권장됩니다. [1,2,26]
2. 전침의 강도는 약한 강도로 시작해서 근육의 움직임이 관찰되거나 환자가 참을 수 있을 정도(약간 따끔하거나 심부의 통증, 묵직함이 느껴지는 정도)까지 증가시킵니다. 자극을 시작하고 일정 시간이 지나면 해당부위가 전침자극에 적응(accommodation)하여 자극이 오는 느낌이 감소할 수 있는데, 이 때에는 전침의 강도를 조금 더 높일 수 있습니다. 치료시간은 유침시간에 준하거나 또는 환자상태에 따라 5-20분간 적용합니다.
3. 수술 중의 마취효과 또는 통증조절을 위해 전침이 사용된 사례가 보고되기도 하였으며 주로 저빈도, 고강도의 자극이 적용됩니다.[27] 그러나 환자와의 협조가 필요하고, 마취효과가 완전하지 않은 경우도 있으며, 수술시간이 길어지거나 복강내 장기에 의해 유발되는 통증 등은 억제하기 힘들어 실제 사용은 제한적입니다.
4. 전침의 자극은 통각(nociperception)에만 작용하고 촉각, 압력감각, 온도감각 등에는 영향을 미치지 않는다는 점에서 침술마취(acupuncture anesthesia) 보다는 침술진통(acupuncture analgesia)이라는 용어가 사용되기도 합니다.

(3) 뇌졸중(또는 마비증상)의 전침 적용

1. 적용시기 : 중풍 발생 3주 이내의 치료가 3주 이후의 치료보다 통계적으로 유의하게 효과적입니다. 또한 전침치료는 뇌혈류의 증가와 원위부 혈관확장을 유발하므로, 뇌경색인 경우 발병 후 24-36시간이내에, 뇌출혈인 경우 출혈이 멈추면 바로 시작해야 한다고 보고도 있습니다.
2. 사용혈위 : 陰經보다 陽經에서 다용되고 있는데 상지는 曲池, 手三里, 外關, 合谷이 많이 사용되며 유의한 경직 감소효과를 보였는데 완관절, 손부위 보다는 견관절, 주관절에서 더욱 효과적입니다. 하지에서는 足三里, 懸鍾, 太衝 등이 많이 사용됩니다. 뇌혈류량의 증가에는 非巨刺 보다는 巨刺法이 더욱 기여한다고 보고도 있습니다.
3. 주파수에 따른 신경학적 운동기능의 회복을 비교한 연구에서는 저빈도 자극이 고빈도 자극 보다 효과적으로 나타났습니다.[6]

(4) 전침 부적응증

1. 임신, 중증도의 심장질환이나 pacemaker 사용 환자, 고열 또는 원인불명열(FUO)이 있는 환자 및 감각이상이나 부종, 순환 장애, 피부병변이 있는 부위 등에서 주의하도록 하며 간질기왕력 환자, 체력 쇠약이 심하거나 피로도가 심한 상태의 경우에도 시술에 주의하도록 합니다.[7]
2. 전침시술시 좌우를 교차하여 전류의 회로(circuit)가 심장부를 통과하지 않도록 않아야 하며 특히 심질환 환자에서 주의하도록 합니다. 하지만 실제 전침은 FDA 권장최대기준의 1/10 정도의 전위만을 만들므로 지나치게 민감할 필요는 없을 것으로 보이며 실제 Pacemaker 환자에게도 부작용 없이 수년간 전침치료를 시행한 보고도 있습니다. 실제 임상에서는 적절한 모니터링 하에 흉부나 경부를 지나지 않는 방식으로 시행하거나 Pacemaker에서 70cm 이상 떨어진 부위에의 자침을 고려합니다.[9,10]

75-2 침치료 부적응증

※ 침치료 부적응증(Contraindication, CIx)은 부항요법이나 구요법에도 일부 적용됩니다. WHO에서 발간한 Guidelines on Basic Training and Safety in Acupuncture를 주로 참조하여 작성하였으며 대부분 절대적 금기(Absolute CIx) 보다는 상대적 금기(Relative CIx)에 해당합니다.

※ 침관련 의료사고사례 및 예방과 관련된 내용은 해당 항목을 참조하십시오 **[참조항목 : 82-3]**

(1) 임신 (Pregnancy)

1. 임신 중의 침치료는 문헌 등에 合谷, 三陰交, 石門, 關元, 少商, 至陰, 崑崙 등이 금침혈(禁鍼穴)로 제시된 바 있고 이중 合谷, 三陰交는 실험상으로도 자궁의 수축(Uterine contraction)이 보고되기도 하였습니다.[17]
2. 그러나 최근에는 일반적인 침치료 중에 특정한 이상이 발생한다는 근거가 희박하고, 실제 合谷 등의 자극도 포함된 임산부의 요통, 소화불량, 우울증, 불면 등에 대한 각종 임상시험에서도 유의한 부작용이 발견되지 않았으므로 전침이나 강자극의 수기법을 사용하지 않는 한 임신전체기간 동안 사용될 수 있다고 받아들여지고 있습니다.[2,18,19,20]
3. 다만 임신상태라는 특이성을 감안하여 임신1기에는 하복부와 요천골부위(lumbosacral region)의 자침은 피하며 3개월 이후에는 상복부와, 요천골부위 및 자극을 강하게 느낄 수 있는 혈위의 자침에는 주의하는 것이 권장됩니다.[7]

(2) 기타 상황에서의 침치료 부적응증

1. 응급 및 수술필요시 : 긴급 수술이나 기타 응급조치를 우선적으로 시행해야 합니다.
2. 악성 종양 (malignant tumor) : 통증이나 다른 증상에 대한 완화, 항암치료 및 방사선치료에 대한 부작용 경감 등의 목적으로 사용될 수 있으나 종양부위의 직접 자침은 피해야 합니다.
3. 항응고요법 및 출혈장애 (bleeding disorder) : 와파린(Warfarin) 등의 항응고요법 등을 받고 있는 사람에 대한 침치료가 안전하다는 체계적 고찰논문도 발표되었고 [30] 호침 자체가 일반 IV용 needle에 비해 가늘기 때문에 절대적 금기로 분류될 필요는 없습니다. 하지만 심자(深刺, deep needling)의 기법은 피하거나 주의하여 적용하는 것이 안전합니다.[11]
4. 부종이 있는 부위의 직접적인 침시술도 부종을 악화시킬 수 있으므로 위험성과 상대적 이득을 비교하여 시술을 결정하도록 합니다.

75-3 뜸, 부항의 부적응증

(1) 직접구 부적응증

1. 일반적으로 實熱證의 경우에는 구법(灸法)을 시행하지 않습니다. 또한 상처흔적이 남을 수 있는 반흔구(瘢痕灸, scarring moxibustion) 시행시에는 시술에 대한 설명 및 환자의 동의하에 실시하며 안면부, 인대부위나 근 혈관이 위치한 곳은 피합니다.
2. 움직임이 많은 관절 주위의 직접구는 관절운동이 화농부위의 회복을 어렵게 하기 때문에 시술시 주의해야 합니다. 또한 의식저하, 감각 이상, 정신과적 장애, 당뇨, 화농성 피부염 및 순환장애가 있는 환자에게 시행할 때에도 신중하도록 합니다.[7]

(2) 부항 부적응증

1. 피부의 감염이나 상처 등의 병변이 있는 경우는 주의하며 심한 응고장애 등의 혈액관련질환, 심질환, 전신성 부종 등이 있다면 시술에 신중해야 합니다.
2. 과도한 반복적 습부항은 빈혈(anemia)을 초래할 수 있으므로 주의합니다. 노인이나 병약자 뿐 아니라 성인남자의 경우에도 과도한 습부항 치료로 빈혈이 유발된 사례가 보고된 바 있습니다.[12]
3. 부항시술로 수포가 발생하면 멸균된 삼릉침 등으로 삼출액을 제거하고 상태에 따라 소독, 연고도포, 상처드레싱 시행 등을 고려합니다.

75-4 약침요법(봉독약침) 주의사항 [28,29]

(1) 일반적 주의사항

1. 침구요법과 약물요법을 결합한 약침요법은 근골격계질환뿐 아니라 내과계 질환 등 다양한 영역에 응용될 수 있으며 경락약침, 팔강약침 등을 기본으로 다양한 약침처방이 제시되어 임상에서 사용되고 있습니다. **[참조항목 : A3-2]**
2. 적절히 시술되지 않으면 시술부위의 감염, 출혈, 조직손상, 통증 등의 각종 부작용을 초래할 수 있어 정확한 변증 및 시술이 요구됩니다.
3. 소아나 노인, 체력 쇠약이 심하거나 피로도가 심한 상태의 환자들에는 강한 자극이나 과량의 약침액 주입이 되지 않도록 주의하며 임신의 경우에는 하복부 및 요천추부에는 사용하지 않는 것이 원칙입니다. 피부의 감염이나 부종, 상처 등의 병변이 있는 경우, 심한 응고장애 등의 혈액관련질환이 있거나 약물과민반응 경향이 있는 환자에게의 시술에도 주의해야 합니다.
4. 시술부에 경결이 생기거나 부종, 심한 소양감 등이 보일 때는 정상화될 때까지 수일 간 기다린 후 시술하거나 해당 부위의 시술을 피하도록 합니다. 경결이 생겼거나 시술 후 통증이 있는 부위에는 온찜질을, 부종이나 소양감이 있는 부위에는 일시적인 냉찜질을 적용할 수 있습니다.

(2) 봉독약침 주의사항

1. **현황 :** 봉독의 사용은 馬王堆 醫書(BC 168년)에 처음 기재되어 있으며 봉독약침(蜂毒, bee venom acupuncture)은 현대적 연구에서 진통, 항염증, 항균작용, 면역작용 등 다양한 방면에서의 효능이 알려졌습니다. 봉독의 성분 중 Melitin, Apamin 등의 펩타이드(peptide)는 주로 치료적 효과와 관련되고, Phospholipase A2, Hyaluronidase 등의 효소(enzyme)는 주로 국소 또는 전신적인 과민반응과 관련이 있습니다.
2. **시술 전 확인사항 :** 봉독약침의 시술 전에는 약물알레르기반응을 비롯한 주요 병력을 확인하고 현재의 약물복용력도 확인합니다. 과거 벌에 쏘여 본 경험이나 모기에 물렸을 경우의 피부반응을 물어볼 수도 있습니다. 심혈관질환, 신질환, 천식 등이 있는 경우, 결핵 등의 감염질환이 있는 경우에는 시행하지 않는 것이 일반적이며 임산부나 당뇨, 알레르기성 피부질환이 동반된 경우, 월경출혈량이 많을 때 등에도 주의하여 시술하여야 합니다.
3. **시술방법 :** 봉독약침의 주입은 전통적인 경혈 혈위나 아시혈의 피내에 주입하는 방법, 또는 관절강 및 근육의 해당 병소 부위에 주입하는 방법 등이 있으며 특히 시술시 혈관은 피해

서 주입하여야 합니다. 첫 시술시 0.05cc 정도의 소량을 피내주사하여 알러지 반응을 확인한 후 본격적인 치료과정을 시작하기도 하며 시술 후에도 부작용 가능성을 고려하여 적어도 20분 정도 환자상태를 확인하는 것이 권장됩니다.

4. **국소 부작용** : 시술부를 중심으로 발적, 소양감, 온열감 등의 국소반응이 흔하게 보이는데 필요시 해당 부위에 냉찜질을 적용할 수 있으나 일반적으로 수시간에서 1-2일 내에 사라지게 됩니다.
5. **전신 부작용** : 일부 환자들에서는 오한, 발열, 몸살과 같은 전신반응을 동반하기도 합니다. 10만명 당 1-10명의 비율로 나타나는 전신즉시반응은 시술 후 5-15분 이내에 나타날 수 있으며 피부발적, 두드러기(urticaria), 오심과 같은 전신반응이 나타나기도 하지만 중증도에 따라 호흡곤란이나 shock 여부를 확인하고 에피네프린, 항히스타민제 처치 등의 긴급조치를 시행해야 하는 경우도 있습니다. **[참조항목: 89-3 (2)]**

75-5 유침시간 [2]

1. 유침시간(retention time)은 황제내경(黃帝內經)의 위기(衛氣)의 순환에 근거하여 28-30분 정도를 해야 한다는 주장도 있고 8체질침과 같이 유침과정 없이 치료가 종료되는 경우도 있으나 실험연구 상으로는 침자극으로 CSF의 Endorphin의 농도가 최고로 도달하는데 20분 정도 소요된다는 근거에 기반하여 20-30분 정도의 유침이 권장되기도 합니다.[2]
2. 아시혈 또는 근막발통점 등 국소적 부위에 대한 치료는 일반적으로 유침을 필요로 하지 않거나 짧은 시간의 유침도 가능하지만 긴장이완이나 안정의 측면에서 누운 상태에서의 유침시간은 연장할 수 있습니다.
3. 한의학적으로는 질병이나 개인적 특성, 계절적 조건 등에 따라 유침시간을 결정하기도 합니다. 急脈이거나 肥滿한 사람에게는 深刺하면서 오래 유침하고, 緩脈이거나 소수한 사람은 천자하면서 짧게 유침할 수 있으며, 계절에 따라서도 봄, 여름에는 淺刺하면서 짧게 유침하고 가을, 겨울에는 深刺하면서 길게 유침할 수 있습니다.[21] 金鍼賦와 같이 鍼下가 이완된 것을 발침의 기준으로 한 문헌도 있습니다.[22]

75-6 [참고] 침의 기전에 대한 현대적 연구 [2,13,14,15]

- 침의 기전은 특정한 하나의 기전만 독자적으로 작용하기 보다는 여러 다양한 기전과 주변요소들이 종합적으로 관련되는 것으로 이해되고 있습니다.

(1) 국소적 효과 (local effects)

1. 침으로 피부와 근육의 신경섬유를 자극하면 활동전위(action potential)가 발생하는데 이 과정에서 CRGP*를 비롯한 각종 펩타이드(peptide)가 분비됩니다. 이러한 펩타이드로 인해 국소적으로 혈류가 증가되고 손상의 회복을 촉진시킵니다.
2. 특히 침자극으로 인한 득기감(De qi)은 신경섬유 중 작은 섬유에 해당하는 A-delta 섬유에 주로 작용하여 각종 성분이 방출되게 합니다.
3. 최근에는 침자극시 국소 부위에 Adenosine A1 receptor이라고 하는 통증억제 수용체가 활성화되어 해당부위에 대한 진통효과가 발생한다는 내용도 보고되었습니다.[15)]

[표] 감각신경섬유의 종류

Myelin	피부내	근육내	직경(μm)	전도속도	관련 감각
유수초 (Myelinated)	A α (A alpha)	Ia, Ib	12-20	80-120 m/s	고유감각 (위치감각)
	A β (A beta)	II	6-12	35-75 m/s	기계적 자극감 (압각, 진동, 접촉감)
	A δ (A delta)	III	2-6	5-35 m/s	냉감(coldness), 통각(nociception)-날카로운 통증(sharp pain)
무수초	C-fiber	IV	0.2-1.5	0.5-2.0 m/s	온감(warmth), 통각(nociception)-둔통, 얼얼한 통증(soreness)

(2) 분절적 효과 (segmental effects)

1. 침자극으로 발생한 활동전위가 신경을 따라 척수 내 해당 분절까지 전달되고 이 곳에서 Dorsal horn(배측각)의 활동을 억제하여 통증에 대한 반응을 약화시킵니다. 이러한 효과 때문에 슬관절이 아닌 주변의 근육에 자침해도 동일한 분절에 속하는 슬관절의 통증이 감소하게 됩니다.
2. 분절적 효과의 기전을 좀더 자세히 살펴보면 만성통증은 주로 C-fiber에 의해 유발되는데, 침자극으로 A-delta 등의 섬유를 자극하면 이 신호가 Dorsal horn까지 전달되면서 엔케팔린(enkephalin) 등의 분비가 동반되고 C-fiber와 관련된 통각전달경로가 억제되게 됩니다.
3. 1965년 처음 제안되어 이제는 침기전에 대한 고전적 이론에 속하는 관문조절설(Gate conrol theory)도 분절적 효과와 관련지을 수 있습니다.

* CRGP : Calcitonin gene-related peptide

(3) 분절외적 효과 (extrasegmental effects)

1. 침자극으로 발생한 활동전위는 Dorsal horn 통과 후에도 Brain stem(뇌간)까지 전달되어 엔돌핀(endorphin)을 비롯한 아편양 펩타이드가 분비됩니다.
2. 결과적으로 척수의 전체 부위에 영향을 미치는 하행성 억제체계(descending inhibitory system)가 활성화 되며 이러한 기전 때문에 자침부위가 속한 분절이 아닌 다른 분절에 속하는 부위까지 광범위하게 침의 효과가 나타나게 됩니다.

(4) 중추성 효과 (central regulatory effects)

1. 침자극으로 발생한 활동전위는 Darsal horn, Brain stem 등에 전달된 이후에도 Cerebral cortex(대뇌피질)이나 Limbic system(변연계) 등 대뇌 다른 부위에도 이어서 전달되어 영향을 줍니다. 이러한 연구는 특히 최근 functional MRI와 같은 영상진단기술의 발달로 특히 활발해진 분야이기도 합니다.
2. 오심 등의 증상을 감소시키거나 면역계, 내분비, H-P-A axis 등에 미치는 영향도 이러한 중추성 효과에 의한 것으로 추정됩니다.
3. 침의 자극은 자율신경계에도 영향을 줍니다. 단기적으로는 교감신경이 국소적으로 증가되고, 장기적으로 전신적으로 감소하는 양상을 보여주었으며 정신적 스트레스 상황에서의 침치료가 교감신경의 활성을 억제하는 연구가 보고되기도 하였습니다.[16]

(5) 근막발통점 (myofascial trigger points)

1. 근육 내에서 통증에 민감히 반응하거나 긴장된 부위(taut band)에 자침하여 이러한 부위를 비활성화시킵니다. 이러한 부위는 실제 통증을 느끼는 부위와 일치할 수도 있고, 일정 거리 이상 떨어져 분포할 수도 있습니다.
2. 근막발통점(trigger point)과 한의학에서의 전통적인 경혈(classical acupuncture point)은 문헌마다 조금씩 다르지만 약 71- 95% 이상 상응하는 일치성을 보이는 것으로 보고되었습니다.[23,24] 또는 일반 경혈과의 관련성 보다는 아시혈(阿是穴, Ah-shi point)의 범주에서 접근해야 한다는 의견도 있습니다.[25]

Tip 한의학에 있어서의 경락과 경혈

1. 고전적인 또는 교과서적인 의미에서의 경락(經絡, meridian)은 경혈(經穴)이 분포하면서 인체 내 경기(經氣)가 흐르고 분포하는 부위를 말합니다.
2. 보다 넓은 의미에서의 경락 또는 경락시스템은 인체의 특정 부위에 침을 자극하여 질병이 치료

되는 현상을 설명하는 한의학 이론체계라 할 수 있습니다. 경락은 경혈이라는 침 자극 부위와 관련 질병 부위와 연계를 설명하는 모델링으로서 현재로서 침구치료 기전을 설명할 수 있는 최적의 방식이라고 할 수 있으나 침구치료의 임상관찰이나 관련분야 연구를 통해 계속 갱신(update) 될 수 있습니다.[31]

3. 마왕퇴(馬王堆) 고분이나 장가산(張家山) 고분에서 발견된 족비십일맥구경(足臂十一脈灸經), 음양십일맥구경(陰陽十一脈灸經), 맥서(脈書) 등의 문헌연구 결과, 경락이 처음부터 12개의 형태로 존재했던 것이 아니라 6개의 족맥(足脈)이 확립되고 이후 5개의 비맥(臂脈)이 합쳐진 11개의 경맥이 구성되는 역사적 과정을 거쳐 최종적으로 12개의 경맥체계 및 임독맥(任督脈)이 결합된 14경맥(十四經脈) 형태로 발전한 과정으로 연구된 점이나 인체내 근육의 분포를 경락 및 경근(經筋)과 유사하게 통합적으로 인식하는 근막경선(myofascial meridian)이론 등의 등장도 이러한 발전적 연구과정의 범주에서 이해될 수 있을 것입니다.[32,33]

REFERENCES

1. Han JS. Acupuncture: neuropeptide release produced by electrical stimulation of different frequencies. Trends Neurosci. 2003;26(1):17-22.
2. Adrian White et al. An introduction to western medical acupuncture, Churchill Livingstone, 2008.
3. 서보명외 3인, 임상증례 : 전침의 임상 연구에 대한 고찰, 동서의학 2005.
4. 문상관, 조기호, 고창남. 뇌경색 환자의 뇌혈류에 대하여 건측 및 환측 침치료가 미치는 영향에 관한 비교연구. 경희의학. 2000;16(1);94-101.
5. Moon SK, Whang YK, Park SU et al. Antispastic effect of electroacupuncture and moxibustion in stroke patients. Am J Chin Med. 2003;31(3):467-74.
6. Kim YS, Hong JW, Na BJ et al. The effect of low versus high frequency electrical acupoint stimulation on mots reusvery after ischemlecttroke by mots evoked potentials study. Am J Chin Med. 2008;36(1):45-54.
7. World Health Organization. Guidelines on Basic Training and Safety in Acupuncture. 1999. p.23
8. 야노 타다시. 주현욱 역. 침구 금기 매뉴얼. 대성의학사 2005;서울 p.36
9. Vasilakos DG, Fyntanidou BP. Electroacupuncture on a patient with pacemaker: a case report. Acupunct Med. 2011.
10. David Mayor. Electroacupuncture: A Practical Manual and Resource. Churchill Livingstone. 2006.
11. Sciammarella, J. Acupuncture in patients anticoagulated with warfarin. Medical Acupuncture 2002; 13(2)
12. Lee SJ et al. Iron Deficiency Anemia due to Long-time Bloodletting Using Cupping. Korean J Fam Med. 2011;32:56-59
13. Lin JG, Chen WL. Acupuncture analgesia: a review of its mechanisms of actions. Am J Chin Med. 2008;36(4):635-45.
14. AU Carlsson. Acupuncture mechanisms for clinically relevant long-term effects-reconsideration and a hypothesis. Acupunct Med. 2002;20(2-3):82.
15. Goldman N, Chen M, Fujita T et al. Adenosine A1 receptors mediate local anti-nociceptive effects of acupuncture. Nat Neurosci. 2010;13(7):883-8.
16. Middlekauff HR, Hui K, Yu JL et al. Acupuncture inhibits sympathetic activation during mental stress in advanced heart failure patients. J Card Fail. 2002 Dec;8(6):399-406.
17. 이수진. 임신금침혈(姙娠禁鍼穴)중 합곡(合谷)(LI4), 삼음교(三陰交)(SP6)에 관한 고찰(考察). 경락경혈학회지. 2008;25(1):51-60.
18. Manber R, Schnyer RN, Lyell D. Acupuncture for depression during pregnancy: a randomized controlled trial. Obstet Gynecol. 2010 Mar;115(3):511-20.

19. da Silva JB, Nakamura MU, Cordeiro JA et al. Acupuncture for dyspepsia in pregnancy: a prospective, randomised, controlled study. Acupunct Med. 2009 Jun;27(2):50-3.
20. Ee CC, Manheimer E, Pirotta MV, White AR. Acupuncture for pelvic and back pain in pregnancy: a systematic review. Am J Obstet Gynecol. 2008;198(3):254-9.
21. 임윤경, 김태한, 정연탁. 대학경락경혈학실습. 초락당. 2008. p.64-65.
22. 김경식. 鍼灸治療要鑑. 의성당. 2008. p.34.
23. Melzack R, Stillwell DM, Fox EJ. Trigger points and acupuncture points for pain: Correlations and implications. Pain 1977;3:3-23.
24. Dorsher PT. Can classical acupuncture points and trigger points be compared in the treatment of pain disorders? Birch' s analysis revisited. J Altern Complement Med 2008;14(4):353-359.
25. Birch S. Trigger point: acupuncture point correlations revisited. J Altern Complement Med 2003;9(1):91-103
26. Thomas M, Lundeberg T. Importance of modes of acupuncture in the treatment of chronic nociceptive low back pain. Acta Anaesth Scand 1994;38(1):63-9.
27. Hyodo M, Gega O. Use of acupuncture anesthesia for normal delivery. Am J Chin Med 1977;5(1):63-9.
28. 대한약침학회 학술위원회. 약침학. 엘스비어코리아. 2008.
29. 구성태, 김승태, 박히준 외. 침구시술 안전가이드. 군자출판사. 2011.
30. Mcculloch M et al. Acupuncture safety in patients receiving anticoagulants: a systematic review. Perm J. 2015;19(1):68-73.
31. 채윤병. [시평] 경락은 존재한다. 민족의학신문. 2015.4.22.
32. 정우진. 한의학의 봄: 초기 경맥 형성사. 청홍. 2015
33. Thomas W. Myers (송윤경 외 역). 근막경선 해부학. 현문사. 2005

76 한약처방 및 용법 관련

76-1 소아 및 고령자에 대한 처방 [6,7]

(1) 소아용량산정 참고기준

1. 15세 미만 – 7세 이상 : 성인용량의 2/3
2. 7세 미만 – 4세 이상 : 성인용량의 1/2
3. 4세 미만 – 2세 이상 : 성인용량의 1/3
4. 2세 미만 : 성인용량의 1/4 이하

---

* 보건복지부 고시에 의한 한약제제 소아투여량은 아래와 같습니다. 성인용량은 만 11세 이상부터 적용되며 그 미만이라 할지라도 체중이 40Kg 이상이면 성인용량 사용이 인정됩니다.

1) 만 6개월미만은 성인용량의 1/5
2) 만 6개월이상 만 1세미만은 성인용량의 1/4
3) 만 1세이상 만 7세미만은 성인용량의 1/2
4) 만 7세이상 만 11세미만은 성인용량의 3/4

---

(2) 고령자에 대한 한약 사용

1. 일반적으로 생리기능이 저하되어 있기 때문에 신체적 상태나 체중 등을 고려하여 적절히 감량하는 것도 필요합니다.
2. 한약 엑스제 제조시 과립형태를 만들기 위한 부형제로서 유당 또는 옥수수전분 등이 흔히 사용되기 때문에 유당불내증이 있거나 소화기계에 문제가 환자의 경우 복부팽만감, 설사 등이 발생할 수 있음을 고려합니다.

76-2 임신시의 한약처방

(1) 개요

1. 일반적으로 자연발생적인 선천성 기형빈도가 2~3%로 알려져 있는데 선천성 기형의 65~75%는 원인을 모르며, 유전적인 원인이 25%, 5~10%는 기형 발생인자(Teratogen, 환경인자)의 영향으로 발생된다고 보고되고 있습니다. 약물에 의한 원인은 2~3%정도 차지합니다. 산모의 고령화(특히 35세 이상의 초산)도 선천적 기형 발생 위험도를 증가시킵니다.

2. 2007년 기준 국내 선천성기형이 발생 확률은 2.98%로 집계되었는데 다운증후군이 1만명 당 15명, 구순구개열 11명, 심장혈관기형 8명 순이었습니다.
3. 일반적으로 어떠한 형태의 약일지라도 태아의 주요 장기가 형성되는 시기인 임신14주(임신 1기) 정도까지는 가능한 약물의 사용을 제한하도록 권장되며 만일 사용할 경우에도 산모와 태아에게 미치는 이득과 위험을 고려해야 합니다.

(2) 임상연구현황

1. 妊娠惡阻 등의 치료목적으로 加減保生湯(15례), 先兆遺産을 加減膠艾四物湯(10례), 난산예방 등의 목적으로 加減達生散(12례)을 투여하여 제반증상이 호전되고 기형사례 없이 건강한 태아를 출산하였다고 보고된 바 있고[1] 이 등은 한약을 복용한 임산부 35명에 대한 연구조사 결과 약물에 의한 기형위험이 가장 높은 5-10주에 복용한 15명을 포함하여 기형발생 사례는 발견되지 않았다고 보고하였습니다.[2]
2. 이 밖에 추적조사를 시행한 66예 중 임신 1기에 복용한 경우가 85.9% 였음에도 기형발생 사례는 1건도 발견되지 않았다는 보고나[3] 임신 중 한약을 복용한 25례에서 기형아가 출산된 사례는 발견되지 않았다는 보고 등이 있습니다.[4]

(3) 임신금기한약

1. 일반적으로 독성 등으로 인해 복용이 권장되지 않는 임신금기약은 아래와 같습니다.[5]
   1) 독초류 : 부자(附子), 오두(烏豆), 천웅(天雄), 반하(半夏), 남성(南星), 대극(大戟), 원화(花), 여로(藜蘆), 상산(常山) 등
   2) 금석류 : 수은(水銀), 연분(鉛粉), 뇨사(硇砂), 신석(信石), 망초(芒硝), 유황(硫黃), 석웅황(石雄黃), 대자석(代赭石) 등
   3) 독충류 : 수질(水蛭), 맹충(虻蟲), 반묘(斑猫), 지주(蜘蛛), 오공(蜈蚣), 사태(蛇蛻), 자충(蟅蟲), 제조(蠐螬) 등
   4) 활혈거어제 : 우슬(牛膝), 도인(桃仁), 목단피(牧丹皮), 천초근(草根), 건칠(乾漆), 구맥(瞿麥), 삼릉(三稜), 봉출(蓬朮), 귀전우(貫箭羽), 현호색(玄胡索), 익모초(益母草), 홍화(紅花), 소목(蘇木) 등
   5) 최토제 또는 사하작용 : 파두(巴豆), 조협(皂莢), 견우자(牽牛子), 동규자(冬葵子) 등
   6) 동물성 약류 : 자위피(刺猬皮), 우황(牛黃), 사향(麝香), 구판(龜板), 별갑(鱉甲) 등
2. 대황(大黃)이 함유된 제제는 자궁수축작용 및 골반내장기의 충혈작용에 의한 유, 조산의 위험이 있기 때문에 투여에 신중해야 하고, 망초(芒硝)에도 자궁수축작용이 있으므로 권장되지 않습니다. 홍화(紅花), 우슬(牛膝), 도인(桃仁), 목단피(牡丹皮) 등도 유, 조산의 위험이

우려된 바 있습니다.

3. 단 일부 약재의 경우 환자 상태에 따라 사용하기도 하는데 예를 들어 반하(半夏)의 경우 薛立齋는 健脾氣 化痰滯의 主藥으로 脾胃虛弱으로 인한 구토나 痰涎壅滯로 인한 胎不安에 사용할 수 있다고 하였고, 국내의 연구에서도 심한 임신오조 증상시 1일 2~8g을 생강과 배오하여 적절한 기간 동안만 사용할 것을 권고하기도 하였습니다.[18]
4. 2015년 발표된 〈국민행복카드 한의약진료 매뉴얼〉의 한약안전사용 권고안에 의하면 인삼(人蔘), 백출(白朮)이 동물연구에서 유해반응이 보고된 바 있고 감초(甘草), 구기자(枸杞子), 당귀(當歸), 반하(半夏), 속단(續斷), 승마(升麻), 황련(黃連) 등도 동물 및 인간대상연구에서 유해반응이 보고된 바 있으나 확정되지는 않았으며 대체로 안전하다고 생각되나 주의를 기울여 사용할 것을 권고하였습니다. [17]

Tip [참고] 중국약전 기준 임신시 금기, 사용주의 약재목록[10]

1. 중국약전(CP 2010) 기준으로 임신금기(禁用) 또는 사용시주의(愼用) 약재로 분류된 약물은 식물류 77종, 동물류 11종, 광물류 10종 등 총 98종입니다. 이중 유사한 약물군은 통합하고 소수민족약재(黑種草子. 天山雪蓮)를 제외한 나머지의 목록은 다음과 같습니다. (* 표시는 본서의 [본초 정리] 편에 수록되어 있지 않은 약재)

2. 임신시 사용금기 약재 (禁忌藥 – 가나다순)
감수(甘遂) 건칠(乾漆) 견우자(牽牛子) 경분(輕粉) 대극(경대극京大戟, 홍대극紅大戟) 마두령(馬兜鈴) 마전자(馬錢子, 馬錢子粉) 반묘(斑蝥) 부자(附子) 사향(麝香) 삼릉(三棱) 상륙(商陸) 속수자(續隨子= 천금자千金子, 千金子霜) 수질(水蛭) 아위(阿魏) 아출(莪朮) 앵속각(罌粟殼) 양금화(洋金花) 양두첨(兩頭尖)* 오공(蜈蚣) 요양화(鬧羊花) 웅황(雄黃) 원화(芫花) 전갈(全蝎) 정공등(丁公藤) 조협(저아조豬牙皂, 대조각大皂角) 주사(朱砂) 천선등(天仙藤) 천선자(天仙子) 천오(川烏) 초오(草烏, 制草烏) 토별충(土鼈蟲) 파두(巴豆, 巴豆霜) 홍분(紅粉)

3. 임신시 사용주의 약재 (愼用藥 – 가나다순)
계지(桂枝) 고련피(苦楝皮) 구맥(瞿麥) 권백(卷柏) 금철쇄(金鐵鎖)* 급성자(急性子) 노회(蘆薈) 녹반(綠礬=조반皂礬) 누로(漏蘆, 禹州漏蘆) 능소화(凌霄花) 대황(大黃) 도인(桃仁) 망초(芒硝) 목단피(牡丹皮) 목별자(木鼈子) 백부자(白附子) 번사엽(番瀉葉) 비양초(飛揚草)* 빙편(冰片) 삼칠(三七) 상산(常山) 서홍화(西紅花) 섬수(蟾酥) 소목(蘇木) 소박골(小駁骨)* 애편(艾片=左旋龍腦)* 왕불류행(王不留行) 우슬(牛膝) 우여량(禹余糧) 우황(牛黃, 체외배양우황, 인공우황) 욱리인(郁李仁) 유향(乳香) 유황(硫黃) 육계(肉桂) 익모초(益母草) 자석(赭石) 장뇌(樟腦 =天然冰片) 제천오(制川烏) 지각(枳殼) 지실(枳實) 천남성(天南星, 制天南星) 천산갑(穿山甲) 천우슬(川牛膝) 천화분(天花粉) 초오엽(草烏葉) 통초(通草) 편강황(片姜黃) 포황(蒲黃) 현명분(玄明粉) 호장(虎杖) 홍화(紅花) 화산삼(華山參)* 황촉규화(黃蜀葵花)

(4) 수유부, 금기한약

1. 일반적으로 절대적 금기약물로 알려진 한약재는 없고 모유수유시의 약물 이행률도 1% 미만으로 알려져 있습니다. 산후조리의 목적으로 처방된 한약처방을 실제 모유수유 중인 여성에게 투여한 연구결과, 해당 처방 지표물질 성분들은 모유에서 관찰되지 않았고(HPLC 분석), 일부 모유시료에서 당귀의 decursin 성분이 검출되었으나 실제 아기에게 영향을 미칠 양은 아닌 것으로 밝혀졌습니다. [9,15]
2. 그러나 大黃에 포함된 anthraquinone 유도체가 모유 중에 이행하여 영아의 설사를 유발할 수 있다는 보고나 부적절한 人蔘 투여가 에스트로겐 효과를 나타낼 가능성도 알려져 있는 만큼 강한 약성이나 부작용이 우려되는 약물의 사용은 주의하는 것이 좋습니다. [8,9] 인삼의 경우 수유부에 투여하는 경우에는 치료목적인 경우에 한하여 1.5~18.75g/day로 사용할 수 있고 식품으로 사용하는 경우는 1.5g/day 이하로 사용할 것이 권장됩니다.[9]
3. 탕전방식에 따라서 일반적 추출방식이 아닌 에탄올 추출이나 고온가열방식은 모유이행률이 높은 지용성 또는 저분자량의 물질이 상당량 추출될 수 있다는 점에도 유의해야 합니다. 약물복용시간에 있어서는 경구투여 후 1-3시간 후에 혈중농도가 가장 상승되는 점을 감안하여 이 시간대를 피해서 수유하거나 또는 젖을 먹인 후 15분 후 약물을 복용하는 방법 등도 고려할 수 있습니다.
4. 맥아(麥芽), 곡아(穀芽), 박하(薄荷), 담두시(淡豆豉) 등은 유즙분비를 억제할 수 있기 때문에 처방시 주의합니다. 이와는 대조적으로 산후에 궁귀조혈음(芎歸調血飮)을 투약함으로써 프로락틴 수치가 올라가고 모유량이 늘어난 임상연구 결과가 발표되기도 하였습니다.[23]
5. 2015년 발표된 〈국민행복카드 한의약진료 매뉴얼〉의 한약안전사용 권고안에 의하면 마황(麻黃) 및 인삼(人蔘)의 사용시 아기상태나 모유량을 관찰하면서 투약할 것을 권고하고 있고 백작약(白芍藥)도 모유량을 관찰하며 투약하도록 권고하였습니다. [17]

Tip 수유부에 투여시 주의해야 할 양약[10]

1. Benzodiazepine(BDZ)계나 1세대 항히스타민제 등 진정효과가 있는 약물은 아기에게 무호흡을 일으키거나 영아돌연사증후군의 원인이 될 수 있어 주의해야 하며 Pseudoephedrine, Aspirin 등 비교적 흔히 사용하는 약물도 사용이 제한됩니다. (ibuprofen, ketoprofen은 허용)
2. 적절한 용량의 사용도 중요한데 예를 들어 타이레놀(Acetaminophen)의 경우에도 325mg은 비교적 안전하지만 500mg제제는 피할 것을 권장하기도 하고 인슐린의 경우 안전한 약물로 분류되나 임신시 복용량보다 25% 감량하여 투여하는 것이 권장됩니다.

76-3 한약처방 및 복용관련 기타 주의사항

(1) 기타 한약재의 부작용

1. 인삼, 계지, 호마유 등 : 피부발진 등의 과민반응이 발생할 수 있습니다.
2. 치자, 산조인, 지황, 석고, 당귀, 천궁 등도 위장 허약자는 식욕부진, 오심, 구토 등 소화기 장애를 초래할 수 있으므로 주의해야 합니다.
3. 망초 : 치료상 식염제한이 필요한 환자에게 장기투여할 경우에는 조심하도록 합니다. 위장 기능이 약해도 복통, 설사 등을 유발할 수 있습니다.

(2) 탕전관련 주의사항[19]

1. **전탕전 침포(浸泡)** : 전탕하기 전에 냉수로 30-40분 정도 약재를 침포시키면 유효성분의 추출이 보다 용이해집니다. (겨울에는 20-30도의 溫水도 사용가능[21]) 만일 끓는 물에 바로 약재를 넣게 되면 세포내 단백질성분의 응고에 따른 세포벽 경화 또는 일부 고분자물질의 콜로이드화 등으로 유효성분의 추출률이 저하될 수 있습니다.
2. **물용량의 결정** : 물량은 탕전방식이나 약탕기의 종류마다 결정하는 방식이 다르지만 일반적으로 물량이 적으면 유효성분이 충분히 용출되지 않거나 과다한 열에 의한 국소적인 성분파괴가 있을 수 있습니다. 실험상으로도 물용량이 충분하면 유효성분 함량이 2배 이상 차이가 나는 보고도[22] 있는 만큼 적절한 물용량 결정이 중요합니다. 전통적인 방법으로는 약재를 넣은 후 물을 약재 경계면보다 3-5cm (재탕시에는 1-2cm) 정도 높게 오도록 조정할 수 있습니다. (또는 약재량의 5-10배로 물량 산정[20])
3. **탕전시간 및 탕전회수** : 끓는 시점부터 시작해 30-40분 또는 1시간 이내로 전탕하는 경우가 많은 중국과는 달리 국내에서는 주로 끓는 시점부터 2시간 정도의 전탕이 많은데 이는 약 10~15일 단위의 비교적 대용량으로 달이거나 전기식 약탕기와 약보자기를 이용함으로서 가열량 및 물의 대류가 원활하지 않을 수 있는 국내의 전탕방식의 특징으로 보기도 합니다. 하지만 지나치게 장시간 전탕하게 되면 대량의 잡질이 용출되고 유효성분의 일부가 파괴되거나 성분의 확산에 영향을 줄 수 있으므로 해표약(解表藥)은 물이 끓은 다음 초탕 10-15분, 재탕 10분, 자보약(滋補藥)은 초탕 30-40분, 재탕은 25-30분 가량 달이는 방법이 추천되기도 합니다. (또는 한 제(劑)* 단위의 경우 상온 2-3시간 침포후 해표약은 30-60분, 자보약은 2시간 정도 전탕) [20]

* 1제(劑)는 국내에서는 일반적으로 10-15일분의 치료용량을 말하고 중국에서는 1일분 치료용량을 의미함.

4. **탕전회수 :** 가장 높은 추출률을 위해서 약물을 두 번 달이는 방법이 추천되기도 하는데 예를 들어 첫 번째에 30분 정도 달인 후 탕액을 낸 다음 다시 물을 부어 15분 정도 달인 탕전액을 섞어서 하루 2-3회 나누어 복용하기도 합니다.[21]
5. **선전(先煎) 약재 :** 광물류(석고, 대자석 등), 패각류(용골, 모려, 진주 등), 갑각류(구판, 대모, 녹각 등) 약물은 파쇄 후 30분 이상 먼저 선전(先煎)해야 유효성분의 추출이 유리하며 부자, 오두, 상륙 등의 약물도 독성의 감소를 위해 선전을 고려합니다.
6. **후하(後下) 약재 :** 탕전종료전 5~10분 정도 달이는 후하의 경우는 문헌마다 조금씩 의견이 다른데 일반적으로 (1) 정유성분의 손실이 예상되거나 화엽성 약물(소엽, 형개, 박하, 청호, 대황, 번사엽, 사인, 초두구, 백두구, 육두구, 곽향, 목향, 단향, 침향, 국화, 총백)이나 또는 (2) 오래 가열시 유효성분의 변화가 우려되는 약물(조구등, 행인, 어성초, 대황) 등이 해당됩니다. 또는 문헌간의 차이로 논쟁의 여지가 있으나 정향, 초과, 영지, 신이, 세신, 육계, 계지 등의 후하를 고려하기도 합니다.

(3) 복용시 주의사항

1. **한약의 복용 온도 :** 일반적으로 한약은 차게 복용하기 보다는 온복(溫服)하는 것이 비위(脾胃)의 손상을 막아 약의 효과적인 흡수를 돕고 지나치게 성미가 강한 약물들의 부작용을 줄일 수 있는 장점이 있습니다. 하지만 실온의 상태에서 복용하여도 체내에서 빠른 시간 내에 체온과 동일해지기 때문에 허한증(虛寒證)이거나 비위(脾胃) 기능의 약화가 심하지 않다면 복약시의 여건에 따라 실온에서 복용하는 방법도 고려할 수 있습니다. 찬 성질의 약효를 증강시키거나 오심/구토가 심한 경우, 중독, 출혈증, 진한가열(眞寒假熱) 등의 증상에서는 실온 또는 실온 보다 낮은 온도에서 복용(冷服)하기도 합니다.
2. **한약의 복용 시간 :** 전통적으로 병이 인체의 상부(上部)에 있을 때는 식후, 병이 하부(下部)에 있을 때는 식전에 복용하는 방법도 있으나 일반적으로 식전 또는 식간의 공복(空腹)에 복용하는 것이 체내 흡수율을 높인다는 점에서 추천됩니다. 단 자극성이 있거나 위에 부담이 되는 경우 식후복용이 권장되고 또는 복약순응도를 높이기 위해 식후복용이나 4~6시간 간격으로의 복용법이 적용될 수 있습니다. 또는 급성병이나 실증(實證), 사하약(瀉下藥)은 식전에, 만성병이나 허증(虛證), 발한약(發汗藥), 소식약(消食藥)은 식후에, 진정-안신(安神) 목적의 약물은 취침 전에 먹이는 방식이 사용되기도 합니다.[22,24]
3. **한약파우치의 보관 :** 실험연구상 파우치의 형태로 실온(room temperature, 20-25℃) 또는 냉온(4℃) 보관시 8주 이후에도 탕약성분의 변성은 없었으나 주요 지표성분은 보관 2주 이후부터의 검사에서 감소가 관찰되었고 감소정도는 보관시간이 오래될수록 커지는 경향을 보였습니다. 복합처방에 대한 경시적 연구에서도 대략 10일이 경과한 이후에는 효능이 감

소하거나 유의한 약리적 효과가 나타나지 않았으므로 실제 임상에서는 1-2주분 이내의 복용량을 탕전하여 제공하는 것이 권장된다고 하겠습니다.[11-14)]

REFERENCES

1. 김철원. 임신중에 한약을 투여한 37예의 임상보고. 대한한의학회지 1998;19(2):75 -85
2. 이인호 등. 임신중 한약복용이 태아에 미치는 영향에 대한 실태분석연구. 대한한의학회지. 2000;21(1):40-44
3. 허지원 등. 꽃마을 한방병원에서 임신중 한약을 투여받은 환자 146례에 대한 실태분석연구. 대한한방부인과학회지. 2002;15(3):129-138
4. 최민선 등. 임신 중 치료목적으로 한약을 복용한 환자에 대한 실태분석 및 치료에 대한 만족도 조사. 대한한방부인과학회지. 2005;18(3):127-138
5. 박창호. 한약재 포제기술. 청문각. 2002 서울
6. 조기호. 일본 한방의학을 말하다. 군자출판사. 2008. p.425-431
7. 秋葉 哲生, 조기호 역. 양한방 병용처방 매뉴얼. 군자출판사. 2008. p.8-9
8. Gerald G. Briggs,Roger K et al. Drugs in pregnancy and lactation: a reference guide to fetal and neonatal risk. Lippincott Williams & Wilkins. 2008. p.269
9. 조선영, 이윤재, 김윤경 외. 모유수유 중 인삼의 적응증과 용량에 관한 기존한약서 고찰. 대한한방부인과학회지. 2010;23(4):57-66
10. Rebecca Mannel 외. 대한모유수유한의학회 역. 모유수유 A to Z. 민족의학신문사. 2010.
11. 금현기, 이상인. 大黃牡丹皮湯의 經時的 效能變化에 關한 硏究. 대한본초학회지. 1991;5(1):83-9.
12. 한관석, 최영봉, 이영종. 小柴胡湯 煎湯液의 經時的 效能 變化에 關한 硏究. 대한본초학회지. 1998;13(2): 7-12.
13. 길기정, 임덕빈, 이영종. 連翹敗毒散煎湯液의 經時的 效能變化에 關한 연구. 대한본초학회지. 1998;13(1): 173-86.
14. 손진영, 신장우, 손창규. 탕약의 실온과 냉장보관 및 기간별 안정성에 대한 실험적 연구. 대한한의학회지. 2009;30(2):127-132
15. 박가영, 이아영, 반지혜 외. 산모의 한약 복용이 모유에 미치는 영향 - HPLC와 LC/MS/MS를 이용한 생화탕 지표성분 분석. 대한한방부인과학회지 2013;26(4):48-65.
16. 何先元 et al.《中華人民共和國藥典》收載妊娠禁忌中藥的藥性特點研究. 中醫雜志. 2013;54(11):908-909.
17. 김동일 외. 국민행복카드 한의약진료 매뉴얼. 대한한의사협회 연구개발 용역보고서. 2015.
18. 안인숙 외. 임신오조 치료에 있어 반하 사용지침 마련을 위한 반하 투약 사례의 분만결과 분석 연구. 대한한방부인과학회지. 2014;27(3) :94-103
19. 김윤경 외. 전통적인 한약의 전탕법과 복용법에 대한 현대적 고찰. 한국한의학연구원 논문집. 2004;10(2): 63-72.
20. 윤성중. 효율적인 한약 전탕법을 숙지하라. 한의신문. 2007.09.03.
21. 황황. 경방사용수첩. 옴니허브. 2012.
22. 卜平.中药汤剂煎法研究的近况. 吉林中医药 1987(04) 32-33.
23. Ushiroyama T et al. Xiong-gui-tiao-xue-yin (Kyuki-chouketsu-in), a traditional herbal medicine, stimulates lactation with increase in secretion of prolactin but not oxytocin in the postpartum period. Am J Chin Med. 2007;35(2):195-202.
24. 이주영. 한약의 복약지도. 석학당. 2008.

77 마황 및 부자의 사용 관련

77-1 마황의 안전성과 사용지침 [1-3]

(1) 개요

1. 마황(麻黃, Mahuang, Ephedra sinica)은 마황과(Ephedraceae)에 속하는 草麻黃, 中麻黃, 木賊麻黃의 地上部 草質莖을 건조시킨 것으로, 解表藥類에 속하며 發汗解熱, 宣肺平喘, 利水消腫의 목적에 사용됩니다.
2. 마황의 주성분은 L-ephedrine, pseudoephedrine, norephedrine, norpseudoephedrine 등의 alkaloid로 구성되어 있으며, 주성분인 ephedrine, pseudoephedrine 등은 불면, 신경과민, 식욕부진, 소화불량, 발한, 심계항진, 고혈압 등의 부작용을 유발할 수 있습니다.
3. 에페드린은 반응급감현상이 두드러진 약물이어서 심혈관계 작용이 복용 몇 시간 내와 치료 초기에 주로 나타나며, 장기 복용시에는 내성(tolerance)이 발생하여 에페드린의 부작용이 초기에 비해 줄어듭니다.

(2) 국내외 ephedrine 성분 관련고시

1. 현재 미국 FDA에서는 식품으로서의 사용은 금지되지만 의약품의 경우 pseudoephedrine 240mg/day, ephedrine 150mg/day까지 허용되어 있습니다.
2. 미국의 전문가 집단에서는 마황과 마황 종의 알칼로이드 용량은 1일 총 100mg을 넘지 않으면서 1회 25mg까지 사용하였을 때 부작용과 관련된 보고가 없었다고 하였고, 독일의 생약위원회에서는 알칼로이드 최대용량은 1일 300mg까지로 제한되어야 한다고 주장하고 있습니다.
3. 식품의약품안전청은 미국 FDA의 자료를 참조하여 ephedrine 알칼로이드의 하루 최대 허용량을 150mg으로 규정하고 있으며 대한약전에서 '감기약 표준제조지침' 에 나오는 1일 최대 허용량은 61.4mg입니다.

(3) 한약처방시 사용지침

1. 동의보감 등에서의 마황의 사용용량은 하루 8-16g이 58%를 차지하고 있고 위급증인 경우는 24g까지 사용하고 있습니다. 하루 24g의 마황사용시, 알칼로이드는 168mg 이고 이중 70-75% 정도를 차지하는 Ephedrine은 126mg으로서 1일 Ephedrine 기준량인 150mg/day를

넘지않는 수치입니다.[1)]

2. 그러나 일부 약재의 경우 산지나 기타조건 등에 따라 에페드린이 1g 당 10mg까지 함유된 경우도 있으므로 하루 16g(에페드린 기준 84mg에서 최대 160mg) 이내의 사용이 일반적인 경우에 사용할 수 있는 안전한 범위로 판단됩니다.
3. 또한 마황 단독탕전이 아니라 처방의 형태로 다른 약재들과 함께 탕전하면 단독탕전시 에페드린양의 73-96%만 남아있음도 고려할 수 있고 [1)] 또 다른 측면으로는 마황의 신세뇨관의 혈관수축작용으로 요저류(urinary retention)를 유발할 수 있음을 감안하여 일반적으로 12g 이상은 사용하지 않도록 권장되기도 하였습니다. [4)]
4. 심질환, 갑상선기능항진증, 고혈압, 당뇨, 정신질환, 녹내장, 전립선비대증, MAO-I, Methyldopa, 교감신경작용제 등의 복용자에서는 사용에 주의하여야 하며 적절한 용량조절 및 임상관찰이 요구됩니다. 표준체중보다 이하인 경우에도 적절히 감량하도록 합니다.
5. 양약과의 병용금기 : Digitalis, monoamine oxidase inhibitors (MAOIs), 갑상선제제(thyroxine 등), methyldopa, caffeine, theophylline 및 기타의 교감신경 자극제는 병용금기입니다.

77-2 마황 사용의 임상 TIP

1. 천연물 형태의 마황에는 에페드린이 4가지의 이성질체(isomer)로 존재할 뿐 아니라 혈압을 낮추는 등 에페드린과 정 반대의 작용을 가진 에페딘(ephedine) 성분도 포함되어 있으므로 에페드린 단독성분 기준을 그대로 적용하기 어려운 측면이 있습니다.
2. 마황으로 인한 부작용은 한약에 의한 간독성과 마찬가지로 개개인별로 다른 감수성을 보일 수 있으며 상용투여량보다 적다고 하더라도 심하게 나타날 수 있습니다. 가장 간편하게는 첫 복약 직후 1-3일 이내에 나타나는 수면장애, 심계항진, 식욕부진, 오심 등의 신체반응을 보고 이후의 처방 또는 용량변경 여부를 판단하는 것입니다. 장기사용에 의한 용량 의존성이 있는 약물이므로 처방기간이 길어짐에 따라 약물의 효과가 감소될 수 있음도 유의하며 필요시 용량을 조금식 증량해야 할 수도 있습니다.
3. 마황은 변증상 脈浮, 表實한 寒證, 체질적으로는 太陰人 등의 경우에 많이 처방되지만 이 경우에도 3-4돈, 즉 12-16g 이상의 사용은 신중해야 하며 환자의 반응에 따른 용량조절도 필요합니다.

77-3 부자(附子)의 사용

(1) 부자의 독성과 치료

1. 부자(附子, Aconiti Tuber)*는 辛熱, 有毒하면서 回陽救逆, 散寒除濕하는 효능을 가진 약재입니다. 부자의 독성은 아코니틴(aconitine) 등에 의한 항콜린성 효과와 심근의 Na+ 채널 작용에 기인합니다.
2. 부자에 중독시에는 오심, 구토, 심계항진, 입 주위의 감각이상 등이 올 수 있고 일반적으로는 24시간 이내에 중독증상이 해소되는 예후를 보입니다. 하지만 중독증상이 심한 경우에는 심실세동(VF), 전신마비, 혈압하강, 호흡곤란 및 이에 따른 사망에 이를 수 있습니다.
3. Aconitine 중독시 적어도 24시간 동안 심전도 및 혈압 등을 확인해야 하며 복용 직후라면 위세척, 활성탄 등을 사용하여 위장관 흡수를 줄일 수 있습니다. 서맥이나 전도장애가 나타나면 Atropine을 투여할 수 있고, 부정맥의 경우 대부분 일시적이나 필요시 amiodarone 등의 항부정맥 약제를 투여할 수 있고 VF 등 심실성 부정맥에는 적극적인 조치가 필요합니다. [6-7]

(2) 임상사용시 주의점

1. Aconitine은 열에 약하기 때문에 물에서 끓이면 가수분해되어 독성이 약 1/10 이하로 감소하게 되며 문헌에서 부자, 오두 등을 미리 1-2시간 정도 선전(先煎)하는 방법도 이러한 실험결과의 의미와 부합합니다. 반면 또 다른 부자의 성분으로 강심작용을 하는 하이겐아민(higenamine)은 열에 비교적 강하므로 열로 수치를 해서 아코니틴의 독성을 감소시켜도 回陽救逆 또는 强心의 작용은 유지됩니다.[8-10]
2. 부자의 독성은 포제여부 및 방식에 따라 큰 차이가 날 수 있으며 특히 적절한 수치나 독성 제거과정 없이 환제(丸劑), 산제(散劑) 등의 형태로 복용하는 것이 가장 위험합니다.
3. 임상에서는 체력이 강하거나 더위를 잘타고 열상(熱象)을 보이는 경우, 陽證에 해당하는 경우, 上氣가 심한 경우 등에 부작용이 나타나기 쉬우므로 신중히 투여하도록 하며 소아나 임산부의 경우에도 주의해야 합니다.[11]
4. 부자가 포함된 처방을 복용할 경우에는 음주를 하지 않도록 교육해야 합니다.

---

* 상위분류에 해당하는 초오(草烏, Aconitum jaluense Komarov)의 독성도 여기에 포함시켜 설명

REFERENCES

1. 장인수, 양창섭., 황의형. 마황의 안전성에 대한 논란과 비만 치료에 있어서 마황 사용 지침의 필요성. 대한한방비만학회지 2007:7(1):23-29
2. 김호준, 한창호, 이의주 외. 비만치료 및 체중감량에서의 적절한 마황 사용에 대한 임상 진료지침 개발. 대한한방비만학회지. 2007;7(2):27-37.
3. 송윤경, 임형호. 비만처방에서 마황의 임상활용에 대한 고찰 - 용량, 효과, 부작용 등의 측면에서. 대한한방비만학회지. 2007:7(1):1-7
4. 김호철. 마황, 독성이 큰 한약재인가. 한의신문. 2011.5.2.
5. Rotblatt, Ziment. 원장원, 안세영 편역. Evidence-Based Herbal Medicine. 한우리. 2002:127-30.
6. 백상홍. 심혈관계 부작용을 보이는 생약재. 대한의사협회지 2005;48(4) 333-8.
7. Tai YT, Lau CP, But PP, Fong PC, Li JP. Bidrectional tachycardia indu-ced by herbal aconitine poisoning. PAGE 1992; 15:813-9.
8. 김호철. 부자(附子)의 회양구역(回陽救逆) 효능. 한의신문 .2010.12.13
9. 김호경, 이혜원, 전원경. 초오의 수치방법에 따른 알칼로이드 함량. 생약학회지. 2002;33(4):296-300.
10. 김진숙. 수치한약재 및 그 함유제제의 안전성 평가연구 I. 식품의약품안전청. 2002.
11. 조기호. 일본 한방의학을 말하다. 군자출판사. 2008. p.425-431

78 약물간 상호작용

78-1 개요

(1) 한약과 양약의 상호작용

1. 한약-양약 상호작용 (Herb-Drug Interaction)은 일부 한약과 양약에 대한 사례들이 밝혀진 바가 있으나 아직 연구가 미미한 수준입니다. 일본의 경우 소시호탕(小柴胡湯)과 interferon-α가 병용투여된 환자 중 간질성 폐렴사례가 발생하여 병용금기로 지정된 바 있습니다.
2. 한약의 경우는 어떤 특정 작용점에만 용량의존적으로 작용하는 양약과는 달리 일반적으로 복수의 작용부위에 도달하고 전체로서 통합적인 약리작용을 발현하므로 상대적으로 상호작용을 파악하기 힘든 측면이 있습니다.

Tip 한약-양약 병행의 시초 : 아스피린(阿斯必林)과 한약

- 한약/양약의 병행사용은 19세기말~ 20세기 초부터 중서의학회통학파 등의 자료를 중심으로 본격적인 기록이 나타납니다. 예를 들어 張錫純의 [의학충중참서록]에는 아스피린(阿斯必林)을 凉, 微酸의 성미와 能散, 善退外感之熱 등의 효능을 지닌 약으로 기재하면서 기존 한약처방에 병용하여 치료효과를 높이거나 아스피린의 투여량을 감소시킨 증례들이 수록되어 있습니다. [6)]

(2) 약물대사와 Cytochrome P450

1. 약물 상호작용에 중요한 역할을 하는 효소 중 하나인 Cytochrome P450 (CYP450)* 은 내인성 또는 외인성물질의 대사를 담당하는 monooxygenase system에서 terminal oxidation을 수행하는 효소입니다. 주로 간에 많이 존재하며 체내에 침투한 독성물질을 무독화 하는데 주로 관여하지만 반대로 활성화된 형태의 대사체를 생성해 독성을 유발시킬 수도 있습니다.
2. CYP450은 많은 isoenzyme(동질효소)이 있지만 그 중 3A4, 2C9가 대표적이고 그 외 1A2, 2C19, 2D6 등이 많이 분포하는데 약물마다 관여하는 isoenzyme의 종류가 다릅니다.
3. 예를 들어 위궤양 등에 사용되는 cimetidine은 다양한 CYP450 isoenzyme의 작용을 억제하므로 일부 항정신성약물과 함께 복용시 항정신성약물이 체내에서 잘 분해되지 않아 혈중농도가 높아질 수 있습니다. 또다른 예로 카페인은 CYP 1A2의 활성에 영향을 미치므로 만

* 헴단백질의 일종이며 P는 색소(pigment), 450은 분광광도계 실험시 450nm에서 최대흡광도를 나타낸 결과에서 유래

일 특정 한약성분이 CYP 1A2에 의해 대사된다면 커피와 동시에 복용시 한약성분의 대사가 지연되어 혈중 고농도로 존재하여 예상치 못했던 독성을 초래할 수 있습니다. 상습음주자의 경우는 CYP 2E1이 높게 발현되는데 이는 특정 한약 또는 양약의 대사율을 높혀서 약제내성을 유발할 수 있습니다.

4. 동물의 종에 따라서도 CYP450 유전자의 수가 다르게 분포합니다. 이는 동물실험이 사람대상의 연구결과와 다르게 나오거나 독성물질에 대한 감수성의 차이를 보이는 원인 중 하나이기도 합니다. 동물의 CYP450 유전자는 사람보다 100여개나 더 많게 보고되었으며 다양한 식물을 섭취하고 이를 대사해야 하는 특성에 기인한 것으로 보기도 합니다.[33]

78-2 한약과 Warfarin의 병용

(1) 와파린의 약물 상호작용

1. 대표적인 항응고제인 Warfarin은 천연물에 널리 함유된 일종의 courmarin계 화합물로 주로 부정맥(Af), 뇌경색, DVT 등에 대한 예방적 목적으로 복용하는 약물입니다.
2. 다양한 약물들이 와파린과 상호작용을 하는데 특히 항생제, 심혈관계 약물, NSAID 등의 진통소염제, CNS 약물들에서 많이 보고되고 있습니다. 주요 약물에 대한 상호작용 예를 보면 다음의 표와 같습니다.

구분	항생제	심혈관계	진통소염제	신경정신계	기타
와파린 효과증강 (=INR 연장)	Ciprofloxacin Erythromycin Fluconazole Metronidazole Amoxicillin Azithromycin Levofloxacin Tetracycline	Amiodarone Diltiazem Propranolol Aspirin Fluvastatin Quinidine Simvastatin	Acetaminophen Aspirin Celecoxib Indomethacin Piroxicam Tramadol	Alcohol Entacapone Sertraline Phenytoin	Cimetidine Omeprazole Acarbose Anabolic steroids Vit E>400U/d
와파린 효과억제 (=INR 감소)	Rifampin Ribavirin Terbinafine	Telmisartan Cholestyramine Furosemide	Azathioprine Sulfasalazine	Barbiturates Carbamazepine Trazodone	Multivitamin Cyclosporine Influenza vaccine Coenzyme Q10

(2) 한약 또는 음식물과 와파린의 상호작용

1. 와파린은 혈액응고 과정에서 필수적인 비타민 K에 길항하므로 양배추, 시금치, 케일, 상추, 부추 등의 녹색잎 채소, 대두 및 콩가공품(청국장, 낫또 등), 동물의 간 등 비타민 K가 많이 함유된 음식은 와파린의 작용을 감소시킬 수 있습니다.
2. 한약물과의 상호작용도 어느정도 알려졌는데 특히 丹蔘, 桃仁, 紅花, 三稜, 當歸, 川芎 등

주로 活血 또는 祛瘀의 효능을 가진 약물에서 와파린의 효과를 증가시키는 효과, 즉 INR을 상승시키는 작용이 있다고 보고된 반면 人蔘은 PT INR을 감소시키는 한약으로 보고되었습니다 (peak INR이 평균 0.16 감소한 정도).[2,7,8] 일부 증례보고를 통해 當歸, 桃仁 등을 포함한 당귀수산(當歸鬚散)이나 當歸, 川芎 등을 포함한 불수산(佛手散) 등에서 와파린과의 항응고작용을 증가시킨 결과가 발표되기도 하였습니다.[5] 육계(계지)에도 coumarin 성분이 일부 포함되어 있기에 와파린 작용이 증강될 가능성이 존재합니다.

3. 실제 임상에서의 후향적 조사연구결과들은 한약의 복용이 와파린 INR에 큰 영향을 주지 않는 결과들도 많습니다.[9-12] 통상적으로 다양한 원인으로 인하여 와파린 복용환자 중 매년 1.0~3.0% 정도는 중증 출혈이, 4.8~9.5% 정도의 경증출혈이 발생하는 것을 감안하면 한약복용 중 INR이 상승하였다고 해서 한약이 단독원인이라고 단정하기에는 무리가 있을 수 있습니다.[13] 다만 환자별로 서로 다른 약물감수성 때문에 평균적으로 큰 영향을 주지 않는 각종 약물, 한약, 식품 등에 대하여 크게 반응될 수 있는 가능성도 염두합니다.
4. 국내 다른 연구로는 와파린 복용 중 INR 3.0을 초과하거나 출혈합병증이 발생한 환자 57명 중 한약복용력이 있는 환자는 2명이었고 그나마 관련성을 명확히 단정할 수는 없었다는 보고가 발표된 바 있습니다.[14]

	한약물	음식
INR 연장	단삼(丹蔘), 도인(桃仁), 홍화(紅花), 삼릉(三稜), 당귀(當歸), 천궁(川芎)	어유(Fish oil), 버섯, 생강, 마늘, 양파, 망고, 자몽쥬스, 크랜베리쥬스
INR 감소	인삼(人蔘)	아보카도(Avocado), 비타민K 함유음식(High vitamin K content foods), 두유(Soy milk), 해조류(Seaweed)

78-3 한약과 기타 약물의 병용 및 상호작용

(1) 마황이 포함된 한약처방

1. 마황(麻黃)은 기관지확장작용, 말초혈관수축작용을 하는 Ephedrine, 항염증작용을 있는 Pseudoephedrine, 소량의 methylephedrine 등을 포함하고 있습니다.
2. 특히 Ephedrine의 일부가 norepinphrine 수용체에 자극하여 교감신경 흥분작용을 하므로 Digitalis, Digoxin 등 심근의 흥분협조성 작용에 관여하는 약물이나 Theophylline, Adrenaline, Noradrenaline 등 교감신경계를 활성화하는 약물, monoamine oxidase inhibitors (MAOIs) 등과의 병용은 피하는 것이 권장되고 임상상의 필요로 투여하는 경우는 소량으로 2~3시간 간격을 두고 복용할 수 있습니다. Salbutamol 등의 Beta-2 agonist와의

병행도 상호증강작용이 있으므로 발한과다, 빈맥, 정신흥분 등의 증상이 심하면 용량을 줄여야 합니다.

3. 반면 혈압강하제, 수면제, 진정제 등과는 길항으로 작용하므로 마황투여로 이들 약물의 약효를 감소시킬 수 있습니다. 탄닌(tannin) 및 탄닌함유 약물과 병용시에는 소화관 내에서 상호결합하여 약효를 저하시킬 수 있으므로 필요시 ephedrine을 함유하는 마황을 증량하여 투여합니다.
4. 마황을 함유한 갈근탕과 아세트아미노펜(AAP)의 병용투여는 아세트아미노펜의 혈중농도에 영향을 주지 않았다고 보고된 바 있습니다.[15]

(2) 탄닌(Tannin)성분을 포함한 한약처방

1. Tannin은 여러 가지 화합물과의 결합이 용이한 물질로 일부 약물과 반응하여 침전을 생성할 수 있는 등 약물흡수에 방해가 될 수 있습니다. 특히 철분제나 Vit B1, Tetracycline, Erythromycin, digoxin, sodium bicarbonate 등의 약물이 관련됩니다.
2. 탄닌을 함유한 한약재로는 地楡, 石榴皮, 五倍子, 大黃, 訶子, 側柏葉, 萹蓄 등이 있습니다. 식품에서는 감, 녹차, 홍차, 도토리묵, 와인 등에서 탄닌성분이 많이 포함되어 있습니다.
3. Digoxin, Aminophylline 등은 병용을 피하며 Vit B1, B6, Atropine, 소화효소제 등은 2-3시간 등 일정한 시간간격을 두고 투여합니다.

8장 진료관련 주의사항

(3) 감초(甘草)를 포함한 한약처방

1. 감초에는 감자, 콩 등과 같은 흔한 식물과 같이 식물성 스테롤을 함유하고 있고 또한 flavonoid의 일종인 글리시리진(glycyrrhizin)을 함유하여 Mineralocorticoid 효과를 나타낼 수 있습니다. **[참조항목: 69-4]** 그러나 감초의 약리작용은 일반적인 Glucocorticoid와 엄연히 구별되며 세계반도핑기구(WADA)의 도핑 금지 한약재로도 지정되지 않았습니다.[16,17]
2. 가장 우려되는 부작용 중 하나인 가성알데스테론증도 일반적으로 상용처방량의 10-30배에 이르는 양을 6주 이상 복용해야 나타날 수 있을 정도로 가능성이 적고[18] 실제 임상에서 저칼륨혈증이 나타나는 경우도 감초가 포함된 한약처방 보다는 이뇨제(단 칼륨보존형인 spinorolactone은 예외)의 영향이 큰 것으로 나타났습니다.[19]
3. 단 1) 스테로이드 또는 이뇨제(특히 Furosemide 등*)를 처방받고 있거나, 2) 상용량(4g 내외) 이상의 용량으로 4-6주이상 연속처방하는 경우, 3) 저칼륨혈증, 알도스테론증이 이미 있는 경우, 4) 60세 이상의 연령 등에서는 감초가 포함된 처방을 지속적으로 투약시 부종이

* 이뇨제 중 Spironolactone은 aldosterone에 대한 길항작용을 하므로 감초의 과다사용시 이뇨효과가 감소할 수 있습니다.

나 사지근력 약화, 혈압 및 Potassium(K+)의 변화 등을 관찰할 필요가 있겠습니다.

4. 실제 감초를 처방한 한약 중 건강인 대상의 연구에서 小柴胡湯은 predisolone의 혈중농도를 감소시켰고, 柴朴湯은 혈중농도를 증가시켰으며, 柴苓湯은 유의한 변화가 없는 등 일관되지 않은 결과를 보여 감초 자체만으로 스테로이드와의 상호작용을 예측하기는 어려움을 보여주었습니다.[29]

(4) 항생제와의 병용

1. 급성의 염증질환에서 세균성감염이 의심되면 항생제를 우선적으로 투여하는 것이 일반적이고 한약은 항생제 종료 후에 투여하거나 또는 필요시 2-3시간의 복용시간차를 두고 투여하는 것을 고려합니다.
2. 만성이나 재발성으로 나타나는 염증질환에서는 한약투여도 보다 적극적으로 고려해 볼 수 있습니다. 실험연구상으로는 銀翹散, 麻黃潤肺湯 등의 처방과 ciprofloxacin 및 rufloxacin과 같은 퀴놀론계 항생제 병행투여시 일부 균주를 제외하고는 전반적으로 항균력을 증강시켰다고 보고하고 있습니다.[20-23] Erythromycin 등의 항균제와 山楂가 포함된 처방의 병용시 항균제의 흡수가 저해될 수 있다는 보고도 있습니다.[5]

(5) 한약과 장내세균총

1. 한약물 유효성분의 대사에는 장내세균총도 함께 관여합니다. 따라서 만일 항생제 등의 복용으로 장내 세균의 증식이 억제되거나 장내 세균총에 변화가 오면 한약물 유효성분 대사에 영향을 줄 수 있습니다.
2. 작약감초탕(芍藥甘草湯)의 활성성분의 혈중농도에 있어서 동물실험상 H2 blocker(H2RA)나 항콜린제 등 다른 약물과의 병용은 혈중농도에 영향이 없었으나 amoxicillin, metronidazole 등의 항생제와 병용시에는 혈중활성성분의 농도가 유의하게 감소함이 발견되었습니다. 진피(陳皮)를 대상으로 한 연구에서는 항생제 처리로 장내세균총에 변화를 준 군에서 정상군에 비해 주요성분인 hesperidin의 혈중 유효농도가 감소하였습니다.[24,25]
3. 한약복용시 1주 이상 항생제를 사용한 후라면 김치, 요구르트 등의 발효식품을 충분히 섭취하여 장내세균을 정상화 한 후 한약을 복용하는 것이 권장되기도 하고[26] 한편으로는 반복적인 한약투여가 장내세균총 기능의 정상화를 빠르게 했다는 보고도 있어 바로 투여할 수 있는 근거가 되기도 합니다.[27] 인삼을 대상으로 한 연구에서는 꾸준한 채식, 발효식품 섭취 등으로 β-glucosidase와 같은 장내 미생물의 효소를 활성화시키면 섭취한 인삼의 효능이 보다 강화될 수 있음이 보고되었습니다.[28]

(6) 기타 병용시 주의사항

1. 부자(附子) 함유 처방과 강심약 : 유사한 약효성분의 병용에 의한 과잉작용에 주의합니다.
2. 당뇨환자 : 경옥고(瓊玉膏) 등 꿀이 포함되거나 蜜炙黃芪 등 법제과정에서 당분류가 사용된 약재를 포함한 처방도 체내에서 혈당을 상승시키는 요인이 될 수 있기 때문에 과도한 섭취는 제한하도록 합니다.
3. 淸血丹 (黃連解毒湯 加 大黃)과 nicardipine : 실험연구상 항고혈압제제로서 Ca channel blocker에 속하는 nicardipine의 대사를 저해시키며 nicardipine의 지속적인 혈압강하효과를 나타나게 하였습니다.

Tip 수술전 한약의 복용

1. 수술전 한약의 복용으로 문제가 발생하는 사례들을 보면 혈액응고에 영향을 미치는 한약복용이 주원인이 되는 항응고효과, 감초(甘草) 또는 이뇨효과가 있는 약물이 주원인이 되는 저칼륨혈증 또는 부정맥 등과 관련된 보고가 위주가 됩니다. 일부 문헌에서는 인삼의 혈압상승효과, 저혈당 효과나 마황(麻黃)의 심혈관계 부작용을 지적하고 있습니다.[30,31]
2. 명확한 약동력학적(pharmacokinetic) 데이터는 없으나 일부 논문에서는 수술 2주전부터는 한약 또는 각종 허브(western herb) 등을 복용하지 않도록 권장하기도 합니다.[32] 하지만 일반적인 식물성 한약의 약물반감기가 5-6시간이고 완전소실시간을 반감기의 10배 정도로 보기 때문에 환자 상태와 처방구성약물에 따라 3일 전부터 복용중단을 고려할 수도 있을 것으로 보입니다. (cf. 아스피린이나 항응고제제 등은 수술전 7-10일 전에 복용중단)
3. 특히 한약과 마찬가지로 수술전 복용에 주의해야 하는 마늘(garlic)*, 생강(ginger)이 포함된 음식(ex. 김치)이 실제 임상에서 절대적 금기로 분류되지 않거나 일반적으로 수술 전에 기본적인 혈액응고검사, 전해질검사 등이 시행되어 실제 수술시 문제가 될 수 있는 경우들이 미리 스크리닝되는 현실을 감안하면 환자의 이득과 위험도, 처방용량 등을 종합적으로 고려하여 판단하는 것이 보다 적절할 것입니다.
4. 실제 Lee 등의 임상연구 결과에 의하면 수술전 2주 이내의 한약복용은 비복용군에 비하여 응고장애나 저칼륨혈증 비율이 높는 등 수술전(preoperative) 상태에 유의한 영향을 미쳤으나 수술도중(intraoperative) 또는 수술이후(postoperative) 부작용에는 유의한 차이가 없는 것으로 보고되기도 하였습니다.[30]

* 일부 문헌에서는 수술 7일 전부터 복용중단을 권유 [31]

Tip 자몽쥬스와 약물상호작용

1. 자몽쥬스(Grapefruit juice)에 함유되어 있는 furanocoumarin 유도체는 다양한 약물들과 상호작용을 합니다. 특히 Felodipine, Nicardipine 등의 CCB, Lovastatin, Simvastatin 등의 스타틴 계약물, Buspirone, Triazolam, Midazolam과 같은 진정안정제, 일부 항히스타민제 등이 대표적입니다.
2. 단, 자몽과 같은 citrus 속 식물인 우리나라 감귤류는 약물상호작용이 관찰되지 않습니다.

78-4 한약간의 상호작용 (十八反, 十九畏)

(1) 十八反

烏頭 反 半夏, 瓜蔞, 貝母, 白斂 (혹 白伋 포함)

甘草 反 大戟, 芫花, 甘遂, 海藻

藜蘆 反 五參(人參, 丹參, 玄參, 沙參, 苦參), 細辛, 芍藥

(2) 十九畏

硫黃 畏 朴硝, 水銀 畏 砒霜, 狼毒 畏 密陀僧, 巴豆 畏 牽牛, 丁香 畏 鬱金, 牙硝 畏 三稜, 川烏·草烏 畏 犀角, 人參 畏 五靈脂, 肉桂 畏 赤石脂

Tip 임상 Tip

1. 약물상호작용(drug interaction)이나 한약-양약 상호작용(herb-drug interaction)에 관한 자료는 매우 방대하기 때문에 이 곳에 다 정리하는 것은 불가능하며 본 장에서는 관련되는 일부 주제 및 자료들만 수록한 것입니다. 하지만 실제 일반 외래 또는 병동환자에게 한약-양약의 상호작용으로 치명적인 위해가 온 사례는 찾아보기 힘들고 양약의 약물상호작용에 비해서도 일반적으로 강하지 않다고 할 수 있습니다.
2. 다만 한약 투여전 기존의 약물복용력을 확인하여 마황, 부자 등 상호작용이 우려되는 약물의 용량을 조절하거나 와파린과 상호작용할 수 있는 한약재의 투여시 정기적인 PT INR 확인의 필요성을 인지하는 것은 중요합니다.
3. 한약을 식전 혹은 식간에 복용하는 것은 공복시 복용하여 흡수율을 높이고 식후에 탕약 등을 복용할 때의 위장 부담감을 줄이는 한편 양약과의 복용시간과 2-3시간 정도의 시간적 차이를 두어 병용 투여에 의한 약물 상호작용의 가능성을 약간이나마 줄이는 의의도 있습니다.

REFERENCES

1. 김남재. 한약과 양약의 병용투여에 의한 약물 상호작용. 병원약사회지. 1998;15(2):247-257.
2. 김남재. 한약과 양약의 병용투여와 문제점. 대한중풍학회지. 2004;5(1):15-33.
3. 최혁재. 한약과 양약 병용 투여시의 부작용. 병원약사회지. 2003;20(2):1-9.
4. 김진현, 김철, 김상균 외. 한약-양약 병용 투여에 관한 논문 동향 분석. 대한예방한의학회지. 2009;13(3):1-18.
5. 박수진, 권영규, 신재국. 국내 한약-양약 상호작용 연구논문 분석을 통한 상호작용 정보 현황파악 및 제공방안에 대한 연구. 동의생리병리학회지. 2010;24(4):543-552.
6. 장석순. 동신대학교 한의과대학 졸업준비위원회 역. 의학충중참서록. 의성당. 1999 p.35-36
7. Holbrook AM, Pereira JA, Labiris R et al. Systematic overview of warfarin and its drug and food interactions. Arch Intern Med. 2005;165(10):1095-106.
8. Yuan CS, Wei G, Dey L et al. Brief communication: American ginseng reduces warfarin's effect in healthy patients: a randomized, controlled Trial. Ann Intern Med. 2004 Jul 6;141(1):23-7.
9. 권동현, 김호준, 이명종, 송미영. 한약과 와파린 병용의 상호작용과 안전성에 대한 연구. J Oriental Rehab Med. 2010;20(2):175-181
10. 이성근, 유현희. 한약 투여가 허혈성 질환 환자의 혈액 응고계에 미치는 영향. 동의생리병리학회지. 2004;18(4):1213-7.
11. 김은주, 이상호, 김이동 외. 뇌경색 환자의 warfarin 복용시 한약물이 INR에 미치는 영향. 대한한의학회지. 2004;25(2):165-172.
12. 이상헌, 김영석, 강철호 외. 뇌경색 입원환자대상으로 한약과 Warfarin의 복합 투여시 미치는 Prothrombin Time(INR)의 변화에 대한 후향적 단면연구. 대한한방내과학회지. 2007;28(3):464-472.
13. Cruickshank J, Ragg M, Eddey D. Warfarin toxicity in the emergency department: Recommendations for management. Emerg Med 2001;13:91-7.
14. 이종호 · 박준석 · 정상원 외. Warfarin 복용 중 출혈성 합병증으로 내원한 환자에 대한 분석. 대한응급의학회지. 2003;14(2):145-149.
15. Qi J. Pharmacokinetic study on acetaminophen: interaction with a Chinese medicine. J Med Dent Sci. 1997 Mar;44(1):31-5.
16. Stewart PM, Wallace AM, Valentino R, Burt D, Shackleton CH, Edwards CR. Mineralocorticoid activity of liquorice: 11-beta-hydroxysteroid dehydrogenase deficiency comes of age. Lancet. 1987 Oct 10;2(8563):821-4
17. 한국도핑방지위원회. 2011 도핑방지가이드. 2011. p.18-19
18. World Health Organization. WHO monographs on selected medicinal plants. Vol. 1. 1999. p.191
19. 조승연, 곽자영, 신애숙 외. 감초와 이뇨제 병행 투여시 혈청 칼륨에 미치는 영향에 대한 후향적 단면연구. 대한한방내과학회지 추계학술대회 자료집. 2008;117-23.
20. 이상준, 전귀옥, 송광규, 최해윤, 김종대. 銀翹散과 Ciprofloxacin의 병용투여가 Streptococcus pneumoniae 호흡기감염에 미치는 영향. 동의생리병리학회지. 2005;19(4):1039-1045.
21. 송광규, 전귀옥, 서영호, 권은희, 조동희, 박미연, 최해윤, 김종대. 銀翹散과 Quinolone. 계 항생제의 併用이 호기성 Gram(-)細菌株에 대한 試驗管內抗菌力에 미치는 영향. 대한한방내과학회지 26(3), 521-532, 2005.
22. 서정임, 전귀옥, 송광규, 박미연, 최해윤, 김종대. 麻黃潤肺湯과 Rufloxacin의 併用投與 Klebsiella pneumoniae 呼吸器感廉에 미치는 影響영향. 대한본초학회지 2004;19(4)81-89.
23. 박미연, 김대준, 김종대. 麻黃潤肺湯의 병용이 Quinolone계 항생제 중 Rufloxacin의 호기성 Gram(+) 세균주에 대한 시험관 내 항균력에 미치는 영향. 대한본초학회지 2003;18(4):65-72.
24. He JX et al. The influence of commonly prescribed synthetic drugs for peptic ulcer on the pharmacokinetic fate of glycyrrhizin from ShaoyaoGancaotang. Biol Pharm Bull. 2001;24(12):1395-9
25. Jin MJ, Kim U, Kim IS et al. Effects of gut microflora on pharmacokinetics of hesperidin: a study on non-antibiotic and pseudo-germ-free rats. J Toxicol Environ Health A. 2010;73(21-22):1441-50.
26. http://www.kfda.go.kr/index.kfda?mid=56&seq=11814&cmd=v 식품의약안전청 2011년 5월 접속
27. He JX, Akao T, Tani T. Restorative effect of repetitive administration of Shaoyao-Gancao-tang on bioavailability of paeoniflorin reduced by antibacterial synthetic drugs treatment in rats. Biol Pharm Bull. 2003;26(11):1585-90.
28. Kim DH. Metabolism of ginsenosides to bioactive compounds by intestinal microflora and its industrial application. J Ginseng Res 2009;33:165-176.
29. Homma M, Oka K, Ikeshima K et al. Different effects of traditional Chinese medicines containing

similar herbal constituents on prednisolone pharmacokinetics. J Pharm Pharmacol. 1995;47(8):687-92.
30. Lee A, Chui PT, Aun CST et al. Incidence and risk of adverse perioperative events among surgical patients taking traditional Chinese herbal medicines. Anesthesiology. 2006;105(3):454-61
31. 유건희. 마취과 의사가 주의해야 하는 약제들의 상호작용. 대한마취과학회지 2007;53(1):1-14
32. Ang-Lee MK, Moss J, Yuan CS. Herbal medicines and perioperative care. JAMA 2001;286:208-16
33. 이선동, 박영철. 한약독성학 I. 한국학술정보. 2012 p.108-130

79

한약과 도핑 / CITES

79-1 도핑관련 한약물 1)

(1) 개요

1. 국제반도핑기구(World Anti-Doping Agency)에서는 금지약물을 상시금지약물, 경기기간 중 금지약물, 특정경기 금지약물로 구분하며 각 항목별로 Anabolic steroid, Beta-2 Agonist, 호르몬제제, 이뇨제, 마약류, Beta Blocker 등이 도핑규제 약물로 지정되어 있습니다. 각 분류 및 도핑금지 성분이 포함된 한약물은 아래의 표와 같습니다.

구분	분류	항목	관련 한약
상시 금지약물	S1	Anabolic agents (동화작용제)	해구신 인뇨 고우난낭(牯牛卵囊)
	S2	Hormone and related substances (호르몬 및 관련물질)	-
	S3	Beta-2 agonists (베타2 작용제)	-
	S4	Hormone antagonists and modulators (호르몬 길항제 및 변조제)	-
	S5	Diuretics and other masking agents (이뇨제 및 은폐제)	-
경기 중 금지약물	S6	Stimulants (흥분제)	백약자 앵속각 마전자 여송과 마황 심엽황화염(心葉黃化捻)
	S7	Narcotics (마약류)	백약자 앵속각 여춘화과실(麗春花果實)
	S8	Cannabinoids (카나비노이드)	마자인
	S9	Glucocorticosteroids (부신피질호르몬)	우신 자하거
특정경기(양궁 등) 금지약물 - Alcohol, Beta blocker			-

2. 질병치료를 위해 금지약물을 사용하지 않으면 심각한 건강상 문제가 발생한 경험이 있고 금지약물 사용 이외에 적절한 대체약물이 없을 경우에는 치료목적사용 면책신청서(Therapeutic Use Exemption)를 통해 사용을 승인받을 수 있습니다.
3. 카페인의 경우 금지약물은 아니지만 과량으로 복용하는 경우 징계위원회에 보고 대상약물이므로 커피, 차, 감기약, 자양강장제 등의 복용시 주의가 필요합니다.

(2) 한약재 및 처방사용 관련

1. 각 도핑관련 한약재의 대상성분은 아래의 표과 같습니다. 특히 마황의 주요성분인 ephedrine은 Stimulant로 분류됩니다. 반면 감초는 Anabolic steroid 또는 Glucocorticosteroids 등의 작용이 없기 때문에 금지목록에 포함되지 않았습니다.
2. 반하의 경우는 ephedrine 성분이 문제될 수 있으나 함유량이 미량이기 때문에 실제는 문제시 되지 않는다고 볼 수 있습니다. 백굴채, 자하거, 해구신 등에도 실제 검사시 해당성분이 검출되지 않거나 성분함량이 미량에 불과해 노빙에 영향을 미치지 않을 것으로 판단됩니다.[8,9]

약물	생약명	도핑대상 성분
백약자	Stephania Cepharanthra Hayata	morphine(S7), codein(S6)
백굴채	Chelidonium majus L.	codein(S6)
앵속각	Papaveris Fructus	morphine(S7), codein(S6)
우신	Bos taurus domesticus Gmelin	cortisone(S9)
자하거	Homo sapiens L.	cortisone(S9)
여춘화과실	Papaver rhoesa L.	morphine(S7)
인뇨	Human Urine	17-oxycortico sterone(S1)
마전자(호미카)	Strychnos nux-vomica L.	strychnine(S6)
여송과(보두)	Strychnos Ignatil Berg	strychnine(S6)
고우난낭	Cow testicle	testosterone(S1)
마황류	Ephedra sinica Stapf, E.Equaisetina Bge,E.intermedia Schrenk et Mey	ephedrine(S6)
반하	Pinellia ternata breit	ephedrine(S6)
심엽황화염	Sida cordifola L.	ephedrine(S6)
마자인	Cannabis Fructus	cannabinol(S8)
해구신	Otariae pennis	androsterone(S1)

2. 위의 목록 중 임상에서 상용되는 한약재는 마황, 마자인 등 일부에 불과하고 운동선수들의 복용한약들을 임의수집하여 분석한 결과 9항목 210종 물질 모두 음성이었다는 결과도 있는 만큼 일반적 수준의 처방에 대해 지나치게 우려할 필요는 없을 것으로 보입니다. 단일 약재가 아닌 실제 복합처방을 실험한 결과는 다음과 같습니다.[5]

엑기스제제	보중익기탕 십전대보탕 육미지황탕 녹용대보탕 쌍화탕 고진음자 인삼양영탕 고암심신환 공진단 구원심신환 대영전 - 모두 음성
탕약처방	보중치습탕 가미오적산 가미평진건비탕 가미음양쌍보탕 가미반하백출천마탕 가미청열이수탕 우황청심환 - 모두 음성 (상기 처방에서 마황, 마전자, 우신, 반하, 백굴채, 자하거 등을 가미한 처방에서는 양성반응)

3. 마황(ephedrine 12mg)의 경우 약물반감기인 3-6시간이 경과하면 소변으로 절반이 배출되어 도핑양성기준(10㎍/㎖) 이하가 됩니다. 또한 완전소실시간을 반감기의 10배 정도로 보므로 30-60시간이 지나면 체내에서 99% 이상 배출된다고 할 수 있습니다.
4. 그러나 고용량 또는 지속복용의 경우나 마자인 처럼 반감기가 4일 정도로 긴 경우는 완전소실까지 더욱 긴 시간이 소요될 수 있지만 일반적으로 2주 정도 복용한 경우라도 시합전 7일 이상 복용하지 않으면 문제되지 않는다고 할 수 있습니다.[7]

79-2 CITES [2]

(1) CITES 개요

1. CITES(Convention on International Trade in Endangered Species of Wild Fauna and Flora)는 멸종위기에 처한 야생 동.식물종의 국제거래에 관한 협약을 의미하는데 1973년에 발족하여 현재 175개국이 가입되어 있으며, 우리나라는 1993년에 가입하였습니다.
2. 인간의 무차별한 포획과 남용으로 인하여 멸종되어가는 야생 동.식물을 보호하고자 제정되었으며 국내 거래에는 적용되지 않고 국제 거래만을 다루게 됩니다.
3. 우리나라에서는 식품의약품안전청 의약품안전과 관할에 속하며 의약품 등의 용도로 CITES 품목을 수출입하고자 하는 경우 수출(반입)허가증명서 또는 원산지증명서 등의 첨부가 의무화 되었습니다.

(2) CITES 항목의 분류

1. 부속서Ⅰ : 멸종위기에 처한 종으로 학술연구목적의 거래만 가능
2. 부속서Ⅱ : 현재 멸종위기에 처한 것은 아니나 규제하지 않으면 멸종위기에 처할 수 있는 종. 상업거래시 수출국 정부가 발행하는 수출허가서 필요
3. 부속서Ⅲ : 최소한 하나의 국가에서 보호되어야 할 종으로 거래를 관리하기 위해 다른 회원국의 협조를 필요로 하는 종. 상업거래시 수출국 정부가 발행하는 수출허가서 및 원산지증명서가 필요.

(3) CITES 항목일람표

1. 부속서 Ⅰ 수재종 - 국제 거래 금지 (수입 및 사용금지) : 犀角, 虎骨
2. 부속서 Ⅰ 수재종 - 재배품 거래 가능 : 木香 (현재 부속서 II에 준하여 거래)
3. 부속서 Ⅰ, Ⅱ 수재종 - 분포지역에 따라 일부 거래 : 熊膽, 麝香 *

4. 부속서 Ⅱ 수재종 - 수출입시 승인 필요 : 狗脊, 蘆薈(Aloe), 白芨, 蛇膽, 山慈菇, 石斛, 魚膠, 羚羊角, 肉蓯蓉, 印度蛇木, 人蔘(러시아), 紫檀香, 赤箭, 天麻, 穿山甲, 沈香, 朱木 (= 파클리탁셀 paclitaxel), 胡黃蓮
5. 부속서 Ⅱ 수재종 - 우리나라는 유보 : 海馬
6. 부속서 Ⅲ 수재종 - 龜板(중국)

REFERENCES

1. 한국도핑방지위원회. 2013 도핑방지가이드. 2013
2. 식품의약품안전평가원. CITES 멸종위기에 처한 야생 동.식물종의 국제거래에 관한 협약. 2010.
3. 관련홈페이지 : 도핑(www.kfda.go.kr), CITES(www.cites.org)
4. 김성수 이응세, 韓藥材 중 도핑검사 對象藥物에 관한 考察. 대한한의학회지. 1990;11(2):18-22
5. 이응세,이종각,김기진,박종세,안휭균,윤재량. 한약재중 도핑검사 대상약물에 관한 연구. 체육과학논총. 1990;1(1):78-101
6. 김종규, 천윤석, 강성기, 조현철. 엘리트 선수들의 한약섭취 실태와 도핑안정성 검증. 체육과학연구. 2009;20(4):734-742.
7. 오재근. 한약과 도핑. 한의신문. 2010.8.30. p.12-13.
8. 윤성중. 한의사 처방한약. 도핑에 안전하다. 한의신문 2015.8.20.
9. 윤성중 외. 2015년 한약의 도핑관리. J Sports Korean Med 2015;15(1):1-9

* 웅담의 경우 북아메리카, 유럽분포종은 부속서 II이나 중국, 몽고, 부탄 등의 웅담은 부속서 I에 속하여 거래가 금지됩니다.

80 한약의 간독성/신독성

80-1 간독성(Herbal Hepatotoxicity) 개요

(1) 현황

1. 간독성을 포함하여 한약으로 인한 부작용이나 독성이 보고되어 왔으나 선행질환이 있었을 때를 포함하여 제반 여건을 종합적으로 고려하여 한약으로 인한 독성여부를 판단하여야 합니다.
2. 일반적으로 간손상을 판정하는 기준은 CIOMS(council for international organizations of medical sciences) 기준이 주로 사용되고 약물성으로 간손상이 발생했는지를 판정하는 기준은 RUCAM(Roussel Uclaf casuality assessment method) 기준이 많이 사용됩니다.
3. 약인성 간손상이 명확히 판정되려면 정확한 병력과 약물복용력 파악과 함께 A형간염, B형간염, C형간염 검사가 우선 시행되고 필요시 거대세포 바이러스(CMV), 엡스타인 바이러스(EBV), 단순수포바이러스(HSV), 알코올성간질환 여부, 담도폐쇄와 관련된 영상검사 등의 확인이 필요할 수 있습니다. [1)]

(2) 간손상의 기준 (CIOMS)

- 아래의 두 가지 중 하나를 만족시키면 간손상으로 간주합니다. CIOMS 기준은 임상 증상의 발현여부과는 무관하게 혈액검사결과만으로 판정합니다.
  ① ALT, Direct Bilirubin(DB) 중 한 가지라도 2N(정상 상한치의 2배) 이상
  ② AST, ALP, Total Bilirubin(TB) 중 한 가지가 2N 이상이면서 나머지 항목도 동반상승

(3) 약인성 간손상의 기준 (RUCAM)

- 국제기준 간손상 기준으로서 아래의 두가지 모두를 만족시켜야 약물유발성 간손상이라고 정의합니다.
  ① 임상병리 검사소견 : AST(GOT), ALT(GPT), Total Bilirubin, Direct Bilirubin, ALP 중 어느 한 가지라도 정상 상한치의 2배 이상으로 증가된 소견을 보여야 하며 해당 약물 중단 2주 이내에 상승된 임상병리소견이 1/2 이하로 감소
  ② 임상증상의 발현여부 : 전신 무기력, 피로감, 구토, 설사, 상복부 통증, 발열, 황달, 두드러기, 관절통 등이 동반

80-2 한약의 간손상 연구 현황 : 국내

(1) 의료보험 관리공단: 건강인 3048명 대상 연구 [2]

- 간기능이 정상이었던 3048명을 대상으로 시행된 코호트연구*로 AST, ALT 모두 40 IU/L 이상이면서 전년도에 비하여 100% 이상 상승한 간효소치 상승군(n=30)과 대조군(n=2625)을 분석한 결과 건강보조식품류는 간효소치 상승과 유의하게 연관되었으나 "보약 종류를 포함한 한약"은 복용유무와 총 복용횟수에 무관하게 간효소치 상승과 관련 없었습니다.

(2) 일반한의원 대상 한약치료 받은 497명 대상연구 [3]

1. 한의원 내원 환자 504명에서 간질환 과거력이 있거나 현재 간질환 또는 당뇨병과 같은 대사성 질환을 앓고 있는 환자를 제외, 총 497명을 대상으로 양 · 한방 치료를 받은 경력이 없는 사람(대조군)과 양약 복용군, 한약복용군으로 나누어 분석하였습니다.
2. 분석 결과, 양약 복용군에서는 Albumin OR(Odds Ratio) 1.01, total bilirubin 1.05, AST 1.04, ALT 1.05, LDH 0.97, rGT 0.87이었으나 한약 복용군은 Albumin OR 1.00, total bilirubin 0.96, AST 0.88, ALT 0.80, LDH 1.00, rGT 0.70으로 전체적으로 낮게 나타났고 또한 참고치(정상범위)를 초과한 사람들은 total bilirubin이 2.6%, AST는 8.5%, ALT 18.8%, rGT 19.9%였습니다.
3. 일반적으로 간기능검사를 실시했을 경우 20~30%정도가 참고치를 벗어나기 때문에 이는 특별히 높은 비율로 볼 수 없습니다.

(3) 국내 보고된 간독성 관련 논문 종합분석 [4]

- 한약복용과 간손상과 관련되어 1990년 이후 국내에서 보고된 39편의 연구를 종합할 때 한약 복용 후의 간손상 발생률은 0.59-0.76% 정도로 추정되었습니다.

(4) 한약-양약 병용투여 환자 연구

1. 입원기간 30일 이상인 환자 160명을 대상으로 한 국내연구에서 한약과 양약의 병용투여가 신장, 간장 기능을 평가하는 수치에 악영향을 미치지 않았고, 병용투여환자에서 간기능 검사의 이상소견의 발생율은 양방 내과계 입원 환자의 검사 이상빈도와 유사한 정도의 비율

* 코호트 연구(Cohort studies) : 코호트 연구는 특정 인구집단을 연구대상으로 하고 그 대상으로부터 특정 질병의 발생(예; 간독성, 간손상)에 관여하리라 의심되는 어떤 특성(예;한약복용, 양약복용, 음주, 비만) 과 같은 질병의 원인과 관련된 인자에 폭로된 정보를 수집하는 방법 ex. 공장에서 일하는 노동자가 수은, 납, 중금속등에 노출되면 얼마나 중금속이 축적되는지, 과다음주군에서 얼마나 간 손상에 발병하는지 등을 살피는 것

을 나타내었습니다. [5]

2. 다른 국내연구에서는 입원기간이 14일 이상이면서 한약과 양약이 병용하여 투여된 환자 892명을 대상으로 분석하였고 이 중 약인성 간손상으로 판정된 경우는 약 0.56%(5명)로 나타났고 [6] 입원환자 313명을 대상으로 시행한 전향적 연구에서도 한약 단독사용군에서는 LFT 이상이 발견되지 않았으나(57명중 0명) 한약-양약 병용사용군에서는 이상이 발견(256명 중 6명)되었다고 보고되었습니다. [33]

80-3 한약의 간손상 연구 현황 : 국외

(1) 독일 : 한약치료 받은 1507명 대상연구 [7]

1. 독일에서 한약치료를 받은 1507명을 대상으로 연구한 결과 한약(Chinese drug)으로 ALT가 2배 이상 상승한 경우는 0.9%(13명)였고 이 13명 모두 양약도 복용하고 있었습니다. 8주후 추적검사결과 11명(이중 6명은 한약복용 지속)은 정상범위로 회복되고 나머지 인원도 거의 정상(near normal)으로 회복되었습니다.
2. Licorice root(甘草) Atractylodes macrocephala(白朮)이 함유된 처방의 위험도가 유의성 있는 것으로 나타났습니다. 또한 간손상(A형 간염 등)의 과거력이 있거나 1첩기준 100-120g의 대용량으로 탕약조제시 LFT상승이 있는지 정기적인 모니터링이 필요할 것으로 보입니다.

(2) 일본 : 한약치료 받은 2496명 대상연구 [8]

1. 일본에서 20년간 총 2,496명의 한약 처방을 받은 입원환자 중 한약으로 인한 간손상을 조사한 결과 9명(0.36%)이 한약과 연관되었을 가능성이 있다고 추정되었고 이중 확실히 연관되었다고 판단된 것은 6명(0.24%)이었습니다.
2. 저자에 의하면 외래환자 중 간손상이 발견되면 일반적으로 입원시켰던 것을 감안할 때 외래환자수로 환산시 총 14,616명 중 6명(0.04%)이 한약으로 유발된 간손상으로 판단되었으며 전반적인 상황고려시 진정한 한약유발성 간손상(true incidence of liver injury)은 최대 0.1% 정도로 추정하였습니다.

(3) 홍콩 : 한약치료 받은 1701명 대상연구 [9]

- 홍콩의 두개의 종합병원에서 한약치료를 받은 1701명을 분석한 결과 3명(0.2%)만이 한약에 의한 부작용으로 입원치료를 받았으며 이중 1명은 大棗로 유발된 Angioneurotic edema이었고 다른 1명은 甘草로 유발된 hypokalemic periodic paralysis이었습니다.

80-4 간독성 유발 사례 (양약)

(1) 스페인 : 간독성 보인 461명 대상연구 [10)]

- 10년간 약인성 간독성이 발생한 461건을 분석한 결과 amoxicillin-clavulanate가 단일약물로는 59건으로 가장 많았고 전체적으로 antiinfectious가 32%, systemic antibiotics가 22%, NSAID계 약물이 11.8%를 차지하였습니다. Medical herb는 2%(9건)로 나타났습니다.[4]

(2) 이스라엘: LFT 이상보인 156명 대상 연구 [11)]

- 이스라엘의 1차의료기관에서 10개월의 관찰기간동안 간기능검사(LFT)이상을 보인 156명을 분석한 결과 그 원인은 비알코올성 지방간, Gilbert' s disease, 급성 간염, 알코올성 간질환, 간경화 및 약인성간손상 등 다양한 원인이 작용하는 것으로 보고하였습니다.

(3) 미국 DILIN 연구결과 [12,34)]

1. 미국 DILIN(약인성 간손상 네트워크)에서 체계적으로 약물복용과 독성발현에 대해서 모니터링하였으며 총 300예의 원인을 분석한 결과 단일처방약물이 73%, 복합처방이 18%, 식이보조제(건강보조식품, 서양허브, 한약 등)가 9%를 차지하였습니다.
2. 간손상을 유발한 약물들을 자세히 살펴보면 항균제(항생제, 항결핵제 등) 45.5%, 중추신경작용제(항경련제, 항정신병제 등) 15%, 면역조절제 5%, 진통제(NSAID, 근이완제) 5%, 항고혈압제제 5%, 항고지혈증제 3.4%의 비율을 보였습니다.
3. 최근의 추가적인 연구에서는 7일 이내의 잠복기(latency)를 보인 간손상 환자의 71%는 항균제가 원인으로 파악되었으며 사망률(mortality)에 있어서는 잠복기간이나 연령의 차이는 없었고 대신 기존의 간질환이 있거나 피부병변이 동반된 환자들에게 유의하게 높았습니다.[34)]

(4) Acetaminophen으로 인한 간손상 [13)]

- 미국에서 acetaminophen 복용후 간손상으로 입원한 환자 71례를 분석한 결과 그 중 5건은 4g 이하의 상용량을 복용했음에도 간손상이 유발된 바 있습니다.

80-5 간독성 유발사례 (한약)

(1) 주요 유독 한약재의 실험적 분석결과 [14]

1) 부자속 (Aconitum속) : 附子, 川烏, 草烏, 白附子
2) 대극과 (Euphorbiaceae) : 甘遂, 巴豆, 大戟, 續隨子
3) 천남성과 (Araceae) : 天南星, 半夏

1. 본 실험에서 투여한 상기 유독 한약재의 용량에 대한 CBC 및 생화학 분석에서 간 독성과 관련한 의미있는 변화는 관찰되지 않았습니다.
2. 일차적으로 정확한 포제를 통해 독성물질을 제거한 후 사용하여야 하며 사용할 때에도 사용량이나 사용기간에 각별한 주의가 요구됩니다.

(2) 단일 약재로 인한 간독성 유발 사례

1. 황금(黃芩, Scutellaria baicalensis)에 포함된 skullcap diterpenoid(SCD)이 간독성을 유발할 수 있다는 보고가 있는 반면 또 다른 성분인 baicalin 등은 간보호작용이 있는 것으로 보고되었습니다. 국외에서 황금으로 인한 간손상이 보고된 증례의 대부분은 Scutellaria lateriflora으로 인한 것이며 국내에서 사용되는 황금과는 다른 종에 속합니다.[15]
2. 백굴채(白屈菜, Chelidonium majus), 백선피(白鮮皮, Dictamnus dasycarpus), 곡기생(槲寄生, Mistletoe, Viscum album) 등으로 유발된 간손상 사례도 보고된 바 있고 [15] 이 외에도 임상적 또는 경험적으로 창이자(蒼耳子), 천련자(川楝子), 연분(鉛粉), 마황(麻黃), 반하(半夏), 감초(甘草), 현호색(玄胡索), 하수오(何首烏), 고련피(苦楝皮) 등의 간독성 관련가능성이 알려져 있습니다.[16]

(3) 복합처방으로 인한 간독성 유발 사례

1. 일본에서 柴苓湯(TJ-114)를 투여한 후 황달을 동반한 급성 간염이 나타난 1례가 보고되었으며 간 손상의 원인약물은 半夏로 추정되었습니다.[17] 小柴胡湯 투여 후 독성간염이 발현된 예들도 있으며 간독성이 유발될 때까지의 기간은 평균 2개월 정도 소요되었고 원인약물은 黃芩으로 추정되었습니다.[16,18-19]
2. 그 밖에 大柴胡湯[20], 六味地黃元[21], 淸血降氣湯[22], 加味五積散[23] 등에서도 간독성으로 발현된 사례 등이 보고된 바 있습니다.
3. 간독성의 보고에는 대체식물이 사용된 경우, 중금속에 오염된 경우, NSAIDs 등의 약물과 함께 복용한 경우 등 약물 이외의 다양한 변수들이 함께 작용하는 경우들이 있습니다. [24,25]

80-6 간독성 관련 주의사항

(1) 약물 독성과 개인별 특성

1. 양약이든 한약이든 일정정도의 안전성이 확보된 약물이라 하더라도 각 개인에 따라 언제든지 약제유발성 간손상이 유발될 위험성은 존재합니다. 이는 약제 대사에 관여하는 각종 효소(cytochrome P450 : [참조항목 : 78-1 (2)])의 다양성이 각 개인마다 다르고, 면역학적 특이반응 간장애의 경우 약물대사 산물에 의해서 cytochrome P450의 다형성뿐 아니라 MHC 분자의 다형성이 각 개인마다 다르기 때문입니다. 일반적으로는 대사능력이 왕성한 사람(rapid metabolizer)일수록 약물에 대한 효능이 약하고, 대사능력이 약한 사람(poor metabolizer)일수록 동일한 약물에도 강하게 작용되는 특성이 있습니다.
2. 항생제, NSAID, Tylenol, Statin계 약물 등 흔히 처방되는 양약도 간독성을 유발할 수 있는 경우가 많습니다. 하지만 보통 초진 또는 입원시 LFT를 실시하고 이후에도 주기적으로 LFT 검사를 시행하여 이상이 발견되면 약물을 중단시키고 간보호제를 투약하게 됩니다. 따라서 한약보다 독성유발 가능성이 높다 하더라도 보통 조기에 이상을 발견하므로 황달 및 약물성 간염까지 이르는 경우가 적어지게 됩니다.
3. Pittler 등은 세계적으로 한약 사용인구가 많은 것에 비하여 보고된 간독성 사례가 상대적으로 매우 적음을 지적하였고 이는 한약으로 인한 이상반응보고가 많이 안되었을 가능성도 있지만 일반적으로 상용되는 양약에 비하여 상대적으로 보다 안전할 가능성이 높기 때문으로 보기도 하였습니다.[26]

(2) 간독성과 글루타치온(Glutathione)

1. 간세포 내에서 합성되는 Glutathione (GSH)* 은 항산화 및 약물대사에 관여하는 작용을 하는데 한약의 간독성과 예방 기전의 이해에 중요한 역할을 합니다.
2. 한약 및 약물로 인한 간독성은 대부분 1) P450 대사과정에서 주로 발생하는 산화적 스트레스(ROS)로 인한 간독성과 2) 외인성 물질이 생체전환하면서 생성된 활성중간대사체(reactive intermediates)로 인한 간독성으로 발생합니다. 글루타치온은 산화적 스트레스를 억제하는 기능도 하지만 특히 활성중간대사체와 포합(conjugation)하여 제거하는 주된 생체기전이므로 모든 독성물질의 무독화(detoxification) 기전의 핵심이 됩니다.
4. 현재까지 플라보노이드 등 다양한 식물성 식이성분이 글루타치온 생성에 필수적인 GCL 효소 합성을 돕는 것으로 보고되었는데 한약재로는 감초(甘草), 대산(大蒜), 대계(大薊, 특

* 분자구조에 Sulfhydryl(SH) 기를 가지고 있기에 GSH(Glutathione Sulfhydryl)로 표기하기도 함

히 Silymarin 성분) 등이 글루타치온의 활성 또는 생성에 기여하는 역할을 하는 것으로 보고된 바 있습니다.[35,36]

(3) 임상시 주의사항

1. 임상에서 간독성으로 인한 문제발생을 최소화 하려면 한약투여전 LFT검사(AST, ALT 등)를 의뢰하여 문제될 우려가 있는 환자군은 배제 또는 주의하는 것이 좋으며 한약 투여 이후라도 2주 또는 4주 후 LFT 추적검사를 의뢰하여 이상 유무를 판단하도록 합니다. 특히 간질환 또는 간염보균자, 과음자, 간독성 기왕력자, 약물 장기복용자, 심한 피로 등을 호소하는 환자 등에서 확인이 필요합니다.
2. 비만 치료를 위한 한약 복용시에도 장기간의 금식 또는 소식 등으로 영양이 부족해지면 간세포 내의 글루타치온(GSH)의 생성도 감소하게 되고 따라서 평상시 상태보다 쉽게 간손상이 유발될 수 있는 조건이 됩니다.
3. 통계적으로 한약 투여와 간독성과 관련하여 가장 취약한 연령대는 어린이와 50세 이상의 여성층으로 나타났습니다.[16]

Tip 처방약물의 용량

- 1일 2첩(하루 2~3회 분복)을 기준으로 하여 용량을 제시하는 상당수의 국내 문헌과는 달리 중국, 일본 등의 문헌에서는 1일 1첩(하루 2회 분복), 즉 하루분 용량을 기준으로 하여 처방이 제시된 예가 대부분입니다. 특히 기존 처방보다 지나치게 많은 용량의 처방이라면 정확한 1일 용량을 재확인하고 투여하시기 바랍니다.

80-7 한약의 신독성

(1) 신독성 연구 현황

1. 이상욱 등이 1개월 이상 한약, 양약이 병용투여된 뇌졸중 환자 160명에서 신장기능을 나타내는 BUN, creatinine이 악화되지 않았으며 신헌태 등의 연구결과에서도 신기능에 이상을 유발하지 않는 결과를 보고한 바 있습니다.[5,27]
2. 또한 한약을 복용한 환자 152명을 대상으로 입퇴원시 신기능 검사 수치를 비교한 결과, creatinine, BUN은 퇴원시 전체적으로 유의하게 감소하는 경향을 보였습니다.[28] 김 등은 정상 신기능을 갖고 있는 환자들은 한약 전탕액을 장기간 연용하였을 때 BUN, Creatinine이 4주 후 유의하게 감소하여 오히려 신장 보호효과가 있었고 GFR 10ml/min 이하의 CRF

환자 11명에게 투여한 경우에도 신기능이 악화되지 않는 결과가 보고되었습니다.[29]

3. 실험연구상으로는 천초근(茜草根, Madder, Rubia akane)에서 신장발암성이 있는 것으로 보고된 바 있으며 최근에는 익모초(益母草)의 장기간 또는 고용량의 복용으로 유래된 신독성이 보고된 바 있습니다.[30,32]

(2) 아리스토로킥산 신병증 (Aristolochic Acid Nephropathy AAN)

1. 원인식물 : 광방기(廣防己, Aristolochia fangchi), 관목통(關木通, Aristolochia manshuriensis), 마두령(馬兜鈴), 청목향(靑木香, Aristolochia Mollissemae) 등
2. 전통 한약이 아닌 불법 대체 약물(광방기, 관목통)에 함유되어 있는 Aristolochic acid에 의해 발생하는 신독성 질환을 의미합니다. 서양에서는 Chinese Herb Nephropathy이라는 용어를 사용하기도 하였으나 마치 한약 전체가 독성 신병증을 유발시킨다는 오해의 소지가 있어 AAN으로 용어가 변경되었습니다.
3. 해당 약물은 중국산 불법대체약물이었고, 한의약의 관리체계가 허술한 유럽등지에서 한의학의 전문지식이 부족한 다이어트 클리닉에서 사용되어 발생한 문제이며 국내에서 발생한 4건도 모두 한의사의 진료 없이 임의로 불법 대체 한약재를 사용하여 발생하였습니다.[31]

REFERENCES

1. 윤영주, 신병철, 장인수 외. 간손상 관련 한약 안전성 연구의 개선을 위한 한약인성 간손상 조사표 제안. 대한한방내과학회지. 2009;30(1):181-190.
2. 배종면, 박병주, 이무송, 김동현, 신명희, 안윤옥. 건강한 한국 성인남성의 자가약물복용력에 따른 간기능장애 발생여부 조사. 예방의학회지 1996;29(4) 801-14
3. 박해모, 신헌태, 이선동. 한·양약 복용이 간기능이상에 미치는 영향에 대한 연구. 대한예방한의학회지. 2007;11(2):23-39.
4. 윤영주, 신병철, 이명수 외. 한약 복용이 간기능에 미치는 영향 :국내 문헌에 대한 체계적 고찰. 대한한방내과학회지 2009;30(1) :153-172.
5. 이상욱, 박성욱, 이형철, 고창남, 윤성우, 한지영. 뇌졸중환자에서 한약과 양약의 병용투여가 간장 및 신장에 미치는 영향. 대한한방내과학회지 2003;24(1):68-74
6. Kim NH, Jung HY, Cho SY et al. Liver enzyme abnormalities during concurrent use of herbal and conventional medicines in Korea: A retrospective study. Phytomedicine. 2011 Jul 28. [Epub]
7. Melchart D et al. Monitoring of liver enzymes in patients treated with traditional Chinese drugs. Complement Ther Med. 1999 Dec;7(4):208-16.
8. N. Mantani et al. Incidence and clinical features of liver injury related to Kampo (Japanese herbal) medicine in 2,496 cases between 1979 and 1999: Problems of the lymphocyte transformation test as a diagnostic method. Phytomedicine 2002;9(4)280-7
9. Chan TYK, Chan AYW, Critchley JA. Hospital admissions due to adverse reactions to Chinese herbal medicines.J Trop Med Hyg. 1992;95(4):296-8.
10. Andrade RJ, Lucena MI et al. Drug-induced liver injury: an analysis of 461 incidences submitted to the Spanish registry over a 10-year period. Gastroenterology. 2005 Aug;129(2):512-21.
11. Vinker S, Nakar S, Nir E, Hyam E, Weingarten MA. Abnormal liver function tests in the primary care setting. Harefuah. 1998 Aug;135(3-4):89-92, 168.
12. Chalasani N et al. Causes, clinical features, and outcomes from a prospective study of drug-induced liver injury in the United States. Gastroenterology. 2008;135(6):1924-34

13. Schiødt FV, Rochling FA, Casey DL, Lee WM. Acetaminophen toxicity in an urban county hospital. N Engl J Med. 1997 Oct 16;337(16):1112-7.
14. 김정숙 외. 유독 한약재의 한방 임상에서 통상 투여 용량에 의한 간독성 연구. 독성물질 국가관리사업연구보고서 제1권 2002;Vol.1, 536-68.
15. 장인수, 이선동, 한창호 외. 최근 독성 문제가 제기된 한약재에 대한 고찰. 대한한의학회지 2007;28(1):1-10.
16. 박영철, 박해모, 이선동. 독성학적 측면에서의 한약에 의한 간독성 유발과 기전. 대한한의학회지. 2011;32(4):48-67.
17. Aiba T, Takahashi T, Suzuki K, Okoshi S, Nomoto M, Uno K, Aoyagi Y. Liver injury induced by a Japanese herbal medicine, sairei-to (TJ-114, Bupleurum and Hoelen Combination, Chai-Ling-Tang) R1. J Gastroenterol Hepatol. 2007 May;22(5):762-3.
18. Itoh S, Marutani K, Nishijima T et al. Liver injuries induced by herbal medicine, syo-saiko-to (xiao-chai-hu-tang). Dig Dis Sci.1995;40:1845-1848.
19. Hsu L, Huang Y, Tsay S et al. Acute Hepatitis Induced by Chinese Hepatoprotective Herb, Xiao-Chai-Hu-Tangerb, J Chin Med Assoc. 2006;69(2):86-88.
20. Chitturi S, Farrell GC. Herbal hepatotxicity: an expanding but poorly defined problem. J Gastroentral Hepatol 2000;15:1093-1099.
21. 김미랑 외. 육미지황원 투여 후 발생한 간독성 간염 1예. 대한한방내과학회지. 2002:23(4):716-721
22. 고흥 외. 한약과 양약의 장기간 사용에서 발생한 급성약물중독성 간염 치험 1례. 대한한방내과학회지 1999;20(2):427-434
23. 양재훈 외. 한약투여 후 발생한 급성담즙정체성(약제유인성) 간염 치험 1례. 대한한방내과학회지 2001;22(2):221-226
24. Stickel F, Patsenker E, Schuppan D. Herbal hepatotoxicity. J Hepatol. 2005;43(5):901-10.
25. Schiano TD. Liver injury from herbs and other botanicals. Clin Liver Dis 1998;2:607-630.
26. Pittler MH, Ernst E. Systematic review: hepatotoxic events associated with herbal medicinal products. Aliment Pharmacol Ther. 2003;18(5):451-71.
27. 신헌태 등. 한 · 양약복용과 신기능 관련성의 연구. 대한예방한의학회지. 2004;8(2):157-171
28. 이현의 외. 입원환자에게 투여한 한약이 간기능 및 신기능에 미치는 영향. 대한한방내과학회 추계학술대회지. 2006;1-10
29. 김동웅, 이언정, 김형균, 안일회, 김승모, 권문현, 이승무, 허재혁. 상용 한약복합 처방의 장기간 연용 투여가 신 기능에 미치는 영향에 관한 고찰. 대한한의학회지. 1994;15(1):410-8.
30. Hirose M. Toxicity and carcinogenicity of Madder color in F344 rats. 국립독성연구원 제3차 특성물질 국가관리사업 국제심포지엄 초록집. 2004;47-71.
31. 이병철 등. Chinese Herb Nephropathy'란 용어는 올바른 것인가?. 한방내과학회지 2000;21(4):543-548
32. Shang X et al. Leonurus japonicus Houtt.: ethnopharmacology, phytochemistry and pharmacology of an important traditional Chinese medicine. J Ethnopharmacol. 2014;152(1):14-32
33. Jeong TY et al. A prospective study on the safety of herbal medicines, used alone or with conventional medicines. J Ethnopharmacol. 2012 Oct 11;143(3):884-8.
34. Chalasani N et al. Features and Outcomes of 889 Patients with Drug-induced Liver Injury: The DILIN Prospective Study. Gastroenterology. 2015 Mar 6. pii: S0016-5085(15)00311-X.
35. 이선동, 박영철. 한약독성학 I. 한국학술정보. 2012 p.184-197
36. 한약 간독성에 대한 일차적 대안은 글루타치온. 민족의학신문. 2014.9.3

81 한약재 안전관리지침

※ 의료용 한약재의 관리

- 의료용 한약재는 식품용 한약재와는 달리 관능검사와 성분검사, 유해물질검사(중금속 및 이산화황)을 통과한 약재만 유통됩니다.
- 식약청 및 관할 보건소 농수산물 검사소 등의 검역을 통해 의료기관에 공급되며 유해물질 검출시 유통된 한약재의 전량 수거 및 폐기가 원칙입니다.

81-1 주요 관리대상 품목

(1) 중독우려품목

1. 감수(甘遂), 부자(附子), 주사(朱砂), 천남성(天南星), 천오(川烏), 초오(草烏), 파두(巴豆), 반묘(斑猫), 반하(半夏), 섬수(蟾酥), 경분(輕粉), 밀타승(密陀僧), 백부자(白附子), 연단(鉛丹), 웅황(雄黃), 호미카(=馬錢子), 낭독(狼毒), 수은(水銀), 보두(寶豆), 속수자(續隨子) 등
2. 한약재수급 및 유통관리규정 『중독우려한약표시제도』에 의한 품목입니다.

(2) 곰팡이독소 관리 대상품목

1. 감초(甘草), 결명자(決明子), 괄루인(括蔞仁), 귀판(龜板), 도인(桃仁), 모과(木瓜), 반하(半夏), 백자인(柏子仁), 백편두(白扁豆), 빈랑자(檳榔子), 산조인(酸棗仁), 연자육(蓮子肉), 울금(鬱金), 원지(遠志), 육두구(肉荳蔲), 지구자(枳椇子), 파두(巴豆), 행인(杏仁), 홍화(紅花) 등
2. Aflatoxin 발생이 우려되므로 중점적으로 관리해야 할 품목입니다. 냉장보관하여 관리하되 개봉된 품목의 약재는 밀폐용기에 넣어 냉장보관하도록 합니다.

Tip 곰팡이와 곰팡이독소(Aflatoxin)의 특징

- 공기 중에는 곰팡이 포자가 늘 존재하는데 상대습도 8~90%, 온도 25~30℃의 온난다습한 환경을 좋아하며 생명력이 강하여 약간의 탄소만으로도 생존할 수 있습니다.
- 곰팡이의 일종인 Aspergillus flavis, A. parasiticus 및 Penicillium puberulum 등 곰팡이의 대사산물인 Aflatoxin은 섭씨 240~300도에서 독소가 파괴되는데 물에 녹지 않으며 끓여서 없어지지 않습니다.

- 일반 음식물 중에는 땅콩, 캐슈넛 등의 견과류나 대두류, 된장, 옥수수 및 곡류 등에서 검출되고 있으며 식약청의 아플라톡신 허용기준은 10 ppb (part per billion)입니다.

(3) 의약용 한약재와 식약공용한약재 품목 [2)]

1. 대한약전 등에 수재된 한약재 520개 품목 중 189개 품목은 식품용으로도 사용이 가능한 식약공용한약재에 해당합니다.
2. 식약공용한약재라도 식품용으로 분류되는 경우와 의료용(의약용)으로 분류되는 경우의 관리 및 수입절차는 서로 다릅니다.
   ① 식품용 한약재 : 매 수입시 지방청 직원에 의한 관능검사(위생검사), 최초수입시 유해물질검사, 적합시 이후 검사 면제, 재수입시는 무작위표본조사
   ② 의료용 한약재 : 매 수입시 검사위원에 의한 관능검사(기원, 위변조 검사 포함), 매수입시 정밀검사(94품목) 및 유해물질검사

81-2 한약재 안전관리 관련사항

(1) 한약재의 보관

1. 한약장 및 한약보관 장소는 탕전실과는 별도의 공간에 설치하여 적정온도(15℃ 이하)와 습도(50% 이하)로 유지하도록 합니다.
2. 곰팡이 및 한약재의 변질을 방지하기 위해 한약보관시설 및 한약장에 에어컨 및 환풍장치 등의 설치가 적극 권장됩니다. 곰팡이 발생과 산패가 용이한 유지류, 동물성 약재나 환·산제는 밀폐용기를 이용하거나 진공 포장하여 냉장 보관합니다. 플라스틱 용기는 고습상태에서 내부 표면의 미세결로를 일으켜 곰팡이 발생의 원인을 제공하므로 한약장 대용으로는 권장되지 않습니다.
3. 곰팡이독소는 독소분석에 의해서만 판정가능하며, 곰팡이가 눈에 보이지 않는다고 독소가 없는 것은 아닙니다. 곰팡이 오염과 세균 오염은 육안으로 관찰되는 상태라면 이미 걷잡을 수 없는 상황이고 일단 곰팡이가 발생한 품목은 털거나 씻어도 소용이 없으므로 반드시 폐기 하도록 합니다.

(2) 기타 변질에 주의해야 할 품목

1. 육계(肉桂), 후박(厚朴), 두충(杜仲) 등의 수피류(樹皮類) 한약재는 외층의 코르크층이 충분히 제거된 것을 사용합니다. 갈근(葛根), 감초(甘草), 식방풍(植防風), 당귀(當歸), 황기(黃

芪), 백지(白芷) 등은 흡습이 용이하고 당도가 높고 전분이 풍부하여 곰팡이 생성이 용이하므로 주의합니다.

2. 산약(山藥), 원지(遠志), 파극(巴戟) 등 약재는 내부 균열이나 약재의 내공(內空)이 있어 곰팡이 생성이 용이하고 석창포(石菖蒲), 사삼(沙蔘), 길경(桔梗), 만삼(蔓蔘), 천궁(川芎) 등은 굴곡이 있고 외피가 고르지 않은 약재여서 곰팡이 생성이 용이합니다.
3. 반하(半夏: 半夏薑製), 천남성(天南星: 牛膽南星), 신곡(神麯) 등의 약재는 포제, 건조 과정 중에 곰팡이 생성이 용이하므로 신속한 건조가 요망됩니다.
4. 진피(陳皮), 지각(枳殼), 형개(荊芥) 등의 육진양약(六陳良藥) 약재는 곰팡이에 취약하고 구기자(枸杞子), 오미자(五味子), 지황(地黃), 생강(生薑), 대추(大棗), 용안육(龍眼肉), 육종용(肉蓯蓉) 등의 수분 함량이 현저히 높은 약재도 주의가 요망됩니다.

(3) 한약재 중 유해물질(중금속 등) 관련 연구

1. 중금속과 관련되어 대표적으로 많이 논란이 되었던 카드뮴(Cd)의 경우 2011년 이전까지는 식물성 한약재 417종 전품목의 국내 기준은 0.3ppm이었으며 이는 매끼 수십년간 한 번도 빠지지 않고 섭취할 때의 중독기준에 해당합니다.
2. 이는 중국이 1ppm, 유럽연합(EU)이 0.5ppm에서 약재에 따라 1-4ppm으로 관리되는 것에 비하여 훨씬 엄격한 수준으로 수년 이상 재배되는 경우가 많은 한약재의 특성이 고려되지 않았고, 국민들이 일상적으로 섭취하는 쌀(현미)의 기준 0.4 ppm이나 소금 0.5 ppm, 생선 · 조개 등 어패류 2.0 ppm에 비해서도 지나치게 상향된 기준이 사용된다는 의견도 있었습니다. 이에 2011년 8월 카드뮴 기준개정을 통하여 20종 품목의 기준이 상향되었고 나머지 397종은 기존대로 0.3ppm으로 유지중입니다.*
3. 특히 연구결과상 탕제로 조제하였을 때의 카드뮴의 이행률은 6.7%에 불과하고 잔류농약 또한 탕제과정을 거친 후에는 평균이행률이 약 4%에 불과하여** 대부분 한약재가 탕제의 형태로 환자들에게 투여되는 현실을 고려하면 일부 미량의 성분이 있다 하더라도 환자에게 미치는 영향은 미미할 것으로 판단됩니다.[3] 실제 환자대상의 연구에서도 한약소비로 인한 중금속노출은 극히 미미한 수준이고 실제 인체에 미치는 위해성도 거의 없다고 할 수 있는 수준이었습니다.[4]

---

* 세신 오약 저령 택사 황련 등은 1.0ppm으로, 계지 목향 백출 사삼 사상자 속단 아출 애엽 용담 우슬 육계 인진호 창출 포공영 향부자는 0.7ppm 으로 기준상향 [6]

** 단 열수처리 등과 같은 별도 가공처리과정 없이 환제의 제형으로 투여할 경우, 카드뮴의 이행률은 86.6%, 잔류농약의 경우는 70% 정도의 결과를 보입니다. 또 다른 연구에서는 한약재의 물세척만으로도 중금속이 20-38% 제거되어 중금속 함량을 기준치보다 낮출 수 있었다는 보고도 있었습니다. [7]

4. 결론적으로 한약은 완전히 안전하다고는 할 수 없지만 의료용으로 관리된 한약재를 전문의료진의 진료하에 투여되어 치료목적으로 적절히 활용하는 수준이라면 지나치게 우려할 필요는 없을 것으로 판단됩니다. 이는 일상적으로 섭취하는 쌀, 김치에서 미량의 카드뮴, 납이 검출되어도 섭취에 특정한 제한을 두지 않거나 참치, 고등어 등에서 일정량의 수은이 검출되어도 적절한 섭취로 인한 혜택(benefit)이 위험(risk)을 훨씬 상회하므로 임신 등의 특수한 경우를 제외하고는 일반적으로 적절한 섭취가 권장되는 것과 유사한 맥락이라 할 수 있습니다.[5)]

REFERNECES

1. 대한한의사협회. 한약재 안전관리지침. 2008.
2. 송보경. 식품·의약품 공용한약재 관리방안 연구. 식품의약품안전청. 2007
3. 한국과학기술연구원. 한약재 중 유해물질 모니터링 및 가용 섭취율 분석 연구 : 중금속, 잔류농약, 잔류이산화황. 식품의약품안전청. 2006
4. 이선동, 정진용, 최경호 외. 한약재 복용으로 인한 한국인의 중금속 섭취량 및 위해성 평가연구. 한국환경보건학회지. 2010;36(1):14-19.
5. Ramon R, Murcia M, Aguinagalde X et al. Prenatal mercury exposure in a multicenter cohort study in Spain. Environ Int. 2011;37(3):597-604.
6. 계지 등 한약재 20품목 카드뮴 기준 개정. 한의신문. 2011.8.29.
7. 이승훈, 최호영, 박창호. 한약재 내 중금속 함량분석 및 물세척 효과. 한국생물공학회지. 2003;18(2):90-3.

82 의료사고의 예방

82-1 의료사고 개요

(1) 의료사고의 구분 [1]

1. 의료사고 : 의료행위의 시작부터 끝까지의 전 과정에서 야기된 예기치 않은 불상사. 병실바닥이 미끄러워 넘어진 경우나 기구결함으로 환자가 다친 경우도 포함됩니다.
2. 의료과오(과실) : 의사가 환자를 치료함에 있어 환자의 생명, 신체의 완전성을 침해한 결과를 일으킨 경우. 의료사고가 발생하였다 하더라도 의사과실은 인정되지 않는 경우가 적지 않습니다.
3. 의료분쟁 : 의료과실이라는 개념 하에 의료제공측과 환자측 상호간에 다툼이 되는 것
4. 의료소송 : 과실이 있는지의 여부에 관하여 제기되는 소송

(2) 의사의 의무와 면책사례

1. 의사의 비밀유지의무(principle of confidentiality)의 면제

   예) 환자의 특정개인 또는 사회일반에 대한 모종의 범행계획을 고백한 경우의 비밀유지의무의 여부 : 범행의 개연성이 매우 높을 때는 환자의 비밀유지의무보다는 제3자의 이익이 더 크기 때문에 알려야 합니다. 단 제 3자의 이익은 생명이나 신체상의 위해가 가해질 경우에 한해야 하며 단순한 재산상의 이익이어서는 부족합니다.
2. 의사의 설명의무의 면제 : 응급환자의 경우나 환자가 의료침습의 내용을 잘 알고 있어 설명을 원하지 않는 것을 명시적으로 표시한 경우는 설명의무가 면제됩니다.

82-2 한방의료관련 분쟁실례 [1] [2]

(1) 무면허 행위

- 비의료인이 행한 벌침, 쑥뜸 등의 시술행위 (1992.10.13 대법원선고 92도1892)
- 한의사 면허 없는 자가 한 침술행위 (1994.12.27 대법원선고 94도78)
- 환자의 생년월일로 이른바 음양오행분석을 통하여 한약을 처방한 행위 (1997.2.14 대법원선고 96도2234)

(2) 한방의료행위 관련 의료사고 사례 (시술관련)

- 경거(經渠)에 상향자침하다가 신경근이 손상된 사례
- 협통에 일월(日月), 기문(期門)에 자침 후 호흡곤란 등이 발생하여 X-ray 상 기흉으로 확인된 사례 / 견비통으로 견우(肩髃), 견정(肩井), 아시혈 부위에 침치료 시행 후 귀가중 호흡곤란 및 흉통이 발생하여 X-ray상 기흉으로 확인된 사례
- 좌측 둔부에 약침시술을 시행한후 시술부위에서 경결이 발생하였고 이후 약 2주간 치료를 지속하였으나 상태가 악화되어 타병원에서 봉와직염으로 진단된 사례 (약침액이 흡수되지 않고 경결발생 후 염증으로 진행되었다고 추정)
- 양말을 신은 채로 발에 침을 맞은 후 발적과 부종이 발생하였으나 사혈치료만 시행되었고 후에 우측 제1중족골 골수염으로 진행
- 부항시술부위의 발적 및 증상악화로 피부괴사까지 진행된 사례 (시술부위의 소독이 불충분하여 직접적인 감염이 되었거나 과도한 시술에 의해 피부를 손상시킨 것으로 추정)
- 당뇨환자에게 침치료 시행 후 경피적외선요법을 적용하였고 이후 수포성 화상이 발생이 발생한 사례
- 당뇨환자에게 감각이 둔한 상태를 확인하지 않고 Hot pack을 적용하여 화상 / 하지마목으로 내원한 환자에게 하지의 감각상태를 세밀하게 확인하지 않고 Hot pack을 적용하였다가 화상이 유발
- 양릉천이 위치한 비골소두 부위의 침시술로 비골신경이 손상되어 족하수(foot drop)가 발생한 사례.
- 전중(膻中)에 직자 자침하여 심낭압전(cardiac tamponade)으로 사망 (흉골 위에 선천적으로 존재했던 흉골공(sternal foramen)을 관통하여 자침한 사례)* 5)

(3) 한방의료행위 관련 의료사고 사례 (오진 또는 의사 부주의 관련)

- 심한 설사(탈수) 등으로 보호자에게 업혀 내원한 환자가 한약 처방 1주일 후 자택에서 사망한 사례
- 약국에서 감기증상으로 5일간 양약복용후 호전없어 한의원에서 십전대보탕 가미방 복용 10일 후 독성간염발생 (처방구성에 일반적인 독성간염 유발약재가 없으며 내원 당시부터 심한 피로 등의 증상이 있어 간기능에 상당부분 이상이 있었을 상태였다고 보아 의료과실이 있다고 판단할 수 없음으로 판정)
- 소화불량, 흉부불편감 및 좌측 상완부의 통증을 호소하는 환자가 수시간 후 acute MI로 사망

* 인구의 약 5-8%에서 발견되며 촉진이나 흉부 X-ray로는 확인이 불가능하므로 흉골부는 사자(斜刺)하는 것이 권장됩니다.

- 비만치료로 한약 복용 후 오심, 구토가 있었으나 소화불량으로 판단하고 투약 지속하였으나 황달 발생 및 독성간염 진단
- 제5수지 중위지골 골절상태를 인지하지 못하고 염좌로 오진하여 치료
- 바닥에 넘어져 우측 손목 및 부종을 호소한 요골 원위부 골절 환자를 염좌로 오진하여 2주간 치료
- 축구하다가 넘어져 우하지 장단지 부위 부종과 통증을 호소하며 내원한 아킬레스건 파열 환자에게 약 1개월에 걸쳐 치료한 사례 (치료기간 중 환자에게 정형외과 진료를 권유한 것을 환자가 거부하는 등 환자측 과실이 상당부분 인정된 사고)
- 하반신에 경도의 마비증상으로 내원한 HIVD 환자에게 단순 감각저하로 보고 추나치료를 2일간 시행하였으나 이후 마미증후군으로 판정된 사례 (한의사가 60%의 배상책임 부담)

(3) 한국소비자원 보고자료

1. 한국소비자원이 2006년 발표한 한의약 관련 의료분쟁 실태조사 결과 1999년부터 2005년까지 한의약 관련 피해구제건은 7년간 총 115건(연평균 16.4건)이었고 이 중 독성간염을 포함한 한약물 관련 부작용이 27%, 치료 후 악화가 27%, 침이나 부항 처치후 감염이 11.3%으로 조사된 바 있습니다.
2. 독성간염 22건 중에서 투약 전 간기능의 이상 유무를 확인하지 않은 경우가 15건(68.2%)이었으며, 투약과정 중 나타난 이상증세 호소에 대하여 투약이 지속된 경우는 12건(54.6%)이었습니다.[2] **[참조항목 : 80-5]**

Tip Pneumothorax

1. 침치료의 가장 중대한 부작용 중 하나인 기흉(pneumothorax)은 손상 직후에 흉통, 호흡곤란 등의 증상이 나타날 수도 있지만 손상 후 1-2일 정도 후에 증상이 본격적으로 나타나는 경우도 있습니다. 침치료 시행 2일 이내에 통증, 기침, 호흡곤란 등이 있는 경우는 기흉의 가능성도 고려해야 합니다.
2. 기흉 부위에는 청진음이 들리지 않으므로 청진을 통해서도 일부 추정이 가능하나 X-ray를 통한 진단이 보다 확실한 방법입니다. 가벼운 기흉은 입원하면서 산소(O_2)를 공급하는 등의 보존적 치료로 자연흡수되기도 하고 또는 chest tube를 삽입합니다.
3. 갑작스럽게 심한 호흡곤란이 동반되는 긴장성 기흉(tension PTX)의 경우는 제2늑간(second intercostal space)에 니들감압술(needle decompression)을 긴급하게 시행하여야 합니다. **[참조 항목 : 84-3 (4)]**

82-3 의료사고의 예방

(1) 침 관련

1. **사고비중 :** 자침으로 인한 통증, 출혈과 같은 일시적인 이상반응이나 발침미비 등을 제외하고는 기흉 및 감염관련 사고가 의료사고 중 가장 많은 비중을 차지하므로 이에 대한 예방적인 대처가 중요합니다. 침시술에 관한 12개의 전향적 연구를 종합한 결과에서는 1만번의 시술 마다 0.05회, 1만명의 환자 마다 0.55건의 중대한 부작용이 발생할 가능성이 있는 것으로 나타났습니다.[7,8]
2. **염증 :** 염증으로 인한 경우는 당뇨가 동반되어 감염에 취약한 환자(특히 발 부위)이거나 약침, 봉침 등과 같이 철저한 소독 및 위생적인 시술이 필요한 시술에서 발생되는 경우가 많으므로 진료시 주의하도록 하며 특히 한의사의 책임소재가 명확하지 않은 감염의 경우라도 전원, 협진의뢰 등 적절한 조치를 해야 할 의무는 있습니다. 한방병의원의 감염관리에 대한 지침은 별도의 장을 참조하시기 바랍니다. **[참조항목 : 9-4]**
3. **기흉 :** 평소 건강한 사람(특히 젊은 남성)에게서도 특별한 이유 없이 갑자기 생길 수 있습니다. 자침시 흉벽이 얇은 환자는 항상 특별한 주의가 요망되며 특히 늑골간, 쇄골상와 등에서 많이 발생하므로 해당 부위 자침시 주의합니다.
4. **염좌와 골절 :** 염좌를 주증으로 내원한 환자의 경우 치료의 호전이 없거나 임상양상에서 골절이 의심되는 경우는 영상검사나 협진를 권유하는 등 적절한 주의 및 설명의 의무가 필요합니다.
5. **출혈 :** 자침시에 국소의 작은 혈관이 통과되어 발생하는 경우가 많으며 대부분의 경우 일시적이므로 특별한 처치가 필요하지 않습니다. 와파린과 같은 항응고제를 복용하고 있더라도 일반적인 시술범주에서는 미세출혈 외의 부작용은 거의 없다고 할 수 있습니다.[10] 다만 안구 주변의 혈위에 자침할 경우는 미리 반상출혈(black eye)의 가능성을 설명하고 시술하는 것이 권장되며, 이미 반상출혈이 발생했을 경우에는 출혈흔적이 없어지기 위해서는 약 1주일 정도의 시간이 소요될 수 있음을 설명하도록 합니다.[9]

(2) 뜸, 부항시술, 물리요법(온열요법) 관련

1. **뜸 시술 :** 화상으로 인한 의료사고가 대부분이고 특히 매우 뜨거운 자극임에도 환자가 참다가 발생하는 경우가 많으므로 시술 전 환자에게 충분히 주의점을 설명하도록 합니다.
2. **핫팩과 적외선조사기 :** 핫팩 위로 체중을 실어 눕는 경우나 건부항을 시술하면서 적외선조사기(IR)를 장시간 또는 강하게 적용하는 경우 특히 화상이 발생하기 쉬우므로 주의하도록

합니다.

3. **화상의 예방 :** 각종 온열자극을 가하는 경우 특히 당뇨나 뇌졸중 환자등 감각이 둔한 환자나 의식이 저하된 환자는 강하게 자극되지 않도록 미리 주의하고 적용 후 수분 이내에 피부를 확인하여 과도한 열자극이 가하였는지를 확인하는 방법도 권장됩니다.
4. **감염 :** 침치료 또는 습부항을 시행한 피부 위에 오염된 핫팩 또는 기타 물리요법기구를 적용한 경우 해당 부위가 감염경로가 될 수 있습니다. 습부항이나 침치료 전으로 치료순서를 변경하거나 각종물리요법기구에 물 내신 소독액을 적용하여 피부에 접촉시키는 방법을 고려할 수 있습니다.

(3) 한약 관련

1. **복약지도 :** 투약시에 복약 주의사항과 함께 오심, 구토, 현훈 등 독성간염으로 유발될 것으로 보이는 이상증상 발생시의 조치사항을 충분히 설명하도록 합니다.
2. **병력확인 :** 환자내원시 기왕력이나 복용약물, 알러지 등을 확인해야 하며 가임기 여성의 경우 임신가능성을 염두하고 필요시 환자의 동의하에 투약하는 것이 안전합니다.
3. **간기능검사 :** 간질환 또는 간염보균자, 과음자, 간독성 기왕력자, 약물 장기복용자, 심한 피로 등을 호소하는 환자 등 간기능상태가 이미 좋지 않을 가능성이 있는 경우는 한약투여 전에 LFT검사(AST, ALT 등)를 의뢰하여 문제될 우려가 있는 환자군은 배제 또는 주의하는 것이 좋으며 한약 투여 이후라도 2주 또는 4주 후 LFT 추적검사를 의뢰하여 이상 유무를 판단하도록 합니다. 비만치료 등의 목적으로 장기간 절식 또는 소식을 하고 있다면 기존에 비교적 안전했던 약물에서도 쉽게 간손상이 유발될 수 있으므로 증상 변화에 주의합니다.
4. **신기능검사 :** 신장관련질환 기왕력이 있는 환자의 경우 한약투여전 또는 투여 후에 BUN, Cr 등의 신기능 검사결과를 확인해 보는 것이 안전합니다. 추후 문제 발생시 직접적인 인과관계가 밝혀지지 않더라도 한약으로 인한 증상악화의 가능성을 완전히 배제하기 어려울 수 있기 때문입니다.
5. **전원 또는 협진의뢰 :** 한약으로 인해 발생한 것으로는 보이지 않는 이상증상 발현의 경우라도 이를 방치하지 말고 전원, 협진의뢰 등의 적절한 조치를 해야 할 의무가 있습니다.

82-4 의료사고 대처방안

1. 기본적으로 의료사고가 자주 발생하는 유형을 파악하고 이에 대한 예방대책을 세우는 것이

중요합니다. 필요시 민영보험사의 의료사고배상보험 등의 가입도 고려합니다.

2. 의료사고 발생시에는 환자의 안전에 대한 확인과 적절한 처치가 우선이며 이후에는 현장의 당사자나 소속진료과 단독으로 판단하거나 대응하지 말고 병원전체 또는 조직적인 협력하에 판단하고 대응하는 것이 권장됩니다.[3]

권장사항	주의해야 할 사항
의무기록의 검토 환자/가족에게 설명할 담당자창구를 일원화 필요시 배상보험회사에 접수 무엇이 문제인지 들어주는 자세 본인도 충분히 염려하고 있음을 표시	감정적 대립이나 무시하는 듯한 언행 병원측은 무조건 잘못이 없다는 자세 불확실한 상황에서 사고원인에 대한 견해를 표시 의료배상보험에 가입했다고 하는 것 무조건적인 합의금 지급

3. 최근에는 의료진이 지나치게 경직되거나 정보를 차단하려는 자세보다는 적절한 공감(empathy)과 유감(sorry)의 표시를 하고 해당 사안에 대하여 명확하면서도 투명하게 처리할 것임을 보여주는 "Sorry Works"의 방식이 권장되기도 합니다. 이는 특히 의료사고 이후에 의료진이 지나치게 기계적이고 방어적으로 대응하거나 의사소통 통로를 차단함으로써 오히려 환자 또는 환자가족의 분노(anger)가 더욱 커지고 결과적으로 소송을 더욱 촉발시킬 수 있다는 점에서도 참고해야 할 부분입니다. 물론 상황파악이 제대로 되지 않은 상황에서 섣불리 잘못을 인정하는 사과(apology)도 문제될 수 있으므로 주의합니다.[11,12]

REFERENCES

1. 한의의료사고백서. 현대메드인. 2001
2. 한국소비자원. 한의약 관련 의료분쟁 실태조사. 2006
3. 서흥석. 의료사고제로북. 의학신문사. 2007
4. 야노 타다시. 주현욱 역. 침구 금기 매뉴얼. 대성의학사 2005;서울
5. Halvorsen TB, Anda SS, Naess AB, Levang OW. Fatal cardiac tamponade after acupuncture through congenital sternal foramen. Lancet 1995;345:1175.
6. Elmar T. Peuker et al. Traumatic Complications of Acupuncture. Arch Fam Med. 1999;8:553-558.
7. Witt CM, Pach D, Brinkhaus B et al. Safety of acupuncture: results of a prospective observational study with 229,230 patients and introduction of a medical information and consent form. Forsch Komplementmed. 2009;16(2):91-7
8. White A. A cumulative review of the range and incidence of significant adverse events associated with acupuncture. Acupunct Med. 2004;22(3):122-33.
9. 구성태, 김승태, 박히준 외. 침구시술 안전가이드. 군자출판사. 2011.
10. Mcculloch M et al. Acupuncture safety in patients receiving anticoagulants: a systematic review. Perm J. 2015;19(1):68-73.
11. http://www.sorryworks.net [2015년 5월 접속]
12. 더그 워체식 외. 쏘리웍스 :의료분쟁 해결의 새로운 패러다임. 청년의사. 2009.

부록

약어 및 색인

부록

주요 약어

* 병원내 상용약어들의 의미 위주로 실었으며 본 책자 내용 이외의 약어풀이는 약어사전이나 인터넷검색 등을 별도로 활용하시기 바랍니다. 일부 약어들의 경우 병원마다 의미가 다르게 사용될 수 있습니다.

* &(=and)기호는 알파벳 A에 준하여 기재하였습니다.

A

A	평가, 사정 Assessment
AAA	복부대동맥류 Abdominal Aortic Aneurysm
AAP	(약물) 아세트아미노펜 Acetaminophen (=Tylenol)
Ab	항체 Antibody
Abd	복부 Abdomen
ABGA	동맥혈가스분석 Arterial Blood Gas Analysis
ABR	절대안정 Absolute Bed Rest
a.c.	식전, 식전복용 Ante cibum (=Before meals)
ACA	전대뇌동맥 anterior cerebral artery
ACEI	(약물) 안지오텐신 전환효소 억제제 Angiotensin-converting enzyme inhibitor
ACLS	전문심장소생술 Advanced cardiovascular life support
ACTH	부신피질자극 호르몬 Adrenocorticotropic hormone
Acup.	침치료, 침술 Acupuncture
AD	1) 오른쪽 귀 Auris dextra 2) 알츠하이머병 Alzheimer's disease 3) 아토피성 피부염 Atopic dermatitis
ADF	발목 배측굴곡 Ankle dorsiflexion
ADH	비정형 관상증식증 Atypical ductal hyperplasia
ADHD	주의력 결핍 행동과다 장애 Attention Deficit Hyperactivity Disorder
ad lib	원하는대로 ad libitum (=at pleasure)
AGA	정상체중아, 신생아 Appropriate for Gestational Age
Adm	입원 Admission
ADL	일상생활동작 Activities of daily living
Af (AF)	1) 심방세동 artrial fibrillation (Af) 2) 심방조동 artrial flutter (AF)
AFB	항산균 (결핵검사) Acid-Fast Bacillus
Ag	항원 Antigen
AGE	급성 위장관염(장염) Acute gastroenteritis
AI	대동맥 판막기능부전 Aortic Insufficiency
A/J	발목반사 Ankle Jerk
AKA	무릎위 절단 Above-knee amputation
AKI	급성신손상 Acute kidney injury
Alb	알부민 Albumin
ALIF	전방 요추체간 유합술 Anterior lumbar interbody fusion
ALL	급성 림프구성 백혈병 Acute Lymphocytic Leukemia
AMA	거역퇴원, 의사조언거부 Against Medical Advice
AMI	급성심근경색 Acute Myocardial Infarction
AML	급성 골수성 백혈병 Acute Myelogenous Leukemia
amp	앰플 ampule

AN	간호조무사 Assistant Nurse
ANE	[진료과] 마취과 Anesthetics
ant	전방의 anterior
A/N/V/D/C	식욕부진, 오심, 구토, 설사, 변비 Anorexia/ Nausea/ Vomiting/ Diarrhea/ Constipation
AOM	급성중이염 Acute Otitis Media
AP	전-후 방향의 Anteroposterior
APCT	복부-골반 CT Abdominopelvic CT
aq	물, 수분 water
ARF	급성신부전 Acute Renal Failure
AS	1) 왼쪽 귀 Auris sinistra 2) 대동맥협착 Aortic stenosis
ASA	(약물) 아스피린 Acetylsalicylic acid
AU	양쪽 귀 Auris unitas

B

BAC	기관지폐포암종 Bronchoalveolar Carcinoma
BBB	1) 혈액뇌장벽 blood-brain barrier 2) 각차단 bundle branch block
BBT	기초체온 Basal body temperature
B/C	생화학검사 BioChemistry test
BDZ	(약물) 벤조다이아제핀 Benzodiazepine
b.i.d.	하루에 두번 Bis in die (=twice daily)
b.i.n.	하룻밤에 두번 Bis in nocte (=twice a night)
BKA	무릎아래 절단 Below-knee amputation
BLS	기본인명구조술 (CPR) Basic Life Support
BMD	골밀도검사 Bone mineral density
BMF	모유수유 Breast milk feeding
BMR	기초대사율 Basal Metabolic Rate
BP	혈압 Blood Pressure
BPB	상완신경총 블록 Brachial plexus block
BPH	전립선비대증 Benign Prostatic Hypertrophy
BR	침상안정 Bed Rest
BST	혈당검사 Blood Sugar Test
BT	체온 Body Temperature
BTDF	엄지발가락 배측굴곡 Big toe dorsiflexion
BUN	혈중요소질소 (신기능검사) Blood Urea Nitrogen
BW	체중 Body Weight
Bx	생검 Biopsy

C

c	~와 함께 Cum (=with)
Ca	암, 종양 cancer, carcinoma
CABG	관상동맥 우회술 Coronary artery bypass graft
CAD	관상동맥질환 Coronary Artery Disease
cap	캡슐 Capsule
CB	미추 경막외 신경차단술 Caudal block
CBC	전체혈구계산 (전혈검사) Complete blood count
C/C	주호소증상, 주소증 Chief Complaint
CCB	(약물) 칼슘통로차단제 Calcium channel blocker
CCU	심질환 집중치료실 Cardiac(coronary) Care Unit
CFS	대장내시경검사 Colonofibroscopy (=colonoscopy)
CG	방광조영술 Cystography
CHF	울혈성 심부전 Congestive Heart Failure
CHOP	(항암약물요법)

	Cyclophosphamide + adriamycin + vincristin + prednisolone
CIC	청결간헐도뇨 Clean intermittent catheterization
CIS	상피내 암종 Caicinoma in situ
CIV	지속정맥주입 continuous intravenous infusion
CIx	금기증 Contraindication
CKD	만성신질환 Chronic kidney disease
C-Line	중심정맥관 Central line
CLL	만성림프구성 백혈병 Chronic Lymphocytic Leukemia
CLO test	요소분해효소검사(헬리코박터 검사) Camplyobacter-like organism test
CNS	중추신경계 Central Nervous System
COPD	만성폐쇄성 폐질환 Chronic Obstructive Pulmonary Disease
CP	1)뇌성마비 Cerebral palsy 2)주요문제 Chief problem
CPAP	지속성 기도 양압환기 Continuous positive airway pressure
CPR	심폐소생술 Cardio-Pulmonary Resuscitation
CRF	만성신부전 Chronic Renal Failure
C/S	1) 제왕절개술 Cesarean Section 2) 흉부외과 Chest surgery
CSF	뇌척수액 CerebroSpinal Fluid
CSM	뇌척수막염 CerebroSpinal Meningitis
CSR	중앙공급실 Central Supply Room
CSM	경추증성 척수증 Cervical Spondylotic Myelopathy
C/S/R	기침, 객담, 콧물 Cough/Sputum/Rhinorrhea
CTx	항암치료 Chemotherapy Treatment
CV	심혈관계의 CardioVascular
CVA	1) 뇌혈관사고, 뇌졸중, 중풍 Cerebral Vascular Accident 2) 늑골척추각
	CostoVertebra Angle
CVD	심혈관질환 CardioVascular Disease
CVP	중심정맥압 Central venous thrombosis
CVS	심혈관계 CardioVascular System
C/W	~와 부합하는, ~와 일치하는 Consistent with
Cx	1)부작용 Complication 2)자궁경부 Cervix 3)배양검사 Culture
CXR	흉부 X선검사 Chest x-ray

D

D&C	자궁소파술 Dilatation and Culettage
DAMA	거역퇴원 Discharge Against Medical Advice
D/C	1) 퇴원 Discharge 2) 중단 Discontinue 3) 혈구감별계산 Differential Count
DCIS	유관상피내암 Ductal carcinoma in situ
DDD	퇴행성 디스크질환 Degenerative disc disease
DDx	감별진단 Differential Diagnosis
DER	[진료과] 피부과 Dermatology
DI	요붕증 Diabetes Insipidus
DIC	파종성 혈관내 응고장애 Disseminated intravascular coagulation
diff	혈구 감별계산 Differential count
dil	묽은, 희석된 Dilute
DJD	퇴행성 관절질환 Degenerative joint disease
DKA	당뇨병성 케톤산증 Diabetic Ketoacidosis
DM	당뇨병 Diabetes Mellitus
DNR	심폐소생술 금지 Do Not Resuscitate
DOA	도착시 사망 Dead On Arrival
DOB	출생일

	Date of Birth
DOC	1차 선택약, 우선적 선택약 Drug of Choice
DOE	운동성 호흡곤란 Dyspnea on exertion
DPN	1) 원위부 대칭성 다발신경병증 Distal symmetric polyneuropathy 2) 당뇨병성 말초신경병증 Diabetic peripheral neuropathy
DRE	직장수지검사 Digital Rectal Exam
D/S	(약물) 포도당생리식염액 Dextrose in Saline
DT	진정성 섬마 Delirium Tremens
DTR	심부건반사Delirium Tremens Deep Tendon Reflex
DVT	심부정맥혈전증 Deep vein thrombosis
DW	1) (약물) 포도당수액 Dextrose in Water 2) 증류수 Distilled Water
Dx	진단 Diagnosis

E

EB	탄력붕대 Elastic Band
ECG (EKG)	심전도 Electrocadiogram
ECHO	심초음파 Echocardiogram
ECMO	체외막 산소화법 Extracorporeal membrane oxygenator
ED	[진료과] 응급의학과 Emergency Department
EDB	경막외차단, 경막외블록 Epidural block
EDH	경막외혈종 Epidural Hematoma
EDC	분만예정일 Estimated Date of Confinement
EDD	분만예정일 Estimated Date of Delivery
EDH	경막외 출혈 Epidural hemorrhage
EEG	뇌파도, 뇌전도 Electroencephalogram
EF	(심초음파검사) 박출률, 박출분율 Ejection Fraction
EGC	조기위암 Early gastric cancer
EGD	위내시경 (≒GFS) Esophagogastroduodenoscopy
EKG	심전도검사 Electrocardiogram
EMG	근전도검사 Electromyogram
EMR	1)전자의무기록 Electronic medical record 2)내시경적 점막절제술 Endosopic mucosal resection
E.N.T.	[진료과] 이비인후과 Ear, Nose and Throat
EOM	안구운동 Extraocular movement
ER	응급실 Emergency Room
ESR	적혈구침강속도 검사 Erythrocyte Sedimentation Rate
ESRD	말기 신질환 End Stage Renal Disease
EUS	내시경 초음파 Endoscopic ultrasound
EVL	식도정맥류 결찰 Endoscopic variceal ligation
ext	1) 추출물 extract 2) 팔다리, 사지 extremity

F

F	화씨 온도 Fahrenheit
FBS	공복혈당 Fasting blood sugar
F/C	1) 폴리 도뇨관 Foley Catheter 2) 발열/오한 Fever/Chill
FCC	섬유낭성변화 (유방검사) Fibrocystic change
FEES	내시경적연하검사 Fiberoptic Endoscopic Evaluation of Swallowing
FFP	신선냉동혈장 Fresh Frozen Plasma
F/G	손가락관장, 글리세린관장 Finger & Glycerin enema
F/H	가족력 Family history
FiO2	흡입산소농도 Fraction of inspired oxygen
FM	[진료과] 가정의학 Family Medicine
FSH	난포자극 호르몬

	Follicle stimulating hormone
f/u	추적검사, 추적진료 Follow up
FUO	원인불명열 Fever of Unknown Origin
Fx	골절 Fracture

G

G/A	전신마취 General anesthesia 전반적 외모 General appearance
GB	담낭, 쓸개 GallBladder
GCS	글래스고 혼수척도 Glasgow Coma Scale
GERD	위식도 역류질환 Gastroesophageal reflux disease
GFR	사구체 여과율 Glomerular filtration rate
GFS	위내시경 검사 (≒EGD) Gastrofibroscopy
GGT	감마글루타민 전이효소 Gamma(γ) glutamyl transferase
GI	위장관계의 GastroIntestinal
GN	사구체신염 Glomerulonephritis
GP	1)일반진료의 General Practitioner 2)재태기간 Gestational period 3)임신/출산력 Gravida/para
Gr.	단계 Grade
grav	임신의 gravida(=pregnancy)
GS	[진료과] 일반외과 General surgery
GTT	당부하검사 Glucose Tolerance Test
gtt	방울, 점적(點滴) guttae(=drops)
GY	부인과 Gynecology

H

H2RA	H2 수용체 길항제 Histamine 2 Receptor Antagonist
HA	두통 Headache
H&P	병력청취 및 신체검사 History & Physical exam
Hb,Hgb	헤모글로빈 Hemoglobin
HBV	B형 간염 바이러스 Hepatitis B Virus
HCC	간세포암 Hepatocellular Carcinoma
Hct	헤마토크리트, 적혈구용적 Hematocrit
HCV	C형 간염 바이러스 Hepatitis C Virus
HCVD	고혈압성 심혈관질환 Hypertensive CardioVascular Disease
HD	1)혈액투석 Hemodialysis 2)심장병 Heart disease
HEENT	머리, 눈, 귀, 코, 인후부 Head,eyes,ears,nose and throat
HIVD	추간판탈출증 Herniation of InterVertebral Disc
HNP	수핵 탈출증 Herniated nucleus pulposus
H/O	~의 과거력을 가진 History of
h.p.f.	고배율 High power field
HR	심박수 Heart Rate
HRT	호르몬 대체요법 Hormone replacement therapy
Hs,hs	취침전에 hora somni(=at bedtime)
Ht	키, 신장 Height
HTN	고혈압 Hypertension
Hx	병력 History

I

IBS	과민성 대장증후군 Irritable Bowel Syndrome
ICF	세포내액 Intra-cellular fluid
ICH	뇌내출혈 Intra-cerebral Hemorrhage
ICP	두개내압 Intra-cranial Pressure
ICS	흡입형 스테로이드제 Inhaled Corticosteroid
ICU	집중치료실, 중환자실 Intensive Care Unit
I&D	절개배농술

	Incision and Drainage
IDC	침윤성 관암종 Infiltrating ductal carcinoma
IDD	1)디스크내장증 Internal Disc Disruption 2)디스크내장증 Internal derangement of disc
IDDM	인슐린의존형 당뇨병 Insulin Dependent DM
IGT	내당능장애 Impaired glucose tolerance
IM	1) 근육내의 Intramuscularly 2) 내과 Internal Medicine
Imp	인상, 추정병명 Impression
inf	1)경색 infarction 2)하부의 inferior
Inj	주사, 접종 injection
I/O	섭취량/배설량 Input/Output
IOP	안압 Intra Ocular Pressure
IRB	임상시험 심사위원회 Institutional review board
IU	1) 국제단위 International Unit 2) 면역단위 Immunizing Unit
IUCD	자궁내 피임장치 Intrauterine contraceptive device
IUD	자궁내 (피임)장치 Intrauterine Device
IV	정맥내의 Intravenous
IVF	체외수정, 시험관수정 In Vitro Fertilization
IVH	뇌실내출혈 Intraventricular Hemorrhage
IVP	정맥신우조영사진 Intravenous Pyelogram
Ix	적응증 Indication

K

K/J	무릎반사 Knee Jerk
KUB	신-뇨관-방광 단순X선촬영 Kidney Ureter Bladder
KVO	정맥내 주사로 확보 keep vein open

L

L/A	1)국소마취 Local anesthesia 2)좌심방 Left atrium
Lab	실험실, 검사실 Laboratory
LABA	지속성 베타2항진제 Long-acting Beta2 agonist
LAMA	지속형 무스카린 작용제 Long-acting Muscarinic Antagonist
LAR	저위전방절제술 (직장암수술) Low anterior resection
Lat,	외측, 가측의 Lateral
LBBB	좌각차단 (심장관련) Left Bundle Branch Block
LBW	저체중 출산아 Low Birth Weight
LC	1) 간경화 Liver Cirrhosis 2) 복강경 담낭절제술 Laparoscopic cholecystectomy
LD	치사용량 Lethal Dose
LD50	중간치사용량, 50%치사량 median lethal dose
LDK	요추퇴행성후만증 Lumbar Degenerative Kyphosis
LE	홍반성 루푸스 Lupus Erythematosus
LFT	간기능검사 Liver Function Test
LGA	과체중아 Large for Gestational Age
LIH	좌측 서혜부 탈장 Left inguinal hernia
Liq	액체, 액상의 Liquid
LLL	좌하엽 Left Lower Lobe
LLQ	좌측 하복부 Left Lower Quadrant
LMC	개원의원 Local medical clinic
LMP	최종월경주기(최종 월경시작일) Last Menstrual Period
LMWH	저분자량 헤파린 Low-molecular weighted Heparin
LOC	의식수준 Level of consciousness
LP	요추천자 Lumbar Puncture
L.P.F	저배율의 Lower Power Field

LPR	동공반사 Light Pupil Reflex
LT	간이식 Liver Transplantation
LTRA	류코트리엔 조절제 Leukotriene Receptor Antagonist
L-tube (L/T)	레빈튜브, 비위관 Levin Tube
LUL	좌상엽 Left Upper Lobe
LUQ	좌측 상복부 Left Upper Quadrant
LVH	좌심실비대 Left ventricular hypertrophy

M

M	남성의 Male
MAP	평균혈압 Mean arterial pressure
MBB	내측지 신경차단술 Medial branch block
M/C	가장 흔함 Most Common
MCA	중대뇌동맥 Middle cerebral artery
M/D	정오, 한낮 Mid Day
MDI	조울증 Manic depressive illness 정량분무식흡입기 Metered-dose inhaler
MGR	의학(내과) 학술집담회 Medical Grand Round
MI	심근경색 Myocardial Infarction
MICU	내과집중치료실, 내과중환자실 Medical Intensive Care Unit
MMR	홍역, 볼거리, 풍진 Measles, Mumps, Rubella
M/N	자정, 한밤중 Mid Night
MRM	변형 근치적 유방절제술 Modified radical mastectomy
MRSA	메티실린 내성 황색포도상구균 Methicillin Resistant Staphylococcus Aureus
MS	1) 다발성경화증 Multiple sclerosis 2) 승모판협착증 Mitral stenosis
Mx	관리, 치료 Management

N

N/C	넬라톤 카테터, 넬라톤 도뇨관 Nelaton Catheter
neg	음성의 Negative
NG tube	비위관 (= L-tube) Naso-Gastric tube
NIBP	비침습적 혈압 Noninvasive Blood Pressure
NICU	신생아 집중치료실 Neonatal intensive care unit
NIDDM	인슐린 비의존형 당뇨병 Non-Insulin Dependent DM
noct.	야간의 Nocturnal(=at night)
NOS	달리 분류되지 않는 Not otherwise specified
NP	[진료과] 신경정신과 Neuropsychiatry
NPH	(약물) 중간형 인슐린 Neutral Protamine Hagedorn
NPO	금식 non per os (= nothing by mouth)
NR	[진료과] 신경과 Neurology
NS	1)생리식염수 Normal Saline 2)[진료과] 신경외과 Neurosurgery 3)비특이적인 Non-Specific 4)신증후군 Nephrotic syndrome
NSAID	비스테로이드성 소염제 non-steroidal antiinflammatory drug
NSCLC	비소세포 폐암 Non-Small Cell Lung Carcer
NSGCT	비정상 피종성 생식세포종 (고환암) Non-seminomatous germ cell tumor
NSR	정상동방결절리듬, 정상동리듬 Normal Sinus Rhythm
NST	무자극검사 (태아심박검사) Non-stress Test
NSVD	정상질식분만(=자연분만) Normal spontaneous vaginal delivery
NU	[진료과] 신경과 Neurology
N/V	오심/구토 Nausea/Vomiting

O

O	객관적인 Objective
OA	골관절염 Osteoarthritis

OB	잠혈 Occult Blood
OBGY	산부인과 Obstetrics and gynecology
O&C	단순개복술 (절제불가능한 종양) Open and close
OCS	1)처방전송시스템 Order Communication System 2)경구용스테로이드 Oral Corticosteroid
OD	오른쪽 눈 Oculus Dexter (=Right eye)
OGTT	경구포도당부하검사 Oral Glucose Tolerance Test
oint.	연고 Ointment
Op	수술 Operation
OPD	외래진료소 Out patient Department
OPH	[진료과] 안과 Ophthalmology
OR	수술실 Operating Room
O/S	발병시기 Onset
OS	1)왼쪽 눈 Oculus sinister 2)[진료과] 정형외과 Orthopedic surgery
OU	양쪽 눈 Oculus unitas (=both eye)

P

P	1) 치료계획 Plan 2) 맥박 Pulse
PAC	심방성 조기수축 Premature Atrial Contraction
PAC	의료영상저장전송시스템 Picture archiving & communication system
PACS	의료영상저장전송시스템 Picture archiving & communication system
PaO2	동맥혈 산소분압 Pressure of arterial Oxygen
PAO2	폐포 산소분압 Pressure of alveolar Oxygen
Pap.test	팝도말검사 (산부인과) Papanicolaou test
para	출산의 parere (=to bear)
p.c	식후 Post Cibum (=after meals)
PCA	1)자가조절진통장치 Patient-controlled analgesia 2)후대뇌동맥 Posterior cerebral artery
PCG	심음도. 심장음기록 PhonoCardioGram
PCI	경피적 관상동맥중재술 Percutaneous coronary intervention
PCNA	경피적 침생검술 (=폐생검) percuteneous needle aspiration & Biopsy
PD	복막투석 Peritoneal Dialysis 인격장애 Personality Disorder
PE	1)신체검진 Physical examination 2)폐색전증 Pulmonary Embolism
PEG	경피적내시경위조루술 Percutaneous endoscopic gastrostomy
Ped	[진료과] 소아과 Pediatrics
PFT	폐기능 검사 Pulmonary Function Test
P/H	과거력 past history
P/I	현병력 Present illness
PID	골반염, 골반염증질환 Pelvic Inflammatory Disease
PK	임상실습생, 폴리클 Poly Klinic (=Poly Clinic)
PKU	페닐케톤뇨증 Phenylketonuria
PLIF	후방접근 추체간 유합술 Posterior lumbar interbody fusion
PMID	1) 펍메드 식별번호 Pubmed ID 2) 통증성 미세척추사이 기능장애 Painful minor intervertebral dysfunction
PMR	[진료과] 재활의학과 Physical Medicine & Rehabilitation
PMS	월경전 증후군 Pre-Menstrual Syndrome
PND	발작성 야간호흡곤란 Paroxysmal nocturnal dyspnea
PNS	말초신경계 Peripheral Nervous System
PO	경구로, 입의 Per Os(=by mouth)

Post-op	수술후 관리 Postoperative care
PPI	(약물) 프로톤펌프억제제 Proton pump inhibitor
PR	1)맥박수 Pulse rate 2)경직장의 Per rectum
Pre-op	수술전 관리 preoperative care
Prep	준비 Preparation
p.r.n.	필요시 pro re nata(=as required)
PS	[진료과] 성형외과 Plastic Surgery
PSGN	Post-streptococcal glomerulonephritis
Pt	환자 Patient
PT	1)물리치료 Physical Therapy 2)프로트롬빈시간Prothrombin Time
PTBD	경피경간담즙배액술 Percutaneous Transhepatic Bile Drainage
PTCA	경피경관관상동맥성형술 Percutaneous Transluminal Coronary Angioplasty
PTH	부갑상선 호르몬 Parathyroid Hormone
PTSD	외상후 스트레스장애 Posttraumatic Stress Disorder
PTT	부분트롬보플라스틴시간 Partial Thromboplastin Time
PUD	소화성 궤양질환 Peptic Ulcer Disease
pulv	가루약, 분말 Pulvis(=powder)
PVC	조기심실수축 Premature Ventricular Contraction
pVT	무맥박 심실성 빈맥 pulseless Ventricular Tachycardia
PVWM	뇌실주변 백질 Periventicular white matter
Q	
q2h	매 2시간 마다 every two hour
q.d.	매일, 하루1번 quaque die (=every day)
q.h.	매 시간마다 quaque hora(every hour)
q.i.d.	하루에 4번 quater(=four times a day)
q.l.	필요한만큼 quantum libet (=as much as desired)
q.m.	매일오전 quaque matin(=every morning)
q.n.	매일밤 quaque nox(=every night)
qod	격일마다 every other day
R	
R	호흡 Respiration
RA	1)류마티스관절염 Rheumatoid Arthritis 2)실내공기 Room air
RBBB	우각차단 Right Bundle Branch Block
RBC	적혈구 Red Blood Cell
RCT	1)무작위대조시험 Randomized Controlled Trial 2)회전근개파열 Rotator Cuff Tear
Rec	권고, 권장사항 Recommendation
RHB	정상심박동 Regular Heart Beat
RI	속효성 인슐린 Regular Insulin
RIND	가역적 허혈성 신경 결손 Reversible Ischemic Neurologic Deficiency
RLL	우하엽 Right Lower Lobe
RLQ	우측 하복부 Right Lower Quadrant
RM	[진료과] 재활의학과 (=PMR) Rehabilitation medicine
RML	우중엽 Right Middle Lobe
RN	간호사 (공인간호사) Registered Nurse
R/O	추정진단, 의증 Rule Out
ROM	관절가동범위 Range Of Motion
ROS	계통적 문진 Review of Systems
r.p.m	분당회전수 revolutions per minute
RR	1)호흡수 Respiratory Rate 2)회복실 Recovery Room

RT	방사선치료 Radiation Therapy
RTC	추적진료 Return to clinic
RUL	우상엽 Right Upper Lobe
RUQ	우측 상복부 Right Upper Quadrant
Rx	처방전 Prescription (= recipe)

S

S	주관적인, 주관적정보 Subjective
S/A	경막하마취 Spinal anesthesia
SABA	속효성 베타2항진제 Short-acting Beta2 agonist
SAH	거미막밑출혈 (지주막하출혈) Subarachnoid Hemorrhage
SBE	아급성 세균성 심내막염 Subacute Bacterial Endocarditis
SBO	소장폐색 Small Bowel Obstruction
SBP	수축기 혈압 systolic BP
SC	피하의 Subcutaneous(=SQ)
S/C	환자운반용 침상, 스트레쳐카 Stretcher car
SDH	경막하 출혈 Subdural Hemorrhage
SGA	저체중 출산아 Small for gestational age
SIADH	항이뇨호르몬부적절분비증후군 Syndrome of inappropriate antidiuretic hormone
SICU	외과계 중환자실 Sugical Intensive Care Unit
SIG	S상결장경검사 Sigmoidoscopy
SJS	스티븐스존슨증후군 Stevens-Johnson syndrome
SL	설하, 혀밑의 Sublingual
S/M/C	감각, 운동, 혈액순환 확인 Sensory, Motor, Circulation
S/O	1)~을 시사하는 Suggestive of 2)봉합사 제거 Stitch out
SOAP	주관적정보, 객관적정보, 분석평가, 계획 S(Subjective),O(Objective), A(Assessment),P(Plan)
SOB	호흡곤란, 가쁜 호흡 Shortness of Breath
Sol	용액 Solution
SOW	물을 조금씩 마시는 것 Sips of water
sp.G	비중검사 specific gravity
SPECT	단일양전자방출CT Single positron emission CT
SQ	피하의 Subcutaneous(=SC)
SSRI	(약물)선택적 세로토닌 재흡수억제제 Selective serotonin reuptake inhibitor
Staph.	포도상구균 (포도알균) Staphylococcus
Stat	즉시, 바로 Statim
STEMI	ST분절 상승 심근경색 ST elevation Myocardial Infarction
Strep.	연쇄상구균 (사슬알균) Streptococcus
STS	매독혈청검사반응 Serologic Test For Syphilis
SVC	상대정맥 (위내정맥) superior vena cava
Sx	증상 Symptoms
Syr.	시럽 Syrup
Sz.	경련, 발작 Seizure

T

T	1)큰숟가락량 tablespoon 2)체온 temperature
t (tsp)	작은숟가락량 teaspoon
TA	교통사고 Traffic Accident
Tab	알약, 정제 Tablet
TAT	독소-항독소 Toxin-AntiToxin
Tb (tbc)	결핵 tuberculosis
TCA	삼환계 항우울제 Tri-Cyclic Antidepressants

TEE	식도초음파 Transesophageal echocardiography
TENS	경피적 전기신경자극 Transcutaneous Electrical Nerve Stimulation
TFCA	대퇴동맥 경유 뇌혈관 조영술 Transfemoral cerebral angiography
TFT	갑상선기능검사 Thyroid function test
TG	1)중성지방 Triglyceride 2)갑상선글로불린 Thyroglobulin
THR	고관절 전치환술 Total Hip Replacement
TIA	일과성허혈발작 Transient Ischemic Attack
TIBC	총철결합능 Total iron-binding capacity
t.i.d.	하루에 3번 ter in die (= three times daily)
TLC	치료적 생활방식 변화 Therapeutic lifestyle change
TLIF	횡단 요추체간 유합술 Transforaminal lumbar interbody fusion
TLSO	흉요천추 보조기 Thoracolumbosacral orthosis
TKR	슬관절 전치환술 Total Knee Replacement
T/O	전화상 지시 Telephond Order
TPI	발통점 주사 Trigger point injection
TPN	총정맥 영양 (총비경구 영양) Total Parenteral Nutrition
TPR	체온, 맥박, 호흡수 Temperature, Pulse, Respiration
TS	[진료과] 흉부외과 Thoracic Surgery
TSH	갑상선자극호르몬 Thyroid-stimulating Hormone
TSS	독성쇼크증후군 Toxic Shock Syndrome
Tx.	치료 Treatment

U

U	단위 Unit
U/A	소변검사 Urine Analysis
UDS	요역동학검사 Urodynamic study
UGI	상부위장관 촬영 Upper GI series
UK	(약물) 유로키나제 Urokinase
ULQ	좌측 상복부 Upper Left Quadrant
URI	상기도감염 Upper Respiratory Infection
URO	[진료과] 비뇨기과 Urology
URQ	우측 상복부 Upper Right Quadrant
USG	초음파검사 Ultrasonography
UTI	요로감염 Urinary Tract Infection

V

VAD	심장(심실) 보조장치 Ventricle assist device
VAS	시각아날로그척도, 시각통증등급 Visual analogue scale
VD	성병 Venereal Disease
VDH	심장판막질환 Valvular disease of the heart
VDRL	매독선별검사 Venereal disease research laboratory
VF	심실세동 Ventricular fibrillation
VFSS	비디오투시 연하검사 Videofluroscopic swallowing study
VM	벤추리 마스크(산소마스크) Venturi mask
V/O	구두지시 Verbal Order
VPC	조기심실수축 Ventricular premature contraction
V-P shunt	뇌실-복강 단락술 Ventricular Peritoneum shunt
V/Q	환기-관류비 Ventilation/Perfusion
VRE	반코마이신 내성 장구균 Vancomycin-resistant enterococcus
V/S	생체징후 Vital Sign
VT	심실성 빈맥 Ventricular Tachycardia

W

WA	병동내 보행 Ward ambulation
W/C	휠체어 Wheel chair
WBBS	전신뼈스캔 Whole body bone scan
WBC	백혈구 White Blood Cell
wk	주(週) week
WNL	정상범위내 Within Normal Limits
w/o	~ 없이 without
WT, Wt	체중 Weight (B.W.=body weight)
w/u	검사, 테스트 Work up

Y

yr, yrs	해, 년 year, years

부록

색인 (주요 용어)

F

G

H

O

P

R